BIBLIOTECA

DE

AUTORES ESPAÑOLES

(CONTINUACION)

———

TOMO DUCENTESIMOPRIMERO

———

BENEMÉRITO DE LAS LETRAS PATRIAS

DON MANUEL RIVADENEIRA

BIBLIOTECA DE AUTORES ESPAÑOLES

Continuación de la

COLECCIÓN RIVADENEIRA

publicada con autorización de la

REAL ACADEMIA ESPAÑOLA

BIBLIOTECA

DE

AUTORES ESPAÑOLES

DESDE LA FORMACION DEL LENGUAJE HASTA NUESTROS DIAS

(CONTINUACION)

OBRAS DE

DON RAMON DE MESONERO ROMANOS

III

EDICION Y ESTUDIO PRELIMINAR

DE

DON CARLOS SECO SERRANO

MADRID
1967

Deposito legal: M. 2.566 - 1967

Gráficas Yagües, S. L.—Plaza Conde Barajas, 3.—Madrid-12.

MANUAL DE MADRID

DESCRIPCION DE LA CORTE Y DE LA VILLA

(VERSION DE 1831)

Comprende su historia, blasones, hombres célebres, topografía, costumbres, instrucción a los forasteros para vivir en ella; explicación de todas las oficinas, tribunales y dependencias del gobierno; su fundación, atribuciones, situación y audiencias; descripción de las iglesias, conventos, cementerios, hospitales, hospicios, casas de reclusión, prisiones, cuarteles, academias, colegios, estudios, bibliotecas y museos; establecimientos de comercio, industria y artes; palacios reales, edificios notables, diversiones públicas, paseos, jardines, puertas, puentes, aguas. casas de campo y sitios reales; una lista alfabética de las calles y plazas con sus entradas y salidas y otros objetos

MANUAL DE MADRID

DESCRIPCION DE LA CORTE Y DE LA VILLA

(VERSION DE 1831.)

Comprende su historia, blasones, hombres célebres, topografía, costumbres, instrucción a los forasteros para vivir en ella, explicación de todas las oficinas, tribunales y dependencias del gobierno, su fundación, atribuciones, situación y audiencias; descripción de las iglesias, conventos, camerinos, hospitales, hospicios, casas de reclusión, prisiones, cuarteles, academias, colegios, estudios, bibliotecas y museos, establecimientos de comercio, industria y artes, paseos reales, edificios notables, diversiones públicas, paseos, jardines, puertas, puentes, aguas, casas de campo y sitios reales; una lista alfabética de las calles y plazas con sus entradas y salidas y otros objetos.

Prodire tenus si non datur ultra.

HORAT.

Pocos serán los que desconozcan la utilidad de un libro dirigido a instruir al forastero de los infinitos objetos que por precisión o por gusto han de llamar su atención en Madrid; así como también confesarán todos la falta que había entre nosotros de una obra semejante. Con efecto, ni las prolijas y erróneas historias de Madrid que abortó el mal gusto en los siglos pasados, ni los diminutos y pobres cuadernillos, que después han sido patrimonio de los ciegos que los venden, eran a propósito para hacer conocer a Madrid con aquella extensión y exactitud que merece. Testigo por espacio de algunos años de la cofusión que experimentan los recién venidos a esta corte, y convencido de que los más no llegan a apreciarla dignamente por falta de guía que les conduzca en los diferentes e interesantes objetos que encierra, intenté llenar este vacío tan poco honroso, reuniendo en este libro cuanto he considerado más digno de saberse tanto en la parte moral de la Corte y Supremo gobierno, cuanto en lo físico de esta Villa. Para conseguirlo he puesto en movimiento los medios que han estado a mi alcance. He consultado infinidad de libros, viajes, descripciones y memorias, nacionales y extranjeras, cuya enumeración, si bien contribuiría a darme con algunos cierta importancia a que no aspiro, no serviría sino para fatigar la atención de los demás. Baste decir que creo haber tenido presente cuanto se ha publicado acerca de Madrid, y comparando, analizando y recogiendo de tan numerosas obras aquello que la buena crítica y la razón aprueban, he procurado desechar el inmenso fárrago con que nuestros prolijos historiadores y descriptores han conseguido obscurecer la verdad. Formada así, a costa de trabajo, una buena base de materiales, pasé a la rectificación de ellos, a la busca de otros más modernos, y finalmente me entregué a mis propias observaciones. Esta segunda parte ha sido la más delicada y penosa; porque ¿quién ignora la ninguna disposición que hay entre nosotros a favorecer empresas de esta naturaleza, cuya utilidad llega a verse negada por la obscura medianía? "Sin ese libro hemos pasado, y sin él podremos pasar." Así raciocinan aquellos a quienes no asiste un buen deseo de contribuir a la ilustración y al descanso general. ¡Cuántas veces al recibir respuestas obscuras, desconfiadas y aun impolíticas de parte de aquellos a quienes dirigía alguna pregunta, estuve para soltar la pluma de la mano y dejar este trabajo a otro más afortunado! Pero mi deseo de ser útil, el aprecio natural con que miraba lo ya hecho, la invitación de algunas personas distinguidas, y finalmente mi obstinación y mi carácter pudieron más, y me propuse a todo trance concluir esta obrita.

Entregado, pues, a mí mismo, sin más recursos que los que ordinariamente tiene un particular, sin protecciones superiores, sin títulos ni pretensiones en el mundo literario, falto de tiempo para pulir mi trabajo, escaso en fin de las luces necesarias, no dudo que este libro habrá salido con grandes faltas, pero al mismo tiempo creo que es por su forma y por su esencia infinitamente más completo que cuantos acerca de Madrid se han escrito hasta el día.

La división que le he dado la he creído la más acertada. Empezando por una breve reseña de la historia general de Madrid, armas de la villa, y hombres célebres que ha producido, sigue en el capítulo II un cuadro físico y moral de este pueblo en su estado actual, y una instrucción al forastero sobre los medios de vivir en él. Los capítulos III, IV y V están reducidos a la explicación del Supremo gobierno de la Monarquía con todas sus oficinas, tribunales y demás, y de la particular administración de esta provincia; el VI comprende las iglesias, conventos y demás del estado religioso; los establecimientos de beneficencia y corrección ocupan el VII; los de educación y ciencia el VIII; los mercantiles el IX; el X, XI y XII son descriptivos de los palacios reales, casas notables, diversiones públicas, paseos y jardines, puertas, puentes y proyectos de aguas; el XIII presenta un cuadro de los alrededores de Madrid, incluyéndose una sucinta descripción de las casas y Sitios reales; y por último, el XIV es una lista de todas las calles y plazas, con sus entradas y salidas.

Tal es en globo el plan de la obra. Para formarle he tenido presente los libros de esta especie que hay en otras capitales, y en cuanto a los detalles he procurado darles la extensión correspondiente a la importancia respectiva de cada objeto. Y como en todo ello tenía que limitarme al volumen que se permite a una obra de esta naturaleza, me he ceñido a decir cuando menos lo más principal, tanto respecto de las atribuciones de cada oficina y estableci-

miento, cuanto en las descripciones artísticas de los objetos materiales.

Repito, pues, que en una obra en que hay que reunir tantas noticias, tan heterogéneas y por tantos conductos, es muy posible, o por mejor decir, es indispensable que se hayan escapado errores que exciten la irritabilidad de los críticos. No es, pues, mi intención defender aquéllos: sólo sí rogaría al que los note que reflexione sobre la facilidad de cometerlos por las causas ya dichas; que los compare con la infinidad de noticias exactas y nuevas que encierra la obrita; que mida la importancia respectiva de éstas y aquéllos, y que en fin sea justo antes de criticar. Con esto no dudo que en caso de hacerlo, lo hará con aquel juicio y urbanidad propio de los hombres de bien, y que sólo aspiran a lo mejor, en cuyo caso sus observaciones serán acogidas por mí con apresuramiento y placer, para darles lugar en ediciones sucesivas.

He deseado, en fin, que la presente salga con la posible corrección y buen gusto, y para conseguirlo he procurado que tanto la parte tipográfica, como las láminas que acompañan, se hayan hecho con el mayor esmero, por artistas de conocido mérito, proponiéndome imitar la belleza en los adornos que realzan esta clase de obras en los países extranjeros. Las estampas representan el Palacio Real, el Monasterio de las Salesas, el Museo de pinturas, el Prado, la planta del nuevo Teatro de la plaza de Oriente, y el plano topográfico de Madrid. Todos los artistas de que me he valido para ellas así como para la impresión han llenado mis deseos, siéndome tanto más satisfactorio cuanto que son todos españoles.

No concluiré esta advertencia sin tributar las gracias a algunos sujetos distinguidos y amantes del bien público, que, separados de la común indiferencia, me han auxiliado con sus juiciosas observaciones y noticias, sin lo cual esa obra hubiera salido mucho más imperfecta. Si he acertado a complacerles y al público en general, habré conseguido el único objeto de mi trabajo, que es rendir este pequeño tributo al pueblo en que nací.

CAPITULO PRIMERO

HISTORIA DE MADRID

La historia de la fundación de Madrid ha sido y es motivo de eternas cuestiones entre los muchos escritores que han hablado de ella. Unos, demasiado entusiastas e inclinados a lo maravilloso, se complacieron en formar un tejido de fábulas, con las cuales, obscureciendo la luz de la razón, cayeron en un laberinto de errores. Otros, menos crédulos y más racionales, han procurado buscar la verdad, y a falta de datos conocidamente ciertos, han negado todo lo que corresponde a época remota.

La cuestión principal, y de que se deducen las demás, es saber si el actual Madrid ocupa o no el sitio que la antigua *Mantua* de los carpetanos. Una multitud de autores, entre los que se citarían los principales historiadores de Madrid, afirman que sí; y que esta Mantua fue fundada por el príncipe Ocno-Bianor, hijo de Tiberio, rey de Toscana, y de la adivina Manto, cuyo nombre la puso. Añaden que se llamó Carpentana o Carpetana, para distinguirla de la otra Mantua de Italia, y por hallarse situada en la región carpetana, cuya capital era Ocaña, y se extendía de norte a mediodía desde Somosierra hasta el campo de Montiel y sierra de Alcaraz, que es lo que hoy abraza el arzobispado de Toledo, no contando el adelantamiento de Cazorla. Siguiendo este origen mitológico, suponen a Madrid cuatro mil años de antigüedad, como lo afirma en este nuestro calendario; si bien sobre esto también discordan entre sí aun los partidarios del origen griego. Estos se valen para probar sus opiniones de inducciones más o menos ridículas y voluntarias, tales como el espantable y fiero dragón que se halló esculpido en la Puerta Cerrada, de donde infieren que Madrid es fundación de griegos, por ser el tal dragón las armas que aquellos usaban en sus banderas y dejaban por blasón a las ciudades que edificaban. Finalmente, dichos autores dan en esta época remota una cerca primitiva a Mantua, cuyo recinto era tan pequeño, que empezando en la puerta de la Vega, seguía por detrás de las casas de Malpica a la huerta de Ramón, que caía frente a las casas de moneda y a las del duque de Uceda, hoy los Consejos, rematando en el lienzo y arco de Santa María, que estaba mirando a la calle Mayor, entre los Consejos y calle del Factor (1); por

---

(1) Este arco miraba a oriente y era tan estrecho que hubo que derribarle en 1572 para ensanchar el paso, cuando hizo su entrada solemne la reina doña Ana, mujer de Felipe II. En su lugar edificaron otro arco llamado *de la Almudena*, que tampoco existe hoy.

esta calle del Factor pasaba a la casa de Rebeque, o Esquilache, y desde allí bajando por frente de San Gil, cerraba con el alcázar, situado donde hoy el real palacio, y volvía a juntarse con la Puerta de la Vega. Esta muralla la suponen fuerte, y el alcázar lo mismo, y que tenía enfrente y donde están las casas del marqués de Pobar, una fortaleza llamada *la Torre Narigués del Pozacho*, y otra fuera de los muros poco distante del alcázar, y cerca de los caños llamados del Peral.

Pero toda esta relación se echa por tierra por otros autores, que con mayor raciocinio pretenden probar que, si existió Mantua en tiempo de los griegos, no fue en el sitio que hoy ocupa Madrid, y sí tal vez en el que está Villamanta, unas seis leguas al poniente de la capital.

Durante la dominación de los cartagineses callan unos y otros autores sobre la existencia y progresos de Mantua, pero no así en la época de los romanos, donde vuelven a embrollarse en encontrados pareceres. Los entusiastas, siguiendo en su afán de ver a Madrid en Mantua, y pretendiendo probarlo con algunas lápidas e inscripciones de sepulcros y demás, añaden que durante la dominación romana varió Mantua su nombre por el de *Ursaria* (que trae su origen de los muchos osos de que abundaba su término), y *Maioritum* que le dieron por haberla agrandado; y siguiendo este sistema, suponen ser los romanos los autores de la segunda cerca, que se extendía por la Puerta de la Vega y la de Segovia, subiendo a las tenerías viejas, y por detrás de San Andrés a Puerta de Moros (1), continuaba por Cava baja y Puerta Cerrada (2) hasta la de Guadalajara (3).

Desde aquí por la calle del Espejo a los Caños del Peral y puerta de Balnadú, que estaba junto a la antigua casa del tesoro (que no existe) (4), y siguiendo por la huerta de la Priora, venía a cerrar con el alcázar. Añaden que en la misma época recibió este pueblo la sagrada ley del Evangelio, viniendo a predicarla, según unos, el apóstol Santiago, y sus discípulos según otros, y suponiéndose que por entonces fueron fundadas sus parroquias.

Mas si quisiéramos persuadirnos de todo ello, saldrían al instante los escudriñadores autores contrarios pretendiendo ridiculizar todas las pruebas y aserciones de aquéllos, si bien convienen en la extensión de la segunda cerca, la cual llaman primera, y la atribuyen a los moros, y fue la misma que se conservó después de la conquista a estos.

Vuelven a callar unos y otros durante la época de los godos, pero ya en la de los árabes vienen a reunirse naturalmente,

---

(1) Esta Puerta de Moros estaba en el sitio que hoy conserva su nombre y miraba a mediodía. Llamábase así porque por ella salían y entraban para la comunicación con Toledo. Era también estrecha y con varias revueltas.

(2) La Puerta Cerrada era sumamente estrecha, y tenía varias revueltas, por las cuales los de adentro no podían ver a los de fuera, y al contrario. En lo antiguo parece se llamó *Puerta de la Culebra*, por tener encima de ella una piedra en que estaba esculpida una fiera culebra o dragón, que ha sido después uno de los argumentos con que se ha querido sostener la fundación de este pueblo por los griegos. Esta puerta estuvo situada donde ahora se conserva

su nombre, entre la Cava de San Miguel y la Cava Baja, y miraba al mediodía. Pero sucediendo en ella varios lances y desgracias, a que daba lugar su configuración, se cerró por algún tiempo, con lo que fue conocida por Puerta Cerrada. Finalmente, en 1569, se derribó.

(3) La Puerta de Guadalajara estaba situada en el mismo sitio que hoy retiene su nombre, en la calle Mayor, como a la embocadura de la calle de Milaneses. Miraba a oriente y, según las pomposas descripciones que se conservan en ella, era magnífica y de gran fortaleza, con varias torres, cubos y estatuas que hacían una soberbia perspectiva. En ella había también una imagen de Nuestra Señora y otra del Santo Angel y se conservó hasta que en el año de 1580, haciendo fiestas la villa por haber ganado a Portugal el rey don Felipe II, pusieron en ella tantas luminarias que se quemó del todo. Las imágenes fueron trasladadas, la de Nuestra Señora a San Salvador y luego a Loreto, y la del Angel a la ermita que hicieron los porteros de la villa frente del Puente de Segovia, y ahora se venera en el paseo de Atocha.

(4) La Puerta de Balnadú miraba al septentrión y era también angosta. Sobre la etimología y significación de este nombre *Balnadú*, ha habido varias opiniones, atribuyéndolo unos a un nombre propio de un moro, otros a las palabras latinas *Balnea duo*, por suponer que por ella se salía a los baños y, finalmente, otros inteligentes en el idioma arábigo, coligen que Balnadú es contracción de las palabras árabes *Bal al nadur*, que quiere decir Puerta de las Atalayas, y que acaso se llamaría así por haberlas fuera de la puerta, en lo alto de la colina, que hoy se llama *plazuela de Santo Domingo*. Esta puerta se derribó cuando la ampliación de Madrid.

aunque con la diferencia de persuadirse unos que la fundaron estos, y otros que la hallaron ya fundada.

De todos modos, como unos 220 años después de la irrupción de los moros en estos reinos, callan las conjeturas, y empieza a hablar la verdad de la historia. No se puede, pues, dudar de la existencia de Madrid por entonces, pues dice expresamente que "el año de 939, reinando el rey don Ramiro (segundo de León), consultó a todos los grandes de su reino sobre por dónde o cómo haría una entrada en tierra de moros; y juntando su ejército, se encaminó a la ciudad que llaman de *Magerit* (1), desmanteló sus muros, y entrando en ella un día de domingo, hizo horrorosos estragos, ayudado de la clemencia divina. Volvióse a su casa a gozar de la victoria en paz." Esta es la primera vez que figura Madrid en nuestra historia, si bien es ya con el carácter de ciudad murada e importante. Eralo, en efecto; porque, defendiendo a Toledo, corte de los musulmanes, de las invasiones de los castellanos y leoneses, que solían pasar los puertos de Guadarrama y Fuenfría (llamados entonces Alpes), procuraban los árabes fortificarla con alcázar o castillo seguro, con fuertes murallas, con robustas torres, y con sólidas puertas, por lo que es muy regular que se aplicasen a reparar la parte de muros que había desmantelado el rey don Ramiro, pues vivían siempre recelosos y amenazados de los enemigos. Como unos ciento diez años después, el rey don Fernando el Magno, primero de León, extendió sus conquis-

tas hasta el Tajo, maltrató a su paso las murallas de Madrid, y haciendo grande carnicería en los moros, los hizo sus tributarios.

Sobre la suerte de Magerit, durante la dominación de los sarracenos, se ha hablado también bastante, suponiéndole unos pueblo grande y rico, con muchas mezquitas e iglesias mozárabes, con grandes y poblados arrabales, notables escuelas, célebre en los cantares de sus dominadores, fortalecido por ellos, que dieron a su alcaide la primera voz entre los del reino de Toledo; pero otros pretenden rebajar mucho de este brillante cuadro; y de las escasas pruebas y voluntarias inducciones de unos y otros, resulta quedarse el curioso con mayores dudas. Por ello, abandonando esta remota época, de la que no se conserva prueba fehaciente, nos fijaremos en la de la conquista definitiva de Madrid, cuya gloria estaba reservada al rey don Alfonso VI. Verificóla por los años de 1083, cuando emprendió la conquista de Toledo; aunque otros dicen que después de la de aquella ciudad. En la de Madrid dan algunos autores la palma a los segovianos, diciendo que, por haber llegado más tarde que los de otras ciudades al llamamiento del rey, por ser tiempo de nieves, y pidiendo alojamiento, el rey indignado les contestó *que se alojasen en Madrid*. Acordáronlo así los segovianos, y otro día al amanecer ganaron la puerta llamada de Guadalajara, y plantaron las banderas cristianas; llegó el rey, tomó posesión de la villa, y en premio de sus servicios concedió a los de Segovia que pusiesen las armas de su ciudad encima de dicha puerta, y dio a sus capitanes títulos de ricos-homes; pero esta noticia se halla desmentida por otros autores.

Todavía sufrió Madrid otro ataque por los reyes de Marruecos Texufin y Alí, los cuales vinieron por los años 1108; pero aunque llegaron a entrar a la fuerza en la villa, destruyendo sus muros, no lograron tomar el alcázar, adonde se defendieron vigorosamente los madrileños, con lo cual se retiraron los moros.

Desde este tiempo sigue ya más clara la historia de Madrid, el cual recibió grandes mejoras, tanto de Alfonso VI como de Alfonso VII, llamado el Emperador; quie-

---

(1) Los autores antiguos pretenden hallar la ascendencia del nombre *Magerit* en el antiguo *Maioritum*; pero el erudito Pellicer le pone en primer lugar y forma así su árbol etimológico hasta el día apoyado en los documentos históricos sucesivos: *Magerit, Mageriacum, Mageritum, Madritum, Maieritum, Maioritum, Maiedrit, Maidrit, Madrit, Madrid.* En cuanto a la significación de la palabra africana Magerit discordan los autores, aunque parece ser la de *venas, conductos de agua*, lo cual conviene también con la abundancia de ellas que parece tuvo en otro tiempo, como lo acredita aquel dicho vulgar: *Madrid la Osaria, cercada de fuego, fundada sobre agua.* Lo del fuego alude a la cerca de pedernal, por lo que dijo Juan de Mena:

«En la su villa de fuego cercada.»

Los variantes de la palabra Magerit hasta el día son latinizados y vulgarizados, y todos son ciertos.

nes no solamente atendieron a su reparación y fortificación en aquella época de
continuas y dudosas guerras, sino que fijaron sus fueros y leyes, purificaron sus mezquitas, convirtiéndolas en parroquias, y
concedieron a los monjes de San Martín
un privilegio para que poblasen el arrabal
que mediaba entre la villa y el convento.
Así fue creciendo la extensión de Madrid,
por lo que se hizo preciso mudar sus puertas, trasladando la de Balnadú a la plazuela de Santo Domingo el Real, a la parte de
arriba del convento; desde allí corría la
tapia tomando la derecha hasta San Martín, donde se abrió otro postigo en el sitio
que hoy está la calle que conserva dicho
nombre, y pasaba derecha a la Puerta del
Sol; desde ésta, formando escuadra, subía
a Antón Martín, en que había otra puerta,
y de ella bajaba derecha a la esquina del
hospital de la Latina, donde se formó otra
puerta mirando al mediodía; de aquí seguía a la Puerta de Moros, y bajaba a
unirse a la muralla antigua que daba vuelta
a la Puerta de la Vega y alcázar.

La importancia que había adquirido Madrid, y su ventajosa situación, movieron
a los reyes a convocar Cortes en este pueblo. Las primeras de que se tiene noticia
fueron las celebradas por don Fernando IV por el año de 1309. Alfonso XI, su
hijo, las celebró en 1327, que determinaron servir al Rey con numerosas cuantías
para la guerra con los moros. Otras Cortes se celebraron en 1335 por el mismo
Rey, en que pidió socorros para la guerra de Portugal. Este monarca varió la
antigua forma de gobierno de Madrid, que
consistía en estados de nobles y pecheros,
los cuales ponían gobernador o *señor de
Madrid*, justicia, y demás empleos de preeminencia; y estableció doce regidores con
dos alcaldes.

Encendida la guerra civil entre el rey
don Pedro y su hermano don Enrique,
sitió éste a Madrid, que estaba por aquél,
y lo tomó después de una vigorosa resistencia.

Reinando Juan I, y por los años de
1383, vino a España don León V, rey de
Armenia, a dar gracias al de Castilla por
haber alcanzado la libertad por su causa
del sultán de Babilonia que le había ganado el reino; y don Juan, compadecido

de su desgracia en haber perdido el reino
en defensa de la fe católica, le dió el título de *señor de Madrid* y de otros pueblos, haciendo que le rindiesen pleito homenaje. Dominó en Madrid dos años y
reedificó las torres del alcázar; y después
de su muerte, el rey don Enrique III, a
solicitud de los de Madrid, por su cédula
de 13 de abril de 1391, alzó el pleito homenaje que le habían hecho los madrileños.

Dicho rey don Enrique III, proclamado en Madrid a los once años, tomó las
riendas del gobierno en el alcázar en 1394,
convocando Cortes al efecto. Durante su
reinado distinguió a Madrid y edificó nuevas torres en el dicho alcázar para custodia de sus tesoros.

También Juan II empezó su reinado en
Madrid y residió en él largo tiempo, celebrando Cortes y contribuyendo a su grandeza. En su tiempo hubo varios bandos
sobre el gobierno de la villa, y en el de
su hijo Enrique IV había ya en ella, además de los alcaldes, un asistente, cuyo
título se mudó después en el de *corregidor*.

Este monarca Enrique IV tuvo una particular inclinación a Madrid, donde permaneció largo tiempo; y en 1461 hizo
venir a él a la Reina su esposa, que estaba preñada de la infanta doña Juana, conocida por el nombre de *la Beltraneja*,
la cual nació al año siguiente y fue proclamada por heredera de la corona; pero
nunca llegó a reinar por la ilegitimidad
que se le atribuyó; razón por la cual sucedió a don Enrique en el trono su hermana doña Isabel la Católica. Mas no sucedió esto sin grandes conmociones, en las
cuales cupo no poca parte a Madrid, pues
encerrados en el alcázar los partidarios de
doña Juana, hubieron de sufrir un riguroso sitio, hasta su rendición a los Reyes
Católicos.

Posesionáronse éstos de la villa, y durante su reinado residieron en ella distintas ocasiones cuando lo permitían sus
continuadas campañas; celebraron Cortes,
y recibieron en ella a su hija doña Juana,
y al archiduque Filipo su esposo. Muerta
la Reina Católica, quedó don Fernando gobernador del reino hasta la mayor edad
del príncipe don Carlos, su nieto, con cuya ocasión hubo bandos muy enconados

en Madrid hasta que el rey don Fernando, reuniendo Cortes en el monasterio de San Jerónimo el Real, juró gobernar el reino como administrador de la reina doña Juana su hija, y tutor del príncipe don Carlos, su nieto.

En 1516 murió don Fernando el Católico, y el arzobispo de Toledo, Jiménez de Cisneros, y el deán de Lovaina, gobernadores del reino, trasladaron a Madrid su residencia, aposentándose en las casas de don Pedro Laso de Castilla (hoy del duque del Infantado), que están detrás de San Andrés. En ellas se tuvo la célebre junta para disponer del gobierno de Castilla, en la que, resentidos los grandes de la autoridad concedida al cardenal Jiménez, le preguntaron con qué poderes gobernaba; respondió el cardenal que con los del Rey Católico; replicaron los grandes, y el cardenal, sacándolos a un antepecho de la casa, hizo disparar toda la artillería que tenía, diciendo: *Con estos poderes que el Rey me dió gobernaré a España hasta que el príncipe venga* (1).

Vino en efecto Carlos, y entregándose del gobierno, cesaron los disturbios que su ausencia ocasionaba. En el principio de su reinado padeció en Valladolid una penosa enfermedad de cuartanas; y habiéndose venido a Madrid, curó prontamente de ellas, con lo que cobró gran afición a este pueblo.

El fuego de la guerra civil, llamada *de las Comunidades*, prendió también en Madrid durante la ausencia del Emperador; pero su vuelta terminó estas turbulencias.

Declarada la guerra entre Francia y España, y estando Carlos en Madrid, re-

cibió la noticia de la victoria de Pavía; y hecho en ella prisionero Francisco I, rey de Francia, fue conducido a Madrid y alojado en las casas de Luján, en la plaza de la Villa, hasta que fue trasladado al alcázar. A poco tiempo vinieron a Madrid su madre y su hermana para solicitar del Emperador su libertad, que no tardaron en conseguir a consecuencia de la concordia que se ajustó, estipulándose, entre otras cosas, el matrimonio del Rey de Francia con la hermana del Emperador.

Verificada la paz, vino éste a Madrid a visitar al Rey como amigo y cuñado; salióle Francisco a recibir en una mula, con capa y espada a la española, e hicieron juntos su entrada, porfiando cortésmente sobre cuál llevaría la derecha, que al cabo tomó el Emperador.

Con tan continuadas residencias de los monarcas en el pueblo de Madrid, tomó éste una consideración extraordinaria; todos ellos pusieron gran cuidado en su aumento y hermosura, y edificaron notables fábricas, entre ellas el alcázar, que fundado durante la dominación de los moros, según unos, y por Alonso VI, según otros, y reparado por los Enriques III y IV, fue reedificado y convertido en palacio real por Carlos V, cuyas obras continuó su sucesor; el convento de San Jerónimo, fundado por Enrique IV; el convento de Atocha y otros grandiosos edificios; la reparación y ornato de otros varios, entre los que es digna de atención la verificada en la parroquia de San Andrés, convertida en capilla real cuando los Reyes Católicos vivían en las casas contiguas de don Pedro Laso de Castilla, ya citadas, desde las que hicieron paso a la iglesia, y finalmente, la fundación de varios establecimientos de beneficencia, todo lo que hizo a Madrid un pueblo muy principal. Su extensión iba creciendo a medida que se derribaban los muros viejos, y se agregaban sus arrabales; poblándose el vasto campo que mediaba entre la Puerta del Sol y el convento de San Jerónimo, de manera que se asegura que ya en tiempo de Carlos V llegó a tener treinta mil habitantes.

Pero todos estos aumentos fueron cortos en comparación del que recibió Madrid en el reinado de su sucesor Felipe II.

---

(1) Hay quien dice que esta junta se tuvo en la casa propia del mismo cardenal Jiménez, que es la que está en la plazuela de la Villa, donde se halla hoy el Consejo Supremo de la Guerra, y añaden que el cardenal sacó a los grandes al balcón grande que está a las espaldas de la casa, en la calle del Sacramento; pero historias muy recientes a aquella época, aseguran que por entonces el cardenal y el deán de Lovaina se aposentaron en las casas ya dichas de Laso, en las cuales habían vivido antes los Reyes Católicos; si bien es verdad que la casa propia del cardenal era la ya referida de la plazuela de la Villa, habiéndola él mandado construir y vinculándola al mayorazgo de Cisneros, que fundó para su sobrino.

Elevado al trono en 1557 por la abdicación de su padre Carlos V y llevado de una particular inclinación hacia la villa de Madrid, echó el sello a su grandeza, fijando en ella la corte en el año de 1563. Los principales motivos que a ello debieron moverle fueron la salubridad del clima (más templado entonces por la mayor abundancia de arbolado en los contornos) y la situación central de este pueblo con respecto a la extensión de la Península, ventaja interesante y que puede suplir otras faltas.

Con esta medida cambió de aspecto Madrid, y su población se duplicó en poco tiempo, por lo que muy luego fue necesario ampliar extraordinariamente la cerca y mudar las puertas, situando la de Santo Domingo en el camino de Fuencarral, la del Sol al camino de Alcalá, la de Antón Martín al arroyo de Atocha y la que estaba junto a la Latina mucho más abajo. En estos nuevos barrios se edificaron calles regulares y aun magníficas, que son las que constituyen lo mejor de Madrid. Sin embargo, es lástima que entonces no se siguiera un plan más arreglado, ya cuidando de la nivelación de los terrenos, ya de la belleza uniforme de los edificios, con lo cual las calles de Alcalá, Atocha, San Bernardo y otras hubieran tenido pocas rivales en Europa por su extensión y anchura. Hubiera sido también de desear que una distribución cómoda de plazas regulares proporcionase el desahogo necesario a tan gran población; y, finalmente, que los españoles, al formar su corte, hubieran observado la simetría y el buen gusto que acreditaban en las magníficas ciudades que por el mismo tiempo fundaban en América.

Sin embargo, la residencia fija del Soberano, la concurrencia de numerosos tribunales y oficinas, grandes dignidades y demás circunstancias anejas a la corte, dieron muy luego a Madrid un aspecto lisonjero. En tanto que la población se extendía y que los grandes y particulares levantaban palacios y casas de bella apariencia, el Rey concluía las obras del palacio real, cuya fábrica, jardines y ornato eran de una suma magnificencia, si hemos de creer a los historiadores de aquella época; al mismo tiempo su piedad religiosa y la de su familia les hacía fundar la mayor parte de los conventos de Madrid. La Trinidad, cuyos planes dirigió el mismo Rey; las Descalzas Reales, el Carmen calzado, San Bernardino, doña María de Aragón, San Bernardo, los Angeles y otros muchos; igualmente varios establecimientos de beneficencia, como la Inclusa, la Casa de Misericordia, los hospitales y otros objetos indispensables en un gran pueblo.

Con todo esto, los tesoros del Nuevo Mundo y los genios de Juan de Herrera, Juan Bautista de Toledo y otros, ¿no pudieron haberse empleado con más gusto y magnificencia en Madrid? ¿Por qué fatalidad, en medio de sus muchas y medianas iglesias, no se levantaba una catedral digna de la corte y del célebre arquitecto de El Escorial? ¿O acaso debió contentarse Madrid con recibir en el puente de Segovia la única prueba de tan sublime genio? Pero el buen gusto que inspiró a su siglo, se ve manifiesto en las obras de sus contemporáneos, y aunque no por su suntuosidad, podrán citarse por su sencillez la Armería, la portada de las Descalzas Reales y las demás iglesias arriba dichas. Madrid, finalmente, mirará siempre a Felipe II como a su verdadero fundador, por la existencia política que le dió con el establecimiento de la corte.

Felipe III le sucedió en el trono de la monarquía más extendido del Orbe y fue jurado en San Jerónimo del Prado. Madrid ganó en aumento y consideración, como corte de un Monarca tan poderoso a quien los demás soberanos respetaban y enviaban sus embajadores; pudiendo citarse, entre otros, el que envió el Sha de Persia, Xabbas, que llegó a Madrid en 1601, y se llamaba Uxem-Alí-Beck. En este mismo año de 1601 se verificó la traslación de la corte a Valladolid; pero esta traslación ocasionó trastornos tan grandes, que convencieron al Rey de la necesidad de restituirse y permanecer en Madrid, como lo verificó cinco años después. Desde entonces trató de hermosear a Madrid y proveer a su comodidad, haciendo venir a él aguas abundantes y edificando en el corto espacio de dos años la hermosa Plaza Mayor. De su reinado son también la casa de los duques de Uceda (hoy los Consejos), los conventos de San Basilio, Jesús, Santa Bárbara, Trinitarios y otros; entre los cuales es muy distinguido el real monasterio de la Encarnación, fundado por la reina doña Margarita de Austria. Felipe III murió en Madrid en 21 de marzo de 1621.

El reinado de Felipe IV fue aún más brillante para Madrid, si bien se iba sintiendo en él la inevitable ruina del imperio colosal de Carlos V y Felipe II; pero el carácter particular del joven Rey, la elegante cultura de su corte y las brillantes escenas con que supo encantar su ánimo el conde-duque de Olivares, dieron a Madrid una animación y una elegancia en que sólo excedió después la brillante corte de Luis XIV. La venida del príncipe de Gales para pedir por esposa a la hermana del Rey, fue motivo de funciones magníficas. Las celebradas en 1637 con motivo de haber sido elegido al imperio de Bohemia y Hungría el rey don Fernando, cuñado del Rey, costaron de diez a doce millones de reales, y en los cuarenta y dos días que duraron, las comedias, los toros, las máscaras se sucedían sin cesar. El palacio real y el del Retiro eran el foco de esta continua diversión; y el Rey, siguiendo su inclinación favorita, se interesaba vivamente en ello. A la sombra de su decidida protección se alzaban los genios de Lope de Vega, Quevedo, Calderón, Tirso de Molina, Moreto, Solís, Mendoza y otros muchos, no desdeñándose el mismo Rey de mezclar sus composiciones propias a las de aquellos autores en las academias, certámenes y comedias que diariamente se ejecutaban en sus palacios. Ni sólo eran éstos el teatro de sus funciones, sino a veces los magníficos jardines del Retiro, creados por Felipe y dirigidos por el conde-duque; y hasta solía alzarse un tablado en medio del estanque grande del mismo sitio, con grandes máquinas, tramoyas, luces y toldos, fundado todo sobre barcos; sucediendo una noche de San Juan que, estando representándose de este modo, se levantó un torbellino de viento tan furioso, que lo desbarató todo, y algunas personas peligraron de golpes y caídas.

Quedaron a Madrid, después del brillante ruido de este reinado, el dicho Palacio Real y jardines del Retiro, varias estatuas y monumentos públicos, algunos buenos edificios como la real cárcel de Corte, y otros.

En 7 de julio de 1631 hubo un gran incendio en la Plaza Mayor desde el arco de Toledo a la calle de Boteros.

Oprimido Felipe IV con el peso de las desgracias, mirando la desmembración de su Monarquía, falleció en 1665, dejando a su sucesor Carlos II en la tierna edad de cuatro años y medio, bajo la tutela de su madre, la reina doña Mariana de Austria, y durante su menor edad, como después que tomó las riendas del gobierno, poco o nada adelantó Madrid así en prosperidad como en materia de bellas artes. Corrompidas éstas por el mal gusto que difundió su dañada semilla en aquella época por todos los ramos del saber, sólo ofreció a Madrid edificios mezquinos, retablos ridículos y caprichos extravagantes. Entre estas obras, la más notable fue la casa real de la Panadería. Por este tiempo ejercían en Madrid sus habilidades los arquitectos Donoso, Churriguera y otros semejantes, y de su mano son las principales y más ridículas obras de aquella época. La salud del Rey se debilitaba al mismo tiempo que la Monarquía, y habiendo caído gravemente enfermo en 1696, ocupó la atención de los políticos la sucesión de la corona de España. En medio de estas discusiones hubo en Madrid una conmoción popular ocasionada por la carestía del pan, que terminó con la fuga del ministro conde de Oropesa. Por fin, viéndose Carlos cerca del sepulcro, ordenó su testamento, nombrando por su sucesor a Felipe, duque de Anjou, y falleció en el primer día de noviembre de 1700.

Felipe V, aclamado en Madrid por rey de España, y reconocido desde luego por muchas potencias de Europa, hizo su entrada en la capital el día 14 de abril del año siguiente, y en este mismo año casó con María Luisa Gabriela de Saboya; pero declarada en el mismo la famosa guerra de Sucesión, a causa de pretender la corona de España el Emperador de Austria para su hijo, el archiduque Carlos, fue reconocido éste por otras potencias, y por los reinos de Aragón, Valencia y Cataluña, de que se apoderó el ejército inglés y portugués mandado por el mismo archiduque. Por consecuencia de las alternativas de esta sangrienta guerra, en que las armas de Felipe, victoriosas unas veces, eran vencidas otras, entró en Madrid en 1706 un cuerpo de tropas inglesas y portuguesas mandadas por Galloway y el marqués Das-Minas, y habiéndose la Reina y la corte retirado a Burgos, los ingleses y portugueses proclamaron en Madrid al archiduque. Pero muy luego, atacados con intrepidez por los mismos madrileños, se vieron obligados a retirarse de Madrid y entregar el alcázar; a pocos días volvió a entrar Felipe, que fue recibido con el mayor entusiasmo; y dejando por regente a la Reina, marchó a tomar el mando del ejército. Las batallas de Almenara y Zaragoza perdidas por éste, pusieron a los aliados en disposición de internarse en Castilla en 1710. Felipe salió con la corte a Valladolid, y fueron seguidos de más de treinta mil almas, después de lo cual volvió a entrar el archiduque; pero la repugnancia del pueblo de Madrid era tal, que no viendo Carlos gente en las calles ni en los balcones, al llegar a la Plaza Mayor y portales de Guadalajara, se volvió por la calle Mayor y de Alcalá, diciendo *que Madrid era un pueblo desierto*; y apenas él y su ejército habían dejado estas cercanías, oyeron el ruido de las campanas, aclamaciones, fuegos y regocijos con que Madrid celebraba la proclamación de Felipe V, que volvió a entrar en 13 de diciembre del mismo año en medio del entusiasmo universal. Poco después las batallas de Brihuega y Villaviciosa aseguraron en la cabeza de Felipe la corona de España.

En medio de la continuada agitación de las guerras, este Monarca atendía a la prosperidad de su reino y, en particular, de la corte, que tan leal se le había mostrado. Muchos y notables edificios se levantaron en la primera época de su reinado; pero como el mal gusto manifestado por Churriguera y capitaneado por Ribera, dominaba aún, quedó consignado en el cuartel de Guardias de Corps, el Hospicio, el Seminario de Nobles, el teatro de la Cruz y las ridículas fuentes de la Puerta del Sol, Red de San Luis y Antón Martín. Semejantes delirios, aplaudidos entonces, fueron indemnizados a poco tiempo por el Rey, que llamando a su corte a los distinguidos pro-

fesores Jubara, Saccheti y otros, atendió al restablecimiento de las artes. Dióse la señal de la restauración con la obra del nuevo Palacio Real, que fue empezada por este último arquitecto en 1737 a consecuencia de haberse quemado el antiguo en la Nochebuena de 1734. Siguieron a esta obra el teatro de los Caños del Peral, el del Príncipe, la Real Fábrica de Tapices, el Pósito y otros edificios de utilidad pública. Al mismo tiempo fundaba el Rey la Real Academia Española, la de la Historia, la de Medicina, la Biblioteca Real, varios colegios y demás establecimientos de instrucción. Con tan decidida protección las artes y las ciencias volvieron a brillar en España, y Madrid era el foco de donde se esparcían sus luces.

Felipe V, monarca grande y generoso, murió en el Retiro en 1746.

Sucedió el pacífico reinado de Fernando VI, el cual, continuando las ilustradas miras de su antecesor, siguió hermoseando a Madrid, y entre los varios edificios con que le aumentó, fueron el monasterio de las Salesas, las Escuelas Pías de la calle de Hortaleza, la plaza de toros, la puerta de Recoletos y otros que demuestran, en general, lo que ganaron las artes en su reinado con la fundación de la Real Academia de San Fernando, que verificó en 1752. También fundó la Academia Latina Matritense. Murió en Madrid en 1759.

El gran Carlos III le sucede, y a su voz cambia el aspecto de la Monarquía. Aprovechando las benéficas semillas sembradas por sus antecesores, dotado de una alma grande y generoso, todo a su presencia toma un aspecto lisonjero. Temido y respetado de los extranjeros, amado y bendecido de los propios, sabio y opulento, pudo dedicar su atención al embellecimiento de las artes y a la pública comodidad. ¿Adónde no alcanzó su mano bienhechora? ¿Qué pueblo de su monarquía no recibió pruebas distinguidas de su desvelo? Por dondequiera que mire el viajero observador, Carlos III se le presenta a la vista. Ya es un magnífico camino abierto por él sobre las montañas; ya un ancho canal, que fertiliza la campiña; puentes, palacios, iglesias, caseríos, son otros tantos monumentos de su reinado. Y ¿podría descuidar la capital del reino el que prodigaba sus favores hasta a las míseras aldeas? No, a la verdad; antes bien las muchas obras de utilidad y de ornato que embellecen a Madrid, demuestran la particular predilección de este Monarca. A él se debe la limpieza y policía de la capital, el alumbrado de sus calles, el útil establecimiento de los alcaldes de barrio, las escuelas gratuitas, las diputaciones de caridad, muchos estudios públicos, la Real Sociedad de Amigos del País, Academias, banco nacional, loterías, grandes compañías de comercio y la mayor parte de los bellos edificios que adornan a Madrid, y que la hacen una de las más principales cortes de Europa. El Palacio Real se termina en el estado en que le vemos. El grandioso Museo del Prado se eleva bajo los planes del famoso Villanueva; en vez de unas malas tapias y miserable puerta, se alza el magnífico arco de triunfo de la calle de Alcalá; al mismo tiempo adornan también esta calle la suntuosa fábrica de la Aduana, el rico museo de Historia Natural y otras muchas casas de grandes y particulares, que la hacen la primera de Madrid. La casa de Correos, la Imprenta Real, la Casa de Filipinas, la de los Gremios, la fábrica platería de Martínez, el Colegio de Veterinaria, el de Cirugía de San Carlos, el Hospital General, el convento de San Francisco, la puerta de San Vicente, la de los Pozos, el Observatorio Astronómico, el Jardín Botánico, el delicioso paseo del Prado con sus bellas fuentes, el de la Florida, el Retiro, embellecido con varias obras, y entre otras el suntuoso edificio de la China, destruído por los ingleses en 1812; el canal de Manzanares, los cómodos caminos que conducen a la capital, y tantos otros objetos que sería ocioso encarecer y prolijo enumerar, y que constituyen las bellas páginas de la historia de tan gran Monarca.

Las honrosas guerras que sostuvo no llegaron a envolver a Madrid, a quien también hizo plaza de armas. Este pueblo, admirador de su Monarca, tuvo el gusto de poseerle durante su reinado, y sólo alteró su tranquilidad un domingo de Ramos, 23 de marzo de 1766, con cierta conmoción dirigida contra el ministro Esquilache, que calmó la presencia del Rey.

Carlos III, llorado de sus vasallos, murió en Madrid en 1788.

Carlos IV sube al trono, y en su tiempo recibió este pueblo el aumento de algunos buenos edificios, como el Depósito Hidrográfico y algún otro. Y como el buen gusto en materia de artes había echado profundas raíces, se vió también lucir en las obras particulares, contribuyendo al ornato de Madrid las bellas casas del duque de Alba, llamada *Palacio de Buena Vista* (hoy Museo Militar), del duque de Liria, del conde de Altamira, duque de Villahermosa, conde de Torrepilares y otras varias. Las bellas letras, que sepultadas desde Felipe IV, habían vuelto a renacer después bajo el dominio de la augusta casa de Borbón, encontraron apoyo y protección en Carlos IV; y durante su reinado se glorió la corte de España con los célebres Jovellanos, Saavedra, Cabarrús, Samaniego, Forner, Huerta, Cienfuegos, Meléndez, Moratín y otros insignes escritores que ocupaban distinguidos puestos y gozaban del aprecio del Monarca.

Por la abdicación de Carlos, verificada en Aranjuez en 19 de marzo de 1808, sucede en la corona de España Fernando VII en medio de la aclamación y entusiasmo general. Madrid, la leal Madrid, que en 1789 le había jurado en San Jerónimo por príncipe de Asturias, se prepara a recibir al nuevo Rey. Entra en efecto el 24 del mismo marzo, y el júbilo que difunde su presencia sucede a las escenas violentas de los días anteriores en las casas de Godoy, Marquina y otros. Pero esta alegría se ve mezclada con el fundado recelo que inspiraba la presencia del ejército francés, que bajo las órdenes de Murat entró en Madrid la víspera que el Rey. La patriótica agitación, la incertidumbre de la suerte del Rey y del Estado, conmueven a Madrid en aquellos días, y esta agitación sube de todo punto cuando ve salir de sus muros en 10 de abril siguiente a su amado Fernando. Los madrileños, ante la vista del ejército del usurpador, preparan sus fuerzas, y desconociendo el temor, se aperciben a los heroicos hechos. El funesto resultado del viaje de Su Majestad a Bayona, no era ya para ellos un enigma, y en vano procuraban reprimir los ímpetus de su cólera. Llegó por fin ésta a su colmo al ver que iba a ser arrancado de su seno el serenísimo señor infante don Antonio.

a quien el Rey había dejado a la cabeza del Gobierno. El día destinado para ello era el 2 de mayo. ¡Quién pintará el heroico ardimiento del pueblo de Madrid en tan célebre día! ¡Quién las escenas de sangre y desesperación con que consignó su fidelidad y patriotismo! Un volumen sería escaso cuadro a tantas hazañas. La pluma de la historia temblará al escribirlas, y la posteridad para creerlas habrá de consultar a los irrecusables documentos que aquélla le presentará. Nosotros, limitados a la estrechez de este breve resumen, habremos de contentarnos con indicar los sucesos más notables que ennoblecen la historia de Madrid en la época famosa de la guerra de la Independencia española, que dió principio por el noble grito lanzado por los madrileños en el 2 de mayo de 1808.

Los franceses, dueños de Madrid a tan cara costa, sólo permanecieron entonces hasta 1.° de agosto, en que, a consecuencia de la célebre batalla de Bailén, hubieron de retirarse. Las tropas españolas, mandadas por el general Castaños, ocuparon a Madrid, y durante su permanencia fue un continuado triunfo. Pero Napoleón en persona, con un ejército formidable, se presenta delante de Madrid el 1.° de diciembre del mismo año de 1808. La historia de la resistencia de este indefenso pueblo en los tres días primeros de aquel mes es otro de los sucesos imposibles de describirse por lo heroico y aun temerario; pero que mereció hasta el aprecio del sitiador, que le ocupó el 4 bajo una honrosa capitulación.

Gimió Madrid cerca de cuatro años bajo el peso de la esclavitud, y durante ellos no se desmintió un sólo momento en sus patrióticas ideas. Ni los halagos que al principio se usaron, ni el rigor, ni el terrorismo, ni la miseria, ni el hambre más espantosa, pudieron hacerle retrogradar. Firme en sus propósitos, no le venció el temor, ni le lisonjearon las ilusiones de una soñada felicidad. Jugando a veces con las cadenas que él no podía romper, combatía con la sátira y la ironía todas las acciones del intruso Rey y de su gobierno; le mofaba en las calles, en los paseos y en las ocasiones más solemnes; revestido otras de una fiereza estoica, moría a manos de

la horrible hambre de 1811 y 12 antes que recibir el más mínimo socorro de sus enemigos. En vano se emplearon para debilitarle y vencerle los medios más violentos; sus habitantes, muriendo a millares de día en día, le dejaban desierto, pero no humillado. Sus calles se cubrieron de yerba; sus plazas se llenaban con los escombros de los altares que derribaba el conquistador; sus deliciosos paseos y jardines se convirtieron en fortalezas, que amenazaban su existencia; pero en medio de tantos desastres, cercado de tantos peligros, elevaba sus votos al Omnipotente por su libertad y la de su Rey.

Llegó por fin el 12 de agosto de 1812, célebre en los fastos de Madrid. En este día, habiéndose retirado los franceses de resultas de la batalla de Salamanca, fue ocupada la capital por el ejército aliado anglo-hispano-portugués al mando de lord Wellington, que hizo su entrada entre demostraciones inexplicables de alegría. Pero aún faltaba a Madrid parte de sus padecimientos, pues vuelto a acercarse el ejército francés, tornó a ocuparle en 3 de noviembre, saliendo a los cuatro días y volviendo a apoderarse de él en 3 de diciembre del mismo año de 1812. Por último, en 28 de mayo de 1813 salieron los franceses la última vez de Madrid, y le ocuparon las tropas españolas. A principios de 1814 trasladóse el Gobierno de Cádiz a Madrid, y finalmente llegó el colmo del entusiasmo y de la dicha de este pueblo, viendo entrar triunfante a su deseado Fernando VII en 13 de mayo del mismo año de vuelta de su cautiverio.

Desde esta época empieza una nueva era de prosperidad para la capital, cuya descripción exacta, si bien nos sería muy lisonjera, no estaría de acuerdo con la brevedad que nos hemos propuesto. Pero no por eso hemos de dejar de tributar el testimonio de agradecimiento al Monarca que tan desvelado se manifestó desde luego en curar las llagas que la espantosa guerra abrió en el pueblo de Madrid. A su protección y a su impulso se deben las notables mejoras que se advierten en la policía y ornato público; las iglesias que derribara el francés se reedifican y aumentan por su notoria piedad; la instrucción de la juventud recibe un nuevo y grande apoyo con el establecimiento de las escuelas de las diputaciones, y otras cátedras y academias gratuitas; los estudios y colegios de Madrid se amplían y mejoran extraordinariamente; el Museo Militar, la Biblioteca Real en su magnífica colocación, la restauración del Museo del Prado y formación en él de una magnífica galería de pintura y escultura, la creación del Conservatorio de Artes y exposición pública de la industria española, las alcantarillas, los caminos que conducen a la capital, las fábricas, la creación del Consulado y Bolsa de Comercio, las obras magníficas del encantador Retiro, las del nuevo teatro de la plaza de Palacio, el casino, la inmensa mejora del canal y sus contornos, la restauración de la Plaza Mayor, los hermosos y nuevos paseos que rodean a Madrid, la magnífica Puerta de Toledo y otros infinitos objetos imposibles de enumerar, hacen tomar a la capital un aspecto encantador. Miles de casas se alzan bajo el orden de arquitectura más elegante, renovando calles enteras; otras se adornan y componen, y todas se acogen bajo la garantía de la Sociedad de Seguros contra incendios, creada nuevamente; otras compañías cuidan de las comunicaciones y abastecimientos de la capital; la de Reales Diligencias se crea bajo los auspicios del Soberano; la de empresas varias, la de conducción del pescado y otras muchas proveen al bienestar de este gran pueblo, y por consecuencia de la protección del Monarca disfruta Madrid de una vida, de una comodidad y aun elegancia en los bastimentos, en los muebles, en los vestidos, en las casas, en todos los objetos necesarios y de lujo, que no fue conocida de nuestros mayores. Entre tanto, el Monarca somete a su Gobierno el arreglo de nuevos planes de mejora, y Madrid, agradecido, lo espera todo de su bondad paternal.

Armas y blasones, fueros y privilegios de la villa

Madrid usa por armas un escudo blanco o plateado, y en él un madroño verde y el fruto rojo, con un oso trepando a él, una orla azul con siete estrellas de plata, y encima de todo una corona real. Varias han sido las opiniones sobre la significación de estas armas; pero aunque se pueda entender la del oso, por la razón que se ha dicho de los muchos en que abundaba su término, no así la de las siete estrellas, aunque se supone referirse a la constelación astronómica *Bootes*, llamada vulgarmente *el Carro*, que consta de otras tantas, y como *Carpentum* (de donde tomó su nombre la Carpetania, en que se comprendía Madrid) significa *el Carro*, hicieron esta alusión con el carro celeste, aunque parece demasiado violenta. El pintarse el oso abalanzado al madroño fue de resultas de los reñidos pleitos que hubo entre el Ayuntamiento y Cabildo eclesiástico de esta villa sobre derecho a ciertos montes y pastos, los cuales concluyeron con una concordia, en que se estableció que perteneciesen a la villa todos los pies de árboles, y al Cabildo los pastos; y para memoria, que pintase éste la osa paciendo la yerba, y el Ayuntamiento la pusiese empinada a las ramas. La corona la concedió el emperador don Carlos, en las Cortes de Valladolid de 1544, a los procuradores de la villa de Madrid, que pidieron este honor para su patria.

La villa de Madrid usa por esto los dictados de *imperial* y *coronada*, de *muy noble, muy leal* y, además, el de *muy heroica* concedido últimamente por Su Majestad reinante.

Los reyes concedieron a Madrid grandes privilegios, como voz y voto en Cortes, no poder ser enajenada de la corona real, dos ferias anuales por San Mateo y San Miguel, de las cuales sólo celebra hoy la primera, y un mercado franco los jueves. Es libre de pechos, por haberlos comprado don Gutierre de Vargas Carvajal, obispo de Plasencia, al mismo Emperador para dar libertad a su patria.

Su Ayuntamiento se distingue con el tratamiento de *Excelencia* que le fue concedido por Su Majestad actual.

Tiene la villa por patronos a Nuestra Señora de Atocha y Almudena, a San Isidro Labrador y a San Miguel.

Hombres célebres nacidos en Madrid

Son tantos los varones ilustres que ha producido Madrid, que sería difícil y aun imposible enumerarlos, por lo cual nos limitaremos a nombrar algunos de los más notables; tales son los santos Isidro labrador (1), San Dámaso papa, beata María Ana de Jesús y otros varios. Los reyes Felipe III, Luis I, Fernando VI y Carlos III, y un sinnúmero de infantes, entre los que merecen atención doña Juana, conocida por *la Beltraneja*, doña Juana de Austria, hija del Emperador Carlos V y madre del rey don Sebastián; doña María Teresa de Austria, hija de Felipe IV, y otros muchos; los escritores Gonzalo Fernández de Oviedo, cronista general de Indias; don Alonso de Ercilla, autor de *La Araucana*; Antonio Pérez, ministro de Felipe II, autor de varias obras (2); fray

Lope Félix de Vega Carpio (3), Juan Pérez de Montalbán, célebre autor de comedias; fray Gabriel Téllez, conocido con el

___

(1) Nació San Isidro por los años 1082, de padres honrados, aunque humildes. Su ejercicio principal fue el de labrador, aunque según la tradición también trabajó en algunas otras obras y menesteres. Se hizo célebre por sus virtudes y milagros, de que tratan largamente muchos historiadores. Vivió 90 años y murió en 30 de noviembre de 1172, siendo sepultado en el cementerio de la parroquia de San Andrés, debajo del sitio que es hoy altar mayor, en donde está señalado el de su sepultura con una reja. Después ha tenido varias colocaciones y últimamente se halla en la iglesia del Colegio Imperial de la Compañía de Jesús, con notable magnificencia. Fue canonizado por la Santidad de Gregorio XV, en 1622, y Madrid le escogió por su patrono.

En la casa número 7 de la calle del Aguila hay una capilla dedicada a San Isidro, y es tradición que el santo vivió en ella; así como igualmente hay otra en la casa contigua a la parroquia de San Andrés, donde se dice que vivió y murió, cuando servía a Iván de Vargas, dueño de dicha casa.

(2) Fue hijo de Gonzalo Pérez, secretario de Estado del Emperador, y después de concluidos sus estudios en Alcalá, Padua y Salamanca, fue nombrado secretario de la Cámara del Consejo de Italia, hasta que por la gran fama de su saber le eligió Felipe II, en 1570, para secretario de Estado. Descargó en él el Rey el peso del gobierno cerca de diez años; mas por la acusación de muerte del secretario Escobedo, asesinado en la callejuela detrás de la parroquia de Santa María y otros motivos que nunca se supieron, fue preso, y aunque al principio no era rigorosa su detención, fue agravándose diariamente durante once años, hasta llegar a término de haber

sentencia de muerte. Por lo cual determinó fugarse de su prisión, que la tenía en la casa que es hoy Consejo de la Guerra, en la plazuela de la Villa, y lo consiguió con el auxilio de su esposa, en la noche del 18 de marzo de 1590; llegó en posta a Aragón y allí se le volvió a prender por el tribunal de la Inquisición, y de resultas del favor que le prestaron los aragoneses, envió el Rey un ejército, con que se alteró todo el reino. Viendo Pérez las cosas en tan mal estado, se pasó a Francia, donde vivió hasta 1611, que murió en París, y yace sepultado en el convento real que fue de los Celestinos, donde hay una lápida que lo indica. Su mujer, doña Juana Coello, también hija de Madrid, fue igualmente célebre por los viajes que hizo por mar y tierra, para acudir a la defensa de su marido; fue presa públicamente y murió muy pobre, dejando varios hijos.

(3) Nació en la puerta de Guadalajara y casas de Jerónimo de Soto, parroquia de San Miguel, en 25 de noviembre de 1565, y se bautizó en dicha parroquia en 6 de diciembre siguiente. Fueron sus padres Félix de Vega y Francisca Fernández, personas de conocida nobleza en esta villa. Las obras de este celebérrimo poeta son tan conocidas y apreciadas, que no hay para qué encarecerlas, y ellas le granjearon el renombre de *Fénix de los ingenios*, y una consideración de todas las clases de la sociedad, de que hay muy pocos ejemplares. Admitido a la presencia de los reyes y príncipes, admirado del público, embriagado con las continuas alabanzas, Lope dejó correr su fácil pluma y sin más riendas que su capricho natural, pervirtió el gusto del público con sus ingeniosísimas y desordenadas comedias: el número de éstas se hace subir a 1.800, y por ellas adquirió Lope su mayor reputación y conveniencias.

Su vida fue también dramática; pues fue estudiante, militar, dos veces casado y luego eclesiástico. Caballero del Orden de San Juan, doctor en Teología (cuyo título le envió el Papa Urbano con una carta de su misma letra), capellán mayor de la congregación de presbíteros naturales de Madrid, promotor fiscal de la reverenda Cámara apostólica y notario escrito en el Archivo Romano. Tuvo varios hijos legítimos y naturales, de que le sobrevivieron por lo menos dos hijas.

Murió en 27 de agosto de 1635, en su casa propia, que estaba en la calle de Francos, y se dice ser aquella que a la mano izquierda, entrando desde la del León y pasando la del Niño, se distingue con el número 11, y tenía sobre el dintel de la puerta esta pequeña inscripción, que ha desaparecido con la reforma de la casa:

D. O. M.

PARVA PROPIA MAGNA
MAGNA ALLIENA PARVA.

nombre de *Tirso de Molina* (1); don Francisco de Quevedo y Villegas, famoso poeta y escritor satírico (2); Jerónimo Quintana, autor de la *Historia de Madrid*; don Pedro Calderón de la Barca, caballero del hábito de Santiago (3); don Juan de la Hoz, del Consejo de Hacienda, autor de la excelente comedia *El castigo de la miseria*; don Agustín Moreto y Cabaña, don Antonio Zamora, don José Cañizares y don Ramón de la Cruz, también autores de comedias; don Nicolás y don Leandro de Moratín, padre e hijo (4), y otros

---

Su entierro se verificó en público, con una pompa y magnificencia sin igual, siendo tanto el concurso de lo más distinguido de Madrid, que había empezado ya a entrar el acompañamiento en San Sebastián, y no había salido el cuerpo aún de la casa; no obstante que la carrera fue por la calle de Francos, la de San Agustín, que hace frente a las vistas del convento de Trinitarias Descalzas (por donde pasó para que le viese su hija Marcela, monja en dicha casa), la de Cantarranas, la del León, plazuela de Antón Martín y calle de Atocha. Se depositó el cadáver en la bóveda que hay debajo del altar mayor, en el segundo nicho de la orden tercera.

(1) Es tal la celebridad que se ha prodigado en estos años a este fecundo autor en los teatros de Madrid, que no creemos importuno dar algunas noticias suyas.

Nació en Madrid, hacia los años de 1585; su nombre era Gabriel Téllez, aunque en sus obras sólo se vio el adoptivo ya indicado. Estudió en Alcalá, y fue gran filósofo y teólogo, historiador y poeta insigne. Escribió varias obras en prosa y verso; pero su principal celebridad se debe a sus comedias, que él mismo hace subir hasta 300, aunque a nuestros días no han llegado 30 escasas, y de esas las dos terceras partes no se han representado. Sin embargo, las conocidas del público le han dado una reputación colosal, por la brillantez de sus escenas, la gracia y viveza de su diálogo y el sublime ingenio de sus conceptos; si bien puede reprochársele la demasiada licencia y atrevimiento respecto a la pintura de las costumbres. De sus obras se infiere que escribió las comedias antes de hacerse religioso, aunque las más se publicaron después. Avanzado en edad tomó el hábito de Nuestra Señora de la Merced Calzada, en 1620, y en dicha sagrada Orden fue presentado, maestro de Teología, predicador de mucha fama, cronista general de la misma y definidor de la provincia de Castilla la Vieja. Por último, en 29 de septiembre de 1645 fue elegido comendador del convento de Soria, donde se cree murió en 1648 de más de sesenta años de edad.

(2) Don Francisco de Quevedo y Villegas nació en Madrid, en 1580, y se bautizó en la parroquia de San Ginés, el 26 de septiembre de aquel año. Fueron sus padres don Pedro Gómez de Quevedo, secretario de la reina doña Ana, y doña María Santibáñez.

Estudió en Alcalá, y se hizo célebre por sus extensos conocimientos en muchas ciencias. De resultas de un desafío que tuvo en Madrid, pasó a Italia convidado por el virrey duque de Osuna, y habiendo prestado distinguidos servicios, le hizo el Rey merced del hábito de Santiago. En 1620, de resultas de la causa formada al duque de Osuna, fue preso Quevedo y llevado a su villa de la Torre de Juan Abad, en la Mancha, donde permaneció tres años y medio. Aleccionado por

la desgracia, no quiso aceptar después la plaza de secretario de Estado, ni la embajada de Génova, para que fue nombrado, y sólo sí el título de secretario del rey. Casó con doña Esperanza de Aragón, señora de Cetina, que murió sin dejarle sucesión. En 1639 fue vuelto a prender en la casa del duque de Medinaceli, donde vivía en Madrid, por cierto papel que se le atribuyó, y conducido al convento de San Marcos, en León, permaneció en él más de cuatro años en el estado más miserable. Restituido a la libertad volvió a Madrid, y después se retiró a la Torre de Juan Abad, y desde allí a Villanueva de los Infantes, a curarse de las enfermedades contraídas en su prisión, pero sólo encontró la muerte, en 8 de diciembre de 1645, y yace en la parroquia de dicha villa, a pesar de haber prevenido que se trajese su cuerpo a Santo Domingo, de Madrid.

Las obras de Quevedo son apreciables por su ingenio y profundidad, y hay muy pocos autores que puedan serle comparados.

(3) Nació en 1600 y fue bautizado en la parroquia de San Martín, el día 14 de febrero de dicho año. Fueron sus padres don Diego Calderón de la Barca, secretario de Cámara del Consejo de Hacienda, señor de la casa de Calderón de Sotillo, y doña Ana María de Henao de Riaño.

Estudió en Salamanca, y se hizo conocido por su vasta instrucción. Sirvió al Rey en las guerras de Flandes, y fue condecorado con el hábito de Santiago, habiendo militado varias veces. En 1651 se hizo sacerdote y fue agraciado con una de las capellanías de los Reyes Nuevos de Toledo y después elevado a capellán de honor de Su Majestad. Murió en Madrid, en 25 de mayo de 1681, y fue sepultado en la parroquia de San Salvador, donde yace, a los pies de la iglesia, en un sepulcro de mármol negro con su retrato de lo mismo.

Sus comedias le han dado una reputación literaria sumamente extensa, y en todos tiempos han ocupado con gusto la atención de los españoles.

(4) Don Nicolás Fernández de Moratín fue descendiente de una familia noble de Asturias, e hijo de don Diego Fernández de Moratín, jefe de guardajoyas de la reina doña Isabel Farnesio y de doña Isabel González Cordón. Nació en Madrid, a 20 de julio de 1737, y estudió en Calatayud y en Valladolid, graduándose de bachiller. Nombrado después ayuda de guardajoyas

varios, cuya expresión individual y noticias que pudieran acumularse sobre sus recomendables circunstancias y méritos respectivos en los varios ramos del saber y

del servicio de la patria, a que dieron no poco lustre, sería incompatible con la brevedad que requiere este sucinto compendio. Los pintores Claudio Coello, Juan

de la Reina, se casó con doña Isidora Cabo Conde, y se estableció en San Ildefonso, cerca de aquella Reina hasta que la misma volvió a Madrid, en marzo de 1759, y entonces se incorporó el don Nicolás en el colegio de abogados de esta corte. Fue estimado por uno de los mejores poetas de su tiempo y que más contribuyeron a hacer renacer el buen gusto con el ejemplo de sus estimables obras, siendo conocido entre los Arcades de Roma bajo el nombre de *Flumisbo Thermodonciaco*. Murió en Madrid el 11 de mayo de 1780, a los 42 años de edad, en la parroquia de San Martín.

Su hijo, el célebre don Leandro Fernández de Moratín, el primer poeta dramático del siglo, entre los Arcades de Roma *Inarco Celenio*, nació en Madrid, en la calle de San Juan, a 10 de marzo de 1760, y fue bautizado en la parroquia de San Sebastián; su padre contribuyó a formar su buen gusto, pero no quiso que siguiera las letras, y parece trató de dedicarle a las bellas artes; hízole para ello aprender el dibujo, pensando enviarle a Roma, al lado de Mengs; pero oponiéndose a ello su tierna madre, le dedicó a trabajar en joyería, lo cual vino a ser a poco tiempo su único recurso, pues muerto su padre, pudo con el fruto de su trabajo sustentar a su afligida madre. Asistía para ello al obrador de don Vitorio Galioti, joyero, casado con una tía suya, en el cual estaba reducido a ganar 18 reales, alternando estas ocupaciones con las literarias, que ya le iban dando renombre y proporcionándole relaciones apreciables. Fueron las principales las que contrajo con los padres escolapios Estala y Navarrete, con don Juan Antonio Melón, con Pablo Forner y don Gaspar Jovellanos. Pero, a pesar de todo, y lo apreciado que era ya el nombre de Moratín en la república literaria, aspiró en vano largo tiempo a una colocación cual convenía a sus circunstancias, hasta que, a fines de 1786, comisionado el conde de Cabarrús para un asunto importante en París, le eligió en calidad de secretario por indicación de Jovellanos. Pasó a Francia Moratín, y a muy poco se granjeó la amistad del conde, que conoció sus distinguidas prendas; pero vuelto a Madrid, a fines del año de 87, fue Cabarrús aprisionado y Moratín envuelto en su desgracia. Tornó a trabajar en su arte, aunque lleno ya de otros objetos más grandes, aspiraba con ansia a proporcionarse un empleo decente; mas fue en vano por entonces, pues toda su fama y escritos no fueron suficientes para conseguirlo.

La primera prueba de benevolencia que recibió del Gobierno fue por unos versos que dirigió al ministro conde de Floridablanca, el cual le confirió un préstamo de 300 ducados en el arzobispado de Burgos y a título de este beneficio se ordenó de prima tonsura en 9 de octubre de 1789. A poco tiempo fue presentado a los dos

hermanos guardias don Luis y don Manuel Godoy, y creciendo de día en día el favor que este último disfrutaba en la corte, y la estimación que desde luego dispensó a Moratín, hizo se le confiriese en el año de 90 otro beneficio en la iglesia parroquial de la villa de Montoro, con lo cual pudo dedicarse con más desahogo a sus tareas literarias.

Las comedias *El viejo y la niña*, *El Café*, *El Barón*, y otras obras que por entonces produjo, le valieron, al mismo tiempo que críticas maliciosas, la admiración de los inteligentes, que le aclamaron por padre de nuestro teatro moderno, y el favor y aprecio de su protector Godoy.

Pero Moratín, demasiado modesto e incapaz de abusar de éste, solicitó y obtuvo permiso para viajar por los países extranjeros y, auxiliándole para ello Godoy, pasó a Francia, luego a Inglaterra, Alemania e Italia, regresando a España a fines del año de 96, lleno de conocimientos y observaciones.

Hallóse al desembarcar en Algeciras con la agradable nueva de haber sido nombrado secretario de la Interpretación de Lenguas y honorario de Su Majestad. En este destino honorífico y análogo a su gusto permaneció alternando su desempeño con sus ocupaciones literarias; y alejado de la influencia política que pudo haber tenido, por el singular favor que le dispensaba el Príncipe de la Paz. En este tiempo fue nombrado individuo de una junta para el arreglo de los teatros, y luego director de los mismos, cuyo destino renunció. Entre tanto su opinión dramática llegó a su colmo con las comedias *La Mogigata* y *El sí de las niñas*, las más perfectas del teatro español y verdaderos modelos del arte. La última de ellas en especial, produjo tal entusiasmo, que estrenada en el teatro de la Cruz, en 24 de enero de 1806, continuó su representación por veintiséis días consecutivos, hasta que llegada la Cuaresma, se cerraron los teatros, como de costumbre.

Tan ruidosos triunfos no pudieron menos de atraer a Moratín grandes enemigos, que no lograron alterar su tranquilidad hasta el año de 1808, en que con la caída de Godoy se creyó comprometido y precisado a buscar seguridad retirándose con el ejército francés después de la batalla de Bailén. La fuerza de las circunstancias más bien que sus opiniones, le hicieron seguir la suerte de las armas francesas, volviendo a Madrid a vivir retirado mientras le ocuparon éstas, sin que obtuviese otro destino que el de bibliotecario mayor, que se le confirió en 1811. En 1812, a la evacuación de Madrid por los franceses, pasó a Valencia, y luego a Peñíscola, donde no quiso permanecer durante el sitio y salió milagrosamente para regresar a Valencia y luego a Barcelona, donde esperó el resultado de su purificación, que fue el declarársele libre de responsabilidad. Pero no habién-

Pantoja de la Cruz, Francisco Rizzi y Bartolomé Román; los arquitectos Juan Bautista de Toledo, Juan Gómez de Mora y don Juan de Villanueva (1), y otros muchos célebres artistas, literatos y varones distinguidos por sus virtudes, ciencia o valor.

dosele vuelto tan pronto sus bienes secuestrados, que consistían en la casa número 8, calle de Fuencarral, donde vivió; un jardín en la calle de San Juan y una casa y huerta en Pastrana, que le fueron confiscados y detenidos hasta noviembre de 1816, llegó su situación a ser la más lastimosa, hasta el extremo de no tener el menor recurso para subsistir; y no permitiéndole su carácter importunar a sus amigos, ni mendigar el sustento, resolvió dejarse morir de hambre, para lo cual buscó un cuarto fuera de la ciudad. Por fortuna recibió a este tiempo la noticia de la devolución de sus bienes, y no llevó a cabo su desesperado proyecto. Hubiera continuado permaneciendo en Barcelona, pero noticioso de nuevos disgustos que se le preparaban, pasó a Francia a fines de 1817, permaneciendo en París con su amigo Melón hasta 1820, en que pasó a Bolonia, y luego regresó a Barcelona. A este tiempo la peste se manifestaba en aquella ciudad; y este motivo y el temor de las disensiones políticas, a que nunca tuvo afición, fueron bastantes a hacerle regresar a Francia en 1821, estableciéndose en Burdeos en compañía de su íntimo amigo don Pablo Silvela. Allí vivió tranquilamente en el seno de la amistad, repitiendo *que no cambiaría su feliz independencia por la más opulenta fortuna, ni por el esplendor de un trono.* Sus bienes vendidos (excepto la casa y huerta de Pastrana, de que hizo cesión en 1826 a la Casa de Expósitos de Madrid), le produjeron un capitalito, que impuesto en la Compañía de Seguros de París y en fondos de Francia, venía a producir una renta de seis mil francos, con lo que se proporcionó aquella dorada medianía tan análoga a su carácter.

Trasladado a París con su amigo Silvela en 1827, permaneció allí en el mismo estado; pero debilitada su salud, adquirió una enfermedad que le arrebató el 21 de junio de 1828, a los 68 años de edad.

Dejó por herederos de sus manuscritos a don Vicente González Arnao; de sus libros a don Pablo Silvela, y de sus bienes a una nietecita de éste, con otras mandas particulares a sus amigos, y fue enterrado en el cementerio del Padre La-Chaisse, muy cerca de donde reposan las cenizas del gran Molière, que fue el modelo que se propuso seguir y acertó a igualar.

En 1825 dirigió él mismo en París una magnífica edición de sus obras poéticas, y actualmente se está haciendo en Madrid otra más completa y lujosa, de orden y a expensas de Su Majestad.

Nos hemos dilatado algún tanto en esta nota por el interés que inspira este hombre célebre y por lo poco conocidas que son las noticias de su vida.

CAPITULO II

SITUACION, EXTENSION Y CLIMA.—POBLACION, CONTRIBUCIONES Y CONSUMOS.—DIVISION INTERIOR.—ASPECTO GENERAL DEL PUEBLO.—CARACTER DE SUS HABITANTES Y CUADRO DE UN DIA EN MADRID.—INSTRUCCION A LOS FORASTEROS SOBRE LOS MEDIOS MAS COMODOS DE VIVIR EN LA CORTE Y LOS OBJETOS DE PRIMERA NECESIDAD

Situación

Madrid se halla situado a los 40° 25' 7" de latitud N., y su longitud es de 14° 30' E. de la isla del Hierro, 12° 47' 50" E. del pico del Teyde, 2° 34' 4" E. de Cádiz, 3° 41' 56" O. de Greenwich. y 6° 2' 30" O. de París. Está en suelo desigual, sobre algunas colinas de arena, en medio de una gran playa que circundan por la parte de N. NE. las montañas de Somosierra, y las de Guadarrama al NO.

(1) Don Juan de Villanueva nació en Madrid, a 15 de septiembre de 1739, de familia artística, y dirigido por los buenos estudios, obtuvo varios premios y una plaza de pensionado en Roma, donde permaneció siete años en el estudio de bellas artes. Restituído a Madrid y distinguiéndose por sus conocimientos, le enviaron a Granada a sacar los diseños de las antigüedades de la Alhambra y después se estableció en el Sitio de San Lorenzo, a las órdenes del religioso obrero y con un corto salario, para empaparse en el estilo de Juan de Herrera y Juan Bautista de Toledo, Distinguióse allí por la fábrica de la casa del cónsul francés y otras, y más adelante por las lindas casas de campo del príncipe e infantes, por lo que fue nombrado arquitecto de Sus Altezas. Después su mérito le fue proporcionando nuevos honores, hasta los de director de la Academia de San Fernando, arquitecto y fontanero mayor de Su Majestad y de la villa de Madrid, intendente honorario y otros; siendo tal su crédito y consideración en la corte, que muerto en 1811, con general sentimiento, fue depositado públicamente su cadáver en la capilla de Belén, propia de los arquitectos, en la parroquia de San Sebastián, distinción muy singular en aquella desgraciada época.

Sus muchas y magníficas obras están diseminadas en todo el reino; y en Madrid sólo acreditan su excelente gusto la iglesia del Caballero de Gracia, el balcón de las casas consistoriales, el teatro del Príncipe, la entrada del jardín Botánico, el cementerio de la puerta de Fuencarral y lo construido por él en la Plaza Mayor. Pero, sobre todo, lo que inmortaliza el nombre de Villanueva es el magnífico Museo del Prado, a cuya descripción remitimos al lector.

El río Manzanares la baña al O., inclinándose al S. a formar el vértice de un ángulo en su unión con el canal, el cual se halla a la parte del S. y SO. Al oriente embellece a Madrid el sitio del Retiro. La altura sobre el nivel del mar es de 2.412 pies, bajándose continuamente para llegar al Mediterráneo. Según el plano levantado por López y rectificado, el Norte del Mundo corresponde entre las puertas de Fuencarral y del Conde-Duque; el Este entre las de Alcalá y Atocha; el Sur entre la de Embajadores y la de Toledo y el Oeste en las inmediaciones de la puerta de la Vega. Las principales cuestas de Madrid son: las de las Salesas, Santa Bárbara, San Ildefonso, San Sebastián, el Rastro, las Vistillas y Palacio. Las diferencias más notables de niveles son la del piso de la Puerta de San Vicente, sobre el nivel del río, 41 pies 2 pulgadas y 5 líneas; de la Puerta del Sol sobre la de San Vicente, 169 pies 8 pulgadas y 10 líneas. De la Puerta de Alcalá sobre la del Sol, 27 pies 10 pulgadas 9 líneas, que hacen la altura de la Puerta de Alcalá sobre el río, de 238 pies. De la Puerta de Recoletos sobre el río, 215 pies y 7 líneas. Y, finalmente, de la Puerta de Santa Bárbara sobre el río, 300 pies; con que este es el punto más elevado de Madrid.

La posición de Madrid, respecto a la administración del reino, es la más ventajosa, por hallarse casi en el centro y a distancias proporcionadas de sus puertos principales, como se ve por el siguiente resumen.

PUERTOS PRINCIPALES

Leguas

De Alicante	60 $^1/_2$
De Barcelona	104 $^1/_2$
De Bilbao	68 $^1/_2$
De Cádiz	109
De Cartagena	65 $^1/_2$
De La Coruña	106 $^3/_4$
De Gijón...	80 $^1/_2$
De Gibraltar	100 $^1/_4$
De Málaga	77 $^1/_2$
De Santander	71 $^1/_2$
De Tarragona	91 $^1/_2$
De Valencia	63
De Vigo	95

Dista igualmente

De las fronteras de Francia por Irún	83
Id. por Navarra	73 $^1/_2$
Id. por Aragón	73 $^3/_4$
Id por Cataluña	109 $^1/_2$
De las fronteras de Portugal por Castilla ..	56 $^1/_4$
Id. por Extremadura ...	63 $^1/_4$
Id. por Galicia	95
De Avila	19
De Burgos...	41
De Badajoz	62 $^3/_4$
De Córdoba...	62
De Ciudad Real	29
De Cuenca...	25 $^2/_4$
De Granada	68
De Guadalajara	10 $^1/_2$
De Jaén...	53
De León	58
De Murcia	54
De Oviedo	76
De Palencia...	40 $^1/_2$
De Pamplona	63
De Sevilla	87 $^1/_4$
De Segovia	15 $^1/_2$
De Salamanca	34
De Soria	35 $^1/_2$
De Toledo	12
De Toro	36 $^1/_2$
De Valladolid	32
De Vitoria	61
De Zamora	41 $^3/_4$
De Zaragoza	54 $^1/_4$

Extensión

La circunferencia de Madrid es de 15.553 varas castellanas, que hacen 2 $^1/_4$ leguas de 20 al grado (1), en estos términos; desde la Puerta de Alcalá a la de Recoletos

(1) Hasta el año de 1801 se usaron en España en las carreras generales las leguas de 24.000 pies o de 17 y media al grado, y éstas son las que están señaladas por medio de las piedras miliarias que hay en algunos caminos reales; pero en dicho año se mandó hacer uso de las leguas de 20.000 pies o de 20 al grado, por corresponder al camino que se anda regularmente en una hora. Así estas leguas tienen 6.666 $^1/_3$ varas en lugar de las 8.000 de las antiguas.

986 varas; desde la de Recoletos a la de Santa Bárbara 666; de ésta a la de los Pozos 693; de ésta a la de Fuencarral 525; de ésta a la del Conde Duque, 401; de ésta a la de San Bernardino, 605; de ésta a la de San Vicente, 2.387; de ésta a la de Segovia, 1.445; de ésta a la de Gilimon, 778; de ésta a la de Toledo, 432; de ésta a la de Embajadores, 926; de ésta a la de Valencia, 338; de ésta a la de Atocha, 885, y de ésta a la de Alcalá, 4.486. La extensión de Madrid casi de E. a O. desde la Puerta de Alcalá a la de la Vega es de unos 8.850 pies, y de N. a S. desde la puerta de Santa Bárbara a la de Toledo, unos 10.500 pies.

Clima

El clima de Madrid, muy celebrado en lo antiguo por su salubridad, ha padecido notable alteración por la falta de arbolado de sus contornos. El cielo, sin embargo, es puro y sereno casi siempre; el aire es seco, vivo y penetrante, sobre todo en invierno. Los vientos que reinan con más frecuencia son el N. en invierno, los de O. y S. en la primavera y este último también en verano; y como esta villa no está resguardada de la acción de los vientos, en especial del N. que viene atravesando la cadena de montes carpetanos, casi siempre coronados de nieve, adquiere en ellos una frialdad excesiva, y llega a la corte después de haber corrido las 7 leguas que aquéllos distan, sin encontrar obstáculo o modificación alguna, lo cual los hace sobremanera peligrosos, en particular a los forasteros. Esta misma falta de arbolado, que destempla las demás estaciones por la demasiada rigidez de los vientos, hace también más sensibles los calores del estío por la ninguna modificación que presta a los rayos del sol; de suerte que en el día los inviernos y veranos son excesivamente rigurosos; las primaveras húmedas y destempladas, y el otoño seco y hermoso hasta el mes de noviembre que empieza el frío. La temperatura media de Madrid parece ser de 12° de Reaumur, el frío medio 0 grados, y el calor 24° sobre cero. El primero no suele pasar de 5 bajo cero (aunque en el año último llegó a 8), y el

segundo de 32 sobre cero. La altura barométrica media es 30 $^1/_3$ pulgadas.

Las enfermedades que suelen ser más frecuentes en Madrid, son los cólicos, las apoplejías, perlesías, pulmonías, fiebres catarrales y otras, nacidas de lo seco del clima y de la acción ya dicha de los vientos; pero estas mismas causas contribuyen a la salubridad general de la corte, pues evitando la putrefacción de las carnes y alejando las exhalaciones impuras, la han puesto constantemente al abrigo de todo contagio. Así que sólo deberá recomendarse la precaución a los forasteros, en especial para no pasar rápidamente de una temperatura a otra, pues los de Madrid, ya más acostumbrados, pueden soportarlo con [menos] dificultad.

Población

La población de Madrid no puede fijarse absolutamente, por falta de datos seguros que no constan en ninguna de las administraciones del gobierno con exactitud. Por tanto, habrá que atenerse al resultado que arroja el censo de la policía verificado en 1825. Según éste asciende la población de Madrid a 50.336 vecinos, y 201.344 habitantes, inclusos los conocidos bajo la denominación de *forasteros*, personas que permanecen en Madrid por temporadas, y que no llegan a seis años de residencia, en cuyo caso adquieren carta de vecindad. Esta parte de población puede calcularse en 19.931 habitantes, y se la considera comprendida en la población, por renovarse constantemente con corta diferencia. Pero no está comprendida en aquella regulación la parte de población conocida bajo el nombre de *transeúntes*, que entran por la mañana y salen por la noche, o viceversa; como ni tampoco los religiosos, ni la guarnición militar. Ultimamente, se añadirá lo que es bien notorio, a saber: que cierto número de gentes encuentran los medios de ocultarse a la policía, y también que la población de Madrid ha aumentado desde 1825 acá. Por todo lo manifestado se ve claramente la duda que ofrece la población fija de esta capital. Por lo que pueda contribuir a aclararla se añadirá que el número de nacidos en el año de 1830 ha sido 5.409, inclusos los expósitos; y el de muertos en todas las parroquias y en los tres principales hospitales, 4.031, sin incluir los párvulos, comunidades religiosas, ni demás hospitales de esta corte.

Tiene Madrid unas 8.000 casas, en 540 grupos o manzanas de ellas; sus calles son 492; sus plazas, 4, y 79 plazuelas; 17 parroquias intramuros (incluyendo las tres de Palacio, Buen Suceso y Retiro, sujetas a la patriarcal); 37 conventos de religiosos, 32 de religiosas, 18 hospitales, 3 hospicios, un beaterio, una casa de niños expósitos, 3 casas de reclusión para mujeres y 4 cárceles, presidio y galera; 16 colegios, 2 seminarios y estudios generales de San Isidro; 9 academias, 4 bibliotecas públicas, 2 museos de pinturas, uno de ciencias naturales y otro militar; una plaza de toros, 2 teatros, 5 puertas reales, 12 portillos, 33 fuentes públicas y unas 700 particulares.

Contribuciones y consumos

Aunque en las oficinas de administración deben constar los datos necesarios sobre este punto, no se ha publicado hasta el día el resultado de ellos, y por tanto carecemos de una base segura para fijarlos. Sin embargo, el deseo de dar alguna ligera idea de las contribuciones y consumos de Madrid, nos ha hecho recurrir a medios que, sin tener el carácter de oficiales, se acercan en lo posible a la exactitud, y el resultado es el siguiente:

Las principales contribuciones que paga Madrid son la de puertas, y la conocida con el nombre de *Frutos civiles*; éstas pesan sobre lo general de la población, y por lo tanto nos limitaremos a ellas, prescindiendo de otras menos considerables y más circunscriptas a ciertas clases o especulaciones. La contribución anual de puertas se regula en más de 36 millones de reales; la de frutos civiles en 1.589.420 reales, 20 y medio maravedís, en esta forma: predios rústicos y urbanos del término alcabalatorio, 11.594 reales, 6 y medio maravedís; predios urbanos del casco y afueras, 1.297.460 reales, 25 y medio maravedís; artefactos, 3.364 reales, 3 y medio maravedís; oficios y derechos enajenados de la corona, 16.077 reales, 15 $^5/_6$ maravedís, y censos e imposiciones que gravitan sobre las clases, 260.994 reales, 3 maravedís y un tercio.

Los consumos tampoco pueden fijarse con exactitud, pues establecida la libertad de su venta, sólo por la entrada pueden regularse, y ya se sabe que esto no siempre es exacto. Limitándonos, pues, a algunos de los principales artículos, diremos que se regula el consumo anual en 1.095.000 fanegas de trigo; en 803.000 arrobas de vino; en 200.000 carneros, 22.000 vacas, 70.000 cerdos, 2.417.000 arrobas de carbón, 13.245 de jabón, 40.800 de aceite, 50.000 de nieve, 20.333 fanegas de sal. Pero no salimos garantes de la veracidad de todo ello.

División interior

Madrid está dividido para la administración interior en 10 cuarteles y estos en 62 barrios (1), en esta forma:

CUARTELES	BARRIOS
Palacio	Puerta de Segovia.
	Sacramento.
	Santa María.
	San Nicolás.
	Encarnación.
	Doña María de Aragón.
La Plaza	Santa Cruz.
	Santo Tomás.
	San Justo.
	San Ginés.
	Santiago.
	Panadería.

(1) Madrid estuvo dividido en 8 cuarteles y estos en 64 barrios, hasta la nueva división en 10 cuarteles (aumentándose dos, el de San Martín y el de San Isidro), verificada por el Real Decreto de 6 de junio de 1802, y es de notar que todos los libros publicados acerca de Madrid, aun los posteriores a aquella época, no le dan la actual división y sí la antigua; por lo cual se hace aquí con especificación.

San Martín ...
- San Luis
- Niñas de Leganés.
- Carmen Calzado.
- Descalzas Reales.
- Moriana.
- Los Angeles.

San Francisco..
- San Francisco.
- Humilladero.
- Vistillas.
- San Andrés.
- Puerta de Toledo.
- La Latina.

Afligidos ......
- Leganitos.
- Rosario.
- Plazuela del Gato.
- San Marcos.
- Monserrat.
- Monterrey.
- Afligidos.
- Guardias de Corps.

Maravillas .....
- San Ildefonso.
- San Basilio.
- Hospicio.
- San Plácido.
- Buena Dicha.
- Buena Vista.

El Barquillo .
- Guardias Españolas.
- San Antonio Abad.
- Mercenarias.
- San Pascual.
- Salesas.
- Capuchinos de la Paciencia.

San Jerónimo...
- Buen Suceso.
- Baronesas.
- Pinto.
- Trinitarias.
- La Cruz.
- Jesús Nazareno.

Avapies ....
- Amor de Dios.
- Plazuela de San Juan.
- Hospital General.
- Santa Isabel.
- Ave María.
- Trinidad.

San Isidro ......
- San Isidro.
- Comadre.
- San Cayetano.
- Niñas de la Paz.
- Huerta del Bayo.
- Mira el Río.

Aspecto general de Madrid

El aspecto general de Madrid ha variado casi del todo de pocos años a esta parte. El aseo y limpieza de las calles, la multitud de casas nuevas o reedificadas en esta época y el buen gusto, en fin, que reina generalmente y se manifiesta en las tiendas, en los cafés y demás objetos públicos, prestan en el día a esta villa un aspecto lisonjero, capaz de sorprender a los que no la hayan visto hace algunos años. La mayor comodidad, sin embargo, nos ha hecho más exigentes, y en el día se notan ciertas faltas que en lo antiguo no fueron reputadas por tales. El empedrado, por ejemplo, aunque mejorado notablemente en ciertas calles por el cuidado de las autoridades municipales, ofrece aún en las más un piso ingrato y desigual, que molesta sobremanera al forastero y ocasiona los charcos y lodazales que las hacen en tiempo lluvioso poco menos que intransitables. Las aceras o losas de los lados tampoco tienen la anchura conveniente ni unión entre sí, siendo apenas bastantes para el paso de una persona. Las casas, aunque reformadas y pintadas generalmente, no tienen uniformidad o armonía, por haberse dejado libremente a los dueños la facultad de alzarlas o bajarlas a su antojo, y pintarlas del color que han querido, con cuya libertad mal entendida, se ha renunciado a la regularidad que ha podido darse al aspecto de muchas calles que en el día están desfiguradas con hartos colorines y extravagancias. Por lo demás, la desigualdad de las casas en sus proporciones, las cuestas de algunas calles, la estrechez de otras, la falta de plazas anchas y adornadas y otros defectos antiguos que sólo pudieron evitarse cuando la ampliación de la corte, serán todavía por largos años el objeto del celo del Gobierno y del deseo de los amantes de este pueblo. Por ahora sólo puede cuidarse de que las calles y casas nuevamente construídas no adolezcan de aquellos inconvenientes, y con efecto se ve en las nuevas de Santa Catalina, en las de la Plaza de Oriente, calle de Santiago, Plaza y calle Mayor y otros muchos sitios de la población.

La numeración de las casas es otro de los defectos de Madrid, por estar ejecutada por manzanas, de suerte que suele suceder el venir a colocarse casualmente dos o tres números iguales uno enfrente de otro, lo cual ocasiona muchas molestias o la precisión de tomar alguna otra seña además del número. Sería, pues, de desear que se verificase una numeración más cómoda por calles, colocando los números pares a la derecha y los impares a la izquierda, y aun marcando, por medio de los colores en las lápidas, la dirección de las calles, como sucede en París, donde se marcan con respecto al curso del Sena, que atraviesa la ciudad. Aquí podría adoptarse por punto la calle de Alcalá, Puerta del Sol y calle Mayor, que cruzan la capital de este a oeste. Todas las calles o dirijen a este punto, o le son paralelas; podría fijarse el color blanco en las lápidas de las calles que dirijen a él, y el encarnado en las paralelas, empezando en las primeras la numeración por la parte más próxima a la línea o punto divisorio, y en las paralelas por la parte más próxima al principio del mismo (que es el Prado). Así que, entrando en una calle, se advertía por los colores la dirección de ella, y por la disminución o crecimiento de la serie de los números, la mayor o menor proximidad del punto dado. Además, sería de desear que se duplicase el nombre de las calles al principio y al fin de cada una, pues en el día sólo se halla al principio (lo que es casi inútil en una calle larga) y en muchas ni aun eso.

En cuanto a la limpieza de las basuras se ejecuta con mucha regularidad por los carros de la villa, que recorren alternativamente los barrios durante la semana. Una de las cosas que más han contribuido a ella, es el haber despojado de cajones de comestibles ciertas calles principales, como la de la Montera, las plazuelas de Antón Martín y del Angel, que estaban desfiguradas con ellos. La limpieza de pozos, como más molesta, se hace de noche, desde las once en adelante, y es de desear se conclu-

ya lo más antes posible la obra de las alcantarillas subterráneas, para que se vea Madrid libre de aquella notable incomodidad.

El alumbrado consiste en unos 7.000 faroles, en cuya forma y colocación creemos que podrían hacerse mejoras muy notables con las que produjesen mayor luz que la escasa que dan ahora; y acaso, reducido su número por la misma mejora, se ahorrarían gastos en ello (1).

Vigilan la seguridad de los vecinos de Madrid, desde las once de la noche hasta después de amanecer, los llamados *serenos*; los cuales, por su honradez y vigilancia, han merecido siempre la mayor confianza y prestado desde su establecimiento servicios importantes.

Carácter moral y físico de los habitantes

Los hijos de Madrid son en general vivos, penetrantes, satíricos, dotados de una fina amabilidad y entusiastas por las modas. Afectan las costumbres extranjeras, desdeñan las patrias, hablan de todas materias con cierta superficialidad engañadora que aprendieron en la sociedad, y si bien el ingenio precoz que les distingue hace concebir de ellos las más lisonjeras esperanzas en su edad primera, la educación demasiado regalada, las seducciones de la corte y otras causas, cortan el vuelo de aquellas facultades naturales y les hacen quedar en tal estado. Así que, brillando por su elegancia, sus finos modales y su divertida locuacidad, se les ve permanecer alejados de los grandes puestos y relaciones; dejando el primer lugar en su mismo pueblo a los forasteros, que con más paciencia y menos arrogancia vienen a vencerlos sin encontrar gran resistencia de su parte. Su físico es agradable, aunque se resiente de las mismas causas que el moral; y no pudiendo desenvolverse completamente, les hace permanecer pequeños, en ge-

(16) Después de escrito lo anterior, el Excelentísimo Ayuntamiento de esta M. H. Villa, convencido de la necesidad de mejora en el alumbrado público, ha ofrecido en primero de marzo último, un premio de quince mil reales y una medalla de oro al autor de la mejor memoria sobre este punto.

neral, delgados y enfermizos. Solo saliendo de su pueblo varían de aspecto y aun de ideas, y entonces se ve de lo que serían capaces con otro método en sus primeros años.

Los forasteros, dejando su país tal vez por las mismas causas, vienen a Madrid y, lejos de sus familias, entregados a sí mismos y sin las consideraciones orgullosas que inspira la presencia de sus compatrio· tas, adquieren más solidez en sus ideas, van derechos al fin y no repugnan las privaciones y la paciencia necesarias para ello. Colocados en el puesto que anhelaron, se identifican con el pueblo que los ha visto elevarse, se confunden con sus naturales, adquieren los modales de la corte y, todos juntos, forman la sociedad fina de Madrid, sociedad en que reina el buen tono, la amabilidad y una franqueza delicada.

Esta mezcla de costumbres, estas distintas situaciones, de magnates distinguidos, empleados en favor, capitalistas, pretendientes, caballeros de industria y tantas otras clases, dan a este pueblo un carácter de originalidad no muy fácil de describir. El trato es superficial, como debe serlo en un pueblo grande, donde no se conoce con quién se habla, ni quién es el vecino. La confusión de las clases es general por esta causa; las conversaciones también generales por los diversos objetos públicos que cada día las fijan; las diversiones frías y sin aquel aire de alegría y franqueza que da en nuestras provincias el conocerse todos los que las componen; pero de esta misma circunstancia nace la conveniencia de poder vivir cada uno a su modo, sin el temor de la censura y de los obstáculos que presenta un pueblo pequeño.

¿Y las mujeres? —se dirá—. ¡Qué! ¿no merecen ser nombradas en estas observaciones? ¡Y tanto como lo merecen! Ellas regulan nuestra sociedad; ellas incitan al hombre a todas sus empresas; ellas nos hacen pretendientes, comerciantes, empleados; sus caprichos dirigen nuestros cálculos; sus necesidades fingidas nos crean las verdaderas. Si esta regla es general en todas partes, ¡con cuánta mayor extensión no deberá aplicarse a un pueblo donde el deseo de lucir, el lujo extravagante, las continuas ocasiones de arruinarse y, en fin,

la adoración tributada únicamente al exterior, disculpan en cierta manera y autorizan los caprichos mujeriles! Con efecto, es general el deseo de cada uno en sobrepujar a sus facultades. La mujer del artesano se esfuerza a parecer señora; el empleado consume su corto sueldo porque su esposa brille al lado de la marquesa; ésta gasta las enormes rentas de su esposo por igualar su tren al de los príncipes, y todos se arruinan ante el ídolo funesto de la moda... Pero ¿a dónde vamos a parar con estas tétricas ideas? ¿Y qué? ¿habrá de olvidarse la finura, la elegancia que esta misma moda de las madrileñas presta a su sociedad? Si su educación se ve descuidada en los puntos económicos, ¿quién las iguala en las artes de recreo y en los talentos de sociedad? ¿Quién sabe trasladar mejor los armoniosos acentos de un Rossini? ¿Quién baila con más perfección? ¿Quién habla, ríe, juega, burla, reprende y seduce con más gracia a sus numerosos adoradores? ¿Quién sabe unir el sentimentalismo de las novelas con la más amable coquetería? ¿Quién en modales, en vestido y aun en lenguaje, sabe hermanar la gracia nacional a la extranjera, formando una peculiar que podemos llamar *gracia matritense*? ¿Quién...? Pero basta lo dicho para formarse una idea de su carácter. El físico es interesante: pequeñas, bien formadas, facciones lindas, talle airoso, color quebrado y aire distinguido. Tal es el verdadero retrato de las madrileñas.

Las costumbres del pueblo bajo son lastimosas; mezcla de grosería y de libertinaje; valientes hasta la temeridad; enemigos del trabajo, que soportan tal vez algunos días para emplear su producto el domingo y el lunes en las tabernas y en los toros. Las mujeres conocidas bajo el nombre de *manolas* son dignas de tales esposos, de tales amantes. Su ingenio natural se convierte en desenvoltura; su animosidad, en alevosía; sus gracias, en objeto de un vil tráfico; acostumbradas a ser engañadas por sus pérfidos amantes, los engañan; acostumbradas a ser maltratadas, los maltratan; para ellas y para ellos la mejor razón es el palo, y el argumento más sublime, la navaja; y sólo en fuerza de la extremada vigilancia del Gobierno se contienen en ciertos límites. Es de creer que la mejor educación del día pueda variar las costumbres de esta parte del pueblo, tanto más sensibles cuanto que precisamente recae en la capital del reino.

Un día en Madrid

Al rayar el día empieza lentamente el movimiento de este pueblo numeroso. Se abren sus puertas para dar entrada a infinidad de aldeanos que conducen las producciones de sus lugares circunvecinos para depositarlas en los abundantes mercados de la capital. Otros, circulando por ella con sus provisiones, permanecen durante toda la mañana ocupados en la venta por menor. En estas primeras horas, los tahoneros, montados en sus caballos con enormes serones, reparten el pan por las tiendas; los ligeros valencianos cruzan las calles en todas direcciones pregonando sus refrescos; las tiendas se llenan de mozos y criados que concurren a beber; los carros de los ordinarios que salen se cruzan con la rechinante carreta de bueyes que viene cargada de carbón; las plazas y mercados van progresivamente llenándose de gentes que se ocupan de las compras en menudo; las iglesias, de ancianos piadosos y madrugadores, que concurren a las primeras misas de la mañana, y los talleres de los artesanos, de multitud de obreros que van alegres a sus trabajos respectivos. Suenan las ocho, y el tambor de las guardias que se relevan se hace oír en todos los cuarteles de la capital. Las jóvenes elegantes que habían salido a misa o a paseo en un gracioso *négligé* vuelven lentamente a sus casas, acompañadas, por supuesto, *casualmente*. Tampoco falta su *casual compañía* a la alegre sirvienta, que con el cesto de provisiones bajo el brazo, viene prestando piadoso oído a los tiernos acentos del agraciado barberito o del gracioso ordenanza. Los cafés retirados, las tiendas de vinos y las hosterías presencian a tales horas estos obsequios misteriosos; pero a las nueve el cuadro ha variado de aspecto: los coches de los magnates, de los funcionarios públicos, seguidos a carrera por la turba de pretendientes, que los espera a su descenso, corren a los Consejos y a las oficinas públicas; el emplea-

do subalterno, saboreando aún su chocolate, marcha también a colocarse en su respectiva mesa; los estudios de los abogados quedan abiertos a la multitud de litigantes; el ruido de la moneda resuena en el contador del comerciante; el martillo, en el taller del artesano, y las elegantes tiendas de modas, bien decoradas, bien frescas y limpias, empiezan a dar entrada a las diligentes damas, que vienen a saciar en ellas sus caprichos y su vanidad. La Puerta del Sol empieza a ser el centro del movimiento del público y *del quietismo* de una parte de él, que se la reparten como su propiedad. Los corredores subalternos de papel, préstamos y demás, hacen allí sus negocios *sin correr*; los músicos esperan avisos de bodas, llegadas de forasteros y festividades para correr a felicitar a los dichosos; los calesineros andaluces convidan con sus coches y calesines; los ciegos pregonan sus curiosos romances; los aguadores riñen por haberse quitado la vez para llenar sus cubas, y las vendedoras de naranjas hacen conocer sus excelentes pulmones; en tanto, los elegantes corren en un *ordenado desorden* al despacho de los billetes de la ópera, que, como una plaza de guerra, se halla defendido por tropa de infantería y caballería, y sitiado por una multitud innumerable pronta a dar el asalto; otros van a rendir sus homenajes matutinos a la amable beldad, que los recibe a su tocador, o bien a almorzar con sus amigos; a probar sus caballos y floretes. La agitación, entretanto, se ha hecho más general. Los elegantes carruajes que llevan a Palacio las personas de corte, dan paso a las encumbradas y enormes diligencias que salen para todos los puntos; las gentes a pie cruzan las calles con bien diferentes objetos; hombres de negocios, desocupados, curiosos, mujeres, muchachos, todos corriendo en distintas direcciones, forman una confusión, un ruido, un movimiento a que el forastero tiene trabajo en acostumbrarse. Los Consejos, la Sala, los Juzgados de la villa, la Caja de Amortización y otros muchos objetos llaman a la multitud hacia la calle Mayor; los litigantes, cargados de papeles; los procuradores, de sus procesos; los escribanos y alguaciles, con sus respectivas vestimentas, apenas dejan paso franco al observador, que con dificultad puede penetrar a las salas del Consejo a escuchar las elegantes oraciones de los abogados que intentan defender la justicia, disminuir el delito o aclarar la verdad. El artesano, entre tanto, que al punto de las doce dejó sus trabajos, prepara su comida sencilla, mientras el pretendiente va a ocupar su conocido lugar en la antesala de la secretaría; el petimetre varía su traje para empezar la pesada ocupación de sus inútiles visitas, y la dama ensaya sus estudiadas palabras. La una. ¡Hora preciosa! Los pretendientes la esperan con ansia para saber el resultado de sus solicitudes; la encantadora belleza, para recibir la visita de su apasionado; el hombre del pueblo, para sentarse a su sencilla mesa, y para todos es aquella la hora de las esperanzas. Una hora después las oficinas van desocupándose; se cierran bufetes, tiendas y despachos, y cada cual se prepara a sentarse a la mesa; los celibatos y forasteros corren a las fondas a recobrar sus fuerzas, mientras que el padre de familia, en su casa, saborea una comida frugal, sazonada con la presencia de los suyos. Un poco después las mesas elegantes ofrecen en sus exquisitas salas un tormento al estómago y en la etiqueta un inconveniente al placer. La población permanece en reposo: la siesta, que en la clase inferior es muy poca cosa o nada, se prolonga más de una hora en las otras clases; pero a las cuatro vuelve la animación, que va en aumento en las horas posteriores. Entonces ya se prescinde en general de los trabajos, dando más lugar a los placeres: los paseos empiezan a poblarse de gentes de todas condiciones; los toros, las meriendas, los pequeños viajes a Vista Alegre u otros puntos ofrecen diversiones a todas las clases; en el Prado luce la sociedad elegante, los brillantes trenes y la esmerada compostura; la multitud, esparciéndose fuera de las puertas, busca los paseos adecuados a sus gustos. Todos permanecen en ellos hasta que la noche se acerca; y mientras unos se retiran a sus modestas habitaciones a sentarse a sus puertas y cantar al son de su guitarra o de las de los músicos ciegos, otros pueblan los cafés y los billares. Las tertulias o pequeñas reuniones de confianza ofrecen, entre tanto, su sencilla franqueza, y los teatros el punto de reunión de las gentes de buen tono. La multitud va disminuyendo en las calles; los barrios apartados permanecen solitarios, y sólo los del centro ofrecen todavía vida hasta después de cerrados los teatros. La mayor parte vuelve a sus casas a disfrutar del reposo; pero otra parte prolonga la vida que hurtaron al día, ostentando en tertulias elegantes sus estudiados adornos, o arruinándose en juegos reprobados; sus coches hacen retemblar las pacíficas calles, y va disminuyendo su número hasta que ya a las dos de la mañana se oye sólo la voz del vigilante sereno, que da la hora y avisa al desvelado las que aún le faltan que penar. Los cantos de las aves precursoras del día suceden a aquel silencio, y el cuadro anterior vuelve a comenzar.

INSTRUCCIÓN *a los forasteros sobre los medios más cómodos de vivir en Madrid.*

Como el objeto de este libro es facilitar a los forasteros las noticias útiles que puedan necesitar, nada parece más natural, después de haber dado una idea general del pueblo de Madrid, que colocar esta instrucción, en la cual habrá que descender a ciertos pormenores interesantes que constituyen los objetos de primera necesidad para un recién venido.

Conocimiento topográfico de la Villa

La vista general de Madrid puede gozarse desde una altura, tal como la torre de la parroquia de Santa Cruz u otra situada en el centro; pero como la figura de este pueblo es irregular, servirá muy poco esta precaución para familiarizarse con el conocimiento de él: así que lo que debe hacer el forastero para este objeto, es dedicarse los primeros días a estudiar el plano y tomar en la memoria las calles principales. Sólo se dirá que Madrid está cruzado, aunque imperfectamente, de N. a S., desde las puertas de los Pozos y de Santa Bárbara por las calles paralelas de Hortaleza y Fuencarral, que vienen a desembocar en la de la Montera, siguiendo

por ésta, Puerta del Sol, calle de Carretas.
de la Concepción Jerónima a la de Toledo,
y Puerta de este nombre; y de E. a O.,
desde la Puerta de Alcalá, calle de este
nombre, Puerta del Sol, calle Mayor y Almudena hasta la Puerta de la Vega. Todas
las demás calles vienen a dirigir a éstas,
y como la Puerta del Sol es el centro de
estas líneas, de aquí la importancia de esta plaza para el forastero, que regularmente la toma por punto de partida para
todas sus expediciones. Ultimamente, para
buscar las calles con comodidad se pone
al fin de esta obrita una lista alfabética
de todas ellas con sus entradas y salidas,
y cuartel en que están situadas, con lo
cual es difícil perderse.

Elección de calle y casa

Lo primero que debe hacer un forastero
es la elección de una calle y casa que estén situadas en la inmediación de los sitios a que le hayan de conducir sus particulares circunstancias, pues el desatender este punto es una de las causas de la
gran fatiga que experimentan los recién
venidos a Madrid. Si, por ejemplo, fuese
pretendiente, deberá situarse en las calles
Mayor, Arenal y sus convecinas, para no
estar lejos de los Consejos, Ministerios y
otras oficinas generales. Pero si la mera
curiosidad o el deseo de divertirse le traen
a Madrid, puede escoger su habitación por
las calles principales de Alcalá, San Jerónimo, Carretas, Montera y sus traviesas,
con lo cual se proporcionará la vecindad
del Prado, museos, teatros y demás objetos
curiosos. Es inútil advertir que para ningún objeto deberá situarse en paraje extraviado, pues entonces no gozará de Madrid; pero, sin embargo, si quiere conservar en la Corte la tranquilidad de su provincia, no tiene más que fijarse en los barrios del N. hacia las extremidades de la
calle Ancha de San Bernardo, y allí reuni-
rá, además de las ventajas del silencio, las
del menor coste, mayor amplitud en la
habitación y aires más saludables.

Fondas

Para la elección de casa se presentan al
forastero varios medios; pero debe consultar antes con su bolsillo, escogiendo el
más proporcionado. Las fondas reúnen en
general mayor elegancia en el servicio, pero en ellas a proporción de la habitación
y el trato, sube el precio, que suele ser
bastante alto, porque además del cuarto y
cama, que se paga bien, puede regularse
la manutención en unos 20 reales diarios,
mas el aseo y finura en el trato recompen-
san de este sacrificio, a pesar de que las
fondas no están en Madrid tan brillante-
mente montadas como otros establecimientos. Las principales son: *la Fontana de
Oro*, en la Carrera de San Jerónimo; *la
Gran Cruz de Malta*, en la calle de Caballero de Gracia; *la de San Luis*, en la
calle de la Montera; *la de Genieis*, en la
calle de la Reina; *la de Europa*, en la calle del Arenal; *la de la Victoria*, en la
Puerta del Sol; *la de los Dos Amigos*, en
la calle de Alcalá; *la de Perona*, en la misma calle, y otras muchas que sería prolijo
enumerar. En todas ellas, además de admi-
tirse huéspedes, se sirve comida al que la
pide desde 10 reales cubierto. Hay además otras fondas más pequeñas llamadas
Hosterías, donde se sirven comidas más
baratas de seis reales. Citaremos algunas:
la del Caballo Blanco, calle del Caballero
de Gracia; *la del Carmen*, en la calle del
mismo nombre; *la de la calle del Carbón,
la del Postigo de San Martín, la del Arco
de San Ginés, la de la calle de la Gorguera* y otras varias. Finalmente, en toda la
población hay diseminadas multitud de
tiendas de comestibles y figones, donde se
sirven comidas y almuerzos a la clase menos acomodada, y con toda conveniencia.
Además la multitud de tiendas de vinos
generosos, géneros ultramarinos, pastelerías famosas y lindísimas confiterías, situadas en todas las calles, ofrecen un recurso siempre abierto y expedito para restaurar las fuerzas perdidas del estómago
u ofrecer un obsequio franco y sencillo a
alguna beldad *errante*. En estas tiendas se
encuentra bastante comodidad, limpieza y
buena voluntad de parte de sus dueños. No
hay que indicarlas, porque siendo tantas

teniendo a la vista sus grandes muestras, sería trabajo inútil. Permítase, sin embargo, hacer una excepción en favor del almacén de vinos de la calle de Fuencarral llamado de los *Andaluces*, en donde, bajo el lema de la muestra, *Delicias de la Bética*, se sirven pescados y mariscos, vinos exquisitos y otros frutos de aquellas provincias que tantos apasionados tienen.

Casas de huéspedes

El segundo medio y más a propósito para vivir en Madrid un forastero son las casas llamadas de *huéspedes*, en las cuales, cediendo sus amos una parte de la habitación, ya amueblada, contratan con el huésped el precio de la comida por un tanto diario, que nunca es tan excesivo como en las fondas, teniendo además la ventaja de verse asistido con mayor interés y por personas de otra clase que en aquellas; las hay en todas las calles de la población, y sus precios varían según la situación, dimensiones, mueblaje y demás comodidades; por lo que no se puede fijar regla general, pero por cuatro a ocho reales se encuentra un cuarto y cama decente. Para darse a conocer estas casas se usa de la señal de un papel atado a la extremidad de los balcones, y no en el medio como se pone cuando se alquila un cuarto por entero.

Casas de alquiler

Pero si el forastero hubiese de permanecer largo tiempo en Madrid, puede alquilar una habitación, tratando para ello con el casero sobre precio y condiciones; las cuales suelen ser dar un fiador abonado o medio año adelantado de alquiler por vía de fianza, en cuyo caso, verificado el recibo, no puede ya despojársele de la habitación, cumpliendo con lo estipulado, y sobre esto favorecen mucho las leyes a los inquilinos en Madrid. Pero entonces tiene que amueblar la habitación, y si no quiere comprar los muebles en los muchos almacenes que hay de ellos, puede alquilarlos, ya usados, en los mismos, aunque este medio es siempre caro y sólo puede tener ventaja en algunas ocasiones.

Posadas o paradores

Ultimamente, las posadas o paradores propiamente tales, son en Madrid bastante malas en general, y los precios más bajos en correspondencia, por lo cual no paran en ellas las personas que gustan gozar alguna comodidad. Las principales y mejores son el parador de San Bruno, en la calle de Alcalá; el de Barcelona, en la calle Ancha de Peligros; el de Cádiz, en la calle de Toledo. Otros muchos hay en dicha calle, Cava Baja, calles de Segovia, Alcalá, Carmen, Montera, Concepción Jerónima, la Reina y otras; pero, en general, están limitados a aposentar a los trajineros por sus escasas comodidades.

Cafés

Los principales son los ya citados como fondas, a saber: *la Fontana de Oro*, que por su situación, magnífica sala, buen alumbrado y adorno y excelentes bebidas, reúne siempre una concurrencia numerosa; *el de la Victoria* (*Lorencini*), lindamente decorado y situado en la Puerta del Sol, que reúne como el anterior las circunstancias de fonda y billar, y además, baños en la temporada de estío; *el de San Luis*, algo más solitario; *la Cruz de Malta*, elegantemente adornado, y con un bonito local. Además de éstos se distinguen por su magnificencia *el de Santa Catalina*, en las casas nuevas de la Carrera de San Jerónimo, frente a la subida del Retiro, el cual por su espacioso local de invierno y verano, su suntuosa decoración y brillante alumbrado, es sin disputa el primero de Madrid. En su gran sala suelen darse conciertos elegantes, y sería de desear que el público de Madrid no llegase a tratar este hermoso establecimiento con la injusticia que lo hizo con el *Tívoli*, del Prado, que podía competir con los más brillantes de su clase en el extranjero. El otro café que viene a colocarse naturalmente al lado del de Santa Catalina es *el de Solís*, en la calle de Alcalá, que ha sabido conservar su

constante fama desde que se estableció después de la guerra de los franceses. El *de
Venecia*, en la calle del Prado; *el del teatro del Príncipe*; *el de Solito*, que está enfrente; *el de Santa Ana*, plazuela de este
nombre; *el de San Vicente*, en la calle de
Barrionuevo; *el de los Dos Amigos*, *el de
la Aduana* y *el de la Estrella*, en la calle
de Alcalá, y otros muchos diseminados en
todo Madrid, se reparten entre sí la concurrencia, y tienen respectivamente para
sus abonados su mérito particular. La moda, que en otro tiempo se daba por contenta con hediondas botillerías, no se sa-
tisface ahora con los brillantes quinqués,
las mesas de mármol y los delicados cristales y porcelanas que han sustituído a los
candilones, los bancos y los vasos de campana con que se holgaban nuestros mayores. Así que la vemos negar alternativamente sus favores a todos estos establecimientos, a pesar de que se esfuerzan a
complacerla diariamente con notables mejoras. Sin embargo, hay algunos ejemplares de inmutabilidad afortunada: tal es el
que ofrece el café de *Levante*, en la calle
de Alcalá, que, protegido por sus jugadores de damas, dominó, ajedrez y demás,
ha sabido desafiar constantemente los desdenes de la moda. Para finalizar este punto sólo diremos que en cuanto a precio son
distintos, según la mayor o menor elegancia del establecimiento.

Además de los cafés hay un inmenso número de juegos de billar, nunca desocupados de jugadores y espectadores, que ofrecen un recurso a la distracción y a la holganza.

Memorialistas y escribientes

Los hay que se ofrecen a ejecutar toda
clase de memoriales, cuentas, copias y aun
traducciones en todas las calles de la población en los portales, y más principalmente en la calle detrás de Correos. En
dicha Casa de Correos, en los postes del
patio, fijan también sus anuncios los es-
cribientes que buscan acomodo para dentro de las casas. Los precios varían según
la importancia del servicio que prestan.

Criados

Los asturianos, en general, abastecen a
Madrid de criados de servicio; los más
finos y aseados sirven de lacayos; otros
más toscos hacen de compradores y mozos
de servicio, y todos por lo regular no des-
mienten la antigua y conocida honradez de
su provincia. Son trabajadores, sufridos,
y sólo torpes en los principios de su llegada a Madrid, aunque muy luego se enteran de sus calles, usos y costumbres. Sus
salarios varían según el convenio y trabajo que se les dé; pero puede fijarse por
término medio el de dos reales diarios y
la comida, que pagan la mayor parte de
las casas de Madrid.

Aguadores y mozos de cordel

También los asturianos y gallegos desempeñan en Madrid estos oficios. Los
aguadores suelen servir también de mozos
de compra, y el precio de su trabajo suele
ser 20 reales al mes, con lo cual surten de
agua que toman en las fuentes principales.
Los robustos mozos de cordel que se hallan en las esquinas de las calles, aunque
toscos sobremanera, sirven para conducir
los efectos y hacer toda especie de mandados, lo cual ejecutan con bastante exactitud y notable probidad, pagándoles de
dos a cuatro reales por cada mandado.

Coches de alquiler y cabriolés

Muchos establecimientos proporcionan
esta comodidad por días a aquellas personas a quienes sus muchas ocupaciones, visitas y demás les hacen necesarios. Los
hay en muchas calles, tales como las del
Sordo, Baño, Huertas, Cedaceros, Greda,
Tres Cruces, Silva, San Roque, los Negros,
Desengaño y otras varias, donde sólo se
alquilan por días y medios días, y sus precios suelen variar de tres a cuatro duros
diarios, según el mayor o menor lujo de
los carruajes, lacayos, etc. Además hay
que dar propina a los lacayos.

Ultimamente, la Compañía de Empresas
Varias ha establecido sus coches con toda
decencia, los cuales se alquilan por temporada y a los precios siguientes:

CARRUAJES DE CUATRO RUEDAS

Tiempo	Con lacayo	Sin lacayo
Por un año ... ... *reales vn.*	20.000	18.000
Por medio	11.000	10.000
Por tres meses	5.700	5.200
Por un mes	2.000	1.880
Por quince días	1.100	1.040

Por un día 76
Medio día (tarde) 40
Medio día (mañana) 36
Por tres horas 24
Cada hora que pase de éstas. 8

CABRIOLÉS

Los cabriolés no se alquilan sino completos. Estos carruajes pueden salir de Madrid hasta Vista Alegre, Puerta de Hierro y portazgos, sin pasar nunca estos límites. Los precios son fijos y no hay necesidad de dar propinas. Los avisos se reciben en la calle de la Reina, esquina a la del Clavel.

Tiempo	Precio
Por un año... *reales vn.*	12.000
Por medio	6.500
Por tres meses	3.500
Por un mes	1.200
Por quince días...	650
Por un día	50
Por medio día	28
Por tres horas	16
Cada hora que pase de éstas	6

Igualmente se alquilan:

Coche solo sin ganado, cochero ni lacayo, 30 reales vn.
Cada caballo para este servicio, 20.
Tronco de caballos con su cochero, 50.
Idem con cochero y lacayo, 58.

Caballos y mulas

Los caballos de paseo se alquilan en las calles de San Bernardo Angosta, de San Bruno, de los Remedios, de Peregrinos, del Infante y otras. Los precios suelen ser 24 reales por caballo, y las mulas, 16.

Calesines

Estos antiguos carruajes, cuya estrambótica figura, mal movimiento y poca seguridad no los hace muy recomendables, son, sin embargo, de grande uso en Madrid entre la gente común del pueblo, de cuyos bulliciosos placeres participan tranquilamente desde su fundación. Los baños en el río, los toros, las comilonas y meriendas y toda correría a los alrededores de Madrid, es el ordinario empleo de estos góticos muebles, que con su rápida carrera suelen comprometer a los que van dentro y a los que pasan por la calle. Suelen situarse en las calles de Alcalá y del Humilladero, en Puerta de Moros. Puede además acudirse a casa de los respectivos alquiladores, que siempre tienen sus dependientes en la Puerta del Sol y sitios más públicos para convidar a los parroquianos con tan peregrina comodidad. Los precios son convencionales, y se arreglan por la conciencia del alquilador y la bondad del alquilante; variando extraordinariamente en los días de grande romería, toros o cosa tal.

Carros

En calle de Santa Catalina a la del Prado están los llamados *de la Gamella*, que sirven para conducir los efectos de la Aduana, como también para llevar muebles en las mudanzas de casas, etc., a cuyo último objeto hay destinados otros muchos.

Baños

Son muchas las casas de baños establecidas en Madrid de pocos años a esta parte. Las principales son las de la Victoria, en el café llamado *de Lorenzini*, la de la calle del Caballero de Gracia, la de la calle de Fuencarral, las de la calle de los Jardines, la de Santa Bárbara, plaza de Oriente, cuartel de Guardias de Corps y otras, donde, según la mayor o menor elegancia, varían los precios desde seis a 10 reales cada baño. En general, sólo sirven en la temporada de estío, pero hay algunas casas, tal como la del Caballero de Gracia, que continúan abiertas todo el año, y además se llevan baños a las casas en caso necesario. También los hay de vapor y gaseosos en la calle de Fuencarral. En la temporada de verano se hacen baños o barracas de estera en el río, y allí es adonde acude la multitud de bañadores, pues la baratura del precio, que es dos reales por persona, facilita esta comodidad a todas las clases.

Vestido

En un pueblo donde el vestido es una de las circunstancias más recomendables, tomándose por fiador de las personas, no es regular dejar de atender a esta necesidad. Así que el forastero, al llegar a Madrid podrá renovar su vestido, si bien no a poca costa, al menos con arreglo a los preceptos del buen tono. Muchos son los sastres y modistas encargados en Madrid de hacernos pasar originales, y sin tomarse el trabajo de traducirlas, las modas francesas, miradas como otras tantas leyes por la juventud madrileña. Sin pretender singularizarnos ni calificar su respectivo y sublime mérito, nos permitiremos nombrar algunos de los célebres. Tales son Utrilla, en la Carrera de San Jerónimo; Ortet, calle de la Montera; Alvarez, frente a Correos; Picón, calle Mayor, y otros muchos; y entre las modistas, la de Su Majestad la Reina, en la calle del Carmen; las de las calles de la Montera, Jardines, Prado, Concepción Jerónima, Carrera de San Jerónimo, Príncipe y otras

muchas, fieles observadoras de los figurines parisienses.

En punto al calzado deberá acudirse a los almacenes de Galán, en la calle del Caballero de Gracia; Smitch, calle de Fuencarral; Seseña, calle de Jacometrezo, v otros muchos, pues no es fácil citarlos, siendo éste uno de los objetos que se trabajan generalmente bien en Madrid.

Tiendas

Por último, se encuentran en Madrid infinidad de tiendas de toda especie, donde puede cualquiera satisfacer sus gustos o necesidades en proporción al gasto que quiera hacer. Los productos y manufacturas de esta villa se mezclan en ellas a los más célebres de las provincias, del extranjero y de ultramar. Grandes almacenes elegantemente adornados y servidos por diestros y amables jóvenes, convidan con todos los objetos del lujo más delicado. Las brillantes tiendas de las calles Mayor, Carretas y del Carmen ofrecen todos los caprichos de la moda en punto a *vestido*, y allí es adonde concurren a tributar sus sacrificios la elegante beldad y el almibarado *petimetre*. Los surtidos *almacenes de paños* y las lindas *tiendas de quincalla* de las calles del Carmen y de la Montera ofrecen a los mismos los refinamientos de la industria extranjera y los esfuerzos de la nacional. Fruto exclusivo de ésta son los almacenes de la Puerta del Sol, calle de la Montera y otros; los *galones* y *cintas* de la plazuela de Santa Cruz, los *botones* de las calles de Carretas y Atocha, las *flores* y *plumas* de las calles de la Montera, Carrera de San Jerónimo y otras, los *percales* de la fábrica de San Fernando, que se despachan en las calles de Carretas y plazuela del Angel, como asimismo otros objetos del vestido de la más elegante sociedad; al mismo tiempo que los *almacenes de paños* de la calle de Toledo, Mayor y otras muchas, los *lienzos* de la calle de Postas y las *roperías* de la calle Mayor y Atocha, surten de géneros del reino, que compiten con los extranjeros, a aquellas clases a quienes una preocupación ridícula no obliga a sacrificar su fortuna a una vana apariencia (1). Otras infinitas tiendas derramadas en todas las calles de la capital y decoradas más o menos, ofrecen el surtido de todos los objetos: entre ellas citaremos los *almacenes de muebles de casa* de las calles de Hortaleza, Caballero de Gracia, del Carmen, Jacometrezo y otros muchos; los *de papel* de la plazuela del Angel, calle de Majaderitos, del Carmen, del Arenal, del Prado, Atocha y otros muchísimos; los *despachos de alfombras* y *alabastros* de la Compañía de Empresas Varias en la calle de la Reina; las *tiendas de hierro, acero, metal* y otros objetos de la Subida de Santa Cruz; las de *vidriado* y *porcelana* de la Plaza Mayor, calle del Arenal y del Desengaño; las de *cristal y loza* de las Reales Fábricas de La Granja, Moncloa y Aranjuez, sitas en las calles de Alcalá y Carretas; las *de estampas* en las calles de Atocha, Jacometrezo, Carmen, Majaderitos, Príncipe y el *almacén de mapas* de esta última; los de *música* de la calle de la Gorguera, Carrera de San Jerónimo y frente a las gradas de San Felipe; *las Covachuelas,* donde se venden *juguetes de niños* y otros objetos; y las muchas y abundantes lonjas de sedas. Por último, nombraremos también la riqueza y elegancia de las *boticas* de todas las calles, y la provisión admirable de los artículos de los tres reinos que encierran las *droguerías* de la calle de Postas, Tudescos y Subida de Santa Cruz.

Toda esta reunión de tiendas y comercios que desde las magníficas columnas y brillantes cierros de cristal van descendiendo hasta los portales y rincones más oscuros, prestan al aspecto de Madrid una animación singular.

(1) Parece oportuno llamar la atención del forastero sobre estas roperías sitas en los portales de la calle Mayor, calle de Atocha, Toledo y otras de la capital, las cuales han recibido en estos últimos años un grado de perfección muy notable. En ellas se encuentra toda clase de prendas de vestido perfectamente hechas y a precios equitativos, lo cual es muy cómodo para el que quiera encontrarse equipado sin las dilaciones de los sastres, y con menor sacrificio.

Cambio de monedas

Hay varias casas establecidas para este objeto en las calles de la Montera y Toledo, donde se reducen por un tanto, que varía según las circunstancias, las monedas de oro a plata, y viceversa. En ellas se reciben y cambian las monedas extranjeras, pero de éstas no corren más que las francesas; así que las otras no se admiten más que al peso. Las monedas francesas tienen, según la última tarifa, el siguiente valor:

	Rs. vn.	Mrs.
ORO		
Pieza de 40 francos	152	"
Idem de 20 íd.	76	"
Luis de 48 libras	179	12
Idem de 24 íd.	89	17
PLATA		
Pieza de 5 francos	19	"
Idem de 2 íd.	7	20
Idem de 1 íd.	3	27
Idem de medio ó 50 cent.	1	30
Luis o escudo de 2 libras	22	"

Periódicos

Los periódicos son una de las necesidades del día en una gran población. En Madrid hay la *Gaceta,* el *Diario de Avisos* y el *Correo Literario y Mercantil.* La *Gaceta* es un papel del Gobierno, en que se publican las reales órdenes y noticias políticas de los diferentes Estados; también se hacen anuncios de obras literarias y otros. Sale los martes, jueves y sábados de cada semana. Se imprime en la Imprenta Real, y su coste es de 196 reales al año y 220 en las provincias, franca de porte. Los suscriptores reciben la *Gaceta* la víspera por la noche. Los números sueltos cuestan seis cuartos. El *Diario de Avisos* es un pequeño periódico que sale todos los días, y está destinado a los anuncios del Gobierno, bandos, citas y emplazamientos. subastas y además los anuncios particulares de festividades religiosas, ventas, alquileres, criados, diversiones públicas y demás. Es sumamente útil y se publica e imprime por empresa particular, mediante una retribución al Gobierno para establecimiento de beneficencia. Su precio es ocho reales al mes llevado a las casas, y 16 en las provincias franco de porte; el número suelto, tres cuartos. La redacción y oficina se halla en la Plaza Mayor sobre el arco de la calle de Toledo, y allí se admiten, para insertar, los anuncios que se lleven, mediante una retribución de medio real por línea. El *Correo Literario y Mercantil* es otro periódico por la misma empresa particular, que sale los lunes, miércoles y viernes de cada semana, y contiene, además de noticias políticas, las literarias y críticas, examen de los teatros, toros, obras públicas y demás artículos comunicados, y los relativos al comercio, precios y cambios. La suscripción es diez reales al mes llevado a las casas, y el precio de cada número, ocho cuartos.

Lectura

Para la lectura de los papeles ya dichos y otros hay un Gabinete en la calle de la Montera y varios puestos en las calles del Príncipe, detrás de Correos y otros. En dicho Gabinete de la calle de la Montera, en la librería extranjera de Mr. Denné, calle de los Jardines, en la de Justo, calle de la Cruz y en otras, se admiten suscripciones a lectura de libros por un tanto al mes. Las demás librerías, que son muchas y abundantes, están en las calles de Carretas, Montera, Carrera de San Jerónimo, Príncipe y demás.

Siguiendo el propósito de orientar desde luego al forastero, en las cosas más precisas, nos adelantaremos a hablar de algunos establecimientos públicos con relación a la corte, aunque luego se trate de ellos en sus respectivos capítulos con relación al reino entero. Tales son la policía, los correos, las diligencias, loterías y estancos.

Policía.—Carta de seguridad

El forastero, al llegar a Madrid, debe presentar en la puerta su pasaporte expedido con dirección a esta capital. Allí se le recoge y diciendo la calle y casa adonde va a parar, se le da una papeleta para que al siguiente día se presente al comisario respectivo. Si ha de permanecer pocos días, le basta con dicha papeleta visada por el comisario; pero para obtener carta de seguridad se le manda presentarse al celador de su barrio para que le empadrone, con lo cual, y dando por fiador un vecino honrado, se le expide la carta por un mes, que después renueva por más, según necesite. Para obtener pasaporte debe dirigirse al celador, y éste le dice cuándo debe ir a recogerle a la Subdelegación.

Correos

Todos los correos salen de Madrid a las doce de la noche, y hasta dicha hora se admiten cartas por el buzón de la calle de Carretas. Los días de la llegada y salida son en esta forma:

	LLEGAN	SALEN
De los cuatro reinos de Andalucía, en que se comprenden las de Gibraltar, Ceuta y presidios de la costa de Africa, Manzanares, Ciudad Real, Almagro, Infantes, Alcázar de San Juan, Ocaña, Aranjuez y todas sus carreras.	Lunes y jueves	Martes y viernes

Mala de Francia, Vizcaya, **Pamplona**, Estella, Rioja, Valladolid, Soria, Burgo de Osma, Peñafiel y Aranda de Duero ...	Lunes y jueves	Lunes y jueves
Toledo y su carrera...	Lunes y viernes	Martes y viernes
Valencia, Murcia, Cartagena, Campo de Tarragona, Tortosa, Alicante, Albacete, Cuenca y Tarancón, Portugal, Extremaduras, Talavera y sus carreras y la isla de Ibiza	Martes y viernes	Martes y viernes
Castilla la Vieja, León, Asturias, Galicia, Aragón, Cataluña, Soria, Agreda, parte de Rioja, Tudela de Navarra, Alcarria y sus carreras, y las islas de Mallorca y Menorca	Martes y viernes	Miércoles y sábados

Para la correspondencia de América sale un buque el primero de cada mes de los puertos de Cádiz o La Coruña, según se anuncia, y debe escribirse con anticipación para que lleguen las cartas a dichos puertos antes del día primero del mes.

Las cartas para el extranjero se remiten por la Mala de Francia los lunes y jueves, y deben franquearse hasta la frontera de España.

También puede escribirse para Madrid mismo todos los días, y las cartas se reparten con las demás; lo cual es un medio expedito para entenderse con personas cuya casa se ignora.

Durante la permanencia de Sus Majestades en los Reales Sitios hay parte diario, que sale a las doce de la noche, y tiene un buzón particular en la callejuela detrás de Correos.

Las cartas se reparten de varios modos. Primero: pagando el apartado, que son 60 reales cada medio año, y consiste en entregar al interesado sus cartas en el mismo establecimiento con anticipación de algunas horas. Segundo: por medio de los carteros que las llevan a las casas, para lo cual es necesario que ésta conste en el sobre de la carta, y este servicio empieza a las ocho de la mañana; el cartero cobra un cuarto por cada carta. Tercero: por listas, que se fijan en el patio de Correos a la una del día. Son alfabéticas, y hay una para militares, otra para paisanos y otra para las atrasadas, las cuales se conservan durante un año en la administración. Ultimamente, para mayor comodidad del público, hay establecidas varias estafetas en distintos puntos de la capital, en las que, hasta las once de la noche, se reciben cartas para el correo por la corta retribución de cuatro maravedís cada una. Están situadas en la calle del Horno de la Mata, Corredera de San Pablo, calles de Silva, de Amaniel, de León, de Hortaleza, Costanilla de Santiago, calle del Calvario, del Conde de Barajas, de Toledo, de las Infantas y del Mesón de Paredes.

Sillas de posta

Para correr la posta hay que acudir a la Dirección de Correos solicitando la licencia, quien la expide en vista del pasaporte del interesado, teniendo éste que pagar por ella 40 reales de vellón y otros 40 por cada persona, si fuesen más en su carruaje.

Las carreras de posta desde Madrid son las siguientes:

	Paradas	Leguas de posta
De Madrid a Irún	35	91 ¹/₂
De íd. a Barcelona por Zaragoza	42	110
De íd. a íd. por Valencia	42	110
De íd. a Cádiz por Sevilla	43	111 ¹/₂
De íd. a Cartagena por Murcia	25	73 ¹/₂
De íd a Badajoz	25	64
De íd. a La Coruña	34	98 ¹/₂

Los precios son cada legua los siguientes:

	Del real servicio	De particulares
Por cada caballo en viaje a la ligera	5 rs.	7
Por las sillas de posta	6	7
Por cada caballo para éstas	5	6
Agujetas en cada posta	4	6
Portazgos y barcas	Nada	Los paga el viajero.

Los que viajan a la ligera pagan su caballo y el del postillón. Las corridas se satisfacen antes de salir de parada. La Real Casa de Postas está situada detrás de Correos.

Reales diligencias

En la misma Casa está la Real Compañía de Diligencias, cuyos carruajes para el real servicio y del público salen y entran en Madrid en esta forma:

CARRERAS	SALEN	LLEGAN
Valencia y Barcelona.	Martes y sábados a las cuatro de la mañana; y lunes y jueves hasta Valencia sólo.	Lunes, miércoles, viernes y domingos al anochecer.
Vitoria y Bayona.	Lunes y jueves a las doce de la noche, con el correo. Martes, viernes y domingos a las diez de la mañana; y miércoles y sábados a la misma hora, sólo hasta Vitoria. En verano salen a las doce del día.	Todos los días a las mismas horas con corta diferencia.
Sevilla y Cádiz.	Lunes, jueves y domingos, a las doce del día en invierno, y a las tres de la tarde en verano; miércoles y sábados a las mismas horas y sólo hasta Sevilla; y martes y viernes a las doce de la noche con el correo hasta Cádiz.	Todos los días a las mismas horas
Valladolid y Burgos.	Martes y viernes a las seis de la mañana en invierno, y a las cuatro en verano.	Miércoles y sábados al anochecer.

CARRERAS	SALEN	LLEGAN
Badajoz.	Jueves y domingos a las seis de la mañana.	Miércoles y sábados al anochecer.
Zaragoza.	Lunes, miércoles y viernes a las doce del día.	Martes, jueves, sábados.
Alcalá y Guadalajara.	Domingos, martes y jueves a las seis de la mañana en invierno, y a las cuatro en verano.	Lunes, miércoles y viernes.
Aranjuez y Toledo	Todos los días a las cuatro de la mañana hasta Aranjuez, y los lunes, miércoles y viernes hasta Toledo.	Todos los días. Martes, jueves y sábados.
Sitios reales durante la permanencia de SS. MM. y AA.	Todos los días una, dos o más veces, según se comunica al público al principio de cada jornada.	En los mismos días.

PRECIOS	Berlina	Interior	Cabriolé ...	Rotonda ...
A Valencia	460	400	340	260
A Barcelona... ...	780	675		470
A Burgos...	160	138	116	106
A Vitoria	244	212	180	166
A Bayona	370	320	270	250
A Sevilla	800	680	560	480
A Cádiz...	960	820	680	580
A Valladolid... ...	180	160	120	100
A Badajoz	400	360	320	280
A Zaragoza	320	280	250	220
A Alcalá	18	16	14	12
A Guadalajara	36	30	26	24
A Aranjuez	24	20	18	16
A Toledo	48	40	36	30

Los triciclos salen los miércoles y sábados hasta Vitoria, y son a 160 reales cada asiento.

Para viajar en la diligencia es preciso presentar el pasaporte y tomar el asiento, pagándolo por entero. El equipaje hasta 25 libras de peso se conduce *gratis*; el exceso se paga. Las demás prevenciones para viajar en diligencias se hallan en el Manual publicado por la empresa, que se vende en su oficina.

Otras diligencias y medios de transporte

Además de los carruajes de la Compañía de Reales Diligencias hay en Madrid otras varias particulares, como son, una que hace servicio para Aranjuez y Ocaña todos los días; para Alcalá, Guadalajara y Sigüenza los lunes, miércoles y viernes; para San Lorenzo, San Ildefonso y Segovia los lunes, miércoles y viernes; para Murcia los lunes y jueves, cuya administración está situada en la calle de las Huertas. Igualmente ha establecido una segunda diligencia de esta corte a Alcalá, que sale por la mañana y regresa por la tarde. Otra diligencia hay denominada de *Arrieros y caleseros*, que hace servicio de Madrid a Bayona, y está situada en la calle de la Montera. Otra de los caleseros de Madrid que va a los Sitios Reales durante la permanencia de Sus Majestades. Otra que sirve para la conducción del pescado y admite asientos hasta Bilbao, cuya administración se halla en la calle de las Huertas. Otra para Zaragoza, que sale los miércoles y sábados, y está situada en la calle del Lobo. Otras pequeñas diligencias hay para la casa de recreo de Vista Alegre, en Carabanchel de Abajo, cuyos billetes se despachan en la platería de Martínez y en la lonja de la Carrera de San Jerónimo, esquina a la calle del Príncipe; y otra para ambos Carabancheles y Leganés, que se despacha en la posada de Medina, calle de Toledo. Finalmente, una porción de compañías particulares de arrieros y caleseros que salen periódicamente para todos los puntos del reino con coches, galeras, carros y caballerías, los cuales se hallan en las posadas de las calles de Alcalá, Toledo, Cava Baja, Concepción Jerónima, Montera, Segovia y otras.

Reales loterías

La primitiva sale una vez al mes en los días que se anuncia de antemano, y según las bases que pueden verse en el capítulo 3.º. La lotería moderna sale por lo regular dos veces al mes, en los términos que se anuncia cada sorteo. Para el despacho de billetes existen en Madrid 27 administraciones, situadas en la plazuela de Santo Domingo, calles de Tintoreros, Toledo, Atocha, Duque de Alba, Platerías, Puerta del Sol, Cuatro Calles, Hortaleza, Desengaño, León, Corredera de San Pablo, Red de San Luis, Luna, Príncipe, plazuela de San Martín, Concepción Jerónima, otra en la de Toledo, Ave María, Olivo Bajo, Coloreros, Maldonadas, Fuencarral, Atocha, Cruz del Espíritu Santo, Alcalá y otra en la de Toledo.

Estancos

Los géneros estancados por la Real Hacienda, como son papel sellado y letras de cambio, tabaco y sal, se venden en la real Aduana, y para mayor comodidad del público hay establecidos varios estanquillos en la población, donde se despachan por menor, excepto la sal. Estos son 37, y están situados en la Puerta del Sol, Palacio, Platerías, Puerta Cerrada, Caños a los Consejos, calles de Segovia, Leganitos, plazuela de Santo Domingo, Cuarteles, San Bernardo, Pez, Desengaño, San Ildefonso, Hospicio, Recogidas, San Luis, plazuela de la

Paja, Cuatro Calles, Cruz, Santo Tomás, Barrio Nuevo, Antón Martín, San Juan, Atocha, Santa Isabel, Merced, Avapiés, Embajadores, San Isidro, Rastro, Cava Baja, Calatrava, Puerta de Moros, plazuela de la Cebada, Puerta de San Vicente, puentes de Segovia y de Toledo.

CAPITULO III

DEL REY NUESTRO SEÑOR Y SU REAL CASA.—CONSEJO DE ESTADO.—MINISTERIOS.—DIRECCIONES, JUNTAS, INSPECCIONES Y OFICINAS GENERALES DE ADMINISTRACIÓN DEL REINO.—SUS ATRIBUCIONES, SITUACIÓN Y AUDIENCIAS.

DEL REY N. S.—El Rey es la suprema autoridad de la nación, y de su real voluntad emanan todas las leyes y disposiciones relativas al Gobierno de la Monarquía. Todas ellas, así como los nombramientos para empleos y cargos públicos, gracias y demás, se expiden por los Ministerios de Estado respectivos, instruyéndose en sus oficinas y dependencias los expedientes, que pasan luego a la aprobación de Su Majestad. Para los indultos por delitos de contrabando y deserción es necesario ver personalmente a Su Majestad, y para cualquier súplica, queja o exposición es accesible su real persona, dirigiéndose por medio de una esquela al señor capitán de guardias u otro de los jefes principales de Palacio, con lo cual puede obtenerse el honor de ser admitido en audiencia particular de Su Majestad, que la tiene todas las tardes después de paseo. Además, a su salida y entrada en Palacio admite los memoriales que se le presentan. Sus Majestades reciben asimismo la corte los jueves y domingos de cada semana, a las once o las doce del día, a la que asisten los principales funcionarios públicos, los militares y otras personas distinguidas.

Los serenísimos señores infantes dispensan también sus audiencias, y para obtenerlas es preciso dirigirse a las principales personas de su servidumbre que estén de servicio.

Casa Real.—La Casa Real tiene para su administración tres jefes principales, a saber: el mayordomo mayor, el sumiller de Corps y el caballerizo y ballestero mayor, cuyos destinos desempeñan tres grandes de España, y tienen secretarios y sus respectivas oficinas. Hay además el capitán de Guardias de la persona del Rey, que es otro de los grandes jefes del Palacio.

Mayordomía Mayor.—Se despachan por ella todos los negocios económicos y gubernativos de los palacios, alcázares, sitios reales y casas de campo, con sus bosques y términos, caza y pesca de ellos, y otras pertenencias e intereses del Real Patrimonio. Es secretaría del Despacho Universal de la Real Casa, y por ella se nombran los empleados de la servidumbre real, mayordomos de semana, gentileshombres y otras dependencias. Lo son suyas la Contaduría y Tesorería, Veeduría y Archivos generales de la Real Casa. Todas estas oficinas están situadas en el real Palacio, y la audiencia pública, en la Mayordomía es los viernes.

Sumillería de Corps.—Entiende en lo relativo a la servidumbre de la real cámara, como dirección de ella, arreglo del servicio y demás. Está también situada en Palacio, y en ella se da audiencia todos los días.

Caballeriza mayor.—Entiende en lo relativo a la real caballeriza y sus agregados, armería real, reyes de armas, correos y demás. Tiene a sus órdenes un veedor, un contador y otros agregados. Está situada en la casa de Reales Caballerizas.

Secretaría de la estampilla.—Sita también en el Palacio real, y a ella van los despachos, cédulas y títulos que firma el Rey de los Ministerios y Tribunales; en ella se presentan también los testimonios de grados de segunda suplicación para que Su Majestad se sirva señalar la hora para que el escribano le notifique.

Camarería de Su Majestad la Reina. La señora Camarera mayor es la jefa principal de la servidumbre de Su Majestad la Reina, y a sus órdenes están las azafatas, camaristas y criadas menores. La camarería está en Palacio, y tiene un secretario y oficina para el despacho de sus negocios.

Juzgados de la Real Casa.—Para entender en los negocios contenciosos del Real Patrimonio y servidumbre hay un juez letrado, asesor general de Real Casa y Patrimonio, que conoce de ellos en primera instancia.

Para las apelaciones de los mismos existe una suprema Junta patrimonial con tratamiento de Majestad, creada en 1816 y compuesta de señores ministros del Consejo, que se reúne ordinariamente los viernes de cada semana. Ambos tribunales están situados en la plazuela de Trujillos, donde existe la escribanía del Juzgado, y de la cámara de la Junta. Las horas son de diez a doce.

Real Capilla.—Se compone del Patriarca de las Indias, capellán mayor de Su Majestad y su limosnero mayor; cuarenta capellanes de honor y otros de altar; entre aquellos elige Su Majestad un juez y un fiscal, que forman el Tribunal de la Real Capilla y del vicariato general del Ejército, el que, además de los asuntos del fuero castrense, conoce de los que ocurren a la misma Real Capilla y sus individuos. Está situado en la calle del Carmen, y hay un notario mayor y otros notarios oficiales y archivero.

Juzgado de las tropas de Casa real.—Para entender privativamente en los negocios de tropas de Casa real hay un juez privativo asesor general, con un abogado fiscal, escribano principal y alguacil, y sus apelaciones son al Consejo de Guerra. El despacho es todos los días después de la salida del Consejo y en una de sus salas. La escribanía del juzgado está en la misma casa del Consejo de la Guerra.

Los serenísimos señores infantes tienen también su servidumbre, y para el despacho de los negocios de sus encomiendas, propuestas de empleos y demás, tienen sus secretarias y tesorerías particulares, cuyas oficinas están establecidas en las casas de los jefes respectivos.

ASAMBLEAS DE LAS ÓRDENES CIVILES

La insigne Orden del Toisón de Oro, instituída por Felipe el Bueno, duque de Borgoña, por los años de 1429, se divide en dos ramas, de las cuales tiene la una el Rey de España, como duque de Borgoña, y la otra el Emperador de Austria. Esta Orden tiene una junta para tratar de los asuntos relativos a la misma y está situada su secretaría en la calle del Lobo.

La real y distinguida Orden española de Carlos III, instituída por el mismo Rey en 1771, tiene también su asamblea, a la que está unida la real junta de la Inmaculada Concepción, patrona de España, cuyo objeto es defender y promover los puntos relativos al sagrado misterio de su patrona. Está situada la secretaría en la calle de Cedaceros.

La real Orden de Damas Nobles de María Luisa, fundada por la misma, tiene su secretaría unida a la de Carlos III.

La real Orden americana de Isabel la Católica, creada por el Rey nuestro señor en 1815, tiene su asamblea suprema.

CONSEJO DE ESTADO

Este Cuerpo consultivo para todos los negocios graves, como declaraciones de guerra, paz y alianza, matrimonios reales y otros, tuvo su origen en los siglos más remotos, y ha sufrido diferentes alteraciones. Es el más inmediato a la persona del Rey, que le preside en Palacio, en donde se reúne cuando Su Majestad le convoca. Para el despacho de sus negocios tiene el Consejo una secretaría sita en el mismo real Palacio.

JUNTA DE MINISTROS

Esta Junta o Consejo de señores ministros, establecida en 1823 para tratar y resolver los asuntos árduos de todos los Ministerios, se reúne actualmente en la secretaría de Marina, haciendo de secretario el señor oficial mayor de la de Estado.

MINISTERIOS

De Estado.—Está encargado de lo relativo a Embajadas y correspondencias con los Gobiernos extranjeros, tratados de paz, alianza y comercio, grandezas de España, grandes cruces, consulados, establecimientos piadosos, correos, canales y caminos, academias, sociedades económicas y científicas, archivos, museos, real imprenta y

otros establecimientos. Está situado en Palacio en el piso bajo. Los días en que el señor ministro despacha con Su Majestad son los martes, viernes y domingos; los días en que Su Excelencia da audiencia pública son los que señala, y los señores oficiales tampoco tienen día determinado.

De Gracia y Justicia.—Abraza las reclamaciones en asuntos judiciales de los tribunales civiles y eclesiásticos; los puntos de religión y disciplina eclesiástica; el nombramiento de magistrados y prebendas eclesiásticas; los privilegios de nobleza; las dispensas de ley, indultos y demás de gracia; la policía del reino, su reglamento y elección de empleados, y las dependencias de penas de cámara y pósitos del reino de que el señor ministro es superintendente general; los ramos de instrucción pública, erudición, historia, medicina, cirugía y farmacia, los teatros del reino, diversiones públicas y otras dependencias. Este ministerio tiene una sección separada llamada de Gracia y Justicia de Indias, por donde se despachan los negocios civiles de aquellos países, y la nominación de empleados para los mismos. Su Excelencia despacha con Su Majestad los asuntos de este ministerio los martes y viernes, y da audiencia pública los miércoles y sábados; y los señores oficiales a la una todos los días, alternando según su antigüedad. El oficial de partes da razón los miércoles y domingos, de once a una.

De Guerra.—Corre por este Ministerio todo lo relativo al Ejército, su disciplina mercedes, empleos, ascensos, cruces y demás del ramo militar. Los días de despacho con Su Majestad son lunes y jueves. La audiencia del señor ministro, los martes y viernes por la mañana; la de los señores oficiales, todos los días, alternando según su antigüedad y a la una del día. El oficial de partes da razón todos los días.

De Marina.—Tiene a su cargo todo lo perteneciente a la Armada y demás negocios de Marina, como arsenales, colegios, pesca, montes aplicados a ella y otros. Los días de despacho con Su Majestad son los sábados. La audiencia pública del señor ministro, todos los días a la entrada, y la de los señores oficiales, todos los días. No hay parte.

De Hacienda.—Corren por este Ministerio los asuntos pertenecientes a rentas reales, contribuciones de toda especie, gracia de Cruzada, Subsidio y Excusado, maestrazgos, enajenaciones e incorporaciones a la corona, fábricas, minas y demás establecimientos productivos de la misma, nombramiento de todos los empleados de la Real Hacienda, privilegios exclusivos de introducción y exportación, propios, montes y plantíos, loterías, casas de moneda, Conservatorio de Artes y todo lo relativo a la consolidación de la deuda del Estado. Este Ministerio tiene una sección separada titulada de Hacienda de Indias para los negocios de aquellos dominios. Los días de despacho con Su Majestad son los lunes y jueves. Los de audiencia de Su Excelencia, los martes y viernes, a las doce. Los de los señores oficiales, los lunes, miércoles, jueves y sábados, a la una. El oficial de parte da razón los martes y viernes a las diez.

DIRECCIONES Y OFICINAS GENERALES

Dirección General de Rentas.—Esta Dirección es la autoridad superior directiva de la administración y recaudación de las rentas y pertenencias de la Real Hacienda, excepto algunos ramos confiados a otras, y es el conducto por donde el Ministerio se entiende con los jefes de administración y recaudación de las provincias. Hace además la propuesta de los empleos de Real Hacienda. Se compone de cuatro señores directores, asesor, secretario y oficiales. Sus oficinas están situadas en la casa de la Aduana, calle de Alcalá. En ellas dan audiencia los señores directores, oficiales y parte los sábados a las once y media.

Contaduría General de Valores.—Es la superior autoridad en todo lo relativo a la contabilidad e intervención de la administración y recaudación de todos los ramos de la Real Hacienda, que están a cargo de la Dirección de Rentas, y es el centro donde han de reunirse todos los cargos y noticias de los valores de la misma. Está situada también en la casa de la Aduana, calle de Alcalá. El señor contador general da audiencia todos los días, a la una, y los jefes y oficiales de las distintas seccio-

nes de que se compone, todos los días después de las doce.

Dirección del Real Tesoro.—Tiene a su cargo reunir los productos líquidos de la Real Hacienda y distribuirlos bajo las inmediatas órdenes del excelentísimo señor secretario del despacho de la misma, y como tal es la primera oficina de distribución. Tiene a sus órdenes la Tesorería de Corte, que está encargada de satisfacer los gastos, sueldos y obligaciones de las dependencias generales de la corte; y la Dirección del Real Giro, por donde se habilita a los embajadores y empleados del Cuerpo diplomático en las cortes extranjeras. Estas oficinas están situadas en la casa de los Consejos, y sus audiencias son todos los días por las mañanas.

Contaduría General de Distribución.—Es autoridad superior en todo lo relativo a la contabilidad, fiscalización e intervención del recibo e inversión de los productos líquidos de la Real Hacienda. Está situada en la Casa de los Consejos, y en ella se da audiencia todos los días por la mañana.

Real Caja de Amortización.—Creada y organizada en 1824 para redimir la deuda pública por medio de una acción progresiva, a cuyo fin le están asignados diferentes arbitrios. Se compone de una Comisión de inscripciones en el gran libro, una Dirección, Contaduría y Tesorería generales. Hay también una oficina general de Vales Reales que cuida de su renovación y pago de intereses. Finalmente, están reunidas la Comisión de liquidación de la deuda del Estado y la Sección central de atrasos de amortización, las cuales se hallan encargadas de la liquidación de toda la deuda del Estado, como son atrasos de Tesorería, juros vitalicios, empréstitos, imposiciones sobre tabacos, censos, oficios enajenados y otros muchos ramos. Todas estas oficinas están en la casa llamada *del Platero*, frente a Santa María, a excepción de la Contaduría de Juros, que está en la Casa de los Consejos.

Superintendencia y Dirección General de Correos.—El señor ministro de Estado es superintendente general de correos, postas, caminos, posadas, canales, mostrencos, vacantes y abintestatos de estos reinos; y delega sus facultades, para el uso de la jurisdicción civil, criminal, gubernativa y contenciosa, en la Dirección General de los mismos ramos, que la ejerce privativamente. Para lo gubernativo y administrativo tiene secretaría, contaduría, administración y tesorería principales, y para los negocios contenciosos, de que conoce en primera instancia en el Juzgado de Madrid y su partido, tiene un asesor subdelegado general de mostrencos y un fiscal general. El subdelegado de mostrencos conoce en primera instancia de los asuntos de esta clase, que son las denuncias de bienes que no tienen dueño conocido. Las apelaciones de unas y otras sentencias van a la Junta suprema del ramo restablecida en 1824, y compuesta de varios señores ministros de los Consejos y de la dirección.

La real Junta se reúne los días y horas que dispone el señor presidente, así como la Dirección General. Todas las dependencias de ésta y aquélla están situadas en la casa propia de la renta en la Puerta del Sol. Las audiencias de los señores directores son los sábados de nueve a once, y las oficiales dan razón todos los días después de la una.

Dirección General de Propios.—Creada en 1824 para entender en lo gubernativo de los Propios y Arbitrios de los pueblos y la propuesta de sus empleados. Sus oficinas principales de secretaría, contaduría, tesorería y demás están situadas en la calle de Toledo, frente a San Isidro el Real. El señor director da audiencia todos los días por las mañanas, y los oficiales todos los días alternativamente, desde las doce en adelante. En la Contaduría general del mismo ramo se da audiencia de oficiales los lunes a la una, y parte los jueves a las doce.

Dirección General de Pósitos del Reino. Tiene a su cargo el gobierno de los Pósitos del reino (cuyo instituto es contener la subida del precio de los granos y evitar los monopolios, socorriendo a los labradores con el que necesitan para las sementeras), y la propuesta de los empleados del ramo; y para ello tiene su secretaría, contaduría y tesorería, de que es superintendente general el señor ministro de Gracia y Justicia.

También hay un juez subdelegado para entender en los asuntos contenciosos y consultarle en los gubernativos. Las oficinas

están en la calle de la Magdalena baja, y las horas de audiencia son todos los días desde las doce en adelante.

Subdelegación General de Penas de cámara.—Llámanse así las multas que se imponen por los Tribunales y jueces, cuya tercera parte debe destinarse a la cámara; y para su recaudación y gobierno existe un subdelegado general con jurisdicción privativa e inhibición de todo otro tribunal, y un contador general con varios dependientes. Las oficinas están situadas en la Casa de los Consejos, y en ellas se entra desde las diez a las dos del día.

Dirección de Reales Loterías.—El señor secretario del despacho de Hacienda es superintendente general de esta renta, que es una de las productivas del Estado, y para su gobierno y administración hay dos señores directores, un contador, un tesorero y varias oficinas. Hay también una Junta compuesta de los señores decano y fiscal del Consejo de Hacienda y los dos directores generales que autorizan los sorteos que se celebran en las salas de dicho Consejo (1). Finalmente, la Dirección tiene un

(1) Las loterías son institución moderna, y una contribución dulce por ser voluntaria, y con la probabilidad de la ganancia. En España hay dos, la primitiva y la moderna. La primitiva fue establecida por decreto de S. M. Carlos III de 30 de septiembre de 1763. Consta de 90 números, que combinados de distintos modos se venden en jugadas, y de ellos salen cinco. Puede jugarse a uno sólo, a dos o *ambo*, a tres o *terno*, y según lo que se ponga por la jugada, así sube proporcionalmente la ganancia en esta forma. Por cada extracto simple de 50, 100, etc. debe pagarse a razón de un real cada 10. Por cada extracto determinado debe pagarse a razón de un real por cada 50. Por cada ambo de 10 reales debe pagarse 2 maravedises, y aumentándose en esta proporción. Por cada terno de 125 reales se debe pagar 2 maravedises aumentándose igualmente en la misma razón. En los ambos además de aquella ganancia se paga el 40 por 100 de aumento, y el de 100 por 100 en los ternos. No se admite jugada inferior a un real de vellón. En cada sorteo se destinan 2.500 reales para dote de una huérfana de militar muerto en la campaña pasada, y 500 reales en cada uno de los 5 números en beneficio del hospicio y niños expósitos. Los sorteos son 13 al año. Las ganancias de los números en cada uno de los años de 27 y 28 se han aproximado a nueve millones.

La real Lotería moderna se estableció a fines del año de 1811 y se reglamentó en 25 de diciembre del mismo. En el número de billetes y en el de los premios, así como en el valor de

asesor y un fiscal, y un juez subdelegado general para entender en los asuntos del ramo en Madrid, con su escribano. Todas las oficinas de la Dirección están situadas en la Casa de la Aduana, entrando por la calle angosta de San Bernardo, y se entra en ellas toda la mañana.

Comisaría General de Cruzada.—El señor comisario general de Cruzada entiende sin limitación alguna en lo directivo, gubernativo y económico del ramo de bulas y del indulto cuadragesimal. Igualmente está a su cargo el dar pase a los indultos y gracias apostólicas; la revisión y corrección de los libros del *Rezo Divino* y otros encargos. Para los asuntos económicos gubernativos tiene un secretario y un contador; y para los forenses y contenciosos, tres asesores togados y un fiscal.

Igualmente es el señor comisario juez exactor de la Gracia del Excusado, y para conocer privativamente de sus asuntos tiene tres eclesiásticos llamados *conjueces* que asisten a la sustanciación y fallo de los pleitos; y componen el tribunal apostólico de la Gracia del Excusado, a cuyas segundas sentencias asisten los asesores, y se suplica de ellas a la Real Cámara. Tiene un fiscal, un agente fiscal, un relator y escribano de Cámara. La Comisaría y sus oficinas están situadas en la plazuela del Conde de Barajas, casa llamada de *Fernán-Núñez*, y en ellas se da entrada todas las mañanas; el señor comisario tampoco tiene día señalado. La escribanía de Cámara está en la plazuela de Celenque, y en ella se entra de diez a una del día.

Real Junta Apostólica del Subsidio.— Fue establecida a consecuencia de la bula del Sumo Pontífice impetrada en 1817 por Su Majestad para exigir del clero un subsidio anual, y esta Junta tiene a su cargo hacer la distribución, activar su cobro y

decidir las cuestiones que suscita la exacción; se reúne en la misma casa de la Comisaría General de Cruzada.

Colecturía General de Espolios y Vacantes.—El señor Colector general entiende de la dirección de los Espolios, que son los bienes que se encuentran a la muerte de los arzobispos y obispos. Igualmente de las vacantes de las mitras como producto correspondiente a la Corona, y de las medias annatas eclesiásticas. Tiene a sus órdenes una secretaría, contaduría y tesorería; y en las provincias los subcolectores y otros subalternos. El mismo señor Colector con un fiscal, agente-fiscal, relator y escribano, forma tribunal para entender en los negocios contenciosos de Espolios y los del Real Noveno, consultándosele las sentencias de los subcolectores de las provincias. La Colecturía con todas sus oficinas está situada en la calle del Duque de Alba, y las horas de audiencia en ella son todos días desde las doce. En la misma está establecida la Superintendencia General de Casas de Misericordia y Colecturía del fondo pío beneficial, de que es jefe el mismo señor Colector y tiene para ella su secretario.

Junta de arreglo de establecimientos piadosos de la Península.—Esta Junta se compone del señor Colector general de Espolios, del señor Comisario general de Cruzada, y otros, y tiene su secretaría en la plazuela de Matute.

Agencia General de Preces a Roma.— Establecida bajo las órdenes de la Secretaría de Estado para impetrar las bulas y dispensas de la Santa Sede. Está situada en la calle de Atocha esquina a la de las Urosas y las horas son por las mañanas.

Real Junta de Aranceles.—Fue creada en 1824 para que se ocupe en los trabajos de formar los aranceles mercantes de las Aduanas de España e Indias, arreglar los derechos de toneladas y demás de navegación, formar el Reglamento de Aduanas, examinar el de depósitos de comercio y proponer otros muchos proyectos mercantiles. Esta Junta está situada en la casa de la Aduana y en ella se entra todas las mañanas.

Real Junta de Riqueza y Fomento del Reino.—Fue creada en 1824 para que, fijando su atención en todos los ramos de

unos y otros, se hacen variaciones que nunca alteran la base general del juego, la cual consiste en dejar el 25 por 100 de la jugada a favor de la real Hacienda, distribuyendo lo demás en premios a los jugadores, con la cualidad de tener que correr aquella la suerte que cabe a los billetes que quedan sobrantes. Los sorteos suelen ser dos cada mes, y se celebran con la misma solemnidad que la anterior. Los billetes, cuyos precios han variado desde 2 hasta 16 duros, se venden por medios, cuartos, etc.

riqueza pública, como son agricultura, artes y comercio y, examinando las disposiciones y leyes vigentes, proponga a Su Majestad las mejoras que convengan. Se reune en la sala de gobierno del Consejo de Hacienda, y la secretaría está situada en la calle de Atocha.

Dirección General de Minas. Esta dirección, compuesta de un director general, dos inspectores y un secretario, ha sido creada por Su Majestad para el gobierno del ramo de minería y propuesta de sus empleos, recaudar sus impuestos, promover su fomento y demás.

También conoce la dirección de los negocios contenciosos del ramo con acuerdo de un asesor, y para las actuaciones tiene un escribano principal. La dirección y sus oficinas están situadas en la calle del Florín, esquina a la carrera de San Jerónimo, y las horas de audiencia son toda la mañana.

Diputación de los Reinos.—Residen en la corte los diputados de las provincias para hacer valer cerca del Gobierno los derechos respectivos de ellas. Son elegidos por seis años y gozan de grandes consideraciones y privilegios, asistiendo a los actos más solemnes. Tienen su Secretaría en la plazuela de la Paz.

Honrado Concejo de la Mesta.—Compónese este Honrado Concejo de los ganaderos, empleados en la cría y custodia de ganados de las cuatro sierras nevadas de Soria, Cuenca, Segovia y León, incorporados en cuadrillas de Mesta, y su objeto es tratar los negocios relativos al gobierno económico de ellos, conservación de sus privilegios y proveer, en fin, a todo lo que conduzca al bien y prosperidad de la Real Cabaña. Este Concejo tiene por presidente un señor ministro del Consejo Real, quien preside sus juntas generales, que se celebran en primavera y otoño, y asisten a ellas cuarenta vocales, enviados de las cuatro sierras, llamados *necesarios*, y además otros *voluntarios*, los empleados del Concejo y un diputado de los reinos. Las juntas se tienen, por lo regular, en Madrid, desde 25 de abril la primera y 5 de octubre la segunda.

El señor ministro presidente es juez privativo para conocer en los negocios de la Mesta y sus individuos, y tiene sus subdelegados en las provincias, de cuyas providencias se apela a dicho señor y de éste al Consejo de Castilla, en sala de Mil y Quinientas.

El Concejo y sus oficinas están situados en su casa propia, calle de las Huertas, esquina a la del León; y en ellas se da entrada por las mañanas.

Real Junta Gratuita de Ganaderos.—Creada por Su Majestad en 1827 para el fomento de la Cabaña Real y Lanas Finas. Está situada en la casa de la Mesta.

Junta Suprema de Sanidad.—Está encargada de velar sobre los medios de conservar la salud pública, para lo cual, y tomar las precauciones necesarias a evitar contagios y demás, se entiende con la primera Secretaría de Estado.

Real Junta de Facultades de Viudedades. Tiene a su cargo la concesión de la viudedad correspondiente a las viudas de títulos de Castilla y mayorazgos, y ante ella se instruyen los expedientes con este objeto. Fórmase de tres señores ministros del Consejo Real y un secretario, y se reúne en una de las salas de aquél, sin día determinado.

Inspección de Instrucción Pública.—Esta inspección ha sido creada por Su Majestad actual, para entender en todas las materias relativas a instrucción pública, como son los métodos de enseñanza y reglamentos particulares de las universidades y escuelas, títulos de catedráticos y maestros, dispensas, habilitación e incorporación de cursos y demás. Está situada en la plazuela del Cordón y en ella se da audiencia los martes y viernes, a las doce.

Secretaría de Interpretación de Lenguas. Está encargada de traducir al castellano las bulas de Roma, los tratados, notas y toda clase de documentos que se la pasan por los Ministerios y Tribunales, como igualmente los exhibidos por particulares; y sus traducciones merecen crédito en juicio. Está situada en la Casa Panadería, Plaza Mayor y en ella se entra por las mañanas.

Real Junta Superior Gubernativa de Medicina y Cirugía.—Fue creada por Su Majestad en 1827 para el régimen literario económico del Gobierno de las expresadas dos partes en la ciencia de curar, en los nuevos reales colegios, declarándola jefe de estas escuelas igualmente que de todos los médicos y cirujanos del reino, tanto civiles como de ejército, cuyos títulos se expiden por la misma. Celebra sus sesiones los lunes y jueves de cada semana, y esta situada en la plazuela de la Leña, y sus audiencias son martes y viernes a la una

Real Junta Superior Gubernativa de Farmacia.—Entiende en todo lo relativo a esta facultad, y en la expedición de títulos de boticarios y demás. Está situada su secretaría en la calle de San Juan y sus horas son todas las mañanas.

Inspección General de Infantería.—Entiende en el mejor arreglo de esta arma, propuestas y calificaciones de empleos, vestuario, armamento, premios, retiros, disciplina y demás concerniente al ejército de Infantería. Las oficinas están situadas en casa del señor Inspector general en la plazuela de Santa Catalina de los Donados y los días de audiencia son miércoles y sábados, a las doce.

Inspección General de Caballería.—Para la caballería de línea y ligera hay otro señor inspector general, que entiende en lo relativo a ella. Está situada en la calle de San Jorge, en casa del señor Inspector, quien recibe todos los días; el señor secretario da audiencias los miércoles y sábados, de once a una.

Inspección General de Milicias.—Esta Inspección para el gobierno de los cuerpos de Milicias está situada en la calle de Alcalá, casa propia de la Inspección, y la audiencias son miércoles y sábados, a las doce.

Dirección General de Artillería.—La Dirección de esta arma está situada en la calle de Atocha, esquina a la de las Urosas y se entra en ella todas las mañanas.

Dirección General de Ingenieros.—Sita en la calle de Atocha, frente a San Juan de Dios. Las audiencias son todos los días.

Para esta arma y la de Artillería existe un juzgado general en Madrid, a donde vienen las apelaciones de los subalternos de las provincias. Está situado en la Cava Alta, número 1.

Inspección de Carabineros de Costas y Fronteras. — Creada nuevamente con el cuerpo para entender de los negocios re-

lativos a él. Está situada en la carrera de San Francisco, y en ella se da audiencia por el señor Inspector los lunes y viernes a la una, y parte los lunes y jueves, a las doce.

Inspección de Voluntarios Realistas.—Entiende en lo relativo al gobierno de estos cuerpos. Está situada en la calle de Atocha, y las audiencias del señor Inspector son lunes, miércoles y sábados a las nueve, y de los oficiales, los miércoles a la una.

Intendencia General del Ejército.—Por real decreto de 1824 se estableció un intendente general militar para administrar y distribuir los caudales que se le entreguen del presupuesto de guerra, examinar las contratas, revisar las cuentas y otros cargos; cuya oficina, con todas sus dependencias de intervención, pagaduría y demás, están situadas en la calle de Alcalá, casa del marqués de la Torrecilla, y son sus audiencias por las mañanas. El señor Intendente tampoco tiene día señalado.

En la misma casa está la *Comisión Central de Liquidación de Atrasos de Guerra,* establecida para este objeto en 1827.

Dirección General de la Real Armada.—Tiene a su cargo consultar y proponer al Rey por el Ministerio de Marina cuanto cree conveniente para el gobierno de ella y de sus empleados, teniendo además su juzgado particular para la formación de causas y negocios contenciosos. Las oficinas están situadas en la Corredera de San Pablo y en ellas se da audiencia todos los días por las mañanas. El señor director tampoco tiene día señalado.

Junta de Dirección de la Real Armada. Creada últimamente para consultar al Ministerio los negocios de la armada, y dividir las atenciones de la misma. Está situada en la calle de Atocha, y en ella se da audiencia toda la mañana.

Intendencia General de Marina.—Tiene con respecto a la Marina las mismas atribuciones que la del ejército para su ramo, y tiene ésta también una intervención y pagaduría. Está situada en la plazuela de Santiago y se da audiencia toda la mañana; el señor Intendente después de las doce.

Juntas de Reclamaciones contra la Francia.—Establecidas para examinar los créditos de suministros hechos a las tropas francesas y proceder a su pago, mediante los convenios celebrados con el Gobierno francés; son dos juntas, una de examen y liquidación, y otra de apelaciones de las sentencias de aquélla. Tienen sus sesiones en la calle de Torija, número 4, y en ella están la secretaría y oficinas, donde se da razón los miércoles y sábados de doce a tres.

Juntas de Reclamaciones contra Inglaterra.—Creadas con el mismo objeto que las anteriores, con respecto a las tropas inglesas, y con la propia división de liquidación y de apelación; están situadas en la Casa de Correos y sus audiencias son por la mañana.

Montepío Militar.—Este establecimiento, como los demás de su clase, está fundado para el socorro de las viudas, huérfanos y madres de los oficiales muertos, y para su dirección hay una Junta de gobierno, con su secretaría, contaduría y tesorería. Está situado en la Casa del Consejo de la Guerra.

Montepío del Ministerio.—Tiene a su cargo las pensiones de las viudas y huérfanos de los consejeros y magistrados, oficiales de secretaría y otros funcionarios principales, para lo cual tiene su Junta, secretario, contador y tesorero, y sus oficinas están situadas en la Casa de los Consejos.

Montepío de Reales Oficinas.—Creado para alivio de las viudas y huérfanos de los empleados de Real Hacienda. Están sus oficinas en la Casa de los Consejos.

Otros montepíos.—Hay, además de estos tres montepíos, otros de alguna renta o dependencias particulares, como son el de Correos, el de Loterías, el de Corregidores y Alcaldes Mayores y otros, que tienen sus juntas y reglamentos particulares.

CAPITULO IV

DE LOS TRIBUNALES.—CONSEJOS SUPREMOS.—JUZGADOS PRIVATIVOS Y OTROS DE ADMINISTRACION JUDICIAL PARA TODO EL REINO. — SU FUNDACION, ATRIBUCIONES PRINCIPALES, SITUACION Y AUDIENCIAS

Consejo Real y Supremo de S. M. Fundó este Real y Supremo Consejo el santo rey don Fernando III, el año de 1245, y parece que en tiempo de los Reyes Católicos se componía de un prelado, tres caballeros y hasta ocho letrados. Felipe II le aumentó en 1561, y en los sucesivos reinados sufrió varias alteraciones, hasta que Felipe V fijó el número de consejeros en veintidós y luego en veinticinco, con un presidente y dos fiscales. Llevó siempre el nombre *de Castilla* para diferenciarse de los demás Consejos, y se le cometieron los negocios de Aragón cuando el rey don Felipe V extinguió en 1707 los fueros y Consejo de aquel reino, de resultas de la resistencia que él mismo le puso. Está dividido en salas llamadas primera y segunda de Gobierno, de Mil y quinientas, de Justicia y de Providencia. Las atribuciones de este tribunal, tanto consultivas como gubernativas y judiciales, son muy extensas, y ocupan libros enteros los autores que han tratado de esta materia; así sólo nos detendremos a indicar las más principales. Los viernes de cada semana consulta el Consejo personalmente a S. M. varios negocios, como son las venias de los menores para regir y administrar sus bienes, las en que se pide vista de un pleito con dos salas, y otras dispensas de ley (1). El Consejo tiene el conocimiento de los negocios tocantes a la religión y al concilio, los pases de las bulas de Roma, la publicación de las reales cédulas, las tutelas y curadurías de los grandes de España, la expedición de varias gracias o cédulas conocidas bajo diversos nombres, como ordinarias de labradores,

_____

(1) Esta consulta personal del Consejo los viernes, cuando Su Majestad se halla en Madrid, parece trae su origen de la asistencia que en lo antiguo hacían a él los señores reyes, añadiéndose que se complacía tanto en ella la señora doña Isabel la Católica, que solía decir *que entonces sabía que era reina de Castilla.*

de recién casados, de seis hijos varones y otras, los permisos para ferias y mercados, el arreglo de cofradías y cementerios, el examen de abogados y escribanos, el juramento de los principales funcionarios públicos, los aranceles de los tribunales, la censura y aprobación de las obras que se publican, y otras muchas atribuciones, que sería prolijo enumerar, a pesar de habérsele descargado últimamente de los negocios de propios, pósitos, instrucción pública y otros. Conoce como tribunal en sala de Justicia de los pleitos que se remiten en apelación. En la de Mil y quinientas, de los de Estados y mayorazgos en cuanto a la tenuta y posesión, y los grados de segunda suplicación, que es un recurso concedido a las partes por el rey don Juan I, por ley promulgada en Segovia en 1390, para alzar los agravios ocasionados por las sentencias de revista de los tribunales superiores; teniendo que depositarse para él la cantidad de 1.500 doblas, que pierde el que suplica si se confirma la sentencia; hay además que notificar el recurso a S. M. en persona. También conoce el Consejo de los recursos de injusticia notoria, fuerza, demandas de retención y otros. Ultimamente, la sala de Provincia conoce en apelación de los pleitos que se siguen en los juzgados de los alcaldes de corte y tenientes de villa, que pasan de mil ducados. El Consejo se reune todos los días en la casa llamada de los Consejos, frente a Santa María, y horas desde las nueve de la mañana hasta las doce, excepto los domingos y fiestas grandes; y tiene para el despacho de los negocios gubernativos y contenciosos dos fiscales y un número proporcionado de agentes fiscales y relatores, dos escribanos de gobierno, uno para la corona de Castilla y otro para la de Aragón, y seis escribanos de cámara para los demás negocios, que van por repartimiento, los cuales tienen las escribanías en sus respectivas casas, con el competente número de oficiales para su despacho. La escribanía de gobierno de Castilla está en la plazuela de las Descalzas, y en ella se entra por las mañanas después de la salida del Consejo, y por las tardes o noches según la estación. La de gobierno de Aragón está en la calle del Burro, y se abre después de la salida del Consejo y por las tardes.

El Presidente o Gobernador de este Consejo es una de las mayores dignidades de la Monarquía, y como primer magistrado de ella es Justicia mayor del reino. Nombra jueces de comisión o pesquisadores para entender en los delitos extraordinarios, manda revisar los procesos fenecidos en materias criminales, propone la distribución en sus respectivas salas de los ministros del Consejo, acuerda las licencias de casamiento de éstos y demás magistrados, igualmente las de cualquier individuo hijo de familia sin el consentimiento de su padre, y otras muchas atribuciones. Para el despacho de los negocios tiene una secretaría llamada de la Presidencia, que está situada en la calle del Sacramento, y en ella se da audiencia desde la una.

Real Cámara de Castilla.—Este Consejo de la Cámara fue fundado por el emperador Carlos V y su madre la reina doña Juana el año de 1518, perfeccionándole en el de 1523. Felipe II acabó de establecer este Consejo en 1588, y habiendo sufrido varias alteraciones en los siguientes reinados en su forma y número de ministros, se compone en el día del Gobernador o Decano del Consejo, algunos ministros y los dos fiscales del mismo tribunal, y tres secretarios. Tiene dos especies de jurisdicción, una contenciosa y otra voluntaria. La primera es para los asuntos de justicia pertenecientes al Real Patronato, que le fueron aplicados en 1588 por el señor rey don Felipe II, y la segunda la consulta a S. M. de personas para los arzobispados, obispados, dignidades, prebendas y otros títulos eclesiásticos; la de los consejos, chancillerías, audiencias, tribunal de la Rota, corregimientos, alcaldías mayores y otros oficios de justicia; el despacho de las gracias que el Rey hace de Grandezas de España, títulos y otros privilegios, como igualmente de los oficios enajenados, notarías de reinos, las facultades para fundar mayorazgos, dispensas en casos de ley, indultos por varios delitos, con otras muchas atribuciones. Para el desempeño de tan vastos negocios tiene tres secretarías, una de Gracia y Justicia y Estados de Castilla, otra del Patronato eclesiástico de Castilla, y otra para la corona de Aragón. Tiene además para los negocios contenciosos y otros de gravedad dos agentes fiscales y un relator. La cá-

mara tiene el tratamiento de *Majestad*, y
sus individuos, el de *Ilustrísima*; se reune
los lunes, miércoles y sábados después de
la salida del Consejo de Castilla y en una
de sus salas. Las secretarías sitas en el mismo
Consejo están abiertas desde las doce
de la mañana hasta las dos, y en ellas se
publican las vacantes de togas, corregimientos,
alcaldías mayores, prebendas eclesiásticas
y demás de consulta de la Cámara.

Sala de señores Alcaldes de casa y corte.
Este tribunal, muy antiguo en Castilla, y
que acompañaba al Rey en la corte, es considerado
como sala del Consejo, y su jurisdicción
se extiende a diez leguas del distrito
o rastro de la misma corte, y hasta
veinte por hurtos, ejerciéndola suprema en
lo criminal. Dicha jurisdicción se divide en
dos partes: una en forma de consejo, y
otra individual como jueces ordinarios. Cada
alcalde ejerce por sí la criminal en la
corte y su rastro hasta cierto punto de la
causa, en que se pasa a la sala; y para la
civil, en primera instancia tienen los diez
más antiguos a su cargo respectivo los
cuarteles en que está dividido Madrid. A
este efecto forman audiencia y despachan
con los escribanos de provincia y de comisiones
de la Sala; y de sus providencias
se apela a ésta en los negocios que no llegan
a la cantidad marcada para ir a sala
de Provincia del Consejo. Los señores Alcaldes
asisten alternativamente a los teatros
y otras funciones públicas para presidir
en ellas. Asiste igualmente uno por semana
al repeso de corte, para ejercer la
jurisdicción no sólo en los mercados y despachos
de víveres, sino también para otras
reclamaciones de menor cuantía y ocurrencias
perentorias, como alborotos, incendios
u otras. El Gobernador de la Sala (que es
un señor ministro del Consejo de Castilla)
da parte diario a S. M. y al Presidente de
aquél de las ocurrencias que le avisen los
Alcaldes de los respectivos cuarteles y el
del repeso. Al decano de la Sala está cometido
el juzgado privativo de caza y pesca,
y la comisión de recaudación de décimas
impuestas a los deudores en los juicios ejecutivos.
La Sala se reune todos los días en
la casa de la cárcel de Corte, despachando
en ella desde las nueve hasta las doce, y a
su salida lo verifican los señores Alcaldes
en su audiencia o casas respectivas. Para

el despacho de los negocios tiene la Sala el
competente número de relatores y escribanos
de cámara; y los alcaldes de corte los
llamados *de provincia* para las causas civiles,
y los oficiales de la Sala para los criminales.
Todas estas escribanías están en la
misma casa.

Sello real de la Corte. Registra y sella
los títulos y cédulas de la Cámara, los despachos
y provisiones de los consejos de
Castilla y Hacienda, Sala de alcaldes y
otros; quedándose con copia literal para
facilitarla al interesado que la pida, con
mandato del Consejo o Cámara. Este destino
es propiedad de un Canciller, que lo
despacha por medio de un teniente, y su
oficina está sita en la calle de Silva. Las
horas son de doce a dos por la mañana, y
al anochecer, excepto en los meses de verano
que es de cinco a siete de la tarde.

Consejo real y supremo de Indias. Descubierta
la América por Cristóbal Colón
bajo las órdenes de los Reyes Católicos, establecieron
los mismos, o su hija doña Juana,
la Casa de Contratación en Sevilla para
el despacho de los negocios de aquellos dominios:
y andando el tiempo, se creó un
Consejo por los años de 1511, perfeccionándole
Carlos V en 1524. Entiende del gobierno
económico, civil y militar de Indias,
extendiéndose a todos los ramos de hacienda,
guerra, etc., como igualmente de los
negocios contenciosos que se le remiten en
apelación. Se divide en Sala de Gobierno y
Sala de Justicia, y algunos ministros de su
seno forman la Cámara de Indias para la
propuesta de gracias y empleados civiles y
eclesiásticos de aquellos dominios. El Consejo
y Cámara se reunen en la Casa de los
Consejos; el primero todos los días de nueve
a doce de la mañana. Para el despacho
de todos estos negocios tiene el Consejo,
además del competente número de agentes
fiscales y relatores, una escribanía de cámara
y dos secretarias, una para los negocios
de Nueva España o América Septentrional,
y otra para los del Perú e indiferente.
Las tres se hallan situadas en la misma
Casa de los Consejos, y se entra en ellas
toda la mañana. Hay también secretaría de
la Presidencia, sita en casa del señor Decano,
y su Canciller y registro real de Indias
para los despachos y provisiones del mismo

tribunal, y está sito en la plazuela del Angel.

Igualmente había dos contadurías generales para ambas Américas, pero en el día están reducidas a una, donde se examinan las cuentas de aquellos dominios, y dan los informes y noticias que se piden por los Ministerios. Está en la plazuela del Cordón, y se entra en ella toda la mañana.

Consejo de las Ordenes Militares. Tuvo principio en el año de 1489 por los señores Reyes Católicos, que se declararon administradores de las Ordenes Militares, suprimiendo el poder de los maestres de ellas; y después ha tenido varias alteraciones hasta el estado del día. Este Consejo entiende en los negocios del territorio de las cuatro órdenes de Santiago, Alcántara, Calatrava y Montesa, y conoce en segunda instancia de los asuntos judiciales de que han entendido en primera los gobernadores, corregidores y Alcaldes mayores de su territorio; ejerce jurisdicción omnímoda eclesiástica en todas las causas civiles y criminales de las Ordenes, como en las de los Caballeros de las mismas, y de sus sentencias en lo eclesiástico se apela al tribunal de la Rota; propone los dos obispos que ejercen funciones episcopales en todo su territorio, y provee las vicarías y curatos de él; consulta las vacantes de capellanes freires en la Capilla real; las alcaldías mayores, gobiernos, notarías de reinos y títulos de escribanos en sus territorios, y entiende en las pruebas de los caballeros. Este Consejo tiene un caballero procurador general de las Ordenes a quien se consultan los asuntos de interés de ellas. Está situado el tribunal en la Casa de los Consejos, y se reune las mismas horas que los demás. Tiene su secretaría y dos escribanías de cámara, una para la Orden de Santiago, y otra para las de Calatrava y Alcántara, alternando ambas en la de Montesa, las que están sitas en la misma Casa de los Consejos. También lo está la contaduría general de encomiendas, prioratos y dignidades de las Ordenes, la tesorería general del Consejo, y las superintendencias generales de tesoros y archivos de las Ordenes. La secretaría de la presidencia está en casa del señor Decano, y la cancillería y registro del sello real en la Carrera de San Jerónimo.

Hay un juez privativo protector que desempeña el juzgado de iglesias de las Ordenes, y cuida al mismo tiempo de la fábrica, reparos, adornos y culto de las mismas, compeliendo a los comendadores a que cumplan con sus cargas. Este juzgado tiene un defensor que hace de fiscal, y de sus providencias se apela al Consejo de las Ordenes; igualmente tiene un escribano principal rector, y está situada la escribanía en el mismo Consejo.

Consejo supremo de la Guerra. A este consejo no se le halla origen, y algunos autores dicen le trae desde el rey don Pelayo, compuesto siempre de los sujetos más experimentados en la milicia. Es el tribunal supremo de ella, donde se deciden las causas de sus individuos, y de quien dependen todos los juzgados subalternos de Guerra y Marina, de cuyas sentencias, y de las de los gobernadores y capitanes generales del ejército y armada, se apela para ante él. Igualmente conoce de los negocios del fuero de extranjería, y de las presas de barcos negreros. En lo gubernativo entiende en las consultas para ascensos, viudedades, pensiones y demás del ramo militar. Fórmase en dos salas, una de Gobierno y otra de Justicia. La primera, compuesta de consejeros togados y militares, fiscales y secretario, donde se tratan las materias consultivas, expedientes civiles y criminales; y la segunda de togados, para las contenciosas que por cualquier razón toquen al fuero militar. El tratamiento de este supremo consejo es el de *Majestad*. Está situado en la plazuela de la Villa, frente a San Salvador, y se reune todos los días a las nueve. Tiene para el despacho de sus negocios una secretaría y una escribanía de cámara, además de los agentes fiscales y relatores; ambas están en la misma casa del consejo; y en la secretaría se da audiencia los lunes y jueves a las doce. Igualmente está en la misma casa la superintendencia general de Penas de Cámara y el archivo de dicho real Consejo.

También se halla en la misma la *Junta suprema de Caballería del Reino*, con iguales preeminencias que el Consejo de la Guerra, restablecida en 1829, y compuesta como aquél de señores ministros letrados y militares, dos fiscales y un secretario. Sus audiencias son lunes y jueves a las doce.

Consejo real y supremo de Hacienda. Llamábase, según parece hasta 1602, Contaduría mayor de Hacienda, y constaba de cinco oidores. En 1626 se dio reglamento a este tribunal con el nombre de Consejo; y en los reinados sucesivos sufrió varias alteraciones hasta el día, que se compone de señores ministros de capa y espada, y togados; y está dividido en una sala de Gobierno, otra de Millones y dos de Justicia, con dos fiscales, tres relatores, un secretario de gobierno y dos escribanos de cámara. Es tribunal supremo en negocios de Hacienda, y conoce por apelación de los que sobre sus tributos e incidencias se siguen ante los intendentes y subdelegados de rentas u otros juzgados de real Hacienda. También conoce exclusivamente de los asuntos de tanteo e incorporación de los oficios enajenados, y de los de diezmos exentos. Consulta en los negocios de Hacienda, expide privilegios o patentes de invención de máquinas e instrumentos mecánicos, y otras atribuciones. En sala de Millones se ventila lo relativo a contribuciones, asistiendo a ella los diputados de los reinos. Este Consejo se reune todos los días, excepto los festivos, en la Casa de los Consejos, y en la misma se halla situada su secretaría de gobierno. Las escribanías de cámara están en las casas de los respectivos escribanos. Las horas son por las mañanas.

El Gobernador de este Consejo tiene una secretaría para los asuntos de la Presidencia. Igualmente le está agregada la Comisión del Valimiento de oficios enajenados de la Corona, regulando el servicio por las gracias que concede de suplementos de títulos, confirmación, perpetuidad y facultad de nombrar teniente, También está encargado de la administración de los estados que se secuestran e incorporan a la Corona. La secretaría de la presidencia está sita en la Casa del Consejo, y la entrada es todos los días desde las doce.

Tribunal mayor de Cuentas. Este tribunal, reformado últimamente, está encargado del examen de las cuentas de los consulados del reino y de los empleados que manejan caudales, perseguir las fianzas y exigir los alcances. Tiene un fiscal de contabilidad y otro togado, y un secretario; y los pleitos que ocurren se despachan por un escribano de cámara. Se reune en la Casa de los Consejos dos días a la semana, y en la misma están sus dependencias abiertas por la mañana.

Nunciatura y tribunal eclesiástico de la Rota. La Santa Sede tiene en la corte de España un Nuncio apostólico, quien decide las consultas sobre puntos de derecho eclesiástico, acordando las dispensas menores, con otras varias facultades.

El tribunal llamado *de la Rota* consta de seis jueces eclesiásticos legistas, y dos supernumerarios, y conoce de los asuntos contenciosos que vienen a él por apelación de los Metropolitanos y jueces eclesiásticos. Igualmente conoce de las causas contra los eclesiásticos, y de las que se forman a los legos por delitos de herejía, simonía, sacrilegio, usura, perjurio y adulterio; de las demandas de divorcio, y otras. Se divide en dos turnos compuestos de tres votos cada uno, y del uno se admiten las apelaciones para el otro, y de los dos para ambos reunidos. El orden de sustanciación es diferente en ciertas formas del de los demás tribunales. Para el despacho de los negocios tiene dos secretarías de justicia, donde están divididos por obispados, y una abreviaduría, para las dispensas. También tiene un cierto número de procuradores limitados a este tribunal, los cuales ascienden a oficiales de las secretarías de justicia por antigüedad, pero pueden actuar en él los procuradores de los reales Consejos. Este tribunal y sus oficinas están situados en su casa propia, calle del Nuncio, y se hallan abiertos toda la mañana.

Vicariato general castrense. El muy reverendo Patriarca de las Indias es vicario general de los reales ejércitos y armada, y ejerce la jurisdicción eclesiástica castrense sobre todos los individuos de ellos. Para el despacho de los negocios hay el tribunal de la real Capilla, según dijimos en el cap. 3.º, formado de un teniente-vicario, un fiscal (ambos capellanes de honor), un notario mayor, y otros dependientes, y de sus sentencias se apela a la Rota. El tribunal está en la calle del Carmen, casa del señor teniente-vicario.

Real junta de Competencias. Para el objeto de decidir las competencias o controversias que suelen moverse entre dos o más juzgados sobre conocimiento de alguna causa, hay una junta compuesta de señores ministros de todos los Consejos, y presidida por el señor Gobernador del de Castilla, con un escribano de cámara, y alternando los relatores de todos ellos, y se reune uno o dos días a la semana en una de las salas del de Castilla.

Real junta Apostólica. Entiende en todos los pleitos y cuestiones que se pueden mover por los prelados y personas eclesiásticas contra las Ordenes militares y sus individuos sobre jurisdicción, diezmos u otros derechos; se compone de ministros del Consejo Real y del de Ordenes, con un fiscal y un secretario, y se reune en una sala del Consejo.

Sacra Asamblea de la Orden de San Juan de Jerusalén.—Esta Orden, instituida en la ciudad de Jerusalén por los caballeros del Hospital de San Juan, cuyo gran prior reside en España, tiene en la corte la Sacra Asamblea, compuesta de bailíos y caballeros de la orden, para entender de los negocios eclesiásticos de su territorio, con un fiscal y un secretario, dando comisión a un caballero con su asesor para entender en los interlocutorios hasta la definitiva. La secretaría de la junta está en la Carrera de San Jerónimo.

Juzgados de la real Casa.—Juez asesor del real Patrimonio.—Junta patrimonial de apelaciones. Véase en el capítulo anterior, en donde se trató de la Casa Real y sus dependencias.

Juzgados de artillería y de ingenieros. Véase en el anterior capítulo en las inspecciones de estas armas.

Juzgado de la real Armada. Véase en el capítulo anterior cuando se trató de la dirección de la misma.

Juzgado de Correos y Junta suprema de apelaciones de los mismos. Véase en el capítulo anterior cuando se trató de la superintendencia y dirección general.

Juzgados de Pósitos, de Minas y Loterías. Véanse en el capítulo anterior las direcciones de estos ramos.

Tribunal de Cruzada y del Escusado. Véase la comisaría general en el capítulo anterior.

Juzgado de Espolios. Véase la colecturía general en el capítulo anterior.

Juzgado privativo de la Mesta. Véase en el capítulo anterior cuando se trató del Honrado Concejo.

Tribunal de la superintendencia general de Azogues. Fue establecido por S. M. actual para entender en los negocios de este ramo, y consta del excelentísimo señor Ministro de Hacienda, superintendente general, dos ministros asesores y un fiscal.

Juzgado de la real Cabaña de Carreteros. Un señor ministro del Consejo Real es juez protector de la cabaña de carreteros del reino, y entiende privativamente de la conservación de sus privilegios con inhibición de todo otro tribunal y apelación de sus providencias al Consejo de Castilla; tiene su escribano de cámara, que es uno de los del Consejo.

Juzgados de Montes y Plantíos. Hay un señor juez conservador encargado de entender en los negocios de montes y plantíos de todo el reino, excepto los encomendados a la marina, y los de las 25 leguas del contorno de Madrid; tiene su secretaría en la calle del Lobo, y se entra en ella toda la mañana.

Otro señor juez conservador hay para el conocimiento privativo de los montes y plantíos de las 25 leguas del contorno de Madrid, y de todos los negocios correspondientes a ellos. Tiene su secretaría en la calle de Valverde, y se entra en ella toda la mañana.

Juzgado de Imprentas. Un señor ministro del Consejo Real está encargado de la revisión de folletos y papeles sueltos que han de imprimirse, pues los volúmenes que pasan de seis pliegos de impresión deben presentarse al Consejo por la escribanía de gobierno. Tiene su secretaría y escribanía, y está situada aquella en la calle del Amor de Dios.

Colegio de Abogados. Para actuar en todos los tribunales superiores e inferiores de Madrid hay un colegio de Abogados compuesto hasta el día de 200 individuos, teniendo precisión de hallarse incorporados en aquél para poder firmar los alegatos y asistir a las defensas verbales. Cierto número de ellos alterna por años en la defensa de los pobres de solemnidad.

Escribanos Reales. Otro colegio hay de escribanos Reales, notarios de los reinos, compuesto de unos 150 individuos, los cuales, en unión con los 23 escribanos del número de la Villa, y los de Provincia, tienen el derecho de autorizar toda clase de documentos y contratos, aunque con obligación de protocolizar los instrumentos en alguna de las escribanías de la Villa o de Provincia. Tienen también sus ordenanzas particulares, y ejecutan igualmente *gratis* las diligencias de los pobres.

Procuradores de la Corte y reales Consejos. Es un número de 48, y actúan en todos los tribunales superiores e inferiores, excepto en los juzgados de los tenientes de villa y vicaría eclesiástica; y todo pedimento debe encabezarse a su nombre y firmarse por cualquiera de ellos, para lo cual es preciso apoderarlos los interesados, o substituirles los poderes. Asisten diariamente al Consejo, donde tienen sus mesas respectivas, en que reciben las notificaciones de los autos y providencias. Tienen también sus ordenanzas que les prescriben *gratis* las defensas de los pobres de solemnidad.

Los procuradores de la Villa son un número más reducido, que sirven para actuar en los juzgados de los tenientes y vicaría eclesiástica.

Agentes de negocios. Para la dirección de los negocios y representación de los interesados en ellos, hay en Madrid un número considerable de personas que, con el nombre de *agentes de negocios*, desempeñan los poderes y encargos que se les confían; pero no tienen representación legal en los tribunales, a causa de no estar autorizados con real título, ni formar corporación, por lo que para el acto de presentarse en juicio tienen que sustituir sus poderes en los procuradores. El no estar restringida la facultad de titularse y ejercer las funciones de agentes da lugar a varios males, como son: el que se encarguen de negocios algunos empleados públicos, contra lo expresamente determinado por las leyes, y en menoscabo de la justicia e imparcialidad que debe distinguir a todo funcionario; que igualmente se encarguen de ellos personas que, por incapacidad, mala conducta, y ninguna responsabilidad, no ofrezcan la garantía necesaria en su desempeño. Y finalmente, que los agentes verdaderos no obtengan la consideración y decoro que merece una ocupación tan honrosa y útil. Tenemos entendido que el gobierno,

penetrado de esta misma opinión, ha pensado en reducir a un número fijo y moderado el inmenso de agentes de negocios; previniendo al mismo tiempo las circunstancias que deban adornarles para poder responder en todo tiempo a sus comitentes con una garantía eficaz. Solamente en el Consejo de Indias hay un número de 30 con el título de *agentes de Indias* que se les expide por el Consejo; pero todos los demás pueden igualmente gestionar en negocios de Indias.

CAPITULO V

ADMINISTRACION CIVIL, MILITAR Y ECLESIASTICA DE MADRID Y SU PROVINCIA

Corregimiento de Madrid. El Corregidor de Madrid es presidente del Ayuntamiento, y superintendente de Sisas y Propios. Ejerce, por medio de sus dos tenientes, la jurisdicción civil y criminal en Madrid acumulativamente con la Sala de señores alcaldes; y está encargado de la policía urbana, limpieza, alumbrado, aguas, y demás referente a ella, y de acordar permiso para los puestos públicos. Es juez privativo de los teatros del reino, y preside las funciones de toros. Para el despacho de los negocios gubernativos tiene un secretario, y su oficina en la misma casa, que suele variar, y en el día se halla en la calle de Santiago. También tiene un escribano para el juzgado de los teatros. Las horas de entrada en estas oficinas son por la mañana y por la noche.

Los tenientes de Villa son dos jueces letrados para ejercer, a nombre del corregidor, la jurisdicción ordinaria en la villa y su tierra, acumulativamente con los alcaldes de Corte, aunque no se extiende al rastro, como en aquéllos; y de sus sentencias en asuntos criminales se apela a la Sala, y de las civiles a ésta y al Consejo por el mismo orden que de las de los alcaldes. Para el despacho con los tenientes de Villa hay 23 escribanos del número, y los procuradores de Villa. Las audiencias de los señores tenientes se tienen en el piso bajo de las casas de la Villa, o en sus casas respectivas por las mañanas. Las escribanías del número están situadas la mayor parte en la calle de las Platerías.

Ayuntamiento de Madrid. El Ayuntamiento se compone del señor Corregidor y sus dos tenientes, alférez mayor, regidores, diputados del común, procuradores general y personero, y dos secretarios, y los regidores han de ser nobles. Esta corporación tiene a su cargo la administración municipal, la salubridad de comestibles, el remedio de la ociosidad y pobreza, el ornato público, distribución de aguas, y otros encargos de la autoridad directiva y económica de Madrid. La Junta de Propios, compuesta de individuos del mismo Ayuntamiento, entiende en la recaudación e inversión de los fondos de este ramo. El Ayuntamiento de Madrid tiene tratamiento de *Excelencia*, y sus individuos el de *Señoría* de palabra y por escrito en virtud de reales decretos. Entra en sorteo en las vacantes respectivas de diputados de reinos; está considerado en los actos públicos de corte en el mismo rango que los tribunales, pues en los besamanos concurre con ellos en cuerpo después de la Sala de señores alcaldes; tiene igual asistencia, por comisión que se nombra de entre los individuos de su seno, a los contratos matrimoniales del Soberano y su real familia; igualmente que a los nacimientos y bautizos de los príncipes e infantes, en virtud de especiales decretos del Rey N. S. Se reune en casa propia, plazuela de la Villa, los miércoles y sábados de cada semana, y en la misma casa tiene su secretaría, contaduría, tesorería, archivo y escribanía principal, y se entra en estas oficinas por la mañana.

Cuerpo colegiado de Nobleza.—La villa de Madrid cuenta por uno de sus timbres la nobleza de muchos de sus habitadores, cuyos nombres fueron célebres en nuestra Historia. Ya a principios del siglo xv formaban los caballeros hijosdalgo de esta villa un estado que contribuía al esplendor del trono, y tomaba parte en los objetos de prosperidad pública. En 1782 se reunió en Cuerpo colegiado, y en él se alistaron personas del primer orden y jerarquía. Por diferentes sentencias, ejecutorias y reales resoluciones, ratificadas últimamente por Su Majestad en 1824, corresponden exclusivamente al estado de nobleza los empleos de procurador síndico

general, secretario de Ayuntamiento, mayordomo de propios, alcaldes de la Santa Hermandad y de Mesta, y el de alguacil mayor de la cárcel, para cuyas elecciones o nombramientos, que son privativos del Excelentísimo Ayuntamiento, propone el Cuerpo para cada uno de aquellos destinos lo menos doce de sus individuos. Para diputados de millones, además del caballero regidor que sortea el Ayuntamiento, corresponde al Cuerpo colegiado el derecho de que entre sus individuos se sortee otro candidato. El estado disfruta, además, otras honoríficas distinciones, como el uso de uniforme particular y el privilegio de asistir a los besamanos y actos solemnes con los tribunales supremos y Ayuntamiento de Madrid. Tiene a su cargo la dirección del Real Colegio de Desamparados, y dos miembros de su seno asisten a la Junta Suprema de Caridad. Este Cuerpo colegiado se gobierna por una Junta compuesta de un presidente, grande de España de primera clase; nueve diputados antiguos, nueve modernos, un secretario, un contador y un tesorero. Celebra sus juntas en las mismas Casas Consistoriales.

Alcaldes de Barrio.—En Madrid se eligen anualmente uno para cada uno de los 62 barrios de que consta, y están encargados de las rondas y otras precauciones para la seguridad pública, entendiéndose para ello con el alcalde de Corte del cuartel respectivo.

Alcaldes de Hermandad.—Son dos jueces legos nombrados cada año para conocer de los delitos y excesos cometidos en el campo; y su jurisdicción es acumulativa con la ordinaria. Tienen sus audiencias en sus casas respectivas.

Subdelegación principal de Policía.—Entiende en formar los padrones generales, expedir y visar pasaportes y cartas de seguridad, dar licencias para usar armas no prohibidas y otras atribuciones. La Subdelegación, con todas sus dependencias, está situada en la calle del Príncipe, y las horas de audiencia, expedición de pasaportes y licencias, son por las mañanas y noches. Ultimamente, se han vuelto a crear las comisarías de Policía, que se habían suprimido, reduciéndolas al número de cinco, para inspeccionar sobre la tranquilidad pública y demás objetos de la Policía, de que se ha descargado a los alcaldes de Corte. Además, en cada uno de los barrios de Madrid hay un celador encargado de llevar el padrón y recibir las noticias de los que entran y salen en sus barrios, informar sobre los que pidan pasaportes y demás, estando bajo las órdenes de los comisarios y de la Subdelegación. Los celadores despachan en sus casas respectivas a las horas que fijan.

Intendencia.—El caballero Intendente es la autoridad superior de la provincia en todo lo relativo a la recaudación y resguardo de las rentas de la Corona, juez subdelegado privativo de los negocios de la Real Hacienda y jefe de los empleados de ella en la provincia. Para los asuntos contenciosos forma tribunal con su asesor, fiscal y escribano; y los gubernativos y administrativos los despacha con su secretario, contaduría y demás. La Intendencia está sita en la calle de Alcalá, casa de la Torrecilla, y en ella está la secretaría, donde se entra por las mañanas, y se da parte los martes y viernes, a las doce. En la casa de la Aduana, inmediata, están la administración, contaduría y tesorería de provincia y la escribanía de Rentas, y en ellas se entra por las mañanas.

Real aposento de Corte.—El gravamen que tenían las casas de Madrid del aposentamiento de la real comitiva, que tuvo su origen cuando el establecimiento de la corte en él, forma una contribución que es uno de los productos de la Real Hacienda. Para su dirección y gobierno existe una oficina, cuyo jefe es el Intendente, con su contaduría y tesorería, y en ella se hallan los planos de Madrid con arreglo a la visita general practicada a mediados del siglo pasado, y son de grande utilidad, si se renovasen con arreglo a las muchas variaciones que han ocurrido. Estas oficinas se hallan abiertas por las mañanas, y están situadas en la calle de Alcalá, casa del marqués de la Torrecilla.

Tribunal Consular.—El Real Consulado de Madrid fue creado por Su Majestad en 1827, y comprende las provincias de Madrid, Guadalajara, Segovia y Toledo. Se divide en dos secciones: Tribunal y Junta de Comercio; de ésta hablaremos en su lugar. El Tribunal, compuesto del prior y cónsules, un asesor y dos escribanos principales, conoce privativamente en primera instancia de los negocios mercantiles, y celebra audiencia pública los martes, jueves y sábados de cada semana.

Para las apelaciones hay un juez de alzadas acompañado de dos colegas o recolegas.

El Tribunal está situado en la casa del Consulado, plazuela del Angel, y en la misma están abiertas por las mañanas sus dependencias.

Contaduría de Hipotecas.—Esta oficina tiene por objeto tomar razón de las escrituras que causan hipoteca expresa y traslación de dominio, no pudiendo hacer estas fe en juicio sin este requisito, sobre el cual se ha creado últimamente un derecho de un medio por ciento del valor de la cantidad escriturada. Para el servicio de esta oficina hay un contador, y está situada en la Cava de San Miguel.

Otras oficinas civiles.—Además de las dichas hay también en Madrid otras oficinas civiles, particulares a esta provincia, y dependencias de las direcciones generales de los distintos ramos. Tales son las de Correos, Propios y otros ramos que tienen sus respectivas administraciones y contadurías por lo perteneciente a Madrid y su provincia. Pero estando por lo regular sitas en las mismas direcciones, y habiendo hablado ya de aquéllas, excusamos individualizarlas más por ahorrar repeticiones.

Capitanía General.—El Capitán General es el jefe militar superior de la provincia y tiene a su cargo todo lo relativo al gobierno militar de ella. Para el despacho de los negocios tiene un secretario y oficina sita en su casa, carrera de San Jerónimo, y las horas de audiencia son por las mañanas.

Auditoría de Guerra.—Para el despacho de los negocios contenciosos del fuero militar tiene el capitán general un auditor de Guerra que conoce de ellos en primera instancia, y su juzgado y escribanía están sitos en la calle del Burro. Las horas de despacho son desde las diez a las dos, todas las mañanas.

Gobernador.—El Gobernador es la autoridad inmediata al Capitán General, dependiendo de él la defensa y quietud de la plaza en lo militar, y otras atribuciones, para cuyo desempeño tiene una Secretaría que está en casa del señor Gobernador, calle de Alcalá. Las autoridades inmediatas son el teniente de Rey, el sargento mayor y los ayudantes de la plaza.

Oficinas de la Hacienda militar de la provincia.—Hay una pagaduría y otras dependencias para el distrito de esta Capitanía General que se hallan sitas en la Intendencia general del Ejército, calle de Alcalá.

Vicaría eclesiástica.—El Vicario eclesiástico de Madrid, delegado del muy reverendo arzobispo de Toledo para el conocimiento y sustanciación de todas las causas civiles y criminales del fuero eclesiástico de esta villa y su partido, está encargado del conocimiento de los casamientos y sus formalidades eclesiásticas, como igualmente de las causas de divorcio y otras. Para el despacho de los negocios contenciosos nombra un teniente eclesiástico graduado, un fiscal, un alguacil mayor, cuatro notarios mayores y cuatro oficiales mayores notarios; hay, además, cuatro oficiales segundos, cuatro notarios de diligencias y un archivero. Este juzgado está situado en su casa, calle de la Pasa, y tiene audiencia todos los días. Las oficinas se hallan abiertas por mañana y tarde.

Visita eclesiástica.—Hay igualmente un visitador eclesiástico nombrado por el muy reverendo arzobispo de Toledo, encargado del cumplimiento de testamentos y últimas voluntades, fundaciones de capellanías, aniversarios y demás obras pías. Tiene su tribunal diario con su fiscal y notarios, y está situado en la misma casa de la Vicaría.

Curas párrocos.—Ultimamente, los curas de las parroquias de Madrid están encargados de la cura de almas, la formación de matrículas para inspeccionar sobre el cumplimiento de los preceptos religiosos, la expedición de fes de bautismo, de vida y de muerte de sus parroquianos, las amonestaciones y otras diligencias para los casamientos; y, finalmente, la autorización y celebración de éstos, los entierros, bautizos y demás perteneciente a la religión.

CAPITULO VI

DEL ESTADO ECLESIASTICO.—PARROQUIAS.—CONVENTOS DE AMBOS SEXOS.—IGLESIAS.—ORATORIOS.—CEMENTERIOS (1)

Madrid se halla dividido en diecisiete parroquias, a saber: Santa María, San Martín, San Ginés, El Salvador y San Nicolás, Santa Cruz, San Pedro, San Andrés, San Miguel y San Justo, San Sebastián, Santiago y San Juan, San Luis, San Lorenzo, San José, San Millán, Nuestra Señora del Buen Suceso, Ministerial de Palacio y el Buen Retiro. También son parroquias las de la Florida y el Canal, extramuros.

Santa María.—Esta iglesia parroquial es reputada por la más antigua y guarda la primacía entre las de esta villa. El Ayuntamiento celebra en ella sus funciones, y tiene prerrogativas de iglesia mayor. La época de la fundación de ella es muy dudosa, pues hay quien la hace subir al tiempo de los romanos, asegurando ser ésta la primera iglesia donde se predicó el Evangelio en Madrid, y añadiendo que en siglos posteriores fue catedral, y después de canónigos seglares. Pero nada se puede afirmar, y sí solo que, durante la dominación de los árabes, sirvió de mezquita, y fue purificada y consagrada después de la restauración por el rey don Alfonso el VI. Posteriormente, cuando se trató por los reyes Felipe III y IV de hacerla colegiata, se sacaron las bulas para el efecto, y aún se sentó la primera piedra de la nueva iglesia en la plazuela que hay detrás de la actual, pero sólo se reparó ésta. El edificio es pequeño, y de mezquina arquitectura, y en él hay poco recomendable en materia de bellas artes, pero se venera la sagrada imagen de Nuestra Señora de la Almudena, patrona de Madrid, y uno de los principales objetos de su devoción. Dí-

(1) Siendo tantas las iglesias de Madrid y las preciosidades que contienen, es de absoluta imposibilidad el describirlas por menor, y sí solo se indicarán los objetos más notables de todas. En otra edición de esta obrita se procurará ampliar más esta parte, aunque siempre consultando la debida proporción, sin lo cual vendría a ser este capítulo mayor que el resto del libro.

cese que esta sagrada imagen fue escondida por los cristianos en un cubo de la
muralla, donde estuvo oculta durante la
dominación de los árabes, hasta que se la
encontró milagrosamente en el mismo año
de la conquista. El nombre *de la Almudena* parece venir de haberla hallado al lado
de un alhóndiga, a que los moros en su
lengua llamaban *almuden*. El distrito de
esta parroquia, como el de las demás antiguas de Madrid, es muy reducido, por
haber permanecido el mismo, mientras que
las modernas han recibido aumento con el
ensanche de la población. Esta parroquia
está situada en la plazuela de los Consejos.

San Martín.—Esta parroquia es al mismo tiempo monasterio de benitos, y su fundación se dice anterior a la época de los
árabes, pero en este tiempo estaba fuera
del recinto de Madrid y sólo fue incluída
en él después de la conquista; habiendo
contribuído notablemente al ensanche de la
población el privilegio concedido a este
monasterio por el rey don Alonso VII
para poblar el barrio de San Martín, de
donde le viene su parroquialidad, la más
extensa de Madrid, tanto, que comprende
105 calles y 2.300 casas. El convento es
vasto y la iglesia fue destruída en tiempo
de la invasión de los franceses, desapareciendo muchas preciosidades que contenía
en materia de pintura y escultura, y los
sepulcros de don Jorge Juan y del reveren-
dísimo padre fray Martín Sarmiento; como igualmente la célebre custodia del Santísimo, obra de Juan de Arfe. En el día
se ha habilitado la iglesia con harta sencillez, y aún se observan en ella algunas
buenas pinturas y efigies. Está sita en la
plazuela de su nombre.

Esta parroquia, por su grande extensión,
tiene por anejos las iglesias de San Ildefonso y San Marcos. La primera desapareció en la época de los franceses, y ha
sido reconstruída en el año de 1827 muy
sencillamente. La iglesia de San Marcos,
sita en la calle de San Leonardo, construída en 1753, y construída por el célebre
arquitecto don Ventura Rodríguez, merece notarse por su buena arquitectura. Su
planta se compone de tres figuras elípticas; en la de en medio está la cúpula,
y en las otras dos el presbiterio y los pies
de la iglesia. Toda ella está adornada con

pilastras del orden compuesto y florone,
en las arcadas, y la fachada con pilastra
corintias y con un frontispicio triangula
por remate, todo con la mayor elegancia
proporción y buen gusto, como lo son, e
general, los altares y adornos que decora
esta iglesia. Dicho arquitecto Rodrígue
yace sepultado en ella (1).

San Ginés.—Nada se sabe a punto fijo
sobre la fundación de esta iglesia, ni s
fue mozárabe (como se ha pretendido) en
tiempo de los moros; sólo sí que existía
por los años de 1358, y habiéndose arruinado en 1642 su capilla mayor, volvió a
reedificarse tres años después. Ultimamente sufrió un terrible incendio en 16 de
agosto de 1824, en que perecieron muchas
de sus curiosidades. Su figura es de cruz
latina, de orden dórico sencillo, con dos
naves pequeñas a los lados, siendo de las
iglesias más claras y espaciosas de Madrid. El cuadro del altar mayor que ha
sustituído al que había de Ricci, y pereció
en el fuego, representa el martirio de San
Ginés, y ha sido pintado por don N. San
Martín.

Entre las varias capillas que tiene esta
iglesia merece citarse la del Santísimo
Cristo, cuya efigie, una de las más antiguas y veneradas en Madrid, no es, sin
embargo, de la mejor escultura. Mejores
son las pinturas que adornan esta capilla,
entre otras la del Santísimo Cristo sentado
en el calvario mientras los soldados preparan la cruz, y es de Alonso Cano. Debajo de esta capilla está la bóveda llamada
de *San Ginés*, donde todas las noches de
Cuaresma y tres días cada semana en lo

---

(1) Don Ventura Rodríguez y Tizón nació en
Ciempozuelos, en 14 de julio de 1717, y es reputado como el *restaurador de la arquitectura española*. Las muchas y excelentes obras que construyó y proyectó en todo el reino le hicieron
merecer aquel dictado. En Madrid (a donde la
envidia no le dejó desplegar sus grandes planes)
trabajó, además de esta iglesia, otras varias
obras, como se irá diciendo en sus lugares;
siendo entre ellas muy notables el palacio de
Liria, la casa Saladero, el diseño de las fuentes
del Prado y otras muchas. Fue director de la
Real Academia de San Fernando y arquitecto
mayor de Madrid, y murió en esta villa el 26
de agosto de 1785. El elogio de este célebre
arquitecto ha sido dignamente consignado por
la pluma de Jovellanos.

restante del año hay ejercicios espirituales, como son oración, meditación, sermón y disciplina. Esta parroquia está situada en la calle del Arenal.

El Salvador y San Nicolás.—Esta pequeña parroquia está situada en la calle Mayor, frente a la plazuela de la Villa, y es de las más antiguas de Madrid. La efigie del altar mayor representa a San Eloy, y fue hecha por el célebre don Juan Pascual de Mena, a costa del gremio de plateros. En este templo tienen sus sepulcros el último duque de Arcos, con un elegante mausoleo; el conde de Campomanes (1), y a los pies de la iglesia, el célebre don Pedro Calderón de la Barca. Tiene además la particularidad de que la torre, campanas y reloj pertenecen al Ayuntamiento de Madrid, que tenía antiguamente sus sesiones en la sala de encima del pórtico de la iglesia.

La parroquialidad de ésta es muy reducida, aun después de haberle unido la de San Nicolás, que se halla situada a espaldas de Santa María, de cuyo edificio y adornos hay poco que hablar; sólo sí que en su bóveda están sepultados los huesos del célebre Juan de Herrera (2).

---

(1) Don Pedro Rodríguez de Campomanes, conde de Campomanes, nació en Santa Eulalia, provincia de Asturias, a 1.º de julio de 1723, y luego de concluída su carrera literaria pasó a Madrid, donde se dedicó a la abogacía, dándose a conocer en ella por sus brillantes trabajos, al mismo tiempo que por sus obras literarias, que le abrieron las puertas de las Academias y le valieron el aprecio de los inteligentes. Nombrado asesor de Correos hizo en este ramo muchas mejoras; pero sus grandes talentos y lo noble y enérgico de su carácter no se dieron a conocer completamente hasta que en 1762 fue nombrado fiscal del Consejo de Castilla. Sus trabajos en este destino fueron inmensos, y todos dirigidos al bien público; y a tan relevantes servicios y a la alta consideración que ellos le merecieron del Monarca debió su elevación a la plaza de Gobernador del mismo Consejo; el título de Castilla sobre un coto, de que le hizo Su Majestad merced en 1772; el nombramiento de Consejero de Estado y la gran cruz de Carlos III. Este digno magistrado murió en 3 de febrero de 1802, con sentimiento general de toda la nación, que vio en él uno de sus hijos más beneméritos y que más contribuyó a su bienestar.

(1) Este célebre arquitecto nació en el lugar de Mobellan, valle de Valdaliga, Asturias de Santillana, por los años de 1530, y después de varios estudios y viajes, y de haber servido como

Santa Cruz.—Se ignora igualmente su fundación; sólo sí que es de las primeras de Madrid. La iglesia ha sufrido dos incendios, el último en 1763, en que padeció toda ella, y fue reedificada poco después. Es poco lo que hay que decir de su mediana arquitectura, sólo sí que su torre es la más alta de Madrid. Sus adornos tampoco son de grande estima. En esta iglesia están las congregaciones de la Paz y Caridad, que cuidan del socorro espiritual y corporal de los infelices ajusticiados.

San Pedro.—Es también muy antigua y estuvo en otro tiempo en la esquina o recodo que hace una casa antes de llegar a Puerta Cerrada, de donde la trasladó Alonso XI adonde ahora está, que es más abajo, en la plazuela de su nombre, con espalda a la calle de Segovia. El edificio es pequeño y fuerte, y entre las varias efigies que le adornan es digna de atención la del Santísimo Cristo de las Lluvias, que se venera en una capilla a los pies de la iglesia. En esta misma parroquia está la venerable congregación de Sacerdotes naturales de esta villa, fundada por el licenciado Jerónimo Quintana, autor de la *Historia de Madrid*, cuyo instituto es el socorro de todas las necesidades que puedan padecer los sacerdotes residentes en la corte.

San Andrés.—Esta antigua parroquia, de que ya se tiene noticia en la *Vida de San Isidro Labrador* que existía en el siglo XII, sirvió de capilla real a los Reyes

---

militar en la guerra del Piamonte, se dedicó a la arquitectura bajo la dirección de Juan Bautista de Toledo, siendo nombrado su ayudante en la gran fábrica de El Escorial, y distinguiéndose extraordinariamente en esta obra. Habiendo muerto a poco tiempo el mismo Juan Bautista, la dirigió Herrera bajo sus propios planes, con aquel estilo grandioso y serio que le han dado un lugar tan distinguido entre los primeros arquitectos del mundo y hecho de su obra uno de los más célebres monumentos del arte. Otras muchas trazó y dirigió en el real sitio de Aranjuez, en Toledo, en Sevilla, entre éstas la célebre Casa Lonja de esta última ciudad. Delineó la catedral de Valladolid, el Real Archivo de Simancas; en Madrid, el puente de Segovia y el coro de las monjas de Santo Domingo el Real y otras muchas obras importantes en otros varios pueblos, en todas las que dejó consignado el buen gusto que imprimió a su siglo. Falleció en Madrid, a 15 de enero de 1597.

Católicos cuando vivían en las casas contiguas de don Pedro Laso de Castilla (hoy del duque del Infantado), desde donde dieron paso a ella. Lo más notable de esta iglesia es la capilla y entierro de San Isidro Labrador. Fue labrada en los reinados de Felipe IV y Carlos II con extraordinaria magnificencia para colocar el cuerpo del santo, que había ocupado otros sitios en la misma iglesia. Esta suntuosa capilla está al lado del Evangelio, y es magnífica, particularmente el ochavo o cúpula, con columnas de mármol, y el tabernáculo o altar de cuatro caras que está en medio, todo de mármoles y bronces con profusión de estatuas, adornos y caprichos que constituyen un conjunto singular y digno de verse; como igualmente lo son las pinturas de Ricci, Carreño y otros que hay en ella. En esta capilla estuvo el cuerpo del santo hasta 1769, que fue conducido a la iglesia de San Isidro, donde permanece.

Contigua a esta iglesia está la capilla llamada del Obispo, fundada por don Gutiérre de Vargas y Carvajal, obispo de Plasencia, cuya arquitectura de gusto gótico y las muchas obras de escultura y pintura que la adornan, hechas por Francisco Giralte y por Juan Villoldo, y últimamente los sepulcros magníficos del obispo y sus padres, que adornan esta capilla, la hacen ser uno de los objetos más interesantes de Madrid, y cuya descripción artística sería demasiado prolija. Antiguamente estuvo unida a la iglesia de San Andrés, pero en el día tiene su puerta independiente a la plazuela de la Paja, y para su culto tiene el competente número de capellanes y dependientes.

San Justo y San Miguel.—Habiéndose demolido en el siglo pasado la antigua parroquia de San Justo, se construyó de nuevo a costa del serenísimo infante don Luis. La fachada de la iglesia es de figura convexa, y está adornada de estatuas y de un bajorrelieve. Las pinturas al fresco de lo interior son de don Antonio Velázquez, y hay en la iglesia y sacristía algunos cuadros regulares. Está situada en la calle del Sacramento.

La parroquia de San Miguel, derribada en tiempo de los franceses y agregada a ésta, estaba en la plazuela de su nombre.

San Sebastián.—Fundóse esta iglesia el año de 1550, y tomó la advocación de este santo por una ermita que había allí cerca. Su arquitectura es pobre y mezquina, y la ridícula fachada de la calle de Atocha era uno de los partos del gusto extravagante, pero ha sido reformada en el año pasado y reducida a un aspecto más sencillo. En el interior de la iglesia lo más notable es la capilla de Nuestra Señora de Belén, reformada por el arquitecto don Ventura Rodríguez. Otras dos capillas tiene, una con la advocación del Santísimo Cristo de la Fe, llamado *de los Guardias*, cuya excelente efigie es obra de don Angel Monasterio, y otra reformada por el arquitecto don Silvestre Pérez, y dedicada a Nuestra Señora de la Novena, donde celebra sus funciones la congregación de Cómicos españoles. Hay en esta iglesia algunas pinturas notables, como es el Martirio de San Sebastián, de Vicente Carducio, y el Prendimiento del Señor, de Dominico Greco, y otras. Esta parroquia, por el sitio que ocupa en la calle de Atocha, y la extensión de su feligresía, es de las primeras de Madrid. En su bóveda está enterrado el célebre frey Lope de Vega Carpio.

Santiago y San Juan.—Esta parroquia fue de las antiguas de Madrid, y habiéndose venido abajo fue reedificada en 1811 bajo los planes de don Juan Antonio Cuervo, y aunque pequeña, es una de las iglesias más bellas de la corte. El gran cuadro del altar mayor, que representa al santo peleando a caballo, es de Francisco de Ricci, y hay además otras buenas pinturas.

A esta parroquia se unió la pequeña de San Juan después de su derribo.

San Luis.—Esta parroquia, que hasta hace pocos años fue ayuda de San Ginés, tiene su iglesia grande y bastante bien construída en la calle de la Montera. Concluyóse en 1689, y la portada acredita el poco gusto de José Donoso, uno de los corruptores de la arquitectura; pero aún es más extravagante el retablo del altar mayor, que ha quedado para afrenta del buen gusto con algunos otros de su clase.

San Lorenzo.—Esta parroquia, que fue hasta hace poco tiempo anejo de la de San Sebastián, está en el barrio del Avapiés, y su calle de San Bernardo, y no contiene objetos notables.

San José.—Fundó esta parroquia en 1745 el duque de Frías, don Bernardino de Velasco, en atención a lo distante del barrio del Barquillo de la parroquia de San Luis, y para ello transformó en iglesia la sala de su misma casa, que servía de teatro. Fue anejo de la de San Ginés, y en el día es parroquia independiente, y se ha trasladado a la calle de San Marcos.

San Millán.—Fue ermita en sus principios, y luego parroquia aneja a la de San Justo. En 14 de marzo de 1720 un violento incendio ocasionado por una vela de las que ardían en el altar, redujo a cenizas todo el edificio, que prontamente se volvió a levantar por el maestro don Teodoro Ardemans. En esta iglesia está un Santísimo Cristo llamado *de las Injurias*, que es un objeto de gran devoción. Se halla situada enfrente de la plazuela de la Cebada.

Nuestra Señora del Buen Suceso. — Es parroquia castrense, y hay en ella un hospital para la servidumbre de Palacio. La iglesia es mediana, pero no corresponde al sitio que ocupa, en medio de la Puerta del Sol; su fachada principal es mezquina. Esta iglesia fue muy maltratada en tiempo de los franceses, y aunque después se la habilitó, carece de objetos artísticos dignos de atención. La imagen de Nuestra Señora que se venera en su altar mayor (que es una ventana) fue hallada en un monte por dos hermanos de la congregación de los Obregones. En esta iglesia y su patio fueron fusilados varios desgraciados españoles en el funesto 2 de mayo, y hay una inscripción en el crucero al lado de la epístola que lo expresa. También está en esta iglesia en el presbiterio del mismo lado de la epístola una urna o sarcófago que encierra los restos del doctor don Matías Vinuesa, capellán de honor de Su Majestad, antiguo cura de Tamajón, asesinado en la cárcel de la Corona el día 4 de mayo de 1821. En esta iglesia se celebra una misa a las dos de la tarde, a que siempre asiste extraordinaria concurrencia.

De las parroquias de Palacio, el Retiro, la Florida y el Canal, hablaremos en la descripción de estos sitios.

CONVENTOS DE RELIGIOSOS

San Martín.—Véase lo que se dijo de este monasterio como parroquia.

San Francisco.—Este convento fue fundado por el mismo Santo Patriarca, que vino a Madrid en 1217, y habiéndole los moradores ofrecido sitio fuera de los muros, labró una pequeña ermita donde es hoy la huerta del convento. Esta ermita fue extendiéndose hasta que se convirtió en gran iglesia y convento; pero demolido en 1760, se empezó a fabricar de nuevo con gran magnificencia, concluyéndose el todo de la obra en 1784. Hízose por los planes de fray Francisco Cabezas, religioso lego de la Orden, que la dejó en la cornisa, y fue continuada por los arquitectos Plo y Sabatini, quien concluyó la iglesia e hizo el convento. Una y otro son de una magnificencia extraordinaria. La iglesia es una rotonda circundada de siete capillas, y con un vestíbulo, teniendo de diámetro, sin contar aquéllas, 117 pies, y de alto, hasta el anillo de la linterna, 153. Desde la línea de la fachada hasta el fondo del presbiterio hay 125 pies. Las seis capillas menores tienen también sus cúpulas, y consta cada una de 35 pies en cuadro, y la mayor, de 75 de fondo y 47 de ancho. En el altar mayor hay un sencillo tabernáculo, y en la pared de su frente un gran cuadro de don Francisco Bayeu, que representa la concesión del jubileo de la Porciuncula. Los cuadros de las seis capillas son de Calleja, Velázquez (don Antonio), Maella, Castillo, Ferro y Goya. El pórtico de la iglesia tiene 67 pies de ancho y 37 de fondo, y hay en la fachada dos torres y tres ingresos con arcos. El convento es igualmente grandioso, habiendo en él diez patios, con doscientas celdas, noviciado, enfermería y demás. Este edificio, a pesar de su magnificencia, no se ostenta, como debía, por el sitio extraviado en que está, más abajo de Puerta de Moros. Es el primero de los templos de Madrid, y en él se han celebrado últimamente las exequias reales.

San Jerónimo.—Fundó este convento el rey don Enrique IV en el camino del Pardo, cerca de donde hoy está el puente Verde, a consecuencia de una función de justas que celebró en aquel sitio para festejar al embajador de la Gran Bretaña, dispuestas por su favorito, don Beltrán de la Cueva. En 1464 se establecieron allí siete religiosos, pero habiéndose experimentado ser enfermizo aquel sitio por la cercanía del río, se trasladaron por disposición de los Reyes Católicos al sitio que hoy ocupa en lo alto del Prado. La iglesia es a la manera gótica, de una sola nave ancha y desembarazada; fue arruinada en tiempo de los franceses, y ha sido habilitada después. En aquella desgraciada época desaparecieron las muchas riquezas en pintura, escultura y alhajas que contenía, y de que no es fácil reponerse. En el día está desnuda de ellas, y sólo conserva algunas pinturas en la sacristía. El gran cuadro del altar mayor ha sido pintado últimamente por don Rafael Tejeo. En esta iglesia se celebra la ceremonia de la jura de los príncipes de Asturias.

Nuestra Señora de Atocha.—Este convento, de padres dominicos, fue fundado en tiempo del emperador Carlos V por fray Juan Hurtado de Mendoza, su confesor, en el mismo sitio en que había una ermita pequeña de Nuestra Señora de Atocha, sobre cuyo origen se han extendido mucho los historiadores de Madrid. La gran devoción a esta Señora y la piedad religiosa de los reyes de España, fue acrecentando la suntuosidad de esta iglesiaconvento hasta un punto extraordinario, pero todo desapareció en tiempo de los franceses, en que fue destruído. Restituído al trono nuestro augusto Monarca, se ocupó en la restauración de este convento, reedificándole casi del todo, haciendo construir por su arquitecto, don Isidro Velázquez, el elegante altar mayor, adornando toda la iglesia de bonitas capillas, alhajas, efigies y cuadros, y trasladando a su casa con pública solemnidad la imagen de Nuestra Señora, que había sido pasada al convento de Santo Tomás. A esta iglesia concurren las personas reales a dar gracias a su entrada en esta villa, y por costumbre antigua la visitan todos los domingos Sus Majestades y Altezas. En ella se conservan multitud de banderas dedicadas por los cuerpos del Ejército, y otras devueltas por los franceses.

San Felipe el Real.—Es de agustinos calzados y se fundó por los años de 154 en el sitio que caía a los confines de l población, y ahora es junto a la Puert del Sol, centro de la villa; su iglesia s quemó en 1718, y ella y el convento fue ron muy maltratados en la guerra de lo franceses. Dicha iglesia no es de mal gus to, y está adornada de buenas imágenes el convento es extenso y bien fabricado, su claustro, de piedra berroqueña, co veintiocho arcos en los dos cuerpos d que se compone, es de orden dórico, una de las mejores obras de arquitectur que hay en Madrid.

Nuestra Señora de la Victoria.—Convento de mínimos de San Francisco de Pau la, fundado en 1561 por el padre fray Juan de Vitoria. Esta iglesia merece poca atención y no corresponde al paraje er que se encuentra, que es a la entrada de la Carrera de San Jerónimo por la Puerta del Sol. Fue destruída en tiempo de los franceses y habilitada después; y lo más notable que contiene es la venerada imagen de Nuestra Señora de la Soledad, obra de Gaspar Becerra, la misma que sale en la procesión del Viernes Santo.

Santísima Trinidad.—El convento de trinitarios calzados fue fundado por el rey don Felipe II, que dió la traza de su mano y eligió el sitio, que es el centro de la calle de Atocha. El edificio es de los mejores de Madrid y se construyó por el maestro Gaspar de Ordóñez. La iglesia es muy grande, y está adornada en lo interior con pilastras de orden corintio, buenos capitales y cornisa bien tallada; pero fue lástima no haber dado a la cúpula cuerpo de luces ni elevación correspondiente. También padeció extraordinariamente en tiempo de los franceses, y se perdieron muchas de sus preciosidades.

El claustro, todo de piedra, es uno de los mejores que hay en Madrid; la escalera, magnífica y parecida a la de El Escorial, y el atrio de la calle de Atocha, muy espacioso.

Nuestra Señora de las Mercedes.—El convento de mercenarios (1) calzados sito en la calle de la Merced, fue fundado en una

---

((1) Respetamos la grafía que siempre se repite en el original: *mercenarios* (por *mercedarios*). (*Nota del Editor*).

pequeña casa en 1564. La iglesia es grande, bien construída, y renovada en 1730, haciéndose entonces la ridícula portada que ahora tiene, y pintándose al fresco sus bóvedas. Esta iglesia fue muy rica en pinturas y alhajas, de que se vió privada en la guerra de los franceses; habiendo quedado, sin embargo, algunas pinturas y efigies muy notables. En el crucero, al lado de la epístola, es de notar el suntuoso sepulcro del marqués del Valle (nieto de Hernán Cortés) y de su esposa, y a los pies de la iglesia, la capilla de Nuestra Señora de los Remedios.

San Bernardino.—Fundado en 1570, y su iglesia fue labrada en 1572 por Francisco Garnica, contador del Rey. Está fuera de la puerta de San Bernardino, y fue demolido en tiempo de los franceses y rehabilitado después.

El Carmen Calzado.—En 1575 se fundó este convento por la religión, contribuyendo a ello la villa de Madrid, en el mismo sitio que ocupaba la casa de mujeres públicas. El templo es de los más grandes y de mejor arquitectura que tiene Madrid, con muy buenas capillas y efigies. La del altar mayor, que representa la Virgen del Carmen, es obra de Juan Sánchez Barba. También hay pinturas notables, pero los altares son de mal gusto (1). La mejor fachada es la de la calle del Carmen, donde tiene un atrio espacioso.

Santo Tomás.—Es del Orden de predicadores de Santo Domingo y se erigió en Priorato en 1563. Concluyóse la iglesia en 1656, construyéndose después la capilla mayor, que se vino abajo en 1725 en ocasión de la festividad del Año Santo. La iglesia es espaciosa y de buena planta, pero la portada tremenda, con el lema de *Plusquam Salomon,* es obra de Churriguera y de sus hijos, y ridícula hasta el extremo por sus extravagantes adornos. No lo es menos el altar mayor y muchos de sus retablos, en los cuales hay, sin embargo, muy buenas pinturas y esculturas, pudien-

do citarse entre estas últimas el Descendimiento de la Cruz, obra de Miguel Rubiales, en la primera capilla de la izquierda. En ella hay un Entierro del conde de Gausa, que tiene muy buen gusto. Este convento está en la calle de Atocha, frente a Santa Cruz.

El Carmen Descalzo.—Fundóse en 1586 bajo el título de San Hermenegildo, pero la iglesia es más moderna, y aunque fuerte y capaz, no es correspondiente al sitio que ocupa en la calle de Alcalá. Los retablos y adornos no son de buen gusto, pero, en cambio, poseía esta iglesia y convento una de las más ricas colecciones de cuadros de los autores más celebrados, y una selecta biblioteca; mas todo desapareció en la invasión francesa, habiendo quedado, sin embargo, algunos buenos cuadros en la capilla de Santa Teresa, fundada por don Rodrigo Calderón, marqués de Siete Iglesias, conde de la Oliva, gran privado y primer ministro de Felipe III (1).

Colegio Imperial de Jesuítas.—Fue fundado por la religión, y en 1567 se concluyó la primera iglesia, que era pequeña, y tenía su puerta principal a la calle que sube a la Merced; pero habiendo tomado el patronato de este colegio la emperatriz doña María de Austria en 1603 (de donde le viene el nombre de Imperial), se construyó en 1651 la actual iglesia, que es un templo grandioso, de bellas proporciones, aunque con poco gusto en los adornos, sobre todo en los guarnecidos de madera dorada, que afean toda la iglesia. La capilla mayor, renovada por el arquitecto don Ventura Rodríguez, que puso el coro detrás, es del mejor gusto. En ella se veneran los cuerpos de San Isidro y Santa María de la Cabeza, que fueron trasladados de San Andrés, y están en dos urnas preciosas. La estatua del santo, que está sobre un trono de nubes, es obra de don Juan Pascual de Mena; y el gran cuadro

_____

(1) Mientras se escribía esta obrita se ha verificado la total reforma del adorno interior de este tempo; habiéndose construido el retablo y los colaterales con arreglo a las ideas del buen gusto y despojado de extravagancias toda la iglesia, que ha quedado, por tanto, una de las más notables de Madrid.

_____

(1) A consecuencia de la causa formada a este ministro por varios delitos que se le atribuyeron, y después de una larga prisión en sus casas de la calle Ancha de San Bernardo, fue condenado a muerte, y degollado en la Plaza Mayor de Madrid, el día 21 de octubre de 1621, siendo enterrado en esta iglesia, y trasladado después a la de las monjas de Portaceli, en Valladolid.

del segundo cuerpo, que representa la Santísima Trinidad, fue pintado por don Antonio Rafael Mengs. Muchos son los objetos notables en materia de bellas artes que se observan en las capillas y sacristía de esta iglesia, que por desgracia son demasiado oscuras; pero no es posible detenerse en su descripción, y sólo se dirá que todo su conjunto le hace un templo digno de la capital. En su bóveda se conservan dos urnas preciosas que encierran los restos de los heroicos capitanes de Artillería don Luis Daoiz y don Pedro Velarde, y otra con las cenizas de las demás víctimas del 2 de mayo de 1808, que fueron exhumados y conducidos a aquella ciudad el mismo día de 1814 con una pompa triunfal que excede a toda ponderación. La fachada que da a la calle de Toledo consta de tres puertas entre cuatro medias columnas; es majestuosa y de buena proporción. Esta iglesia, cuando la expulsión de los jesuítas, fue destinada al Cabildo de Curas de San Andrés, que tomó el nombre de Cabildo de San Isidro, y después ha vuelto a los padres de la Compañía. El convento es igualmente grande y suntuoso, y en él hay una excelente biblioteca pública, de que hablaremos en su lugar.

Noviciado.—La otra casa de la Compañía, que es el Noviciado, está en la calle Ancha de San Bernardo. Fue fundada en 1602 por la marquesa de Camarasa, pero la iglesia actual es moderna y de buena arquitectura, aunque caprichosa en los adornos, teniendo como la otra de San Isidro la ventaja de carecer del coro a la entrada, cosa que desfigura la mayor parte de las iglesias. Su portada es graciosa, y está adornada de bajos relieves alusivos a San Ignacio; pero la iglesia encierra grandes bellezas en pintura y escultura, entre las que merece notable atención el gran altar de mármoles y bronces al lado del Evangelio, dedicado a San Francisco de Regis, y trabajado en Roma por profesores de gran mérito.

Doña María de Aragón.—Fue fundado este convento de agustinos calzados en 1590 por doña María de Córdoba y Aragón, dama de la reina doña Ana, y su iglesia contenía buenas pinturas; pero en tiempo de los franceses fue arruinada y después destinada a salón de Cortes, con que no se ha vuelto a abrir.

Agustinos recoletos.—En 1595 fue fundado este convento de agustinos descalzos, y la iglesia se concluyó en 1620. Contenía muchos objetos apreciables en pintura, esculturas y alhajas, pero todo desapareció en la invasión francesa, siendo reducido a cuartel, y aunque después se la ha habilitado y el convento, no con aquella magnificencia obra de muchos años. Se ha conservado, sin embargo, la excelente efigie del Santísimo Cristo del Desamparo en la capilla de su nombre, y en los dos lados del crucero de la iglesia, los suntuosos sepulcros de los marqueses de Mejorada, obra de Donoso.

Espíritu Santo.—Este convento de padres clérigos menores y su iglesia, sitos en la carrera de San Jerónimo, había padecido notablemente en tiempo de los franceses, y habilitado después, ocurrió en 1823 un violento incendio que le destruyó del todo, teniendo que pasar los padres al convento de Portaceli, de la misma Orden.

San Bernardo.—Este monasterio fue fundado por don Alonso Peralta, contador de Felipe II, que yace en la iglesia en el presbiterio, con un mausoleo de jaspe. Dicha iglesia es pobre y pequeña, y de ningún modo correspondiente a la hermosura de la calle en que está, y a que da nombre, y tiene pocos objetos notables.

San Gil.—Fue fundado este convento en la antigua parroquia de San Gil por el rey don Felipe III. Es de franciscos descalzos, y su iglesia, edificada en 1613, estaba cerca de Palacio, y fue demolida en tiempo de los franceses, por lo que los religiosos han ocupado el convento de San Cayetano, en la calle de Embajadores. Este templo es magnífico, de tres naves espaciosas, y se construyó a últimos del siglo pasado. Lo hubiera sido más, si uno de los arquitectos de la escuela de Churriguera no hubiera echado a perder los diseños que vinieron de Roma. La fachada, sobre todo, es de mal gusto, aunque muy costosa.

Santa Bárbara.—Este convento de mercenarios descalzos fue fundado en 1606 en el mismo sitio que ocupaba la ermita de Santa Bárbara. Su iglesia se concluyó en 1622, pero habiendo sido arruinada en tiempo de los franceses, ha sido rehabilitada después, y no contiene cosa particular más que el cuerpo de la Beata María Ana de Jesús, natural de esta villa, beatificada en 1783. Inmediato está la casa y huerto que ocupó la misma. Este convento se halla junto a la puerta de Santa Bárbara, al fin de la calle de Hortaleza.

Jesús.—El convento llamado de *Jesús* es de trinitarios descalzos, y está situado en la plazuela de su nombre. Fue fundado en 1606, y su iglesia era notable por su buena disposición y bellos objetos que encerraba, pero fue arruinada en la guerra pasada, y aunque habilitada después, así como el convento, no ha podido volver a su antiguo estado. Conserva, sin embargo, la sagrada imagen de Jesús Nazareno, que fue cautiva en Fez y rescatada por los religiosos de la Orden, cuya imagen sale en la procesión del Viernes Santo, y es uno de los objetos de mayor veneración en Madrid.

San Basilio.—Esta Orden fundó su monasterio en Madrid, primero junto al arroyo de Abroñigal, trasladándose en 1611 al sitio que hoy ocupa en la calle del Desengaño. La iglesia es mediana, y lo más notable es el extravagante retablo del altar mayor, obra de Donoso, que es otro de los monumentos del oprobio de las artes.

Capuchinos del Prado.—Este convento fue fundado en 1609, y su iglesia se concluyó en 1716; está situado junto a la casa del duque de Medinaceli, su patrono, y no es notable más que por su decencia y la sencillez de sus adornos, entre los cuales se encuentran algunas pinturas regulares.

Premostratenses.—Fundó este monasterio la misma religión en 1611, y la iglesia era bastante capaz, teniendo una linda fachada, que había construído don Ventura Rodríguez en 1776, de que sólo han quedado las ruinas, por haber sido demolida por los franceses la iglesia y convento, habiéndose retirado los padres a una casa en la calle del Rosal, en donde existen.

Nuestra Señora del Rosario.—Este convento del Orden de Santo Domingo fue fundado en 1632 en la calle de la Luna, donde está el convento de Portaceli, siendo trasladado después a la calle Ancha de San Bernardo, donde existe. Su fachada es sencilla y de buen gusto, y uno de los mejores ornamentos de dicha calle.

Afligidos. — El convento de San Joaquín, de padres premostratenses, se fundó en 1635, y en el día existe en la plazuela de Afligidos, a que da nombre. La iglesia fue arruinada también por los franceses y habilitada después muy sencillamente.

La Pasión.—Este convento de dominicos, que estuvo en la plazuela de la Cebada, fue demolido en tiempo de los franceses, habiéndose retirado los padres a la calle de San Pedro, donde existen.

Capuchinos de la Paciencia.—Este convento fue fundado por el rey don Felipe IV en 1639 en la calle de las Infantas, en el mismo sitio que ocupaba la casa donde fue ultrajada la imagen de Nuestro Señor Jesucristo por unos judíos que fueron juzgados por el Tribunal de la Inquisición. La iglesia se concluyó en 1651, y también fue arruinada por los franceses, y aunque ha sido habilitada después, no contiene objetos notables.

Portaceli.—Fundóse en 1644 esta casa de clérigos menores después de muchas contrariedades, y erigió su templo en la calle de la Luna; pero se arruinó en 1719. Reedificado después, fue arruinado por los franceses, y últimamente se le volvió a habilitar sencillamente.

Agonizantes de San Camilo.—Se fundó en 1643 en la calle de Fuencarral, bajo la advocación de San Camilo de Lelis, con el piadoso objeto de asistir a los enfermos moribundos. Su iglesia es pobre, y fue también arruinada en tiempo de los franceses.

Montserrat.—Fue fundado este monasterio de monjes benitos por el rey don Felipe IV en 1642, en la quinta del condestable de Castilla, para los monjes que vinieron de Montserrat con motivo de las disensiones de Cataluña en 1640. Allí permanecieron hasta que se mudaron cerca de la puerta de Fuencarral, en la calle Ancha. La iglesia está sin concluir, y en ella está sepultado don Luis de Salazar y Castro, cronista de Indias, cuyos manuscritos se guardan allí.

San Felipe Neri.—Fundóse este oratorio de padres de San Felipe Neri en 1660 en la plazuela del Angel, y en 1769 fueron trasladados a la iglesia de San Francisco de Borja, sita en la calle de Bordadores, que era una casa profesa de jesuítas, y es la misma que hoy ocupan. La iglesia es mediana, y su fachada fue hasta los años últimos otra de las afrentas del buen gusto; pero habiéndose picado y descargado de adornos, ha quedado regular, y está enriquecida con cuatro grandes columnas de piedra. En esta iglesia se conserva el cuerpo de San Francisco de Borja, duque de Gandía, en el altar mayor, que es de buen gusto.

Agonizantes de la calle de Atocha.—El otro convento de agonizantes, bajo la advocación de Santa Rosalía, está en la calle de Atocha; fue fundado por el marqués de Santiago por los años de 1720, y no contiene cosa notable.

Escuelas Pías. — Esta casa, de padres clérigos regulares de las Escuelas Pías, con título de *Colegio Calasancio*, tuvo principio en 1755, y estuvieron en la calle de Fuencarral hasta el año de 1794, en que el rey don Carlos IV les hizo cesión del convento de padres de San Antonio Abad, en la calle de Hortaleza, donde existen, habiendo labrado después el espacioso colegio. La iglesia, aunque no es grande, es de buena forma, y está adornada con altares de buen gusto, bellas pinturas y esculturas.

Idem.—La otra iglesia y colegio de escolapios está en la calle de la Hoz Alta, y fue fundado en 1733. La iglesia es más moderna, y notable por su linda forma y los objetos que la adornan. Su fachada tiene una elegante sencillez.

San Juan de Dios.—Fundóle en 1552 el venerable hermano Antón Martín, con el objeto de servir de hospital, a cuyo servicio se entregan los religiosos. La iglesia está reedificada en 1798 con una elegante sencillez y las pinturas al fresco y esculturas que contiene son dignas de atención. Entre estas últimas merecen citarse los pasos del Ecce Homo y los Azotes, que salen en la procesión del Viernes Santo; Nuestro Señor Jesucristo con la cruz a cuestas, y San Juan de Dios sosteniendo a un enfermo, obras de don Pedro Hermoso, y otras, así como la estatua del Santo, por Manuel Pereira, sobre la puerta del convento.

Congregación de la misión de San Vicente de Paúl.—Por Real Cédula de 6 de julio de 1828 ha sido establecida en esta corte, viniendo para ello de Barcelona los primeros padres, y habiendo obtenido de la Real Hacienda una indemnización por hallarse ocupada de hospital militar su casa motriz de aquella ciudad, compraron en esta corte y su calle Real del Barquillo un espacioso local, propio del marqués del Salar, y empezaron a edificar su convento, que aun no está concluido.

CONVENTOS DE RELIGIOSAS

Santo Domingo el Real.—Fue fundado para religiosos en 1217, en el mismo de la institución de la Orden, y en el sitio que hoy ocupa, que entonces era extramuros de la puerta de Balnadú; pero el año siguiente fue destinado para religiosas por el mismo santo Patriarca. Desde su principio ha tenido varias reedificaciones, debidas a la piedad de los reyes, y entre otras la que verificó don Alonso de Castilla, biznieto del rey don Pedro, que mandó hacer el portal o atrio en 1599, y la obra del coro, construido por Juan de Herrera de orden de Felipe II, en memoria de haber estado enterrado en aquel sitio el príncipe don Carlos, su hijo. La iglesia no tiene mala forma; pero sin objetos notables. En el convento hay varios entierros, como son los de un hermano y sobrino de Santo Domingo; el del rey don Pedro de Castilla; de la infanta doña Berenguela; de doña Constanza de Castilla, priora que fue de este convento, y otras personas reales, en lo que, y en las solemnes exequias y funciones que se han celebrado en él, se manifiesta el aprecio que siempre ha merecido de los monarcas. Finalmente, en esta casa fueron recogidas las doncellas principales del pueblo durante las turbulencias de las Comunidades.

Santa Clara.—Este convento de franciscas fundado por doña Catalina Núñez, mujer del tesorero de don Enrique IV en 1460, estaba sito en la calle del Espejo, pero habiéndose demolido en tiempo de los franceses, se ha edificado de nuevo en estos últimos años en la calle ancha de San Bernardo; su iglesia es poco notable.

Constantinopla, también franciscas. — Fundado en el lujar de Rejas, tres leguas de Madrid, en 1479, y trasladado a esta villa y sitio que ocupa en la calle de la Almudena, en 1551. Llámase de *Constantinopla* por una imagen de Nuestra Señora que se venera en su altar mayor, que fue traida de aquella ciudad. La iglesia es espaciosa y clara y se concluyó en 1628.

Concepción Jerónima. — Este convento fue fundado por la célebre doña Beatriz Galindo, camarera mayor y maestra de la reina Católica, conocida por *la Latina*, por haber enseñado esta lengua a dicha Reina. Fundólo primero junto a su hospital, en la plazuela de la Cebada, y luego en el sitio que hoy ocupa, plazuela de su nombre. La iglesia es muy regular, de la arquitectura de aquel tiempo, y en ella se ven los sepulcros de dicha doña Beatriz y de su esposo, don Francisco Ramírez, secretario de los Reyes Católicos y general de Artillería, que murió peleando contra los moros. Ambos sepulcros están en el presbiterio.

Concepción Francisca. — Fueron fundadores de este convento los mismos doña Beatriz Galindo y don Francisco Ramírez, su marido, quienes le dieron a las religiosas en 1512, sin que en su arquitectura y adornos se note cosa digna de atención. Está situado en la plazuela de la Cebada.

Santa Catalina de Sena. — Tuvo principio este monasterio de dominicas en 1510, y fueron trasladadas por el duque de Lerma a la calle del Prado; pero habiendo sido demolido este convento en la guerra de los franceses, se ha reedificado últimamente en la calle de Cabestreros, con mucha sencillez, adornando su iglesia con altares de buena forma.

Nuestra Señora de la Piedad (*Vallecas*). Este monasterio de bernardas fue fundado en Vallecas, en 1473, por el maestresala de Enrique IV y después fueron trasladadas a Madrid, en el sitio que ocupan en la calle de Alcalá. La iglesia está renovada modernamente con pilastras y ornato del orden jónico, y pinturas a fresco. Los altares son de muy buen gusto y con pinturas de Bayeu, Carreño y otros, dignas de atención.

Descalzas Reales. — Fundó este monasterio de religiosas franciscas de Santa Clara la serenísima señora princesa doña Juana de Austria, hija del emperador Carlos V y gobernadora de estos reinos, madre del rey don Sebastián. Fue construido en el mismo palacio en que había nacido la señora fundadora y sitio que hoy ocupa, en la plazuela de las Descalzas, habiéndose concluido en 1559. La fachada es sencilla, de orden dórico, con la organización de piedra y los entrepaños de ladrillo, de buena forma, y con aquel estilo de seriedad que distingue en general a las obras del reinado de Felipe II, atribuyéndose los diseños a Juan Bautista de Toledo. La iglesia fue renovada en 1756 por don Diego Villanueva, pintándose al fresco por los tres hermanos Velázquez. Son muchas las obras apreciables, así de arquitectura como de escultura y pintura que existen en esta casa; debiéndose citar entre otras el célebre altar mayor, obra de Gaspar de Becerra (a quien se atribuyen también las pinturas de San Juan y San Sebastián, sobre mármol); los dos altares colaterales, con columnas de pórfido, bases y capiteles de bronce dorado; el entierro de la fundadora en una capilla del presbiterio, a la derecha, con la estatua de rodillas, ejecutada en mármol por Pompeo Leoni, y otros muchos objetos. A este convento se han retirado varias personas reales, como la emperatriz doña María, las infantas doña Dorotea y doña María Ana de Austria, Santa Margarita, hija del emperador Maximiliano, y otras personas ilustres, y su abadesa es considerada como grande de España. La solemnidad con que se celebran en esta casa los oficios divinos, con su capilla real, es correspondiente a su magnificencia.

La Magdalena. — Fundado en una casa en la parroquia de San Pedro, por don Luis Manrique, limosnero de Felipe II, adoptaron la regla de San Agustín en 1569, y diez años después pasaron a la casa que hoy ocupan en la calle de Atocha. Su iglesia es pequeña y no contiene cosa particular.

Los Angeles. — Es de franciscas y fue fundado en 1564 por doña Leonor Mascareñas, aya del rey don Felipe II. La iglesia es poco notable y contiene algunas pinturas de Ricci y otros. En esta casa estuvo hospedada Santa Teresa de Jesús.

Está situado en la bajada llamada *de los Angeles*.

Santa Ana.—Fundóse este monasterio de carmelitas por San Juan de la Cruz, en 1586. Su convento y templo, situado en la calle del Prado, fue demolido en tiempo de los franceses para formar la plazuela de Santa Ana; pero ha sido edificado el año de 1829, en la misma calle del Prado, en frente de las casas nuevas.

San Bernardo (*Pinto*).—Fue fundado en 1529, en la villa de Pinto (de donde le ha quedado el nombre) este convento de bernardas, y se trasladó a Madrid en 1588. Su iglesia es pobre y está situada en la carrera de San Jerónimo.

Santa Isabel.—Fundóse este convento de agustinas descalzas en 1589, y está situado en la calle de su nombre. La iglesia es de buena forma, se concluyó en 1665 y fue renovada en el siglo pasado. Se compone de cuatro arcos torales y, sobre ellos, una media naranja. Contiene varias pinturas buenas, y aunque fueron extraidas muchas en tiempo de los franceses, han quedado notables la *Concepción*, del altar mayor, y el *Nacimiento*, del *Españoleto*, y alguna otra de Cerezo, Coello y otros autores. Sirve también este convento para colegio de niñas distinguidas y de él hablaremos en su lugar.

El Caballero de Gracia. — Fundóse en 1603 este convento de franciscas, en la casa que antes ocuparon los padres del Espíritu Santo, propia del caballero Jacobo de Grattis (1), quien la cedió a los padres y luego pasó a las religiosas que hoy la habitan. Son notables en su iglesia las pinturas del altar mayor por Claudio Coello y las de los colaterales por Carreño. En el presbiterio está el sepulcro del arzobispo de Santo Domingo, don Bernardino de Almansa, y en el crucero el de don Juan de Solórzano, célebre escritor de jurisprudencia de Indias.

La Carbonera.—Es monasterio de Jerónimas y bajo la advocación del Corpus Christi le fundó la condesa del Castellar en 1607. El nombre de la Carbonera le viene de una imagen de Nuestra Señora de la Concepción que se venera en él y fue sacada de una carbonera. La iglesia es poco notable; pero encierra algunas pinturas estimables, como la *Cena de Nuestro Señor Jesucristo*, de Vicente Carducho, en el altar mayor, y otras. Está situada en la plazuela de Miranda.

Don Juan de Alarcón.—Llámase así este convento de mercenarias descalzas por haberle fundado a nombre de la señora doña María de Miranda su confesor, don Juan Pacheco de Alarcón, quien dio la posesión a las madres en 1609, y está situado en la calle de Valverde. Su iglesia es mediana, con algunas pinturas regulares. La del altar mayor es de Juan de Toledo.

Trinitarias Descalzas.—Fundado bajo la advocación de San Ildefonso por doña Francisca Romero en 1603. Estuvieron primero en la calle del Humilladero, y después pasaron a la casa que ocupan en la calle de Cantarranas, donde tienen su iglesia, que es poco notable, aunque con algunas pinturas regulares. En este convento profesaron una hija natural de Miguel de Cervantes y otra hija, también natural, de Lope de Vega. Dicho Cervantes fue enterrado en él (1).

---

(1) Fue este ejemplar sacerdote natural de Módena, caballero de la Orden de Cristo, y murió en Madrid de 102 años, en 1619; vivió en esta calle, a que dio nombre, y está enterrado en esta iglesia. Pónese esta noticia para que no se le confunda con el otro Jacobo Trezo, escultor y fundidor de Felipe II, pues la casualidad de vivir en Madrid a un mismo tiempo en calles inmediatas, a que dieron nombre (Jacome-Trezzo), ha hecho que Dávila, Quintana y Ponz los hayan creido uno solo.

(1) Miguel de Cervantes Saavedra nació en Alcalá de Henares, a 9 de octubre de 1547, y fue hijo de Rodrigo Cervantes y doña Leonor de Cortinas. Estudió en Madrid, en la escuela pública de la villa que estaba en la calle del Estudio, y bajo la dirección del maestro Juan López de Hoyos. Desde sus primeros años dio pruebas de una inclinación extraordinaria a la poesía, pero viéndose sin destino, pasó a Roma, y en dicha ciudad se acomodó de camarero en casa del cardenal Aquaviva; poco después la guerra con los turcos le presentó la cuestión de mostrar su bizarría, alistándose y sirviendo en las campañas de 1570 y 71. En este último año se dio la memorable batalla de Lepanto y en ella quedó Cervantes estropeado del brazo y mano izquierda. En 1575, pasando de Nápoles a España, fue cautivado por los argelinos. Parecerían increíbles, si no constasen de documentos auténticos, las arriesgadas tentativas con que intentó Cervantes durante su cautiverio en Argel,

La Encarnación.—Fundó este real monasterio del Orden de San Agustín la reina doña Margarita de Austria, esposa de Felipe III, poniéndose la primera piedra del convento en 9 de junio de 1611 y se concluyó en 1616. Su arquitectura es buena y se atribuye a un religioso trinitario. Ultimamente, en el siglo pasado, se reformó la iglesia por don Ventura Rodríguez, quien dirigió los adornos de ella, que son del orden jónico, como igualmente el retablo mayor, de mármoles, en cuyo centro hay un cuadro de la Anunciación, de Vicente Carducho, y dos ángeles de mármol, obra

---

no sólo su libertad, sino la de todos los cautivos cristianos, llegando a intentar alzarse con la ciudad, lo que sin duda hubiera sucedido sin las traiciones de que fue víctima. Por esto el rey Azán llegó a decir *que como tuviese bien guardado al estropeado español, tendría segura su capital, sus cautivos y sus bajeles.* Sin embargo de su atrevimiento, su mismo valor le hizo escapar del castigo que era consiguiente de tan feroces amos, como él mismo lo asegura en *El Quijote.* Solamente se encareció su rescate, que al cabo se verificó en 500 ducados de oro, el día 19 de septiembre de 1580, por los padres trinitarios. Volvió a España Cervantes, y desde entonces se dedicó con más afición a sus tareas literarias, publicando *La Galatea* y surtiendo al teatro con sus comedias. Casóse con doña Catalina Palacios de Salazar, una señora de Esquivias; vivió algún tiempo en Sevilla y Toledo, y después en la Mancha, donde, de resultas de una comisión que llevaba, fue preso en Argamasilla, y a esta prisión se debe la inmortal fábula del *Quijote,* que (como él mismo dice) *se engendró en una cárcel, donde toda incomodidad tiene su asiento.* Cervantes, sin embargo de esta insigne obra y las demás que publicó después, permaneció pobre y sin empleo, y esto que vivió después en Madrid casi siempre y que obtenía la protección del cardenal de Toledo y del conde de Lemos. Las casas en que vivió en Madrid son varias. En 1600 vivía en la calle de la Magdalena, a espaldas del duque de Pastrana; luego detrás de Loreto, luego en la calle del León, número 10, manzana 226, después en la de las Huertas, posteriormente en la del Estudio y, por último, en la calle del León, esquina a la de Francos, número 20, manzana 228, donde murió en 23 de abril de 1616. Mandóse enterrar en el convento de las Trinitarias, que entonces estaba en la calle del Humilladero, y se cree que sus huesos fueron trasladados al nuevo convento de la calle de Cantarranas, aunque no se sabe fijo; acaso hubiera sido posible encontrarlos, por la imperfección o falta del brazo que tenía Cervantes, con lo cual pudiera habérsele erigido el monumento que reclama su memoria, acallando la voz de los extranjeros que nos echan en cara tan notable abandono.

de Mena. También se hicieron por dirección del mismo arquitecto el precioso tabernáculo, los retablos colaterales, la caja del órgano, las tribunas y todo lo que hermosea y ennoblece este grandioso templo y le hace de los primeros de Madrid. Entre las varias y buenas pinturas que le adornan, merece citarse en la sacristía la que representa la parábola de las Nupcias, pintada por Bartolomé Román. La fachada de la iglesia es la primitiva que siempre tuvo y es seria y de buena proporción. En esta casa se celebran con una pompa extraordinaria los divinos oficios por su capilla real, y en todos tiempos se han retirado a este convento personas ilustres. Está situado en la plazuela de su nombre.

El Sacramento.—Es de bernardas descalzas y le fundó en 1615 el duque de Uceda, cerca de sus casas (hoy los Consejos), en la calle del Sacramento. El templo que hoy tienen se acabó en 1744, y es muy capaz; tiene fachada muy regular, con su lonja y atrio y fue trazado por Andrés Esteban, siendo renovado posteriormente con notable gusto, pintando al fresco sus bóvedas don Luis Velázquez y colocándose entonces el hermoso retablo mayor con un gran cuadro de San Benito y San Bernardo adorando al Santísimo, pintado por don Gregorio Ferro.

Capuchinas.—Tuvo principio este convento en 1617, en la calle del Mesón de Paredes y diez años después fue trasladado al sitio que hoy ocupa, en la plaza a que da nombre el mismo convento. Es pequeño, y no contiene, ni su iglesia, cosa notable, sino el Santo Cristo del altar mayor, que es de Vicente Carducho.

Calatravas.—En 1623 se trasladaron a esta corte desde la villa de Almonacid de Zorita las religiosas de la orden militar de Calatrava, y muy luego se les edificó la iglesia y convento en el sitio que hoy ocupan en la calle de Alcalá. Dicha iglesia es bastante espaciosa y de buena planta, pero afeada con adornos de mal gusto.

San Plácido.—Fundó este convento de religiosas de San Benito doña Teresa Valle de la Cerda, en 1623, arrimado a la iglesia de San Plácido, anejo de la parroquia de San Martín, de la que le ha quedado el nombre. Su iglesia, construida bajo la dirección de fray Lorenzo de San Nicolás, agustino recoleto, es una de las más arregladas de Madrid. El cuadro de la Anunciación del altar mayor es de Pablo Coello (1) y hay otras pinturas estimables, como lo son las cuatro estatuas en los pilares de la cúpula, obras de Manuel Pereira, el santo Cristo en el sepulcro que está en su capilla, y las pinturas al fresco hechas por Ricci. Está situado en la calle de San Roque.

Las Maravillas.—Se fundó este monasterio de religiosas carmelitas en la calle de Hortaleza por el año de 1612, y a poco tiempo se trasladaron al sitio que hoy ocupan en la calle de la Palma Alta. El título de Maravillas les viene de una imagen milagrosa que fue colocada en esta casa con gran solemnidad, labrando la iglesia en 1646. Dicha iglesia es capaz, y se reformó en el siglo pasado, poniendo nuevo el altar mayor, que es de mármoles y de buen gusto.

Comendadoras de Santiago.—Fundóse de orden del señor don Felipe IV en 1650; está situado en la plazuela de su nombre; su iglesia es de figura de cruz griega, con las extremidades en semicírculo y cúpula en el medio. Su fachada, pórtico y adornos son de lo mejor de Madrid. En el altar mayor el cuadro del santo a caballo es de Lucas Jordán.

Las Baronesas.—Fundado por doña Beatriz de Silveira en 1650 bajo la regla del Carmen, en el sitio que hoy ocupan en la calle de Alcalá. Su iglesia, que es regular, contiene, entre algunas pinturas, una de Lucas Jordán, que representa al arcángel San Rafael que guía a Tobías, y está en el crucero al lado de la epístola.

Góngora.—Es de mercenarias descalzas, y fue fundado por doña María de Mendoza en la calle de San Opropio por los años de 1626, siendo trasladadas en 1665 al sitio que hoy ocupan en la plazuela del duque de Frías de orden del rey don Felipe IV, y bajo la dirección de don Juan Jiménez de Góngora, ministro del Consejo de Castilla. Su iglesia se reformó en el siglo pasado, y no contiene cosa notable.

San Fernando.—También de mercenarias, y fundado por la marquesa de Avilafuente, en 1676, enfrente de la Merced,

siendo trasladado después al sitio que actualmente ocupan en la calle de la Libertad (hoy de San Fernando). Su iglesia no contiene cosa particular.

San Pascual.—Fundó este convento de franciscas descalzas en 1683 el Almirante de Castilla, duque de Medina de Rioseco, inmediato a su casa en el Prado, dotándole con exquisitas pinturas de los mejores profesores, que formaban una de las más preciosas colecciones; y a pesar de haber sido despojado de la mayor parte de ellas, han quedado bastantes dignas de verse, como son la Concepción del altar mayor, del Españoleto, y otros cuadros de Van Dyck, Guarcino y otros. La iglesia no tiene nada de particular en su forma, y en el presbiterio está el sepulcro del fundador.

Santa Teresa.—Este convento de carmelitas descalzas fue fundado por el príncipe de Astillano bajo la dirección de la venerable madre María Ana Francisca de los Angeles. Está al fin de la calle de San Antón, y su iglesia, que se concluyó en 1719, es capaz y regular. Lo más notable de ella es un famoso cuadro de Julio Romano, copia del célebre de la Transfiguración de Rafael de Urbino, el que fue donado con otras pinturas a esta santa casa por su fundador, y estaba tasado en diez mil doblones, siendo lástima que por su mala colocación en el remate del altar mayor esté oscurecida una alhaja tan estimable.

Salesas viejas.—El rey don Fernando VI y la reina doña María Bárbara fundaron este real monasterio de la Visitación de religiosas de San Francisco de Sales con el cargo de educar niñas nobles, y para ello hicieron construir el magnífico convento que ocupan en la plazuela del mismo nombre, que por su suntuosidad y buen gusto es uno de los principales de Madrid; concluyóse en 1758, y ascendió su total coste a la suma de diez y nueve millones cuarenta y dos mil treinta y nueve reales y once maravedises, sin contar las alhajas de diamantes, oro, plata y exquisitas vestiduras con que le enriqueció la Reina. La extensión de todo el edificio, incluyendo la iglesia, lonja, huerta, jardín y demás oficinas, es de 774.350 pies superficiales de área plana. El convento tiene 135.056 pies de superficie y 49 de alto. La iglesia, sacristía exterior y pórtico tiene 9.380 pies y 128 de

---

(1) Así en el original, por *Claudio Coello*. (*Nota del Editor*).

longitud desde los pies hasta el altar mayor, 38 de latitud y 80 en el crucero. Su altura es de 48 pies hasta la cornisa, y sobre ésta arranca la bóveda y arcos torales con 19 pies de semidiámetro; el cuerpo de luces que levanta 22 y medio, la media naranja que supera 20, y la linterna con 21 de elevación. Su fachada es de un sólo cuerpo con ocho pilastras del orden compuesto y dos torres en los extremos, un atrio y tres puertas. Encima de la principal hay un bajorrelieve de la Visitación, v otros adornos. Cierra la entrada una espaciosa lonja con pilares y verjas de hierro. Pero la fachada mejor de esta casa es la que cae al jardín, y corresponde a lo que llaman el Palacio, por ser la habitación que destinó para sí la reina doña María Bárbara. Los planes de esta obra fueron de don Francisco Carlier, y la dirigió don Francisco Moradillo. El adorno interior de este suntuoso templo es correspondiente a su gran fábrica. Pilastras y columnas de una sola pieza de exquisitos mármoles de Granada, con los capiteles de bronce dorado, hermoso pavimento de mármol de colores, suntuosos y elegantes retablos de lo mismo, excelentes pinturas, bellas estatuas; todos los objetos, en fin, que encierra esta casa son dignos de la admiración de los inteligentes, y formarían un volumen en su descripción. Pero en gracia de la brevedad sólo nos permitiremos citar los magníficos sepulcros de los reyes don Fernando VI y doña Bárbara, cuya arquitectura fue invención del célebre Sabatini, y la escultura de don Francisco Gutiérrez. Está colocado el del Rey en el crucero al lado de la epístola, y a su espalda, en el coro. el de la Reina; y sus urnas, estatuas, adornos. v hasta las inscripciones de don Juan de Iriarte, todo es del mejor gusto.

Salesas nuevas.—Está situado en la calle ancha de San Bernardo, y fue fundado en 1798 por la excelentísima señora doña María Teresa Centurión. Su iglesia, aunque pequeña, es de muy buen gusto, con los altares de mármol de bella forma, pinturas regulares, y en la sacristía un crucifijo del Greco. La portada de la iglesia es de una elegante sencillez, y el bajo relieve que hay en ella fue esculpido por don Alonso Giraldo Vergaz.

Beaterío de San José.—Fue fundada esta casa de beatas de la orden tercera de San Francisco por los años de 1638 en la calle del Mesón de Paredes, y posteriormente fueron trasladadas a la calle de Atocha, donde se hallan. Su iglesia se reconstruyó en 1768, y no contiene cosa notable.

Hijas de la Caridad.—Esta venerable congregación, fundada en Francia por San Vicente de Paul, se estableció en Madrid en el reinado del señor don Carlos IV, viniendo algunas hermanas de la casa de Barcelona, a fin de que el considerable número de enfermos de los hospitales, y los inocentes expósitos de la Inclusa recibiesen de ellas el alivio y vida que conocidamente ofrecen su religión y esmerada asistencia. Están sujetas al visitador de la congregación de la Misión, y tienen su casa e iglesia en la calle de San Agustín.

OTRAS IGLESIAS, ORATORIOS Y CAPILLAS PÚBLICAS

Nuestra Señora de Gracia.—Plazuela de la Cebada. Labr esta iglesia la hermandad de la Veracruz, pero después se rehizo la iglesia, que es muy capaz, y en ella se encuentran algunas pinturas y efigies muy regulares.

Sacramento.—Este oratorio está en la calle de Cañizares, y se labró para la congregación de Esclavos del Santísimo Sacramento por don Manuel de Aguiar en 1647.

El Caballero de Gracia.—La congregación de Esclavos del Santísimo Sacramento, fundada por el ejemplar sacerdote Jacobo de Grattis, caballero de hábito de Cristo, labró en 1654 este oratorio en la misma calle a que aquel dio nombre. Este oratorio fue reconstruído en el siglo pasado por el célebre arquitecto Villanueva, y en este presente año se ha hecho la portada, que es sencilla, con dos columnas y un bajo relieve encima representando la Cena de Nuestro Señor, ejecutado por el escultor don José Tomás, copia del célebre cuadro original de Leonardo de Vinci.

Espíritu Santo.—Este oratorio está en la calle de Valverde, y es propio de su congregación, quien labró su iglesia en 1676. En ella hay algunas pinturas razonables.

San Fermín.—Fundó esta iglesia la real congregación de naturales de Navarra, v se construyó en 1746. Está situada en el Prado, y son de notar en ella las buenas esculturas de sus altares.

San Ignacio.—Fue esta casa del colegio de los ingleses, y la compró la congregación de San Ignacio de naturales de Vizcaya, quien la reformó y abrió su iglesia en 1773. Está situada en la calle del Príncipe.

Príncipe Pío.—En la plazuela de Afligidos. Fue fundada esta capilla por doña Leonor de Moura, marquesa de Castel-Rodrigo, y está en las casas del Príncipe Pío. En esta capilla se venera una de las copias de la cara de Nuestro Señor Jesucristo estampada en el lienzo de la Verónica, cuya preciosa alhaja está vinculada al mayorazgo, y se expone al público el jueves y viernes santo.

Nuestra Señora de la Soledad.—Calle de la Paloma. Trazada por el arquitecto don Francisco Sánchez.

Capilla de San Isidro.—En casa de los condes de Paredes, junto a San Andrés, en el piso bajo, en donde hay tradición que vivió San Isidro cuando servía a Iván de Vargas, de quien era la casa.

Otra idem.—En la calle del Aguila, número 7, donde también se cree que vivió dicho Santo.

Capilla de Nuestra Señora de la Concepción.—En casa del duque de Osuna en la calle del mismo nombre.

Capilla de Nuestra Señora del Sagrario de los Hornos de Villanueva.—En el Pósito, y fue erigida en 1632 en aquel paraje entre Recoletos y puerta de Alcalá, que se llamó *Villa Nueva*, y ha quedado capilla del Pósito.

Nuestra Señora de la Portería.—Calle de Santa Isabel. Labrada por el marqués de la Solana en 1731 a una imagen que estaba en el portal de sus casas.

Nuestra Señora de la Soledad.—Calle de Fuencarral. Labrada por el marqués de Navahermosa en su misma casa en 1712.

Otras capillas.—Hay otras capillas menos notables en diversas casas particulares.

ERMITAS

San Isidro.—Fue fundada esta ermita a la orilla derecha del Manzanares por la emperatriz doña Isabel, esposa de Carlos V y está situada en una altura, donde según tradición abrió el santo una fuente. La capilla del día fue costeada por el marqués de Valero en 1724, y es muy regular. Tiene inmediato el cementerio propio de la sacramental de San Andrés. Esta ermita es sumamente concurrida el día del santo patrono por el pueblo de Madrid, que celebra en él una romería muy divertida, y que ha quedado única de su clase en este pueblo.

Nuestra Señora del Puerto.—Situada a la orilla izquierda del río, cerca del puente de Segovia, fundada por el marqués de Vadillo, corregidor de Madrid, en 1728. El edificio es bueno, tiene sus capellanes para el culto, y en ella yace sepultado su fundador.

El Santo Angel.—Esta ermita en el paseo de Atocha estuvo dedicada al santo Cristo de la Oliva, y en el año de 1783 se renovó a expensas de la villa, y se trasladó a ella la efigie del Santo Angel, que estuvo primero sobre la puerta de Guadalajara, y luego en una ermita a la salida del puente de Segovia. Esta de que hablamos fue arruinada en tiempo de los franceses, y ha sido reedificada después.

Santa María de la Cabeza.—Situada fuera de la puerta de Atocha en el paseo de las Delicias, y fundada en 1728.

San Antonio de la Florida.—Es parroquia, y está situada al fin del paseo de la Florida, sobre la orilla del río Manzanares. Fue fundada en 1720 por el resguardo de Rentas reales, pero el año de 1770 se reedificó; y últimamente fue edificada de nuevo en 1792 con una forma muy linda, pintando Goya la cúpula, y adornándola con buenas pinturas Maella, Gómez y otros. La efigie de San Antonio es de Ginés, y la arquitectura de la iglesia, de Fontana.

CEMENTERIOS

La costumbre de enterrar en las iglesias fue abolida en virtud del real decreto de Carlos III, de 3 de abril de 1787. Conociendo los perjuicios que originaba a la salud pública, ordenó aquel gran Monarca la construcción de cementerios extramuros de las poblaciones. En Madrid hay dos generales, y tres particulares. Los dos generales son: el de fuera de la puerta de

Fuencarral, y el de fuera de la puerta de Toledo. Los particulares son; el de la sacramental de San Andrés, junto a San Isidro el del campo; y los de las sacramentales de San Sebastián y el hospital general fuera de la puerta de Atocha. Entre los dos generales se reparten todas las parroquias de la corte, a saber: el de la puerta de Fuencarral comprende San Martín, San Ginés, Santiago, el Salvador, Santa María, San Luis, San José y la Patriarcal; y el de la puerta de Toledo las otras parroquias de Madrid. Todos los feligreses, sin distinción de clases, tienen que ir al respectivo cementerio, y solamente los hermanos de las sacramentales ya dichas pueden enterrarse en los campos-santos particulares, para lo cual compran su entierro a la misma sacramental.

El cementerio de la puerta de Fuencarral es el mayor, y está situado en paraje ventilado. Fue construido por el arquitecto don Juan Villanueva, y empezó a servir en 1809. Consiste en seis patios abiertos, en cuyas paredes están los nichos o depósitos para aquellas personas que pueden pagarlos. Cuesta cada uno 464 reales, y permanece en él el cuerpo por espacio de cuatro años, pasados los cuales hay que renovar el pago, pues de lo contrario pasa al depósito general u *osario*. La multitud del pueblo que no paga nicho se entierra en sepulturas abiertas en el suelo. Los nichos están numerados, y por los encargados del cementerio se dan las razones que se les piden. Los objetos más notables en este sitio son la capilla, frente a la puerta de la entrada, que es de muy buen gusto, y el mausoleo contiguo del marqués de San Simón, rodeado de árboles y cercado independientemente. Lo demás es poco digno de atención, y carece del ornato en árboles y plantas, sepulcros e inscripciones elegantes que en otros países hacen embellecer hasta la misma imagen de la muerte, ocultando su horror a las personas sensibles que van a verter tiernas lágrimas y a elevar sus oraciones en la tumba de un padre, de un hijo, o de un amigo. Algunos féretros hay extendidos a lo ancho en la pared, y entonces se paga doble. En este campo-santo reina una casi perfecta igualdad, y la tumba de un magnate ocupa por lo regular el mismo sitio que la de un particular, distinguiéndose tal vez de ésta por alguna lápida sencilla de mármol con ligeros adornos. Las inscripciones son también sencillas y en castellano, limitándose a decir el nombre, edad y patria del difunto.

El otro campo-santo de la puerta de Toledo está adornado de soportales y árboles alrededor, y en lo demás es conforme al anterior.

Igualmente los tres particulares más o menos chicos.

CAPITULO VII

ESTABLECIMIENTOS DE BENEFICENCIA.—HOSPICIOS.— MONTE DE PIEDAD.—HOSPITALES.—CASAS DE RECLUSION.—PRISIONES.—CUARTELES

Real Casa de Beneficencia (vulgo *hospicio de San Fernando*).

Fundado por la reina gobernadora doña Mariana de Austria en 1668 en la calle de Santa Isabel, y fue pasado después a la calle de Fuencarral en el sitio que hoy ocupa cerca de la puerta de los Pozos. La casa se concluyó en 1726, y es muy espaciosa, aunque con el mal gusto del corruptor don Pedro de Rivera, en especial en su estrambótica portada, que es el *non plus* de la extravagancia. En este piadoso establecimiento se admiten pobres de ambos sexos, destinándolos a diferentes ocupaciones, para lo cual hay dentro del mismo hospicio fábricas de lienzos, tejidos de lana, puntos, bordados, hilados y otras. A los muchachos se les da educación, y se les enseña un oficio, y a los ancianos imposibilitados de poder trabajar se les cuida con esmero. Todos los géneros elaborados en esta casa se venden en la misma a precios muy equitativos. Para cuidar de tan importante establecimiento hay un director y varios empleados, que conservan su buena policía y orden. Tiene también su capilla, y en ella hay un cuadro de Jordán que representa la toma de Sevilla por San Fernando.

Casa de niños expósitos (vulgo *Inclusa*). En 1567 se fundó una cofradía en el convento de la Victoria, y tomando una casa cerca de la parroquia de San Luis, empezó a recoger los niños expósitos. Luego compró la casa de la calle de los Preciados, y en el día está situada en la calle de Embajadores, habiéndose reunido al colegio de niñas de la Paz. Este establecimiento, en que tanto se interesa la humanidad, se halla en el día bajo la protección y cuidado de una real Junta de Damas de la primera nobleza, unida a la sociedad Económica. Está servido por las religiosas Hijas de la Caridad con todo el esmero que exigen las tiernas criaturas. Para recogerlas hay además depósitos en los hospitales de Pasión, San Antonio de los portugueses e Incurables, de donde son trasladados a esta casa. En ella entran anualmente de 1.000 a 1.200 criaturas, y en 1830 entraron 1.162. Pero las rentas de esta casa son cortas, y se sostiene más bien con la protección de los Reyes nuestros señores y la piedad de los fieles. También tiene su capilla, en la cual se venera una imagen de Nuestra Señora, que trajo un soldado español de Enkuissen, ciudad de Holanda, de donde por corrupción viene al establecimiento el nombre de Inclusa.

Hospicio de Santa Catalina de los Donados.—Está situado en la plazuela del mismo nombre, y fue fundado en 1460 por Pedro Fernández Lorca para doce pobres honrados a quienes la demasiada edad priva de poder ganar el sustento. El nombre de donados les viene del traje que usan parecido al de aquéllos. Esta casa tiene también su capilla, y está bajo el patronato del Prior y monasterio de San Jerónimo el Real.

Albergue de San Lorenzo.—Sito en la puerta de Toledo, y fundado en el año de 1598 para posada de pobres, en que se les da cama, agua, luz y lumbre en el invierno. Para su dirección hay un Rector.

Hospedería de padres Cartujos.—En la calle de Alcalá, y está destinada para los padres de esta religión que vienen a Madrid; no tienen iglesia; pero es de notar sobre la puerta la famosa estatua de San Bruno, obra célebre del escultor Pereyra en tiempo de Felipe IV.

Nuestra Señora del Refugio.—Fundóse esta santa y Real Hermandad el año de 1615, y después de varias vicisitudes, se estableció en el real hospital iglesia de San Antonio de los Alemanes (vulgo *Portugue-*

ses), cuyo patronato y administración, y el del colegio de niñas huérfanas, le confirió el señor don Felipe V en 1702. Esta Hermandad se compone de personas de distinción, y sus caritativas ocupaciones son hacer conducir los enfermos a tomar aires y baños, y los dementes a Zaragoza, recoger las criaturas que se exponen en el torno de su establecimiento, remediar las necesidades públicas y secretas, y hospedar los peregrinos, todo lo que le hace uno de los primeros establecimientos de beneficencia de la corte; dándose cuenta anual de la inversión de sus productos. En 1830 ha subido el gasto en tan piadosos usos, con inclusión del colegio, real casa-iglesia y hospital de San Antonio a 494.492 rs. y 16 mrs., y desde la fundación de la Hermandad a 65.854.811 con 17 mrs.

Nuestra Señora de la Esperanza (vulgo *el Pecado mortal*).—Fue fundada esta Real Hermandad en 1733 en la parroquia de San Juan, y al año siguiente le confió el Rey la administración y gobierno de la casa de Arrepentidas. Está situada en casa propia calle del Rosal, frente a la plazuela de los Mostenses, y se compone de personas de distinción. Las ocupaciones de esta Hermandad son acoger y asistir sigilosamente a mujeres embarazadas de ilegítimo concepto, facilitar los matrimonios regulares, y la dispensa de los pobres, repartir bulas a éstos, y disponer misiones, en cuyos piadosos usos en 1830 ha invertido 33.889 rs. 13 mrs.; y desde su fundación 4.828.924 con 19 maravedises.

Real Monte de Piedad.—Tuvo principio en 1702 por don Francisco Piquer, capellán de S. M. en el convento de las Descalzas Reales, quien puso en una caja un solo real de plata, pero creciendo las limosnas pensó en formar un santo Monte, y en 1713 fue aprobado por S. M. Está al cuidado de una Real Junta, y tiene por objeto socorrer a las personas necesitadas, dándoles dinero sobre alhajas que se conservan un año, y más cuando se pide prórroga, durante cuyo tiempo pueden desempeñar las alhajas por la misma cantidad que las empeñaron sin el menor interés. Después de este tiempo, y no habiendo sido sacadas, se venden las alhajas, y su valor queda a disposición del dueño; cuya institución es la más generosa en su clase. Los días destinados a dar dinero a los necesitados son lunes y jueves, y los demás de trabajo para desempeñar. Se hallan situadas estas oficinas en la plazuela de las Descalzas; y a su inmediacin tiene su capilla pública, en que se venera la imagen de Nuestra Señora de la Piedad. El adorno churrigueresco de la portada de esta capilla contrasta con la sencillez del de la casa, que es de buen gusto. El Monte de Piedad ha socorrido en el año de 1830 a 10.885 personas con la cantidad de 1.808.780 rs.; y desde su fundación 1.073. 355 personas con una cantidad de 178.247.091 rs. Por este resultado se puede medir la importancia de tan filantrópica institución.

Real asociación de Caridad del Buen Pastor.—Fue fundada en 1799 con el objeto de atender al alivio espiritual y temporal de los pobres presos de las cárceles de corte, y bajo su dirección se halla establecida la elaboración de espartos que se despachan en el almacen de la misma cárcel de Corte; cuida de las comidas de los presos y demás, y es compuesta de personas de distinción y caridad.

Pósito real.—Este útil establecimiento fue dispuesto por la villa desde la venida de la corte a Madrid para almacenar las harinas necesarias; y en el reinado de Felipe IV se fabricó inmediato a él un barrio o lugar con 42 casas, que se llamó *Villanueva,* y en ellas estaban los hornos de los panaderos. Posteriormente se mudó esto, y se establecieron las tahonas y en 1745 se labró la Alhóndiga actual, que es de figura redonda, y capaz de contener 100.000 fanegas de trigo. Por último, en 1763 se hizo otra panera. En las escaseces se abren estos depósitos, y vendiéndose el trigo a un precio moderado, se cuida de impedir los abusos de los almacenistas.

HOSPITALES

El general de Nuestra Señora de la Encarnación y San Roque.—Es de hombres, y fue fundado por el rey don Felipe II en 1587 cuando se hizo la reducción de los hospitales menores, y se situó primero en el sitio donde estuvo el convento de Santa Catalina, en la calle del Prado, y ahora son las casas nuevas, poniendo su dirección a cargo del venerable Bernardino de Obregón, persona de grande caridad. Varios aumentos recibidos después, pusieron al hospital en disposición de trasladarse a otra casa e iglesia nuevamente labrada en el camino de Atocha, hasta que creciendo aquellos con la piedad de los reyes y de los vecinos de Madrid, dispuso el señor don Fernando VI en 1748 la fabricación del edificio que hoy ocupa. Hizo la traza de él el capitán de ingenieros don José Hermosilla, que lo sacó de cimientos, y continuándole después en el reinado de Carlos III el señor Sabatini, se construyó la mayor parte de él, aunque no se ha concluído, y cuando se verifique, será uno de los más vastos edificios de su clase. El patio principal solo, concluído en 1781, tiene 134 pasos de largo y 80 de ancho, y además del referido patio, debe tener el edificio otros seis muy espaciosos y dos más pequeños. Todo el edificio consta de 600 pies en cuadro, y en el medio está su iglesia, que no contiene cosa notable.

La dirección y gobierno de este vasto hospital y otros de la corte está a cargo de una Real Junta compuesta de personas de la primera nobleza y notoria caridad; cuidan de todo lo relativo a la dirección y empleo de sus rentas, que son cuantiosas, y consisten en fincas, imposiciones sobre teatros, arriendo de la plaza de Toros, limosnas y legados. Los pobres enfermos, divididos en salas espaciosas y aseadas, son tratados con toda la humanidad que su situación exige, dándoseles de ración diaria ocho onzas de carne, una libra de pan y un cuartillo de vino. Su asistencia está a cargo de los hermanos de la congregación de la Cruz, que bajo la regla de la Orden de San Francisco fundó en 1566 el mismo venerable Obregón, de donde les viene el nombre de hermanos Obregones; y hay otras corporaciones piadosas que visitan a los enfermos y aplican sufragios por los difuntos. Los facultativos que les asisten son de los más famosos de Madrid; y finalmente, nada se ha omitido para aliviar la suerte de los infelices a quienes la miseria conduce a este piadoso asilo. Su situación también es la mejor para los enfermos y para la población, pues se halla al fin de la calle de Atocha, en parte fuera del pueblo. Puede formarse una idea de la importancia de este

establecimiento, sabiendo que habiendo
quedado en camas, en 1829, 894 enfermos,
y entrado 11.313 en 1830, que en todo hacen 12.207, fallecieron en dicho año de 30
1.169, se curaron 10.137, y quedaron en
camas 901 enfermos para el de 1831.

General de la Pasión.—De mujeres. Tuvo principio este hospital hacia 1565, pero
fue reducido al general en 1587. Separado
después, volvió a su casa primitiva de San
Millán; y últimamente, en 1636 se trasladó
a la calle de Atocha junto al anterior, donde existe bajo la dirección de la misma
Junta, y es servido por las Hijas de la Caridad con un celo admirable, habiendo además otras corporaciones de señoras que
visitan y consuelan a las enfermas. En el
año de 1830 entraron 3.812 enfermas, habiendo quedado en fin de 29 en camas 286,
que en todo hacen 4.098, de las cuales en
dicho año de 30 fallecieron 706, se curaron 3.113, y quedaron en camas para el
presente año, 279. Tiene también su iglesia.

Antón Martín.—Fundó este hospital el
venerable Antón Martín, religioso de San
Juan de Dios, en 1552, y desde entonces
ha corrido a cargo de los religiosos de dicha orden, que le sirven con todo el celo de
que es susceptible su admirable caridad.
Está destinado para recibir en él enfermos
de toda clase de males venéreos, y en el
año pasado de 30 entraron 552, de los cuales, y 60 que había del año anterior, han
fallecido 6, se han curado 496, y han quedado en cama para el año presente 50. De
la iglesia de este hospital hemos hablado
ya en el convento de San Juan de Dios.

*Convalecencia, o de Nuestra Señora de
la Misericordia.* — Fundado en 1649 por
don Antonio Contreras para los pobres
convalecientes del hospital de Antón Martín, y prevenir las funestas consecuencias
de su salida de aquél. Está en la calle de
Atocha, y es capaz de cien camas.

Nuestra Señora de la Concepción (vulgo
La Latina). Ya dijimos en el capítulo de
conventos que este hospital fue fundado por
Francisco Ramírez y doña Beatriz Galindo
su esposa (la Latina), y le dotaron de todo
lo necesario, hallándose ya abierto para el
público en 1499. Manteníanse en él 12 camas, y a pesar de haber venido sus rentas
muy a menos, se halla en el día subsanado
por la beneficencia del Rey Nuestro Se-

ñor, teniendo siempre corrientes ocho o
diez camas en beneficio de los infelices. El
cuidado del establecimiento está a cargo
del Rector, bajo la dirección de un patronato. El edificio es espacioso, y obra del
moro Hazan. Está situado en la calle de
Toledo.

*Venerable Orden Tercera de San Fran-
cisco.*—Está junto al portillo de Gilimon,
en la calle de San Bernabé. Fue fundado
en 1678 por la misma venerable Orden con
limosnas de varios devotos. Su fábrica es
muy capaz y hermosa, y se concluyó en
1693. Tiene tres salas, una de hombres,
otra de mujeres, y otra para los éticos; los
enfermos han de ser hermanos profesos, y
son cuidados con el mayor esmero y delicadeza por señoras viudas, a cuyo cargo
está su aseo y limpieza, y que viven en el
mismo hospital.

Nuestra Señora del Buen Suceso.—En
1529 se erigió este hospital por el señor
don Carlos V para la cura de los soldados
y criados suyos que seguían la corte, y en
el día sigue siendo para los criados de la
casa Real. De su iglesia hemos hablado ya
en el capítulo anterior. Está situado en la
puerta del Sol.

Real casa de Misericordia.—Fue fundada por la princesa doña Juana, hermana
de Felipe II, en 1559 con las mismas rentas que había destinado al convento de las
Descalzas, y que las monjas no quisieron
admitir, por no faltar al voto de pobreza.
En su consecuencia fundó esta Real casa
con la obligación de acudir a las necesidades del convento, y destinada a hospital de
doce sacerdotes pobres o hijos-dalgo, y poniéndole al cuidado del capellán mayor de
las Descalzas. El edificio es de muy buena
fábrica, con su gran patio y fuente en el
medio, y una sencilla portada. Tiene también su pequeña capilla. Está situado en
la calle de Capellanes.

Nuestra Señora de la Buena Dicha.—Situado en la calle de Silva, y fundado en
1594 para doce enfermos vergonzantes de
la parroquia de San Martín, para cuyo cuidado se instituyó una hermandad de Misericordia. Tiene su pequeña iglesia pública
poco notable.

San Pedro, para sacerdotes.—Es de la
venerable Congregación de sacerdotes se-
culares de Madrid, y se fundó este hospital

en 1732. Está situado en la calle de la Torrecilla del Leal, y corre a cargo de un Rector individuo de la congregación. Tiene su capilla para el culto.

San Fermín.—Es de la Congregación de los navarros, y está situado en el Prado. Fue fundado en 1684, y de su iglesia hablamos en el capítulo anterior.

Nuestra Señora de Montserrat.—Fundóse a solicitud de don Gabriel de Pons en 1616 para los naturales de la Corona de Aragón, y estuvo primero en el Avapiés, y se trasladó en 1658 al sitio que ocupa en la plazuela de Antón Martín. El edificio es capaz, y la iglesia pública bastante notable por su buena planta y adornos. En ella hay dos capillas de Nuestra Señora del Pilar y de los Desamparados, cuyas imágenes son servidas por las congregaciones de aragoneses y valencianos.

Pontificio y real de San Pedro. (Los Italianos).—Este hospital fue fundado por la misma nación italiana para los naturales pobres de aquellos reinos por los años de 1598. Su iglesia pública es notable por su sencillez y buena forma. Está bajo la advocación de San Pedro y San Pablo, y protección inmediata de Su Santidad que ejerce el M. R. Nuncio Apostólico. Está situado en la carrera de San Jerónimo.

San Andrés.—Fue fundado en 1606 con el legado de Carlos Amberino, natural de Amberes, y con destino a los pobres peregrinos de los estados de Flandes, Países Bajos y Borgoña. Está situado en la calle de San Marcos, y tiene su iglesia, que hoy es la parroquia de San José.

San Antonio de los Portugueses.—Fue fundado este hospital en 1606 por mandado del Consejo de Portugal para los pobres naturales de aquel reino; pero después de su separación de España se destinó para los naturales de Alemania, y en 1702 le concedió Su Majestad a la Hermandad del Refugio. La iglesia es muy notable por su buena forma en figura de rotunda, por la pintura al fresco de toda ella hecha por Ricci, Carreño y Lucas Jordán, por los buenos cuadros de Santa Ana, y el Cristo de éste, y la Santa Isabel y Santa Engracia de Eugenio Caxés, por el altar mayor de mármoles y de buen gusto en su arquitectura y esculturas; y últimamente, por la estatua del Santo, obra de Manuel Pereyra.

Está situada esta casa en la Corredera de San Pablo.

San Luis de los Franceses.—Fundado en 1615 por don Enrique Sauren, capellán de honor de Su Majestad, para los pobres de aquel reino. Tiene su pequeña iglesia, y en ella hay dos cuadros de Solís que representan el sacrificio de Isaac, y Caín y Abel ofreciendo sus sacrificios. El altar mayor fue ideado por don Ventura Rodríguez. Está este hospital en la calle de Jacometrezo.

Nuestra Señora de la Novena.—Este hospital fue fundado en 1765 para los cómicos por la congregación de Nuestra Señora de la Novena. Su edificio es bueno, y está situado en la calle de Jesús y María.

Real de Jesús Nazareno de Impedidas e Incurables.—Fundado por el señor don Carlos IV en 1803, suprimido en tiempo de los franceses, y restablecido por Su Majestad en 1816 para acoger ancianas impedidas e incurables, sito en la calle de Amaniel. Este hospital, en su actual estado, es un modelo de establecimientos de esta clase, por su excelente arreglo, limpieza y esmerado celo con que le cuidan las hermanas de la Caridad, bajo la augusta protección de los Reyes nuestros señores, y dirección de la real Junta de Señoras.

Real y suprema Junta general de Caridad.—Esta Junta tuvo principio en 1778, y está compuesta de los señores Gobernador de la sala de Alcaldes, Corregidor de Madrid, Vicario, Visitador eclesiástico y un regidor de Madrid, dos individuos del cuerpo colegiado de Nobleza, dos de la Sociedad Económica, y otro del cabildo de Curas. Es jefe de las diputaciones de barrio, y tiene a su cargo la dirección gubernativa y económica de las escuelas de primera educación de Madrid y su provincia, de cuyos dos ramos se da más noticia en el artículo de Diputaciones de los barrios; y además la Hospitalidad domiciliaria establecida por Su Majestad en 1816. Se reune una vez a la semana en casa del señor Presidente, o en una de las salas de la real cárcel de Corte.

Diputaciones.—Las diputaciones de los barrios fueron establecidas en 1778, y son compuestas del alcalde de cada uno, un eclesiástico y otros vecinos honrados, para atender al socorro de los pobres vergonzantes en su barrio respectivo, educación de niños pobres, y otros piadosos usos. Establecida en 1816 la *Hospitalidad domiciliaria*, se puso su ejecución al cargo de las diputaciones de los barrios de Madrid. Su objeto es socorrer a los pobres enfermos, que recobran la salud en sus casas con más facilidad que en los hospitales; cuidar de las parturientas y de la vacunación de las criaturas, y auxiliar estas necesidades con médicos, botica, alimentos, cama, ropas, y otros socorros extraordinarios, que se satisfacen de las limosnas que el público franquea, de las copiosísimas que da Su Majestad del fondo de arbitrios piadosos, de las que suministra el señor Patriarca de las Indias como limosnero mayor de Su Majestad, las que envía el señor Comisario general de Cruzada, y las que la junta recoge aplicables a pobres. En 1829 las 62 diputaciones han socorrido 2.674 enfermos, oe los cuales 2.538 han curado, y fallecido 136, que salen a muy poco más de cinco por ciento, sin contar 67 que quedaron existentes y 84 que se remitieron al hospital; se han socorrido 603 parturientas(han sanado 600 y fallecido 3, que sale a medio por ciento; han nacido 605 criaturas, de las cuales existen 570, y han fallecido 35, que salen a poco más de cinco y medio por ciento; se han vacunado 1.323 criaturas, existen 1.312 y han fallecido 11, que no llega al uno por ciento; se han gastado 132.204 rs. 23 mrs., que divididos entre 3.277 enfermos y parturientas, corresponde a cada individuo 40 reales y 11 maravedís, a todo coste de médico, cirujano, comadrón, botica, socorro para alimentos, ropas y demás gastos extraordinarios.

Las escuelas de primeras letras, que es otro de los ramos que corren a cargo de las diputaciones, son en Madrid y su provincia 203 de niños, 163 de niñas, cátedras de latinidad 21, y el total que ha asistido a ellas en el año último, ha sido más de 10.000 niños y más de 7.000 niñas.

Casas de reclusión

Santa María Magdalena (vulgo *Recogidas*). Tuvo principio en 1587 en el hospital de peregrinos, y de allí se trasladaron en 1623 a su casa en la calle de Hortaleza. Sirve de reclusión decente para mujeres, y está al cuidado de las religiosas de Santa María Magdalena de la Penitencia; no se admite en esta casa ninguna mujer que no haya sido pública pecadora, y una vez entrando allí, no pueden salir más que para religiosas o casadas. Hay también una sala donde se guardan las mujeres a quienes sus parientes envían por castigo.

Arrepentidas.—Fue fundada esta casa en 1771, también de reclusión de mujeres, con la diferencia de poder salir de ella a su voluntad. Está situada en la calle de San Leonardo.

San Nicolás de Bari.—También es este colegio reclusión de mujeres, y fue fundado en 1691 en la calle de Alcalá, donde existe.

Real casa de la Galera.—Sirve de encierro y corrección a mujeres de mala vida, y está sita en la calle del Soldado.

Prisiones

Real cárcel de Corte.—Fue construida en 1634 por mandado de Felipe IV, y bajo los planes del marqués Juan Bautista Crescenci, y es uno de los mejores edificios de Madrid. Se reduce a un cuadrilongo con portada de piedra de dos órdenes; el primero toscano con seis columnas y tres puertas cuadradas, el segundo, dórico, también con seis columnas y ventanas sobre las puertas. El frontispicio en que acaba este segundo cuerpo está adornado con estatuas que representan las virtudes cardinales. A las esquinas de la fachada había dos torres iguales, de las cuales se quemó una, y no se ha habilitado, siendo lástima, por haber destruído la regularidad de una de las mejores fachadas de la corte. Entrando en el edificio se halla un vestíbulo con tres puertas al frente, que dan entrada a una magnífica escalera y a dos patios que la tienen en medio. En el cuerpo alto hay salas espaciosas para el tribunal de la sala de Alcaldes y sus dependencias, y en el bajo a la espalda están las prisiones más o menos seguras, según la gravedad de los delitos, y con la posible comodidad en esta clase de establecimientos, como lo indica la inscripción de la puerta, que es una de las más claras y sencillas de Madrid. *Reinando la Magestad de Felipe IV, año de*

1634, *con acuerdo del Consejo se fabricó* esta cárcel de Corte para comodidad y seguridad de los presos.

Cárcel de Villa.—Está en la casa de Ayuntamiento, a espaldas de ella, y es poco cómoda y no ventilada, por lo que se trata de mudar al edificio construído últimamente para este objeto cerca de la nueva puerta de Toledo (1).

Vivak.—Es una prisión provisional que hay en la guardia principal (Casa de Correos, en la Puerta del Sol) y en donde son custodiados los detenidos durante la noche hasta su traslación a las cárceles principales.

Cárcel militar.—Las prisiones militares están en el día en la calle del Soldado.

Presidio correccional.—Está situado en el piso bajo de la casa Saladero, contiguo a la puerta de Santa Bárbara.

CUARTELES

De Guardias de Corps.—Es el edificio más grande de Madrid. Se empezó a construir en 1720 por las trazas y bajo la dirección de don Pedro Ribera, uno de los más famosos corruptores del buen gusto en arquitectura. Es un cuadrilongo muy grande, con tres plazas o patios, una torre por acabar en cada esquina y un observatorio a poniente. A levante está la fachada principal con una portada de las más ridículas. Pueden alojarse en este cuartel cómodamente 600 guardias con sus criados y 600 caballos. Está situado en el barrio de Afligidos.

San Gil.—Fue construído este vasto edificio para convento de franciscanos descalzos a fines del siglo pasado, y después ha sido destinado a cuartel de caballería. Su arquitectura es noble y seria, como convenía al objeto. Es obra de don Manuel Martín Rodríguez, sobrino y acaso el más aventajado discípulo de su tío don Ventura. Está situado a la bajada para la puerta de San Vicente.

Otros cuarteles de Caballería.—Hay además para Caballería otros cuarteles, como

son uno muy amplio a la subida del Retiro, otro en el Pósito, al lado de Recoletos, otro en la plazuela de la Cebada, y otro en la calle de Alcalá para voluntarios realistas.

Cuarteles de Infantería.—El espacioso de la calle de San Mateo, otro en la calle del Soldado, otro en la calle de Fuencarral, otro en el Pósito, todos ocupados por la Guardia Real, como igualmente el de Alabarderos, sito en la calle nueva de Palacio; otro en la calle de Santa Isabel, otro en San Francisco, otro en la calle de la Inquisición, otro en la calle de San Bernardo, otro en la plazuela de la Leña para voluntarios realistas, y otro detrás de San Nicolás, para los inválidos.

CAPITULO VIII

ESTABLECIMIENTOS DE INSTRUCCION.—ACADEMIAS.— ESTUDIOS.—COLEGIOS.—CATEDRAS Y CASAS DE EDUCACION.—BIBLIOTECAS.—MUSEOS Y OTROS ESTABLECIMIENTOS CIENTIFICOS

ACADEMIAS REALES

Real Academia Española.—Fundada en 1713 y aprobada al año siguiente por el rey Felipe V. Tomó el título de Española por ser la primera de España, concediéndole el Rey además facultad para tener impresor propio y usar de un sello particular, y los privilegios y gracias que usan los empleados de casa real en actual servicio. El fin y objeto principal de esta Academia es restablecer, cultivar y fijar la elegancia y pureza de la lengua castellana en todo su lustre y esplendor; desterrar los errores en ella introducidos por la ignorancia, la vana afectación, el descuido y la demasiada libertad de innovar; distinguir los vocablos, frases o construcciones extranjeras de las propias, las anticuadas de las usadas, las bajas y rústicas de las elevadas y cortesanas, las burlescas de las serias y las propias de las figuradas. Para ello lleva publicadas ya varias obras utilísimas, como son el *Diccionario general de la lengua*, la *Gramática*, la *Ortografía*, tratados de *Poética, Historia de*

---

(1) Escrito lo anterior han sido trasladados los presos de esta cárcel a la Casa Saladero junto a la puerta de Santa Bárbara.

la lengua y otras de este género. Este Cuerpo consta de 24 individuos de número y de residencia fija en Madrid, de varios académicos supernumerarios para suplir a los que se ausentan, y otros honorarios. Tiene sus sesiones a puerta cerrada los martes y jueves de cada semana en su casa propia, calle de Valverde.

Real Academia de la Historia.—Fue fundada con aprobación del rey Felipe V en 1738 con los mismos privilegios que la Española. Su objeto es ilustrar la Historia de España en todas sus partes, purgándola de errores y fábulas; ventilar las dudas acerca de los hechos, distinguiendo en cada uno la mayor o menor probabilidad, y poniendo en claro los acontecimientos más notables, sus efectos, su influjo en el estado moral y físico de la nación, y sus conexiones con otras potencias y gentes. A este fin tiene la facultad esta Academia de disponer viajes literarios y distribuir premios cada tres años sobre objetos de su instituto. Entre sus varios trabajos se debe contar el *Diccionario geográfico* y las *Memorias.* Consta de 24 académicos de número y 24 supernumerarios de residencia fija en Madrid, y además de académicos supernumerarios y correspondientes. Celebra sus juntas ordinarias todos los viernes, y una sesión pública cada tres años en la Casa de la Panadería, en la plaza Mayor, donde está establecida, y tiene su biblioteca con gran número de manuscritos, planos geográficos de ciudades y un precioso monetario.

Real Academia de San Fernando de las tres nobles artes.—Tuvo principio en 1744 y fue autorizada con el título de Academia Real en 1752 por el rey don Fernando VI, que le dió su nombre. Se ocupa en la perfección y adelanto de las tres nobles artes de Pintura, Escultura y Arquitectura, para lo cual tiene varios profesores pensionados en Roma, París y esta corte; distribuye premios cada tres años y tiene grandes aulas públicas, de que hablaremos más adelante. También le está cometido el examen de las obras públicas, a fin de que no se aparten de las sencillas reglas del arte. Consta de varios académicos y profesores honorarios y de mérito para las partes gubernativa y facultativa, y tiene sus juntas de establecimiento en la ca-

sa calle de Alcalá conocida por el nombre de *Gabinete de Historia Natural.* Esta casa sirvió antes de estanco de tabaco, y la compró el rey Carlos III para destinarla a esta Academia y al Gabinete en 1774, habiéndose picado, al tiempo de prepararla para estos objetos, la ridícula fachada que tenía, adornando la puerta con dos columnas dóricas estriadas, de piedra berroqueña, con su entablamento y un balcón encima, y debajo de él la elegante inscripción siguiente: *Carlos III Rex, Naturam et artem sub uno tecto in publicam utilitatem consociavit. Anno MDCCLXXIV.*

Unida a esta Academia hay una Real Junta de Damas académicas de honor y de mérito para gobierno de los estudios de adorno destinados a la enseñanza de los jóvenes.

Real Sociedad Económica de Amigos del País.—Este Cuerpo fue aprobado por Su Majestad el año de 1775, concediéndole el uso de sello particular en que se representan los símbolos de la agricultura, industria y artes con este lema: *Socorre enseñando.* Su objeto es el fomento de la industria popular y los oficios, promover la agricultura y cría de ganados, tratando por menor todos sus ramos subalternos, y exponer públicamente el resultado de sus tareas y cálculos políticos en sus *Memorias* anuales. Para protección y adelanto de la industria y oficios, puede la Sociedad erigir escuelas de teórica, mecánica y práctica, y repartir anualmente premios a los sobresalientes. Son notables los trabajos de esta ilustrada Sociedad, que muchas veces han ayudado al Gobierno en sus disposiciones, y se pueden ver en sus Memorias impresas. Este Cuerpo se compone de socios de número, de fija residencia en Madrid, socios correspondientes ausentes en pueblos de Castilla, y socios agregados en las demás provincias de España. En el día no se reúne.

Unida a esta sociedad está la Junta de Damas, que cuida de varios establecimientos de beneficencia.

Real Academia de Medicina. — Tuvo principio en 1732, y se aprobaron sus constituciones en 1734, erigiéndose en Academia Real con un sello particular. Por el reglamento general de las Academias de Medicina publicado en el año pasado de

1830 se ha dado a ésta nueva forma. Comprende la provincia de Castilla la Nueva, y se compone de tres clases de socios: numerarios, agregados y correspondientes. Sus objetos son esmerarse en el cuidado de la salud pública, recogiendo observaciones y demás; favorecer los progresos de la ciencia médica, estimulando el trabajo de los individuos, etc.; asegurar por este y otros medios la estimación de los profesores, desempeñar las enseñanzas que se establecieren y los encargos de la Real Junta. Las tareas literarias consisten en experimentar los nuevos remedios y específicos; censurar las memorias y obras médicas; publicar programas; mantener correspondencia con otras Academias y formar la historia natural médica de España. Además, ilustrar a las autoridades en todos los ramos de policía médica, como son construcción de hospitales, lazaretos, cárceles, cementerios, canales, nuevas poblaciones, iglesias, teatros y otros. Las juntas ordinarias son cada quince días, y se celebran en la sala de juntas del Real Hospital del Buen Suceso.

Real Academia de Derecho de Fernando VII.—Fue erigida en Academia en 1763 y su objeto es el estudio de la jurisprudencia especulativa y práctica, dedicándose los jóvenes que concurren a ella a formar disertaciones sobre los más interesantes puntos de derecho público; explicar las leyes de nuestros códigos, cuyos ejercicios intermedian con los simulacros de toda clase de demandas para aprender el modo de enjuiciar en los tribunales del reino, así superiores como inferiores. Los años de esta Academia, acompañando la asistencia a los bufetes de los abogados del Colegio, equivalen a cursos de Universidad para la reválida en el Consejo. Está situada en el convento de trinitarios calzados, donde celebra sus juntas los martes y sábados de cada semana.

Real Academia de Jurisprudencia teórico-práctica de Carlos III. — Fundada en 1742 y erigida en Academia Real en 1773. Tiene por objeto las mismas ocupaciones que la de Fernando VII, porque están divididas en dos para mayor comodidad de los jóvenes, a quienes se puedan distribuir los trabajos con igualdad y método. Estas Academias tuvieron varias denominacio-

nes: de Santa Bárbara, de Nuestra Señora del Carmen y de la Purísima Concepción; pero su objeto siempre fue el mismo, y en las unas y en las otras se han visto producciones dignas de la luz pública. Está situada en el convento de padres trinitarios calzados, donde celebra sus sesiones los lunes y jueves.

Real Academia de Sagrados Cánones, Liturgia y Disciplina eclesiástica.—Fue erigida en Academia Real en 1773 con sello particular. Su objeto es el estudio del derecho canónico; el examen de la antigua y nueva disciplina de la Iglesia y la aclaración de los puntos dudosos; el estudio de los Concilios y obras eclesiásticas, y la adquisición de nuevos documentos; formar disertaciones, censurar obras y demás. Anualmente se dan tres premios de medallas sobre asuntos que se disertan, teniendo opción a dos de ellos los académicos, y al tercero, de la medalla de oro, todos los literatos sin distinción. Se compone este Cuerpo de jubilados de mérito, académicos de mérito, jubilados actuales, honorarios y correspondientes. Se reúne en el convento de trinitarios calzados los miércoles.

Real Academia Latina-Matritense.—Tuvo principio en el reinado de Felipe V, y en 1755 fue erigida en Academia con varios privilegios y uso de sello particular. Su instituto es conservar en toda su pureza el idioma latino en España; examinar y aprobar a los profesores que deseen enseñarla, y censurar las obras elementales pertenecientes a la enseñanza, cuando el Gobierno se lo manda. Los individuos de este Cuerpo, unos son profesores y otros no, y están divididos en académicos de número y honorarios. Celebra sus juntas ordinarias en la calle de la Merced, núm. 2, en los primeros y terceros domingos de cada mes.

Real Academia de Teología dogmáticoescalástica.—Fue establecida en 1754 con el objeto de dedicarse al estudio de la Teología dogmática, moral y expositiva; a la Escritura, Concilios y Santos Padres. Los profesores y actuantes se ejercitan en disertar y argüir, perfeccionando los conocimientos que adquirieron en las cátedras. En los domingos y días festivos de la Cuaresma tienen públicamente sermones que predican los profesores para ensayarse en esta parte de sus obligaciones, la más interesante y principal. En las dominicas de verano tienen sus actos mayores. Está situada esta Academia en Santo Tomás, y celebra sus ejercicios los martes de Moral, los jueves de Escolástica y los domingos lección de media hora sobre un punto del Dogma.

ESTUDIOS PÚBLICOS

Reales Estudios de San Isidro.—Fueron fundados estos Estudios Públicos en 1625 por el rey don Felipe IV y puestos a cargo de los padres de la Compañía de Jesús, que los dirigen de nuevo desde 1816, después de su restablecimiento. Hay en ellos cátedras de historia y disciplina eclesiástica, de metafísica y filosofía moral, de física experimental, de matemáticas, de lógica, de lenguas hebreas, árabe y griega, de Humanidades y de latinidad en toda su extensión. Están situados en el mismo Colegio Imperial, con puerta a la calle del Estudio.

Seminario de Nobles.—Fundado por el rey don Felipe V en 1725 para instrucción de los jóvenes nobles, poniéndole a cargo de los padres de la Compañía de Jesús. En esta casa se les recibe precediendo las pruebas de nobleza, y mediante una retribución de 4.000 reales, se les da un trato sumamente esmerado, usando de uniforme particular. El célebre don Jorge Juan fue director en su tiempo de este establecimiento. Las materias de enseñanza son religión, caligrafía, humanidades, filosofía, geografía, cronología, historia, matemáticas, lenguas, dibujo, música, esgrima y baile. El edificio es uno de los mayores de Madrid, y con la comodidad necesaria para el objeto. Fue reducido a cuartel en tiempo de los franceses y ha sido rehabilitado en 1828. Está contiguo a la puerta de San Bernardino.

Nuevo Seminario. — Estudios fundados por el rey don Fernando VII en el año de 1828, a cargo de los padres de la Compañía de Jesús, en beneficio de los que no pueden hacer las rigurosas pruebas de nobleza que en el de Nobles se exigen, y se proponen seguir todas las carreras de clases mayores. Está en la calle del Duque de Alba, en un espacioso edificio propio para el objeto. La cuota que se paga es 3.500 reales anuales.

Colegio de Santo Tomás.—En este colegio hay cátedras de filosofía, cuatro años de instituciones teológicas, de Melchor Cano; de religión, moral y escritura, cuyas enseñanzas, por reales decretos, gozan del privilegio de incorporación a las universidades de Alcalá y Toledo, y sirven para graduarse. Está situado en la calle de Atocha.

San Fernando, de padres esculapios.—Fue fundado este colegio por los padres de la Escuela Pía en 1733, y en él enseñan principios de religión, primeras letras, gramática castellana y latina, retórica, poética, historia sagrada y profana, matemáticas, filosofía, lenguas francesa e inglesa, dibujo y música. Los discípulos son internos y externos, y los primeros usan de uniforme. El edificio es grande, y de su iglesia ya hablamos en el capítulo VI. Está situado en la calle de la Hoz Alta.

San Antonio Abad, de esculapios.—La otra casa colegio de padres de la Escuela Pía, conocida por *Real Seminario de San Antonio Abad*, tiene enseñanza de las mismas materias que en su colegio de San Fernando. Los seminaristas no han de tener menos de seis años, ni más de doce, y por su alimento y enseñanza contribuyen con una cuota de diez reales. Fue fundado en 1755. El edificio es espacioso, y está situado en la calle de Hortaleza.

Nuestra Señora de los Desamparados.—Fue fundada esta casa por la villa de Madrid hacia los años de 1600 para la educación de los niños expósitos, y en el día está cometida su dirección al Cuerpo colegiado de nobleza de Madrid, quien delega sus facultades en una comisión de su seno, cuyo nombramiento aprueba Su Majestad con el título de *Real Junta de Dirección del Colegio*. En este son admitidos los niños que se crían en la Real Inclusa de esta corte, luego que las que se encargan de su lactancia los vuelven al establecimiento de donde los sacan, que es a la edad de siete años. También hay en dicho colegio la fundación que en 1766 hizo don Agustín de Torres, secretario de Su Majestad, con objeto de que se sostuviesen veinte niños huérfanos sin necesidad de la cualidad de expósitos; pero ésta se halla en suspenso, por no estar corrientes sus rentas desde la enajenación de fincas pertecientes a obras pías. A dichos huérfanos y expósitos se les instruye en la doctrina cristiana, principios de civilidad y subordinación, leer, escribir, contar, gramática castellana y elementos de geometría y dibujo, y luego se les procura su colocación para algún arte u oficio en que puedan ganar su subsistencia con honradez. En este colegio hay capacidad para 800 niños. Está situado en la calle de Atocha.

San Ildefonso (vulgo *los Doctrinos*).— Es fundación de la villa de Madrid en 1478 para la educación de cuarenta niños huérfanos naturales de esta villa, a quienes se enseña a leer, escribir y contar, y luego se les pone a oficio de su voluntad; asisten a las procesiones y entierros y sacan los números de la lotería Está situado en la carrera de San Francisco

Santa Bárbara.—Fundó este colegio para niños músicos de la capilla real el rey don Felipe II en 1590 Está situado en la calle de Leganitos.

San Patricio de los Irlandeses.—Fundado en 1629 para irlandeses. Está situado en la calle del Humilladero.

Real Colegio de San Carlos.—Fundado por el rey don Carlos III en 1783 para la enseñanza de las ciencias médicas, y está bajo el gobierno de la Real Junta superior gubernativa de estos ramos. En él hay cátedras de anatomía y vendajes, de química, de fisiología, higiene privada, patología y anatomía patológica; de terapéutica, materia médica y arte de recetar; de afectos externos, operaciones y enfermedades de huesos, de medicina legal e higiene pública o policía médica; de obstetricia, las enfermedades propias del sexo, las de niños y las sifilíticas; de afectos internos, agudos y crónicos; de clínica interna, de historia y bibliografía de la ciencia, que son los que componen los siete años literarios, contados cada uno de nueve meses desde 2 de octubre hasta 30 de junio siguiente, y fuera de dichos meses hay cátedra de disección anatómica.

Los estudios para los cirujanos-sangradores están divididos en tres años en la forma siguiente: primero, anatomía, elementos de fisiología e higiene; segundo, elementos de terapéutica y materia médica, partos y enfermedades sifilíticas, y el tercero, vendajes, afectos externos, incluso los de huesos y las operaciones, y elementos de cirugía legal. Estos estudios están en el Hospital General y dirigidos por hábiles profesores que cuidan del adelanto de la ciencia. En el mismo edificio se halla un gabinete dividido en tres salas, donde se conservan modelos ejecutados en cera con una perfección admirable, que representan los partos, fetos, esqueletos, operaciones y demás necesario para el estudio, así como también una colección de esqueletos naturales, momias, fetos monstruosos y otros objetos dignos de atención.

Real Colegio de Farmacia.—Fue fundado por el Rey nuestro señor en 1815, y en él hay cátedras de física, química, historia natural, farmacia experimental y materia farmacéutica. Está situado en la calle de San Juan a la de Hortaleza, en un gracioso edificio construído para este objeto en 1830.

Escuela de Veterinaria.—Fundada por el señor don Carlos IV en 1791, y según la nueva ordenanza aprobada por Su Majestad en 1827, hay un número de alumnos pensionados, tanto paisanos como militares. Se enseña la veterinaria en toda su extensión, y además otros conocimientos. Los alumnos, para entrar, han de tener dieciséis años y deben saber leer y escribir correctamente y tener principios del herrado a la española. Los pensionistas han de pagar cuatro reales diarios. Este establecimiento está situado junto a Recoletos.

Escuela de Comercio.—Fue establecida en la real casa del Consulado en Madrid en 1828. Esta Escuela se divide en cuatro clases. La primera comprende la aritmética mercantil y la teneduría de libros, o sea cuenta y razón comercial y administrativa, cambios, arbitrajes, seguros, conocimiento y conversión de pesos y medidas, así nacionales como extranjeras. La segunda clase comprende las lenguas francesa e inglesa, y está dividida en dos cátedras, y la tercera y cuarta clases, que aún no se han establecido, han de comprender la historia del comercio, la geografía mercantil, la legislación y jurisprudencia comerciales y el conocimiento práctico del comercio.

Cátedras de Ciencias Naturales. — Han sido establecidas nuevamente en el Real Museo de Ciencias Naturales, y fueron fundadas por el Rey nuestro señor en 1815; en él hay cátedras de mineralogía, zoología, química, física, astronomía, taxidermia, agricultura y botánica. Todas están establecidas en la casa Gabinete de Historia Natural, menos las dos últimas, que están en el Jardín Botánico.

Cátedra de la Dirección de Minas. — La Dirección de Minas ha establecido una cátedra pública de química docimástica con su laboratorio. También tiene una biblioteca de las obras nacionales y extranjeras de la Facultad de Ciencias conexas, una colección geográfica de las producciones minerales del reino, y se ocupa en la formación de otras generales oritognósticas y geognósticas de todas las conocidas, y de la de un gabinete de dibujos y modelos de los instrumentos, máquinas y demás aparatos empleados en el laboreo de minas, a fin de que todo pueda ser consultado por los que se dedican a este ramo. Finalmente, este establecimiento sostiene con sus fondos a diferentes jóvenes tanto en las reales minas de Almadén como en las de Freyberg, en Sajonia, para que después puedan profesar la ciencia. Está situado en la calle del Florín, esquina a la carrera de San Jerónimo.

Cátedras de aplicación a las artes, establecidas en el Real Conservatorio de Artes, sito en la calle del Turco. Son tres; la primera comprende la geometría, mecánica y física; la segunda, la delineación, y la tercera, la química aplicada a las artes.

Escuela de las Nobles Artes de San Fernando. — Estas enseñanzas están a cargo de la Real Academia de su título. Se dividen en tres escuelas, en las cuales se enseña lo siguiente: en la de la calle de Alcalá, matemáticas, modelo natural y yeso, arquitectura y geometría práctica, y en las del convento de la Merced y calle de Fuencarral, dibujo, perspectiva y adorno; las horas son por la noche, y por el reglamento son preferidos para entrar los niños que siguen algún oficio.

En dicha escuela de la calle de Fuencarral hay una clase de dibujo y adorno por las mañanas para señoritas jóvenes.

Cátedra de Economía política. — Fue establecida por la Sociedad Económica Matritense y está situada en la calle del Turco.

Real Escuela de Taquigrafía. — Esta escuela del arte de escribir siguiendo la velocidad de la palabra fue confiada por Su Majestad al cuidado de la Sociedad Económica Matritense, y está situada en la calle del Turco.

Real Colegio de Sordomudos (1). — Tuvo principio en 1802, bajo el gobierno y dirección de la Real Sociedad Económica, y en él hay seis plazas de número para pobres de solemnidad, y los demás colegiales pagan ocho reales diarios por su manutención y enseñanza. Los objetos de ésta son: leer, escribir, uso de la voz, gramática del idioma, religión, aritmética, principios de geometría y dibujo; y además, a los colegiales de número se les dan los principios del oficio a que se inclinan. Está situado en la calle del Turco.

Real Conservatorio de Música María Cristina. — Para la mejor enseñanza, fomento y progresos de la ciencia y arte de la música, así vocal como instrumental, se ha establecido de real orden, en el año pasado de 1830, un Conservatorio Real de Música con el título de *María Cristina*, en obsequio de la Reina, nuestra señora, y bajo su protección augusta. Para el gobierno de este establecimiento hay un director y varios empleados, y para la enseñanza un maestro de composición, otros de piano y acompañamiento, de violín y viola, de solfeo, de violonchelo, de contrabajo, de flauta, octavín y clarinete, de óboe y corno inglés, de fagot, de trombón, de trompa, de clarín y clarín de llave, de harpa, de lengua castellana, de la italiana y de

_____

(1) El arte de enseñar a hablar a los sordomudos fue invención del español fray Pedro Ponce de León, monje benedictino, quien tomó en los antiguos bailes pantomímicos la idea de que estos seres desgraciados podían ser enseñados. Juan Pablo Bonet, secretario del Condestable de Castilla, fue el primero que redujo a arte esta enseñanza, que después elevó a un grado eminente de perfección el célebre abate L'Epée, a quien muchos han creído inventor, tratando de privar de esta gloria a nuestros españoles, siendo así que el mismo abate dice en sus obras que aprendió el castellano para leer el arte de Bonet. Posteriormente, en estos últimos años, el director que fue de este colegio, don Tiburcio Hernández, escribió otro arte y perfeccionó el sistema de nseñanza.

baile. Ultimamente se ha establecido una escuela de declamación. Las clases de alumnos del Conservatorio son seis; gratuitos internos, auxiliados externos, pensionistas o contribuyentes de toda educación internos, gratuitos de sólo educación facultativa externos, medios pensionistas de toda educación que sólo pagan alimento y equipo internos, y contribuyentes externos. Las cuatas que pagan los no gratuitos son: los de la clase tercera, 4.880 reales anuales; los de la quinta, 2.880, y los de la sexta, 1.440. El Conservatorio expide, además, títulos de adictos de honor y facultativos. Este establecimiento está situado en la calle de la Inquisición.

Colegios de niñas

Nuestra Señora de Loreto.—Fue fundado por el rey don Felipe II en 1581 para niñas huérfanas, habiendo también plazas para pensionistas, y a unas y a otras se da una educación esmerada. Está situado este colegio, con su iglesia pública, en la calle de Atocha.

Santa Isabel.—Fundado en 1592; en él hay tres clases de colegialas: unas, huérfanas; otras, pensionistas que pagan, y otras, hijas de criados del rey. Está situado, con su iglesia y convento de que ya hemos hablado en el capítulo VI, en la calle de su nombre.

Nuestra Señora de la Presentación (vulgo *Niñas de Leganés*).—Fue fundado por los años de 1603 para educación de niñas huérfanas, y también hay pensionistas. Está situado en la calle de la Reina.

La Inmaculada Concepción (vulgo *el Refugio*).—Fue fundado en 1651 por la misma Santa Hermandad del Refugio, quien ha conservado su gobierno y patrocinio. Hay tres clases de colegialas: huérfanas pobres, pensionistas por el rey y pensionistas particulares, a todas las que se da una educación esmerada. Está situado en la Corredera Baja de San Pablo.

Colegio de Nuestra Señora de la Paz.—Fue fundado en el año de 1693 para educación de las niñas expósitas, en donde son admitidas a los ocho años hasta que se establecen. En el día está reunido este colegio con la Inclusa, y situado en su casa, calle de Embajadores.

Enseñanza mutua de niñas.—Bajo la dirección y cuidado de la Junta de Damas unida a la Sociedad Económica, hay una enseñanza mutua de niñas situada en la calle de Preciados.

Enseñanza de las Hijas de la Caridad.—Calle de San Agustín, en su casa principal, y otra en el Hospital de Incurables, además de la del Colegio de la Paz, que también está a su cargo.

Escuelas de primeras letras de las Diputaciones de los barrios.—Según el plan y reglamento de escuelas de primeras letras de 1825, y arreglo hecho en su consecuencia por la Junta de Madrid, con acuerdo de la de Caridad, hay diez escuelas de enseñanza de primera clase para niños y niñas pobres, una para cada cuartel, y el competente número de segunda clase de ambos sexos para los respectivos barrios, pagadas todas por las Diputaciones de los mismos.

Academias y escuelas particulares.—Hay además de esto en Madrid un gran número de escuelas de primeras letras, aulas de gramática castellana y latina, retórica y poética, colegios y casas de educación de ambos sexos, como también muchas academias de matemáticas, de geografía astronómica y política, comercio, idiomas, música, dibujo, baile, equitación, esgrima, etcétera, todas con real aprobación.

Bibliotecas

Biblioteca Real.—Felipe V estableció esta Real Biblioteca, que se abrió por primera vez en 1712. Al principio sólo constaba de los libros que le regaló Su Majestad, quien suplió todos los gastos, y en 1716 le dió reglamentos, y mandó que de cada impresión que se hiciese en sus reinos se había de colocar en ella un ejemplar. Al mismo tiempo la dotó competentemente, y le dió constituciones para su gobierno, nombrando un bibliotecario mayor y otros bibliotecarios. La biblioteca continuó aumentándose en el reinado de Carlos III con la numerosa y apreciable librería del cardenal Arquinto, que mandó comprar en Roma aquel Monarca, y otros muchos dones. Igualmente fue enriquecida por el señor don Carlos IV con la librería del excelentísimo Muzquiz, embajador en París, y otras; y, por último, se ha visto notablemente aumentada en el reinado de nuestro Monarca actual; por manera que en el día puede citarse como una de las más copiosas bibliotecas, como que posee unos doscientos mil volúmenes, con inmenso número de manuscritos.

Este establecimiento estuvo primero en la calle del Tesoro, pero su casa y aun la calle fueron arruinadas en tiempo de los franceses, con lo cual se trasladó la biblioteca a los claustros del convento de los trinitarios calzados. Restituído Su Majestad al trono, la hizo colocar en la casa que hoy sirve para las Secretarias del Despacho, y por último, en 1826, le destinó casa propia en la plaza de Oriente del Palacio, esquina a la calle de la Bola. En ella está colocada con toda comodidad y elegancia en muchas salas espaciosas y perfectamente pintadas y adornadas, con una estantería elegante, particularmente la que contiene los Santos Padres, que es toda de nogal con columnas de capiteles dorados, y perteneció al Príncipe de la Paz. Es igualmente rica la de la sala del Trono, que contiene el *Museo de medallas*. Este precioso monetario, acaso el primero de Europa, empezó a formarse con la famosa colección que fue del abate Rotlein de Orleáns, y se ha aumentado en términos de poseer en el día más de ciento y cincuenta mil medallas, griegas, romanas, godas, árabes y de otras naciones, en oro, plata, cobre y hierro, muchas de sucesos notables, y trabajo exquisito, y todas perfectamente clasificadas y colocadas. También hay una multitud de camafeos preciosos. Hay igualmente una pequeña, pero curiosa colección de antigüedades, como son mosaicos, lámparas sepulcrales, ídolos, estatuas de metal y curiosidades, como asimismo esferas, minerales y otros objetos. Los manuscritos (entre los cuales se conservan algunos muy preciosos árabes, griegos, latinos, etc., y varias obras inéditas) y los libros prohibidos, se custodian en las salas bajas en estantes cerrados y cubiertos; los primeros se facilitan solicitando por escrito el permiso del señor bibliotecario mayor; y los segundos presentando la licencia competente para leerlos. Para visitar el monetario es necesario también dirigirse al bibliotecario mayor. En una de las salas se conservan las ediciones más lujosas, ya por su impresión, ya por su encuadernación, y algunas por sus materias; en otra llamada del *Indice* se guarda el catálogo general por autores y títulos de obras, y allí hay que acudir para saber en dónde está colocada la que se desea.

Esta biblioteca está abierta al público todos los días desde las nueve a las dos, en los meses de mayo, junio, julio, agosto y septiembre; y desde las diez a las dos en los restantes, excepto las fiestas de guardar y las temporadas de estero y desestero, de limpieza y reconocimiento de libros, que se ejecuta en los quince días últimos de mayo y octubre.

Biblioteca de San Isidro.—Esta biblioteca pertenece a los padres de la Compañía de Jesús, y el señor don Carlos III mandó que fuese pública; es muy rica, pues contiene multitud de libros, que se van aumentando a causa de la obligación que hay de entregarle un ejemplar de cada obra que sale a luz, lo mismo que a la Real. Esta biblioteca está abierta al público todos los días no feriados, desde las ocho a las doce, en los meses de mayo, junio, julio, agosto, septiembre y octubre, y de nueve a una en los restantes, excepto las temporadas de estero y desestero en los quince primeros días de mayo y noviembre. Está situada en la misma casa del Colegio Imperial.

Biblioteca de la Academia de las tres nobles artes.—Está situada en la misma casa de la Academia y contiene una regular colección de obras científicas. Está abierta para el público los martes, miércoles y viernes de cada semana, excepto los festivos y temporada de la canícula.

Biblioteca del Gabinete de Historia Natural.—En la misma casa y en el piso segundo que ocupa el Gabinete de Historia Natural hay una pequeña biblioteca que es pública los mismos días que aquél.

Bibliotecas reservadas. — Antiguamente eran públicas las numerosas de los duques de Medinaceli, Osuna y el Infantado; como igualmente las de los conventos de San Martín, la Merced calzada, Santo Tomás, carmelitas descalzos, trinitarios, San Felipe el Real y otras, que por los notables deterioros que padecieron en la guerra de la independencia no han vuelto a franquearse al público.

MUSEOS

Real Museo de Pintura y Escultura.— Este grandioso establecimiento, uno de los primeros ornamentos de la corte, ha sido creado y sostenido por nuestro augusto Soberano, con una munificencia verdaderamente real. Muy desde los principios de su restitución al trono concibió la idea de crear un Museo de Pintura y Escultura en que se reuniese la inmensidad de preciosidades de este género que posee su real Patrimonio, con los benéficos objetos de la instrucción de la juventud estudiosa y del deleite de todos los hombres de buen gusto. Destinado para este fin el suntuoso edificio del Museo del Prado, fue necesario que la generosidad del Rey supliese los inmensos gastos que necesitaba la reparación de este edificio, que con la guerra de los franceses había venido casi a una total ruina. Para llevar a cabo tan majestuosa empresa, empezó Su Majestad librando 24.000 reales mensuales de su bolsillo secreto, cuya asignación ha continuado desde entonces constantemente y con ella se ha conseguido la reparación del edificio y habilitación de los salones; habiendo además Su Majestad satisfecho los gastos de restauración de cuadros, habilitación de marcos, sueldos de empleados y demás, ocupando también en la parte artística a los primeros profesores de su Real Cámara, con lo cual todo el conjunto ha llegado al estado brillante en que hoy le vemos.

El edificio fue trazado y dirigido en 1785 por el arquitecto don Juan de Villanueva, de orden del señor don Carlos III, y con designio de formar en él una Academia de Ciencias Exactas y un Gabinete de Historia Natural. Su planta es de figura rectilínea, compuesta en su centro de un paralelógramo de 378 pies de largo por 74 de ancho; termina en sus extremos con otros dos cuerpos de planta cuadrada de 151 pies de lado, y sus centros hacen línea con el del paralelógramo principal, com-

poniendo un todo de 680 pies su línea principal y la opuesta; de medio de ésta, formando ángulo recto, parte un salón paralelógramo que termina semicircularmente, de 66 pies de ancho por 86 de largo. Consta este edificio de dos cuerpos, bajo y principal. En su gran fachada, que es la que está situada al poniente, se eleva un cuerpo arquitectónico con una galería de catorce arcos de medio punto y cuatro adintelados; intesta esta galería en sus extremos en dos cuerpos salientes 36 pies de ella, con cinco ventanas de fachada cada uno y dos en los costados. Constituye la entrada principal de esta fachada un majestuoso cuerpo arquitectónico saliente 24 pies de ella y 64 de frente, compuesto de cinco grandiosos intercolumnios de 40 pies de alto, con sus correspondientes pilastras de piedra berroqueña, con basas áticas y capiteles de piedra de Colmenar. Termina este cuerpo la cornisa del mismo orden, haciendo línea con la jónica de la galería; ocupado su friso y arquitrave con una lápida de 60 pies. Sobre la cornisa se eleva un ático con su frontis, y en su centro, sobre un cuerpo resaltado de 41 pies de línea, se ha de colocar un magnífico bajo relieve. Las demás dimensiones de esta fachada y las otras, los adornos de relieves, estatuas y demás proyectados para todas ellas y, por último, la descripción artística y detenida de todo el edificio, pueden verse en el *Diccionario geográfico* del señor Miñano. Nosotros nos limitaremos a decir que su distribución interior es la siguiente: su entrada principal por el pórtico de la fachada que mira al camino que va a San Jerónimo da a un ingreso o vestíbulo circular de ocho columnas, cubierto de una cúpula encasetonada y circundado por una galería que sirve de comunicación general. A los lados hay dos grandes salones de 141 pies de largo por 38 de ancho. Al frente una pieza cuadrada, y siguiente el frente de ésta, un grandioso arco da entrada a un suntuosísimo salón abovedado de figura paralelógrama de 378 pies de largo y 36 de ancho, por 38 de alto, embellecido de casetones y ornatos del gusto más selecto, con un cuerpo de 44 pies de altura en medio, cubierto de una cúpula encasetonada abierta por claraboya circular que ilumina todo el salón.El intercolumnio izquierdo da entrada a otro salón terminado en semicírculo de 88 pies de largo, por 50 de ancho. Por el frente del grande se pasa a una pieza circular, cuyas cuatro puertas dan paso a una galería que rodea un patio, y sirve de comunicaciónó a dos grandes salones de iguales dimensiones que los del lado opuesto del edificio, terminándose éste con una pieza cuadrada.

Las pinturas son cerca de dos mil y en cuanto a su calidad, son de tanto mérito, que acaso no habrá en Europa ningún museo que en general pueda comparársele. Están divididas por escuelas: española antigua y moderna, italiana, flamenca, holandesa, francesa y alemana. En los dos salones grandes que se encuentran a derecha e izquierda están colocados los cuadros de la escuela española antigua y en ellos se admiran las magníficas producciones de Murillo, Velázquez, Ribera, Juanes, Morales, Cano, Coello, Pantoja, Caxés, Zurbarán, Leonardo, Carduccio, Navarrete y otros muchos autores menos conocidos. Sería hacer un agravio a los que se omitiesen el intentar describir las bellezas de cada una de sus obras; pero, sin embargo, sea lícito consagrarles el tributo de admiración citando algunas de ellas. Tal es la del número 106 que representa a la infanta doña Margarita de Austria, a quien sus damas presentan un búcaro con agua, cuadro prodigioso de don Diego Velázquez. El número 243 por el mismo Velázquez, que representa a Felipe IV a caballo; la rendición de la la plaza de Breda, número 261, también del mismo pintor; la adoración de los Pastores, número 125; Santa Ana dando lección a la Virgen, número 252; un asunto místico, número 257, pintados por el célebre Bartolomé Murillo; los números 147, 148 y 150, que representan el martirio de San Esteban, pintados por Juan de Juanes; el cuadro capital del mismo, que representa la Cena de Nuestro Señor, número 174; el desembarco de los ingleses cerca de Cádiz, número 102, de Eugenio Caxés; una marcha de soldados, número 159, obra de José Leonardo; la rendición de la plaza de Breda del mismo, número 154; un retrato en pie de Carlos V, número 231, pintado por Pantoja, y otros infinitos que no ceden a los antecedentes.

En la primera división, a la entrada de la gran galería, están colocados los de escuela moderna española, en la que lucen los nombres de Goya, Maella, Bayeu, López, Madrazo, Aparicio y otros. En esta sala, al número 291, está el cuadro de la muerte de Viriato, por don José Madrazo. El retrato de don Francisco Goya, por don Vicente López, número 301, y el hambre de Madrid y el rescate de los cautivos en Argel, números 310 y 382, pintados por don José Aparicio. La gran galería a que se pasa después reúne los cuadros de las diferentes escuelas de Italia, y en ella los hay de los célebres Rafael de Urbino, Ticiano, Albano, Tintoreto, Bassano, Veronés, Güido, Güercino, Giordano, Lanfranco, Vinci y otros infinitos de aquella escuela. Entre los de Rafael roban la atención la Sacra familia del número 473, y el número 598, que representa a Jesucristo caminando al Calvario con la cruz a cuestas. Esta magnífica pintura, conocida bajo el nombre de *El Pasmo de Sicilia,* se estima por el segundo cuadro del mundo (después del de la Transfiguración, por el mismo autor, que está en Roma). Entre los del Ticiano el 409, retrato de Carlos V; Venus y Adonis, número 615, y la ofrenda a la Fecundidad, número 667; de Vacaro, número 463, que representa a Isaac y Rebeca. De Andrea del Sarto un asunto místico al número 589.De Gentileschi, Moisés salvado de las aguas del Nilo, número 620. De Albano el número 627, en que Venus, para cautivar el corazón de Adonis, llama a su socorro a las Gracias y a los Amores. De Veronés el número 659, que representa a Venus y Adonis. La sala que sigue a la gran galería contiene las escuelas francesa y alemana, y en ella hay cuadros de Poussin, Vernet, Durero, Claudio Lorenés, Mengs, y otros varios, y aunque todos de mucho mérito, sólo se citarán una Bacanal, número 493, de Poussin; el Parnaso, número 524, por el mismo autor, y la partida a la caza del mismo, número 566; un país admirable de Claudio Lorenés, número 563; la postura del sol, número 578, del mismo y la salida de aquel astro, número 579, del mismo. Las escuelas flamenca y holandesa ocupan los dos grandes salones que miran al Jardín Botánico y son muy abundantes en excelentes cuadros de los primeros pintores; pero aún no están numerados, ni hecho el catálogo, por lo cual nos abstenemos de hablar de ellos (1).

La galería de Escultura ocupa el piso bajo del edificio, y en ella se encuentran obras del mayor mérito antiguas y modernas. En la primera sala llaman la atención un grupo de mármol que representa la Apoteosis del emperador Claudio, hermoso monumento de la antigüedad, y que fue regalado al rey don Carlos III; varios bustos y fragmentos antiguos, tres bustos en mármol que representan a Carlos V, don Juan de Austria y al conde-duque de Olivares, y una preciosa colección de vasos etruscos. En la galería larga hay esculturas del primer orden, y entre ellas las griegas de mármol de Páros, que representan el pastor de la cabra, Castor y Polux, y Ganimedes; otras varias romanas, entre las cuales una de la Paz, otra de las artes fabriles; un emperador con la cabeza y manos de mármol, el vestido de alabastro y el pedestal de pórfido; otros dos en bronce y alabastro; una estatua de escuela florentina que representa a la emperatriz doña Isabel, esposa de Carlos V. En la escuela moderna se distingue un Amor, un Apolo y una Diana del célebre don José Alvarez; las estatuas de los reyes Carlos IV y María Isabel de Braganza, y el busto de Su Majestad actual, por el mismo; el del papa Pío VII, por Sola, y el del rey Carlos IV por Barba, y otros varios. Por último, arrebata la admiración de los inteligentes el *Grupo colosal de Zaragoza*, ejecutado por el mismo don José Alvarez, que representa un hijo defendiendo a su padre herido por los soldados franceses. Las bellezas de esta obra eminente son mejor para contempladas que para descritas, por lo que nos contentaremos con excitar a todo el que esté dotado de sensibilidad a que vaya a admirar uno de los objetos mudos que hablan más al corazón. Concluiremos diciendo que en esta galería

se hallan también colocadas seis mesas preciosísimas de exquisitas piedras que reunen el primor del arte a la riqueza del material. Un gran trozo de la galería no está aún abierto al público por estar pendientes de restauración los objetos que encierra, entre los cuales los hay igualmente preciosos.

Este museo está abierto al público todos los miércoles y sábados por las mañanas, desde las nueve en invierno y desde las ocho en verano, hasta las dos de la tarde. A los señores viajeros se les franquea la entrada en los demás días, presentando sus pasaportes, y los artistas pueden también entrar a estudiar y copiar las pinturas en los días y horas destinados para ello. A la puerta se vende un catálogo de sus pinturas escrito en español, francés e italiano, con el juicio sobre cada pintura y la noticia histórica de sus autores, por don L. Eusebi, pintor honorario de cámara y conserje que fue de este Real Museo.

Real Academia de San Fernando.—Esta Real Academia posee una abundante colección de unas trescientas pinturas que ha reunido con la protección de los reyes y los dones particulares, y ocupan once salas del piso principal del edificio. Entre ellas las hay originales de nuestros célebres Murillo, Ribera y otros autores antiguos, y de muchos modernos, profesores y aficionados; pero habiendo sido trasladadas al Museo las principales, ha quedado en esta parte bastante escasa. Igualmente hay algunas de profesores extranjeros, y, por último, muchas copias perfectamente ejecutadas de cuadros célebres. Con el objeto de evitar la prolijidad no se indicarán todos estos objetos; sólo se hará una excepción en favor del cuadro precioso de Murillo que representa a Santa Isabel curando a los pobres, y otros dos del mismo autor, de la visión de un patricio romano y su mujer sobre la edificación del templo de Santa María la Mayor, de Roma, en los cuales brilla el singular genio de aquel célebre pintor. Por último, hay una sala con estampas grabadas por buenos profesores.

En el piso bajo está la galería de escultura, compuesta de modelos de yeso de las más famosas estatuas antiguas y modernas, bajos relieves y demás, que sería pro-

---

(1) De los cuadros más famosos de este museo y otros que posee el Real Patrimonio, se publica actualmente una magnífica colección de estampas litografiadas, ajustadas en el real establecimiento de esta corte y de orden de Su Majestad. El precio de cada cuaderno de cuatro estampas es de 100 rs. vn.

lijo enumerar y que sirven para el estudio de las más bellas obras de la antigüedad. Esta galería de estatuas tiene la particularidad de haber sido regalada en su mayor parte por el célebre Mengs.

Las salas de esta academia se abren al público todos los años una temporada por el mes de septiembre, y en ellas, además de sus pinturas y esculturas, se exponen las que envían el Rey y los particulares para este objeto. A la puerta se suele vender el catálogo impreso.

Museo o Gabinete de Ciencias Naturales. En el mismo edificio y su piso segundo, se colocó de orden de Carlos III el Gabinete de Historia Natural, compuesto de los muchos objetos de los tres reinos, ofrecidos a Su Majestad y a sus antecesores, y de la famosa colección que formó en París don Pedro Dávila, que vino a ofrecerla a aquel Monarca, quien le nombró primer director de este establecimiento. Carlos IV le enriqueció también extraordinariamente, y aunque en tiempo de la guerra de la independencia sufrió un despojo importantísimo, ha sido repuesto en el actual reinado, en términos de poderse citar en el día como uno de los más preciosos museos naturales que existen. La multitud de los objetos que contiene es inmensa e imposible de enumerar. Está repartido en ocho salas, en general con el defecto de poca luz, donde se hallan, en una rica estantería de caoba y sobre mesas colocadas en el medio, los productos de la naturaleza y sus vistosos caprichos y aberraciones. En el reino mineral hay ricas colecciones de piedras preciosas, oro, corales, perlas y otras preciosidades. También hay una exquisita colección de mármoles de la península colocados simétricamente en las mesetas de los estantes. El reino animal, aunque algo menos completo, lo es bastante, pues contiene varias salas llenas de esqueletos de un sin número de animales de todos países, entre los que son de notar el del megaterio, que fue hallado en el Paraguay en una excavación y de cuyo animal no se tiene ninguna idea, pues no se conoce ningún cuadrúpedo cuya masa sea tan disforme. En la misma pieza del megaterio hay varios cuadros que representan las distintas castas que produce la unión de blancos con gente

de color, y en otra sala inmediata hay una especie de instrumento llamado por los chinos *Vatintin,* formado de una composición de metales, cuyo ruido se va aumentando progresivamente de un modo asombroso. Hay además otras tres salitas que no están abiertas; en la primera se conserva una multitud de fetos monstruosos, momias y esqueletos humanos; en otra hay una rica colección de vasos antiguos perfectamente trabajados y de materias preciosas; muchos objetos de vestido y adorno de los chinos; modelos completos de trajes de éstos, sus músicas, juegos y otras curiosidades y, por último, en la tercera salita se halla una porción de vestidos, armas y otros objetos americanos; un precioso modelo de marfil de una galera china; un trozo de columna del sepulcro de un rey árabe; muchas curiosidades de objetos de esta nación hallados en excavaciones; una mesa de lava del Vesubio y otras cosas. Mas para ver estas salas reservadas es preciso dirigirse a uno de los dependientes del establecimiento al tiempo de concluirse la entrada general.

El Gabinete está abierto al público los lunes y viernes de todo el año, y cuando alguno de ellos es festivo se traslada al día inmediato. Las horas son desde las nueve a las doce de la mañana, y desde las tres hasta las cinco por la tarde, en todos los meses del año, menos en mayo, junio, julio y agosto, que es de cuatro a seis.

Museo Militar.—El edificio conocido bajo el nombre de *Palacio de Buena-Vista,* que ocupa el Museo Militar, fue construido por los señores duques de Alba para su habitación, y le compró después la villa de Madrid a los herederos de la última duquesa de aquel título para regalarlo a don Manuel de Godoy, en tiempo que era Príncipe de la Paz. Por confiscación de los bienes de éste en 1808 pasó a la corona y el señor don Fernando VII le cedió para Museo Militar. Está situado en una altura que domina la calle de Alcalá, a la que dan unas verjas de hierro que cierran el espacio que media entre la calle y el edificio. La arquitectura de éste es noble y sencilla, y por aquella parte tiene de largo 253 pies y 64 y medio de altura. En las salas del piso principal, que son muchas, sumamente claras y espaciosas, se encuentra colocada una inmensa colección de máquinas, armas, diseños, modelos de fortificaciones, fundiciones, fábricas, almacenes, puentes, baterías, invenciones modernas y demás relativo al arte militar, como igualmente muchos modelos de plazas, entre otros el magnífico del castillo de Figueras, ejecutado en maderas finas; el del castillo de San Juan de Ulúa, las plazas de Cádiz, Gerona, Gibraltar, Melilla, Cartagena y otras varias, y una multitud en fin de objetos, todos dignos de la mayor atención.

Igualmente se encuentra en estas salas el famoso modelo que trazó el arquitecto Juvara de un palacio, cuando se trató de construir el nuevo de Madrid, el cual está prolijamente ejecutado en madera y contiene no sólo las habitaciones principales y de ostentación para las personas reales, su servidumbre, oficinas, cuerpo de guardia, secretarías de Estado y teatro, sino también una magnífica iglesia y grandes piezas para los consejos, biblioteca y otros objetos de utilidad y conveniencia. Había de tener de largo la fachada principal del palacio 1700 pies y 100 de alto, y lo mismo las demás, pues había de ser cuadrado, y todas adornadas con el orden compuesto. Constaría todo el edificio de 23 patios, el principal de 700 pies de largo y 400 de ancho, de 34 entradas en las cuatro fachadas, inclusas las 11 de la principal. Se regulan llegar a 2.000 las columnas y a muchas las estatuas que coronan este suntuoso modelo. Para todo ello se necesitaba más terreno que el que ocupa el palacio actual, por lo que eligió Juvara los altos de San Bernardino, donde había proporción también para jardines y demás; pero no llegó a verificarse y sólo puede formarse una idea cabal de este gran proyecto por el magnífico modelo de que hablamos.

En el piso bajo de este museo se halla el modelo general de Madrid, que acaba de construir de real orden el teniente coronel de ingenieros don León Gil Palacio. Ocupa un espacio de 272 pies superficiales, y en él se ha reducido el natural a la proporción de media línea por vara. Es admirable la exactitud y delicadeza de este trabajo, en el que se ha reproducido todo el pueblo de Madrid, con la más minuciosa prolijidad, tanto en sus niveles y alturas, como en la representación de sus casas, palacios, terrenos y demás, sin que falte lo más mínimo para una copia exactísima; por esta razón este modelo será mirado como un esfuerzo del arte y ya causa la admiración de nacionales y extranjeros. En la sala contigua hay otros modelos más pequeños de Valladolid y Rosas, construidos por el mismo señor Palacio.

Para ver este museo es preciso proporcionarse una esquela de entrada firmada por el señor director, y se enseña los lunes y jueves.

Depósito Hidrográfico.—Este establecimiento debe también su origen al reinado de Carlos III, a consecuencia de los descubrimientos y progresos hechos en las ciencias marítimas por los célebres don Jorge Juan, don Vicente Tofiño y don Antonio Ulloa; pero adquirió nuevo ser en el reinado de Carlos IV, que lo restableció bajo el nombre de *Dirección de trabajos hidrográficos*, le dotó de los empleados necesarios, y le hizo merced de la casa que ocupa en la calle de Alcalá. Esta fue trazada y dirigida por el arquitecto don Manuel Martín Rodríguez, y se distingue por la buena distribución y comodidad de sus respectivas piezas, las luces y sencilla fachada con dos columnas dóricas, que luciría más a no hacerla pequeña el hallarse en lo más ancho de la calle de Alcalá, inmediata a la gran casa de Heros, que hoy sirve de almacén de las reales fábricas de cristales y porcelana. Desde dicha época no ha cesado el establecimiento hidrográfico de publicar muchos interesantes resultados de sus trabajos, como son multitud de mapas y derroteros, memorias científicas, viajes y descubrimientos en todos tiempos; y en fin, ha sostenido y sostiene esta clase de ciencias al nivel de los conocimientos más modernos. Para ello tiene una copiosa biblioteca, instrumentos, correspondencias extranjeras y demás.

Observatorio astronómico.—Está situado en el cerro llamado de *San Blas*, sobre el paseo de Atocha, y fue construído a expensas de Carlos III, y dirigido por el arquitecto don Juan Villanueva. El edificio es un paralelógramo rectángulo, con dos alas de igual figura, pero de menores dimensiones. Sobre un zócalo que lo circunda todo, y por la parte del sur, se eleva un magnífico vestíbulo de orden corintio con diez columnas y cuatro pilastras, de las cuales seis hacen frente y dos a cada lado. En medio queda un atrio, en el cual a la izquierda hay una escalera de caracol de ojo, y a la derecha un pasillo que rodea al salón central. Este es de figura circular, y los extremos de sus dos diámetros cruzados en ángulos rectos. Hay cuatro arcos, dos de los cuales dan comunicación a dos salones laterales. Cubre el salón central una bóveda vaída con un luneto circular en su clave para facilitar el uso de los instrumentos de observación. Por la escalera de caracol, ya dicha, y por otra que hay al lado opuesto, se sube a un templete circular de orden jónico, compuesto de dieciseis columnas, cubierto con su cúpula esférica, que sirve para hacer las observaciones. Todo el edificio es de ladrillo, piedra berroqueña, y columnas para los adornos, y todo está muy bien combinado.

Imprenta Real y Calcografía.—En la calle de Carretas está la casa de la Imprenta Real, que fue construída en fines del siglo pasado, y dio motivo a un ruidoso expediente entre la academia de San Fernando y el arquitecto Turrillo. El interior de la casa lo dirigió don Pedro Arnal. Entonces y ahora se ha hablado bastante de los defectos de su arquitectura, y, entre otros, del de sus puertas bajas y aminoradas con la pesada mole del balcón, que suele modificarse en tiempo de festejos con columnas figuradas. Esta imprenta se encuentra surtida de todas las máquinas, caracteres y demás objetos necesarios, y salen de ella excelentes impresiones, ya por cuenta del gobierno, ya de particulares. En el piso bajo se halla unido el establecimiento de *calcografía*, que ha dado estampas notables de los cuadros de Su Majestad y otros grabados por excelentes profesores. El despacho de libros y papeles, y el de estampas, están en el zaguán, el primero a la derecha y el segundo a la izquierda.

Real Establecimiento Litográfico.—Este establecimiento fue creado en el año de 1826 en virtud de real orden, y tiene por diez años el privilegio exclusivo de la litografía para todo lo que no sea escritura o música. Su objeto principal es publicar una colección de los cuadros más notables propios del Rey Nuestro Señor y existentes en su real Museo, palacios y establecimientos públicos. Esta colección, bajo la dirección del pintor de Cámara don José de Madrazo, lleva ya cerca de treinta números, y compite, por su magnitud, delicadeza del dibujo y esmero de la estampación, con las primeras de su género en Europa. También se ocupa en publicar otra colección de las vistas de los reales Sitios; y finalmente se admiten para la estampación todos los dibujos sobre piedra que se presentan, encargándose también de obras particulares. Está situado en la casa conocida con el nombre de *Tívoli* en el Prado.

CAPITULO IX

ESTABLECIMIENTOS DE COMERCIO, INDUSTRIA Y ARTES

Junta de Comercio y Lonja.—El consulado de Madrid, como se dijo en el capítulo V, se divide en Tribunal Consular y Junta de Comercio; de aquél hablamos entonces. La Junta se compone de todos los individuos del Consulado, y está presidida por el señor Intendente de la provincia. Su objeto es tratar de los asuntos de reglamento y administrativos del Consulado, y promover la agricultura, artes y comercio en el término de su jurisdicción, proponiendo al gobierno los planes que crea oportunos. La Junta celebra sus sesiones en la casa del Consulado.

En la misma casa y en su piso bajo está la *Lonja de Comercio*, creada por Su Majestad en 1827. Se reduce al número de corredores, los cuales forman cuerpo, que, representado por una diputación de tres individuos del mismo, concurre diariamente a dicho sitio; y con vista de las operaciones hechas en el día, fija el curso de los cambios y precio de frutos en la misma fecha. La Lonja está abierta todos los días hasta las dos de la tarde; a esta hora se fija manuscrito el curso de los cambios, firmado por la diputación de Corredores, cuya nota se repite impresa en los periódicos al día siguiente.

Banco Español de San Fernando.—Creado por real cédula de 9 de julio de 1829, refundiendo en él, bajo este título, el antiguo banco conocido con el nombre de San Carlos, creado en 1782. Por consecuencia de la liquidación verificada a éste, se reconoció por Su Majestad a favor del nuevo de San Fernando una acción de 40 millones de reales en efectivo, transigiendo aquél por esta cantidad cuantas acciones o créditos pudiera tener contra el Estado. Al mismo tiempo se dispuso la formación del nuevo Banco sobre una sociedad anónima de accionistas, que subsistirá por treinta años, a menos que se prorrogue por un decreto especial; y bajo un fondo de 60 millones de reales constituido en 30.000 acciones de a dos mil reales cada una. Sus operaciones se fijan: 1.º, en descontar letras y pagarés de comercio; 2.ª, ejecutar las cobranzas que se pongan a su cuidado; 3.ª, recibir en cuenta corriente las cantidades que se entreguen en su caja, y pagar letras por cuenta de sus dueños hasta su total importe; 4.ª, hacerse cargo de los depósitos voluntarios o judiciales que se hagan en el Banco en dinero, barras o alhajas de oro o plata; 5.ª, hacer préstamos a particulares sobre garantías de alhajas de oro y plata justipreciados, que no excedan las tres cuartas partes de su valor ni tengan mayor plazo que el de seis meses; 6.ª hacer con el Real Tesoro, Giro y Caja de Amortización las negociaciones en que se convenga. Igualmente se concede al Banco la facultad privativa de emitir billetes pagadores *a la vista al portador*. Estos billetes circulan sólo en la corte, y los hay de tres clases, de a 500 reales, de a 1.000, y de a 4.000 representantes entre todos doce millones de reales. Los pagos se ejecutan todos los días de diez a una, sin demora ni detención, en plata y oro, y a las mismas horas se expenden billetes al que los pida. En dicha real cédula se dispone también la organización del nuevo Banco con un comisario regio, una Junta de gobierno y un director, como asimismo la administración de él y demás particulares. La utilidad de este establecimiento es notoria, por la vida que ha de comunicar a la circulación interior, por el aumento del crédito y el restablecimiento de la confianza pública. Sólo en la emisión de los billetes pagaderos al portador se han proporcionado las inmensas ventajas de ahorro de traslaciones y tiempo en las cobranzas, quiebra de monedas y molestia de su recuento, facilitando más y más las operaciones y comunicándoles la rapidez y la seguridad que deben tener. Estas notas o billetes ya fueron conocidos en tiempo del Banco de San Carlos, corriendo con más estimación aún que el metálico en 1796 y 97; y aquel establecimiento hallándose agobiado, dio el golpe maestro de recogerlas, pagándolas todas en metálico, antes que las circunstancias le impidiesen verificarlo; cuya honradez y buena fe será imitada por el Banco de San Fernando. Está situado este establecimiento en la calle de la Montera frente a San Luis, y en él se hallan todas sus dependencias.

Reales Casas de Moneda y Departamento de Máquinas.—En el reinado de Felipe III se fabricaron las dos casas en que está dividido este establecimiento, sitas en la calle de Segovia una enfrente de otra. Antiguamente no se labraba moneda en Madrid por cuenta del Rey y sí del Tesorero, cuyo oficio estaba enajenado de la Corona; pero en el reinado de Felipe V se incorporó a ella, y desde entonces este establecimiento ha corrido siempre por las ordenanzas que aquel le dio. En él se pueden acuñar diariamente de 50 a 60.000 monedas, para lo cual está provisto de las máquinas y operarios correspondientes. El local es poca cosa, y lo material de la moneda tampoco iguala en perfección a la extranjera.

El Departamento de grabado y construcción de máquinas para la moneda está sito en la carrera de San Francisco. Fue creado en el reinado de Carlos IV, y año de 1803, con objeto de reunir en un solo punto todos los elementos del arte de hacer moneda, y dar la enseñanza por principios fundamentales; para lo cual hay en él una escuela de grabado de monedas y medallas, en que se formaron profesores de mérito, y que ha sido restablecida en 1828. En este establecimiento se hallan reunidas las matrices y punzones originales de la moneda; los diferentes tipos en que se ha acuñado desde la reforma en 1722; los troqueles para la acuñación en la casa de Madrid; los de las medallas grabadas desde Felipe V acá con motivo de proclamaciones, victo-

rias, y otros sucesos notables; un buen monetario, modelos del antiguo; dibujos, estampas, planos y libros pertenecientes al
instituto; un volante, un laminador, un
corte y un muton, construidos en París por
el célebre Droz, y una porción de máquinas, aparatos y modelos, obra de esta casa,
que no ceden en perfección a los extranjeros. Sus talleres son muy espaciosos.

Conservatorio de Artes.—Por decreto de
Su Majestad de 18 de agosto de 1824 se ha
establecido en Madrid un Conservatorio de
Artes, cuyo objeto es la mejora y adelantamiento en las operaciones industriales,
tanto en las artes de oficio como en la agricultura. Para ello se mandó en dicha real
orden que este establecimiento se dividiese
en dos departamentos; el uno depósito de
objetos artísticos, y el otro taller de construcción, donando al primero las máquinas
que formaban el antiguo gabinete y otras
que se hallaban esparcidas, como asimismo
dispone que se depositen allí los modelos
que se presenten en solicitud de privilegios
que se concederán mediante un servicio a
este Conservatorio. En su consecuencia se
formó éste con un señor director y otros
empleados. Posteriormente se han establecido en él las cátedras de aplicación a las
artes, de que se hizo mención en el capítulo
anterior. Por último, por Real decreto de
30 de mayo de 1826 se mandó que todos
los años el día de San Fernando se abra
una exposición pública de los productos de
la industria española, con el objeto de acelerar los progresos de las artes y fábricas
por medio de una noble emulación; y cir-
culada en aquel año una instrucción al
efecto, tuvo principio la primera exposición el día 30 de mayo de 1827, y la segunda el primero de julio de 1828; habiéndose posteriormente resuelto por Su
Majestad que en lo sucesivo se verifique
cada tres años. Estas exposiciones han excedido en gran manera las esperanzas de
los buenos españoles, por la multitud de
objetos de todas clases y su delicada perfección que han concurrido de todas las
provincias, demostrando unos adelantos de
que apenas se tenía noticia. Su Majestad,
en vista de las Memorias de la Junta nombrada para la calificación de estos objetos,
le ha manifestado su satisfacción, y en su
consecuencia ha dispensado a los artistas

que más se han distinguido diferentes premios, como honores, cruces, escudos de armas reales, cartas de aprecio, medallas de
oro, plata y bronce, y menciones honoríficas. El Conservatorio de artes está situado en la calle del Turco en la casa que fue
almacén de cristales, que es un gracioso y
prolongado edificio construido por el arquitecto don Manuel Martín Rodríguez; y en
el mismo se han hecho las exposiciones.

Compañía de los cinco gremios.—Esta
célebre Compañía de los cinco gremios mayores de Madrid tuvo principio en 1679, y
la formaron los mercaderes de tejidos de
seda de plata y oro; de mercería, especería
y droguería; de paños; de joyería y d
lienzos. Su primitivo objeto fue la recau
dación de las rentas reales del casco de
esta capital y sus agregados, la que corrió
a su cargo hasta 1808. En 1763 se erigió
en compañía general de comercio compuesta de los mismos individuos accionistas; y
si bien a los principios fue libre a los individuos de dichos gremios mayores el incorporarse o no en ella, después, por el
nuevo reglamento que el gobierno dio a
esta Compañía en 1785, se obligó a todos
los que hubiesen de hacer en Madrid el
comercio de dichos géneros a que forzosamente se interesasen en esta Compañía con
la acción de 200.000 reales, su mitad o una
cuarta parte; hasta que, tolerado y extendido en Madrid el comercio libre de todos
aquellos géneros, ha cesado la obligación
de incorporarse, y la Compañía se ha ido
reduciendo a un cortísimo número de individuos accionistas. Cada gremio de los
cinco nombra un apoderado general que le
representa; y el cuerpo de apoderados elige los diputados directores generales de la
Compañía que desempeñan todos sus negocios, giros y asuntos; y de la reunión de
éstos con los apoderados se forma la Junta
general de gobierno, presidida hoy por un
señor comisario regio. En el mismo año de
1785 el Rey encomendó a la Compañía varias reales fábricas para su restablecimiento y fomento, las cuales con otras de la
Compañía se elevaron al grado de prosperidad en que las admiraron nacionales y extranjeros, como fueron la de tejidos de seda, plata y oro en Talavera de la Reina, la
de paños superfinos en Ezcaray, la de hilar
y torcer seda en Murcia, la de tejidos de

sedas en Valencia, la de paños finos y regulares en Cuenca, la de jabón en Carabanchel de Abajo, y la de sombreros finos en Madrid. La irrupción francesa en 1808, tan funesta para España, causó el exterminio de estas fábricas, y si bien al recobro de nuestra independencia, la Compañía las fue restaurando con nuevos sacrificios, se ha visto precisada a suspender las demás, y sostiene solamente las de Talavera, Ezcaray y Madrid; habiendo merecido sus elaboraciones la más honorífica mención, y los primeros premios en las exposiciones de 1827 y 28. El decadente estado de esta Compañía, la más antigua comercial de España, sus eminentes servicios al Rey y al Estado, y la suerte de un gran número de familias arruinadas por imposiciones de capitales hechas en ella, reclaman la protección que el Rey Nuestro Señor ha manifestado por la restauración agrícola, fabril y comercial del reino. Está situado este establecimiento en la calle de Atocha; y el edificio que ocupa, que es uno de los más elegantes de Madrid, fue construido en 1791 por el arquitecto don José de la Ballina.

Compañía de Filipinas.—Fue fundada en 10 de marzo de 1785, y tiene para su régimen una Junta de Gobierno y una Dirección que se nombran por la Junta general de accionistas de la Compañía. Los objetos que se tuvieron al formar esta, fueron fomentar las islas Filipinas, hacer productor su suelo feraz, promover su industria, extender su navegación y comercio, y connaturalizar en España el de oriente. La Compañía realizó desde luego estos objetos, estimulando el cultivo del añil, azúcar, algodón, especiería y otros frutos, y haciendo una inmensa extracción de ellos. Igualmente consiguió fomentar las manufacturas, fábricas, minas; atraer el comercio de Asia, atajar las riquezas que iban a la China y otros países; abaratar las telas y especierías, con otros resultados de la mayor importancia. Baste decir que en los cinco primeros años hizo circular 88.731.559 reales y 12 maravedises, invirtiéndolos en navíos, armamentos, víveres, etc. Adelantó la Marina con nuevos descubrimientos útiles, noticias y derroteros que entregó en el Depósito Hidrográfico. Por último, en los acontecimientos de 1808 socorrió las Tesorerías de España con 77

millones de reales. De todo ello se deduce la sabiduría que asistió al Gobierno para erigir un establecimiento tan útil, el celo con que ha sido administrado, y la conveniencia de que obtenga la protección de Su Majestad para salir de los desgraciados atrasos a que le redujo la guerra, aliviando así la suerte de sus accionistas, y haciendo en fin partícipe al Estado de la experiencia y conocimientos que ha adquirido. El edificio que ocupa en la calle de Carretas es de una bella arquitectura, y parece ser de la escuela de Herrera.

Real Compañía de la Habana.—Fue erigida en 1740, y se estableció la dirección en dicha ciudad, permaneciendo en ella hasta 1757 en que se sirvió Su Majestad mandar que residiese en Madrid. Sus objetos principales son fomentar la agricultura de la isla de Cuba, auxiliando a los cosecheros de azúcar con sus fondos, recibiendo en pago frutos para transportarlos a la península y al extranjero, y hacer remesas de todas clases frutos de América, cuyos productos retorna en géneros coloniales; pero las ocurrencias de aquellos países han limitado las operaciones de esta compañía. Está situada en la calle de Embajadores, número 8.

Sociedad de seguros contra incendios.—La Sociedad de seguros contra incendios de casas de Madrid fue creada en 1822 con objeto de que todo socio sea asegurador y asegurado, para proporcionarse una garantía mutua infalible, obligando e hipotecando sus fincas a los daños causados por los incendios, e indemnizarse recíprocamente, repartiendo su importe a prorrata del capital asegurado. Esta Sociedad tiene una Junta de gobierno compuesta de los mismos socios, que se remudan anualmente, y los repartimientos se hacen en Junta general de los mismos; siendo hasta ahora tan corto el sacrificio, que no ha pasado de un cuartillo de real por mil del capital asegurado lo que se ha pagado anualmente. El signo distintivo del seguro es una lápida fija en cada casa con esta inscripción: *Asegurada de incendios.* Tiene además la Sociedad bombas y obreros que acuden a los incendios. Su oficina principal está en los portales de la Plaza Mayor frente al Peso Real.

Compañía de Reales Diligencias.—Este

interesante establecimiento tuvo principio en Cataluña en 1815, y luchando con los inconvenientes de una empresa naciente, fue adelantando en ella hasta llegar a extender su carrera desde Barcelona a Madrid en 1819. Desde entonces, con la protección del Soberano, se ha ido generalizando en términos de tener establecidas las carreras de Madrid a Valencia y Barcelona, a Bayona, a Sevilla y Cádiz, a Badajoz, a Valladolid y Burgos, a Zaragoza, a Guadalajara, Toledo y Sitios reales, además de otras menores de Barcelona a Perpiñán, de Valencia a San Felipe, y de Barcelona a Zaragoza. Los precios y días de salida y entrada pueden verse en la instrucción del capítulo segundo. Esta Compañía conduce la correspondencia pública en las carreras de Francia. Los carruajes que emplea de distintas formas para las varias carreras, la organización de sus oficinas, postillones y escoltas, las mejoras y disposiciones que ha ocasionado en las posadas, y por último, las instrucciones particulares del establecimiento, todo está perfectamente combinado hasta un punto de perfección que parecía increíble hace pocos años. Puede verse por menor en el *Manual* publicado por la Compañía, que se vende en su oficina principal. Esta está situada en la real Casa de Postas detrás de Correos, y de allí salen todos los carruajes.

Compañía Española de Empresas varias. Fue aprobada por Su Majestad en 1828, y en ella se reunieron varios sujetos de carácter y capitales con objeto de promover empresas de utilidad conocida, y que convengan también a los intereses de la Compañía, fijando la duración de ésta en diez años, a no ser que se estime por la misma su continuación, y en 25.000 reales el precio de cada acción. Para el gobierno de la Compañía hay una Junta de individuos de la misma, que celebra sesiones parciales, y en 1.º de abril y 1.º de octubre hay junta general de accionistas. Hasta ahora esta compañía ha establecido una fábrica de alabastros, otra de alfombras, otra de barniz, y un servicio de coches de alquiler para dentro de Madrid, de que hemos hablado en el capítulo segundo, y se propone otros proyectos más vastos. Las oficinas de esta Compañía y sus talleres están situa-

dos en la calle de la Reina esquina a la de Clavel.

Otras empresas particulares.—Hay además otras sociedades o empresas particulares con distintos objetos, tales como la compañía de lonjistas en el Arco de San Ginés, la de drogueros en la plazuela de San Esteban, la empresa de derechos de puertas en la calle del Arenal, la de conducción de pescado fresco de la costa de Cantabria, en cuyos carruajes, que hacen el viaje con suma rapidez, se admiten también asientos y encargos, y está situado en la calle de las Tres Cruces, número 5; la de conducción de pescados de la costa de Alicante en la calle de Embajadores, y otras varias.

Casas de comercio.—Hay en la capital según la Guía mercantil 519 casas de comercio matriculadas bajo razón particular, unas dedicadas al giro de letras, cambios, especulaciones y empresas en grande, y otras al tráfico de mercancías por menor.

Corredores.—También hay catorce corredores de cambios y trece de lonja y aduana para intervenir en los contratos mercantiles.

FÁBRICAS Y TALLERES

En la imposibilidad de dar una descripción de las muchas fábricas de todas clases que hay en Madrid, hay que limitarse sólo a manifestar su número, pero deteniéndose antes en algunas de las principales, que por su importancia merecen esta preferencia.

Real Fábrica de tabacos.—La elaboración de cigarros y rapé se estableció en Madrid en 1809 por el gobierno francés en el edificio dedicado a la fábrica de aguardiente, junto al portillo de Embajadores, llegando su mayor aumento en aquella época a tener 800 operarias. Continuó la fábrica después de la guerra hasta mediados de 1816, teniendo 400 a 500 operarias que elaboraban cigarros mixtos, comunes de Virginia y cigarrillos de papel. En diciembre de 1817 se restableció a cargo de un director interino, y en 1818 se nombró un superintendente con iguales prerrogativas que el de la fábrica de Sevilla, subsistiendo así hasta 1822 con unas 600 operarias, elaborando cigarros de todas clases. Por último, en julio de 1825 se ha restablecido otra vez y continúa, habiendo llegado en el año pasado a 3.500 operarias, que elaboraron 30.956 libras de cigarros mixtos, 640.693 de comunes de Virginia, 5.527 de habanos y 48.618 mazos de tusas. En el día cuenta 2.200 operarias, y las labores son proporcionadas a este número. El jefe tiene el dictado de superintendente. El edificio en que se halla esta fábrica (que ya hemos dicho ser en la calle de Embajadores) fue mandado construir en el año de 1790 para fábrica de aguardientes, barajas, papel sellado y depósito de efectos plomizos. Su figura es regular y sencilla, teniendo de línea su fachada 428 pies y 237 el costado, que multiplicados componen un total de 101.436 pies superficiales. Tiene además un corralón por el costado que mira al mediodía, y prolonga su fachada en 63 pies con 14.931 de superficie. A espaldas de este edificio está el edificado en el mismo año para fábrica de licores, que ocupa 26.676 pies, y entre ambos edificios otro corralón de 30.442 pies.

Real Fábrica de Platería.—Don Antonio Martínez, natural de Huesca, sobresaliendo en el arte de platería, vino a Madrid en el reinado de Carlos III, y fijando por sus felices disposiciones la atención de aquel gran Monarca, obtuvo su protección, bajo la cual le envió pensionado a París y Londres para adquirir todos los conocimientos en su arte. Consiguiólo Martínez, y a su regreso trajo una porción de máquinas, y con los auspicios reales se fundó la fábrica y escuela de platería, que, bajo la dirección del mismo Martínez, consiguió a poco tiempo un gran renombre. Esta escuela de todos los ramos del arte, empezando por el dibujo y modelo, ha dado desde su creación, y continúa dando, alumnos distinguidos, que han merecido ser premiados por la Real mano de Su Majestad. En cuanto a las obras de la fábrica son de tal modo bellas que parecen haber llegado a la perfección; en ella se trabaja no sólo la plata y el oro, sino el bronce, el alabastro y hasta los estuches y cuchillos con un pulimento superior. La Casa Real ha ocupado siempre a esta fábrica en obras de la mayor consideración, que por su belleza han cautivado la admiración general. También se trabaja para el despacho público.

La disposición de los talleres es magnífica, pues sólo el grande obrador tiene de largo 115 pies, 34 de ancho y 22 de alto, y en él pueden trabajar cómodamente 200 oficiales, y hasta 300 repartidos en los demás talleres. Las máquinas son inmensas y de gran coste, y el despacho es una graciosa rotunda a la entrada por la fachada principal. Por último, todo el edificio es elegante y uno de los más grandiosos de su clase en Europa. Está situado en la calle de San Juan, haciendo esquina y fachada al Prado frente al Museo. Fue dirigido por el arquitecto don Carlos Vargas, y comprende 67.400 pies de sitio. Su fachada principal la forma una galería con diez columnas dóricas, y encima se eleva un gracioso adorno de escultura que representa a Minerva premiando las nobles artes, y en el frontispicio un imitado bajorrelieve presentando varios genios ocupados en la aplicación de sus artes respectivas alrededor del sepulcro del fundador, don Antonio Martínez, lo cual, así como los vasos etruscos colocados en el plinto de la cornisa superior hacen muy buen efecto. Este establecimiento tiene la honra de ser visitado frecuentemente por Sus Majestades, como también lo fue por los señores Reyes de Nápoles y Su Alteza el príncipe Maximiliano de Sajonia.

Real Fábrica de Tapices.—En el reinado de Felipe V vinieron de su orden desde Flandes don Juan Vandergotten y sus tres hijos, maestros de tapicería, para enseñar este arte en España. Para ello se estableció la fábrica fuera de la puerta de Santa Bárbara, en el edificio que antes fue almacén de pólvora, el mismo en que hoy subsiste; y desde entonces han salido de ella obras primorosas de tapicería, que decoran los palacios y los primeros edificios de la corte y sitios reales, y son uno de sus principales ornamentos. Los dibujos son de Goya, Bayeu, Maella, y otros profesores distinguidos. Esta fábrica cesó en tiempo de la invasión francesa, y sus oficiales perecieron hasta quedar reducidos al número de ocho; pero desde 1814 empezó a trabajar, aunque lentamente, hasta 1824, en que Su Majestad acordó las bases o contrata que hoy la rige, y con este impulso ha seguido trabajando contando en el día seis oficiales de los antiguos y treinta de los jóvenes, que están divididos por clases para tapices, para alfombras y composturas. Se pueden contar trabajando siempre cuatro telares de tapices y otros tantos de alfombras; éstas son de la clase que llaman *turcas*, y en su dibujo, colorido y gusto nada tiene que envidiar a las extranjeras. Las lanas que se emplean en ellas se tiñen en esta real fábrica con toda perfección. Por último, para el adelanto de los jóvenes ha establecido el actual director una escuela de dibujo. Esta fábrica no sólo trabaja para la Casa Real, sino también para los particulares.

Hay además en esta capital las fábricas siguientes: diecisiete de curtidos; ocho de telas de seda; seis de tiradores de oro; dieciseis de pasamanería; cuatro de ingenio; seis de sombreros; nueve de pianos; nueve de cerveza; dos de polvos de imprenta; una de tubos y planchas de plomo; una de perdigones; una de azúcar de pilón; seis de cuerdas de guitarra; una de encerado de hule; dos de mantas tirillanas; una de papel pintado para adornos de sala; cinco de papel de estraza y cartones; tres de instrumentos de aire; catorce de velas de sebo; quince de fideos; dos de anteojos; cinco de botones de todos metales; una de botones de asta y pezuña; ocho de vidriado común; ocho de ladrillos; quince yeserías; cincuenta roperías; sesenta y siete confiterías; veinticuatro hornos de bizcochos; ocho lanerías, veinticuatro imprentas; ocho tintes de seda y lana.

TALLERES

Hay doscientos de carpintero; veintidós de ebanista; setenta de cerrajero; dieciseis de herrero de grueso; diez de espadero; diez de calderero; doscientos sesenta y cinco de zapatero; veinte de guantero; veinte de manguitero; setenta de sillero y guarnicionero; ciento y setenta de sastre; treinta y dos de cordonero; ochenta de hojalatero; ocho de marmolista; veintiocho de espartero; cuarenta de platero; veintisiete de relojero; doce de bordador; tres de albardas; veinte de jalmero; doce de tejedor; sesenta de dorar y pintar; ocho de plumista; sesenta de peluquero; veinte de carros; treinta y cuatro de coches; treinta y cuatro de sillas; diez de jaulas;

ocho de fuelles; siete de costas; quince de guitarras; dos de puntas de clavar; dieciseis de obras de latón; seis de obras de estaño; doce de dorador a fuego; tres de obras de paja, y doce de componer abanicos y paraguas.

Para las diferentes fábricas y talleres que anteceden se emplean, según cálculo que se ha hecho, 8.350 personas, y estimándose sus jornales a 12 reales por día dan un total de 36.573.000 reales cada año.

En las fábricas de curtidos se fabrican en un año 4.400 pieles de suela, que suben a 569.040 reales, y 89.804 de baldeses por valor de 269.412 reales.

Los productos de estas fábricas obtienen bastante estimación por su calidad y cómodo precio; y la de las baquetas construidas en la de los señores Arratia y sobrinos, presentadas en la exposición de 1827, parecieron a su junta de calificación de tan superior mérito que hacía dignos a aquellos señores de la medalla de oro.

El gremio de zapateros fabrica como 800.000 pares de zapatos, calculándose el valor de los materiales y la cinta empleada en ribetes en la cantidad de nueve millones de reales.

El de guanteros fabrica actualmente unos 60.000 pares de todas clases y colores con pieles del país, construidos con tanta perfección que rivalizan con los mejores extranjeros, reuniendo además la ventaja de venderse a precios muy cómodos.

En los talleres de cintas se fabrican como 2.040.000 varas, que dan un valor de 720.000 reales.

En los de ingenios 99.000 varas, que importan unos 54.000 reales.

En los de ancho 18.330 varas, por valor de 367.000 reales.

En las de sombreros de 15 a 20.000, de 80 reales cada uno, perfectamente construidos, tanto con respecto a las cantidades y proporciones de materias para las mezclas, cuanto por su buen enfurtido, y permanente y brillante negro.

En las fábricas de azúcar de pilón se trabajan al año como 10.500 arrobas, y la bondad y labratura del género ha dado motivo a que se prohiba la introducción del azúcar de pilón extranjera.

En las fábricas de pianos se construyen de todas clases y con mucha perfección.

La de papel de adornos de salas, y las de instrumentos de viento rivalizan en sus productos con las extranjeras.

En las fábricas de cerveza se venden diariamente 8.000 botellas.

La fábrica de tubos y planchas de plomo se ha establecido con real privilegio, y sus productos son de grande utilidad.

FERIAS Y MERCADOS

La feria da principio en Madrid el día 21 de septiembre y concluye el 4 de octubre, aunque por lo regular se dan algunos días de prórroga: consiste en muebles nuevos y viejos, loza, alfarería, esteras, mantas, vidrios, cuadros, libros, juguetes de niños, y frutas; y se celebra a lo largo de la calle de Alcalá, construyéndose al intento cajones de madera. También se ocupan con estos muebles las plazuelas y calles anchas, y el espectáculo de tantos objetos es singular y muy divertido para el forastero y desocupado. Hasta hace pocos años se celebraba la feria en la plazuela de la Cebada, y acertadamente se ha mudado de allí. La feria de Madrid ha sido el objeto de la crítica de algunos que no han calculado su utilidad.

El mercado de caballerías se celebra en la plazuela del Rastro los jueves de cada semana.

CAPITULO X

PALACIOS Y OTROS EDIFICIOS NOTABLES.—PLAZAS
Y FUENTES PUBLICAS

Palacio Real.—En la parte más occidental de esta villa, sobre una eminencia que domina la campiña regada por el Manzanares, y en el mismo sitio que ocupa hoy el Real Palacio se elevaba en lo antiguo el famoso alcázar de Madrid. Hay quien le hace subir al tiempo de los moros; otros le suponen fundado por Alfonso VI, y según otros, por el rey don Pedro; pero quemado y arruinado por un terremoto en los reinados de los Enriques II y IV,

fue reedificado por éste. Por último, Carlos V le convirtió de fortaleza en Palacio Real, cuyas obras continuó su sucesor con la dirección del arquitecto Luis de la Vega. En los reinados posteriores se embelleció con nuevas obras, llegando al extremo de belleza y elegancia con que le pintan algunos contemporáneos en tiempo de Felipe IV y Carlos II. Pero como nada de aquello existe, baste decir que este Palacio desapareció en un horroroso incendio en la Nochebuena del año de 1734. Felipe V, que reinaba entonces, determinó construir uno nuevo que excediese a aquel en magnificencia. Para ello llamó a su servicio al abate don Felipe Juvara, natural de Mesina, el más célebre arquitecto de aquella época; ocupóse éste en la traza del nuevo Real Palacio, y la ejecutó según el modelo que se conserva en el Museo militar, y que ya se ha descrito; pero como la extensión que debía tener era tan inmensa, eligió Juvara el paraje de los altos de San Bernardino; mas el Rey formó empeño de que fuese edificado sobre el terreno que hoy ocupa, y se sacrificaron a esta idea los grandes planes de Juvara, y la inmensa ventaja de haberse extendido por aquella parte la población de Madrid, como hubiera sucedido, con notables mejoras de salubridad, conveniencia y hermosura. Prevaleció, pues, el deseo del Rey, y don Juan Bautista Sachetti, natural de Turín, fue el designado por el mismo Juvara antes de morir, como el más apto para esta empresa. Vióse éste precisado a trazar otro palacio sobre el sitio del antiguo, aprovechando el declive y desigualdad del terreno con profundos cimientos para las oficinas y real servidumbre, de modo que lo que no pudo ser en extensión y anchura, lo fue en profundidad y elevación. Satisfecho el Rey con este arbitrio, se aprobó la traza y comenzó la obra que hoy existe, poniéndose la primera piedra en 7 de abril de 1737.

Es un cuadrado de 470 pies de línea horizontal y 100 de altura, con salientes en sus ángulos en forma de pabellones, y dos alas, aún no concluídas, en la fachada principal, que se empezaron en el reinado de Carlos III. Desde el plan terreno hasta la imposta del piso principal se levanta un cuerpo sencillo almohadillado que forma el zócalo o basa del cuerpo superior, hecho de buen granito cárdeno o piedra berroqueña, y las jambas y cornisas de las ventanas, de piedra blanca de Colmenar. Sobre dicho zócalo se eleva el referido cuerpo superior, que inclina al orden jónico en muchas de sus partes, y está adornado de medias columnas y pilastras que sostienen la cornisa superior. Las columnas son doce en los resaltos de los ángulos, y cuatro en el medio de cada una de las fachadas, a excepción en la del norte, que son ocho; en los intervalos hay pilastras cuyos capiteles se diferencian de los de las columnas, pues los de éstas son jónicos, y los de las pilastras dóricos. Todo el edificio está coronado de una balaustrada de piedra que encubre el techo de plomo, sobre la cual estaba colocada, en otro tiempo, una serie de estatuas de los reyes de España, desde Ataulfo hasta Fernando el VI, y en los resaltes de los ángulos había otras que representaban varios reyes de Navarra, Portugal, Aragón, Méjico, el Perú y otros soberanos y caciques indios; pero unas y otras se quitaron hace tiempo, y existen en las inmensas bóvedas del Palacio. Todo el edificio tiene seis puertas principales, cinco en la fachada del sur, que es la principal, y una llamada del *Príncipe*, en la fachada de oriente. Las otras dos fachadas no tienen puertas. El patio es cuadrado, con 140 pies de área poco más o menos, y rodeado de un pórtico abierto de nueve arcos en cada lado. El segundo piso es una galería cerrada de cristales, que da entrada a las habitaciones reales y capilla. Entre los arcos del patio hay cuatro estatuas que representan los emperadores romanos naturales de España: Trajano, Adriano, Honorio y Teodosio, obras de don Felipe de Castro y don Domingo Olivieri, cuyas estatuas estuvieron antes en donde ahora las columnas, debajo del balcón principal. La escalera grande es muy suave, y consiste en un solo tiro hasta la meseta o descanso que hay a la media altura, volviendo después otros dos paralelos hasta la puerta de entrada por el salón de guardias; toda la escalera es de mármol manchado de negro; enfrente de ella hay una estatua en mármol de Carlos III, y en el descanso intermedio de las balaustradas,

dos leones de mármol blanco (1). Por último, toda la fábrica de este edificio es de una solidez extraordinaria, por el espesor de sus paredes, por la profundidad de su cimientos, por la solidez de sus bóvedas y por el número de sus columnas. Todo es de piedra, y en él no se empleó más madera que la necesaria para puertas y ventanas, cuya mayor parte es de caoba; el aspecto de este hermoso palacio es imponente, pero carece del agrado que, sin duda, tendría si se hubiesen llevado a efecto los jardines que se proyectaron.

La descripción interior de esta real casa llenaría por sí sola un gran volumen, si hubiéramos de hacer no más que la enumeración de las infinitas preciosidades que contiene; pero hay que sacrificar el placer que de ello nos resultaría en obsequio de la concisión; sólo se dirá, en general, que en sus magníficas salas se encierran de cuantos objetos de lujo y buen gusto han producido más perfectos las manufacturas españolas y extranjeras, teniendo el curioso que detenerse a cada paso a contemplar las primorosas obras del arte: cuadros de los primeros pintores antiguos y modernos (aunque muchos de los que había han sido enviados por Su Majestad al Museo), muebles magníficos, arañas de cristal de roca admirablemente trabajadas, espejos de la fábrica de La Granja de una extensión asombrosa; relojes primorosos, colgaduras costosísimas y del mejor gusto, salas cubiertas de mármol, de estuco, una toda de porcelana; todos los caprichos en fin que puede inventar la imaginación están puestos por obra para hacer este Palacio digna morada de sus augustos dueños. Estos adornos varían en ocasiones (tal se ha verificado últimamente, reformándose con inmensas mejoras con motivo del real enlace de Sus Majestades), y así solamente se hablará de las magníficas pinturas al fresco ejecutadas en las bóvedas de las salas, en lo cual se distin-

_____

(1) Se ha dicho que al subir Napoleón la escalera de este magnífico palacio dijo, poniendo la mano sobre uno de los leones: *Je la tiens en fin cette Espagne si desirée.* Y añadió, volviéndose a su hermano, el intruso José: *Mon frère, vous serez mieux logé que moi.* En lo que manifestó la ventaja de este palacio sobre el de las Tullerías, de París.

gue notablemente este palacio, y que por su medio artístico, y no estar sujetas a variación, parece oportuno indicar.

La alegoría pintada en la bóveda de la escalera principal es una de las mejores obras en su género; fue pintada por don Conrado Giaquinto, y representa en su cuerpo principal el triunfo de la religión y de la Iglesia, a quienes España, acompañada de sus virtudes características, ofrece sus producciones, trofeos y victorias. Hay, además, varias medallas de claro oscuro, y otras coloridas con otros adornos, todos alegóricos a la pintura principal. En la sobrepuerta del salón de guardias se representa el triunfo de España sobre el poder sarraceno, y en el corredor llamado *camón* se ve a Hércules arrancando las columnas, a pesar del poder de Neptuno, aludiendo a los descubrimientos y navegaciones de los españoles.

Principiando por la fachada de oriente, en la bóveda de la sala primera se representa el Tiempo descubriendo la Verdad, obra ejecutada por don Mariano Maella.

En el techo de la sala segunda se ve a Apolo premiando los talentos, y en cuatro compartimentos sobre la cornisa están los Genios de las artes y las ciencias, representados con sus atributos. Todo es obra de don Antonio González Velázquez.

La tercera sala consta de una pintura principal en que se ha representado la caída de los Gigantes que atentaron contra el Olimpo, y de cuatro cuadros fingidos de claro oscuro, representando fábulas mitológicas. Es obra de don Francisco Bayeu.

En un gabinete interior, pintado por don Mariano Maella, se representa a Juno mandando a Eolo que suelte los vientos contra Eneas.

Sala quinta, representa la apoteosis de Hércules; es obra de Bayeu, acaso la mejor que de este profesor hay en Palacio. Tiene, además, cuatro óvalos en sus extremos que representan la Filosofía, la Pintura, la Música y la Poesía.

La sexta sala también es de Bayeu, y representa en el fondo la institución de las órdenes de la monarquía española, y en los extremos cuatro bajos relieves representando las cuatro partes del mundo con sus respectivos atributos. Es obra muy digna de atención.

En la sala séptima se ve a Hércules entre la Virtud y el Vicio. Es obra de las mejores de Maella.

La sala octava (que es la primera de la fachada de mediodía) representa la apoteosis de Adriano. A los extremos hay cuatro medallas de claro oscuro en representación de los Elementos. El todo es obra del mismo Maella.

En la sala novena está pintada una alegoría alusiva a la Orden del Toisón de Oro, que trae su origen de la fábula del Vellocino. Esta pintura es de don Domingo Ticpolo.

La alegoría de la sala décima es de don Juan Bautista Ticpolo, y representa la grandeza y poder de la Monarquía española.

La sala undécima (que es la principal y magnífica, llamada de *Embajadores*) fue pintada por don Juan Bautista Ticpolo, y representa en la parte principal la Majestad de la monarquía española, ensalzada por los seres Poéticos, asistida por las Virtudes y rodeada de sus diversos Estados. En la misma bóveda, y en la parte más alta del trono de la monarquía se ve un elogio del gran monarca que entonces le ocupaba, compuesto de diferentes pinturas alegóricas de virtudes, y en una pirámide está escrita la siguiente inscripción: *Ardua quae attollis monumenta et flectier aevo nestia te celebrant, Carole, magnanimum.* En la cornisa representó los diferentes Estados y provincias de la Monarquía española, con los respectivos trajes de sus naturales y las producciones de su suelo, en lo cual lució el pintor su fecunda imaginación. Finalmente, en los ángulos se ven medallas doradas contenidas en grandes conchas adornadas con festones y cariátides, y sostenida cada una por dos estatuas de estuco en representación de ríos, obra del escultor don Roberto Michel. Toda la pintura es la más vasta que hay en Palacio, y da al salón un aspecto verdaderamente regio. Añádase a esto la riqueza de su colgadura bordada de oro, el magnífico dosel del trono de terciopelo carmesí con fleco de oro, a cuyos pies están dos leones de bronce; la magnificencia de los espejos, mesas y demás adornos, y la gran extensión del salón, y se podrá formar idea de una de las primeras salas regias de Europa.

En la sala duodécima hay una magnífica composición alegórica pintada por el célebre Mengs, que representa la apoteosis del emperador Trajano, a quien sus virtudes y victorias conducen al templo de la Inmortalidad.

La bóveda de la sala décimotercera representa la aparición del Sol y alegría de la Naturaleza; y en la sobrepuerta está pintada la Majestad de España, acompañada de sus atributos. Es obra de Conrado.

En la sala décimocuarta pintó don Juan Bautista Tiepolo a Eneas conducido al templo de la Inmortalidad por sus virtudes y victorias.

La bóveda de la sala décimoquinta, pintada por Mengs, es la apoteosis de Hércules, y en los extremos hay medallas de bajo relieve que representan las hazañas de aquel héroe, y son obra de don Felipe de Castro.

La sala décimosexta representa las Virtudes que deben adornar a los que ejercen empleos públicos. Es obra de don Luis López, la primera que ha pintado a fresco en 1826 y en que manifiesta sus felices disposiciones.

En la sala décimoseptima, la primera de la fachada de poniente, pintó en 1825 su padre, don Vicente López, primer pintor de Cámara de Su Majestad, la Potestad soberana en el ejercicio de sus facultades, bella composición.

La sala décimoctava, pintada por don Juan Ribera, representa al santo rey don Fernando en la Gloria.

En la sala décimonovena se representa la institución de la real y distinguida Orden de Carlos III, composición diestramente ideada y ejecutada por don Vicente López; en la cornisa debajo del testero hay una inscripción latina hecha por don Félix Reynoso, que en letras doradas dice así: *Carolum III Reg. Pientiss. Hispanum ordinem virginae sospite custode instituentem. Virtuti et merito decorandis. Tholo quo decesit in coalum virtutis et meriti mercedem ampliorem additurus Ferdinandus VII. Nepos depictum voluit. Anno MDCCCXXVIII.* Hay además en los extremos de la cornisa los símbolos de la real Orden esculpidos y dorados, y en las fachadas tres bajos relieves alusivos a la misma.

La fábula de la sala vigésima representa la diosa Juno en la mansión del Sueño, y está pintada por don Luis López.

En la sala vigésimaprimera hay una magnífica alegoría ejecutada por Mengs, que representa la Aurora acompañada de las Horas y del Lucero de la mañana, que aparece anunciando la proximidad del Sol, al mismo tiempo que la Verdad ahuyenta al Vicio, que, disfrazado, se aprovecha de las tinieblas de la noche. A los extremos hay medallas representando los Elementos, y en las fachadas las Estaciones del año, y el friso está adornado con diversos adornos de escultura. Sobre las cuatro puertas hay cuadros alegóricos pintados por el mismo Mengs que representan las cuatro partes del día.

La bóveda de la sala vigésimasegunda representa a Colón ofreciendo un nuevo mundo a los Reyes Católicos, y está pintada por don Antonio González Velázquez.

En la de la sala vigésimatercera se representa la rendición de Granada a los Reyes Católicos don Fernando y doña Isabel, y es obra de Bayeu.

La alegoría de la sala vigésimacuarta es la Benignidad acompañada de las Virtudes cardinales. Está pintada por don Luis González Velázquez.

La sala vigésimaquinta representa el poder de la España en las cuatro partes del mundo, y parece obra del mismo Velázquez.

La sala vigésimasexta, pintada por Bayeu, representa la Providencia presidiendo a las Virtudes y a las Facultades del hombre.

En la sala vigésimaseptima se ve la Recompensa del Mérito y la Fidelidad, y parece de don Antonio Velázquez.

La sala vigésimaoctava, pintada por don Mariano Maella, ofrece la unión de las Virtudes cardinales.

La sala vigésimanovena, la primera de la fachada del norte, tiene por argumento la Felicidad pública.

La sala trigésima representa a la Virtud y al Honor bajo otras figuras alegóricas.

Pasando a la biblioteca de Su Majestad, consta de varias salas, de las cuales hay pintadas cinco. En la primera, una bellísima joven muestra la sala principal, y está acompañada de varios genios con esta inscripción: *Ducit ad magna Themis.* Rodean la pintura ocho medallas que representan las cabezas de los más célebres capitanes de la antigüedad. En la segunda sala se representa el Triunfo de la virtud; en la tercera, la verdadera Gloria, y ambas son de Maella; en la cuarta, Apolo protegiendo las ciencias, obra de Bayeu, como los bajos relieves alegóricos. Está adornado el todo con caprichos de escultura. La quinta sala, pintada por Maella, representa la Historia, escribiendo sus memorias sobre el Tiempo, y está adornada de grupos alegóricos de esculturas y medallas que representan algunos hombres eminentes. Esta magnífica biblioteca es muy rica, en especial en libros españoles útiles y raros, y lo mejor de lo que se ha publicado modernamente en Europa, que Su Majestad ha reunido; las encuadernaciones son de gran lujo, como también la colección de manuscritos, de estampas y precioso monetario. Los señores infantes poseen también colecciones muy apreciables.

La capilla real, en la fachada del norte y al mismo piso de los aposentos reales, aunque no muy espaciosa, es magnífica por su ornato. Es de figuras elípticas; una grande que forma el cuerpo, otra menor el pie, y otra mediana la cabeza, con nichones a los extremos del mayor diámetro, en uno de los cuales está el altar mayor, y en el otro la tribuna de Su Majestad. Sobre los machones que forman los ángulos entre elipse y elipse, voltean cuatro arcos que, uniéndose con las pechinas y anillo, sostienen un ático con cuatro grandes claraboyas, encima de las cuales se eleva la cúpula sobre el cubierto del Palacio. El interior de la capilla está adornado de columnas de mármol mezclado de negro y blanco, que inclina al orden corintio. Todas las partes de la arquitectura que se elevan por encima de la cornisa están cubiertas de adornos de estuco dorado, y de figuras y estatuas de estuco imitando al mármol blanco. La cúpula, pechinas y bóvedas están pintadas al fresco por don Conrado Giaquinto. En la primera se representa a la Santísima Trinidad, Nuestra Señora y varios coros de san-

tos, particularmente españoles. En las cuatro pechinas, San Dámaso, San Hermenegildo, San Isidro y Santa María de la Cabeza; en la bóveda, sobre la puerta, la Batalla de Clavijo, y Santiago peleando en ella; en la del coro, una Gloria, y en la de la tribuna del Rey, varias figuras alegóricas. Por último, el adorno en cuadros, efigies y alhajas de esta capilla y su sacristía, es correspondiente a su magnificencia. Posteriormente se pensó en construir otra capilla, mayor que la actual, para lo que se levantaron sólidos cimientos fuera de la fachada del norte, pero se quedó en tal estado.

Por último, concluiremos el artículo del Palacio Real diciendo que en su guardajoyas se conservan alhajas raras y preciosas, en sus inmensas bóvedas multitud de estatuas y otros objetos, y contiguo a él se admiran las suntuosas caballerizas, obra del reinado de Carlos III, y el depósito de coches que actualmente se construye.

Armería real.—La Armería real, que está enfrente de la fachada del sur del Palacio, cerrando con él una espaciosa planta, es un edificio sencillo, sin ornato, aunque de una extensión considerable. En uno de sus ángulos hay un grandioso arco de piedra almohadillado que da entrada a la plaza de Palacio, y todo el edificio participa del carácter de seriedad del tiempo de Felipe II, en cuyo reinado se construyó por Gaspar de la Vega, su arquitecto, colocándose en él la Armería real, que se trajo de Valladolid en 1565. Todo el piso principal es una galería, cuya longitud de oriente a poniente contiene 227 pies castellanos, con 36 de latitud y 21 de profundidad. En esta magnífica galería se guardan colocadas con mucho orden, muy aseadas y limpias, una multitud de armas antiguas y modernas, primorosas algunas y de invenciones raras, con otras preciosidades. Merecen citarse una armadura completa de San Fernando en una efigie del Santo Rey; varias otras figuras a caballo de Carlos V, Felipe II y Felipe III, vestidas con sus propias armaduras, siendo la de Carlos V la que usó en la expedición a Túnez; otras de los Reyes Católicos Fernando e Isabel. De esta última hay dos, compuestas de peto y espaldar, braceletes y morrión, en cuyas viseras dice *Isabel.*

Varias otras de reyes de España; una del
rey Chico de Granada y otra regalo de
Luis XIV a Felipe V. También hay armaduras que pertenecieron al Gran Capitán,
a don Juan de Austria, Hernán Cortés y
otros muchos hombres célebres. Es inmenso el número de espadas, y entre ellas las
hay del rey don Pelayo, de San Fernando,
del Rey Católico, de Carlos V, de Felipe II,
del rey Chico de Granada, del Cid, del
Gran Capitán, de Bernardo del Carpio, de
García de Paredes, de Hernán Cortés, otra
petrificada hallada en el Tajo y otras muchas. También hay multitud de montantes
pertenecientes a varios, diversos sables, entre ellos el de Alí-bajá, general de los turcos en la batalla de Lepanto; otros de lujo,
de regalo de los turcos al rey de España;
muchas gumías, cimitarras, puñales, cuchillos, bayonetas, dagas, partesanas, alabardas, picas y lanzas (una de éstas del
rey don Pedro), venablos, dardos, hachas,
clavas y mazas; varias bardas y cubiertas
de hierro para caballos, sillas de todos
tiempos y gustos, varios cañones de distintos calibres e inventos, algunos muy antiguos, como también muchos mosquetes,
arcabuces, pistolas, trabucos y cerbatanas.
Varios estandartes y banderas de Carlos V,
las que sirvieron en la batalla de Lepanto; otras de varias naciones; colas de caballos de los bajás turcos, arcos de americanos traídos por Hernán Cortés; varios
trozos de ropajes y cotas de malla de personas distinguidas; una litera y cuatro platos de hoja de lata del emperador Carlos V, una carroza que sirvió a la reina
doña Juana, mujer de Felipe I, y dicen
fue el primer coche que se vió en Madrid
en 1546; un modelo de navío de tres puentes hecho en 1593; una magnífica carroza
de hierro trabajada en Vizcaya y regalada
a Su Majestad por el Señorío en 1828, y
otra multitud de curiosidades dignas de
atención, ya por su antigüedad, su riqueza o su trabajo primoroso. Para ver esta
Armería hay que proporcionarse esquela
del señor caballerizo mayor o del veedor.

Casa de Ministerios. — Esta casa fue
construída en el reinado de Carlos III, bajo los planes de Sabatini, para habitación
de los primeros secretarios del Despacho,
y pasando después a ser palacio del Príncipe de la Paz la adornó éste con una pro-

fusión y buen gusto singulares. Después
de la guerra de la Independencia estuvo
allí el Consejo del Almirantazgo; después
de la extinción de éste, se colocó en esta
casa la Biblioteca Real, y últimamente se
han fijado en ella las Secretarías del Despacho. Su arquitectura es sencilla, y su fachada principal de poca apariencia, y defectuosa por el declive del terreno y hallarse encallejonada; pero el interior de la
casa, su elegante escalera de un tiro, que
se subdivide en dos ramales a derecha e
izquierda, perfectamente iluminada y decorada con columnas y un bajo,relieve muy
grande en la meseta principal que representa un triunfo, la espaciosidad y bella
distribución de sus salas, aunque cortadas
muchas de ellas para las oficinas que las
ocupan, el fresco de sus bóvedas, pintadas
por los mejores profesores de aquella época, las columnas, mármoles, puertas primorosas y demás objetos de gusto que la
embellecen, son todas cosas dignas de la
mayor atención, aunque por el alto destino
que hoy tiene este Palacio, no puede verse
con la detención que merecía. Está situado
junto al convento de doña María de Aragón.

Los Consejos.—Fue edificado este palacio en el reinado de Felipe III por el arquitecto Francisco de Mora y para casa de
los duques de Uceda, a quienes posteriormente le tomó la Real Hacienda a censo reservativo, destinándole en 1717 para morada de los Consejos. Es de figura cuadrada, y de altura igual por todas partes;
tiene de piedra el zócalo general; las dos
portadas son compuestas cada una de dos
columnas dóricas estriadas debajo, y otras
dos jónicas las ventanas que están encima,
rematando con escudos de armas de Sandoval y Padilla sostenidos por leones, lo
cuales se repiten encima de las ventanas d
las esquinas. Los frontispicios de todas la
ventanas son semicirculares en el piso principal y triangulares en el bajo. Esta fachada principal está al Norte mirando
la iglesia de Santa María. Las fachadas de
oriente y mediodía no ceden a la primer
en sencillez y elegancia, y en la última llega a tener cinco pisos por el descenso de
terreno. Pero el interior de este palacio n
corresponde a la idea que desde luego
forma de su excelente arquitectura; pue

no habiendo llegado a concluirse, y faltando el ornato en vestíbulo y escalera y las galerías de los dos patios, que la tienen en medio y debían estar adornados de dos órdenes de columnas; y habiéndose atajado las salas por infinitos tabiques para dar lugar a las muchas oficinas que allí hay, carece todo de la regularidad que debió tener, y que, así como en el exterior, haría conocer el buen gusto del arquitecto.

Real Aduana. Este hermoso edificio es obra del reinado de Carlos III, bajo la dirección del célebre Sabatini, y fue concluido en 1769. Es uno de los primeros edificios de Madrid, y su fachada principal, que da a la calle de Alcalá, se funda sobre un zócalo almohadillado de piedra berroqueña hasta el piso principal, con tres puertas en el medio, y encima de ellas un gran balcón con balaustrada de piedra sostenido de ménsulas o repisas que rematan en cabezas de sátiros y cariátides. Las puertas son en todas cinco, y otros tantos los órdenes de ventanas, contando las de los sótanos; las del piso principal adornadas con frontispiscios triangulares y circulares alternativamente y sobre la de en medio un escudo real sostenido por dos famas. La cornisa, que es del gusto de la compuesta del Vignola, da mucha magnificencia a todo el conjunto de la fachada, que es uno de los primeros adornos de la calle de Alcalá. Todo el edificio es un cuadrilongo, y es por cierto lástima que esté intercalado con otras casas, careciendo de fachadas por las partes de oriente y poniente, y presentando sólo las de Mediodía y Norte por las calles de Alcalá y angosta de San Bernardo. El interior corresponde al objeto a que está destinado y tiene tres grandes patios, uno mayor en medio con un vestíbulo cubierto que lo circunda y una galería encima. Hay también muchos sótanos espaciosos para el almacenaje de los frutos. La escalera principal es de piedra muy ancha y suave y la distribución de las piezas análoga al objeto de su instituto.

Casa de Correos.—Construída de orden de Carlos III en 1768, bajo los planes del arquitecto don Jaime Marquet, que fueron preferidos a los que presentó para el mismo objeto don Ventura Rodríguez, que parece eran dignos de tan célebre arquitecto.

El edificio es un gran cuadrado, aislado absolutamente, de construcción sólida y un conjunto noble. Tiene en medio dos grandes patios rodeados de un pórtico con columnas. El suelo está bastante elevado sobre la Puerta del Sol, por donde se halla su fachada principal, de modo que ha habido que darle unos escalones para subir, lo que no deja de ser chocante. Sobre los demás detalles de su arquitectura se ha criticado bastante, y es lástima que la idea de tan suntuoso edificio no corresponda al sitio principal que ocupa.

Casa de Ayuntamiento.—Fue construída a mediados del siglo XVII, y es un edificio cuadrilongo, con cuatro torres a sus ángulos, dos pisos, bajo y principal, y dos puertas que dan a la plazuela llamada de la Villa. Estas puertas están adornadas con hojarascas, que parece fueron añadidas, así como también lo fue modernamente y con mejor gusto por el arquitecto Villanueva el balcón grande que da a la calle de la Almudena, adornado de columnas de piedra. El interior es sencillo, con un buen patio decorado con pilastras. La escalera es buena, y la repartición interior también. En esta casa se guarda una de las más preciosas alhajas que hay en Madrid, que es la custodia que sirve para la procesión del Corpus. Es obra de Francisco Alvarez, platero, concluída en 1588, y su construcción, del mejor gusto y de un trabajo delicado, es digna de atención de los inteligentes.

Otros edificios notables.—Hay en Madrid, además de todos los dichos anteriormente y en el ingreso de esta obra, multitud de edificios notables, ya por su buena arquitectura como por su extensión y magnificencia; pero como sería molesto hablar de todos en particular, sólo se citarán algunos, tales son la Real Casa de Postas, detrás de Correos, obra de don Pedro Arnal; la casa llamada de los Heros, en la calle de Alcalá, y que hoy sirve de almacén de cristales y loza de las reales fábricas; la casa de la Inspección de Milicias, en la misma calle de Alcalá, demasiado baja con relación a la anchura de la calle y a la elevación de la portada, con dos enormes columnas; la casa del Saladero, a la puerta de Santa Bárbara, trazada por don Ventura Rodríguez, y de una noble sencillez; el palacio de los duques de Liria, junto a la puerta de San Bernardino. Este palacio, construído por el mismo arquitecto, Rodríguez, es un cuadrilongo con dos fachadas, adornadas con columnas dóricas en el medio y con pilastras en los lados del segundo cuerpo, con friso, cornisa y arquitrabe, pues el primero es rústico. Tiene otro cuerpo ático encima, que se eleva algún tanto en el centro, con escudos de armas en la fachada principal y con cifras en la del jardín, donde hay dos planos, uno en el piso del cuarto bajo y otro al segundo, con escaleras bien ordenadas. Delante de este palacio hay una plazuela rodeada de terrados con sus antepechos y rejas de hierro en semicírculo, que le dan defensa y decoro. Este palacio es el más notable entre los de los grandes de España. También lo son el del conde de Altamira, en la calle Ancha de San Bernardo, empezado a reedificar bajo un suntuoso plan por el mismo arquitecto Rodríguez; el del duque de Villahermosa, edificado por el arquitecto mayor de Madrid don Antonio Aguado, y situado a la salida del Prado, por la carrera de San Jerónimo; el del duque de Medinaceli, enfrente de éste, y de una extensión asombrosa; la casa del duque de Híjar, en la misma carrera de San Jerónimo; la del marqués de Alcañices, la llamada de Negrete y la de la duquesa de Abrantes, en la calle de Alcalá; la de Oñate, en la calle Mayor; la de la condesa de Benavente, en la puerta de la Vega; la del marqués de Camarasa, en la calle de la Almudena; la del duque del Infantado, en las Vistillas; la del conde de Miranda, en la plazuela de su título, y otras muchas, en las cuales se encierran tesoros en muebles preciosos y del mejor gusto, bibliotecas escogidas, colecciones magníficas de pinturas, estatuas, monedas, armas, antigüedades y otros objetos dignos de los personajes que las habitan, y cuya descripción sería imposible hacer, y más en esta obrita.

PLAZAS PRINCIPALES

Madrid es escaso de plazas, y las que hay no corresponden, en general, al lustre de la capital, ni por la simetría de los edificios ni por los monumentos que las decoran; se indicarán, sin embargo, las más principales.

Plaza del Mediodía del Real Palacio. Esta plaza es muy grande y casi cuadrada. La forman de un lado la fachada principal de Palacio; del opuesto, la Armería, y de los otros dos, un cuartelillo bajo y mezquino para la guardia de Palacio, y una balaustrada con vista al campo. Esta plaza sería magnífica si se reformase de un modo correspondiente al Palacio la fachada de la Armería y el cuartelillo, pues el cuarto lado, en forma de balcón sobre las campiñas regadas por el río, es de un aspecto muy agradable. A pesar de todo, la plaza es tan grande, que aún quedaría como desnuda si no se acompañaba con una fuente o un monumento en el medio.

Plaza de Oriente del mismo Real Palacio. Esta inmensa plaza, aumentada disparatadamente en tiempo de los franceses con el derribo de cincuenta y seis casas, ha permanecido desde entonces con el aspecto de un desierto árido, donde los pobres viajeros (que tales pueden llamarse los que emprenden su travesía) no encuentran un punto de apoyo para librarse de los ardientes rayos del sol canicular o de los penetrantes aires del Guadarrama. Su Majestad, desde su vuelta al trono, pensó en decorar dignamente esta plaza con una galería de columnas y un teatro enfrente del Palacio; para ello se derribó el antiguo de los Caños del Peral, se igualó la plaza y se empezó la galería, pero con tan mezquinas proporciones, que muy luego hubo de suspenderse la obra, y sería de desear que nunca se continuase, antes bien se derribase el principio de dicha galería, que no sirve más que de estorbar la vista del Palacio. También se empezó el teatro, el cual se ha vuelto a continuar bajo los planes del arquitecto mayor, don Antonio Aguado, y si se concluye será uno de los más grandes de Europa. Igualmente se han comenzado las casas desde la calle del Arenal en figura de semicírculo, y es de creer que en breves años, y con un sencillo adorno, llegue esta plaza e ser lo que debe por su ventajosa situación, capacidad y la presencia del Palacio Real.

Plaza Mayor.—Fue construída en 1619, reinando Felipe III, bajo los planes y dirección del arquitecto Juan Gómez de Mora, quien la acabó en dos años. Tiene 434 pies de largo, 334 de ancho y 1.536 de circuito. Está fundada sobre pilastras de piedra que forman soportales muy capaces, y tiene cinco suelos hasta el tejado y 71 pies de altura. Antes de los deterioros que ha padecido constaba de 466 ventanas con balcones de hierro y un gran número de buhardillas, y era capaz de cuatro mil moradores en 136 casas o habitaciones; y en las funciones reales, que se celebraban en ella con todo el lujo y la magnificencia de la antigua corte de España, se acomodaban cincuenta mil personas. Esta plaza sufrió un violento incendio el 10 de agosto de 1672 por el lado de la Panadería, que fue reconstruído; pero en la noche del 16 de agosto de 1790 se incendió de nuevo y se consumió todo el lienzo de los portales de Guadalajara y gran parte del del arco de Toledo, quedando desde entonces desfigurada la plaza, la cual se va reconstruyendo paulatinamente por el Ayuntamiento, habiéndose reedificado de nuevo la casa que hace frente a la Panadería y el arco de Toledo y cerrado el ángulo de los portales de Guadalajara y calle de la Amargura, construyéndose otros dos arcos iguales en solidez y arquitectura a aquél, en las entradas de las calles de la Amargura y Mayor; también se trata de continuar la reedificación por el extremo de la fachada nueva del norte, el lienzo de la Zapatería, y el ángulo entre el arco de Botoneras y los portales de Provincia, siguiéndose siempre el mismo orden de arquitectura y bajo la dirección del arquitecto mayor, Aguado, con arcos a las entradas de las demás calles, con lo cual quedará la plaza muy elegante, aunque con los defectos de la irregularidad y poca simetría que presta a los arcos o entrada la dirección torcida de las calles, y además la distinta altura de los pisos, por lo que no puede pasearse por los soportales sin bajar y subir escalones. Finalmente, verificada la conclusión de la plaza, faltará siempre en medio algún objeto que llame la atención, por estar absolutamente desnuda. Esta plaza sirvió de mercado general de comestibles hasta hace pocos años.

Puerta del Sol.—Esta plaza, más famosa por su concurrencia y situación central que por su belleza, se llama así por una imagen del Sol que había pintada encima de la puerta de un castillo que se fabricó en aquel sitio en 1520 para defender a Madrid de las correrías de bandoleros y forajidos que infestaban sus inmediaciones, habiéndose abierto también un foso alrededor del Hospital del Buen Suceso; pero éste y el castillo desaparecieron después con el aumento de la población por aquella parte, y sólo quedó el nombre de la Puerta del Sol. Esta plaza es una especie de estrella irregular, adonde vienen a desembocar varias calles, y entre ellas las seis principales: Mayor, Carretas, carrera de San Jerónimo, Alcalá, Montera y del Carmen. El ornato de este sitio no corresponde en gran manera a su celebridad, a pesar de que las casas en general son bastante buenas, teniendo también el suntuoso edificio de Correos y las vistas que presentan a lo largo todas aquellas calles, las más brillantes y animadas de Madrid. En el centro de la Puerta del Sol hay una fuente circular de muy poco gusto e indigna del sitio que ocupa. Fue trazada por el extravagante arquitecto Ribera, y la estatua de mármol que tiene encima representa a Diana, pero en el vulgo de Madrid es conocida bajo el nombre de *Mariblanca*.

Plazuela de la Villa.—Delante de la casa de Ayuntamiento está esta plaza, que es regular y casi cuadrada, abierta por el lado de la calle Mayor y cerrada por los demás con las Casas Consistoriales, la que ocupa el Consejo de la Guerra y la casa de los Lujanes. Tiene en medio una fuente que representa las armas de Castilla y de León. Cuatro leones arrojan agua por la boca, y sobre ellos se sienta un castillo, encima del cual hay una figura de mujer en traje militar con estandarte en la mano, cuyo pensamiento fue de don Domingo Olivieri.

Plazuela de Santa Ana.—Esta plazuela se formó al principio de la calle del Prado con el derribo hecho en tiempo de la dominación francesa del convento de carmelitas de Santa Ana, y habiéndose plantado árboles y puesto bancos de piedra y una fuente en medio, ha resultado un sitio agradable de recreo, el único de su especie que hay en el interior de la población. Falta, sin embargo, para concluir el proyecto de esta plaza el que se quiten las casas de la manzana 215, que impiden la vista del teatro del Príncipe desde la plazuela, la cual daría a aquél una avenida vistosa y cómoda, y a la plazuela la necesaria extensión. La fuentecita del medio tuvo en su principio una estatua en bronce de Carlos V, que ahora está colocada en los jardines del Retiro, pero últimamente se le ha sustituído una aguja de piedra de forma sencilla.

Plazuela de la Cebada.—Está situada en la calle de Toledo y es muy grande, irregular, de piso desigual y rodeada de casas particulares poco notables y sin simetría. Contribuye a desfigurarla más el servir de mercado de granos y comestibles, por lo cual está llena de cajones y puestos para la venta. En el medio tiene una fuente, con una figura alegórica que representa la Abundancia. Esta plaza es célebre por ejecutarse en ella las sentencias de los condenados al último suplicio, levantándose en medio el cadalso la víspera de la ejecución.

Plazuela de San Miguel.—Esta plazuela es grande y espaciosa, y sirve de mercado de comestibles, el más abundante de Madrid, para lo cual hay multitud de cajones alineados en forma de calles. Tuvo hasta hace pocos años una estatua en el medio que representaba a Fernando V. Está situada esta plazuela en la calle de las Platerías.

Otras plazuelas.—Además de éstas hay otras muchas plazuelas de menos importancia, destinadas varias al mercado de comestibles, adornadas algunas con fuentes. Pueden citarse las del Carmen, de Santo Domingo, de San Ildefonso, del Angel, de las Descalzas Reales, del conde de Miranda, de Celenque, de Provincia, con una fuente en medio, de Santa Cruz, de Puerta Cerrada con una fuente, cuya estatua representa la Lealtad, y otras muchas. Hay otras plazuelas llamadas así, aunque en realidad no son más que ensanches de las

calles en que están, como es la de Antón Martín en la calle de Atocha, con una fuente en medio, obra también de Ribera, tan disparatada en su género, que ha quedado por emblema del mal gusto churrigueresco; la Red de San Luis en la calle de la Montera, con otra fuente bien fea del mismo Ribera; la de los Capuchinos en la calle de las Infantas, con una fuente sin adorno. Hay también otras varias fuentes, y sólo citaremos la sencilla y graciosa de los Galápagos, en la calle de Hortaleza, trazada por el arquitecto Rodríguez.

CAPITULO XI

TEATROS Y DIVERSIONES PUBLICAS.—JARDINES Y PASEOS

No consta a punto fijo cuándo tuvo principio la representación de comedias en Madrid; pero sí que las había ya en los primeros años después del establecimiento de la Corte en esta villa, y en ellos fue, sin duda, cuando brilló el famoso comediante y poeta Lope de Rueda, que, según Antonio Pérez, era *el embeleso de la corte de Felipe II*, y de quien Cervantes dice que le había visto representar siendo muchacho. Por los años de 1568 consta ya que había en esta corte compañías de comediantes que, entendiéndose con la Cofradía de la Pasión (que tenía este privilegio), le arrendaban un sitio en la calle del Sol, y otros dos en la calle del Príncipe, en los cuales representaban, pagando un tanto a aquella Cofradía. También consta que en 1574 se introdujo la Cofradía de la Soledad a solicitar el mismo privilegio de señalar sitio para los comediantes, sobre lo cual se siguió un reñido pleito entre ambas Cofradías, que terminó conviniéndose en repartir el usufructo. En su consecuencia se reformó y alquiló en dicho año el Corral de la Pacheca (uno de los de la calle del Príncipe) a un comediante italiano llamado *Ganasa*, contratando con él que se había de cubrir dicho corral, que estaba descubierto, como así se verificó, aunque el patio siempre quedó sin techo, y sólo tendían sobre él un toldo para librarse del sol, pues entonces las repre-

:ntaciones eran de día. Otro corral alqui-
:ron también las Cofradías en la calle del
obo, habilitándole para la representación
e comedias, has'a que, por último, fabri-
:aron sus dos teatros propios, el uno en la
:alle de la Cruz, que fue el primero, y el
:ro en la calle del Príncipe, aquél en el
ño 1579, y éste en 1582, cesando enton-
:es el de la calle del Lobo.

Tal es el origen de los teatros de Ma-
Irid; y creciendo sucesivamente sus pro-
luctos hasta un punto tal que ya se arren-
laban en 115.400 ducados por cuatro años
lesde 1629 a 1633, fueron cargados con
:ensiones en beneficio de varios hospitales
· establecimientos de beneficencia, hasta
[ue en 1638 se encargó de ellas la villa de
Madrid, quien pagaba una indemnización
:orrespondiente a los hospitales. Desde en-
onces se suscitaron en diversos tiempos
nuchas prohibiciones contra las comedias,
· aunque con mayor o menor trabajo,
siempre triunfaron éstas, valiendo para ello
mucho el piadoso fin en que se invertía
su producto. Pero en el reinado de Felipe IV llegaron a su mayor boga por la
inclinación particular del Rev. y no solamente se representaban en los ya citados
corrales, sino en las salas mismas de Palacio, y en el nuevo suntuoso teatro del
palacio del Buen Retiro, resonando en todos ellos las producciones innumerables de
Lope de Vega, Calderón, Tirso de Molina,
Moreto, Solís, Rojas y otros infinitos que
suministraban a la decidida afición del público un alimento inagotable. Pasó esta
época; vino otra de privación, y apenas
los últimos acentos de Canizares, Candamo y Zamora lograron sostener el renombre de nuestro teatro en medio de aquel
universal silencio. La Talía española (dice
Jovellanos) había pasado los Pirineos para
inspirar al gran Molière; y, en tanto, ni
el triste reinado de Carlos II, ni las agitaciones de la guerra de sucesión que siguieron después, eran a propósito para hacerla tornar a nuestra nación.

Contribuyó después a perpetuar su olvido la construcción del teatro de los Caños
del Peral en principios del siglo pasado,
y su ocupación por una compañía de representantes italianos, y más que todo la
afición que inspiró Fernando VI a las óperas de aquella nación, que se empezaron a

ejecutar en este teatro y en el del Retiro.
No eran ya las gracias sencillas del ingenio las que llamaban la gente a los teatros,
sino el aparato de la escena, la magnificencia en los trajes y decoraciones, el brillante ruido de las más escogidas orquestas, las vistosas danzas y todos los recursos, en fin, que emplea el arte para la seducción de los sentidos. Los más célebres
artistas venidos de Italia y otras naciones,
sorprendían con su habilidad. El teatro de
los Caños, mucho más espacioso y noble
que los antiguos, era un sitio digno de
tan bellos espectáculos; pero donde sobresalían éstos hasta un punto de magnificencia sorprendente era en el del Retiro, colocado en medio de los extensos jardines,
que a las veces, según lo pedía el drama,
servían de decoracón, pudiéndose ver maniobrar en ellos tropas de caballería y haciendo la ilusión tan verdadera, que desaparecía toda idea de ficción escénica. En
tanto los dos corrales, de la Cruz y del
Príncipe, ocupados por los mosqueteros y
gente de broma, ofrecían un campo indecoroso de batallas continuas de los partidarios aficionados. La medianía de los actores, lo mezquino de la escena, la ninguna propiedad en trajes y decoraciones, la
poca comodidad de los concurentes y más
que todo lo soez y grosero de las piezas
que por entonces sostenían la escena, bajo
la influencia de los Comellas y Zabalas;
todas estas causas reunidas produjeron en
nuestro teatro el estado en que le pinta el
célebre Moratín en La comedia nueva. Pero las medidas del Gobierno, que empezaron a alejar las causas físicas de este desorden, arreglando la mejor disposición de
los teatros; el buen gusto que se extendió
con las bellas producciones de Moratín,
Iriarte, Quintana y otros varios; y, finalmente, la aparición sobre la escena de dos
genios verdaderamente sublimes: la Rita
Luna e Isidoro Maiquez, fueron bastantes
a hacer ganar al teatro el puesto que debía ocupar y a llevarle entre nosotros al
más alto grado de esplendor que nunca
tuvo.

La guerra de los franceses, la destrucción de los dos hermosos teatros del Retiro y los Caños, y las circunstancias turbulentas y poco a propósito que desde
principios de este siglo ocuparon a Espa-

ña, hicieron sentir su influencia en nuestra escena; y habiendo desaparecido los principales teatros, los primeros autores y los actores más distinguidos, ha vuelto a caer en una medianía triste, si bien no se resiente de aquella falta de decoro y propiedad que tuvo en el siglo pasado, pues, aunque lentamente, se hacen sentir en ella los progresos del entendimiento, los adelantos de las artes y el imperio, en fin, de la razón. Es de creer que con la protección del Gobierno vuelva a revivir el amortecido teatro español, presentando muestras de energía; y en el ínterin que esto sucede, tiene que alimentarse con las producciones de los antiguos poetas, con algunas traducciones de otros teatros (por desgracia no siempre las más dignas ni las mejor trasladadas); y, finalmente, con los encantadores sonidos de Rossini y demás genios de la armonía.

La afición a la música que siempre tuvieron los españoles, la perfección con que se ejecutan las óperas, los grandes recursos desplegados por los célebres artistas italianos; y, finalmente, la moda, más poderosa que todos estos estímulos, han disminuido la afición a la comedia española en términos que apenas puede alternar con su poderosa rival. Sin embargo, lo hace en ambos teatros de la Cruz y del Príncipe, únicos que hoy cuenta Madrid y de que vamos a dar una idea.

Teatro de la Cruz.—Este teatro se labró de nuevo a expensas de Madrid por el año de 1737 bajo las trazas y dirección del corruptor Ribera, que tantas pruebas dejó de su mal gusto. Este edificio es una de ellas, y ni su fachada irregular, ni su interior mal dispuesto con un pobre escenario, son a propósito para el objeto. En el año anterior se ha pintado y decorado, pero sus defectos capitales son imposibles de remediar no derribándole. Hasta su situación es ridícula, en una rinconada, cuyo acceso es por calles estrechas y mal dispuestas, lo que ocasiona gran incomodidad. En este teatro se ejecutan con más frecuencia las comedias antiguas españolas, las óperas bufas y de poco aparato, y rara vez tragedias y dramas. Es capaz de 1.318 personas, y su entrada llena produce 10.037 rs. y 22 mrs. Los precios son: palcos bajos, 64 rs.; id. principales, 60; id. segundos, 48; id

por asientos, 10 rs. la delantera y 8 lo demás; lunetas principales, 12 rs.; idem segundas, 8 y 6 rs.; asientos de patio, 4 rs. sillones, 11 y 10; galerías, 8 y 6; tertulia delantera, 8 rs. y 4 los demás asientos. Cazuela para mujeres, 8, 6, 5 y 4 rs. y medio, todo con aumento de dos cuartos en billete para ciertos establecimientos de beneficencia. Las mujeres están separadas de los hombres, y ocupan la mitad de la tertulia y la cazuela. Sólo están juntos ambos sexos en los palcos por asientos. Se representa todas las noches, variando la hora de principiar según las estaciones; y en invierno también hay otra representación en cada teatro los días de fiesta a las cuatro de la tarde.

Teatro del Príncipe.—Fue reedificado a costa de la Villa en el año de 1745, y habiéndose quemado se volvió a reedificar en 1806 bajo los planes y dirección del arquitecto Villanueva, que sacó el partido posible del escaso terreno, e hizo un teatro decente, aunque pequeño, dándole un portal y cinco entradas en una fachadita muy sencilla, y conservando para la escena un local proporcionado. Ultimamente se le ha pintado y adornado con medallones en la bóveda, que contienen los retratos de los poetas célebres españoles, y una alegoría en el techo que representa a Apolo después de haber vencido a la serpiente Pithon, en cuya elección, tanto de la fábula como de los retratos no ha habido el mayor tino, si bien su ejecución hace honor al señor Ribelles, que es quien lo ha pintado. En este teatro, como más regular, se representan más frecuentemente tragedias y óperas serias de gran aparato, para lo cual da lugar el escenario, siendo decorada magníficamente y vestidos los actores con toda propiedad y lujo, en lo cual se ha adelantado mucho de pocos años a esta parte, y principalmente desde que ambos teatros están a cargo de una empresa particular. Este teatro es capaz de 1.236 personas y está repartido lo mismo que el de la Cruz. Las representaciones son también diarias y las horas y precios los mismos que en aquel, excepto que en éste todos los sillones son 10 reales y todas las galerías a 6. La entrada llena es 9.669 reales y 12 maravedises.

Toros.—Las corridas de toros son tan antiguas en España, que ya se habla de ellas en las leyes de Partida, y la afición a ellas ha sido siempre tal, que ha triunfado de las prohibiciones que en ocasiones le ha opuesto el gobierno y el grito aun más fuerte de la humanidad y de la razón. Verdad es que en el estado actual, reducida esta lucha a un arte en que están diestramente combinados los movimientos del valor, y disminuido en lo posible el peligro por todas las precauciones imaginables, ha perdido en parte el carácter de ferocidad que pudo tener, si bien conserva aun la bastante para ser detestada. Pero lejos de ello se ve sostenerse la afición pública y reproducirse cuando se la cree más amortiguada.

Desde muy antiguo se celebran estas corridas en Madrid, pero era sólo dos o tres veces al año con ocasión de alguna fiesta, y entonces se verificaban en la Plaza Mayor, concurriendo a veces los Reyes. Luego hubo una plaza destinada a ellas junto a la casa del duque de Medinaceli, después otra hacia la plazuela de Antón Martín, otra al soto de Luzón, otra saliendo por la puerta de Alcalá más distante de la que hay hoy; y últimamente ésta, que se labró de orden del Rey, para propio del hospital general y se estrenó en 1749, habiendo sido después reformada en el actual reinado.

Es esta plaza de forma circular y tiene unos 1.100 pies de circunferencia, cabiendo en ella cómodamente unas 12.000 personas, repartidas en 110 balcones, otras tantas gradas cubiertas y bancos al descubierto, llamados *tendidos*. Hay en ella todos los departamentos necesarios con desahogo y la suficiente seguridad. Se dan en esta plaza regularmente doce corridas de toros al año, desde los meses de marzo o abril a octubre, ya de un día entero por mañana y tarde, y ya por la tarde sólo; siempre por lo regular en lunes; y es un espectáculo original el que presenta tanta multitud de gentes de distintos trajes y costumbres, sus alegres dichos, los chillidos, los aplausos, silbidos y la animación exagerada de tantos aficionados que pretenden dirigir desde seguro los movimientos de los lidiadores. Los extranjeros, así como las personas sensatas de nuestra na-

ción, han declamado y declaman contra las funciones de toros; pero unos y otros van a verlas, y se entretienen con aquel bullicio, aquella variedad, aquel movimiento que se nota el día de toros desde la puerta del Sol y calle de Alcalá, que conduce a la plaza. Los precios son: palco a la sombra, 120 reales; al sol, 100; ídem por asientos, 14; grada cubierta a la sombra, 14; al sol, 8; tendido a la sombra 6, al sol 2. Las horas varían según las estaciones. En esta plaza suelen darse también funciones de novillos, y de habilidades de volatines y caballos, y entonces los precios varían.

Otras diversiones.—Además de estas diversiones fijas hay en Madrid otras accidentales o de temporada, particularmente en invierno, como son el *teatro de la calle de la Sartén* para la compañía de los Reales Sitios; el teatro *Pintoresco mecánico* de la calle de la Luna; el de *Fastasmagoría*, de la calle del Caballero de Gracia; el *Circo Olímpico*, en la misma calle; el *Cosmorama*, y otros objetos curiosos que suelen presentarse, sin que los que dirigen estas funciones tengan motivo de quejarse de la indiferencia de los madrileños.

JARDINES

Buen Retiro.—Felipe IV, a instancia de su ministro y privado el conde-duque de Olivares, compró todo el terreno que ocupa este Real sitio y labró el palacio, haciendo plantar alrededor extensos y frondosos jardines con objeto de hacer una residencia real digna de la corte y sin necesidad de salir de ella. Los sucesores de aquel monarca continuaron hermoseando este sitio hasta un punto indecible; llegando a ser no solamente célebre por sus jardines, sino también una población completa y numerosa, vivificada con la presencia de los monarcas que pasaban allí largas temporadas. Distinguióse en ello Fernando VI más que ningún otro, y el Retiro en su tiempo y en los dos reinados posteriores era un sitio delicioso. Grandes jardines, hermosos paseos, bosques frondosos, un palacio, otros muchos edificios, una linda iglesia, teatro, casa de fieras, observatorio, fábrica real de la China, donde se trabajaban exquisitas porcelanas y piedras duras o de mosaico, y una reunión en fin de objetos interesantes daban a este Real sitio una importante suma; pero la invasión de los franceses, que vino a destruirlo todo, dio también en tierra con tantas bellezas, y convirtió este ameno sitio en una fortaleza para sujetar al pueblo de Madrid. Nuestro augusto Monarca a su regreso al trono no encontró allí más que ruinas y destrucción; pero su cuidado constante y la predilección que desde luego tuvo por este sitio, le han hecho renacer de sus cenizas, y adquirir un sin número de bellezas, en términos de no tener que envidiar a su antiguo estado.

Su figura es irregular, su extensión desde el Prado hasta la esquina de la montaña rusa es de unos 3.800 pies, y desde dicha montaña hasta la tapia del olivar de Atocha, como 4.940 pies. Sus entradas principales son dos, una por la subida de San Jerónimo, y otra llamada *de la Glorieta*, inmediata a la puerta de Alcalá. Entrando por la primera se pasa por la espaciosa plaza llamada *de Palacio o de la Pelota*, la cual estaba rodeada de habitaciones, de que no permanecen en general más que las fachadas. Al frente de la entrada se halla la iglesia de este Real sitio, construida modernamente y con sencillez, y después se pasa a los jardines o paseos, quedando a la derecha las ruinas del antiguo palacio; de éste no se ha conservado más que el magnífico Casón o sala de bailes, en cuyas bóvedas, pintadas al fresco por Lucas Jordán, ostentó este célebre artista toda la riqueza de su imaginación, siendo muy dignas de atención para los inteligentes y aficionados. Dejando luego estas ruinas y subiendo por los paseos de enfrente, se encuentra un bello estanque chinesco, luego el grande, que es un cuadrilongo de extensión de unos 960 pies de largo por 440 de ancho, y de bastante profundidad para poderse embarcar las personas reales, como lo hacen a veces en primorosas falúas que se conservan en el lindo embarcadero de forma chinesca, que se levanta en uno de los frentes del estanque. Alrededor de éste es el paseo general, y apartándose a la derecha se extienden otros inmensos paseos, todos nuevos, que conducen al sitio en donde estaba la casa de la China, en cuyo lugar hay ahora otro estanque. Pero volviendo al principal, y por su espalda, se encuentra la casa de fieras, que es magnífica y construida hace dos años. Es un cuadrilongo muy extenso, y en dos de sus lados están las jaulas o cuartos de las fieras, que son: leones, tigres, un elefante, diversas especies de osos, monos y otros animales salvajes, y pueden verse con toda comodidad. Encima de las jaulas hay muchos cuartos para pájaros de distintas especies, sumamente raros, todo con un desahogo, limpieza y claridad, que nada dejan que desear al curioso que va a ver en este recinto tan distintas castas de seres, y al sabio que va a observarlos para el adelanto de la ciencia.

Desde aquí empiezan siguiendo siempre sobre la izquierda los jardines reservados para recreo de Su Majestad, los cuales son sumamente extensos y preciosos, aunque modernos, llenos de multitud de objetos dignos de atención, y entre ellos merece citarse la famosa estatua ecuestre en bronce de Felipe IV, construida por mandado del duque de Toscana, y para regalar a aquel Monarca. Fue ejecutada por el célebre escultor de Florencia Pedro Tacca, con arreglo al dibujo que, de orden de aquel Rey, le envió su primer pintor de cámara, don Diego Velázquez. La actitud del caballo en situación de hacer una corbeta, y sosteniéndose sobre sus dos pies, ofrecía una inmensa dificultad, que parecía imposible de combinar con el enorme peso y volumen de la estatua, pero el escultor supo vencerla con asombro de los inteligentes, dando al caballo todo el brío de que es susceptible, y al ademán del Rey la mayor majestad y nobleza, y no descuidando ninguno de los detalles. Esta magnífica estatua, que tiene pocas semejantes, es cuatro veces mayor que el natural, pesa 18.000 libras, y está estimada en 40.000 doblones. Ha tenido diversas colocaciones, y últimamente lo fue en el sitio que ocupa, que es elevado y a propósito. También se halla en estos jardines otra estatua en bronce, y a pie, de Carlos V, con el Furor encadenado a sus pies, y adornada de trofeos militares, obra de León Leoni, la cual tiene la particularidad de poderse despojar de sus vestiduras; cuya estatua trasladada por los franceses a la fuente de la plazuela de Santa Ana, ha vuelto a este real sitio, donde estuvo antes. Llama igualmente la atención en estos bellos jardines el *Salón Asiático*, que, bajo una apariencia rústica, encierra todo el primor y la magnificencia oriental, mereciendo por sí solo una prolija descripción; la *Montaña artificial*, coronada por un gracioso templete o mirador, desde el cual se presenta la vista más completa de Madrid; la *Casa del pobre*, en cuyos distintos pisos se ve el contraste de la condición más humilde con una imitación más perfecta en habitación, muebles, y hasta las personas, con el refinamiento del lujo y la magnificencia que se despliega en el piso principal. La *Casa de aves*, el interior del embarcadero, y otros varios departamentos y sitios de recreo, adornados con la suntuosidad propia de las reales personas a que están destinados, concluyendo los graciosos y prolongados jardines cerca de la puerta de la Glorieta, desde la cual hasta la de San Jerónimo hay otros jardines y huertas de igual hermosura. Para ver todo lo reservado de este Real sitio hay que sacar una esquela del conserje, y es cosa de que no debe dispensarse ningún forastero.

Casino de la Reina Nuestra Señora.— Inmediato a la puerta de Embajadores se halla la casa y jardín de recreo conocido por el *Casino de la Reina*, a causa de haber sido regalado por la villa de Madrid a la señora reina difunta doña Isabel de Braganza, por cuya orden fue adornado y enriquecido hasta el punto de ser digno del Monarca. El jardín es bastante extenso, en terreno desigual, lo que contribuye a hacer más variadas sus vistas, y en él hay frondosos paseos, cuadros de primorosas flores, un gracioso canal con un puentecito, una espaciosa estufa, varias estatuas en mármol y en bronce, una de estas representando a Felipe II, y varias otras preciosidades; la puerta principal que da al campo es muy sencilla y elegante con cuatro columnas agrupadas de dos en dos, y en medio la verja de hierro. La casa es un cuadrado pequeño con una sencilla fachada. Sus habitaciones son todas muy reducidas, pero adornadas con papeles, colga-

duras y muebles los más exquisitos y de buen gusto; siendo cada una de ellas notable por diversas preciosidades en este género de que sería necesario hacer un inventario, pues todas merecen ser nombradas. Baste decir que en el adorno de esta casita se ha apurado el buen gusto de los artistas nacionales y extranjeros. Se enseña con esquela del conserje.

Jardín Botánico.—Fernando VI instituyó el jardín de plantas a fin de propagar el estudio de la botánica, situándole en 1755 en la real quinta que está en el camino del Pardo, en cuyo sitio permaneció hasta que se trasladó de orden de Carlos III al sitio que hoy ocupa cerca de la puerta de Atocha, en el Prado. Su extensión es bastante considerable, de unas 30 fanegas poco más o menos, y en ella hay una gran parte destinada al cultivo de las diversas especies, clasificadas para la enseñanza según el sistema de Linneo; siendo inmenso el número de todas clases y climas que se encuentran en este hermoso jardín, y hallándose indicado el nombre de las plantas en cada una de ellas en una tarjeta que le contiene en latín y castellano. Además está embellecido con multitud de flores de adorno, un precioso emparrado en figura de arco, viña, huerta y bosquete, todo lo cual, además de establecimiento científico, le hace ser uno de los paseos más deliciosos de la capital; contribuye también con su hermosura a embellecer al Prado, del que le separa una magnífica verja de hierro con asientos de piedra, y en medio de ella una sencilla y elegante puerta con columnas de piedra, en la cual hay esta inscripción: *Carolus III P. P. Botanices instaurator, civium saluti et oblectamento. Anno MDCCLXXXI.*

Otros jardines.—Hay además de éste otros jardines particulares dignos de llamar la atención, pero siendo de uso privado de sus dueños, no hay que hablar de ellos, diciendo sólo que en el llamado del *valenciano*, sito en la calle del Sauco, se halla de venta en todas estaciones un copioso surtido de flores de todas especies y simientes para la siembra.

PASEOS

El Prado.—A la cabeza de todos los paseos de Madrid se coloca naturalmente el
del Prado, célebre en los tiempos antiguos
por las intrigas amorosas, los lances caballerescos y las tramas políticas a que daba
lugar su inmediación a la corte casi permanente en el Retiro, y lo desigual, inculto
e inmenso de su término. Pero todo mudó
de aspecto bajo el reinado del gran Carlos III, quien, por la influencia del ilustrado conde de Aranda, supo arrostrar inmensas dificultades, y transformar este sitio
áspero y desagradable en uno de los primeros paseos de Europa. Hubo para ello
que allanar el terreno, plantar una inmensa multitud de árboles, proveer a su riego
y adornarle con primorosas fuentes, llegando a conseguirlo todo a despecho de los
espíritus mal intencionados o incrédulos,
que intentaron desacreditar tan bella idea.
Entre las muchas trazas que se dieron para
este paseo, fueron preferidas las del capitán de ingenieros don José Hermosilla, en
las que sacó todo el partido posible de la
irregularidad del terreno y de los límites
que se le señalaron. El paseo comienza en
el convento de Atocha, y pasando delante
de la puerta de este nombre, vuelve a la
derecha corriendo hasta la calle de Alcalá,
que atraviesa, y se extiende después hasta
la puerta de Recoletos; su extensión es de
unos 9.650 pies. Un gran paseo muy ancho,
y otros dos a cada lado plantados de árboles altos y frondosos corren toda la extensión, el primero destinado a los coches,
y los otros a la gente de a pie. En el medio
del paseo y en la extensión desde la carrera
de San Jerónimo a la calle de Alcalá, se
ensancha el sitio, formando un hermoso
salón que tiene 1.450 pies de largo por
200 de ancho. Todo el paseo, además de las
vistas de sus lados, formadas por notables
edificios, jardines y calles principales que
desembocan en él, está adornado con bancos de piedra, y ocho bellas fuentes.

La primera, llamada *de la Alcachofa,*
frente a la puerta de Atocha, es obra de
don Alfonso Vergaz. Su pensamiento consiste en dos salvajes, macho y hembra, agarrados de la columna sobre que está la taza
y la alcachofa sostenida por unos niños, y

todo ello es de buen gusto y bien trabajado. En la plazoleta llamada *de las Cuatro
fuentes,* que se forma a la salida de la calle
de las Huertas, hay otras tantas iguales
compuestas de niños en diferentes actitudes
que tienen estrechados unos delfines, haciéndoles arrojar el agua por la boca en
forma de surtidor, cuyo pensamiento, bastante impropio, está perfectamente ejecutado y hace muy buen efecto. A la entrada
del gran salón delante de la carrera de San
Jerónimo está la fuente de *Neptuno,* con
un gran pilón circular, en cuyos centros se
mira la estatua de aquel dios en pie, sobre
su carro de concha tirado de dos caballos
marinos, con focas o delfines jugueteando
delante, todo muy bien ejecutado, aunque
por no haber dado más altura al pilón o
rebajado más la base de toda la máquina,
ha resultado que el carro, los caballos y
delfines rueden y naden, no en el agua
como debieran, sino sobre peñas. Esta obra
es de don Francisco Gutiérrez. Hacia el
medio del salón está la grandiosa fuente
de *Apolo,* sabiamente ideada, y combinado
el derrame de las aguas de suerte de hacer
armonía y consonancia, por irse derramando de una en otra taza: la fuente tiene dos
caras en que se repite exactamente; y encima de ella se ven sentadas a los cuatro
vientos otras tantas estatuas representando
las estaciones, ejecutadas perfectamente por
don Manuel Alvarez. Corona toda la fuente
una estatua de Apolo, obra de don Alfonso
Vergaz. Finalmente, a la entrada del salón
por la calle de Alcalá se halla la magnífica
fuente de *Cibeles.* Esta está sentada en un
elevado carro tirado de dos leones, obra de
don Pascual de Mena, perfectamente ejecutado, y con saltos de agua muy graciosos
que vienen a caer en un extenso pilón
circular con un magnífico golpe de vista.
Todas estas fuentes, aunque ejecutadas por
los ya dichos profesores, fueron trazadas y
diseñadas por don Ventura Rodríguez,
quien presentó al mismo tiempo un diseño
muy estudiado de un peristilo o pórtico
para construir delante de las caballerizas
del Retiro, que dan frente a la fuente de
Apolo, lo cual hubiera ocultado el mal aspecto de aquel terreno proporcionando la
ventaja de poderse guarecer tres mil personas en ocasión de lluvia repentina, y pudiendo además contener cafés y botillerías,

n un gran terrado encima para colocarse s músicas los días que Sus Majestades ba- sen al paseo, cuyo feliz pensamiento hu- era acabado de hacerle el primero de uropa.

La concurrencia al Prado es general, y si permanente, y en sus diversos paseos reunen gentes de todas especies y gustos. os verdaderos paseantes por comodidad, ue gustan de andar despacio y sin tropel, ararse a hablar con sus amigos, tomar un olvo y recordar sus juventudes, prefieren paseo desde el convento a la puerta de tocha. Los provincianos y extranjeros ustan del lado del Botánico, donde la vista fragancia de este jardín de un lado, y el otro el continuo paso de coches y ca- allos los entretiene agradablemente. Hay uien se dirige con preferencia al paseo de an Fermín, desde la Carrera de San Jeró- imo a la calle de Alcalá, y muchos que ailan su recreo en el trozo llamado paseo e Recoletos; pero la juventud elegante, y cierta hora toda la concurrencia en ge- eral, viene a refluir al hermoso salón, si- ado en el centro del paseo. Allí es donde einan las intrigas amorosas, donde la con- usión, el continuo roce, las no interrum- idas cortesías, la variedad de trajes y fi- uras, el ruido de los coches y caballos, el olvo, los muchachos que venden agua y andela, y una vida en fin desconocida en os demás paseos de la Corte, producen na confusión extraordinaria, que al prin- ipio molesta a los forasteros, y concluyen or aficionarse a ella. Es singular en espe- ial el espectáculo de este paseo en una de as hermosas mañanas de invierno, en que uce todo su brillo el despejado cielo de Madrid. Vese en él de doce a tres del día a concurrencia más brillante, las gracias nás seductoras, los adornos de más lujo, na multitud de coches y caballos, y en fin odo lo que puede ofrecer de elegante una apital. Igualmente es notable en las noches le verano, en que, sentadas las gentes bajo us espesos árboles, forman tertulias ale- res, respirando un ambiente agradable, lespués de días extremadamente calurosos. Finalmente, el Prado en todas ocasiones es l desahogo principal de Madrid.

Paseo de las Delicias.—Este paseo se ex- iende desde la salida de la puerta de Ato- cha, bajando en dirección al canal, en dos divisiones de a tres calles cada una, desti- nándose las de en medio a los coches, y apartándose progresivamente los paseos hasta concluir cada uno a la entrada de uno de los puentes del canal. Este paseo, aunque sin más ornato que los árboles, es muy concurrido por aquellas personas que van a pasear por conveniencia y recreo corporal, animando a continuar en él su de- clive suave, las grandes plazas que de tre- cho en trecho le cortan, y más que todo, el deseo de encontrarse a su conclusión en las hermosas orillas del canal.

La Florida.—Este hermoso paseo planta- do a la orilla del Manzanares, y que corre desde la puerta de San Vicente hasta la ermita de San Antonio, fue muy concurri- do en los reinados de Carlos III su funda- dor y de Carlos IV; pero ha dejado de serlo a causa de la distancia de la parte más poblada de la villa, quedando sólo fre- cuentado en el día de lavanderas y gente del pueblo que se dirigen al río.

Paseo de la Virgen del Puerto.—Otro paseo hay a la orilla del río por la parte baja, que, comenzando en el puente de Se- govia, va hasta cerca de la puerta de San Vicente. Este agradable paseo es notable por su frondosidad y la alegría de las gen- tes que concurren a él, particularmente en los días festivos, a celebrar sus danzas y meriendas.

Otros paseos.—Hay además de los prin- cipales ya dichos, otros varios paseos, los cuales circundan el recinto de Madrid por su mayor parte, y son por su situación ade- cuados respectivamente a las diversas esta- ciones. El que va desde la puerta de Atocha a la de Toledo se llama *la Ronda*; desde dicha puerta, hay varios paseos que, por suaves declives, conducen al puente de To- ledo. Otro nuevamente abierto y plantado arranca desde dicha puerta de Toledo a la de Segovia. Después siguen los ya dichos paseos de la Virgen del Puerto y la Flo- rida, hasta la ermita de San Antonio, en cuya inmediación empieza la *cuesta* llama- da *de Harineros* hasta el portillo de San Bernardino, enlazándose allí con otros pa- seos que siguen por la puerta de Fuenca- rral, la de los Pozos, Santa Bárbara y Re- coletos, cuyos nuevos paseos abiertos y plantados últimamente, acreditan el celo del actual señor Corregidor de Madrid, don

Domingo María de Barrafón, y del excelentísimo Ayuntamiento, a cuyos desvelos debe la capital este nuevo desahogo que tanta
falta hacía por la parte del norte.

CAPITULO XII

PUERTAS. — RIO. — PUENTES. — CANAL. — SURTI-
DO DE AGUAS. — Y PROYECTOS SOBRE ESTAS

Tiene Madrid cinco puertas reales, a saber: las de Alcalá, Atocha, Toledo, Segovia y San Fernando (los Pozos); y doce
puertas de segundo orden o portillos, a
saber: Recoletos, Santa Bárbara, Santo Domingo (Fuencarral), Conde Duque, San
Bernardino, San Vicente, la Vega, las Vistillas, Gilimon, Embajadores, Valencia y la
Campanilla. En las cinco primeras hay registro de rentas, y permanecen abiertas
hasta las diez de la noche en invierno y
las once en verano, pudiendo abrirse en lo
restante de ella, y los portillos se cierran al
anochecer y no se vuelven a abrir hasta
por la mañana.

Puerta de Alcalá.—Está situada al fin de
la calle de este nombre, mirando a oriente,
y da entrada al camino real de Aragón y
Cataluña. Es un magnífico arco de triunfo
construido en el reinado de Carlos III para
perpetuar la memoria de su venida a la
corte de España: fue inventado y dirigido
por don Francisco Sabatini, y consiste en
cinco entradas, tres iguales en forma de
arco en el medio, y una cuadrada a cada
extremo. Está adornada por fuera de columnas jónicas, dos a cada lado del arco
del medio, una a cada uno de los otros dos,
y otra en cada extremo de la puerta. Los
capiteles son los que inventó Miguel Angel
para la fábrica del capitolio en Roma, de
donde se trajeron los modelos. Un ático se
eleva sobre su cornisa, rematando en frontispicio con las armas reales sobre trofeos
y sostenidas por la Fama. La decoración
por la parte de Madrid es la misma, con la
diferencia de que en lugar de columnas
hay pilastras, a excepción de dos para el
arco de en medio; los ornamentos son tam-

bién más escasos, las cornucopias cruzadas
sobre las puertas y las cabezas de leones
de las claves son obra de don Roberto M
chel. Tiene toda la puerta sin contar la
armas reales 70 pies de altura; y cada arc
17 pies de ancho y 34 de alto. Toda ell
está fabricada de excelente piedra berr
queña, y los adornos y escultura de la c
Colmenar. Las rejas son de hierro, y po
uno y otro lado tiene esta inscripción
Rege Carolo III. Anno MDCCLXXVII
Esta puerta por su magnificencia es la pr
mera de Madrid.

Puerta de Atocha.—Está al mediodía
concluir la calle de Atocha, y mirando
Prado. Por ella se sale al paseo de las D
licias que, pasando el río, se une al camin
de Aranjuez. La puerta es de ladrillo
consta de tres arcos iguales, fabricada e
1748, pero con un gusto tan extravagan
como muchas de las obras de aquella ép
ca; por lo que ha sido preciso, con oca
sión de las entradas de Sus Majestades e
los años de 1828 y 29, reformarla por m
dio de trabajos diestramente dirigidos po
el arquitecto don Francisco Javier de M
riategui con arreglo a las ideas del bue
gusto, en cuanto lo permitía su antigu
deformidad. En el día presenta una per
pectiva más lisonjera, tanto por haberl
descargado de sus ridículos adornos, cua
to por haberla pintado del color de piedr
berroqueña y de Colmenar, coronando
final de su ático por la parte del camp
un escudo de armas reales, sostenido po
dos genios y acompañados de trofeos d
guerra; y en el lado que mira al Prado
escudo de armas de la villa con genios
varios atributos; cuyas obras de escultur
han sido ejecutadas por don José de Agr
da y don José Tomás. Igualmente son d
este último los grupos y trofeos militare
que dan bello realce a los extremos d
sotabanco.

Puerta de Toledo.—Está al fin de la call
de su nombre también al mediodía, y d
entrada al camino real de Andalucía. Est
puerta se ideó y comenzó a construir e
1813 más abajo de donde estaba la antigu
bajo los planes del arquitecto mayor do
Antonio Aguado, y se ha concluido e
1827. Consta de un arco de 36 pies de alt
y 16 de ancho, adornado con dos columna
estriadas de orden jónico. A los dos lado

hay dos puertas cuadradas de 10 pies de ancho y 21 de alto con pilastras estriadas del mismo orden; siendo la altura total de la puerta, sin incluir los grupos y su pedestal, de 65 pies, y su línea 54. Los grupos se elevan 20 pies más. En la fachada que mira al campo se representa a la España (colocada en el centro y sobre dos hemisferios) recibiendo un genio de las provincias (personificadas por una matrona colocada a la derecha de España), para pasarle a las artes que están a la izquierda, por otra matrona con los atributos de ellas. En la fachada que mira al interior de la población está el escudo de armas de la villa sostenido por dos genios, y a los extremos de la puerta varios trofeos militares. Esta obra de escultura fue modelada por don José Ginés, y ejecutada en piedra por don Ramón Barba y don Valeriano Salvatierra, siguiendo dicho modelo, excepto la España que está variada. Sobre la entrada principal se lee una inscripción latina que, traducida al castellano en la fachada que mira a la población, dice así: *A Fernando VII el deseado, Padre de la Patria, restituido a sus pueblos, exterminada la usurpación francesa, el Ayuntamiento de Madrid consagró este monumento de fidelidad, de triunfo, de alegría. Año de 1827.*

Puerta de Segovia.—Al fin de la calle del mismo nombre mirando al poniente, y dando entrada al camino real de Castilla y Galicia. Fue construida al principio del siglo XVII, cuando se abrió la calle nueva de Segovia (que es desde la costanilla de San Andrés hasta la puerta): la fábrica de ella es pobre con dos arcos iguales de ladrillo, embadurnada de tiempo en tiempo con colorines, que completan su mal aspecto.

Puerta de San Fernando o de los Pozos.—Está situada en el extremo de la calle de Fuencarral, junto a los pozos de la nieve, de donde tomó el nombre, hasta que, trasladado a ella el registro de la puerta de Fuencarral, se ha mudado por el que hoy tiene: mira al norte, y da entrada a la carretera real de Francia. Fue fabricada en 1767, y consiste en un arco de piedra con dos puertas más bajas cuadradas a los lados, todo de muy buena arquitectura.

Puerta de Recoletos. Está al concluir el paseo del Prado, y mira al norte. Fue construida en el reinado de Fernando VI en 1756. Consiste en un grande arco muy adornado de ambos lados, y cuatro columnas dóricas puestas de dos en dos, rematando en un frontispicio triangular con las armas reales adornadas de trofeos, y a los lados unas figuras medio echadas. Tiene además del arco dos puertas cuadradas más bajas con balaustres encima, y sobre ellas cuatro inscripciones latinas a cual más ridícula. Toda la arquitectura de la puerta es bastante regular.

Puerta de Santa Bárbara.—Está al fin de la calle de Hortaleza mirando al mismo lado del norte, y dando salida al paseo de los altos de Chamberí. Es de un sólo arco y de mezquina arquitectura.

Puerta de Santo Domingo o de Fuencarral.—Al norte también y final de la calle ancha de San Bernardo, dando entrada al camino de Fuencarral. Es poca cosa en forma y en materia, y no merece detenerse en su descripción.

Puerta del Conde Duque.—Situada junto al cuartel de Guardias de Corps en la misma dirección que las anteriores. Tomó el nombre de aquel privado, que vivía allí cerca. Se ha reformado últimamente, y consiste en un solo arco de bella apariencia.

Puerta de San Bernardino.—Junto a la casa del duque de Liria y a muy poca distancia de la anterior puerta, se halla ésta mirando al mismo lado. Es de un solo arco.

Puerta de San Vicente.—Está a la bajada de las reales caballerizas, mirando al poniente, y fue construida en 1775 cuando se reformó toda aquella parte. Consiste en un hermoso arco adornado por la parte de afuera con dos columnas dóricas y dos pilastras del mismo orden a lo interior, cornisamentos y frontispicio triangular, que remata en un trofeo militar. A los lados hay dos puertas cuadradas, más bajas, coronadas también de trofeos. Toda la puerta es de una excelente arquitectura, y con la mejor distribución en los adornos. Fue dirigida por el señor Sabatini. Da salida al paseo de la Florida y caminos reales del Pardo, Escorial y la Granja.

Puerta de la Vega.—Es la primitiva de Madrid, y está inmediata a los Consejos.

No es camino más que para la gran vega que se descubre desde allí, habiendo que bajar una penosa cuesta. La puerta se ha destruido hace pocos años bajándose la cerca al medio de la cuesta, y aun no se ha hecho más que un postigo de madera.

Portillo de las Vistillas.—Es una salida que en el día está habilitada.

Portillo de Gil Ymon.—Inmediato al convento de San Francisco, mirando casi al mediodía, está este portillo, que tomó su nombre del célebre licenciado Baltasar Gil Ymon de la Mota, fiscal de los Consejos y gobernador del de Hacienda en 1622, que tenía allí sus casas. Es de una puerta sola, y se ha reconstruido últimamente con sencillez.

Portillo de Embajadores.—Al fin de la calle del mismo nombre, mirando al mediodía, está este portillo, que es un hermoso arco de buena fábrica hecho en 1782.

Portillo de Valencia.—En la misma dirección y al fin de la calle ancha de Lavapiés. Es de un solo arco labrado en 1778.

Portillo de la Campanilla.—Junto al convento de Atocha hay una pequeña puerta por donde antes entraban coches, pero cuando las obras del Prado quedó más baja que el piso, por lo que hay que bajar una escalera para salir por ella. Da al camino de Vallecas.

Río Manzanares.—Este río, aunque célebre por bañar la capital de España, no lo sería por el caudal de sus aguas, que es tan escaso, que ha dado lugar a las burlas de los poetas y gentes de buen humor. Nace en el término del lugar de Manzanares el Real (de donde toma el nombre), siete leguas de Madrid, y corriendo de NO. a SE., atraviesa el Pardo, deja a la derecha la Casa de Campo y a la izquierda la población de Madrid, y va a reunirse al Jarama junto al pueblo llamado *Vacíamadrid*, tres leguas de la capital, y a las diez, poco más o menos de su nacimiento. Parece que en lo antiguo iba más caudaloso, pues tenemos la relación del viaje de Antonelli en tiempo de Felipe II, que desde el Jarama continuó por el Manzanares hasta el Pardo; pero nunca pudo ser gran cosa, pues además de los proyectos que desde luego hubo de reunirle al Jarama, todos los escritos de aquella época acreditan ya su pobreza. Pero lo que sí es cierto,

que con el derrame de las arenas viene el agua más oculta. Este río, como todos los que proceden de las nieves de la sierra, queda en verano casi en seco, lo cual recuerda una graciosa comparación de Tirso de Molina, que dice hablando con el río:

"Como Alcalá y Salamanca
tenéis, y no sois colegio,
vacaciones en verano,
y curso sólo en invierno."

A pesar de su escasez, este río es de grande utilidad a Madrid para fertilizar gran parte de su término, para el lavado de ropas, para los baños generales en verano, y para surtir el canal, de que hablaremos después. Sus aguas son delgadas y buenas, pero no se beben por estar destinadas al lavado.

PUENTES

Puente de Segovia.—Fue fabricado en el reinado de Felipe II, bajo los planes del famoso Juan de Herrera. Está sobre el río, a la salida de la puerta de Segovia. Es de sillería, y hecho con gran suntuosidad, aunque en el día no podemos ya conocer toda su belleza, por haber perdido su proporción y hermosura a causa de las arenas del río que, aglomerándose junto a él, le han cubierto hasta más arriba de la imposta. Esto ha justificado el pensamiento de hacer tan gran puente para tan pequeño río, pues a ser más pequeño, ya tal vez se hubiera inutilizado. Consta de nueve arcos, con las manguardias correspondientes, y un dique alto para igualar el piso en la distancia que hay desde la puerta al puente. Tiene de largo 695 pies, y 31 de ancho.

Puente de Toledo.—Este puente se construyó por los años de 1735 en el reinado de Felipe V, y a consecuencia de haberse llevado las aguas el que de tiempo antiguo había en el mismo sitio. Se compone de nueve ojos, todo de sillería, con 385 pies de largo, y 36 de ancho, una gran calzada, dos fuentes a la entrada y dos a la salida; y en el medio, sobre los antepechos, dos pabellones con dos estatuas de San Isidro y Santa María de la Cabeza. Todos los adornos son del peor gusto, como dirigidos por la extravagancia de aquella época;

siendo por cierto muy sensible que recaiga en una obra que por su importancia y solidez debió ser dirigida por buena mano. A la salida de este puente a la izquierda sigue el camino real de Andalucía.

Otros cuatro puentes hay sobre el Manzanares, uno a distancia de una legua, llamado *de San Fernando*, otro recientemente construido para dar paso a la Casa de Campo; otro de madera a la pradera y ermita de San Isidro, y otro, también de madera, junto a San Antonio de la Florida, llamado *Puente Verde*.

Canal de Manzanares.—Este canal fue proyectado, aunque en distintos términos que hoy existe, por los coroneles don Carlos y don Fernando Grunemberg, en 1668. Pensaron estos principiarle en el Pardo dirigiéndole hacia Vacíamadrid, y desde aquí, con auxilio del Jarama, hacerle llegar hasta Toledo, atravesando el Tajo cerca del pueblo de Aceca; pero este proyecto, presentado a la Reina gobernadora, doña Mariana de Austria, no fue admitido. Un siglo después, en 1770, y en el reinado de Carlos III, se obligó don Pedro Martinengo y Compañía a hacer un canal navegable desde el puente de Toledo hasta Jarama, y conducir la navegación por las riberas del mismo, Henares o Tajo, adonde conviniere. De estas resultas se construyó por entonces el canal que existe por espacio de dos leguas, en las cuales se hicieron siete esclusas, cuatro molinos, y varios barcos de transporte, plantándose sus orillas con una infinidad de árboles, como almendros, moreras, álamos blancos y otros, que se regaron con el agua del mismo canal. Pero este proyecto no llegó a concluirse por entonces, ni en el siguiente reinado. Nuestro augusto Monarca, desde su regreso en 1814, miró con preferencia este canal, y a ella se debe el aumento de un trozo considerable para llegar a Vacíamadrid, así como la recomposición de la cabeza o principio junto al puente de Toledo, esclusas, puentes, molinos, y la graciosa plazuela del embarcadero con una elegante puerta de entrada, así como también las oficinas necesarias para los dependientes, construcción de barcos y, por último, una bonita capilla-parroquia.

Surtido de aguas.—Queda dicho ya que las aguas del río Manzanares están sólo destinadas al riego, lavado de ropas y alimento del canal. Resta ahora sólo decir el modo con que se surte de aguas potables la población de Madrid. Muy desde lo antiguo se acudió al medio de adquirirlas por filtración en unas minas subterráneas que se extienden a cierta distancia de la población, y se forman de las que derraman las sierras inmediatas. Formáronse, pues, cuatro de estas minas o viajes principales; uno que llaman *de la Castellana*, con dirección a Fuencarral; otro *de Alcubilla*, hacia Chamartín; otro *de Abroñigal alto*, de la parte alta del arroyo del mismo nombre; y otro de *Abroñigal* bajo, de la parte baja del mismo arroyo. Hay otro viaje de aguas potables llamado *del Rey*. Estos cinco viajes surten de agua a las fuentes de Madrid en esta forma: el primero, o de la Castellana, cuya agua es la más gorda, y que en 1828 sólo ha tenido 21 reales de ella, provee las fuentes de Santa Cruz, de Santa Ana, de Capellanes, de la calle de las Infantas, del Soldado, de los Galápagos y de la plazuela de Antón Martín. El segundo, o de la Alcubilla, tuvo en el mismo año 41 rs., y surte a las fuentes de San Antonio de los Portugueses, de la calle de Valverde, de la plazuela de Santo Domingo, de la calle del Alamo, de la plazuela de Afligidos y de la Red de San Luis. El tercero, o de Abroñigal alto, tuvo 56 rs., y surte de agua a la fuente de la puerta del Sol, la de la Villa, la de Relatores, y la de la plaza de la Cebada. El cuarto, o de Abroñigal bajo, cuya agua es la más delgada, tuvo 140 rs., y surte a las fuentes de la Cibeles, del Rastro, de la puerta de Toledo, la del Rosario, de la puerta de Moros, de la calle de Embajadores, de la de Cabestreros, de Puerta Cerrada, de la calle de Santa Isabel, del Ave María, del Avapiés, de la calle de Toledo, de la del Aguila, y San Juan. El viaje del Rey surte a las fuentes del cuartel de guardias de Corps, de Matalobos en la calle ancha de San Bernardo, del Cura en la del Pez, de Palacio, Caballerizas reales, y otras. También hay otros cinco viajes de aguas gordas para beber el ganado y regadío. El primero el de la fuente del Prado de San Jerónimo, que tiene su origen en la calle que divide los dos jardines del Almirante y marqués de Montealegre. El segundo en la esquina del Pósito para surtir las fuentes del Prado. El tercero en los altos de la Venta del Espíritu Santo, para riego de los árboles del Prado. El cuarto, cerca de la parroquia de San Millán, para riego del arbolado de fuera de la Puerta de Toledo, y el quinto, en las inmediaciones del almacén de pólvora, para el surtido de las fuentes del puente de Toledo. Ultimamente, también hay otros tres viajes particulares. Primero, el del Hospital General, que nace en el Prado, junto a la casa de Medinaceli, y después de haber surtido a aquel establecimiento, sirve a las fuentes de fuera de la Puerta de Atocha. El segundo, el de las Salesas viejas, que nace en los altos del arroyo de la fuente Castellana, y el tercero, el de las Descalzas Reales, cuyo origen está en los altos del camino de Chamberí. Todavía hay algunas otras arcas menos importantes en los caños viejos de la puerta de Segovia, que surten de aguas gordas los pilones del puente.

Se ve por lo dicho que el agua con que cuenta Madrid para su surtido son los 259 reales que producen los cuatro viajes ya citados, además de lo que produce el quinto, o del Rey, y los particulares, cuyas aguas (las únicas potables) han ido disminuyendo constantemente desde su principio, y con particularidad desde el año de 1800 acá, a pesar de las costosas obras que en todos tiempos se han ejecutado en las minas, y estando regulado en 500 reales de agua el consumo de los habitantes de Madrid, se echa de ver la enorme diferencia que hay entre el caudal de ellas y la necesidad. Esto ha dado lugar a que de cien años a esta parte se vea el Ayuntamiento precisado a mezclar el agua de norias a la de los viajes en la estación de verano, con detrimento de la salud pública.

En cuanto a las aguas gordas, o de riego, ya se han indicado los viajes de ellas, las cuales, las del río Manzanares y las de los pozos que hay en la mayor parte de las casas, no bastan tampoco a las inmensas necesidades de esta gran población, como son riego, baños, lavado, alcantarillas, obras públicas y otros mil menesteres.

A fin de atender a todos estos inconvenientes han sido varios los proyectos que en distintas épocas se han formado para conducir a Madrid las aguas necesarias desde alguno de los ríos más inmediatos, y entre todos ellos el que parece más posible es el proyectado por el señor Barra, que se reduce a que abandonándose el sistema de buscar aguas por filtración con minas subterráneas, y supuesto que las que trae el Manzanares son perennes por haber en su cabeza un nevero llamado *el Ventisquero de Guardamilla*, el cual no se agota nunca, y está fluyendo todo el año; supuesto que estas aguas son más puras y mejor que las de los viajes, según el análisis hecho de ellas, propone que se tomen dichas aguas en la cabeza del río Manzanares, recogiendo todas las que allí se desperdician y trayéndolas por una atargea de fábrica cubierta a los altos de Santa Bárbara, y caso de no ser suficientes las de este río, se tomen y conduzcan las de Lozoya en los propios términos. En cuanto al surtido de aguas gordas propone que se tomen del mismo río Lozoya, trayéndolas por una acequia de tierra para abastecer la parte alta de Madrid, y para la parte baja y todo lo que comprende la ribera, que se concluya el proyecto de Lemaur, ya ejecutado en parte, de traer las aguas del Guadarrama hasta Las Rozas, y desde allí introducirlas luego en el río Manzanares, con lo cual quedaría surtida dicha parte baja o de la ribera, y aumentado el canal de Manzanares.

Otro de los proyectos hidráulicos relativos a Madrid ha sido el hacer un canal de navegación con las aguas del Jarama, cuyo pensamiento es muy antiguo, y se ha renovado en distintas ocasiones, con particularidad en el reinado de Felipe II, y otros posteriores, y entonces y después se han practicado para ello muchos trabajos.

Juan Bautista Antonelli propuso a Felipe II comunicar a Madrid con Lisboa por Manzanares, Jarama y Tajo. En 1797 los cuatro grandes de España marqués de Astorga, duques de Medinaceli, Infantado y Osuna presentaron otro proyecto al rey don Carlos IV, proponiendo concluir el canal de Guadarrama y el de Manzanares hasta Aranjuez, continuándole después hasta el Guadalquivir, y con otros dos ramales hasta Valencia y Ayamonte, y emprender otro del río Henares para traer aguas al Retiro. Por último, en 1820 la comisión compuesta de los señores Larramendi, Bauzá, Martín Rodríguez y Gutiérrez propuso continuar el canal de Manzanares, recibiendo ramales de los ríos Jarama, Henares, Tajuña y Tajo y aumentar las aguas de la capital con las de los ríos Jarama, Guadalix, Lozoya y Guadarrama.

Su Majestad actual, penetrado de la importancia de los proyectos para aumentar las aguas de Madrid, se ha servido conferir al Ayuntamiento la dirección del que mejor parezca, a fin de obtener los lisonjeros resultados que son de desear. ¡Ojalá lleguen a verse realizados y que la capital del reino se vea surtida de aguas abundantes y facilitadas sus comunicaciones, con lo cual habrá recibido del Monarca actual un don mucho mayor que todos los que debió a la munificencia y protección de los anteriores!

CAPITULO XIII

ALREDEDORES DE MADRID.—ASPECTO DE LA CAMPIÑA. CASAS DE CAMPO.—SITIOS REALES.—PUEBLOS DE LA PROVINCIA

Al tender la vista por la árida campiña que rodea a Madrid, se creería con dificultad que estas mismas lomas, áridas hoy y descarnadas, fueron en otro tiempo tan célebres por su feracidad y hermosura. Sin embargo, los testimonios que de ello tenemos son irrecusables. Testigos de vista los más imparciales nos han transmitido la descripción de sus frondosos bosques, montes poblados y abundantes pastos. El agua, este manantial de la vida, abundante entonces y voluntario en esta región, ofrecía su alimento a la inmensidad de árboles que la poblaban, y que describe el libro de Montería del Rey don Alonso XI; y este arbolado, esta abundancia de agua hacían el clima de Madrid tan templado y apacible como lo pintan Gonzalo Fernández de Oviedo y demás contemporáneos en el siglo XV; pero el establecimiento de la corte, que debía ser para esta comarca la señal de una nueva vida, sólo fue de destrucción y estrago. Sus árboles, arrasados por el hacha destructora, pasaron a formar los inmensos palacios y habitaciones de la corte, y a servir a sus necesidades; desterrada la humedad que atraían con sus frondosas copas para fijarla después en la tierra, dejaron ejercer su influjo a los rayos de un sol abrasador que, secando más y más aquellas fuentes perennes, convirtieron en desnudos arenales las que antes eran fértiles campiñas; de aquí la falta de agua en Madrid; de aquí la miseria y triste aspecto de su comarca, y de aquí, finalmente, la insalubridad de su clima. Con efecto, no encontrando contrapeso ni temperante los rayos del sol canicular, ni los mortales vientos del Norte, destemplaron las estaciones, aumentaron el rigor de ellas y, ejerciendo a la vez su imperio, hicieron raros entre nosotros los templados días de primavera. Ya se penetró de estos males el ilustrado gobierno de Carlos III, que, formando hermosos y magníficos paseos dentro y fuera de la población, plantando cerca de dos millones de árboles en las márgenes y praderas del canal y otros muchos en las orillas del río, en el Retiro, bosques de El Pardo, Casa de Campo y otros sitios, hizo conocer la importancia que daba a este objeto; pero, por desgracia, se desconoció entonces que la aridez y el mal principal estaban por los lados del Norte y Levante, y que tanto éstos como los demás, no podían volver a su antigua fertilidad no trayéndoles aguas abundantes y haciendo plantaciones extensas, sin contarse con las parciales ya verificadas. En este mismo caso estamos en el día, y hasta que aquello se verifique no hallará el viajero en los paseos que rodean a Madrid, en especial por mediodía, compensación suficiente para borrar de su memoria las áridas llanuras y peladas colinas que viene atravesando hasta muy cerca de las tapias de la capital, ni los habitantes de ésta encontrarán en sus campiñas la salud, el recreo y holgura que necesitan.

Los terrenos que rodean a Madrid están ondeados de pequeñas cuestas y lomas, razón por la cual no se perciben por ningún punto más que tres o cuatro lugares a la vez de los que tiene en su radio. Las tierras son de varias calidades, y se siembran por lo regular de trigo y cebada;

hay muy pocas viñas y olivares, a pesar de que el terreno es a propósito, y esto, unido al aspecto de las peñas de yeso que abundan en los alrededores, completan el triste cuadro de esta comarca. Las poblaciones participan de este aire de miseria, y parecerá increíble si se asegura que son de las más tristes y miserables del reino en lo general, y también de las menos civilizadas.

Dada esta idea rápida de los alrededores de Madrid, pasaremos ahora a hablar de los varios objetos notables que de trecho en trecho alteran aquella monotonía, y a donde la Naturaleza, apurada por el arte, ha formado sitios de placer correspondientes a la cercanía de la corte. Empezaremos, pues, por los más inmediatos a ella, y concluiremos con los Sitios Reales.

Casa de Campo.—Esta posesión de Su Majestad se halla situada a la parte oeste de Madrid, sobre la orilla opuesta del Manzanares y a corta distancia de la villa. Sus bosques, destinados a la caza, tienen unas dos leguas de extensión, donde en otro tiempo se conservaban animales salvajes para aquella diversión, y hoy abunda de caza menor. La habitación, aunque pequeña, es linda, muy bien alhajada, y tiene delante de su mejor fachada hermosos jardines y frondosa arboleda. Frente de la misma hay una estatua ecuestre en bronce de Felipe III que pesa 12.518 libras. Además hay hermosas estatuas en los ángulos del jardín, varias fuentes, una de ellas magnífica, en la misma calle del Caballo, estanques grandes de pesca y una casa para aves, con otros objetos que hacen este sitio muy interesante y digno de verse (1).

La Moncloa.—Esta casa real de recreo, perteneciente en el día a Su Majestad, fue antes quinta de los duques de Alba; está situada al NO. de la villa y a un cuarto de

legua de ella. Está rodeada de bonitos jardines, algunos trozos de viña y olivar y tierras de labor. La casita es pequeña y adornada con el mejor gusto. Dentro de esta posesión está la casa fábrica de loza y porcelana, establecida pocos años hace de real orden, y en ella se trabajan excelentes vajillas a precios muy moderados, y que han merecido premios en las exposiciones.

Alameda.—La casa y jardín que en la Alameda posee la excelentísima señora condesa de Benavente es uno de los objetos más preciosos de las cercanías de Madrid y aun de todo el reino. Esta posesión, en donde dicha señora ha invertido enormes sumas, ha sido dirigida por todas las reglas del arte, pudiendo competir en riqueza y buen gusto con las más célebres de su clase en el extranjero. Este resultado es tanto más recomendable, cuanto que su ilustre dueña permite la entrada a cualquiera familia decente que la solicita. Los jardines, bosques, palacio, colmenar y otros infinitos objetos que adornan esta posesión, todo es primoroso y digno de verse. Está situada a la izquierda del camino que conduce de Madrid a Alcalá, a siete cuartos de legua de la corte.

Vista Alegre.—Casa de recreo establecida en Carabanchel de abajo, a media legua de Madrid. Este establecimiento público, único en su especie en las cercanías de Madrid, y que faltaba a su recreo, se abrió en 1825, y muy desde luego recibió del público la favorable acogida que era de esperar. En esta casa se reúne cuanto puede desearse para pasar un día agradable: diligencias repetidas para trasladarse a ella, jardines graciosos, baños cómodos, habitaciones decentes, juegos campestres, fonda, café, botillería, juego de billar, y últimamente un gabinete de física recreativa con muchos objetos instructivos y curiosos. Toda esta reunión de comodidades, unida a las funciones campestres que suelen darse los días festivos con juegos, volatines, globos, fuegos de artificio y demás, han producido una concurrencia extraordinaria a esta casa, reuniéndose a su puerta mayor número de carruajes que en ninguna otra función de Madrid, y en su interior la más amable y escogida sociedad. Las mejoras que se han observado en

_____

(1) Esta real posesión presentará en breve tiempo nuevas y exquisitas bellezas debidas al genio creador de nuestra amada Soberana, quien trata de realizar en ella los adelantos de la agricultura en otros países, haciendo para ello prados artificiales, una casa de vacas a la manera de Italia, plantío de moreras para la cría de gusanos, un gran gallinero y una caprichosa jaula, jardín a la inglesa, estufa y un palacio gótico.

este establecimiento hacen ver el buen gusto de su dueño, y sus deseos de embellecerle más y más, a lo cual contribuiría poderosamente el que se realizase la plantación de árboles proyectada desde el puente de Toledo hasta él.

Con éste concluimos la descripción de los sitios de recreo inmediatos a Madrid, pues aunque hay algunas otras quintas y huertas, no son de tanta importancia, y además están reservadas a los placeres de sus dueños respectivos. La falta de aguas de estos contornos, la inseguridad, el poco gusto y otras causas, han dado lugar a que los personajes que habitan la corte de España se priven de los placeres agradables del campo. Suelen tener, sin embargo, casas de recreo en los pueblos circunvecinos, como los Carabancheles, Pozuelo, Chamartín, Villaviciosa, Miraflores y otros. En el Carabanchel Alto son de notarse la casa y huerta de los condes de Chinchón, el jardín de la condesa de Miranda, el del marqués de Bélgida, la casa de don Antonio Masoni y otras; en Pozuelo, la casa de baños y jardín de don Pedro Cano; cerca de aquél, la posesión de Somosaguas, de la baronesa viuda de Eroles, y en Chamartín, el palacio de los duques del Infantado, con jardines muy adornados, en cuyo palacio se expidieron los cinco decretos dados por Napoleón en los primeros días de diciembre de 1808, estando su cuartel general en dicho pueblo. Pero todos estos objetos son de poca importancia, en comparación de los Sitios Reales, de que vamos a dar una idea.

El Pardo.—Sitio real de invierno a dos leguas NO. de Madrid, a la izquierda del río Manzanares, que atraviesa su bosque. Su población es de unos 775 habitantes, la mayor parte empleados y jornaleros; tiene capilla parroquial de buena construcción, un hospital, Administración real, escuela y estudio de latinidad y fábrica de baldosas. El palacio se construyó de orden de Carlos V por su arquitecto Luis de la Vega; en el reinado de Carlos III se aumentó, y en el actual ha recibido mejoras considerables, como son un arco de comunicación con la capilla y otras. Es un gran edificio cuadrado con un foso alrededor, plantado de verduras y frutales. La belleza de las piezas con pinturas al fresco y ejecutadas diestramente por los primeros profesores modernos de la corte; los riquísimos tapices, obra de la fábrica de Madrid, que adornan sus paredes y que representan costumbres nacionales; los elegantes muebles y alhajas, entre los que merecen citarse la prodigiosa colección de relojes y las elegantes obras de cristal; el bonito teatro, donde suele representarse durante la permanencia de Sus Majestades; todo esto ha dado a este palacio una importancia que no tenía. Delante de él se forma en el día un gracioso jardín, que contribuirá a embellecer su agradable vista. Algo más distante y a la parte N. hay una casita llamada *del Príncipe*, que consiste en un bello recibimiento de estuco, un gabinete circular de mármoles que da paso al parterre, la sala principal a la izquierda y otras salas más pequeñas, todas ricamente vestidas de terciopelo y seda y pintadas sus bóvedas.

Por último, el gran bosque que rodea la población tiene 15 leguas de circunferencia, siendo su puerta principal la de Hierro, situada en el camino de Madrid. En toda su extensión hay buenos montes de encina, fresno, bardaguera, retama y pastos. El bosque está dividido en varios cuarteles con sus correspondientes guardas. Le atraviesa de N. a S. el río Manzanares, y más de veinte arroyos que le fertilizan, cruzándole 17 caminos. A menos de un cuarto de legua del pueblo, al poniente, y pasado el río, se eleva sobre una colina el convento de capuchinos, fundado por Felipe III en 1612, en el cual se venera la sagrada efigie de Nuestro Señor en el Sepulcro, obra del escultor Becerra. A la media legua por SE. está el palacio y posesión de la *Real Quinta*, y a las dos leguas, la de *la Zarzuela*, célebres antes de la guerra por sus buenas pinturas, adornos, jardines y demás, y que se van renovando decentemente.

Aranjuez.—El real sitio de Aranjuez ha sido y es en todos tiempos el objeto de la admiración de nacionales y extranjeros. Si se hubiera de hacer no más que la enumeración de las infinitas bellezas de todas clases que le enriquecen y le hacen el primer sitio de placer de España, y tal vez de Europa, sería alejarse del objeto de esta obra, que es hablar de Madrid, y dar sólo una idea rápida de sus alrededores, a la manera que el que forma el mapa de un reino presenta ligeramente indicadas las provincias confinantes con él. Quien guste adquirir mayor noticia de este delicioso sitio, puede hallarla en las dos descripciones más modernas que hay, que son la publicada en 1824 por don Manuel de Aleas y la que contiene el *Diccionario geográfico* del señor Miñano.

La proximidad de Aranjuez se hace sensible una legua antes: el aspecto árido de la campiña, que se ha venido recorriendo desde Madrid por espacio de seis leguas, cambia de repente en un valle encantado. Una inmensa multitud de árboles altísimos sombrean el camino; otros, formando bosques deliciosos, presentan toda la riqueza de la vegetación; las praderas, cubiertas de verdura; el ruido de los arroyos, el alegre canto de los pájaros, todo anuncia un nuevo clima, una región diferente que la que se acaba de dejar. Las aguas del Tajo y del Jarama, y la cultura más esmerada son la causa de esta maravilla. La ilusión va en aumento al llegar a una plaza circular, en la que desembocan doce calles o paseos formados por hermosos árboles. Desde aquí ya se descubre Aranjuez, llamando la atención los arcos de la gran plaza, la iglesia de San Antonio y el monte llamado *el Parnaso*. Poco después se llega al puente sobre el Tajo. Aquí la vista se deleita de lleno con la perspectiva que se presenta. Al frente, la hermosa población de Aranjuez; a la derecha, el palacio, el jardín de la isla, un precioso molino construído nuevamente, y a la izquierda, el inmenso jardín del Príncipe, la calle de la Reina y otra multitud de objetos interesantes.

La población de Aranjuez es una villa a la holandesa, según la idea que a su regreso de la embajada de Holanda dió el marqués de Grimaldi. Sus calles anchas y derechas, algunas con árboles en medio; sus casas, no muy altas, están pintadas, y esto, unido a los bellos palacios que de trecho en trecho alteran la uniformidad, dan a este pueblo un aspecto hermoso. Tiene 4.022 habitantes fuera de jornada, pues durante ella, que es en la primavera, es grande la concurrencia, y pueden acomodarse en sus casas 20.000 almas. Reúnese entonces en este sitio cuanto puede hacerle agradable: casas cómodas y buenas fondas, aunque muy caras; paseos deliciosos, excelentes comestibles, placeres campestres de caza, pesca y demás, un gracioso teatro, plaza de toros, cafés y sociedad, en fin, la más delicada; todo concurre entonces a embellecer a Aranjuez.

Pero, sobre todo, lo que le hace más interesante son sus deliciosos jardines. El llamado *de la Isla*, en que está el Palacio real, es admirable por la riqueza, buen gusto y frondosidad de sus distintos compartimentos y por la belleza de sus adornos en fuentes, estatuas, estanques, cenadores y otros. Está situado en la isla que forma el Tajo y la ría, que, corriendo por la fachada norte del Palacio, va a reunirse otra vez a aquél en el puente Verde, y se halla rodeado de un foso con murallas de cantería, adornadas de barandillas de hierro, con tiestos y jarrones, todo del mejor efecto. El Palacio, por la parte del jardín, tiene un aspecto muy sencillo, y por bajo de sus ventanas corre la ría, y a muy corta distancia, el Tajo forma una cascada encantadora. La fachada principal del Palacio cae fuera del jardín y es muy elegante, como asimismo su interior. Este Palacio es obra del famoso Juan de Herrera, y fue construído de orden de Felipe II, aumentado y mejorado en los reinados sucesivos, y decorado correspondientemente a sus augustos dueños.

No es menos variado y rico el jardín del Príncipe, cuya frondosidad y hermosura exceden a toda ponderación. Este jardín fue principiado por el rey don Carlos IV cuando era príncipe de Asturias; tiene 6.905 varas de circunferencia y está poblado de cuantos árboles y arbustos han recogido los botánicos en sus viajes por América y Asia. Es tan inmenso, que se confunde el que entra a visitarle sin método, y puede dividirse en cuatro distritos: 1.º, el jardín que empieza desde la puerta de los pabellones y circundando al de Primavera llega a la calle de Apolo; 2.º, el mismo jardín de Primavera; 3.º, el comprendido entre la calle de Apolo y la del Blanco, y 4.º, la parte de jardín que rodea la casa del Labrador. El Tajo, corriendo con mil revueltas por estos jardines, los fertiliza de un modo sorprendente, y perite a las personas reales pasearlos embarcadas, para lo cual hay su embarcadero con una batería. Sus muchas fuentes, deliciosos puntos de vista, jardines de todos los gustos, islas de América y Asia, laberinto y palacio de la *Casa del Labrador*, todo es extraordinario en hermosura. Esta casa, que se formó en el reinado de Carlos IV con el objeto de formar una casa rural, como indica su nombre, no tiene nada de esto, y sí es propiamente un palacio admirable por la suntuosidad y exquisito gusto de sus adornos. Ellos son tales, que sorprenden la admiración de los viajeros más acostumbrados a ver palacios reales, en ellos se ve de cuánto sería capaz la industria española, que ha producido tantos y tan preciosos objetos como adornan este palacio. Nos abstendremos, pues, de describirlos y terminaremos este artículo estimulando a todo hombre de gusto a que vaya a contemplar por sí mismo éste y los demás encantos de Aranjuez.

San Lorenzo (El Escorial).—Este célebre monasterio fue fundado por el rey don Felipe II bajo los planes y dirección de los arquitectos Juan Bautista de Toledo y Juan de Herrera, y le dió el título de San Lorenzo el Real de la Victoria, en memoria de la que consiguió en su día en 1557 en la memorable batalla de San Quintín. Todo el edificio forma un paralelógramo rectángulo que se extiende de N. a S. 744 pies, y de E. a O. 580. Su elevación es proporcionada. La materia, piedra berroqueña o de granito, y la forma, por la mayor parte el orden dórico. Sus cubiertos están vestidos de pizarra azul, y en muchas partes, de planchas de plomo. Las torres, capiteles, cimborrios, pirámides, puertas, ventanas, remates y frontispicios guardan la mayor uniformidad y simetría, resultando de todo una obra verdaderamente noble. La planta es a imitación de unas parrillas, con relación al martirio del santo a quien está dedicado. El mango le forma la habitación real, que está a espaldas de la capilla mayor, y los pies se figuran en las cuatro torres de las esquinas. La fachada principal y la de mayor adorno, es la que mira a poniente, donde está la entrada general. Tiene de largo, por esta banda, 774 pies, por 62 de alto hasta la cornisa; en las esquinas hay dos torres de más de 200

pies de elevación, y en el espacio intermedio, tres grandes portadas. La fachada de oriente tiene la misma extensión; la del S. tiene de torre a torre 580 pies, y es la que agrada más a la vista por la continuación no interrumpida de los cuatro órdenes de ventanas; la banda del N. es paralela a la anterior, y hay en ella tres puertas para la entrada de palacio y oficinas. Todo el cuadro de la casa tiene 3.002 pies de circunferencia; las puertas que se ven en estos lienzos de fuera son 15, 17 nichos y 1.110 ventanas. Alrededor de las dos fachadas de norte y poniente hay una espaciosa lonja, que tiene de ancho por aquella parte 130 pies, y 190 por ésta. El suelo está repartido con sus losas, y por ambos lados está cerrado de un antepecho de piedra.

La división interior del edificio es en tres partes principales; la primera, que ocupa todo el diámetro del cuadro de poniente a oriente, comprende la entrada principal, el Patio de los Reyes y el templo con todo lo que le pertenece; la segunda, que es el costado del lado del mediodía, son cuatro claustros pequeños y otro grande, en cuya extensión están las habitaciones de los monjes conventuales; la tercera, del otro costado del N., guarda proporción con la anterior, y en los cuatro patios pequeños están los dos colegios, y en el grande el palacio, al cual pertenece también el claustrillo que figura el mango de la parrilla, detrás de la capilla mayor. Después de la entrada principal se halla el gran *Patio de los Reyes*, llamado así por las seis estatuas colosales que se ven en el frontispicio del templo, y representan a David, Salomón, Ezequías, Josías, Josafat y Manasés. Tiene este patio 230 pies de largo por 136 de ancho. El gran templo a que se entra desde allí tiene de largo 320 pies por 230 de ancho. Toda la altura del cimborrio desde el suelo del templo hasta el remate de la cruz es de 330 pies. Los altares del templo son 48. El *Panteón*, que es el sitio destinado a la sepultura de los reyes de España, está situado debajo del altar mayor, de modo que el celebrante pone los pies sobre la clave de su bóveda. Bájase a él por una preciosa escalera de granito y mármol pardo hasta la bóveda, en cuya portada hay una reja de bronce de bellísima forma, la cual ofrece entrada por la escalera principal del Panteón. Este consiste en una pieza ochavada de 36 pies de diámetro por 38 de alto, toda de jaspes y mármoles de gran pulimento, llenos de adornos de bronce dorado. Alrededor hay 26 nichos, donde están colocadas otras tantas urnas sepulcrales, todas de una misma medida, materia y forma. Contienen los cuerpos de los reyes don Carlos V, don Felipe II, don Felipe III, don Felipe IV, don Carlos II, don Luis I, don Carlos III y don Carlos IV; y las reinas doña Isabel, doña Ana, doña Margarita, doña Isabel de Borbón, doña María Ana de Austria, doña María Luisa de Saboya, doña María Amalia de Sajonia y doña María Luisa de Borbón. En este panteón principal se entierran solamente los reyes y las reinas que hubiesen dejado sucesión. El panteón llamado de *infantes*, que está inmediato y no tiene nada de particular, contiene multitud de cuerpos de personas reales, entre los cuales llaman la atención el príncipe don Carlos, hijo de Felipe II; don Juan de Austria, hijo natural de Carlos V; el duque de Vendôme y las tres augustas esposas de nuestro Monarca actual.

Si hubiéramos de describir menudamente las infinitas bellezas artísticas que encierra esta casa, no acabaríamos nunca. Baste decir que con ser tal su grandeza exterior, es incomparablemente mayor la que encierra dentro, causando la admiración de nacionales y extranjeros, que con razón la han llamado *la Octava Maravilla*. Limitándonos, pues, a una recapitulación, diremos que se cuentan en este real monasterio 63 fuentes corrientes y 13 sin uso; 11 aljibes y más de 40 cantinas, 12 claustros, más de 80 escaleras, 73 estatuas de bronce y otras materias, cuatro de mármol, seis colosales de piedra berroqueña y una de 15 pies; infinidad de bajos relieves, 207 libros de coro, dos bibliotecas con más de 24.000 volúmenes impresos y 4.000 manuscritos, 13 oratorios, ocho órganos, 16 patios, cinco refectorios, nueve torres, 51 campanas, de las cuales había 31 dispuestas en consonancia (que padecieron un gran deterioro en 1821 con la caída de un rayo), 14 zaguanes y más de 10.000 ventanas. Las alhajas en reliquias,

obras primorosas, ornamentos y demás no tienen número. Las bóvedas y paredes pintadas al fresco en el templo, coro, claustros, escalera, salas y bibliotecas, componen un espacio de 2.972 pies de longitud, y son obra de Pelegrini, Lucas Canviaso, Rómulo Cincinato, Carducho, Jordán y otros. Las pinturas al óleo (que forman una de las más preciosas colecciones de Europa) son en el día 566, originales de los primeros pintores del mundo, y 261 copias; y, en fin, puede admirarse en esta casa cuanto es capaz de producir el ingenio humano.

La descripción minuciosa de todo ello puede verse en el libro publicado en 1820 por el padre fray Damián Bermejo, monje de dicha casa, con el título de *Descripción artística del Real Monasterio del Escorial*. Por último, añadiremos que la urbanidad y paciencia con que los monjes conducen al forastero por aquel inmenso recinto, son dignas de la mayor alabanza.

La detención que no hemos podido menos de hacer al enumerar tantas bellezas, nos obliga a pasar por alto las muchas que se encierran en la parte de palacio, correspondiente al alto objeto de su destino. Igualmente habremos de renunciar al placer de describir la lindísima casa de recreo de Sus Majestades llamada *del Príncipe*, situada en el declive de una pradera cerca de El Escorial de Abajo. Esta casita es notable por la buena forma que le dió su constructor, el arquitecto Villanueva, pero más aún por el inmenso número de preciosidades con que están alhajadas sus salas, que contienen todos los progresos del gusto moderno, y toda la magnificencia propia de las personas reales.

El Escorial está situado a siete leguas de Madrid, al pie de Guadarrama, y sirve de sitio real en la estación de otoño. El pueblo es poco notable.

San Ildefonso (*La Granja*).—Fundó este real sitio el señor don Felipe V en 1720 a imitación de Versalles, donde había pasado su niñez, escogiendo para ello el terreno a propósito en la falda de los montes carpetanos, cordillera del Guadarrama, a distancia de dos leguas cortas de la ciudad de Segovia y a unas 12 de Madrid. Trajo para ello los primeros artífices de aquella época, y en 1724 se consagró ya la Real colegiata, que es muy elegante y adornada. Es notable en ella el panteón mandado construir por el rey don Fernando VI, situado entre la sacristía y la iglesia, en que se conservan con gran suntuosidad los cuerpos del fundador, Felipe V, y su esposa, doña Isabel Farnesio. Contiguo a la colegiata está el real Palacio, cuya fachada principal, que es muy linda, cae a los jardines. Estos comprenden una extensión de 14.764.000 pies superficiales, y están situados a la falda de la montaña, sobre todas las casas de la población. Es de admirar en ellos su bella distribución, los caprichos de sus cuadros, los estanques, de los cuales el mayor, llamado *el Mar*, ha sido navegable en sus primeros años, y tiene en su línea inferior 400 pasos, 60 sus costados y 36 pies de profundidad; la multitud de estatuas y jarrones que decoran todos los paseos, el complicado laberinto y otros muchos objetos, regulándose el total de árboles en 3.140.000, sin contar los arbustos no sujetos a línea, que son incalculables. Pero lo que embellece sobre todo estos jardines, y en lo que acaso no tienen igual, son las magníficas fuentes, repartidas por todos ellos. Suben éstas a 26, llamadas *de la Fama, los Baños de Diana, Latona* o *las Ranas, el Canastillo, Andrómeda, Neptuno* o *Caballos, los Vientos, Pomona* o *la Selva, las Tres Gracias, Anfitrite*, dos *del Caracol, el Abanico, Apolo*, dos *de la Taza*, dos *de los Dragones* y las ocho de la hermosa plazuela de *las Ocho Calles*, desde la cual se ven correr 16 fuentes a un tiempo. El artificio con que están combinados los juegos de aguas de todas estas fuentes es admirable, y merecía una prolija descripción, pero por muy prolija que fuese, nunca sería bastante a hacer formar una idea del efecto que producen a la vista del asombrado espectador. Baste decir que la de Pomona consta de 83 salidas de agua; que la del Abanico da agua y aire, y que la de la Fama arroja aquella a la altura de 134 pies franceses, siendo todas en fin encantadoras por su combinación y riqueza, así como por las fábulas mitológicas diestramente ejecutadas que representan. Por último, hay también otras fuentes naturales, una magnífica cascada, una ría o cascada vieja, cenador y, en fin, cuantos objetos pueden hacer interesante un si-

tio de esta clase. El interior del palacio está ricamente adornado. La plaza que da entrada al real sitio tiene 600 pasos de longitud, 200 de latitud por lo más ancho y 50 por lo menos, decorada por buenos edificios de cuarteles, caballerizas, etc. El resto del pueblo también es agradable. Este sitio sirve de mansión real en la estación de verano. Para conocer por menor todas sus bellezas puede tenerse presente la descripción publicada en 1825 con el título de *Compendio histórico topográfico y mitológico de los jardines y demás del Real Sitio de San Ildefonso.*

A media legua de distancia está el Real sitio y palacio de Valsaín, cuya magnífica escalera causa la admiración de los inteligentes.

PUEBLOS DE LA PROVINCIA DE MADRID CON SU DISTANCIA DE LA CAPITAL

Pueblos	Leguas
Alameda	1 ¼
Alalpardo	5 ½
Alcalá	4 ½
Alamo	6
Albalate de Zorita	15
Albares	12
Alcolea de Torote	6
Alcorcón	2
Alcobendas	3
Almoguera	12
Almonacid de Zorita	15
Alpedrete	6 ¼
Ambite	7
Ambroz	1 ¼
Anchuelo	5 ½
Aravaca	1 ½
Arganda	4
Argete	5
Arroyomolinos	4 ½
Ajalvir	4
Barajas	2
Batres	5
Bayona de Tajuña	5

Pueblos	Leguas	Pueblos	Leguas
Baztán	6	Daganzo de Arriba	4 $^1/_2$
Becerril	7	Daganzo de Abajo	4 $^1/_2$
Belmonte de Tajo	6 $^1/_2$	Drieves	9
Berrueco	11	Esquivias	6
Boadilla del Monte	2 $^3/_4$	Fresnedillas	7 $^1/_2$
Roalo	8	Fresno (Aldea del)	7
Borox	5 $^1/_2$	Fresno de Torote	5 $^1/_2$
Brea	9	Fuencarral	1 $^1/_4$
Brunete	5	Fuenlabrada	2 $^3/_4$
Bugés	6	Fuente el Fresno	4
Camarma del Caño	5 $^1/_2$	Fuente la Higuera	8 $^1/_2$
Camarma de Encina	5 $^1/_2$	Fuente el Saz	5
Camarma de Esteruelas	5 $^1/_2$	Galapagar	5
Campo Real	5	Getafe	2
Canillas	1 $^1/_2$	Granja de la Cabeza (despobla-	
Canillejas	1 $^1/_4$	do)	11 $^1/_2$
Carabaña	7	Griñón	4 $^1/_2$
Carabanchel Alto	$^3/_4$	Guadalix	8
Carabanchel Bajo	$^1/_2$	Guadarrama	8 $^1/_4$
Casarrobuelos	5	Hortaleza	1 $^1/_2$
Casarrubios del Monte	7	Hoyo de Manzanares	5
Casería del Encinar	5 $^1/_2$	Hueros (Los)	5 $^1/_4$
Casería del Campillo (despoblado)	8 $^1/_2$	Humanes	4
Casería de Vilches	7 $^1/_2$	Húmera	1 $^1/_4$
Casas de Navas del Rey	9	Leganés	1 $^3/_4$
Cabanillas de la Sierra	9	Loeches	5
Cerceda	7	MADRID	
Cercedilla	8	Majadahonda	2 $^3/_4$
Chamartín	1	Manzanares el Real	7
Chapinería	8	Mata el Pino	8
Chinchón	6	Mazuecos	9
Chozas de la Sierra	7	Meco	5
Ciempozuelos	5	Mejorada	3
Colmenar del Arroyo	8	Méntrida	8
Colmenar Viejo	5 $^1/_2$	Mesones	7 $^1/_2$
Colmenarejo	6	Miraflores de la Sierra	9
Collado Mediano	6 $^1/_2$	Molar (El)	7
Collado Villalba	6	Molinos (Los)	7 $^1/_2$
Corpa	6	Moraleja de Enmedio	4
Coslada	1 $^1/_2$	Moraleja la Mayor	4
Cobeña	3 $^1/_2$	Moralzarzal	6
Cubas	5	Morata	5

Pueblos	Leguas	Pueblos	Leguas
Móstoles	3	Talamanca	7
Navacerrada	8 $^1/_2$	Tielmes	6
Navalagamella	6 $^3/_4$	Torre de Esteban Ambrán	9
Navalcarnero	5	Torrejón de Ardoz	3
Navalquejigo	7	Torrejón de la Calzada	4 $^1/_2$
Olmeda de Cebolla	6 $^1/_2$	Torrejón de Velasco	4
Orusco	7 $^1/_2$	Torrelodones	5
Paracuellos	3	Torres	5
Parla	3	Vaciamadrid	3
Pedrezuela	7	Vaezuela (despoblado)	5 $^1/_2$
Peralejo	6 $^3/_4$	Valdelaguna	6
Perales del Río	2	Valdemorillo	6
Perales de Milla	6 $^1/_4$	Valdemoro	4
Perales de Tajuña	6	Valdeolmos	5 $^1/_2$
Pesadilla	8 $^1/_2$	Val de Nuño Fernández	7 $^3/_4$
Pezuela de las Torres	7 $^1/_2$	Valdepeñas de la Sierra	10
Pinto	3	Valdilecha	6
Polvoranca	2 $^1/_2$	Valmojado	8
Pozuelo de Alarcón	1 $^3/_4$	Vallecas	1 $^1/_2$
Pozuelo del Rey	5	Valverde	5 $^1/_4$
Prado (Villa del)	7	Velilla de San Antonio	3 $^1/_4$
Quijorna	6	Vellón (El)	8
Redueña	8	Venturada	8 $^1/_2$
Rejas	2	Villalvilla	5 $^1/_4$
Rivas	2 $^3/_4$	Villar del Olmo	6 $^1/_4$
Robledo de Chavela	9	Viñuelas	8
Romanillos	4	Vicálvaro	1
Rozas (Las)	3 $^3/_4$	Villafranca de Castillo	5
Sacedón de Gañales	5	Villamanta	6 $^1/_2$
San Agustín	5	Villamantilla	6
San Martín de Valdeiglesias	12	Villanueva de la Cañada	5
San Martín de la Vega	4	Villanueva del Pardillo	4 $^1/_2$
San Sebastián de los Reyes	3 $^1/_4$	Villanueva de Perales	6
Santa María de la Alameda	9	Villaverde	1 $^1/_2$
Santos (Los)	6 $^1/_4$	Villaviciosa	3
Santorcaz	6 $^1/_4$	Ugena	6
Serranillos	4 $^1/_2$	Yebra	12
Seseña	5	Zarzalejo	7 $^3/_4$
Sevilla la Nueva	5	Zorita de los Canes	12

CAPITULO XIV

LISTA ALFABETICA DE LAS CALLES DE MADRID CON EXPRESION DE SUS ENTRADAS Y SALIDAS

NOTA.—Los números denotan el cuartel en que están situadas las calles, en esta forma: 1, La Plaza; 2, Palacio; 3, Afligidos; 4, Maravillas; 5, Barquillo; 6, San Martín; 7, San Jerónimo; 8, Avapies; 9, San Isidro, y 10, San Francisco

A

CALLES	Entrada por la calle de	Salida a la calle de	Cuartel
Abada	Plazuela del Carmen.	Jacometrezo	6
Abades	Embajadores	Mesón de Paredes	9
Abadía y Castro	Reyes	Dos Amigos	3
Acuerdo	San Benito	San Hermenegildo	3
Aguardiente	Plazuela del Alamillo	Costanilla de San Andrés	10
Aguas	Don Pedro y Alcantarilla	Tabernillas	10
Aguas	Mayor	Plazuela de Herradores	1
Agueda (Santa)	Santa Brígida	San Mateo	5
Aguila	Tabernillas	Plaza de Armas	10
Agustín (San)	Del Prado	Cantarranas	7
Agustín (San)	Arganzuela	Sin salida	10
Alameda	Huertas	Verónica	8
Alamo	Mostenses	Plazuela de Capuchinas	3
Alba	V. Duque de Alba		
Alba	Ibid.		
Alberto (San)	Montera	Plazuela del Carmen	6
Alcalá	Puerta del Sol	Puerta de Alcalá	7
Almendro	Nuncio	Puerta de Moros	10
Almirante	Reyes Alta	Al Prado	5
Almudena	Platerías	Plazuela de los Consejos	2
Amaniel	Plazuela de Capuchinas	San Hermenegildo	3
Amargura	Mayor	Plaza Mayor	1
Amazonas	Velas	Plaza del Rastro	9
Amor de Dios	Plazuela de Antón Martín	Huertas	8
Amor de Dios baja.	Embajadores	Comadre	9
Ana (Santa)	Ruda	Bastero	9
Andrés (San)	Cruz del Espíritu Sto.	A los pozos de la nieve	4
Angel	Tabernillas	San Bernabé	10
Angeles	Plazuela de Santo Domingo	Plazuela de Santa Catalina de los Donados	6
Antón (San)	San Marcos	Santa Teresa	5
Arenal	Puerta del Sol	Plaza de Oriente	1 y 6
Arganzuela	Toledo	A las tapias	10 y 9
Arganzuela	Arganzuela	Sin salida	10
Atocha	Plaza Mayor	Prado	1 y 8
Aunque os pese	Enhoramala Vayas	Beatas	3
Autores	Plazuela de Santa María	Altillo de Palacio	2

CALLES	Entrada por la calle de	Salida a la calle de	Cuartel
Avapiés (Real de) ...	Magdalena	Plazuela de ídem	3
Ave María	Magdalena	Plazuela del Avapies	8
Azotado	Plazuela de la Villa.	Segovia	1
Azotado	Véase Grafal.		

B

Ballesta	Desengaño	Corredera Baja de San Pablo..	4
Baño	Carrera de San Jeró-		
	nimo	A la del Prado	7
Bárbara (Santa)	Fuencarral	Plazuela de San Ildefonso ...	4
Bárbara la Vieja			
(Santa)	Santa María del Arco	Plazuela del Duque de Frías.	5
Barco	Desengaño	Plazuela de San Ildefonso ...	4
Barquillo	Alcalá	San Antón	5
Barranco...	Véase San Buenaven		
	tura a San Francisco.		
Barrionuevo...	Concepción Jerónima	Remedios	8 y 9
Bartolomé (San)	Infantas	Santa María del Arco	5
Bastero	Toledo	Carnero	9
Batán y Divino Pas-			
tor	Fuencarral	San Andrés	4
Beatas	Ancha de San Ber-		
	nardo	Alamo	3
Belén	Barquillo	Jesús y María	5
Benito (San)...	Ancha de San Ber-		
	nardo	Plazuela del Gato	3
Benito (San)...	Conde Duque	Negras	3
Benito (San)...	Fuencarral	San Opropio	5
Berenjena	Huertas	San Juan de Antón Martín ...	8
Bernabé (San)	Calatrava...	Portillo de Gilimón	10
Bernardino (San) ..	Plazuela de Capuchi-		
	nas	Portillo de San Bernardino....	3
Bernardo Ancha			
(San)	Plazuela de Santo		
	Domingo	Puerta de Fuencarral	3
Bernardo Angosta			
(San)	Montera	Angosta de Peligros	6
Bernardo (San)	Santa Isabel	Valencia	8
Biombo	San Nicolás	Factor	2
Blas (San)	Leche	San Pedro	8
Bodega	Arenal...	Plazuela del Clavel	6
Bodegones	Véase Velas.		
Bola	Plazuela de Santo		
	Domingo	Plaza de Oriente	2
Bonetillo	Mayor	Costanilla de Santiago	1
Bordadores	Arenal	Mayor	1
Boteros	Mayor	Plaza Mayor	1
Brígida (Santa)	Hortaleza...	Fuencarral	5
Bruno (San)	Toledo	Cava Alta	10
Buenaventura (San)..	Campillo de S. Fran-		
	cisco	Vistillas	10

CALLES	Entrada por la calle de	Salida a la calle de	Cuartel
Buenaventura (San)..	Plazuela de Leganitos	Sin salida	3
Buenavista	Véase Tesoro Alta.		
Buenavista	Barquillo	Reyes Alta	5
Buenavista	Santa Isabel	Fe	8
Burro	Toledo...	Remedios	9

C

Caballero de Gracia..	Red de San Luis ...	Alcalá	6
Cabestreros	Embajadores	Mesón de Paredes	9
Cabeza	Ave María	San Pedro Mártir	9
Calatrava	Toledo...	San Bernabé	10
Callejón sin salida ..	Tudescos	... ...	6
Callejón sin salida ...	Concepción Jerónima	... ...	1
Calvario	Jesús y María.	Olivar	3
Campillo de Manuela	Avapiés	Olivar	3
Campillo y Carrera de San Francisco...	Puerta de Moros	San Francisco	10
Candil	Carmen	Preciados	6
Cantarranas...	León	Fúcares	7
Cañizares	Atocha	Magdalena	8
Caños del Peral... ...	Subida de los Angeles	A los Caños	2
Capellanes	Preciados	Plazuela de Celenque	6
Carbón	Desengaño	Jacometrezo...	6
Carlos (San)	Olivar	Ave María	8
Carmen	Puerta del Sol	Postigo de San Martín	6
Carnero	Arganzuela	Peñón	9
Carrera de San Francisco	Véase Campillo.		
Carrera de San Jerónimo	Puerta del Sol	Al Prado	7
Carretas	Puerta del Sol	Plazuela del Angel	1
Catalina de los Donados (Santa)	Plazuela de ídem .	Arenal	6
Catalina (Santa) . .	Carrera de San Jerónimo	Prado	7
Catalina la Vieja (Santa)	Fuencarral	Plazuela de San Ildefonso ...	4
Cava Alta	Puerta de Moros	Grafal	10
Cava Baja	Idem	Puerta Cerrada	10
Cava de San Miguel.	Plazuela de San Miguel...	Cuchilleros	1
Cedaceros	Alcalá...	Carrera de San Jerónimo ...	7
Cerrillo del Rastro...	Ribera de Curtidores	Peñón	9
Ciprián (San)	Alamo	Leganitos	3
Clara (Santa)	Plazuela de Santiago.	Plaza de Oriente	2
Clavel...	Plazuela de Trujillos	Flora	6
Clavel...	Pozo	Flor Alta	4
Clavel...	Caballero de Gracia..	Infantas	6

CALLES	Entrada por la calle de	Salida a la calle de	Cuartel
Codo	Nuncio	A San Pedro	10
Codo	Plazuela de la Villa..	Plazuela del Conde de Miranda	1
Codo	Preciados	Sin salida	6
Cofreros	Puerta del Sol	Zarza	6
Cojos	Toledo	Arganzuela	10
Colmillo	Hortaleza...	Fuencarral	5
Coloreros	Mayor	Arco de San Ginés	1
Comadre	Esgrima	A las tapias	9
Concepción Jerónima	Atocha	Toledo	1
Concepción	Ancha de San Bernardo	Pozas	4
Conde	Azotado	Segovia	2
Conde de Barajas ..	Puerta Cerrada	Plazuela del Conde de Barajas	1
Conde Duque	Plazuela de Afligidos	Portillo del Conde Duque ...	3
Corral de las Naranjas	Cuesta de los Ciegos.	Vistillas	10
Corralón	Hoz Alta	Sin salida	9
Corredera Alta de San Pablo	Plazuela de San Ildefonso	Fuencarral	4
Corredera Baja de ídem	Luna	Plazuela de San Ildefonso ...	4
Correo	Mayor	Plazuela de la Paz	1
Cosme de Médicis ...	Remedios	Duque de Alba	8 y 9
Cosme y Damián (S)	Santa Isabel	Fe	8
Costanilla de San Andrés	Puerta de Moros ...	Segovia	10
Costanilla de Capuchinos	Infantas	San Marcos	5
Costanilla de los Desamparados...	Atocha	Huertas	8
Costanilla de Santiago	Plazuela de Herradores	Milaneses	1
Cristo...	Plazuela de las Comendadoras	Limón Alta	3
Cristóbal (San)	Mayor	Plazuela de Santa Cruz	1
Cristóbal (San)	Véase Rincón.		
Cruz	Plazuela del Angel ..	Carrera de San Jerónimo ...	7
Cruz de Caravaca ...	Avapiés	Hoz Alta	9
Cruz del Espíritu Santo	Ancha de San Bernardo	Corredera Alta de San Pablo.	4
Cruz Nueva	Cruz del Espíritu Sto.	Palma Alta	4
Cruz de la Zarza ...	Minas	Sin salida	4
Cruces (Tres)	Plazuela del Carmen.	Jacometrezo	6
Cruces (Tres)	Luna	Pez	4
Cruzada	Plazuela de Santiago.	Altillo de Palacio	2
Cuadra	Alamo	Reyes	3
Cuchilleros	Puerta Cerrada	Cava de San Miguel	1
Cuesta de los Caños Viejos	Segovia	Morería	10

CALLES	Entrada por la calle de	Salida a la calle de	Cuartel
Cuesta de los Ciegos.	Segovia	Corral de las Naranjas	10
Cuesta de Ramón ..	Segovia	Pretil de los Consejos	2
Cueva	Ancha de San Bernardo	Justa	4
Cuervo	Plazuela del Duque de Alba...	Rastro	9

D

Damas y Primavera.	Ave María	Esperanza	3
Dámaso (San)	Plazuela del Duque de Alba	Embajadores	9
Desengaño	Fuencarral	Luna	6
Dimas (San)... ...	Palma Baja	A las tapias	3
Divino Pastor	Véase Batán.		
Domingo (Santo) ..	Plazuela de Santo Domingo	Plaza de Oriente	2
Domingo (Santo) .	Véase Quiñones.		
Don Pedro	Véase la P.		
Dos Amigos	Plazuela de Leganitos	San Bernardino	3
Dos Hermanas	Embajadores	Mesón de Paredes	9
Dos Mancebos	Redondilla	Costanilla de San Andrés	10
Duda	Mayor	Arenal	1
Duque de Alba... ..	Estudio	Merced	9
Duque de Alba... ..	Barquillo...	Reyes Alta	5
Duque de Nájera ...	Almudena	Sacramento	2
Duque de Osuna ...	Plazuela de Leganitos	Pío	3

E

Eguiluz	Plazuela de Leganitos	San Ciprián	3
Embajadores	San Dámaso	Portillo de Embajadores	9
Embajadores	Embajadores	Sin salida	9
Emperatriz	Véase la segunda del Duque de Alba.		
Encarnación...	Plazuela de la Encarnación	Plazuela de doña María de Aragón	2
Encomienda	Embajadores	Mesón de Paredes	9
Enhoramala Vayas ..	Ancha de San Bernardo	Sal si puedes	3
Escorial	Corredera Baja de San Pablo	Jesús del Valle	4
Escuadra	Torrecilla del Leal ..	Damas	8
Esgrima	Mesón de Paredes ...	Jesús y María	9
Espada	Merced	Esgrima	9
Esparteros	Mayor	Plazuela de Santa Cruz	1
Espejo	Santiago	Plaza de Oriente	1
Esperanza	Ave María	Torrecilla del Leal	8
Esperancilla	Jesús y María	Comadre	9
Esperancilla	Atocha	Santa Isabel	8

CALLES	Entrada por la calle de	Salida a la calle de	Cuartel
Espino	Amor de Dios Baja.	Barranco del Avapies	9
Espiritu Santo	Véase Inquisición.		
Espíritu Santo	Véase Cruz del Espíritu Santo.		
Estrella	Silva	Ancha de San Bernardino ...	4
Estudio Vieja	Morería	Plazuela del Granado ...	10
Estudio	Toledo	Plazuela del Duque de Alba ...	9
Estudio de la Villa .	Pretil de los Consejos	Plazuela de la Cruz Verde ...	2
Eugenio (San)	Atocha	Santa Isabel	8

F

Factor	Almudena	Altillo de Palacio	2
Fe	Plazuela del Avapies.	A las tapias del Salitre	8
Fernando (San) ..	Infantas	Santa María del Arco	5
Flor	Jacometrezo	Desengaño	6
Flor	Florida	San Opropio	5
Flor	Campillo de S. Francisco	Vistillas	10
Flor o de la Rosa .	Ave María	Leal	8
Flor Alta	Ancha de San Bernardo	Justa	4
Flor Baja	Idem.	Leganitos	3
Flora	Plazuela del Clavel ...	Plazuela de Santa Catalina de los Donados	6
Florida	San Antón	A las tapias	5
Florín	Carrera de San Jerónimo	Sordo	7
Fuencarral	Red de San Luis ...	Puerta de San Fernando	4
Francisco (San)	Véase calle de Válgame Dios.		
Francos	León	Plazuela de Jesús	7
Fúcar	Atocha	Plazuela de San Juan	8
Fúcares	Plazuela de San Juan	Plazuela de Jesús	8
Fuentes	Plazuela de Herradores	Arenal	1
Fuente del Cura ...	Ancha de San Bernardo	Pez	4

G

Garduña	Ancha de San Bernardo	Parada	3
Gato	Gorguera...	Teatro de la Cruz	7
Gerónimo (San)	Véase Carrera de id.		
Ginés (San)	Bordadores	Arco de San Ginés	1
Gitanos	Ancha de Peligros ...	Cedaceros	7
Gobernador	Costanilla de los Desamparados	A las tapias del Prado	8
Gorguera	Plazuela de Sta. Ana.	Cruz	7

CALLES	Entrada por la calle de	Salida a la calle de	Cuartel
Grafal	Tintoreros	Cava Alta	10
Granado	Plazuela de la Morería	Redondilla	10
Gieda	Cedaceros...	Turco	7
Gregorio (San)	San Vicente	Palma Alta	4
Gregorio (San)	Soldado	Jesús y María	5
Gregorio (San)	Humilladero...	Mediodía Chica	10

H

Hermenegildo (San).	Ancha de San Bernardo	Amaniel	3
Hileras	Arenal	Plazuela de Herradores	1
Hita	Plazuela de Moriana.	Tudescos	6
Hita	Alcalá	Peligros angosta	7
Horno de la Mata ...	Jacometrezo	Luna	6
Hortaleza	Red de San Luis ...	Plazuela de Santa Bárbara ...	5 y 6
Hoz Alta	Mesón de Paredes ..	Hoz Baja	9
Hoz Baja	Hoz Alta	Barranco del Avapies	9
Huerta de Bayo ...	Ribera de Curtidores.	Peña de Francia	9
Huertas	Plazuela del Angel ...	Al Prado	7 y 8
Humilladero... ...	Puerta de Moros ...	Toledo	10

CH

Chinchilla	Abada	Jacometrezo	6
Chopa	Santa Ana	Mira el Río Alta	9

I

Ignacio (San)	Alamo	Cuadra	3
Ildefonso la Nueva (San)	Véase Solana.		
Ildefonso (San)... ..	San Eugenio...	Santa Inés	8
Imperial	Plazuela de Provincia	Toledo	1
Inés (Santa)	Atocha	Santa Isabel	8
Infantas	Fuencarral	Siete Chimeneas	5
Infante	Lobo	León	7
Infierno	Mayor	Plaza Mayor	1
Inquisición	Plazuela de Santo Domingo	Alamo	3
Isabel (Santa)	Plazuela de Antón Martín	Hospital general	8
Isidro (San)...	Embajadores...	Peña de Francia	9
Isidro (San)...	Don Pedro	Angel	10
Isidro (San)...	Véase Burro...		
Isidro (San)...	Véase Aguardiente ...		
Isidro (San) o del Pretil	Almendro	San Pedro	10

CALLES	Entrada por la calle de	Salida a la calle de	Cuartel

J

Jacinto (San)	Plazuela de Sta. Cruz.	Plaza Mayor	1
Jacinto (San)	Abada	Postigo de San Martín	6
Jacometrezo	Red de San Luis ..	Plazuela de Santo Domingo ...	6
Jardines	Red de San Luis ..	Angosta de Peligros	6
Jesús	Plazuela de Jesús ...	Huertas	7
Jesús del Valle	Pez	Cruz del Espíritu Santo ...	4
Jesús del Valle	Jesús del Valle... . ..	Sin salida	4
Jesús y María	Merced	Plazuela del Avapies	8
Jesús y María	Fúcar...	Redondilla Vieja	8
Jesús y María	San Antón	Belén	5
Joaquín (San)	Plazuela de San Ilde-		
	fonso	Fuencarral	4
Joaquín (San)	Amaniel	Conde-Duque	3
Jorge (San)	Caballero de Gracia.	Infantas	6
José (San)	Ballesta	Corredera de San Pablo	4
José (San)	Huertas	San Juan	8
José (San)	Plazuela de las Sa-		
	lesas	Al Prado	5
Juan (San)	Fuencarral	Hortaleza	5
Juan la Nueva (San)	Ancha de San Ber-		
	nardo	Plazuela de San Juan la Nueva.	3
Juan de Antón Mar-			
tín (San)	Plazuela de Antón		
	Martín	Al Prado	8
Juan Bautista (San).	Véase Conde-Duque.		
Juan de Dios	San Bernardino... ..	San Joaquín	3
Juan García Pastor...	Arganzuela	Bastero	9
Juanelo	Mesón de Paredes ..	San Dámaso	9
Justa	Estrella	Flor Alta	4
Justo (San) .. .	Puerta Cerrada... .	Plazuela del Cordón	1
Justo (San)	Embajadores.. ...	Cabestreros	9

L

Latoneros...	Toledo	Puerta Cerrada	1
Lavapiés	Véase Avapiés.		
Lázaro (San)	Segovia	Sin salida	2
Leal	Véase Torrecilla del		
	Leal.		
Leche (Nuestra Seño-			
ra de la)	Atocha	Verónica	8
Lechuga	Plazuela de Sta. Ana.	Príncipe	7
Lechuga	Imperial	Salvador	1
Leganitos	Plazuela de Santo Do-		
	mingo	Plazuela de Leganitos	3
Leganitos Alta	Véase Prado y Lega-		
	nitos.		

CALLES	Entrada por la calle de	Salida a la calle de	Cuartel
León	Plazuela de Antón Martín	Prado	7 y 3
Leonardo (San)	Leganitos...	San Bernardino	3
Leones	Jacometrezo	Desengaño	6
Libertad	Véase San Fernando.		
Limón Alta	San Bernardino... . .	Plazuela de San Juan la Nueva	3
Limón Baja	Puebla	Reloj	2
Lobo	Carrera de San Jerónimo	Huertas	7
Lorenzo (San)	Hortaleza..	San Mateo	5
Lucas (San)	San Gregorio	Santo Tomás	5
Lucía (Santa)	Cruz del Espíritu Santo	Tesoro Alta	4
Luciente o del Reloj.	Humilladero...	Tabernillas	10
Luna	Ancha de San Bernardo	Horno de la Mata	4
Luzón	Plazuela de la Villa...	Cruzada	1 y 2

M

Madera Alta...	Pez	Cruz del Espíritu Santo	4
Madera Baja...	Luna	Pez	4
Madrid	Plazuela de la Villa .	Nájera	1
Magdalena Alta	Luna	Pez	4
Magdalena Baja	Plazuela de Antón Martín	Fuente de Relatores	8
Majaderitos Ancha .	Angosta de Majaderitos	Cruz	7
Majaderitos Angosta..	Carretas	Victoria	7
Maldonadas...	Plazuela de la Cebada	Plazuela del Rastro	9 y 10
Malpica	Plazuela de los Consejos	Portillo de la Vega	2
Manuel	Plazuela de Afligidos.	San Benito	3
Manzana	Ancha de San Bernardo	Alamo	3
Marcos (San)	Hortaleza...	Sin salida	5
Margarita (Santa) ...	Plazuela de Leganitos.	Cuadra	3
María (Santa)	León	Plazuela de San Juan	8
María del Arco (Santa)	Hortaleza	San Fernando	5
María la Vieja (Stª).	Hortaleza	San Mateo	5
Mártires de Alcalá ..	Plazuela del Seminario	San Bernardino	3
Mateo (San)...	Fuencarral	Plazuela de Santa Bárbara ...	5
Mayor	Puerta del Sol	Puerta de Guadalajara	1
Mediodía Grande ..	Humilladero...	Aguila	10
Mediodía Chica	Mediodía Grande ...	Calatrava	10
Mellizo	Arganzuela	Sin salida	10
Merced	Magdalena	Duque de Alba	8 y 9
Mesón de Paredes ..	Merced	Hoz Alta	9
Mesón de Paños ...	Costanilla de Santiago	Tintes	1

CALLES	Entrada por la calle de	Salida a la calle de	Cuartel
Miguel (San)	Puerta de Guadalajara	Plazuela de San Miguel	1
Miguel (San)	Hortaleza	Caballero de Gracia	6
Miguel y S. José (S.)	Ancha de San Bernardo	Fuencarral	4
Milaneses...	Platerías..	Santiago	1
Millán (San)	Toledo	Estudio	10
Minas Altas	Pez	Cruz del Espíritu Santo ...	4
Minillas	Plazuela de Leganitos	Sin salida	3
Ministriles	Calvario	Campillo de Manuela	8
Mira el Río Alta ...	Bastero	Chopa	9
Mira el Río Baja ...	Mira el Río Alta ...	A las tapias	9
Mira el Sol	Embajadores...	Ventorrillo	9
Molino de Viento ...	Pez	Rosario	4
Montera	Puerta del Sol	Red de San Luis	6
Morería Vieja	Plazuela de la Morería	Cuesta de los Ciegos	10
Muertos	Plazuela de los Trujillos	Plazuela de Navalón	10

N

Nájera	Véase Duque de ídem		
Nao	San José	Puebla vieja	4
Nabo	Ancha de San Bernardo	Tres Cruces	4
Naranjas...	Vistillas	Cuesta de los Ciegos	10
Negras o de la Sierpe	Toledo	Humilladero	10
Negras	San Bernardino... ..	Al cuartel de Guardias ...	3
Negros	Carmen	Plazuela del Carmen	6
Nicolás (San)	Plazuela de los Consejos	Altillo de Palacio	2
Niño	Francos	Cantarranas	7
Niño Perdido	Atocha	Santa Isabel	8
Noblejas	Factor	Plaza de Oriente	2
Norte	San Benito	Santo Domingo Nueva	3
Nueva...	Plaza Mayor	Puerta de Guadalajara	1
Nueva...	Palacio	Prado nuevo	2
Nueva de la Alcantarilla	Don Pedro	Dos Mancebos	10
Nuncio	Puerta Cerrada... ..	San Pedro	10

O

Olivar	Magdalena	Plazuela de Avapies	8
Olivo Alto	Abada	Desengaño	6
Olivo Bajo	Carmen	Abada	6
Olmo	Santa Isabel	Olivar	8
Onofre (San)	Fuencarral	Valverde	1
Opropio (San)	Plazuela de Sta. Bárbara	A las tapias	5

CALLES	Entrada por la calle de	Salida a la calle de	Cuartel
Oriente	Humilladero...	Tabernillas	10
Oso	Embajadores...	Mesón de Paredes	9
Osuna	Véase Duque de ídem		

P

Palma Alta	Fuencarral	Ancha de San Bernardo	4
Palma Baja	Ancha de San Bernardo	Amaniel	3
Palma	Segovia	Plazuela de San Andrés	10
Paloma	Calatrava...	Puerta de Toledo	10
Panaderos	Luna	Pez	4
Panaderos	Hortaleza...	San Antón	5
Panecillo...	San Justo	Pasa	1
Parada	Flor baja	Enhoramala vayas	3
Pasa	Puerta Cerrada... ..	Plazuela de San Miguel	1
Paz	Plazuela de la Leña.	San Ricardo	1
Peces (Tres)	Santa Isabel	Ave María	8
Pedro y Alcantarilla (Don)	Puerta de Moros ..	Vistillas	10
Pedro (San)	Atocha	San Juan	8
Pedro (San)	Embajadores...	Ribera de Curtidores	9
Pedro la Nueva (S.).	San Vicente Alta ...	San Miguel y San José	4
Pedro Mártir (San)..	Merced	Calvario	9
Pedro y Pablo (San)	Hortaleza	Fuencarral	5
Peligros Ancha	Alcalá	Carrera de San Jerónimo ...	7
Peligros Angosta ..	Caballero de Gracia.	Alcalá	6
Peña de Francia ..	Avapies	Ministriles	8
Peña de Francia ..	Rodas	A las tapias	9
Peñón	Cerrillo del Rastro..	A las tapias	9
Peregrinos	Plazuela de Celenque.	Zarza	6
Perro	Tudescos...	Pozo	4
Pez	Corredera de San Pablo Baja	Fuente del Cura	4
Piamonte...	Plazuela del Duque de Frías	Reyes Alta	5
Pingarrona	Espada	San Pedro Mártir	9
Pío	Plazuela de Aflijidos.	A las tapias	3
Platerías	Puerta de Guadalajara...	Plazuela de la Villa	1
Polonia (Santa)... ..	San Juan	Santa María	8
Ponciano de Olivares	San Bernardino... .	Plazuela del Gato	3
Portillo	San Joaquín	Plazuela de las Comendadoras	3
Postas	Esparteros	Plaza Mayor	1
Postigo de S. Martín	Plazuela de San Martín	Jacometrezo	6
Pozas...	Pez	Cruz del Espíritu Santo	4
Pozo	Ancha de San Bernardo	Flor Alta	4
Pozo	Cruz	Victoria	7
Prado...	Plazuela de Sta. Ana.	Carrera de San Jerónimo	7
Prado Nuevo	Plazuela de Leganitos	Puerta de San Vicente	2

CALLES	Entrada por la calle de	Salida a la calle de	Cuartel
Preciados	Puerta del Sol	Plazuela de Santo Domingo ...	6
Pretil de los Consejos	Procuradores..	Estudio de la Villa	1
Pretil de Palacio ..	Inmediato a éste.		
Primavera y Damas.	Véase Damas.		
Príncipe	Carrera de San Jeró-		
	nimo	Huertas	7
Priora	Plazuela de Santa Ca-		
	talina de los Dona-		
	dos	Caños del Peral	6
Procuradores	Plazuela de los Con-		
	sejos	Pretil de los Consejos	2
Puebla	Santo Domingo	Río	2
Puebla Vieja	Corredera de San Pa-		
	blo	Valverde	4
Puebla de Peralta ..	Pozo	Flor Alta	4
Puñonrostro... ...	San Justo	Plazuela del Conde de Mi-	
		randa	1

Q

Quiñones...	Plazuela de las Co-		
	mendadoras	San Joaquín	3

R

Real de Avapiés	Véase Avapiés.		
Real del Barquillo ..	Véase la Barquillo.		
Recodo	Espejo	Plaza de Oriente	1
Recodo	Inquisición	Flor Baja	3
Red de San Luis ..	Montera	Fuencarral	9
Redondilla	Costanilla de San An-		
	drés	Dos Mancebos	10
Redondilla Vieja	Atocha	Gobernador	8
Regueros	Barquillo	Jesús y María	5
Rejas	Bola	Torija	2
Relatores	Atocha	Magdalena	8
Reloj	Véase Luciente.		
Reloj	Río	Torija	2
Remedios	Cosme de Medicis ...	Magdalena	8
Reyes	Ancha de San Ber-		
	nardo	Plazuela de Leganitos	3
Reyes Vieja...	Santa Isabel...	Tapias del Hospital	8
Reyes Alta	Plazuela de las Sale-		
	sas	Buena vista	5
Reina	Hortaleza...	Torres	6
Ricardo (San)	Carretas	Paz	1
Rincón	Barquillo	Reyes Alta	5
Río	Leganitos	Nueva	2
Ribera de Curtidores.	Plazuela del Rastro...	A las tapias	9
Rodas	Embajadores...	Ribera de Curtidores	9
Rollo	Madrid	Plazuela de la Cruz Verde ...	1 y 2

CALLES	Entrada por la calle de	Salida a la calle de	Cuartel
Rompelanzas	Carmen	Preciados	6
Roque (San)	Luna	Pez	4
Rosa	Luzón	Plazuela del Biombo	2
Rosa	Véase Flor.		
Rosal	Plazuela de los Mostenses	Parada	3
Rosario	Campillo de S. Francisco	Portillo de Gilimón	10
Rosario de don Felipe	Plazuela de San Ildefonso	Madera Alta	4
Rubio	Pez	Cruz del Espíritu Santo	4
Ruda	Plazuela de la Cebada	Plazuela del Rastro	9

S

Sacramento	Plazuela de los Consejos	Plazuela del Cordón	2
Sacramento	Juanelo	Encomienda	9
Sal	Postas	Plaza Mayor	1
Sal si puedes	Enhoramala vayas ...	Beatas	3
Salud	Carmen	Jacometrezo	6
Salvador (San)	Véase Luzón.		
Salvador (San)	Concepción Jerónima.	Plazuela de Provincia	1
Santiago	Plazuela de Santiago.	Milaneses	1
Santiago (Cost.) ...	Milaneses...	Plazuela de Herradores	1
Santiago el Verde ...	San Isidro	A las tapias del Casino	9
Sartén	Postigo de San Martín	Angeles	6
Sauco	Barquillo	Reyes Alta	5
Segovia	Puerta Cerrada. ..	Puerta de Segovia	2 v 10
Sierpe	Toledo	Humilladero	10
Siete Chimeneas	Barquillo...	Infantas	5 v 6
Silva	Luna	Plazuela de Santo Domingo ..	4
Simón (San)...	Ave María	Leal	4
Sin Puertas	Palma	Costanilla de San Andrés ...	2 v 10
Solana	Paloma	Aguila	10
Soldado	San Francisco y Válgame Dios	Sin salida	5
Sombrerete	Plazuela del Avapiés.	Hoz Alta	9
Sordo	Cedaceros	Turco	7
Subida de S. Martín.	Arenal	Plazuela de las Descalzas	6
Subida de Sta. Cruz.	Véase Espartero.		

T

Tabernillas	Puerta de Moros ..	Aguila	10
Tahona de las Descalzas	Capellanes	Peregrinos	6
Tentetieso..	Plazuela del Cordón.	Segovia	2
Teresa (Santa)	Plazuela de Sta. Bárbara	Al convento de Santa Teresa.	5

CALLES	Entrada por la calle de	Salida a la calle de	Cuartel
Ternera	Preciados...	Sartén	6
Tesoro Alta	Rubio	Pozas	4
Tinte	Atocha	Santa Isabel	8
Tintes	Costanilla de Santiago	Subida de la plaza de Oriente	1
Tintoreros	Toledo	Puerta Cerrada	1
Toledo	Plaza Mayor...	Puerta de Toledo	1, 9, 10
Tomás (Santo)	Atocha	Concepción Jerónima	1
Tomé (Santo)	Plazuela de las Salesas	Piamonte	5
Torija	Plazuela de Santo Domingo	Plazuela de doña María de Aragón	2
Torrecilla del Leal. .	Santa Isabel	Buena Vista	8
Toro	Costanilla de San Andrés	Alamillo	10
Torres	Alcalá	Infantas	6
Traviesa	Almudena	Sacramento	2
Tres Cruces	Véase Cruces.		
Tres Cruces	Luna. Idem.		
Tres Peces	Véase Peces.		
Tribulete	Embajadores... ...	Plazuela del Avapies	9
Tudescos	Luna	Plazuela de Santo Domingo ...	4 y 6
Turco	Alcalá	Carrera de San Jerónimo ...	7

U

Urosas	Atocha	Magdalena	8

V

Valencia...	Avapies	Portillo de Valencia	8 y 9
Válgame Dios	San Antón	Santa Bárbara la Vieja	5
Valverde	Desengaño	Santa Catalina la Vieja	4
Velas	Toledo	Peñón	9
Velas	Plaza de Provincia...	San Jacinto	1
Veneras	Preciados	Sartén	6
Ventanilla	Segovia	Pretil de los Consejos	2
Ventorrillo	Mira el Sol	Tribulete	9
Ventosa	Paloma	Aguila	10
Verónica...	Desengaño	Tudescos	6
Verónica...	Fúcar	Al Prado	8
Vicario Vieja	Esparteros	Postas	1
Vicente Alta (San)...	Fuencarral	Ancha de San Bernardo	4
Vicente Baja (San)...	Ancha de San Bernardo	Amaniel	3
Victoria	Majaderitos angosta..	Cruz	7
Victoria	Cruz	Carrera de San Jerónimo ...	7
Viento	Plazuela del Angel .	Atocha	7
Viento	Factor	Pretil de Palacio	2
Viento	Olivo alto	Horno de la Mata	6

CALLES	Entrada por la calle de	Salida a la calle de	Cuartel
Viento	Plazuela de la Cebada	Humilladero	10
Visitación	Príncipe	Baño	7
Vistillas	Don Pedro	Portillo de las Vistillas	10

Y

Yedra	Santa Isabel	A las tapias	8
Yeseros	Alcantarilla	Cuesta de los Ciegos	10

Z

Zarza	Preciados	Arenal	6
Zarza	Véase Cruz de la Zarza.		
Zurita	Santa Isabel	Valencia	8

PLAZAS Y PLAZUELAS

NOMBRES	SITUACION	Cuartel

A

Afligidos	Al fin de las calles de Leganitos y San Bernardino...	3
Alamillo	Detrás de la calle de Segovia	10
Almirante	Véase Plaza del Rey.	
Ana (Santa)	En la calle del Prado	7
Angel	Al fin de la calle de Carretas	7
Andrés (San)	Delante de esta parroquia, a Puerta de Moros	10
Antón Martín	Calle de Atocha, a Loreto	8
Armas	Al portillo de Gilimón	10
Armas	Detrás del Hospicio, al juego de pelota	5
Avapiés	Calle del Avapiés	8

B

Bárbara (Santa)	Al fin de la calle de Hortaleza	5
Barranco...	Al fin de la calle del Arenal, a los Caños. Está variada.	2
Beso	Véase Plazuela del Angel.	

C

Caños Viejos	Calle de Segovia	10
Caños del Peral	Está reunida a la de Oriente	2

NOMBRES	SITUACION	Cuartel
Capuchinas	Al fin de la calle del Alamo	3
Capuchinos	Calle de las Infantas	6
Carbonera	Véase plazuela del Conde de Miranda.	
Carmen	Al fin de la calle de la Abada	6
Catalina de los Dona-		
dos (Santa)	Al fin de la calle de los Angeles	6
Cebada	Calle de Toledo	10
Celenque	Calle del Arenal	6
Clavel	Al fin de la calle del mismo nombre, junto a San	
	Martín	6
Comendadoras	Calle de Amaniel	3
Conde de Barajas ...	A Puerta Cerrada	1
Conde de Mora	Calle de Preciados	6
Conde de Miranda ...	Calle del Codo, a San Miguel	1
Concepción Jerónima	Calle de la Concepción Jerónima	1
Consejos	Al fin de la calle de la Almudena	2
Cordón	Al fin de la calle de San Justo	1
Cruz (Santa)	Al fin de la calle de Esparteros	1
Cruz Verde	Calle de Segovia	2

D

Descalzas Reales	Calle de Capellanes	6
Domingo (Santo) ...	Al fin de la calle de Jacometrezo a la Ancha de San	
	Bernardo	3
Duque de Alba	Al fin de la calle de San Dámaso	9
Duque de Frías... ...	Al fin de la calle del Piamonte	5
Duque de Liria	En la calle de San Bernardino cerca del Portillo	3

E

Encarnación...	A la plaza de Oriente	2
Esteban (San)	Calle de Esparteros	1

F

Francisco (San)	Véase Campillo de San Francisco.	

G

Gato	Calle de Amaniel	3
Ginés (San)	Calle del Arenal	1

H

Herradores	Al fin de la calle de las Fuentes	1

NOMBRES	SITUACION	Cuartel

I

Ildefonso (San)	Al fin de la calle del Barco	4
Isabel (Santa)	Calle de este nombre	8

J

Javier (San)	Calle del Conde	2
Jesús	Al fin de la calle de Francos	8
Juan (San)	A la calle del mismo nombre, a Antón Martín	8
Juan la Nueva (San).	Al fin de la calle del Limón Alta	3

L

Leganitos...	Calle del mismo nombre, a la Alcantarilla	3
Leña	Al fin de la calle de la Paz	1
Ludones ... ...,	Calle del Avapiés	9

M

María (Santa)	Detrás de la parroquia del mismo nombre	2
María de Aragón (Doña)	Al fin de la calle de Torija	2
Martín (San)...	Delante de la parroquia	6
Matute...	Calle de las Huertas ... ... 7 y	8
Mayor...	A la Puerta de Guadalajara	1
Merlo...	A los Caños Viejos	10
Millán (San)	Delante de esta parroquia	10
Miguel (San)...	Platerías	1
Monjas de Constantinopla	Calle de San Nicolás	2
Morería	A la calle del mismo nombre	10
Moriana	Calle de Jacometrezo	6
Montserrat	Calle de Santo Domingo la nueva	3
Mostenses	Calle del Alamo	3

N

Navalón	Calle de la Sartén	6
Nicolás (San) ... ...,	Delante de esta iglesia, en su calle	2

P

Pajes de S. M.	A la plazuela de Santa María	2
Paja ... ...,	Véase Costanilla de San Andrés.	
Paja	Calle de Alcalá, delante del Carmen descalzo	7
Palacio	La del mediodía al Arco de Palacio	2

NOMBRES	SITUACION	Cuartel
Palacio	La de Oriente al fin de la calle del Arenal	2
Pájaros	Véase plazuela de San Esteban.	
Paz	Calle de la Paz ... ...:.	1
Pedro (San)	Delante de esta parroquia	10
Provincia	Delante de la Cárcel de Corte	1
Puerta Cerrada	Al fin de la calle de Cuchilleros	1
Puerta de Guadalaja-ra	Al fin de la calle nueva de la plaza	1
Puerta de Moros	Al fin de las Cavas Alta y Baja	10
Puerta del Sol	Al principio de las calles Mayor, de Alcalá, Montera, San Jerónimo y otras ... ... 1 y	6

R

Rastro	Al fin de las calles de las Maldonadas y la Ruda	9
Rey	Calle del Barquillo	5
Remedios...	Delante de la Merced, en la calle de aquel nombre ...	8

S

Salesas	A este convento al fin de la calle de San José	5
Santiago	A esta parroquia al fin de la calle de Santiago...... 2 y	1
Sartén	Calle de la Sartén	6
Seminario	Delante del Seminario al portillo de San Bernardino...	3

T

Testa	Calle de San Bernardino, pasada la casa de Liria... ...	3
Trujillos...	A la calle del Clavel a San Martín	6

V

Verwick	Véase Duque de Liria.	
Vistillas	Véase en la lista de las calles.	

NOMBRES	SITUACION	Puertas
Palacio	La de Oriente al fin de la calle del Arenal	2
Platería	Véase plazuela de San Esteban	
Paz	Calle de la Paz	1
Pedro (San)	Delante de esta parroquia	10
Provincia	Delante de la Cárcel de Corte	1
Puerta Cerrada	Al fin de la calle de Cuchilleros	1
Puerta de Guadalajara		
ra	Ú en de la calle nueva de la plaza	1
Puerta de Moros	Al fin de las Cavas Alta y Baja	10
Puerta del Sol	Al principio de las calles Mayor, de Alcalá, Montera, San Jerónimo y otras	1 y o

R

Rastro	Al fin de las calles de las Maldonadas y la Ruda	o
Rey	Calle del Barquillo	
Renedos	Delante de la Merced en la calle de aquel nombre	8

S

Salesas	A este convento al fin de la calle de San José	o
Santiago	Y esta parroquia al fin de la calle de Santiago	2 y 1
Sartén	Calle de la Sartén	o
Seminario	Delante del Seminario al portillo de San Bernardino	2

T

| Iveta | Calle de San Bernardino, parada la casa de Luria | 3 |
| Trujillo | A la calle del Clavel a San Martín | o |

V

| Verasco | Véase Duque de Liria | |
| Viudas | Véase en la lista de honcelles | |

NUEVO MANUAL

HISTORICO - TOPOGRAFICO - ESTADISTICO

Y DESCRIPCION DE

MADRID

(VERSION DE 1854)

INTRODUCCION

Escribimos por cuarta vez este libro a veinte y cuatro años de distancia de la primera, que publicamos en 1831. Muy jóvenes a la sazón, y sin consultar nuestras débiles fuerzas para tamaña empresa, guiados únicamente por nuestro entusiasmo y amor patrio, osamos acometer la entonces difícil tarea de describir el Madrid del siglo presente, bajo sus distintos aspectos material y estadístico, administrativo e histórico, al propio tiempo que en otra obrilla que por entonces también emprendimos y que es harto conocida, aspiramos a trazar la fisonomía de la sociedad contemporánea, el bosquejo animado del Madrid moral (1).

Uno y otro libro, puede decirse que caducaron ya con el transcurso del tiempo, auxiliado poderosamente con el impetuoso torrente de las revoluciones políticas, de las vicisitudes administrativas, de los adelantos de las artes, del gusto y de la cultura.—En efecto, en el cuarto de siglo transcurrido desde dicha época ¿qué queda ya en pie de aquella sociedad de nuestros padres, de aquella organización de nuestras leyes, de aquel aspecto, en fin, de nuestra vida mate-

rial? Apenas nada, y nuestras dos citadas obrillas, en que según la expresión feliz del malogrado Larra habíamos trasladado la *mascarilla del difunto Madrid*, quedaron naturalmente colocadas entre los retratos póstumos, entre los documentos históricos, buenos solos para ser consultados en su caso.—Las *Escenas*, sin embargo, que tenían por objeto trazar el cuadro de nuestra sociedad, han podido sobrevivir, merced a su objeto permanente, pues que el hombre en el fondo siempre es el mismo, aunque vista nuevo traje y acaricie diversas costumbres; pero el *Manual*, que trataba de las cosas, de los objetos materiales, administrativos y económicos, ha caducado del todo; y el autor que se vio obligado a arrancar sus páginas una a una, al intentar hoy reproducirle *por cuarta vez* por medio de la imprenta (2), no ha podido aprovechar una sola de ellas, y ha tenido precisión de escribir un libro nuevo.

Además de aquella alteración radical y completa del modelo que pretendimos retratar, se ha obrado con la edad en este largo período otra no menos sustancial en

---

(1) *Escenas matritenses*, por el Curioso Parlante.

(2) La primera edición fue como queda dicho en 1831; la segunda en 1833, y la tercera en 1844.

nosotros mismos. El estudio constante de la localidad, de su historia y adelantamiento material, la práctica de sus negocios administrativos, y los muchos trabajos publicados posteriormente a los nuestros en la materia, han debido ilustrar también nuestra razón, modificar nuestras convicciones, y cambiar hasta cierto punto nuestro modo de ver las cosas. Hasta la misma simpatía que debimos desde un principio a nuestros convecinos, a nuestros lectores en general, y la influencia misma que bajo este aspecto hayamos podido tener en la mejora de este pueblo, todo ello nos empeñaba más y más, y hacía doblemente difícil para nosotros la patriótica tarea que voluntariamente nos impusimos.

Esta, que en un principio estaba limitada al modesto objeto de servir de conductor o *cicerone* al forastero que viniese a visitar nuestra capital, adquiere hoy mayores proporciones una vez adoptada por el vecindario de Madrid; e insensiblemente, y sin pretenderlo, nos hallamos colocados muy lejos de nuestro punto de partida; lo entonces principal—que era la descripción sucinta de los objetos materiales, hecha para el uso del escaso número de viajeros propiamente tales que visitan a Madrid—es ahora lo subalterno; y el fondo de la obra, consagrado a otra clase de lectores, al vecindario de la capital, tiene naturalmente que ser la parte histórica y administrativa, la investigación y testimonio de las glorias de la localidad, de su progreso y cultura, de su régimen y economía; cosas todas que si interesan incidentalmente al viajero, forman el objeto de la opinión, la expresión de las necesidades del vecindario.

Han quedado, pues, naturalmente establecidas en nuestra obrita dos divisiones principales; la una discursiva, y la otra de descripción material.—En la primera hemos procurado estudiar y reseñar con la posible exactitud y brevedad la vida de este pueblo, desde su origen hasta el día, sus glorias históricas y políticas, y sus adelantos sociales; y exponer su estado actual físico, administrativo y económico, proponiendo las mejoras de que a nuestro juicio es susceptible.—En la segunda, entrando en la descripción de los establecimientos de todas clases que forman su condición como corte y como villa, procuramos hacer una sucinta reseña de su estado y organizació respectiva.—Para una y para otra nos ha servido sobremanera, además de nuestro estudio privado en los libros y documento antiguos y modernos, el conocimiento práctico de los negocios de la localidad, tanto en la corporación municipal, a que pertenecimos durante algún tiempo, como en otras consagradas a servicios comunales; y por último, hemos tenido a la vista los luminosos trabajos publicados en estos últimos años por los señores Caballero, Madoz, Cortés, Azcona, Eguren, Castor de Caunedo, Cotarelo, Echevarría, Rafo, Ribera, Coello y algunos otros, que ya en obras especiales, ya por incidencia en otras, trataron con el mayor acierto de las cosas y negocios referentes a esta villa.

Todos, o la mayor parte, de estos hombres entendidos, al hacerse cargo de nuestros diversos trabajos en la materia, quisieron sin duda no atender a los defectos en que pudimos incurrir, y sí sólo hacer justicia a la lealtad de nuestros esfuerzos, por ello les tributamos aquí la expresión del más sincero reconocimiento. No extrañamos sin embargo esta deferencia de parte de escritores honrados, de hombres prácticos y laboriosos que saben apreciar en lo que vale la improba tarea del que entre nosotros se dedica a trabajos de esta especie.—Seguramente que el que hoy presentamos de nuevo al público, y para el que reclamamos su indulgencia, adolecer de grandes faltas, inexactitudes y hasta errores de apreciación artística o erudita, pero para disculpar estas faltas—hijas de nuestro entendimiento, nunca de nuestra voluntad—únicamente expondremos la infinidad de materiales que hemos debido tener presentes en una obra de índole tan vasta y heterogénea; la continua variación de los diversos objetos que forman su conjunto; la multitud de noticias que hay que inquirir; la diversidad de los documentos y de las personas que hay que consultar. Todas estas causas reunidas hacen de todo punto imposible la perfección absoluta de esta clase de trabajos, y más cuando son emprendidos por un individuo particular sin auxilio ni cooperación alguna, y parecen suficientes para acallar la censura de la crítica severa. Si a alguno, empero, pluguiere ejercerla contra esta obrilla inofen siva, y aprovechar tal o cual error de nuestra pluma, no con el objeto de advertírnosle para rectificarle, sino con el menos noble de mortificar nuestro amor propio, es bien que sepa de antemano que no ha de conseguir este intento; y que dándole de buen grado la razón en lo que la tuviere, continuaremos tranquilos por la senda en que siempre caminamos, trabajando hasta donde alcance nuestra escasa inteligencia en el servicio noble y desinteresado del pueblo en que nacimos y a cuya sociedad nos gloriamos de pertenecer. Madrid, 30 de junio de 1854.

R. de M. R.

I

PARTE HISTORICA

OJEADA HISTORICO-TOPOGRAFICA DE MADRID DESDE SU ORIGEN HASTA EL DIA

EPOCA FABULOSA

Los entusiastas y pesados escritores matritenses que desde la segunda mitad del siglo XVI, en que adquirió esta villa importancia mayor a consecuencia de haberse fijado en ella la Corte, dedicaron sus estudios y sus plumas a rebuscar y consignar con más celo que buen criterio sus remotas tradiciones, agotaron todo el caudal de su imaginación para hacer remontar el origen de MADRID hasta los tiempos fabulosos, y ocuparon muchas páginas de sus indigestas crónicas en aserciones notoriamente falsas, en consejas maravillosas, y en deducciones temerarias y hasta ridículas, que si pudieron pasar autorizadas en la época en que se escribían, hoy sólo alcanzan de la crítica sensata una sonrisa compasiva.

No es extraño, por otro lado, que así sucediera, y que tan apreciables y celosos escritores rindiesen tributo a la moda de aquellos tiempos, que quería que la remota alcurnia fuese el primer título de gloria para los pueblos y para los individuos; y que dominados por el deseo de enaltecer a su manera su villa natal, objeto de sus historias y reciente corte de la Monarquía, no titubeasen en admitir como buenos todos los delirios, fábulas, y falsas tradiciones que pudieron hallar consignados en las in-

discretas páginas de los falsos cronicones y en las maravillosas consejas del vulgo; no retrocediesen ante el temor de ser tachados de falsedad en algún día por la crítica severa, ni hiciesen, en fin, escrúpulo en alterar o desfigurar los textos más respetables, y en sacar consecuencias absurdas, con tal que condujesen a su objeto.

Según aquellos cándidos y entusiasmados escritores, la fundación de la villa de Madrid precedió diez o más siglos a la de Roma; se verificó en los primeros tiempos de la población de España, muy pocos años después del diluvio, y cumpliría en el de gracia que atravesamos 4023 de respetable antigüedad, según muy seriamente continúa afirmando todavía nuestro calendario oficial.—Añaden que dicha fundación fue verificada por el príncipe Ocno-Bianor hijo de Tiber, rey de Toscana y de la adivina *Manto*, cuyo nombre quiso dejar consignado en esta villa, apellidándola MANTUA; pero semejante origen mitológico, no es más que un plagio del que plugo a Virgilio dar a la otra Mantua de Italia, su patria, y no podía de modo alguno aplicarse a Madrid, y mucho menos en la época en que se supone fundada, anterior en más de mil años a dicho príncipe Ocno, que si existió efectivamente, fue diez siglos después, en tiempo de la guerra troyana.

Por estilo semejante son los demás cuentos con que engalanan nuestros cronistas la cuna de su pretendida Mantua, alegando para probar su predilecto ensueño del origen griego, datos tan concluyentes o chistosos como *el espantable* y *fiero dragón* que se hallaba esculpido en una piedra de la puerta *de la Culebra*, conocida después por *Puerta Cerrada*, y que era, según ellos, el emblema que usaban los griegos en sus banderas, y dejaban como blasón a las ciudades que edificaban; o bien en ciertas láminas de metal que se suponen halladas al derribar el *arco de Santa María*, y que escritas (probablemente en caldeo) decían (según el maestro Hoyos) haber sido construído aquel muro y puerta por Nabucodonosor, rey de Babilonia, *a su paso por Madrid*.

La crítica moderna, más concienzuda y menos apasionada, rechaza al dominio de la fábula todas estas gratuítas e improbables aseveraciones, y en busca de los datos fehacientes que pudieran conducirla al esclarecimiento de la verdad, no ha hallado en esta villa el más ligero indicio ni la más pequeña señal de tan primitivo origen; sólo halló señalada en las *Tablas* de Ptolomeo una población apellidada *Mantua*, que estaba situada en la región Carpetana; pero la situación geográfica dada por aquel a esta Mantua, según la demostración de los más insignes hombres de ciencia, contradice absolutamente a la de nuestro *Madrid* y difiere de éste algunas leguas; siendo unos de opinión de que puede referirse al pueblo conocido ahora por *Villamanta*, y otros a *Talamanca* (*Armantica*) que se aproximan o cuadran mejor a aquella situación; que conservan aun en sus nombres más raíces o analogía con el primitivo Mantua; y en que se observan también ruinas y hallaron vestigios de remota antigüedad. En este sentido hicieron preciosas observaciones a fines del siglo pasado los eruditos escritores y anticuarios el maestro Enrique Flórez, don Ambrosio Ruibamba, y, sobre todos, don Juan Antonio Pellicer, el cual llegó hasta averiguar y señalar el origen de la equivocada identidad dada a Madrid con la antigua Mantua Carpetana en el texto adulterado de dichas Tablas de Ptolomeo, de la edición de Ulma de 1491, en el cual se lee esta nota (MANTUA, *Vise-*

ria olim, MADRID), cuya gratuíta explicación, puesta por ignorada mano, no se ve en las anteriores ediciones de aquel gran geógrafo, como puede consultarse en la de 1475 (la más antigua que se conoce), que existe en la Biblioteca Nacional, y cita también dicho erudito escritor.

Resulta, pues, probado hasta la evidencia que lo de la fundación de Mantua por el príncipe *Ocno Bianor* es a todas luces falso e imposible, y que la población que cita Ptolomeo con aquel nombre, ya fuese fundada por griegos, cartagineses o romanos, no es, ni pudo ser, con algunas leguas de diferencia, la que actualmente se denomina *Madrid*; ni el mismo Ptolomeo dijo tal cosa, sino que fue una ligereza de alguno de sus ignorados anotadores. Acaso, sin embargo, existió el primitivo Madrid en tiempo de la dominación romana, como pretenden la mayor parte de los escritores antiguos y muchos modernos, e intentan probar con algunas lápidas sepulcrales que dicen haberse hallado en esta villa, y describen e interpretan de diversos modos; pero en ninguna de dichas lápidas, que pudieron ser traídas (y alguna consta que lo fue efectivamente) de otros puntos, aun violentando todo lo posible las interpretaciones se encuentra la más mínima referencia a Madrid con el nombre de Mantua ni con otro alguno.

Ahora bien; si existió Madrid en tiempo de la dominación romana, y como se ha pretendido, fue municipio de cierta importancia, si recibió en ellos la sagrada luz del Evangelio, viniendo a predicarle el apóstol Santiago o alguno de sus compañeros, si fue por entonces ensanchada la población y fortificada con sólidos muros y vio nacer dentro de ellos como se ha pretendido a San Melquiades y San Dámaso, Papas, y morir en el martirio a San Ginés y otros en defensa de la Fe, ¿cómo se llamaba esta población, que ya vemos que no era *Mantua*, y que tampoco está señalada en el *Itinerario* de Antonino Pío con los nombres de *Viseria*, *Ursaria* y *Majoritum*, que dicen aquellos historiadores recibió de los latinos? La crítica moderna niega absolutamente la primera de aquellas denominaciones, *Viseria*, diciendo que es nacida del mismo error de la nota puesta a Ptolomeo, y que quiere decir lo mismo que

Mantua (Viseria Olim), Adivina en otro tiempo. Conviene hasta cierto punto con que pudo ser llamada *Ursaria* por los muchos osos de que abundaba su término, y que al fin vinieron a formar el emblema de su escudo; y contradice y demuestra que la voz *Majoritum* no es antigua, sino pura y simplemente el nombre posterior del *Magerit* morisco, latinizado de diversos modos, más o menos bárbaros, en los documentos posteriores a la conquista, de que trae un largo árbol etimológico el citado Pellicer en su *Disertación histórica sobre el origen y nombres de Madrid*, y añade otros muchos la diligente investigación del erudito escritor contemporáneo don Agustín Azcona en su discreta *Historia de Madrid* que empezó a publicar en 1843 y suspendió a poco tiempo.

Estos y otros distinguidos críticos modernos, en vista de todas aquellas observaciones, y a falta absoluta de datos fehacientes, de los que se encuentran frecuentemente en pueblos de aquella antigüedad, tales como ruinas de monumentos, inscripciones, medallas o simple mención en la historia, han concluído por dudar o negar rotundamente la existencia del Madrid romano; pero otros no menos apreciables la creen probable y entre ellos merece especial mención el ilustrado y respetable académico de la Historia, señor don Miguel Cortés y López, el que en artículos especiales de su apreciable *Diccionario geográfico-histórico de la España antigua*, consagró toda la fuerza de su talento y de su perspicacia a probar que en el sitio en donde la actual villa de Madrid, estuvo la mansión militar romana señalada con el nombre de *Miacum* en el *Itinerario* de Antonino; supone dicha voz hebreo-fenicia, y de su genitivo *Miaci* deduce el de Madrid, y de las voces *Miaci-Nahar*, equivalentes a *río de Miaco*, el del que hoy es conocido con el nombre de *Manzanares*; y cree además que si con documentos antiguos y auténticos se pudiera probar que Madrid en algún tiempo se llamó *Ursaria*, no sería preciso inferir que este nombre derivase del latino *Ursus*, sino con más verosimilitud de la voz hebrea *Ur*, que significa *fuego*, con lo que vendría a decir *ciudad del fuego*, y se verificaría el dicho de Juan de Mena

"En la su villa de fuego cercada" teniendo también muchísima analogía con la voz *Miacum* que significa lo mismo, *ciudad levantada sobre un terreno de fuego o volcánico*; aunque otros creen que este dicho aluda más bien a la muralla que estaba formada de grandes pedernales.

Ultimamente, a los que deseen ilustrarse sobre estas dudosísimas y controvertidas opiniones, remitiremos a los preciosos párrafos del artículo *Madrid* del excelente *Diccionario geográfico de España*, del señor don Pascual Madoz, comprendidos desde las páginas 574 a 580 inclusive, en que se ventilan con asombrosa erudición y sana crítica todas las emitidas anteriormente sobre el origen, antigüedad y nombres de Madrid. Nada, sin embargo, puede asegurarse absolutamente por falta de datos fehacientes, ni durante la dominación de los romanos, ni tampoco después de la caída del Imperio y de la irrupción y dominio de los godos en nuestra España; porque no sólo no se hallan ni han hallado en Madrid restos algunos que demuestren con evidencia que existió en aquellas épocas, ni hay otra razón para creerlo que tradiciones más o menos poéticas y maravillosas, sino que tampoco se ve siquiera hecha mención de esta villa en las antiguas Crónicas de España hasta la de Sampiro que la nombra por primera vez en el siglo X, dos siglos después de la invasión musulmana, y bajo su dominación ya como la mayor parte de nuestro país.

EPOCA HISTÓRICA. DESDE EL SIGLO X AL XVI.

Aquí ya callan las conjeturas y no puede dudarse de la existencia de Madrid con las palabras terminantes de la historia. "Reinando Ramiro (II) seguro en León, consultó con los magnates de su reino de qué modo invadiría la tierra de los caldeos, y juntando su ejército se encaminó a la ciudad que llaman de *Magerit*, desmanteló sus muros, hizo muchos estragos en un domingo, y ayudado de la clemencia de Dios, volvió a su reino en paz con su victoria." Esta es la primera vez que figura Madrid en nuestra historia, si bien es ya con el carácter de ciudad murada e importante. Eralo, en efecto, porque defendiendo a Toledo, corte de los musulmanes, de las invasiones de los castellanos y leoneses que solían pasar los puertos de Guadarrama y Fuenfría, procuraron los árabes fortificarla con alcázar o castillo seguro, con fuertes murallas, con robustas torres y con sólidas puertas; por lo que es muy regular que se aplicasen a reparar la parte de muros que había desmantelado don Ramiro, pues vivían siempre recelosos y amenazados de los enemigos. Esta acometida del Rey leonés la señalan nuestros cronistas por los años 933, y también hacen mención de otra posterior verificada por don Fernando I (el Magno) en 1047, en la cual maltrató las murallas de Magerit, y algunos suponen que la tomó, que recibió en ella la visita de Almenón, rey moro de Toledo, y que le hizo su tributario, abandonándole después su conquista.

Sobre la suerte de Magerit durante la dominación de los sarracenos se ha hablado también bastante, suponiéndole unos, pueblo grande y rico, con muchas iglesias muzárabes, con grandes y poblados arrabales, notables escuelas, célebre en los cantares de sus dominadores, fortalecido por ellos, que dieron a su alcaide la primera voz entre los del reino de Toledo; pero otros pretenden rebajar mucho de este brillante cuadro; y de las escasas pruebas y voluntarias inducciones de unos y otros resulta quedarse el curioso con mayores dudas. No es de suponer, sin embargo, que fuera tan grande la importancia de esta morisca población si se atiende a que apenas se halla citada en las historias árabes (1), a los escasos y mezquinos restos que de ella quedaron después de la conquista; a la carencia absoluta de algunas construcciones de las que tan frecuentemente se encuentran en nuestras ciudades muslímicas, tales co-

mo suntuosas mezquitas y palacios, fábricas, baños, hospitales y acueductos; y únicamente el alcázar o fortaleza, cuyo origen puede presumirse de aquel tiempo, y la muralla y puertas que aun se conservaron largo tiempo después de la conquista revelan el verdadero carácter militar, o la importancia estratégica de la población situada orillas del Manzanares. Si ésta fue fundación de los musulmanes, como parecen indicarlo sus condiciones y forma especial, la fisonomía y nombre con que aparece por primera vez en la historia (2), o si la hallaron ya fundada por los romanos o los godos sus antecesores, es lo que sería aventurado resolver. Unicamente puede sospecharse que la primitiva población ocupó un recinto mucho más pequeño de aquel con el que sucumbió en el siglo XI ante las armas victoriosas de su conquistador, don Alfonso el VI.

Dicho recinto primitivo, que es el atribuido por los historiadores poéticos a su pretendida Mantua, era tan estrecho, que arrancando la muralla en el alcázar, seguía rectamente a la puerta de la Vega, y luego por detrás del sitio donde hoy está la casa de los Consejos, revolvía hacia frente de la calle del Factor, donde estaba mirando a oriente otro *arco* o puerta llamado después de *Santa María* (3), que permaneció aun después de la ampliación; subía luego por dicha calle al altillo de Palacio, y tornaba a cerrar con el alcázar, por su frente meridional. Esta muralla, que suponen fuerte

(1) A fines del mismo siglo X *Ebn Kateb* hace mención de *Magerit* diciendo que era «una pequeña población no lejos de Alcalá», y por aquel tiempo florecieron *Moslema Ben Admet,* conocido por el *Magrithi*, gran matemático y astrónomo. *Saíd Ben Zulema* y *Jahía*, madrileños también, que enseñaban las ciencias y la filosofía en Toledo y Granada.

(2) El nombre de *Magerit*, primero ciertamente averiguado de nuestra población, quieren algunos suponer que signifique en el árabe antiguo *venas* o *conductos de agua*, con alusión a la abundancia que hubo de ellas en esta región, de donde sin duda procede el dicho antiguo «*Madrid la Osaria cercada de fuego fundada sobre agua*»; otros lo explican por *Casa de aires saludables.* Hay quien cree que quiera decir *horcajo*, porque tenía tres puertas principales; y otros niegan absolutamente que esta voz sea árabe ni tenga en esta lengua significación alguna, diciendo, sin embargo, que puede ser de origen africano; no faltando por último quien siente que puede ser el nombre de un moro llamado *Mugit*, a quien algunos atribuyen su fundación.

(3) Este arco miraba a Oriente, y era tan estrecho, que hubo que derribarle en 1572 para ensanchar el paso cuando hizo su entrada solemne la reina doña Ana, mujer de Felipe II. En su lugar edificaron otro arco llamado *de la Almudena,* que tampoco existe hoy.

los historiadores, tenía frente al alcázar, y donde ahora están las casas del marqués de Povar una torre llamada *Nariques*, sobre las aguas y huertas *del Pozacho*, hacia la calle de Segovia, y otra llamada Torre *Gaona* fuera de los muros e inmediata a los Caños del Peral.

Pero destruída o allanada, no sabemos en qué tiempo, esta primera muralla, se construyó (más probablemente por los moros que no por los romanos del tiempo de Trajano, como se ha pretendido) la segunda y fortísima con que aparece Magerit en la historia, y de que no puede dudarse absolutamente por hallarse descrita por autores que aun la conocieron en pie, y descubriéndose aun en nuestros días algunos restos de ella. Ultimamente podemos formar un juicio exacto de la dirección de esta muralla, y por consecuencia del recinto que con la primera ampliación llegó a ocupar Magerit, con la inspección del gran *Plano topográfico de Madrid* grabado en Amberes en 1656 (del que hablaremos después), y en el cual se distingue claramente, aunque interrumpida por las construcciones posteriores, dicha muralla antigua, y por los trozos que quedaban aun al descubierto se puede apreciar su marcha, cubos y fortaleza. Mírase, pues, claramente en aquel plano el arranque de dicha muralla por detrás del alcázar hasta la cuesta y puerta de la Vega (1), y siguiendo luego por detrás de las casas de Malpica y de Benavente a la cuesta de Ramón, cerraba las huertas del Pozacho, que estaban hacia la casa de la Moneda, en donde hoy la calle de Segovia, y subía por la cuesta de los Ciegos al descampado de las Vistillas; siguiendo luego por detrás de las casas del Infantado y

rinconada de San Andrés hasta la puerta de Moros (2). Continuaba desde allí por entre la Cava Baja (3) y calle del Almendro a salir a *Puerta Cerrada* (4); y luego subiendo por la calle de Cuchilleros y Cava de San Miguel abría la principal entrada a la villa, o sea la puerta *de Guadalajara* (5), en el

(1) Esta era la única puerta de Madrid por aquel lado; su entrada era angosta y estaba debajo de una fuerte torre caballero; tenía dos estancias, en el hueco de la de adentro había dos escaleras, a cada lado la suya, por donde se subía a lo alto; en la de afuera había en el punto del alto un agujero donde tenían oculta una gran pesa de hierro que en tiempo de guerra dejaban caer sobre el enemigo que intentase penetrar. En medio de las dos estancias aparecían las puertas guarnecidas por una grande hoja de hierro y muy fuerte clavazón. A esta puerta sustituyó otra, y luego un arco en el siglo pasado, que ha sido suprimido después en nuestros días.

(2) Esta puerta estaba en el sitio que hoy conserva su nombre, y donde hay una fuente; era estrecha y con varias revueltas en su entrada, según la usanza de los musulmanes, y conforme se observan en el pie de la principal del palacio de la Alhambra de Granada y en otras de igual origen; estaba mirando a Mediodía y servía para la comunicación con Toledo y otras ciudades principales, hasta que extendiéndose también el arrabal de la villa por aquel lado, desaparecieron puerta y muralla.

(3) Esta *Cava llamada de San Francisco* y la *de San Miguel* que la continúa, han conservado aun bajo la forma de calles su nombre antiguo morisco, y no eran otra cosa que el foso que venía corriendo al pie de la muralla desde los barrancos que rodeaban al Alcázar y los del Pozacho, en la calle de Segovia, la alcantarilla de las Vistillas, dichas cavas de San Francisco y San Miguel, y luego continuaba por la hondonada que después fue calle de los Tintes y de la Escalinata, hasta los Caños del Peral y puerta de Balnadú.

(4) Esta puerta era angosta y recta al principio, haciendo luego dos revueltas, de suerte que ni los que salían podían ver a los que entraban ni éstos a los de afuera. Llamáronla en lo antiguo *puerta de la Culebra*, por tener encima de ella aquella célebre culebra o dragón que a tantos comentarios dio lugar sobre su origen; después *Puerta Cerrada*, por haberlo estado largo tiempo para evitar las fechorías de la gente facinerosa, que según Quintana, «escondíanse allí y robaban y *capeaban* a los que entraban y salían por ella, sucediendo muchas desgracias con ocasión de un peligroso paso que había a la salida de ella, en una puentecilla para pasar la Cava, que era muy honda»; pero poblándose después el arrabal hacia lo que son hoy calles de Toledo y de Atocha, hubo necesidad de volver a abrir la puerta para la más fácil comunicación hasta que fue demolida en 1569.

(5) Esta puerta miraba al Oriente y según las pomposas descripciones que se conservan en ella era magnífica y de fortaleza con varias torres, cubos y estatuas, que hacían una soberbia perspectiva. En ella había también una imagen de Nuestra Señora y otra del Santo Angel, y se conservó en pie hasta que en el año de 1580, haciendo fiestas la villa por haber ganado a Portugal el rey don Felipe II, pusieron en ella tantas luminarias que se quemó del todo. Las imágenes fueron trasladadas, la de Nuestra Señora a San Salvador, y luego a Loreto; y la del Angel a la ermita que hicieron los porteros de la villa frente del puente de Segovia, y ahora se venera en el paseo de Atocha.

mismo sitio que hoy retiene este nombre entre la plazuela de San Miguel y la calle de Milaneses, bajando finalmente por entre las calles del Espejo y de los Tintes (hoy de la *Escalinata*), a los Caños del Peral y Puerta de *Balnadú* (1) como al frente de la plazuela de Santo Domingo, a cerrar con el alcázar.

Tal era el recinto averiguado del Magerit morisco, pues aunque los historiadores ya citados suponen además que ya por aquel entonces existían extramuros los arrabales o burgos de San Ginés y San Martín, y aun estas mismas iglesias, y que era donde se refugió la población cristiana al tiempo de la invasión de los sarracenos, esto no consta absolutamente, y no pasa de una suposición más o menos aventurada, pues hasta el siglo XIII no se hace mención en ningún documento de dichos arrabales, y el uno de ellos, especialmente, tuvo su origen después de la conquista, en el privilegio concedido por el rey don Alonso el VII a los monjes de San Martín para poblarle.

Llegamos por fin a la época de la conquista de esta villa por las armas cristianas, cuya gloria estaba reservada al rey don Alfonso el VI de Castilla. Verificóla por los años de 1083, cuando emprendió la conquista de Toledo, aunque otros dicen que después de la de aquella ciudad. En la de Madrid dan algunos autores la palma a los segovianos, diciendo que por haber llegado más tarde que los de otras ciudades al llamamiento del Rey, y pidiendo alojamiento, éste les contestó *que se alojasen en Madrid*. Acordáronlo así los segovianos, y otro día al amanecer ganaron la puerta de Guadalajara y plantaron en ella las banderas cristianas; llegó el

Rey, tomó posesión de la villa, y en premio de sus servicios concedió a los de Segovia que pusiesen las armas de su ciudad encima de dicha puerta, sostenida por las estatuas de sus capitanes don Fernán García y don Día Sanz, y dió a éstos título de ricos homes. El licenciado Diego Colmenares, en su famosa *Historia de Segovia*, añade además un grabado de dicha puerta en estos términos, que difiere absolutamente de la pomposa descripción de ella que trae el maestro Juan López de Hoyos, que todavía la alcanzó a ver a fines del siglo XVI; y Jerónimo Quintana, en su *Historia de Madrid*, contradice y niega absolutamente la existencia de dichas armas, y la parte de gloria atribuída a los segovianos en la conquista de esta villa.

Este Monarca y su nieto don Alfonso VII, llamado *el Emperador*, manifestaron grande inclinación a esta villa; purificaron y consagraron como iglesias sus mezquitas, dando a la principal la advocación de *Santa María de la Almudena*, por la milagrosa invención de la imagen de Nuestra Señora que tuvo lugar en un cubo de la muralla cerca del *almudín* o depósito de trigo de los moros; repararon su muralla y defensas; engrandecieron sus arrabales; señalaron sus términos *desde el puerto de Berrueco hasta Lozoya, aguas vertientes hacia Maiedrit*, y fundaron, según se cree más probable, o por lo menos otorgaron grandes donaciones al monasterio de San Martín, concediéndole el privilegio para poblar y ampliar el recinto de Madrid, cuyo barrio vino a formar como una población separada. Ultimamente, y no contentos con estas materiales mejoras, determinaron los privilegios y leyes con que había de regirse esta villa en lo sucesivo.

En el preciosísimo Códice de dichos fueros y ordenanzas que se conserva en el archivo de su Ayuntamiento, y no fue conocido hasta 1748 en que se halló, dando después motivo a los eruditos trabajos e investigaciones de los señores Llaguno, Burriel, Pellicer, y últimamente a la excelente *Memoria* del digno académico de la Historia, el señor don Antonio Cabanilles, impresa en 1852, se halla la revelación más completa y fehaciente de lo que era la población madrileña desde principios

---

(1) La puerta de Balnadú miraba al septentrión y era también angosta. Sobre la etimología y significación de este nombre *Balnadú* ha habido varias opiniones, atribuyéndolo unos a un nombre propio de un moro, otros a las palabras latinas *Balnea duo* por suponer que por ella se salía a los baños, y finalmente, otros inteligentes en el idioma arábigo que coligen que Balnadú es contracción de las palabras árabes *Bal al nadur*, que quiere decir *puerta de las Atalayas*, y que acaso se llamaría así por haberlas fuera de la puerta, en lo alto de la colina que hoy se llama plazuela de Santo Domingo. Esta puerta se derribó cuando la segunda ampliación de Madrid.

del siglo XII, y reinando don Alfonso VII el Emperador, que la otorgó su fuero propio en 1145, sesenta años después de la conquista, hasta mediados del siglo XIII, o sea 1235, adonde alcanzan las demás disposiciones inclusas en el Códice, el cual comprende un período de noventa años.

En ellas, y refiriéndose al interior de la villa, se menciona el *Castiello*, calles, casas, el *Corare*, la *alcantariella de San Pedro*, los *portiellos*, la *puerta de Guadalfajara*, el *Palacio*, las *plazas o azoches*, las *tabernas* y las diez *parroquias o collaciones* de *Santa María, San Andrés, San Pedro, San Justo, San Salvador, San Miguel, Santiago, San Juan, San Nicolás* y de *San Miguel de Sagra*, y de la parte externa, el *prado de Toia*, el carrascal de *Balecas, molinos, canal, et toda la renda de Rivas*; se habla de las aldeas de *Balecas, Beteneco, Humara, Sumasaguas, Rivas* y *Valdenegral*, y otros puntos en los términos de Madrid; pero nada se dice claramente respecto al *arrabal*, del cual no tenemos noticia hasta mediados del siglo XIII, porque Juan Diácono, que escribía los milagros de San Isidro por los años de 1275, habla tres veces de él y hasta declara hacia qué parte caía este arrabal, que era cerca de la iglesia de San Martín.

No puede, pues, dudarse de la existencia por aquella época de un arrabal o burgo inmediato o anejo a dicha iglesia, *vicus sancti Martini*. Poco importa averiguar si este *vicus* era o no una población independiente de Madrid y propia sólo del dicho monasterio de San Martín, como las aldeas de Valnegral y Villanueva de Jarama, hoy desconocidas, de que se hace mención en el privilegio concedido a aquel monasterio por el rey don Alfonso VI, y confirmado por el VII, "para que pueda poblar el barrio de San Martín, según el fuero de Santo Domingo y de Sahagún, y para que los que fuesen sus vasallos no puedan servir a otro señor, ni ser vecinos de otro lugar, y que nadie pueda edificar casi sin licencia expresa del prior de San Martín, y el que viviere dentro del término dé parte de ello al prior; y que si el que de allí se saliese vendiese algunas casas, las puede comprar el convento por el tanto, y que si no había quien las quisiese comprar, se quedan

por del monasterio", con otras cláusulas no menos expresivas del mismo privilegio. De todos modos debe considerarse esta carta de población como el fundamento u origen material de la ampliación de Madrid por aquel lado, así como de la inmensa extensión jurisdiccional de dicha parroquia, que llegó con el tiempo hasta los límites de la nueva villa.

No contribuyó poco a esta ampliación el otro monasterio, no menos célebre, fundado también hacia aquella parte extramuros de Madrid, en los primeros años del siglo XIII, por el patriarca Santo Domingo de Guzmán y sus compañeros, los cuales obtuvieron del Concejo de Madrid con aquel objeto un sitio fuera de la puerta de Balnadú, en el que dieron principio a la fundación del convento de religiosos, que el mismo Santo Domingo determinó luego cambiar en monasterio de monjas, y que desde entonces existe en el mismo sitio y obtuvo la mayor devoción y simpatía del vecindario de Madrid y de su Concejo; éstos hicieron a aquella santa casa cuantiosas donaciones, y los monarcas la colmaron de mercedes y privilegios, siendo entre otros notable el que les hizo el rey don Fernando III (el Santo) de la extendida huerta que llegaba hasta las inmediaciones del Alcázar, y se llamaba *de la Reina* y después de la *Priora*.

Estos dos famosos monasterios fueron indudablemente la causa de la formación de aquel extenso *arrabal* o parte nueva de la población, llamada entonces el *arrabal de San Martín*. No es, sin embargo, cosa tan fácil como parece el designar con precisión los límites de aquel barrio abierto y creciente con la sucesión de los tiempos hasta incorporarse con otros contiguos y formar todos un conjunto con la población principal, pues aunque los cronistas matritenses dicen que ya por los tiempos de Alfonso el VII, o sea en la primera mitad del siglo XII, "fue necesario hacer *otra nueva cerca* de la villa, incluyendo los arrabales, la cual corría a espaldas del alcázar hasta lo alto de la plaza de Santo Domingo (a donde se abrió una puerta frente a la de *Balnadú*) y luego continuaba hasta San Martín, donde se abrió otro *postigo* en el sitio que hoy conserva este nombre, siguiendo después *rectamente* hasta la Puerta del Sol, etc."; no nos marcan con exactitud los puntos intermedios por donde corría esta cerca, ni ha quedado de ella vestigio alguno que los señale; siendo de suponer que si existió efectivamente (lo que dudamos mucho, a pesar del plano de su contorno que publicó el diligente Alvarez Baena) sería cuando más una sencilla tapia muy provisional y pasajera, y que no impidió ni contuvo en nada el progreso del caserío por la parte exterior. Debemos suponer también por la consideración del rumbo marcado a dicha tapia, por la forma del terreno, por los puntos o colocación de los portillos o entradas, y por algunas especies sueltas y alusivas a dicha cerca que suelen hallarse en las fundaciones y títulos de los edificios contiguos, que corriendo por detrás del Alcázar comprendía y encerraba dentro de ella la huerta de la Priora, el convento, cuesta y plazuela de Santo Domingo, y que después de abrir la entrada de este nombre (que debía estar mirando al norte y frente de la calle Ancha de San Bernardo), continuaba luego por donde ahora las casas de la acera derecha de la calle de Jacometrezo, hacia el sitio conocido hoy por plazuela de Moriana, en que desemboca la calle que baja a San Martín, donde se abrió otro *postigo* que ha quedado por nombre de dicha calle. Desde allí descendía rápidamente hasta la embocadura de la del Carmen, y dejando a la parte afuera la *cava* o foso que por allí corría, seguía, sin duda, por detrás de la de los Preciados, a salir rectamente a la *Puerta del Sol* (1) entre los *olivares* y *caños de Alcalá* y el *arenal* que se extendía hasta más allá de San Ginés.

El caserío extramuros no sólo iba creciendo en dirección al Norte y en la barriada o burgo de San Martín, sino también y muy principalmente hacia el lado oriental, desde la puerta de Guadalajara a la del Sol, y entre oriente y mediodía, desde la plaza hasta la plazuela de Antón Martín y de la Cebada, de cuyos grupos de caseríos reunidos, como ya hemos dicho, al otro de San Martín, vino a resultar la *segunda ampliación* de este pueblo y su

incorporación a la parte murada de él por medio de la nueva cerca de los siglos XIII o XIV de que ya queda hecha mención y detallada hasta la Puerta del Sol. Desde aquí, según parece, internando bastante trecho por el camino llamado después *Carrera de San Jerónimo*, torcía luego formando escuadra, a buscar la recta de la plazuela de Antón Martín (donde se abrió otra puerta de entrada), y revolviendo en dirección de poniente, seguía hasta la esquina de la calle de Toledo, entre San Millán y la Latina, en que había otro portillo, atando por fin con la antigua muralla en Puerta de Moros.

Son, como vemos, tres los trozos principales de caserío que después de formarse independientemente como arrabales, vinieron a ingresar de consuno en la antigua población principal, a saber: el de *San Martín*, el de *San Ginés* y *Santa Cruz*, y el que llamaremos de *San Millán*. Pero el primero, dividido como lo estaba naturalmente de los otros por los barrancos de los Caños del Peral, y el terreno arenoso y erial que mediaba entre la antigua muralla y el monasterio de San Martín hasta la Puerta del Sol, venía a formar una burgada completamente separada de la central, que era la comprendida entre la parroquia de San Ginés y la plaza Mayor, y que se extendía en longitud desde la puerta de Guadalajara hasta la de Antón Martín. Esta parte central y más importante del nuevo caserío es la que por espacio de tres a cuatro siglos (hasta mediados del siglo XVI en que se trasladó la corte a esta villa) es la designada por antonomasia en los documentos y en el lenguaje vulgar de la época con el nombre de *Arrabal de Madrid*, añadiéndose únicamente en algunos de aquellos las palabras *a San Ginés* o *a Santa Cruz*, según la inmediación a aquellas dos antiguas parroquias. Tales fueron los modestos límites que conservó Madrid después de la conquista verificada a fines del siglo XI hasta mediados del XVI, en que, con la fijación de la corte, hubo de coincidir la *tercera y última ampliación*.

Aún más que en población y caserío creció desde luego la villa de Madrid en importancia política, y ya sea por su situación ventajosa, ya por la inclinación que mereció a su restaurador, don Alfon-

_____

(1) Llamóse así por una imagen del sol pintada encima de ella.

so el VI y sus inmediatos sucesores, la vemos continuar sin interrupción figurando dignamente en la historia nacional como frecuente residencia de los reyes de Castilla, como punto de reunión y partida de sus huestes para las grandes expediciones contra los infieles; como sitio preferente para la convocación de grandes juntas, asambleas políticas y militares, y hasta de las mismas Cortes del reino. Los vecinos de Madrid, señalándose desde el principio por su valor y gallardía y por su adhesión sin límites a los monarcas y a la causa nacional, no solamente supieron resistir las acometidas que todavía intentaron los sarracenos contra los muros de esta villa en principios del siglo XII, acaudillados por los reyes de Marruecos Teshufín y Alí, según unos, o a fines del mismo siglo por Aben-Jucef, rey de los almorávides, según otros, que llegó a dar vista a la villa, poniendo sus reales a la parte occidental, en el sitio llamado todavía *Campo del Moro,* sino que reunidos con los habitantes de Avila y Segovia, emprendieron la sorpresa de Alcalá y otros pueblos, y el pendón del Concejo de esta villa, donde figuraba como enseña el *oso prieto en campo de plata,* se ostenta ya en la famosa expedición del rey don Alfonso VIII contra el reino de Murcia en 1211, y en el año siguiente en la célebre batalla de las Navas de Tolosa, en la que llevó la vanguardia a las órdenes del señor de Vizcaya don Diego López de Haro. En esta celebérrima jornada es donde se cuenta haberse aparecido al Rey en el traje de rústico pastor el glorioso patrón de Madrid, *San Isidro,* y mostrádole los senderos por donde podía penetrar en la fragosidad de la sierra y atacar el ejército musulmán. Distinguióse igualmente el Concejo de Madrid, acaudillado por Gómez Ruiz de Manzanedo, en el cerco y toma de Sevilla por don Fernando III en 1248, y posteriormente en el sitio de Algeciras y en la desgraciada batalla llamada de los Siete Condes, a las órdenes del infante don Juan, arzobispo de Toledo.

Por premio de todos estos y otros servicios obtuvo Madrid grandes privilegios y donaciones de todos estos monarcas en términos los más expresivos y que prueban bien la lealtad con que habían sido servidos por los madrileños y la afección especial con que eran recompensados de parte de aquellos. No fue menor la que mereció a don Alfonso *el Sabio,* como puede verse en las notables cédulas y privilegios expedidos en su tiempo acerca de las desavenencias con los de Segovia sobre poblar el Real de Manzanares y sobre aprovechamiento de pastos; sobre restauración de los baños públicos que debía haber desde más antiguo hacia la calle de Segovia, y otros puntos conducentes al engrandecimiento de esta villa; privilegios y donaciones confirmados después por don Sancho III, don Fernando IV y don Alfonso XI.

Dicho monarca don Sancho *el Bravo* enfermó gravemente en Madrid en 1295, y trasladado a Toledo, murió a poco tiempo, dejando de tierna edad a su hijo y sucesor don Fernando, y encomendada su tutela y la gobernación del reino a su viuda, la célebre doña María de Molina, apellidada justamente *la Grande.* En tiempo de don Fernando renováronse más agriamente las contiendas y luchas entre los Concejos de Madrid y de Segovia sobre el Real de Manzanares, y este Monarca expidió a favor de Madrid nuevos privilegios en este ruidoso asunto, libertó a sus habitantes de ciertos impuestos y les dispensó la facultad de nombrar jueces y alcaldes *según su fuero.* Ultimamente, en su época se reunieron en Madrid por primera vez en 1309 las Cortes del reino para acordar la declaración de guerra al Rey de Granada, y a ellas asistieron la reina madre doña María y los infantes, el arzobispo de Toledo, los maestres de Santiago y Calatrava y otros prelados y ricos homes y los procuradores de las ciudades, y entre éstos los de la villa de Madrid que tenían voto en ellas (1). Nuevas Cortes fueron reunidas en Madrid

(1) Sobre el edificio en que pudieran reunirse en estas y otras ocasiones las Cortes del Reino, no hay más que conjeturas, creyendo unos que pudo ser en un antiguo palacio existente según se cree desde los tiempos de Alfonso VI, sobre el sitio donde después se fundó el monasterio de las Descalzas Reales; otros dicen que en la iglesia de San Martín, y no falta quien asegura que lo fueron en la lonja o atrio delante de la iglesia parroquial de San Salvador o en la pieza encima de la puerta de esta iglesia, en donde solía celebrar sus juntas el Concejo de Madrid.

por don Alfonso XI en 1329 y 1335, que
presidió él mismo en persona, y determinaron servirle con numerosas cuantías para
la guerra de moros, y sobre otros asuntos,
entre ellos un curioso acuerdo de que el
Rey "había de sentarse dos días en la semana en lugar público donde pudieran
verle y llegar a él los ofendidos y quere-
llosos, señalándose los lunes para las peti-
ciones y querellas contra los oficiales de
su casa, y el viernes para que oya a los
presos y los *rieptos*". Este Monarca varió
la antigua forma de gobierno de Madrid,
que consistía en estados de nobles y pecheros, los cuales ponían gobernador a
quien llamaban *Señor de Madrid*, justicia
y demás empleos de preeminencia; y estableció doce regidores con dos alcaldes. Por
último, en su tiempo figura también el Concejo de Madrid en la memorable batalla
del Salado, y en el cerco de Algeciras en
1343, en que por primera vez se hace
mención en nuestras historias de haberse
jugado por los moros la artillería; y en
el de Gibraltar en 1350, en que falleció el
mismo don Alonso, dejando por sucesor a
su hijo don Pedro, apellidado por unos
después *el Cruel* y por otros *el Justiciero*.

A este último Monarca, que residió muchas veces en Madrid, se atribuye por algunos la fundación del Alcázar sobre el
mismo sitio donde existió la antigua fortaleza de los moros; aunque otros suponen
que se deba dicha fundación a su hermano don Enrique.

Encendida la guerra civil entre ambos hermanos, se declaró Madrid por su
legítimo Monarca, y aunque sitiada la villa
y el Alcázar por las huestes de don Enrique, hicieron los madrileños, acaudillados
por los Vargas, Luzones y otras ilustres familias de esta villa, una memorable defensa, que sólo cedió a la inmensa superioridad de las fuerzas enemigas. Muerto después don Pedro por su mismo hermano en
la funesta noche de Montiel (1), vino don
Enrique a esta villa, a quien tomó particu-

lar afecto por la misma heroica lealtad con
que había defendido a su Rey y Señor
agrandó y restauró o fundó, según otros
el Alcázar; recibió en esta villa al Rey d
Navarra y al príncipe don Carlos, su hijo
y añadió nuevas mercedes y privilegios
los madrileños.

Reinando don Juan I, y por los años d
1383, vino a España don León V, rey d
Armenia, a dar gracias al de Castilla pc
haber alcanzado la libertad por su caus
del Soldán de Babilonia, que le había ga
nado el reino; y don Juan, compadecid
de su desgracia en haberle perdido en de
fensa de la fe católica, le dió el título d
Señor de Madrid y de otros pueblos, ha
ciendo que le rindiesen pleito homenaje
Dominó en Madrid dos años y reedific
las torres del Alcázar, y después de si
muerte, el rey don Enrique III, a solicitu
de los de Madrid, por su cédula de 13 d
abril de 1391, alzó el pleito homenaje qu
le habían prestado los madrileños.

Dicho rey don Enrique III, proclamad
en Madrid a los once años de edad, tom
las riendas del gobierno en el Alcázar e
1394, convocando Cortes al efecto. Duran
te su reinado residió frecuentemente en Ma
drid; tornó a convocar en ella las Corte
y celebró sus bodas con la princesa doñ
Catalina, con cuya ocasión hubo grande
fiestas y regocijos; edificó nuevas torre
en dicho Alcázar para custodia de sus te
soros, recibió en ella a los embajadore
del Papa, de Francia, de Aragón y de Na
varra, y envió como tal cerca del célebr
conquistador de Oriente, *Timur Lenk* (Ta
morlán), al noble caballero madrileño Ru
González Clavijo, su camarero, quien a su
regreso de Samarkanda escribió su curiosí
sima *Relación de viaje* que anda impresa

También Juan II empezó su reinado e
Madrid por muerte de su padre, don Enri
que, en 1417, y fue declarado mayor d
edad por las Cortes, reunidas en esta vill
dos años después. En ella recibió en 143
a los embajadores del Rey de Francia, ar
zobispo y senescal de Tolosa, estando sen
tado en su trono real y teniendo a sus pie
un león manso, de que recibieron no poc
susto los embajadores. El célebre valido y
condestable don Alvaro de Luna, vivió e
Madrid largo tiempo, en la casa palacio d
Alvarez de Toledo, que hoy no existe, con

---

(1) Los restos mortales del rey don Pedro
fueron traidos a Madrid y depositados en el monasterio de Santo Domingo el Real, en 1444,
por su nieta doña Constanza de Castilla, priora
de aquel monasterio, en el cual se construyó un
suntuoso sepulcro con la estatua de aquel monarca, de que hoy sólo quedan algunos restos.

tigua a la parroquia de Santiago, en cuya casa le nació un hijo, con cuyo motivo hubo grandes fiestas en la villa, dispuestas por el Rey, padrino del recién nacido. Pocos años antes había muerto en ella el célebre don Enrique de Villena, maestre de Calatrava, eminente literato y astrólogo, cuyos preciosos manuscritos fueron quemados de orden del Rey por fray Lope Barrientos en los claustros de Santo Domingo, con gran sentimiento de los amantes de la ciencia; fue sepultado en el antiguo monasterio de San Francisco. En tiempo de este Monarca hubo varios bandos sobre el gobierno de la villa, que tuvo gran dificultad en apaciguar. Al reinado de don Juan II corresponden también las dos grandes calamidades de las lluvias e inundaciones de 1434, que quedó señalado en Madrid por el *año del diluvio*, y la gran peste de 1438; y de él recibió Madrid una real cédula de que en lo sucesivo no pudiera ser enajenada de la Corona real, así como también por otro privilegio de 8 de abril de 1447, la merced de poder celebrar dos ferias anuales, una por San Miguel y otra por San Mateo, en remuneración de las villas de Cubas y de Griñón, que pertenecían a Madrid y que dió el Rey a un su criado llamado Luis de la Cerda.

Don Enrique IV, conocido en la Historia por el desdichado apodo de *el Impotente*, sucedió a su padre, don Juan, en 1454, y heredando la afección de aquél hacia la villa de Madrid, residió casi constantemente en ella, dándola ya todo el carácter de corte de Castilla. En ella reunió en varias ocasiones las Cortes del reino; recibió a los embajadores de los monarcas extranjeros y al legado del Papa, que le trajo el estoque y el sombrero bendecido, según costumbre, en la noche de Navidad; celebró con grandes funciones sus bodas con la princesa doña Juana de Portugal, y festejó a los enviados del duque de Bretaña con las incomparables fiestas del Real sitio de El Pardo, cuyo relato asombra todavía, y que terminaron por el célebre *Paso honroso* sostenido en el camino de aquel Real sitio por don Beltrán de la Cueva, privado del Rey. Este, en memoria de aquella suntuosa fiesta, fundó en el mismo punto el monasterio de San Jerónimo

del paso, que después trasladaron los Reyes Católicos a lo alto del Prado.

Habiéndose declarado el embarazo de la Reina hallándose en Aranda, la hizo conducir Enrique en silla de manos o litera a esta villa, y en ella nació en 1462 la desdichada princesa doña Juana, apellidada en la Historia *la Beltraneja*; que aunque fue jurada en la misma por princesa de Asturias, no llegó nunca a reinar por la ilegitimidad que se la supuso. Por último, en las largas turbulencias del reinado de Enrique, promovidas por el infante don Alfonso y por los grandes del reino, que le obligaron a declarar su impotencia y a desheredar a su propia hija, siempre Madrid le fue fiel, y Enrique, por su parte, recompensó aquella adhesión con notables privilegios y exenciones de tributos; facultad de un mercado franco los martes de cada semana; nombramiento de un magistrado para su gobierno llamado primero *el Asistente* y después *el Corregidor*, y el título de villa *muy noble y muy leal* que aún lleva. Finalmente, era tal su predilección hacia Madrid, que en ocasiones críticas hizo conducir al Alcázar sus tesoros, y custodiar también en él por el maestre de Santiago a la misma reina doña Juana, reducida a prisión a causa de su liviandad. Enrique IV es el primero de los reyes de Castilla que murió en Madrid, en 1475, y fue enterrado en el monasterio de San Francisco, como igualmente la reina doña Juana, que falleció poco tiempo después.

Sabidas son las parcialidades y bandos ocurridos con motivo de la sucesión a la corona, defendiendo unos el derecho de la princesa doña Juana la Beltraneja, y sosteniendo otros el de la hermana de Enrique, la ínclita doña Isabel, y aunque ésta fue decididamente aclamada Reina y jurada en Segovia, no pudo por de pronto entrar en Madrid, donde los partidarios de doña Juana, acaudillados por el marqués de Villena, sostenían el Alcázar y gran parte de la villa, que no consiguieron dominar el duque del Infantado y las tropas de Isabel sino después de una larga y obstinada resistencia. Vencida en fin y reducida esta villa a su obediencia, los Reyes Católicos hicieron su entrada solemne en ella en 1477, aposentándose en las casas de don Pedro Laso de Castilla, contiguas a

San Andrés, que aún subsisten en pie. Al año siguiente reunieron en esta villa las Cortes del reino, y posteriormente residieron en ella casi todas las ocasiones que se lo permitían sus continuadas expediciones y guerras. La augusta doña Isabel, que casi puede asegurarse con muchos autores que había nacido en esta villa (1), la manifestó en todos tiempos tan singular predilección que solía decir, hablando de sus moradores, que "el oficial y cortesano de Madrid y oficios mecánicos, vivían como hombres de bien, que se podían comparar a los escuderos honrados y virtuosos de otras ciudades y villas, y los escuderos y ciudadanos (añadía) eran semejantes a honrados caballeros de los pueblos principales de España, y los caballeros y nobles de Madrid, a los señores y grandes de Castilla".

Muchas fueron las mercedes y declaraciones honoríficas que hicieron los Reyes Católicos a la villa de Madrid, agregándole definitivamente los terrenos disputados por Segovia desde los tiempos de la conquista; concediéndola nuevas franquicias y exenciones; dispensando su amistad y favor a sus principales moradores, hijos o representantes de las antiquísimas familias madrileñas de los Ramírez, Lasos de Castilla, Toledos, Vargas, Carvajales, Luzones, Lujanes, Cárdenas, Zapatas y Cisneros, y otros ciento que figuraron en su corte ejerciendo las primeras dignidades del reino, al frente de sus ejércitos en Granada, Italia y el Nuevo Mundo, y en las cortes extranjeras como representantes del poderoso Imperio español. Algo también añadieron al aumento y mejora material de esta villa en la forma que entonces se acostumbraba o se dispensaba esta protección, costeando o favoreciendo la fundación de casas religiosas, entre las que merece notarse la ya citada del convento de San Jerónimo del Prado, que estuvo primero en el camino de El Pardo, la de las monjas llamadas de Constantinopla, derribado en nuestros días; la renovación de la iglesia de San Andrés, convertida en capilla real, a la que hicieron tribuna y paso (que aún existen) desde el contiguo palacio de Laso de Castilla que habitaban, y otras. En dicho palacio recibieron en 1502 a su hija doña Juana y su esposo al archiduque don Felipe, celebrando notables fiestas con este motivo.

Muerta, en fin, la Reina Católica en 1504, y suscitadas graves turbulencias sobre el gobierno del reino, los vecinos de Madrid, acaudillados de un lado por don Juan Arias, y de otro por los Zapatas y Castillas, aclamaron respectivamente a la reina doña Juana y al príncipe don Carlos, hasta que el Rey Católico, en las Cortes reunidas en la iglesia de San Jerónimo de Madrid, en 1509 juró gobernar como administrador de su hija y como tutor de su nieto. En 1516 murió don Fernando el Católico, y el arzobispo de Toledo, Jiménez de Cisneros, y el deán de Lovayna, gobernadores del reino, trasladaron a Madrid su residencia, aposentándose en las dichas casas de don Pedro Laso de Castilla (hoy del duque del Infantado). En ellas se tuvo la célebre junta para disponer del gobierno de Castilla, en la que, resentidos los grandes de la autoridad concedida al cardenal Cisneros, le preguntaron con qué poderes gobernaba; respondió el cardenal que con los del Rey Católico; replicaron los grandes, y el cardenal, sacándolos a un antepecho de la casa, que daba al campo, hizo disparar toda la artillería que tenía, y les dió aquella célebre respuesta propia de su enérgico carácter, diciendo: *Con*

_____

(1) Esta opinión está autorizada por la carta que inserta Colmenares del rey don Juan II a la ciudad de Segovia, su fecha en Madrid a 25 de abril de 1451 en que la da parte del alumbramiento de la Reina su esposa en estos términos: «Fágovos saber que por la gracia de Nuestro Señor, este jueves próximo pasado la reina doña Isabel mi muy cara e muy amada muger encaesció de una infanta.» Se sabe que por entonces la corte estaba en Madrid, y no hay motivo para creer que tan próximo el parto (que era el primero) estuviese la Reina en Madrigal, donde Marineo Sículo primero, y Garibay, Mariana y Flórez después, afirman que nació la infanta doña Isabel; se sabe también que el 23 de abril fue viernes, y por consecuencia el *jueves próximo pasado* es el 22, y por último se infiere del silencio de dicha carta acerca del parto, que naturalmente debía entenderse haberse verificado en donde estaba fechada aquélla. Este mismo silencio guardaron los historiadores Pulgar, Nebrija y Pérez de Guzmán, y es el que ha dado motivo justo para que Colmenares, Méndez Silva, Pinelo, Ortiz de Zúñiga, Puente, Baena y otros hayan sostenido el nacimiento de Isabel en Madrid.

estos poderes que el Rey me dió, gobernaré a España hasta que el príncipe venga (1).

Vino, en efecto, Carlos, y entregándose del gobierno, cesaron los disturbios que su ausencia ocasionaba. En el principio de su reinado padeció en Valladolid una penosa enfermedad de cuartanas, y habiéndose venido a Madrid, curó prontamente de ellas, con lo que cobró grande afición a este pueblo.

El fuego de la guerra civil, llamada *de las Comunidades*, prendió también en Madrid en 1520, abrazando su vecindario 'a causa de Toledo y otras ciudades de Castilla. Los partidarios del Emperador se sostuvieron, sin embargo, en esta villa, levantando grandes fortificaciones, fosos y barricadas a la parte nueva de la población que carecía de murallas, y construyeron un castillo cerca de la Puerta del Sol; hasta que vencidos los comuneros en Villalar y regresando aquél a España, volvió Madrid a ser la residencia frecuente del Monarca y su corte.

Hallándose en ella Carlos, recibió la noticia de la victoria de Pavía y la prisión de Francisco I, rey de Francia, que fue conducido de su orden a Madrid y custodiado por Hernando de Alarcón, primero en las Casas de Ocaña, llamadas después de Luján, en la plazuela de la Villa, y después en el Alcázar real. A poco tiempo vinieron a Madrid su madre y hermana para solicitar del Emperador su libertad, que no tardaron en conseguir a consecuencia de la concordia que se ajustó, estipulándose, entre otras cosas, el matrimonio del Rey de Francia con la infanta doña Leonor, hermana de Carlos. Verificada la paz, vino éste a Madrid a visitar al Rey como amigo y cuñado; salióle Francisco a recibir en una mula con capa y espada a la española, e hicieron juntos su entrada, porfiando cortésmente sobre cuál llevaría la derecha, que al cabo tomó el Emperador.

También este Monarca convocó en Madrid las Cortes del reino, primero en 1528 en la iglesia de San Jerónimo para la jura de su hijo don Felipe como príncipe de Asturias, y después en 1534; también favoreció a esta villa con notables privilegios y distinciones, eximiéndola de pechos, concediéndola nuevas franquicias y mercados, y accediendo a la petición de sus procuradores de colocar una corona real sobre el escudo de sus armas, y el título de villa *imperial y coronada*. Ultimamente contribuyó también a su engrandecimiento material con la suntuosa reedificación del Alcázar, convertido ya por él en Palacio Real, la fundación verificada por su hija la princesa doña Juana del Real Monasterio de las Descalzas sobre el sitio mismo que ocupaba el antiguo palacio en que nació la santa fundadora; la de los hospitales e iglesias del Buen Suceso, San Juan de Dios, Casa de Misericordia y otros; la suntuosa capilla llamada del Obispo don Gutierre de Vargas, contiguo a San Andrés; la del convento real de Atocha; la parroquia de San Ginés y otras varias iglesias y casas religiosas; y en su tiempo, en fin, empezó a poblarse el dilatado campo que mediaba entre la Puerta del Sol, el convento de San Jerónimo y la Puerta de Alcalá al levante, y al norte y poniente desde el Postigo de San Martín y puerta de Santo Domingo hasta las de Fuencarral y Santa Bárbara. Pero todos estos aumentos fueron cortos en comparación del que recibió Madrid en el reinado de su hijo y sucesor, don Felipe II, cuando, elevado al trono en 1557 por la abdicación de Carlos V y llevado de una especial inclinación hacia la villa de Madrid, echó el sello a su grandeza fijando en ella la corte de la Monarquía.

(1) Hay quien cre que esta junta se tuvo en la casa propia del mismo cardenal Jiménez que es la que está en la plazuela de la Villa, donde estuvo el Tribunal supremo de la Guerra; y añaden que el Cardenal sacó a los grandes al balcón grande que está a la fachada de dicha casa en la calle del Sacramento; pero historias muy recientes a aquella época aseguran que por entonces el Cardenal y el deán de Lovayna se aposentaron en las casas ya dichas de Laso, en las cuales habían vivido antes los Reyes Católicos; si bien es verdad que la casa propia del Cardenal era la ya referida de la plazuela de la Villa, habiéndola él mandado construir y vinculádola al mayorazgo de Cisneros que fundó para su sobrino.

LA CORTE, EN MADRID

Tales como quedan descritos anteriormente eran los límites de Madrid a principios del siglo XVI, y según el testimonio del apreciable historiador de Indias, *Gonzalo Fernández de Oviedo*, natural de esta villa, y que se ocupó mucho en su descripción, la población de ella por entonces no pasaba de tres mil vecinos, si bien crecía o se aumentaba tan rápidamente como lo expresa el mismo escritor en estos términos (1): "En el tiempo en que yo salí de aquella villa para venir a las Indias, que fue el año de 1513, era la vecindad de Madrid de tres mil vecinos, et otros tantos los de su jurisdicción et tierra; et cuando el año que pasó de 1546 volví a aquélla por procurador de la ciudad de Santo Domingo et de esta isla española... en sólo aquella villa et sus arrabales había doblada, o cuasi la mitad más vecinos et serían seis mil, poco más o menos, a causa de las libertades et franquicias et favores que el Emperador rei don Carlos nuestro señor le ha fecho."

Efectivamente, consta ya que algunos años después de la época en que escribía Oviedo, y antes que el monarca Felipe II determinase fijar en Madrid la corte, encerraba ya esta villa una población de veinticinco a treinta mil habitantes, y un caserío de más de dos mil quinientos edificios, que era el comprendido en los límites que quedan descritos. Este rápido progreso que venía indicándose y desenvolviéndose durante todo el siglo XV por la predilección que había merecido Madrid a los monarcas, especialmente a don Juan II y a don Enrique IV, que residieron casi constantemente en ella; a la Católica reina doña Isabel, y últimamente, al poderoso Emperador don Carlos, que la había tomado notable afecto por haber recuperado en ella su perdida salud, era nada todavía comparativamente con el que hubo de recibir en el mero hecho de ser escogida por su hijo y sucesor Felipe II para *corte y capital de la Monarquía*.

(1) *Las Quincuagenas de los generosos y no menos famosos reyes, príncipes, duques, marqueses, condes, nobles e caballeros e personas notables de España*. Mss. Biblioteca Nacional.

Este acontecimiento histórico, aunque sin declaración previa y solemne que precise absolutamente su fecha, debió tener lugar, según se infiere de varios documentos que obran en el archivo de esta villa, en el año de 1560, trasladándose a Madrid el sello real, los tribunales y regia servidumbre desde Toledo, donde a la sazón se hallaba la corte.

Medida tan importante y trascendental, adoptada por el hijo del César Carlos V a los pocos años de haber empuñado, por abdicación de su padre, el cetro más importante del orbe, ha sido agriamente censurada por muchos escritores, juzgada *a posteriori* por nuestros contemporáneos, y como que parece que ha caído en gracia la calificación de *desacierto*, atribuída con este motivo a Felipe.

Se ha dicho y repetido hasta la saciedad, aunque harto ligeramente, que la villa de Madrid era un pueblo mezquino, sin importancia política y sin *historia*; situado en el interior y el más lejano de las costas de un reino peninsular; en un territorio pobre y desnudo, careciendo de un río caudaloso y de otras condiciones naturales, así como también de los grandes monumentos del arte que elevan en el concepto público a las ciudades y las imprimen el sello de majestad y poderío. Y procediendo luego por comparación, se han encarecido hasta lo sumo las ventajas que en todos estos conceptos llevan a Madrid varias capitales de provincia que pudieron obtener la preferencia para el establecimiento de la corte en ellas.

Sin negar absolutamente todas las razones que en este sentido se vienen alegando en agravio de la corte madrileña, pero remontándonos para proceder con la debida imparcialidad a la época en que recibió aquella augusta investidura, no podremos menos de presentar otras muchas políticas y de conveniencia que las contradicen, y pudieron y debieron influir poderosamente en el ánimo de Felipe II, como venían ya influyendo en el del gran cardenal Cisneros y del emperador Carlos V para dar a la villa de Madrid la preferencia en tan solemne elección.

La reunión bajo un solo cetro de los diversos reinos que compusieron la Monarquía española no llegó, como es sabido, a verificarse hasta los fines del siglo XV, y en las augustas manos de los esclarecidos Reyes Católicos doña Isabel y don Fernando. Hasta entonces no pudo haber, naturalmente, capital del reino, y los diversos monarcas tuvieron la suya respectiva en el punto más conveniente de sus Estados; en León, en Burgos, en Sevilla, en Barcelona, en Zaragoza, etc.; pero operada la reunión definitiva de las coronas de Castilla y Aragón, y la toma de Granada y expulsión total de los sarracenos, los Reyes Católicos, después que hubieron terminado su alta empresa y las continuas guerras que les obligaban a la constante variación de la corte, debieron sentir la necesidad de fijarla definitivamente en un punto céntrico, importante y autorizado; pero fluctuaron al parecer indecisos entre Valladolid, Toledo y Madrid. Las dos primeras tenían en su favor los recuerdos de su historia como cortes de Castilla, ventaja inapreciable a los ojos de la reina doña Isabel; la última, además de su situación más central, ofrecía en su misma novedad mayor simpatía a los ojos del Rey de Aragón. Posteriormente, el gran político y cardenal regente del reino, Jiménez de Cisneros (aunque arzobispo de Toledo) debió igualmente participar de esta opinión ventajosa hacia el pueblo madrileño, y acerca de la conveniencia de establecer en él la nueva corte, que llevaba a las demás la ventaja de no representar el exclusivismo de ninguna de las otras anteriores, parciales y muchas veces antagonistas entre sí; y Carlos V, en fin, a todas estas consideraciones políticas hubo de añadir en la balanza la especialísima del hermoso clima de Madrid, que le hizo recuperar la perdida salud.

Pero ni durante su reinado ni el de sus antecesores pudieron permitir las continuas guerras el solaz suficiente para realizar aquel gran pensamiento que parecía ya dominante y oportuno; y la corte oficial de Toledo luchó todavía con las de Valladolid y Madrid. Subió, al fin, al trono Felipe II, y en pacífica y omnímoda posesión del reino, fue naturalmente el llamado a realizar aquel político pensamiento, y debe suponerse en su alta penetración que lo meditó detenidamente y bajo todos sus aspectos antes de resolverlo en pro de Madrid.

¿Cuáles fueron, o pudieron ser estas consideraciones que hoy se afecta desconocer y que llegaron entonces a pesar tanto en el ánimo de aquel gran Rey? A nuestro entender la primera fue la política ya indicada, de crear una capital nueva, única y general a todo el reino, ajena a las tradiciones, simpatías o antipatías históricas de las anteriores, y que pudiera ser igualmente aceptable a castellanos y aragoneses, andaluces y gallegos, catalanes y vascongados, extremeños y valencianos. Un pueblo que aunque con suficiente vida e historia propia (y por cierto bien honrosa y noble) pudiera absorber y fundir en su seno todos aquellos distintos provincialismos, identificarse y representar simultáneamente aquellas diversas poblaciones, y ser en fin la *patria común*, la expresión y el compendio de las varias condiciones de los habitantes del reino. Estos, de los cuales unos habían respetado como cabeza a los mismos pueblos que los otros habían combatido o conquistado, necesitaban, pues, un centro mutuo y sin antecedentes de antagonismo o parcialidad, en que venir a confundirse bajo el título común de *españoles*; y esta cualidad que ni las antiguas cortes de Castilla, de León, de Aragón o de Navarra, podían disputarla, fue sin duda alguna la que hizo aceptable para todos a la *nueva* capital de la *Monarquía española*, corte de un Imperio *nuevo* también.

En situación central y equidistante de los diversos límites de la península, también Madrid llevaba a todas la preferencia, circunstancia por cierto muy ventajosa y propia para la gobernación y dominio de tan apartadas provincias y encontradas nacionalidades. La corte de Toledo o de Valladolid no podían nunca dominar políticamente a la de Barcelona o Zaragoza; la de Sevilla no era posible tuviese el prestigio suficiente, ni estaba en posición material para regir a Castilla y Aragón. Por último, los que, muy ligeramente a nuestro entender, han censurado a Felipe II el no haber elegido a Lisboa para capital de la península, no reflexionan: primero, que cuando colocó la corte en Madrid no poseía ni poseyó todavía en muchos años a Portugal; y segundo, que cuando en 1580 hubo heredado y conquistado aquel reino, hubiera sido la medida más altamente impolítica la de desnacionalizar su capital y trasladarla al pueblo conquistado, al confín de la península; medida que cuando menos hubiera dado entonces por resultado la nueva separación de la coronilla aragonesa, o que el curso del Ebro marcara, como ahora los Pirineos, el límite del territorio español.

Ciertamente que aquella gran ciudad (Lisboa) y la de Sevilla brindaban ventajas materiales muy espléndidas y superiores a las de Madrid; pero ya quedan indicadas las políticas razones a que debieron naturalmente ceder. En cuanto a Valladolid, Burgos y Toledo, además de esta desventaja para entrar en la lucha, no podían tampoco ostentar mejores condiciones naturales de centralidad, clima y fertilidad de su término.

A la verdad que al tender la vista por la árida campiña que rodea a Madrid, se creería con dificultad que estas mismas lomas, áridas hoy y descarnadas, fueron en otro tiempo célebres por su feracidad y hermosura. Sin embargo, los testimonios que de ello tenemos son irrecusables. Testigos de vista, los más imparciales, nos han trasmitido la descripción de sus frondosos bosques, montes poblados y abundantes pastos. El agua, este manantial de vida, abundante entonces y espontáneo en esta región, ofrecía su alimento a la inmensidad de árboles que la poblaban y que describe el *Libro de montería*, del rey don Alfonso XI; y este arbolado, esta abundancia de agua, hacían el clima de Madrid tan templado y apacible como le pintan Marineo Sículo, Fernández de Oviedo y otros célebres escritores (1)

(1) He aquí los términos en que el citado Gonzalo Fernández de Oviedo habla de Madrid en los primeros años del siglo XVI: «En muchas partes de esta villa el agua está cerca de la superficie de la tierra, e muy someros los pozos, tanto, que con el brazo, sin cuerda, puedan tomar el agua en ellos; dentro de la población e de fuera cerca de los muros hay fuentes naturales, e algunas de ellas de muy singular agua para el mantenimiento e continuo servicio de los vecinos e todo el pueblo, demás de los pilares grandes, e comunes albercas, e caños, e abrevaderos para dar agua a los caballos e mulas, e

Pero el establecimiento de la corte, que debía ser para esta comarca la señal de una nueva vida, sólo fue de destrucción y estrago. Sus árboles, arrasados por el hacha destructora, pasaron a formar los inmensos palacios y caserío de la villa y a servir a sus necesidades. Desterrada la

otras bestias e ganados del servicio cotidiano del pueblo y en abundancia. Así que con razón se movieron a decir los antiguos que aquella villa *está armada sobre agua, o fundada sobre agua*, porque tiene tanta que dentro del ámbito del muro se riegan muchas huertas, e con la que sobra que sale fuera de la circunferencia se riegan otras muchas huertas y heredades y alcáceres en los tiempos convenientes y en grande abundancia, e fuera de lo poblado se encuentra con poca industria e trabajo...»

Y en otra parte dice lo siguiente:

«La región de Madrid es muy templada et de buenos aires, et limpios cielos, las aguas muy buenas, el pan et el vino muy singulares de su propia cosecha et en especial lo tinto es muy famoso, et otros vinos blancos et tintos muy buenos, et muchas et muy buenas carnes de todas suertes, et mucha salvagina et caza, et montería de puercos, et ciervos, et gamos, et corzos, et muchos y muy buenos conejos, et liebres, et perdices, et diferentes aves, et toros los más bravos de España de la ribera del río Jarama a dos leguas de Madrid, et muchos caballos et mulas, et todas las otras animalías, et bestias, que son muchas, para el servicio de casa et de la agricultura; et demás del pan que se dijo de su cosecha, se trae de la comarca muy hermoso et blanco candeal; et en grande abundancia muchas legumbres de todas suertes, mucha y muy buena hortaliza de todas maneras, diversas frutas verdes y secas, de invierno y de verano, según los tiempos. El queso de Madrid et de su tierra es muy excelente, et del mismo pasto que el de la villa de Pinto, que es el mejor queso de España, et tal que no se puede decir mejor el Parmesano de Italia, ni el de Mallorca, ni los Cascaballos de Sicilia, et a todos hace ventaja; porque no es menos bueno si lo hacen asadero que de otra manera. Finalmente, todo lo que es menester para alimentar la vida humana lo tiene aquella villa, excepto pescado fresco de la mar, porque como es el más apartado pueblo de ella en España, no alcanza pescado fresco que de ella venga, excepto besugos en invierno, por la diligencia de las recuas que los traen cuando es el tiempo dellos, pocos días antes y después de Navidad, et es uno de los mejores pescados e más sabrosos del mundo, puesto que dura pocos días. También llegan congrios frescos et de los otros salados vienen muchos et muy buenos, así congrios, atunes, pulpos, et pescadas frescas, et sardinas, et de otros; et vienen muchas truchas, et salmones, et muchas anguilas, et lampreas, et otros pescados de ríos; et de Andalucía se traen muchos de escabeches lenguados, et acedias, et ostras, et sábalos salados, etc.»

humedad que atraían con sus frondosas copas para filtrarla después en la tierra, dejaron ejercer su influjo a los rayos de un sol abrasador, que secando más y más aquellas fuentes perennes, convirtieron en desnudos arenales las que antes eran fértiles campiñas. De aquí la falta de aguas en Madrid; de aquí la miseria y triste aspecto de su comarca, y de aquí finalmente el destemple de su clima; porque no encontrando contrapeso ni temperante los rayos del sol canicular ni los mortales vientos del Norte, alteraron las estaciones y aumentaron el rigor de ellas, haciendo raros entre nosotros los templados días de primavera. Pero esto mismo hubiera sucedido y por iguales causas a Valladolid y Toledo, sin tener para compensar aquellos contratiempos el alegre cielo, el aire trasparente y puro de Madrid. Valladolid aunque convenientemente situada en una estensa llanura y en medio de fértiles campiñas, es por demás nebulosa y enfermiza; y el satírico Quevedo la definió en estos versos:

"Vienes a pedirme *raso*
en Valladolid la bella,
donde hasta el cielo no alcanza
un vestido de esa tela."

En cuanto a la *piramidal* Toledo, en cuyas estrechas, costaneras y laberínticas calles no hemos podido nunca comprender cómo cabía la corte de Carlos V, la aplicaremos los versos del mismo gran poeta:

"Vi una ciudad de puntillas
y fabricada en un huso,
que si en ella bajo, ruedo;
y trepo en ella, si subo."

La gran falta natural de Madrid para su futuro desarrollo como ciudad populosa y corte de tan importante Monarquía, era la de un río caudaloso que surtiendo a las necesidades de un crecido vecindario, sirviese también para fertilizar y hermosear su término y campiña. Esta falta grave, representada en la exigüidad del modesto Manzanares, ha dado también motivo a las continuas burlas y chanzonetas de los poetas satíricos, del mismo Quevedo, de Lope, de Góngora, de Tirso de Molina y otros,

de que podría formarse una abultada colección. Pero es preciso tener en cuenta que la mayor parte de nuestras ciudades importantes del interior se hallan en el mismo caso; que nuestros ríos, tan celebrados de los poetas por sus arenas de oro y sus ondas trasparentes, no son ningunos Támesis, Senas o Danubios caudalosos, navegables y conductores de salud, civilización y bienandanza; por lo cual vemos que aun en los pueblos fundados en sus inmediaciones, huyeron de albergarlos o darles paso dentro de su recinto como lo están los que bañan las primeras ciudades de Francia, Inglaterra, Alemania, etc., y aun así se vieron expuestos a las súbitas inundaciones invernales, o a la maligna influencia de sus sequedades del estío. El padre Tajo, que circunda a la imperial Toledo, aunque también a respetuosa distancia, sólo empieza a ser verdaderamente río cuando corre por territorio portugués. Lo mismo el Duero y el Guadiana; el Ebro y el Guadalquivir son los que más se acercan entre nosotros a aquellas condiciones civilizadoras, pero ya a las extremidades de su curso en los confines de la península.

No se ocultó sin embargo esta falta al ilustrado Felipe II; y sabido es de todos el proyecto que formó, y que entonces se creyó realizable, de traer el Jarama a Madrid, incorporándole al Manzanares. Este último también por entonces debía ser bastante más caudaloso, o correr menos oculto en la arena, pues tenemos la relación del viaje que Antonelli hizo desde Lisboa por el Tajo y el Jarama, y continuó luego por el Manzanares hasta el Pardo. Posteriormente, y según fue haciéndose sentir más y más la necesidad, se renovaron otros proyectos análogos, y a fines del siglo XVII se ideó la canalización hasta Vacia-Madrid, y luego con el auxilio del Jarama hasta Toledo; proyecto que no fue admitido por la reina gobernadora doña Mariana de Austria, hasta que en el reinado de Carlos III se construyó por espacio de dos leguas el que hoy existe, aunque por cierto con bien escasos resultados.

Pero a falta del río se acudió al medio de adquirir las aguas potables por filtración en unas minas subterráneas que se extienden a cierta distancia, y recogen las que derraman las sierras inmediatas. Estos viajes, alguno de los cuales ya existía anteriormente, y otros, como los grandes y copiosos de Amaniel y Abroñigal, que se descubrieron y formaron en el reinado de Felipe III, bastaron, aunque no abundosamente, para surtir las primeras necesidades de la población; hasta que creciendo ésta, y aumentándose y multiplicándose aquellas de un modo extraordinario en el presente siglo, ha sido necesario emprender la obra gigantesca del canal de Lozoya, que cambiará dentro de pocos años las condiciones materiales de Madrid.

Esta hermosa población situada bajo un cielo limpio y sereno, disfrutando una atmósfera trasparente, un dilatado y hermosísimo horizonte, rara vez turbado por las tormentas, exento de miasmas pestilentes, ajeno a las epidemias, inundaciones, terremotos y otros azotes tan frecuentes en poblaciones de su importancia; rodeada al Norte por las sierras carpetanas y los bosques del Pardo, al Sur por los vergeles de Aranjuez, al Levante por las llanuras del Henares, y las pintorescas campiñas de la Alcarria, y al Poniente por la maravilla de El Escorial; centro de todos los caminos que cruzan el reino en todas direcciones; surtida por esta razón en su abundoso mercado de todas las producciones más ricas y preciadas de nuestro territorio, y ciudad neutral, común y sin fisonomía especial de esta o aquella provincia, de esta o aquella historia, la villa de Madrid, digan lo que quieran los escritores antagonistas, justificó desde luego la preferencia que la diera el gran político Felipe II al elevarla al rango de corte de la Monarquía; y cuando algunos años después, en 1601, y por un capricho inmotivado del joven rey Felipe III, trasladó su corte a Valladolid, muy pronto las ventajas políticas y naturales de Madrid sobre aquella se hicieron tan sensibles y universalmente reconocidas, que a los cinco años (en 1606) volvió a ser trasladada definitivamente a esta villa.

En cuanto a la injusta calificación de pueblo *sin historia propia ni importancia política*, repetida contra Madrid por los modernos escritores, con no menos ligereza, aunque en sentido inverso de la que guió a los del siglo XVII para remontar su origen a los tiempos fabulosos y hacerle figurar en los anales griegos y romanos, no puede menos de rechazarse con energía y obligar a reconocer con la historia en la mano a los que pretenden negarla, que cuando la villa de Madrid aparece en ella a principios del siglo X y en poder de los sarracenos, era ya una población importante y fortificada que suponía algunos siglos de existencia anterior. Que su conquista en el siglo XI fue una de las grandes empresas del rey don Alfonso VI de Castilla, y que el mismo Monarca la amplió y fortificó más, y la dotó de fueros que renovaron después sus sucesores, y en cuyo contenido se echa de ver la importancia que tenía esta población. Hallará también, y según dejamos sucintamente reseñado, que desde entonces no cesa ya Madrid de figurar como una de las primeras poblaciones, residencia ordinaria de los monarcas castellanos y pesando grandemente en la balanza política en todas las guerras, disturbios, alzamientos y demás graves sucesos ocurridos con motivo de las minorías de los reyes, rebeliones y disidencias de los magnates y de los pueblos, tan comunes en aquellos tiempos.

Véase, pues, si un pueblo que durante cuatro siglos y medio venía figurando tan dignamente en la historia nacional, venía sirviendo de residencia y de corte a los monarcas, de lugar de reunión a las Cortes del reino, de apoyo y defensa a los grandes intereses del Estado, era un pueblo sin historia ni antecedentes, insignificante o nulo, como se ha dicho por algunos escritores.

En cuanto a la historia de esta villa en los tres siglos siguientes, puede decirse que es la historia del país; la parte tan principal que le ha cabido en ella, hace palidecer la suya propia en los tiempos anteriores.

Madrid, capital del Imperio de aquel gran monarca don Felipe II, cuya voz obedecía la Europa entera; centro de su acción y poderío; foco refulgente de aquel sol español que alumbraba constantemente con sus rayos a los países más remotos del orbe; capital donde residía el supremo gobierno, los consejos y tribunales de tan remotos países; de donde salían los grandes capitanes, los virreyes y gobernadores para descubrir otros, conquistar o dominar en ellos; y adonde cargados de trofeos, de merecimientos y servicios regresaban un don Juan de Austria, un Gonzalo de Córdoba, un duque de Alba, para poner a los pies del Monarca los trofeos de Lepanto y de San Quintín, de Italia, Flandes y Portugal, que aun cuelgan pendientes de las bóvedas del templo de Nuestra Señora de Atocha o de los techos de la Real Armería, oscurece los glorias de las antiguas cortes de Castilla, de León, de Aragón y de Barcelona.

Con la venida definitiva de la corte cambió de aspecto Madrid, y su población se duplicó en poco tiempo, por lo que muy luego fue necesario ampliar extraordinariamente la cerca y mudar las puertas, situando la de Santo Domingo en el camino de Fuencarral, la del Sol al camino de Alcalá, la de Antón Martín al arroyo de Atocha, y la que estaba junto a la Latina mucho más abajo. En estos nuevos barrios se edificaron calles regulares y aun magníficas, que son las que constituyen lo mejor de Madrid. Sin embargo, es lástima que entonces no se siguiera un plan más arreglado, ya cuidando de la nivelación de los terrenos, ya de la belleza uniforme de los edificios, con lo cual las calles de Alcalá, Atocha, San Bernardo y otras, hubieran tenido pocas rivales por su extensión y anchura. Hubiera sido también de desear que una distribución cómoda de plazas regulares proporcionase el desahogo necesario a tan gran población, y, finalmente, que los españoles al formar su corte hubieran observado la simetría y el buen gusto que acreditaban en las magníficas ciudades que por el mismo tiempo fundaban en América.

Sin embargo, la residencia fija del Soberano, la concurrencia de numerosos tribunales y oficinas, grandes dignidades y demás circunstancias anejas a la corte, dieron muy luego a Madrid un aspecto lisonjero. En tanto que la población se extendía, y que los grandes y particulares levantaban palacios y casas de bella apariencia, el Rey concluía las obras del Alcázar real, cuya fábrica, jardines y ornato eran de una suma magnificencia, si hemos de creer a los historiadores de aquella época; al mismo tiempo su piedad religiosa y la de su familia les hacia fundar la mayor parte de los conventos de Madrid; la Trinidad, cuyos planes dirigió el mismo Rey; las Descalzas Reales, el Carmen calzado, San Bernardino, doña María de Aragón, San Bernardo, los Angeles y otros muchos; igualmente varios establecimientos de beneficencia, como la casa de Niños expósitos, la de Misericordia, los hospitales y otros objetos indispensables en un gran pueblo.

Con todo esto, los tesores del Nuevo Mundo y los genios de Juan de Herrera, Juan Bautista de Toledo y otros, ¿no pudieron haberse empleado con más gusto y magnificencia en Madrid? ¿Porqué fatalidad, en medio de sus muchas y medianas iglesias, no se levantaba una catedral digna de la corte y del célebre arquitecto de El Escorial? ¿O acaso debió contentarse Madrid con recibir en el puente de Segovia la única prueba de tan sublime genio? Pero el buen gusto que inspiró a su siglo, se ve manifiesto en las obras de sus contemporáneos, y aunque no por su suntuosidad, podrán citarse por su sencillez la Armería, la fachada de las Descalzas Reales y las demás iglesias arriba dichas. Madrid, finalmente, mirará siempre a Felipe II como a su verdadero fundador, por la existencia política que le dio con el establecimiento de la corte.

Siglo XVII

Plano general de Madrid

En este estado, pues, de prosperidad y natural desarrollo, dejó Felipe II la villa y corte de Madrid al terminar sus días a los fines del siglo XVI (1598); y su hijo y sucesor don Felipe III, que había nacido ya en la misma en 1578 y sido jurado príncipe de Asturias en San Jerónimo del Prado, fue llamado a sucederle en la Monarquía más extendida del orbe (1). Ma-

_____

(1) Reuniéronse bajo su cetro y dominación los dieciocho reinos de las Españas y los de Portugal; Nápoles, Sicilia, Parma, Plasencia y el Milanesado en Italia; el Rosellón, el Bearnés y la Navarra, el Artois y el Franco-Condado en Francia; las dos Flandes y los Países Bajos;

drid ganó en aumento y consideración como corte de un Monarca tan poderoso, a quien los demás soberanos respetaban, enviaban sus embajadores y solicitaban su alianza, pudiendo citarse entre otros los del Gran Señor, y el del Sha de Persia Xabbas, que llegó a Madrid en 1601 y se llamaba Uxem-Ali Beck. Mas por un capricho real, harto inmotivado por cierto, determinó Felipe en 1601 la traslación de la corte a Valladolid; pero esta traslación ocasionó trastornos grandes, y fue tan mal recibida, que convencido el Rey de la necesidad de restituirse y permanecer en Madrid, lo verificó en fin cinco años después, fijando definitivamente la corte en ella (1).

_____

en Africa casi todas las costas, Angola, Congo, Mozambique, Orán, Mazalquivir, Mostagan, Tánger, Túnez y la Goleta; además de las islas africanas, Azores, Madera, Cabo Verde, Malta, Baleares y Canarias; tenía un imperio en el Asia, en las costas de Malabar, Coromandel y la China y derecho a los Santos Lugares de Palestina; poseyó también las ricas e inmensas islas Filipinas, Bisayas, Carolinas, Marianas y de Palau; de la Sonda, Timor, Molucas y otras innumerables del mar Pacífico; y extendió, en fin, su dominación como emperador de Méjico, del Perú y del Brasil a casi todo el continente de América y a casi todas las islas del Océano; Imperio colosal que excedió a los antiguos orientales, a los de Alejandro, Roma, Carlo Magno y Napoleón, como que contaba con una población calculada en 600 millones de almas y una extensión de territorio de 800.000 leguas cuadradas, o sea la octava parte del mundo conocido.

(1) Por este tiempo y antes de verificarse el regreso de la corte a Madrid, escribió Lope Deza (aunque no llegó a imprimirse) su tratado que tituló _Razón de Corte_. El manuscrito original, todo de letra del mismo autor y con su firma al pie que existe en la Biblioteca Nacional, es un códice de unas sesenta hojas en folio, y de él poseemos una copia exacta y también de aquella época, que parece ser la que estaba destinada a la imprenta. En él pretende su autor demostrar la conveniencia de que Madrid fuese siempre la corte de España, dividiendo para ello su asunto en seis puntos, a saber: 1.º Si conviene que haya una ciudad capital del Reino; 2.º Si conviene que la corte sea fija; 3.º Qué circunstancias se requieran para ello; 4.º Cuáles son las que tienen las diversas ciudades de España; 5.º ¿Cuáles Madrid?, y 6.º y último: De qué modo se pueden suplir las que le faltan. Es un escrito sumamente curioso, donde a vueltas de la indigesta erudición y del estilo pesado tan frecuente en los escritores de aquellos tiempos, se leen observaciones muy importantes, y se defiende con maestría el propósito del discurso.

Este _Lope Deza_, según don Nicolás Antonio,

Desde entonces trató de hermosear a Madrid y proveer a su comodidad haciendo venir a él aguas abundantes, y edificando en el corto espacio de dos años la hermosa Plaza Mayor. De su reinado son también la casa de los duques de Uceda (hoy conocida por los Consejos), los conventos de San Basilio, Jesús, Santa Bárbara, Trinitarios y otros, entre los cuales es muy distinguido el Real Monasterio de la Encarnación, fundado por la reina doña Margarita de Austria. Felipe III murió en Madrid en 21 de marzo de 1621.

El reinado de Felipe IV fue aun más brillante para Madrid, si bien se iba sintiendo en él la inevitable ruina del Imperio colosal de Carlos V y Felipe II; pero el carácter particular del joven Rey, la elegante cultura de su corte y las brillantes escenas con que supo encantar su ánimo el conde-duque de Olivares, dieron a Madrid una animación y elegancia en que sólo excedió después la brillante corte de Luis XIV. La venida del príncipe de Gales en 1623 para pedir por esposa a la hermana del Rey, fue motivo de funciones magníficas. Las celebradas en 1637, con ocasión de haber sido elevado al Imperio el rey de Bohemia y Hungría, don Fernando, cuñado del Rey, costaron de diez a doce millones de reales, y en los cuarenta días que duraron, las comedias, los toros, las máscaras se sucedían sin cesar. El Palacio Real y el del Retiro eran el foco de esta continua diversión, y el Rey siguiendo su inclinación favorita se interesaba vivamente en ello.

En tal apogeo de su gloria y esplendor vamos a considerar hoy a la antigua corte española; el período a que nos referimos es seguramente el más interesante de su historia, el más novelesco también y propio para ejercitar la pluma de los poetas y literatos; el período en que un monarca joven, amante de las letras y de las artes, aunque frívolo y descuidado en política, cuyo peso descargaba en hombros de su

_____

fue segoviano y estuvo avecindado en Hortaleza, cerca de Madrid. Publicó en 1618 un libro titulado _Gobierno político de agricultura_, y dejó manuscritos, además del _Tratado de corte_, otros titulados _Juicio de las leyes civiles_ y _Apología del P. Mariana contra su contradictor._

avorito, se entregaba ardientemente al bu-
licio y esplendor de las fiestas palatinas,
omaba parte en las justas y torneos ca-
)allerescos, y en las representaciones escénicas, y patrocinaba con su ejemplo y liberalidad a Velázquez y Murillo, Lope de
Vega y Calderón; época y corte en que
florecían además Quevedo y Saavedra, Tirso y Moreto, Solís, Guevara y Alarcón; en
que recibía y obsequiaba a los ilustres potentados y embajadores de las más poderosas naciones; época de brillante corrupción que describe admirablemente el ignorado autor del *Gil Blas*; en que el arrogante duque de Olivares, fascinando al Monarca con el ruido y movimiento de los
continuos festines, le hacía ignorar las pérdidas de su corona hasta el punto de ex-
clamar con ocasión de la de una de sus
más importantes plazas del Franco-Condado: "¡pobrecito rey de Francia!" y con-
gratularse porque la insurrección del duque de Braganza le proporcionaría algunos
estados más; al propio tiempo que se sen-
tía con bríos para escribir al general de
las tropas de Flandes aquella lacónica carta
que decía: "Marqués de Spínola, tomad
a Breda."

Si para formaros una idea aproximada
del Madrid material de aquellos tiempos,
consultamos a los cronistas e historiadores
contemporáneos, los Pinelos, Dávilas y
Quintanas, quizás formaríamos una idea
exagerada de su grandeza y majestad, al
leer los pomposos elogios de sus palacios,
iglesias y monumentos, de sus calles, caserío, jardines y paseos, y no resistiríamos
al entusiasmo que hacía prorrumpir al cronista Núñez de Castro en su donoso libro
titulado: "Sólo Madrid es corte." Pero si
observamos los restos que aún quedan de
aquellos primores y grandezas del Madrid
de la casa de Austria, mucho seguramente
rebajaremos de la idea que tan apasionados encomios nos produjeran; si busca-
mos, en fin, en los documentos fehacientes
de la época indicaciones más positivas que
las de los exagerados cronistas, nos iremos
más y más acercando a la triste realidad.

Nada nos hará formar una idea tan
exacta de aquel Madrid, como la vista
material y el estudio del gran *Plano general publicado en Amberes en 1656*, de
que por acaso han llegado hasta nosotros

algunos aunque rarísimos ejemplares (1).
La extensión, exactitud y minuciosidad de
dicho plano perfectamente grabado, en que
está representado materialmente todo el caserío, calles, plazas y jardines de la villa,
en escala bastante extensa para apreciar
sus detalles y con sus perspectivas caba-
lleras de la parte del Mediodía, hacen de
este plano un documento preciosísimo para
la historia de Madrid, y siendo como es
casi generalmente ignorado por su rareza,
vamos a describirle con toda la posible
minuciosidad, añadiendo aquellas observaciones que su estudio nos sugiera y combi-
nándolas con otras noticias que podamos
reunir.

Consta dicho plano de veinte hojas de
gran marca, las cuales unidas y pegadas
sobre lienzo (como están en el precioso
ejemplar que poseemos y también en el
otro que conserva el Excelentísimo Ayuntamiento) ocupan una extensión de unos 8
pies de altura por 10 de ancho, o sean cerca de 80 superficiales. Y como es de temer
que desaparezca o se inutilice absolutamente tan importante documento para la
villa de Madrid, creemos hacer un servicio
en consignar aquí su conjunto y detalles.

En la parte superior de dicho Plano se
lee esta inscripción: MANTUA CARPETANO-
RUM SIVE MATRITUM URBS REGIA. Al lado
derecho están las armas reales sobre trofeos, y se lee: *Philipo IV rege católico,
Forte et Pio. Urbem hanc suam et in ea
orbis sibi subjecti compendium exhibit.
MDCIV*; y debajo, en una tarjeta sostenida por figuras alegóricas y trofeos se
encuentra la siguiente inscripción: *Topografía de la villa de Madrid descrita por
don Pedro Texeira, año de 1656, en la que
se demuestran todas sus calles, el largo y
ancho de cada una de ellas, las rinconadas
y lo que tuercen, las plazas, fuentes, jardines y huertas, con la disposición que tienen, las parroquias, monasterios y hospitales están señalados sus nombres con letras y números que se hallarán en la tabla,
y los edificios, torres y delanteras de las*

---

(1) No conocemos más que tres: el uno, aunque bastante maltratado, que existe en el Ayuntamiento; el que nosotros poseemos, y otro, que
posee el señor don V. Calderera en su preciosa
colección.

casas de parte que mira al Mediodía están sacadas al natural, que se podrán contar las puertas y ventanas de cada una de ellas."
A la izquierda está la tabla y las escalas de 1/1870 y debajo dice: *Salomon Saury fecit, cura et solicitudine Joannis et Jacobi Van-veerle, Antuerpix.*

Efectivamente, la minuciosidad y exactitud del dibujo son tales, que dejan poco que desear, no sólo en cuanto al giro y disposición de las calles, sino en el alzado de las fachadas y topografía interior de los edificios, pudiendo juzgar de la conciencia con que fue hecho aquel precioso trabajo por los muchos, públicos y particulares que aún se conservan en el mismo estado en que los represente el plano, con la misma repartición de su planta, con el propio número de pisos, puertas y ventanas, y la misma forma general de su ornato arquitectónico.

Empezando por el circuito nuestra detenida inspección vemos en él que los límites de la villa eran sustancialmente los mismos de hoy, aunque por muchas partes carecía aun de cerca, que según más particularmente expresamos en otra obrita, no se llevó a cabo desde la ampliación de Madrid por Felipe II hasta los últimos años del reinado de Felipe IV y a virtud de una real cédula de 1625 que tomada del archivo de la villa reprodujimos entonces. También recordamos a este propósito unos versos de Tirso de Molina en una de sus comedias que dicen:

"Como Madrí está sin cerca,
a todos gustos da entrada;
nombre hay, de Puerta Cerrada,
mas pásala quien se acerca."

La tapia o cerca nueva la seguiremos en el plano empezando en la puerta de Alcalá; ésta era mezquina y formada de dos torrecillas, apareciendo hallarse situada más abajo que el actual arco de triunfo, poco más o menos frente a la glorieta o entrada moderna del Buen Retiro. Como no existían aún los edificios del Pósito, o los hornos de Villanueva, construidos después, corría la cerca cerrando las huertas de Recoletos y otras, y formando el mismo recodo que hoy con la que es ahora de la Veterinaria. La Puerta o Portillo de Reco-

letos, que también era sumamente mezquina, estaba poco más o menos en el mismo sitio que la actual. Seguía la tapia derecha hasta Santa Bárbara, y luego hacía un saliente notable hasta el portillo, que estaba en el mismo sitio y es acaso el propio que hoy se ve, y en las afueras no se señala más que tierras de labor, no existiendo la huerta después llamada de Loynaz, hoy de Arango. A la izquierda del portillo de Santa Bárbara aparece un edificio, que puede ser el mismo o una buena parte de la actual fábrica de tapices, y en él se mira un molino de viento. Siguen luego algunos trozos muy irregulares de cerca hasta la puerta o salida llamada *de los Pozos de la nieve*, en el mismo sitio que hoy la de Bilbao. Más diferencias se observan entre ésta y la de Fuencarral (entonces llamada de Santo Domingo), y se ve otra salida o puerta llamada *de Maravillas*, al fin de una calle que puede ser la de San Andrés, cerrada hoy con el jardín de Apolo. Veíase después el palacio de los duques de Monteleón, con su extendida huerta y cerca que formaba la de Madrid por aquella parte, aunque no parece tan saliente como ahora. Corría luego por la izquierda hasta la salida del Conde-duque de Olivares (cuyo palacio y jardines aparecen en los sitios en donde hoy están el de Liria y el cuartel de Guardias) y luego continuaba con la misma imperfección que hoy hasta la de San Joaquín (Portillo de San Bernardino). Fuera de éste había un humilladero de cruces, que seguiría sin duda hasta el convento, y se señalan varios caminos al *Molino quemado*, a la huerta de *Buytrera*, etcétera, por el interior de la montaña llamada del Príncipe Pío. Esta quedaba entonces fuera de la población y la cerca bajaba costeándola desde el portillo de San Joaquín hasta el camino del Río, cerrando las huertas llamadas de las Minillas, la Florida, Buytrera, etc., hasta el puente del parque, que venía a estar donde hoy la fuente del Abanico, por bajo de las Reales Caballerizas. El dicho *Parque de palacio* (que seguía después adelantando como hoy los jardines hasta el río y la Tela) consistía por lo visto en unas alamedas y paseos sin grande importancia, y llegaba hasta la puente Segoviana, y la bajada de la Vega. Al lado opuesto del río se ve la Casa de

Campo, poco más o menos en los términos que hoy, aunque con mayor frondosidad. La Puerta de la Vega tenían aún dos cubos y aparece de alguna fortaleza, y la de Segovia la misma que hemos visto derribar hace tres años. Desde ella subía la cerca por las Vistillas y huerta del Infantado, como hoy, hasta la del convento de San Francisco, no viéndose todavía el portillo que mandó después abrir y a que dio su nombre el licenciado Gil Imon de la Mota, fiscal del Consejo de Hacienda, que tenía allí sus casas, en donde es hoy hospital de la V. O. T. Por último, la cerca seguía a la puerta de Toledo, que estaba algo más arriba que la actual; luego al portillo de Embajadores, luego al de Lavapiés (hoy Valencia), y formando varios ángulos y desigualdades llegaba a la salida que llama de Vallecas, donde se construyó la puerta de Atocha, y otra salida cerca del convento, donde hemos visto todavía el portillo llamado de la Campanilla, dando por fin la vuelta del Retiro y huerta de Atocha hasta incorporarse con la puerta de Alcalá.

Vése por lo dicho que los límites generales de la villa de Madrid han tenido muy poca alteración en dos siglos, como que únicamente han adelantado algo hacia las puertas de Alcalá, San Vicente y la Vega; vamos a ver ahora las diferencias sustanciales que nos ofrece el plano de 1656 en las calles y caserío de lo interior.

El trazado general de éstas era también el mismo que aun conservan, salvas algunas excepciones de cerramientos posteriores que indicaremos en sus sitios respectivos; el número de casas también podía ser el mismo poco más o menos; pues si bien es verdad que la abundancia de jardines pertenecientes a ellas en todas las calles de la población, y la multitud de grandes monasterios y sus huertas ocupaban una parte muy principal del perímetro, también lo es que los edificios posteriormente construidos para habitaciones particulares son en general mayores, como que en cada uno de ellos se ha ocupado muchas veces el solar de tres o cuatro de las antiguas casas. Estas generalmente eran muy reducidas y mezquinas, construidas de tierra y cantería tosca y sin labrar, aunque bastante sólidas, pues han resistido en

su mayor parte el transcurso de más de dos siglos; eran casi todas bajas, o construidas *de malicia*, cuya expresión, que ha llegado hasta nuestros días para designar las casas que sólo tienen piso bajo, se refería a la carga de Aposento de la Real Comitiva, que pesaba sobre los pisos principales (1) hasta que por Real Cédula de Felipe III y a virtud del servicio de la sexta parte de los alquileres de las casas durante diez años ofrecido por la villa cuando la nueva traslación de la corte a Madrid en 1606, se conmutó en 250.000 ducados que dio margen a esta contribución que se ha redimido en nuestros días.

Tan ruinoso gravamen, la prohibición de alzar las casas dando vistas a las huertas de los monasterios y otras semejantes trabas que parecían impuestas de intento para impedir las construcciones elegantes y espaciosas, la escasez de riqueza propia que siempre ha tenido Madrid, y el ningún gusto en lo general de los arquitectos de la época para comprender y satisfacer las necesidades del vecindario, todas estas causas reunidas dieron lugar a que el numeroso caserío construido en los siglos XVI y XVII se resintiera generalmente de una mezquindez y mal gusto absolutos. Todavía podemos observar datos prácticos de ello por los muchos edificios particulares que aun se conservan de aquella época, bastando señalar aquí más especialmente casi todos los que forman las calles bajas de las Huertas, Santa María, San Juan, Francos, Cantarranas, Niño (hoy de *Cervantes, Lope* y *Quevedo*) y en los barrios altos, las del Barco, Ballesta, Corredera de

(1) Así lo vemos expresado terminantemente, entre otros varios escritos de la época, en el *Registro original de aposento*, concluido en 1651, manuscrito interesante que obra en nuestro poder. En una de sus páginas hay esta nota: «Calle de Toledo (antes de la Mancebia), una casa de Mari Méndez, muger de Blas Caballero, soldado de la Guardia Española, *que era de aposento y el que mandó se hiciese de malicia*, tasada en 56 ducados.» Aludiendo también a esta expresiva significación de aquella palabra dijo el festivo Quevedo hablando en uno de sus romances de cierta mujer de mundo de las que él solía ocuparse:

«Por no estar a la malicia
labrada su voluntad,
fue su huésped de aposento
Antón Martín el Galán.»

San Pablo, Madera, Jesús del Valle y otras varias.

Viniendo a nuestra descripción del Plano de 1656, y tomando en consideración por ahora el cuartel alto, vamos a ver qué variaciones se deducen de su estudio entre la Puerta del Sol y calle de Alcalá, y la de la Montera y Fuencarral; que es el primer cuarto de círculo de los que mentalmente para este objeto consideramos dividido a Madrid.

La plaza conocida como hoy por *Puerta del Sol*, tenía ya en el siglo XVII la misma extensión y daba entrada a las propias calles que hoy, conocidas también con iguales nombres. Delante del Buen Suceso había una especie de lonja o enverjado y una fuentecilla, y a uno y otro lado se colocaban cajones y tinglados para venta de comestibles; un caserío bajo y mezquino ocupaba en esta plaza y en la calle de Alcalá el sitio que hoy los suntuosos edificios de Correos, la Aduana, Historia Natural, etc., que forman su primer adorno. Sólo se conservan de aquel tiempo el convento de las Vallecas (después teatro del Museo) y el Carmen descalzo, hoy parroquia de San José. En el sitio en que hoy está la casa de la Inspección de Infantería (que no existía, y sí sólo la que forma ángulo detrás de la Cibeles) desembocaba una calle que oblicuando después salía al camino de los Recoletos; y hacia donde está hoy el convento de San Pascual se alzaba el palacio y jardines del célebre almirante don Gaspar Enríquez de Cabrera (de quien tomó nombre la calle contigua, que antes se llamó de El Escorial) y que fueron cedidos por él mismo para la fundación de aquel monasterio; seguían los del conde de Bornos y de Medina de las Torres, y otro en el sitio donde hoy la huerta de las Salesas. Al frente se veía el convento e iglesia de Recoletos, absolutamente en los mismos términos que la hemos visto antes de su derribo, en nuestros días, el palacio y jardines de Monte Alegre y otros; a este lado del camino corría descubierto el barranco que también vimos cubrir hace algunos años, y no había arboleda ninguna formando paseo o continuación del Prado de San Jerónimo.

En el sitio donde hoy se eleva el magnífico palacio de Buenavista (construido en el pasado siglo por la duquesa de Alba) había otro edificio bastante notable, dejando salida por su costado a la calle de las Salesas (entonces llamada de los Reyes), por donde es hoy el jardín del Valenciano, y comunicándose con la calle de Alcalá, cuyo corte y distribución de aquel recinto es poco más o menos el mismo propuesto por nosotros y adoptado en las lineaciones verificadas últimamente por los arquitectos de la villa para cuando llegue el caso de nuevas construcciones. La calle del Barquillo terminaba donde naturalmente termina, esto es, en el ángulo delante del corralón almacén de la Villa, y el trozo que hoy con el mismo nombre sale a la de Hortaleza era conocido entonces por calle *de las Flores*. Por supuesto que no existía todavía el magnífico monasterio de las Salesas Reales, obra muy posterior de Fernando VI y su esposa doña Bárbara, y en su lugar había algunas casas bajas y un gran huerto cercado. Tampoco el convento de monjas de Santa Teresa, y en su sitio se miraba un palacio que puede ser el del Príncipe Astillano, fundador y patrono de aquel convento. La calle del Barquillo por su izquierda presentaba una serie no interrumpida de huertas cerradas, como la de Frías y otras que hoy estamos viendo ocuparse con magníficas casas. La huerta del Carmen avanzaba por el espacio que hoy ocupa la plazuela del Circo, formando con sus tapias un callejón en escuadra desde la calle de las Infantas por el costado de la casa de las *Siete chimeneas*, que existía ya absolutamente en los mismos términos que hoy la vemos, y fue posteriormente célebre por el motín de 1766 contra el ministro Squilache que la habitaba, hasta la del Barquillo por la esquina de la casa de los condes de Chinchón. Dicha huerta quedó mermada en este tramo, permitiendo la continuación recta de la calle de las Infantas a la del Barquillo y la formación de la plazuela, en tiempos del Príncipe de la Paz (de quien tomó el nombre del Almirante), que vivió algún tiempo en la citada casa inmediata al teatro del Circo, propia de la condesa de Chinchón, y lo mismo la frontera con la que se comunicaba al piso principal por un desdichado pasadizo que se ha demolido hace pocos meses. La calle de la Libertad (llamada entonces de los Carmelitas), corría recta hasta otra que cruzaba más allá de la de Santa María del Arco, y como no existían el cuartel del Soldado, ni la Galería vieja, ni los conventos y huertas de Góngora y de San Fernando, toda esta barriada estaba mejor cortada que ahora, sin formar los recodos y burladeros que la desfiguran, los cuales tienen que volver a desaparecer según la nueva alineación proyectada. Existían ya sin embargo cerrados los callejones de San Marcos (entonces de San Hermenegildo), del Soldado, y sin duda también las mismas casas que hoy los cierran. Las calles de San Antón, Hortaleza y demás seguían la propia dirección que ahora. Especialmente el último confín de ésta, o sea la plazuela y subida de Santa Bárbara, presentaba el mismo desnivel y accesorios, con su mezquino portillo, su feo convento (hoy fábrica de fundición), y su casuca adjunta, en la cual vivió y murió por aquellos años la Beata Mariana de Jesús; no había sin embargo arbolado, ni la casa construida en tiempo de Carlos III para saladero de cerdos (hoy cárcel de la Villa), ni las demás nuevas de la izquierda. En el sitio que media entre las calles de las Infantas y la de San Marcos se alzó en 1651 el convento e iglesia de Capuchinos de la Paciencia, demolido en 1838 para formar la plazuela de Bilbao. Existía ya también en la calle del Caballero de Gracia, esquina a la del Clavel, el monasterio de monjas, demolido en nuestros días, a quien aquel virtuoso sacerdote cedió sus propias casas y en el que fue enterrado. Igualmente se ven en el plano las calles angostas de San Bernardo y de Peligros; esta última lo era tanto más, cuanto que la huerta de las monjas Vallecas avanzaba sus tapias hasta el medio de la calle, para cuyo derribo y remetimiento a la línea en que hoy están hubo mucho ruido en el pasado siglo, en tiempo del conde de Montarco, gobernador del Consejo de Castilla. Las calles de Hortaleza y Fuencarral no ofrecían tampoco objetos notables, y a su confluencia a la de *la Montera* o Red de San Luis (llamada según se cree con el primero de aquellos títulos a causa de una célebre hermosura que habitaba en ella, y era esposa del montero del Rey, y con el segundo por hallarse

en ella los cajones para la venta de comestibles y la Red del pan) tampoco se alzaba todavía el inmenso edificio que construyó para su habitación a mediados del siglo pasado don Pedro Astrearena, marqués de Murillo, ni la nueva iglesia de San Luis obispo, principiado en 1679.

La segunda mitad del cuartel alto, comprendida entre las calles de la Montera y Fuencarral y la Mayor, ofrece en general pocas variaciones en su corte, según el Plano de 1656; el giro y dimensiones de las calles es el mismo, los edificios notables, especialmente los religiosos, el Carmen Calzado, San Basilio, Portaceli, San Plácido, San Antonio de los Portugueses, don Juan de Alarcón, las Descalzas Reales, San Martín, Santa María, los Angeles, Santo Domingo, San Ginés, etc., existían ya en los mismos términos que los hemos alcanzado; los nombres de las calles eran los que aun conservan con cortas variaciones, por ejemplo, la de la Salud se llamaba *alta del Carmen,* la del Barco de *Don Juan de Alarcón,* la del Desengaño *de los Basilios* y alguna otra. Estas calles, las de Valverde, Desengaño, Horno de la Mata y aun parte de las de Jacometrezo y del Olivo, fueron formadas según nuestras noticias a mediados del siglo XVI a consecuencia de la venta hecha por don Juan de Victoria Bracamonte en 7 de noviembre de 1542 *de una tierra que tenía en el arrabal de Madrid frontero al camino de Fuencarral* (ya queda dicho que por entonces la cerca de Madrid terminaba en el *Postigo de San Martín,* desde donde corría derecha a la *Puerta del Sol),* cediéndola a censo por diez ducados de oro perpetuos al año, y reservándose un pedazo para labrar casa para él, como lo hizo, dando su nombre a la calle de la *Puebla de Juan de Victoria.* Posteriormente, un hijo suyo del mismo nombre, en 18 de agosto de 1587, concedió su licencia para dividir dicha tierra en noventa y cinco solares "con el censo anual cada uno de dos reales y una gallina, y con la condición de que habían de edificarse en ellos casas bajo la traza que diese el alarife Francisco Lozano" Así se hizo, y son las que forman las calles referidas. Entre otros sujetos que costearon su construcción vemos que fue uno el escribano Diego de Henao, que hizo edificar la tercera, cuarta y quinta casa de la Corredera de San Pablo, con accesorias a una callejuela, a que sin duda por esta razón, se dio su apellido, y hoy por corrupción se denomina *calle del Nao*.

No existía apenas la plazuela del Carmen, formada en principios de este siglo; en la calle de Jacometrezo (a que dio su nombre el célebre escultor o lapidario de Felipe II) (1), se supone existía ya la casa que habitó; era baja, y ocupaba el sitio de la que forma ambas esquinas de las calles de las Tres Cruces y de la Salud. También se ve en el Plano la casa que fue del secretario Alonso Muriel y Valdivielso, esquina al Postigo de San Martín, en lo que hoy es plazuela y está señalada con el número 8, que se supone obra del célebre arquitecto Juan de Herrera, y en efecto es absolutamente de su estilo. Por supuesto que como es sabido la iglesia parroquial de San Martín, contigua al convento y derribada en tiempo de la dominación francesa, avanzaba hasta frente de esta casa, donde hoy se llama Travesía de Trujillos, con atrio y puerta de entrada, cerrando de este modo más regularmente la plazuela de las Descalzas. El monasterio e iglesia de estas señoras formaba como hoy el lienzo de la plazuela que mira al Sur, y desde él al que mira a Poniente corría un arco (cuyos arranques se notan todavía) a unir con la que es ahora casa del Monte de Piedad; se ve también en los propios términos la calle y casa de los Capellanes, la de la Misericordia (después de la Compañía de Comercio, y actualmente teatro y salas de baile), y la plazuela de Celenque (2). La calle del Arenal, tan tortuosa y estrecha como ahora, e igualmente existía ya la lonja o atrio de San Ginés, aunque no el arco, que puede ser posterior. A la entrada de dicha calle del Arenal, por la Puerta del Sol, había una torrecilla y también se ve en el Plano el contiguo callejón del Cofre o de Cofreros (*des Bahutiers*), de que hace mención también por aquella época el supuesto autor de Gil Blas, por vivir a la esquina el señor Mateo Meléndez, comerciante de paños de Segovia, a quien vino recomendado el mismo Gil Blas.

Al desembocar dicha calle del Arenal hacia donde después se alzó el coliseo de los Caños, y hoy Teatro Real, había a su izquierda un puentecillo que daba paso a la calle de las Fuentes, y enfrente estaban éstas, que eran los llamados *Caños del Peral*. La disposición del caserío en el amplio recinto que por los derribos hechos en tiempo del gobierno francés se ha designado después con el nombre de *Plaza de Oriente*, es conocida de nuestros inmediatos ascendientes. A la salida de la calle del Arenal e izquierda de los Caños, se alzaba una manzana muy prolongada de casas, que formaba las calles de Santa Catalina la Vieja y el convento de Santa Clara, hacia donde hoy las calles de Vergara, Independencia, Unión, etc., y por el costado opuesto formaban otra grande manzana los monasterios y huerta de Santo Domingo y los Ángeles. La iglesia del primero carecía del pórtico, que se construyó en tiempo de Carlos III y dejaba descubierta su portada principal a los pies de la misma. Desde la Encarnación (cuyo pórtico es el mismo que en el día) avanzaba a la izquierda otra manzana inmensa, ocupando todo lo que es hoy glorieta y paseos, formando el jardín conocido por *de la Priora*, y el edificio del Tesoro que daba frente al sitio donde luego se alzó el teatro y volvía por su derecha hacia donde es hoy calle de Requena, cerrando después frente al Alcázar con el Juego de Pelota en la calle que era principio de la que hoy se llama de Bailén. Por la parte de la izquierda o del Pretil se formaban varias manzanas y las calles de Rebeque (3), de la Parra, del Buey, del Carnero, de Santa Clara, y las plazuelas e iglesias de San Gil y San Juan. Todo esto fue derribado por los franceses, y tiene hoy diferente corte y disposición

---

(1) Jácome, o Jacobo Trezzo, milanés, célebre escultor y fundidor de metales que trabajó en la obra del tabernáculo de El Escorial.

(2) Tomó este nombre de don Juan de Córdoba y *Zelenque*, que tenía allí sus casas.

(3) La casa de los Borjas, en que murió San Francisco, duque de Gandía y donde nació su hijo y posteriormente sus sucesores, los príncipes de Esquilache, se llamó de Rebeque por el embajador holandés M. Robek, que vivió largo tiempo en ella. Estaba a la entrada de la calle del Viento, formando una plazoleta y calle que llevaban también este nombre, y que hoy no existen tampoco.

cón las calles nuevas. También por el lado del Mediodía y plazuela llamada entonces *de las Caballerizas Reales* y después de la Armería, se alzaban dos manzanas de irregulares proporciones, que formaban las calles de *Santa Ana la Vieja*, del *Postigo* y de *Pumar*, que también desaparecieron con su derribo. Dicha casa de las Caballerizas Reales (la Armería) existía ya desde el reinado de Felipe II y fue obra de su arquitecto Gaspar de Vega, pero en el Plano de 1656 no se ve aun el hermoso arco que da entrada a la plaza de Palacio y que se mandó hacer por don Fernando Valenzuela, marqués de Villastiera, y ministro durante la menor edad de Carlos II, a fines del siglo XVII. Por supuesto que tampoco existía la balaustrada que cierra la plaza del lado del río y fue construida en tiempo de José Napoleón.

El alcázar antiguo, que se incendió en 1734, y estaba, como es sabido, en el sitio mismo que el nuevo Real Palacio, presenta en el plano su fachada meridional muy conocida, con sus torres laterales, sus patios, y conforme el alzado topográfico, que existe en el gabinete del Retiro. Y por el costado poniente los cubos salientes, murallones y bajadas al parque, cuyos paseos presenciaban las galantes aventuras de la época, y sirvieron de escena favorita a los ingeniosos dramas de Lope y Calderón. La calle nueva o de Bailén era un camino inculto y desamparado; y no hay que decir que no existían las nuevas Caballerizas Reales y la casa del ministerio de Marina (obras del reinado de Carlos III), ni el cuartel de Guardias ni el Seminario; pero sí se ve en el plano la portada de la iglesia del convento de Agustinos de doña María de Aragón (hoy Palacio del Senado), y a la plaza de los Ministerios se la designa con el nombre de *Bajada y Vistas de doña María de Aragón.* La calle del Reloj avanzaba por la forma de la manzana en que estaba aquel convento, hasta la calle de Torija (que el Plano designa no sabemos si equivocadamente *de Corito*), y donde hoy está el cuartel o convento de San Gil, eran huertos, no existiendo tampoco la bajada y Puerta de San Vicente, obras también de Carlos III. La calle conocida hoy por de María Cristina y antes de *la Inquisición* (por hallarse en ella el tribunal y

prisiones de ésta en la casa número 4 de dicha calle) se llamaba *entonces de los Premostratenses,* cuyo convento estaba situado en lo que hoy es plazuela y mercado. A la parte baja de la calle de Leganitos, donde posteriormente se construyó la alcantarilla, había un puente. La calle ancha de San Bernardo se llamaba *de los Convalecientes* por un hospital que hubo en ella, y en el plano se ve sólo el trazado de la planta de la bella iglesia del Noviciado que por entonces se construía y que hemos visto derribar con dolor para alzar el nuevo edificio de la Universidad. Lo demás de este cuartel alto ofrece pocas variaciones. No existía el Hospicio, pero sí todas las rectas y prolongadas calles de San Vicente (que se llamaba *de los Siete Jardines*), de la Palma, del Espíritu Santo, etc., y ya se ve el convento de las Maravillas, aunque no el de Monserrat (después Galera), ni las Comendadoras de Santiago que se fabricaron después. Queda ya dicho en otro lugar que el Palacio y estendida huerta de Monteleón (propiedad de los marqueses del Valle y de Terranova, descendientes de Hernán Cortés) ocupaban todo el inmenso recinto que hoy sus ruinas y descampado a la puerta de Fuencarral. Dicho palacio ofrecía una gran perspectiva, y aunque en nuestros días le hemos visto caer en ruinas, ha adquirido la inmortalidad de su nombre por la gloriosa defensa de su entrada hecha el día 2 de mayo de 1808, por los heroicos Velarde y Daoiz, con cuyos nombres ilustres son hoy conocidas las calles contiguas.

Hecha esta rápida reseña del cuartel alto de Madrid en la mitad del siglo XVII, entraremos ya a tratar del central y bajo, por la calle Mayor, cuya acera meridional se presenta en el plano en perspectiva caballera, y se ve por ella que no existía la casa, llamada del Platero, construida el siglo pasado (1), pero sí la inmemorial iglesia parroquial de Santa María, con la misma forma y portada y formando a su costado el mismo callejón que hoy (en el cual

_____

(1) Este nombre del Platero, le ha quedado del opulento maestro de este oficio Jorge Santos, que la hizo construir a su costa. Después fue esta casa de Memorias pías fundadas por su viuda, y luego del Estado que colocó en ellas las oficinas del Crédito público y ahora Tribunal Mayor de Cuentas.

fue asesinado el secretario de don Juan de
Austria, Juan de Escobedo) y la casa de los
duques de Pastrana, hoy del colegio de niñas de Leganés, que forma escuadra detrás
de aquella iglesia. En dicha casa vivió la
célebre princesa de Eboli, esposa de Ruy
Gómez de Silva, mayordomo de Felipe II,
mujer de rara hermosura (a pesar de ser
tuerta) que según las tradiciones y leyen-
das de la época, supo aprisionar en sus
redes al severo Monarca / a su ministro
Antonio Pérez, a cuya rivalidad se atribuye la terrible persecución contra este privado. Todavía se ve en el costado de la
iglesia la puerta en cuyo dintel es fama
que estuvo escondido Felipe, viendo subir
al coche a aquella célebre favorita la noche
en que de su orden salió desterrada y fue
conducida a la torre de Pinto, que hoy ven
con indiferencia los pasajeros inmediata al
ferrocarril de Aranjuez.

El caserío general de dicha calle Mayor
en el trozo que después fue conocido por
de la Almudena, carecía de importancia, y
acaso no existe ya de aquella época más
que la casa del duque de San Lorenzo, inmediata al que fue convento de Constantinopla. La calle de Luzón se llamaba del
Salvador, a pesar de existir ya en ella desde muy antiguo las casas de Luzón, una de
las solares de esta villa y que después fue
fábrica de loza titulada del conde de Aranda. A su espalda con vuelta a la plazuela
de Santiago se alzaba ya la de Lemus, la
misma que habitó don Alvaro de Luna, y
en que ya dijimos celebró una magnífica
fiesta con ocasión de haberle nacido un
hijo; a la calle del Factor la designa el
plano por la de las Parras; y por la del
Espejo y los Tintes se observaban restos de
la antigua muralla. Delante de la iglesia
del Salvador (derribada hace pocos años)
frente a la plazuela de la Villa, había una
lonja o atrio que es donde se supone se
juntó en lo antiguo el concejo de Madrid
y hasta las Cortes del reino. Siguiendo este
lienzo se veían muchas casas particulares
ya elevadas de cuatro y cinco pisos y con
soportales hasta la entrada de la calle de
Coloreros; y no existía todavía el inmenso
caserón o palacio de los marqueses de Monte Alegre, condes de Oñate. En su lugar
estuvo hasta los tiempos de Carlos V la
casa mancebía de mujeres, con salida al

callejón que se llamó de la Duda, donde
ahora los comunes públicos.

En el plano de 1656 que sirve de base
a nuestra rápida reseña, se distingue claramente según dijimos antes (aunque interrumpida por las construcciones posteriores) la muralla antigua que conservó Madrid muchos años después de la conquista
en el siglo XI. De la muralla nueva de ampliación anterior al establecimiento de la
corte en Madrid, no se ven señales ningunas
en aquel plano, y esto nos hace creer que
pudo ser una cerca o tapia sin fortaleza,
que desapareció después con el caserío sin
dejar rastro alguno de su existencia.

La parte baja de la calle de Segovia,
abierta a principios del siglo XVII, se llamaba *calle nueva de la Puente*, y es la comprendida desde la costanilla de San Andrés
y plazuela de la Cruz Verde hasta la puerta. Entonces se construyó también esta (que
hemos visto derribar hace tres años) mirando al puente que en 1582 construyó
Juan de Herrera, célebre arquitecto del Escorial. Dicha plazoleta de la Cruz Verde y
calle de Segovia se hallaban ya a mediados
del XVII privadas de comunicación directa
con la calle Mayor, por el convento de
monjas del Sacramento que había sido fundado por el duque de Uceda, inmediato a
su casa palacio, aunque el templo actual es
de mediados del siglo último. En su tapia
accesoria que da a dicha plazoleta, y en el
mismo sitio en que hace tres años se ha
colocado la fuente nueva, se conservó hasta
nuestros días una cruz de madera pintada
de verde que sirvió en la procesión de uno
de los autos de fe de la suprema inquisición, y de cuya cruz tomó nombre la plazuela. En la callejuela contigua que sube a
los Consejos (llamada hoy de la Villa, y
antes del Estudio) existe aun la casa en que
estaban los Estudios generales que sostenía
la villa de Madrid y que en el siglo XVI
regentaba el maestro Juan López de Hoyos,
que es la señalada con el número 2 de dicha
calle y el 24 de la de Segovia, adonde acaso asistiría a escuchar sus lecciones el inmortal *Miguel de Cervantes,* a quien aquel
en sus escritos apellida *su amado discípulo.*
Por supuesto existía ya el magnífico palacio de los duques de Uceda (hoy los Consejos) construído por uno de los Moras, arquitecto, en los últimos años del reinado de

Felipe III, y en el cual vivió y murió después en 1696 la reina gobernadora doña Mariana de Austria, viuda de Felipe IV.

Enfrente de dicha plazoleta de la *Cruz Verde* está la *Costanilla de San Andrés*, o sea plazuela de la Paja, la cual y sus tortuosas y pendientes calles contiguas eran a mediados del siglo XVII, y mucho tiempo antes, lo mismo que son hoy; lo que son también muchos barrios de Toledo, Granada, Córdoba, Sevilla y otras ciudades de origen árabe, pudiendo mirarse dicha plazuela y barriadas anejas como un episodio íntegro y único que nos queda ya de la historia y condiciones del primitivo Madrid. En lo más alto de aquella colina existía en principios del siglo XV la casa del noble caballero madrileño Ruy González Clavijo, llamado por su facundia el *Orador*, camarero del rey don Enrique III y su embajador cerca de la persona del gran Timurlenk (Tamerlan), en 1402. Esta casa pasó a fines de aquel siglo a ser propiedad del licenciado Francisco Vargas, del consejo de los Reyes Católicos, quien proyectó labrar en ella la hermosa capilla que existe, conocida por del *Obispo*, por haberla concluído su hijo Don Gutierre, obispo de Plasencia, cuyo magnífico mausoleo se ve en ella. Al costado izquierdo de esta capilla continúa la casa de los Vargas, en que se supone murió San Isidro labrador, y que pasó después por entronques a la familia de los Lujanes, representada hoy por los condes de Paredes y de Oñate; y al derecho la de los marqueses de San Vicente, otra ramificación de la familia de los Lujanes y Vargas. Enfrente de esta última, por dicha plazuela de la Paja, se ve el antiguo palacio que fue de don Pedro Laso de Castilla, inmenso edificio que ya dijimos sirvió de aposentamiento a los Reyes Católicos, don Fernando y doña Isabel, los cuales mandaron hacer aquel pasadizo que comunica con la parroquia de San Andrés.

Por el costado de este palacio y por medio de calles tortuosas y costaneras se ingresa en el ya citado barrio de *la Morería*, en el cual se observan aun entre sus miserables casuchas restos de otras que sin duda fueron de alguna importancia, y especialmente una que cayó hace pocos años a impulsos de la edad y que era apellidada el tribunal del Moro, suponiéndose sirvió de residencia al alcaide de Madrid. También se ve hacia este sitio y a espaldas de la calle nueva de Segovia la plazuela o más bien calle cerrada *del Alamillo*, nombre que algunos eruditos (y entre otros don Nicolás Moratín) quieren derivar del *Alamín* o tribunal de los moros que estaba allí; pero es de presumir que no tuviera otro origen que el pequeño álamo que aun hemos visto en nuestros días al fin de aquel callejón. A la izquierda de la plazuela de San Andrés y a espaldas de la casa de los Vargas existía ya el otro laberinto de callejuelas costaneras, y la mayor parte de los edificios mismos que aun se conservan, la antiquísima parroquia de San Pedro, la casa del marqués de Villanueva de la Sagra (donde está la cuadra en que encerraba el ganado San Isidro labrador), la tortuosa calle del Almendro y las Cavas Baja y Alta, en cuyas nuevas construcciones se han encontrado en nuestros días restos de la antigua muralla; la calle que cruza entre ambas Cavas Alta y Baja se llamaba del *Peso de la Harina* por hallarse situado en ella. Subiendo a *Puerta de Moros* se miraban ya abiertas las espaciosas calles de Don Pedro, Carrera de San Francisco, del Aguila, Humilladero y sus travesías, hasta la de Toledo. El convento antiguo de San Francisco en el sitio donde ahora el nuevo; la plazuela de la Cebada desigual y extendida, sin mercado, y poco más o menos en los mismos términos que ahora.

A la esquina de Puerta de Moros, estaba ya la iglesia de la Vera Cruz o Nuestra Señora de Gracia, y en la que vuelve a la de Toledo, el Hospital fundado por doña Beatriz Galindo (la Latina) maestra de la reina doña Isabel, y el convento de monjas Franciscas de la Concepción, curioso edificio aquel, obra del arquitecto moro Hazán de que se conserva muy bien su graciosa portada y escalera. Más adelante en la misma calle de Toledo se alzaba ya la suntuosa iglesia y colegio Imperial de Jesuítas (hoy San Isidro el Real), concluído en 1651, aunque su fachada no se ve en el plano por no hallarse mirando a mediodía.

La *Plaza Mayor*, obra reciente de principios del siglo XVII, ofrecía por su regularidad una bella perspectiva. Tenía por toda su extensión cinco pisos, sin los portales y bóvedas, con 75 pies de alto, y con salidas

descubiertas a seis calles y tres con arco.
En sus cuatro lienzos había 136 casas o habitaciones con 477 ventanas con balcón, y
disposición para 3.700 vecinos, pudiendo
colocarse en ellas en ocasión de fiestas reales hasta 50.000 espectadores. Los frontispicios de las casas eran de ladrillo colorado
y estaban coronadas por terrados y azoteas
cubiertas de plomo y defendidos por una
balaustrada de hierro; éstas y las cuatro
hileras de balcones de los distintos pisos
estaban tocados de negro y oro, todo lo
cual la daba un aspecto verdaderamente
magnífico. En el lienzo que mira al sur, se
ve ya en el plano el antiguo edificio de la
Panadería, aunque no los dos arcos de las
calles laterales. La parte baja de dicho edificio es lo único que queda ya de aquella
plaza nueva en el siglo XVII; pues los tres
incendios que sufrió en 1631, 1672 y 1790
consumieron la parte principal, y el resto
de su caserío (cuyo interior si hemos de
juzgar por las muestras que aun hemos alcanzado era bien poco digno de elogio) ha
ido desapareciendo a impulsos de los años,
y dando lugar a la construcción de la moderna plaza que ha terminado en el presente.

Saliendo de ella a la izquierda, no se
veía ya en el plano la antigua puerta de
Guadalajara, que se incendió en 1580, aunque sí conservaba su nombre el sitio de la
calle Mayor a la entrada de las Platerías.
En donde ahora la casa señalada con el número 82 nuevo, a la acera derecha, estaba
la de Jerónimo de Soto, en donde nació en
1565 el gran Lope de Vega, y por una
concidencia singular (que hasta ahora no
ha sido notada por nadie) en la acera opuesta, y casi frente de aquella, existe todavía
la modesta casa (señalada con el número
95 nuevo) en que murió un siglo después el
otro insigne poeta don Pedro Calderón, según más por menor expresamos en la nota
biográfica de ambos ilustres madrileños.

No existe en el plano la parroquia de
San Miguel, que tampoco nosotros hemos
conocido y estuvo en el sitio donde hoy el
mercado; pero sí la plazuela de la Villa o
de San Salvador, la casa y torre de los Lujanes (donde estuvo preso Francisco I de
Francia, antes de ser trasladado al Alcázar), las accesorias de la del Cardenal Cisneros, que da a la calle del Sacramento, y

la Consistorial recientemente construída en
aquellos años por el Ayuntamiento de Madrid. La dicha calle del Sacramento y plazuela del Cordón ostentaban ya sus vetustos
caserones, entre los cuales sobresalen la ya
citada de Cisneros, la del Cordón o de Puñonrostro (derribada recientemente por ruinosa), en la cual habitó el famoso secretario de Felipe II, Antonio Pérez, y en la
que sufrió su primera prisión (antes de ser
trasladado a la de Cisneros, de donde le
sacó el heroico ardimiento de su esposa
doña Juana Coello). El palacio de los arzobispos de Toledo es moderno, y creemos
que del tiempo del señor Lorenzana, variando algún tanto con él la forma de la
plazuela de Puerta Cerrada. Igualmente no
existía en el siglo XVII la cruz de piedra
que hoy está en dicha plazuela sobre una
arca de agua, pero sí la fuente que ha
sido demolida años pasados.

Penetrando por la calle de la Concepción
para dar vuelta a este primer trozo, de los
dos en que suponemos dividido el cuartel
bajo, hallamos ya a la derecha la plazoleta
en que está la casa que fue de Francisco
Ramírez de Orena, general de artillería de
los Reyes Católicos, que ganó a Málaga, y
estuvo casado con la dicha señora Beatriz
Galindo, la Latina, y hoy posee y habita el
señor duque de Rivas, su descendiente; dichos señores mandaron labrar en terreno
propio el contiguo convento de monjas,
cuyo presbiterio se ve aun el mausoleo de
los mismos piadosos fundadores. Las accesorias del edificio de la cárcel (que se ha
derribado en estos mismos años) ocupaba
la otra acera, y luego las del convento de
Santo Tomás, que ya existía, aunque no la
iglesia actual, obra posterior. El bello edificio de la Audiencia, conocido por la Cárcel
de Corte, alzaba ya su elegante fachada
principal con las dos torres laterales, una
de cuyos capiteles se quemó posteriormente y no se ha reemplazado. Enfrente
de este edificio se ve en el plano la iglesia
parroquial de Santa Cruz, sin su alta torre
que no se concluyó hasta 1680, y la plazuela o calle contigua de la Leña (llamada así
como la inmediata de las Carretas por las
barricadas que formaron los comuneros venidos de Segovia), de la Paz (por un hospital fundado en ella por la reina doña Isabel de la Paz), y de San Esteban (ho

parte de la nueva *de Pontejos*), bajada de Santa Cruz y demás, poco más o menos como hasta nuestros días, formando aquella inmensa manzana, en cuyo primer término por la calle Mayor se alzaba la iglesia y convento de Agustinos de San Felipe el Real con sus famosas *Gradas* (tan célebres en aquellos tiempos como punto de reunión de los ociosos y noticieros), sus menguadas *covachuelas* o tiendas de juguetes, su hermoso templo y su elegante patio, obra del arquitecto Mora. Hoy, derribado aquel inmenso edificio, y distribuido su solar de otro modo, ha dado lugar a las suntuosas casas de Cordero, y al rompimiento de la nueva calle y plazuela de Pontejos. Finalmente, no existía la casa de Correos ni la de Postas ni la Imprenta Real (obras de fines del siglo último), y la calle de Carretas donde después se han colocado con preferencia las librerías, estaba ocupada entonces en su mayor parte por el gremio de *broqueleros*, y era muy conocida por este nombre; así como las contiguas de *Majaderitos* (hoy de *Cádiz* y *Barcelona*) tomaron su ridículo título del instrumento o mazo de que usan para sus trabajos los *batihojas* o tiradores de oro, que ocupaban entonces ambas callejuelas.

Para trazar el segundo e inmenso trozo del cuartel bajo en aquella época, tenemos que volver atrás a los barrios de Embajadores, Rastro y San Isidro a izquierda de la calle de Toledo. El corte de aquellas calles extremas era en general el mismo que hoy conservan. La conocida en nuestros tiempos con los diferentes nombres de *el Burro*, de *San Isidro*, de *Padilla* y de la *Colegiata*, se llamaba entonces de la *Compañía*, por el colegio contiguo; la de *Juanelo* tomó el nombre del célebre ingeniero Juanelo Turriano que parece vivió en ella, y a su final y confluencia con la de los Estudios y la del duque de Alba, se alzaba ya la casa palacio de este título, en la cual se afirma también que residió en Madrid la Santa doctora Teresa de Jesús. Las calles y barrios de las Tenerías, Embajadores y Mesón de Paredes y sus traviesas ofrecen poca variación, no existiendo sin embargo entonces las suntuosas iglesias de San Cayetano, la Escuela Pía, ni la fábrica de cigarros, obras modernas.

El extendido y costanero barrio de *La-vapies* era un verdadero arrabal, compuesto de casucas bajas, corrales y huertos formando calles cuyos nombres del *Sombrerete*, de los *Ministriles*, del *Calvario*, del *Olmo*, de la *Comadre de Granada*, de la *Pingarrona*, del *Campillo de Manuela*, de *Buenavista*, de la *Primavera*, de los *Tres Peces*, de *Zurita*, del *Ave María* y del *Salitre*, revelan su humilde origen o sus extrañas condiciones. Al término de dicho extendido cuartel por la parte izquierda, se alzaba ya el monasterio de Santa Isabel, aunque su iglesia actual no estaba aun concluída, y más adelante en el sitio donde hemos visto hasta su derribo la puerta de Atocha se hallaba una salida llamada *de Vallecas* y otra inmediata al convento; y en el sitio en que ahora el Hospital general (obra de Fernando VI y Carlos III) se veía otro edificio no tan grandioso, aunque con el mismo objeto. La calle de Atocha hasta el hospital de Antón Martín no ofrece gran diferencia; pero la célebre fuente churrigueresca no existía aun y en su lugar había cajones para la venta de comestibles. Tampoco existía el hospital de Monserrat, pero sí el colegio de niñas de Loreto. Al terminar la calle de la Magdalena todos hemos visto aun el inmenso convento de la Merced que formaba una gran manzana en el solar que hoy la plaza del *Progreso* que ha reasumido también las calles laterales de los *Remedios*, de la *Merced* y de *Cosme de Médicis*. Llamábanse ya de *Relatores* y de *Barrio Nuevo*, de las *Urosas* y de *Cañizares*, las calles que suben a la de Atocha; y existía desde el reinado de Felipe II el suntuoso convento e iglesia de la Trinidad (cuyos planos fueron obra del mismo Rey) en el que hoy se halla el ministerio de Fomento. En la plazuela del Angel (que era pequeña hasta poco más allá de la embocadura de la calle de la *Cruz*), había una manzana formada por el oratorio y convento de San Felipe Neri, que a su extremo daba lugar a una callejuela llamada del *Beso* frente a la de San Sebastián. Existía ya esta parroquia, pero no la plazuela de *Santa Ana*, antes bien, y hasta el tiempo de la invasión francesa, se alzaba en su lugar el monasterio de monjas de su advocación con frentes y salidas a la calle del Prado y de la Gorguera, que continuaba hasta aquella. Al extremo de esta calle del Prado (donde hoy las casas de Santa Catalina) se alzaba el otro convento de monjas de este nombre (también derribado por los franceses), y desde su esquina a la de la calle de San Agustín (entonces llamada de San José) corría un arco o pasadizo hasta la iglesia de San Antonio; pero dicha calle de San Agustín o San José era mucho más extensa que ahora, pues no estaba interrumpida por el convento de Trinitarias en la calle de Cantarranas que no se extendía tanto como ahora, de suerte que atravesando las calles de Francos, Cantarranas, de las Huertas y de Santa María, llegaba a desembocar en la de San Juan, y antes de la construcción del colegio de Desamparados y de las beatas de San José hasta la misma calle de Atocha, comunicación importantísima en el día y que necesariamente habrá que volver a establecer. A la entrada de la calle del León por la del Prado, se ensanchaba algún tanto aquella, formando una especie de plazoleta a que se llamaba el *Mentidero de los Comediantes* y está citado en los escritos de Cervantes y Quevedo. Ambos célebres ingenios y Lope de Vega vivieron como es sabido en aquellas inmediaciones a muy pocos pasos y calles que hoy llevan sus nombres (1); y entre las calles bajas de las Huertas, el Prado y la Carrera de San Jerónimo, se extendía ya la inmensa manzana 233 ocupada

por la huerta y convento de los padres Trinitarios de Jesús, en sitios cedidos para su fundación por el célebre don Francisco Gómez de Sandoval, duque de Lerma, ministro y favorito de Felipe III, que después fue cardenal, y habitaba en su palacio contiguo, hoy de los duques de Medinaceli. Dicho señor, no contento con esta fundación hecha en los tiempos de su próspera fortuna, quiso rodearse absolutamente de conventos y casas religiosas, y al efecto destinó otro inmenso trozo de la manzana de su propiedad, a casa profesa de jesuítas e iglesia dedicada a colocar el cuerpo de su glorioso ascendiente San Francisco de Borja, duque de Gandía, traído de Roma; y este convento es el que después de la traslación de los jesuítas a San Felipe Neri, ocuparon los padres Capuchinos, con la iglesia llamada hoy San Antonio del Prado. Ya hemos dicho que entre esta iglesia y el convento de monjas de Santa Catalina (traídas a él por el mismo duque de Lerma a la casa que antes fue hospital general) había un arco que cerraba la calle del Prado. Enfrente, y donde ahora el palacio del Congreso, se alzaba el otro convento e iglesia de padres del Espíritu Santo, y a su lado izquierdo la misma casa actual de la Dirección de minas, la baja de Valmediano y la del duque de Maqueda donde hoy el moderno y elegante palacio de Villahermosa.

Siguiendo por la carrera de San Jerónimo, en la acera opuesta, y casi enfrente de la casa de don Carlos Estrada, hoy del duque de Híjar, había otro convento de monjas llamadas de Pinto, que ha sido derribado en nuestros días para dar lugar a muy elegantes casas. Al terminar dicha Carrera en la Puerta del Sol, se veía a su izquierda, donde ahora, las casas de los señores Mariategui y Mateu, y las dos calles de *la Victoria* y *Espoz y Mina*, el convento de Mínimos de aquel título. La calle de la Cruz corría rectamente sin formar la plazuela o ángulo que ahora delante del teatro, el cual y del Príncipe (o más bien los *Corrales* de su nombre) existían ya hacia muchos años en los mismos sitios; pero debía ser tan poca su importancia arquitectónica, que no se distinguen en el plano de las casas contiguas. Posteriormente fueron reconstruídos por la Villa de Madrid, en los

---

(1) La casa que lleva hoy el nombre de *Cervantes* y sobre cuya puerta se colocó en 1854 su busto y la inscripción de haber muerto en ella aquel ilustre escritor en 1616, pertenecía entonces a Gabriel Muñoz y creemos que tenía su entrada por la calle del León. Después fue reunida a otra más pequeña de la calle de Francos, y ambas señaladas con los números 20 y 21 de la manzana 228 pertenecieron a mediados del siglo último a don Manuel Pérez de la Herran. Cuando fueron demolidas para su construcción en 1835 pertenecían a don Luis Franco, y cuando a consecuencia de excitación nuestra apareció en la *Gaceta* la Real Orden de 4 de mayo de 1835 mandando colocar en la nueva casa aquella gloriosa memoria, fuimos de opinión de que se diese el nombre de *Cervantes* a la calle del León en que tiene su principal fachada y en otras de cuyas casas vivió anteriormente el mismo Cervantes. Con esto hubiera podido darse a la de Francos el nombre de *Lope de Vega*, que vivió y murió en ella en la casa de su propiedad señalada hoy con el número 15, que existe en pie, y no a la de Cantarranas, que ninguna relación guarda con el insigne poeta madrileño.

términos que hoy los vemos, el de la Cruz en 1737 y el del Príncipe en 1806. Entre la Carrera de San Jerónimo y la calle de Alcalá apenas había variaciones sustanciales; la callejuela de Hita se llamaba *de los Bodegones*, y la del Turco *de los Jardines*. Todo el caserío de esta calle de Alcalá es posterior a aquella época, a excepción de la última casa del marqués de Alcañices (entonces de don Luis Méndez Carrión), en cuya esquina se ve aun la misma torrecilla que marca el plano. Esta parte baja de la calle de Alcalá la hemos visto también excrupulosamente detallada en un precioso cuadro de la época que posee el excelentísimo señor don José Salamanca.

Para terminar la reseña del Madrid de 1656 falta tender una rápida ojeada hacia *el prado de San Jerónimo* y nuevo sitio real de Buen Retiro, y vamos a hacerlo. Aquél, hoy magnífico y brillante paseo, obra inmortal del inmortal reinado de Carlos III, era entonces según el testimonio del maestro Pedro de Medina (*Grandezas de España*), "una grande y hermosísima alameda; puestos los álamos en tres órdenes, que hacen dos calles muy anchas y muy largas, con cuatro o seis fuentes hermosísimas y de lindísima agua, a trechos puestas por la una calle y por la otra muchos rosales entretejidos a los pies de los árboles por toda la carrera. Aquí, en esta alameda (continuaba el buen maestro) hay un estanque de agua que ayuda mucho a la grande hermosura y recreación de la alameda. A la otra mano derecha del mismo monasterio (San Jerónimo), saliendo de las casas hay otra alameda también muy apacible con dos órdenes de árboles que hacen una calle muy ancha hasta salir al camino que llaman de Atocha. Tiene esta alameda sus regueros de agua, y en gran parte se va arrimando por la una mano a unas huertas. Llaman a estas alamedas *el prado de San Hierónimo*, donde de invierno al sol y de verano a gozar de la frescura, es cosa muy de ver y de mucha recreación la multitud de gente que sale, de bizarrísimas damas, de bien dispuestos caballeros y de muchos señores y señoras principales en coches y en carrozas. Aquí se goza con gran deleite y gusto de la frescura del viento todas las tardes y noches del estío, y de muchas buenas músicas, sin daño, perjuicios ni deshonestidades, por el buen cuidado y diligencia de los alcaldes de la corte."

Esta es la descripción un si es no es apasionada y poética del Prado de entonces, hecha por uno de sus cándidos admiradores, y en efecto vemos en el plano señaladas minuciosamente las dos alamedas o paseos, la una hacia adonde ahora el salón, y la otra del lado del Botánico; pero estaban limitadas a dobles filas de árboles, y no tenían sino una parte de la extensión y anchura que los magníficos paseos actuales; además por toda la derecha de la alameda, y próximamente por donde ahora el paseo de coches, corría el inmundo barranco que fue cubierto y terraplenado para la formación del paseo nuevo en el siglo pasado; sobre las alturas inmediatas se hallaba el juego de pelota, habiendo tenido la Villa que desmontar parte de aquellas colinas para proporcionar cómodo acceso al sitio del Buen Retiro y al monasterio de San Jerónimo. Hacia el sitio donde está la elegante fuente de Neptuno, había una torrecilla y una mezquina fuente llamada del *Caño dorado*, y alguna otra igualmente miserable donde ahora la de Apolo y las cuatro fuentes. A los lados del paseo, empezando por la esquina de la calle de Atocha (el trozo hasta el convento era un simple camino sin arbolado), no existían tampoco, como es sabido, ninguno de sus magníficos adornos, la fuente de la Alcachofa, el Observatorio, el Botánico, el Museo, el Tívoli y la Platería de Martínez; todo eran huertas y cercas desamparadas; y por la parte del salón (donde se convertían en tres las dos filas de árboles que formaban las *deliciosas alamedas del* Maestro de Medina) se extendían a la izquierda los jardines de Maqueda, donde hoy el de Villahermosa; el del conde de Monterrey (donde hoy San Fermín), y el de Méndez Carrión (hoy de Alcañices) (1).

(1) En estos tres jardines reunidos fue donde el Conde-duque de Olivares dio a los Reyes la famosa fiesta que refiere Pellicer la noche de San Juan de 1631, en que se representaron dos comedias, la una de Lope de Vega, y otra de Quevedo y Hurtado de Mendoza; hubo además bailes, músicas, cena y enramadas y larga *rua* por el paseo hasta el amanecer.

Del lado de Recoletos ya hemos dicho que sólo existía el camino inculto y sin arbolados ni paseos.

Réstanos únicamente hablar del entonces moderno sitio del *Buen Retiro*, el cual se ve igualmente detallado en el plano de 1656, y por lo que de él resulta se viene en conocimiento de que tenía desde su principio la misma extensión y límites con corta diferencia que tiene en el día. A la entrada por cerca de San Jerónimo, subsiste de aquella época la gran plaza llamada *de la Pelota*, cuyo lado derecho le forma el suntuoso *Salón de Reinos*, donde se juntaron las Cortes hasta 1789, y en el que está hoy colocado el Museo de Artillería. Detrás de este edificio y plaza había otras dos donde estaba el Palacio Real y las casas de oficios, teatro, etc., que fueron demolidos por los franceses, y de que sólo resta el *Casón* o sala de bailes, que ha servido en nuestros tiempos para el Estamento de Próceres, y actualmente encierra el Gabinete topográfico. En esta plaza del palacio estaba colocada la estatua ecuestre de Felipe IV que hoy luce su belleza artística en la de Oriente del Real Palacio; y continuaba el caserío hasta llegar a unirse con el inmediato monasterio de San Jerónimo que venía a formar parte del sitio real.

Delante de la población y en donde ahora el precioso *parterre* había lindos bosquetes y jardines, con ocho calles cubiertas de enramado y una plazuela central que llamaban *el ochavado*; más arriba se veía la *ermita de San Bruno* cerca del que ahora es estanque chinesco. El grande o principal que hoy vemos brillaba ya por su asombrosa extensión, y en sus márgenes se veían hasta cuatro embarcaderos y varias norias; tenía en su centro una isleta oval con árboles, y en ella era donde en ocasiones se alzaba por disposición del favorito Conde-duque de Olivares, un teatro para obsequiar con representaciones escénicas al monarca y a su corte, diversión que cierta noche de San Juan pudo costar cara a los concurrentes, a causa de una furiosa tormenta que hizo estremecer las aguas de aquel tranquilo océano. Desde el mismo estanque arrancaba un canal o *Mallo* que siguiendo en dirección de donde hoy está la Casa de fieras, daba luego vuelta hacia los confines del real sitio e iba a desembocar

en otro grande estanque situado donde después se alzó la casa fábrica de la china, volada por los ingleses en 1812, y en cuyo centro se elevaba entonces una bella ermita o iglesia llamada *de los Portugueses*. Los jardines reservados hoy a espaldas del estanque y a su costado izquierdo eran sólo frondosas alamedas y bosques, y se llamaban el *Campo de las liebres*, y las *Atarazanas* donde hoy la casa de fieras. La entrada a la *Huerta del Rey* estaba hacia la puerta de Alcalá y otra ermita llamada *de la Magdalena*, el *Cebadero de aves* y otro canal que llamaban *Río Chico*. No existía la entrada de la Glorieta, ni la verja nueva, obras de Carlos III, pero sí los frondosos bosques entre ésta y la de San Jerónimo, y donde ahora es palacio o casa de San Juan estaba la ermita del mismo santo. Podríamos extendernos más en la descripción del primitivo Buen Retiro; pero baste lo dicho para formar una idea de su estado en tiempos de su augusto fundador.

Tal era a mediados del siglo XVII el Madrid romántico y animado de Felipe IV. Hemos procurado señalar todo lo posible sus condiciones materiales, guiándonos para ello, no los pomposos y apasionados encomios de los coronistas contemporáneos, sino la vista y el estudio comparado de su plano topográfico en aquella época con el actual, los datos y citas históricas y fehacientes que nos ha sido posible haber a la mano. Mucho más sin duda pudiéramos habernos extendido en estas citas y comparaciones; pero necesariamente habríamos tenido que exceder entonces los límites de esta reseña. Creemos, sin embargo, que bastan las indicaciones hechas en ella para formar una idea aproximada de lo que pudo ser la que entonces se titulaba *Capital de dos mundos*. Sesenta o más casas religiosas llenaban con sus inmensos conventos, iglesias y huertas una parte principal de la superficie de la villa; el resto de ella estaba ocupado por un mezquino e impropio caserío, interrumpido a veces por algunos edificios mayores, si no más bellos, y que se titulaban palacios de la grandeza; parroquias e iglesias medianas o mezquinas, sin un templo catedral digno de la corte; miserables hospitales; pocos, poquísimos edificios públicos civiles; un alcázar, más fortaleza que palacio; y dos mezquinos *co-*

rrales para representar los inmortales dramas de Lope, Tirso, Moreto y Calderón. He aquí todo lo que ofrecía a la admiración de los contemporáneos la opulenta corte de la dinastía austriaca, la que disponía de los tesoros del Nuevo Mundo, y que dictaba sus órdenes a los más remotos países del globo. Y si prescindimos del señalado favor que mereció a los primeros monarcas de aquella dinastía en escogerla para su mansión y de la corte española, puede decirse que se contentaron con darla semejante título, sin engrandecerla con obras dignas de tan elevada categoría.

Oprimido Felipe IV con el peso de las desgracias, mirando la desmembración de su monarquía, falleció después de un largo reinado de 44 años, en 1665, dejando a su sucesor Carlos II, conocido más tarde en la historia con el triste apodo de *El Hechizado*, en la tierna edad de cuatro años y medio y bajo la tutela de su madre, doña Mariana de Austria. Conocidas son las revueltas ocasionadas durante aquella larga minoría con motivo de la privanza y valimiento con la Reina gobernadora de su confesor el jesuíta Everardo Nithard, y luego de don Fernando Valenzuela, y las arrogantes pretensiones del príncipe don Juan José de Austria, hijo natural de Felipe IV. Durante esta época turbulenta, como ni tampoco después que el desdichado Carlos tomó las riendas del gobierno, nada adelantó Madrid, así en prosperidad como en materia de bellas artes. Destruída y aniquilada aquella en todo el reino por efecto de la mala administración; corrompidas éstas por el mal gusto que difundió su dañada semilla por todos los ramos del saber, sólo ofrecieron a Madrid edificios mezquinos y caprichos extravagantes; y con las excepciones de la suntuosa capilla de San Isidro en la parroquia de San Andrés, la Casa Real de la Panadería en la Plaza Mayor, y el Arco de la Armería, que creemos fue construído durante la privanza de don Fernando Valenzuela, todas las demás obras de aquella época desdichada fueron dignas por cierto de ella y de la extravagante imaginación de los Donosos, Churrigueras y otros arquitectos semejantes que en tal tiempo empezaron a lucir su peregrina habilidad.

La salud del Rey se debilitaba al mismo tiempo que la monarquía; los conjuros o exorcismos más solemnes, las penitencias y rogativas más señaladas, los tremendos y memorables autos de fe de 1680 y otros en que desplegó todo su rigor e imponente aparato la Suprema Inquisición, nada fue suficiente para alejar del ánimo y de la doliente imaginación del monarca los pretendidos espíritus malignos de que se creía apoderado; hasta que consumiéndose cada vez más y más su débil complexión a impulsos de esta congoja llegó a enfermar gravemente en 1696, y empezó a ocupar la atención de los políticos la sucesión posible a la corona de España por falta de descendencia directa de Carlos. Madrid con este motivo llegó a ser el centro de las intrigas y manejos de las cortes extranjeras, sostenidas respectivamente por sus representantes en ella y por los principales magnates del país, inclinados unos a la dinastía austriaca, y otros a la francesa de Borbón entroncada con aquella por el matrimonio de la hermana de Carlos II con Luis XIV. En tanto el pueblo madrileño que todavía no se había mostrado parte en esta cuestión futura, la tomó y grande en la presente del desgobierno, miseria y abatimiento general, y un día de 1699 con pretexto del encarecimiento del pan, acudió en tumultuoso desorden bajo las ventanas del Real Alcázar, pidiendo, o más bien ordenando a su Monarca pusilánime que despertase de su letargo y acudiese a remediar las públicas necesidades. Carlos II apenas tuvo fuerzas para otra cosa que para conjurar aquella nube tumultuaria y hacerla descargar contra su ministro el conde de Oropesa, quien por fortuna pudo escapar de las iras del pueblo madrileño. Por fin, viéndose Carlos cerca del sepulcro, ordenó su famoso testamento en que designaba por su heredero al nieto de Luis XIV, Felipe, duque de Anjou; y falleció en el primer día de noviembre de 1700.

Siglo XVIII

Felipe V, aclamado en Madrid por rey de España, y reconocido desde luego por muchas potencias de Europa hizo su entrada en la capital el día 14 de abril del año siguiente y en este mismo año casó con María Luisa Gabriela de Saboya; pero declarada en el mismo la famosa guerra de Sucesión, a causa de pretender la corona de España el Emperador de Austria para su hijo el archiduque Carlos, fue reconocido éste por otras potencias y por los reinos de Aragón, Valencia y Cataluña de que se apoderó el ejército inglés y portugués mandados por el mismo Archiduque. Por consecuencia de las alternativas de esta sangrienta guerra en que las armas de Felipe victoriosas unas veces, eran vencidas otras, entró en Madrid en 1706 un cuerpo de tropas inglesas y portuguesas mandadas por Galloway y el marqués *Das Minas*, y habiéndose la Reina y la corte retirado a Burgos, los ingleses y portugueses proclamaron en Madrid al Archiduque. Pero muy luego atacados con intrepidez por los mismos madrileños, se vieron obligados a retirarse y entregar el Alcázar; a pocos días volvió a entrar Felipe, que fue recibido con el mayor entusiasmo; y dejando por regenta a la Reina, marchó a tomar el mando del ejército. Las batallas de Almenara y Zaragoza, perdidas por éste, pusieron a los aliados en disposición de internarse de nuevo en Castilla en 1710. Felipe salió con la corte a Valladolid y fueron seguidos de más de treinta mil almas, después de lo cual volvió a entrar el Archiduque; pero la repugnancia del pueblo de Madrid hacia su persona era tal, que no viendo Carlos gente en las calles ni en los balcones, al llegar a la Plaza Mayor y portales de Guadalajara, se volvió por la calle Mayor y de Alcalá diciendo *que Madrid era un pueblo desierto*; y apenas él y su ejército habían dejado estas cercanías oyeron el ruido de las campanas, fuegos y regocijos con que Madrid celebraba la proclamación de Felipe V, que volvió a entrar en 13 de diciembre del mismo año en medio del entusiasmo universal. Poco después las batallas de Brihuega y de Villaviciosa aseguraron en la cabeza de Felipe la corona de España.

Un siglo entero había transcurrido desde el período en que anteriormente consideramos y procuramos reseñar el estado material de la villa de Madrid hasta el que ahora nos cumple examinar. En este siglo (comprendido desde mediados del XVII a mediados del XVIII) había terminado una dinastía reinante, y comenzado otra completamente diversa en origen e inclinaciones; había pasado la nación por el angustioso período de una larga minoría, por el desdichado gobierno de un monarca enfermizo y pusilánime, último vástago masculino y directo de la gran estirpe de Carlos V. Una larga y complicada guerra civil y europea, había durante catorce años yermado nuestras ciudades, asolado nuestros campos, y apartado de las artes, de las ciencias y las letras a una generación que sólo parecía llamada a pelear. Por fortuna, y a pesar de tantos desastres, y a vueltas de las considerables pérdidas materiales de territorio que fueron consecuencias de aquella guerra encarnizada, de aquel cambio de dinastía, quedaron todavía unidas al mapa español preciosas y dilatadas regiones en uno y otro hemisferio, que gobernadas, como toda la Monarquía, por la vigorosa mano de Felipe de Borbón (*el Animoso*), en un largo período de casi medio siglo, pudieron caminar a un cierto grado de esplendor y de prosperidad, pudieron devolver al cetro español una parte del brillo y poderío que ostentara en las manos del segundo de los Felipes.

A la sombra de la paz, y secundando los generosos instintos y las ilustradas miras del Monarca, las artes, las ciencias y las letras, que casi habían desaparecido en el último tercio del siglo anterior, bajo el cetro del *Hechizado*, tornaron a aparecer en nuestro suelo; y si bien habían perdido su original espontaneidad y carácter, venían ahora revestidas con el rico atavío de la corte del gran Rey que desde las orillas del Sena dictaba el movimiento europeo y daba nombre a su siglo. El nieto de Luis XIV, colocado en el trono español por las simpatías y ardimiento de sus pueblos, nacido y criado en la ilustrada y esplendorosa corte de Versalles, dotado de grande energía y varonil esfuerzo, de talento y probidad; y dominado, en fin, por el sentimiento de gratitud y amor hacia un pueblo que tan leal se le había mostrado, no podía menos de corresponder con toda su solicitud soberana a las legítimas esperanzas fundadas a su advenimiento al trono español; y efectivamente, no sólo supo conquistar hasta el último corazón de los que ofuscados le negaron en un principio la obediencia; no sólo terminó personalmente una guerra tan delicada y desastrosa haciendo reconocer su corona por todas las potencias de Europa; sino que acertó a curar las profundas llagas abiertas por las pasadas calamidades; estableció un buen sistema administrativo y económico; procuró aliviar las cargas públicas; creó y sostuvo un brillante ejército y una respetable marina; y protector especial de las ciencias y de las artes, fundó academias encargadas de restaurarlas, y atrajo a su corte célebres artistas que volviesen al buen gusto el imperio que había perdido a impulsos de la ignorancia y la osadía.

La construcción de más importancia en su reinado fue la del suntuoso *Palacio Real*, levantado de nueva planta por su orden a consecuencia de haberse incendiado en la Nochebuena de 1734 el antiguo Alcázar de Madrid. Sabido es que este ilustrado Monarca, deseoso de edificar para los reyes de España una morada digna de su grandeza, y considerando el lamentable estado a que había llegado el arte en nuestro país por aquella época, llamó para encargarse de esta importantísima obra al abate Juvara, célebre arquitecto de Turín, el cual propuso un modelo de palacio gigantesco y magnífico, que reducido después a menores proporciones, fue llevado a efecto bajo la dirección de don Juan Bautista Saqueti, su discípulo, y es el que hoy existe. La grandeza de la capital y el buen gusto del arte recibieron sin duda alguna un notable refuerzo con esta bella obra: mas por desgracia el empeño de Felipe de hacerla levantar sobre el mismo sitio que ocupaba el antiguo Alcázar, malogró el pensamiento de Juvara que era el de colocarle a la parte norte de Madrid, hacia la puerta de San Bernardino, y transformar la montaña del Príncipe Pío en magníficos jardines reales. Esto sin duda alguna hubiera llamado la población hacia aquella parte, permitiéndola extenderse luego por todos los llanos que median entre dicho portillo y la Fuente Castellana, y regularmente de este modo la apremiante necesidad hubiera adelantado un siglo la traída de aguas suficientes a aquellos contornos y la regeneración consiguiente de Madrid.

Pero en fin, ya que así no se hizo, y ya que el distinguido Saqueti, siguiendo las órdenes del Rey, colocó su bello palacio en el punto elevado y pintoresco que ocupa, hubiera sido de desear que el mismo Monarca, o sus sucesores, que continuaron aquel edificio (el cual no estuvo habitable hasta 1764, reinando ya Carlos III), hubiesen adoptado y procurado llevar a cabo el plan magnífico de obras contiguas a él, que presentó el mismo Saqueti, y que original se conserva en la intendencia de la Real Casa. Consistían éstas en prolongar ambas alas de la fachada del mediodía con dos pabellones (de los cuales hay uno concluido), continuando luego con terrazas sobre galerías de arcos; y en llegando al edificio de la Armería, suponiendo desapareciera éste, cerrar la plaza con una gran verja; la galería de la izquierda contendría el cuartel para la guardia, y la de la derecha, abierta con vistas al campo, se había de continuar luego hasta la misma altura y en forma de puente con dobles arcadas atravesando la Cuesta de la Vega y la calle de Segovia hasta las Vistillas de San Francisco, con lo cual no sólo se establecía la deseada comunicación entre ambos extremos de Madrid, sino que se daba a éste un ingreso y vista asombrosos. Sobre esta galería magnífica, y hacia adonde ahora está la plazuela de Santa María, descollaba, según el plan de Saqueti, una hermosa iglesia catedral, que elevando su elegante cúpula sobre todas las de Madrid, y formando magnífico conjunto con la vista del palacio y arcos de la galería, acababa de dar a la capital del reino un aspecto sorprendente.

Al mismo tiempo que la obra colosal del Real Palacio, se emprendieron y llevaron a cabo por Felipe las importantes del puente de Toledo, el Seminario de nobles, el teatro de los Caños del Peral, el del Príncipe y el de la Cruz; la iglesia de San Cayetano, el Hospicio, la fábrica de Tapices y otros varios edificios de consideración; si bien en todos ellos, así como en las fuentes públicas de la Puerta del Sol, Antón Martín, Red de San Luis y otras, se echó de ver el estragado gusto peculiar de sus directores, los Churrigueras, Riveras y otros a este tenor.

La fundación de las academias de la Lengua y de la Historia; la de la Biblioteca Real, el Gabinete de Historia Natural y otros establecimientos científicos y literarios; la del Monte de Piedad, el Hospicio, algunos hospitales y otros institutos de beneficiencia; todas estas ventajas debió la corte española al feliz reinado del primer Borbón; y al terminar, en fin, su larga y gloriosa carrera en 1746, pudo legar a su hijo y sucesor Fernando VI un reino tranquilo y obediente; un tesoro desahogado; un pueblo pacífico y animado por las ideas más nobles de patriotismo y honradez.

Durante el corto, pero tranquilo reinado del piadoso Fernando, germinaron y se desarrollaron estas ideas; la paz y la abundancia hicieron sentir sus beneficios; los pueblos desahogados de graves atenciones, pudieron atender a sus necesidades y mejoras; abriéronse nuevas e importantes comunicaciones, entre las cuales es muy señalada la magnífica entre ambas Castillas por el puerto de Guadarrama; fundáronse algunos templos, escuelas, academias y otros públicos establecimientos; se levantó a la voz ilustrada y enérgica del ministro marqués de la Ensenada una nueva y floreciente marina, y se prepararon, en fin, los medios y la opinión a la nueva era de ilustración y de prosperidad que había de llegar a su apogeo bajo el mando del inmortal Carlos III.

Todas estas ventajas, trascendentales al reino entero, se reflejaban naturalmente en ambos reinados, de Felipe y Fernando, en la corte y capital de la Monarquía española; y fijando por ahora nuestras miradas en esta última época, trataremos, según nuestro propósito, de examinar su fisonomía o aspecto material, para que pueda compararse con la que un siglo antes presentara bajo la dominación de la austriaca dinastía, y de que nos ocupamos anteriormente, y también con la que hoy ofrece después de otro siglo transcurrido.

Nuestros lectores han visto en los párrafos anteriores el estado material de la villa de Madrid durante el reinado de Felipe IV, cuando ya llevaba una centuria con el carácter de corte de la Monarquía española;

ahora nos cumple trazar el que presentaba desde 1746 a 1759 que ocupó el trono español Fernando VI. Para la posible exactitud de aquel cuadro tuvimos a la vista el gran *Plano topográfico de 1656*, en que se halla retratada minuciosamente esta capital, y de que existe por ventura algún rarísimo ejemplar. Hoy, para ofrecer a nuestros lectores una pintura semejante (aunque a un siglo de distancia), podemos disponer de otro documento aun más explícito y acabado, que debe Madrid al ilustrado gobierno de Fernando, aunque fue terminado ya en el de su hermano y sucesor Carlos III.

Titúlase *Planimetría general de la Villa de Madrid y Visita de sus casas, asientos y razón de sus dueños, sus sitios y rentas, formada de orden de S. M. por la Regalía del Real Aposento de corte, a virtud de Real cédula fecha en San Lorenzo a 22 de octubre de 1749, refrendada por Don Cenón Somodevilla, marqués de la Ensenada*. Esta magnífica obra en que tomaron parte como arquitectos de la Real Hacienda y de la villa don José Arredondo, don Ventura Padierne, don Nicolás Churriguera, don Fernando Moradillo y don Francisco Pérez Cabo, está autorizada por don Manuel Miranda y Testa, visitador del Real Aposento, y don Miguel Fernández, teniente director de la Academia de San Fernando, y arquitecto de Palacio, y no quedó terminada hasta 1767. Verificóse por ella la numeración de las casas de Madrid (de que hasta entonces carecieron) dando un resultado de 7.049 casas contenidas en 557 manzanas o grupos de ellas; midiéronse exactamente los solares de cada edificio, señalando su figura topográfica en la proporción de la escala 1/300, y hasta indicando en los planos por medio de diversos colores, el estado de conservación de cada casa en aquella época; y aparte de los planos se consignó en un *Registro general* el resultado de estas mediciones, el valor de cada casa en renta, el origen y transmisiones de su propiedad, y la cuota de su gravamen por razón de Aposento; cuyas preciosas noticias se han continuado hasta el día en los expedientes respectivos seguidos en la administración de aquel ramo, según la obligación impuesta a cada nuevo poseedor de pasar por aquel registro la adquisición de su propiedad.

Tan precioso trabajo (que probablemente será único de su clase en España) consta de doce volúmenes en marca imperial; los seis primeros comprenden los planos y los otros seis el Registro y explicación. De esta excelente obra, hecha modesta aunque concienzudamente y sin grandes pretensiones, se mandaron sacar por el Gobierno y existen tres copias; una para ser colocada en el Archivo de Simancas, otra para la Biblioteca Real, y otra para la de la Academia de Nobles Artes de San Fernando. En cuanto a la villa de Madrid a quien principalmente interesaba tan prolijo conocimiento de su topografía y riqueza, no tomó al parecer parte en él, y ni aun se ocurrió a su corporación municipal el natural deseo y solicitud de obtener para su Archivo otra copia o ejemplar de aquella obra; olvido u omisión inconcebible, que ha venido continuándose hasta el día por los Ayuntamientos sucesivos dando lugar a la afrentosa falta de esta clase de noticias en las oficinas municipales, donde debieran principalmente constar; y a que los arquitectos de la villa, y los propietarios, siempre que necesitan (y es caso diario) medir y tasar un edificio, trazar una alineación, o resolver una duda de propiedad, tengan que acudir modestamente a consultar aquellos datos fuera de la Casa Consistorial. Por decoro e interés de la villa de Madrid, no podemos menos de denunciar tan vergonzoso descuido, y excitar al Ayuntamiento a que aprovechando la ocasión de haberse casi suprimido por redención la carga o regalía de Aposento, y no siendo ya apenas necesario en las oficinas de ella (refundidas en la administración de contribuciones) el ejemplar original de dicha obra que yace arrumbado en sus estantes entre el polvo secular, se apresure a solicitarlo del Gobierno, antes que desaparezca o se inutilice de cualquier modo.

De este mismo tiempo existe también el primer plano manual de Madrid, por don Tomás López, y el que publicó el célebre arquitecto don Ventura Rodríguez en 1760, con lo cual y los escritos de aquella época podemos formar una idea exacta del estado topográfico de la villa; en cuanto a su administración y policía interior existen varios libros impresos que nos ofrecen datos preciosos para formar un juicio aproximado (1), y poseemos además un precioso manuscrito con el título de *Discurso sobre la importancia y las ventajas que puede producir la creación del Gobierno político y militar de Madrid, nuevamente creado*, el cual lleva la fecha de 26 de noviembre de 1746, forma un tomo en 4.º bastante abultado y parece dispuesto para la imprenta.

Por todos los documentos expresados vemos que los límites de la villa no habían tenido sustancial alteración desde que por la Real cédula de Felipe IV, expedida en 1625 (que citamos en las páginas anteriores), se mandó al Ayuntamiento proceder a la construcción de la nueva cerca o tapias, que son las que aún permanecen por la mayor parte después de otro siglo. De modo que la villa de Madrid no ha crecido en extensión en dos siglos y medio, si bien ha aumentado considerablemente su caserío, construyendo en los sitios que entonces estaban solares y ocupados por casas bajas y mezquinas, otros edificios considerables y con cuatro o cinco pisos de elevación; razón por la cual sin aumentar su perímetro ha podido triplicar su vecindario, y subir de tal modo su riqueza inmueble, que, calculados sus productos en 1765 (aunque se dan a Madrid 7.250 casas) en unos *dieciocho millones de reales*, pasan hoy de *setenta* los que se regulan para las contribuciones.

Entre las varias causas que sin duda alguna contribuyeron a no dejar crecer en extensión a nuestra villa, puede colocarse la inoportuna medida de su cerca, que arriba dejamos citada. Esta limitación *oficial*, que posteriormente se fue autorizando más con la construcción de suntuosas puertas de entrada, y la absoluta carencia de arrabales extramuros, llamó a los centros de la población la vitalidad y el movimiento; los solares (ya mezquinos

---

(1) Véanse entre otros los siguientes:

1.º *Sólo Madrid es corte*, por Alonso Núñez de Haro, 1698.

2.º *Ordenanzas de Madrid*, por don Teodoro Ardemans, 1725.

3.º *Dificultades vencidas y curso natural de las aguas*, etc., por José de Arce, 1734.

4.º *Tridente escéptico en España*, etc., por don Joaquín de Cassis y Xalo, 1758.

desde un principio) se subdividieron aún más y más, y crecieron en valor, tan desproporcionado respecto a los distantes de aquel centro, que según la tarifa inserta en las *Ordenanzas de Madrid* de don Teodoro Ardemans en 1725, vemos que dándose precio de 88 reales por cada pie superficial en las inmediaciones de la plaza Mayor, se calculaban a 12 reales en la Puerta del Sol; a cuatro reales en la calle de Alcalá, frente al Carmen Descalzo; a seis reales en el medio de la calle de Fuencarral; a cinco, en la calle de Atocha, hacia los Desamparados; a cuatro en la Ancha de San Bernardo, y a *real* y a *medio real* en las inmediaciones a las puertas de Alcalá, Atocha, Segovia, Toledo, etc.

La misma *Regalía de Aposento* que por otro lado hizo a Madrid el importante servicio ya indicado de realizar su Planimetría y numeración, contribuyó también a impedir el desarrollo de la construcción de buen caserío. Esta enojosa gabela, que pesaba sobre todas las que tenían pisos principales, y que se subdividía en casas *sujetas a huésped*, otras *reducidas a dinero*, y otras *compuestas con piezas señaladas para el aposento* y cuya renta total ascendía a *ciento cincuenta mil ducados anuales*, que se distribuían entre la real servidumbre y los ministros y embajadores, consejeros y funcionarios de corte, por indemnización de casa o aposento, hizo que el interés bien o mal calculado de los dueños de solares, los dividiese en pequeños trozos de a mil, de quinientos, de trescientos pies, y en ellos, por sustraerse a aquella contribución, construían casas bajas o *de malicia*, como se las apellidó, por no tener piso principal, y de éstas se componían en 1750 las dos terceras partes del caserío de Madrid (1).

Este, en general, siguió en aquella época

---

(1) En el año anterior de 1851 ha sido derribada para construirla de nuevo, formando una sola con la inmediata, la casa número 20 antiguo y 9 moderno de la manzana 88, sita en la calle de *Santa Ana*. Entre las muchas casas mezquinas que existen en Madrid, era, sin duda alguna, la más pequeña: conocíasela por la *casa de las cinco tejas*, porque de sólo éstas constaba el remate de su fachada. Tenía 180 pies superficiales y cinco y medio de frente, y rentaba al año 168 reales. Perteneció a la parroquia de San Justo.

el deplorable rumbo que desde un principio había tomado, y gracias por un lado a las poderosas causas indicadas anteriormente y al sórdido egoísmo de los dueños, a la ignorancia o atraso en las artes de construcción y en la policía urbana, las calles de Madrid continuaron presentando el aspecto más lastimoso de mezquinos edificios, ridículas fachadas, cuestas, estrechez y discordancia. Nada de rellenos o desmontes oportunos para disimular los desniveles; nada de alineación ni de proporciones de altura en las casas; nada de ensanche de la vía pública ni de disminución o remedio de sus tortuosidades, ni de conveniente formación de anchas plazas y avenidas, de desahogo y de elegante perspectiva; nada, en fin, de ornato exterior ni de comodidad para el público. Vamos ahora a ver si todas estas ausencias estaban en algún modo neutralizadas por el celo de la administración, por el cuidado del vecindario, por el orden, comodidad y aseo propios de una buena policía urbana. Abramos para ello todos los libros de la época, y más especialmente el manuscrito que anteriormente hemos citado, y muy pronto hallaremos la verdad en toda su lamentable desnudez.

Aquellas calles estrechas, tortuosas y costaneras, apenas podían decirse empedradas, si hemos de atender a los términos en que hablan de ello las Ordenanzas e Instrucciones de 1745 al 47; y hasta el reinado de Carlos III, que adoptó y llevó a cabo en 1761 el proyecto del ingeniero Sabatini para el empedrado y limpieza de Madrid, que mal o bien llegó a establecerse en los términos (bien mezquinos por cierto) en que aún le hemos conocido a principios del siglo. La numeración de las casas tampoco se verificó como queda dicho hasta 1751, y aun entonces lo fue por el mal sistema de dar vuelta a la manzana, que ha durado hasta nuestros días y ocasionaba tan considerable embrollo, por la coincidencia muy frecuente de los mismos números en una calle. No existían sumideros ni alcantarillas subterráneas para la necesaria limpieza; las inmundicias que arrojaban de las casas por las ventanas, y las basuras amontonadas en las calles convertían a éstas en un perpetuo y sucio albañal. No había más alumbrado que el de

lgunas luces que se encendían a las imágenes que solía haber en algunas esquinas,
 tal cual farolillo que se mandaba colgar de los cuartos principales de las pocas
asas que los tenían y cumplían con los
andos. Las fuentes públicas, pocas y esca-
as; los mercados, reducidos a miserables
ajones en la plaza Mayor y algunas pla-
uelas, y a tiendas ambulantes en las esquinas, apellidadas *bodegones de puntapié,*
esprovistos todos hasta de lo más preciso,
y sujeto el vecindario a los *abastos y tasas,*
y a acudir a los sitios privilegiados donde
se despachaba el pan, la carne y los demás alimentos, en limitadas proporciones
y a los precios del abasto. Por consecuencia de todo aquel desorden y abandono,
las calles, inundadas de mendigos por el
día, de rateros por las noches, sin verse
el transeúnte protegido por la vigilancia
de los serenos (que aún no existían), ni
ninguna otra precaución de parte de la
autoridad. Todo aquél que por necesidad
o por recreo había de echarse a las calles
después de cerrada la noche, tenía que
hacerlo bien armado y dispuesto además
con el auxilio de alguna linterna; y las
señoras que iban en silla de manos a las
tertulias, debían hacerlo precedidas de lacayos con hachas de viento, para apagar
las cuales solía haber en las puertas y escaleras de los grandes señores, cañones o
tubos de fábrica en forma de apagador,
de que aún puede verse una muestra en la
casa del señor marqués de Santiago. Carrera de San Jerónimo.

Pero nada hará formar una idea más
cabal del estado lamentable de la policía
urbana de Madrid de aquella época que
al escuchar al anónimo autor del manuscrito ya citado, el cual, con fecha 10 de
noviembre de 1746 (el mismo en que entró
a reinar Fernando VI) la reseñaba completamente en su extenso informe al gobernador, y de que por nota trasladamos
algunos párrafos en cuyas ideas y estilo
se observa el colorido propio de la época
en toda su ingenua sencillez (1).

Tal era el estado material de la capital
de dos mundos a mediados del siglo pasado. Sólo remontando nuestra consideración al lamentable atraso e imperfecta cultura de la época a sus escasas y mal propuestas necesidades, a la ignorancia u olvido de los principios de una buena administración, puede concebirse semejante

la noche es capa de facinerosos... Esta providencia, que en todas las cortes es muy justa, en la
nuestra es sumamente necesaria, porque en ésta
más que en otra alguna son frecuentes los robos y
los insultos, y la lobreguez ayuda mucho para
ellos; también favorece a la lascivia, y nuestra
corte está en este vicio lastimosa. En atención a
esto se tomaron algunos años ha distintas disposiciones; mas todas fueron inútiles; se echaron varios bandos, mas siempre sin efecto, porque se burló de las disposiciones la inobediencia,
o fue un remedio insuficiente. *Mandóse poner
faroles en los balcones de los cuartos principales,*
y solía haber tanto claro entre uno y otro farol
que en poco se remediaba la oscuridad. Los
pobres que no pueden costear esta luz, están por
su pobreza exentos de la ley, y sea por aquello
o que se procedía con descuido, no tenía Madrid más luz que la del día y por la noche
apenas se distinguía de una aldea. Para ocurrir
a una fealdad tan perniciosa a las costumbres y
seguridad de la república, pudiera imitarse la
práctica de París, donde cuelgan los faroles en
distancias proporcionadas, y queda la villa no solamente lucida, sino segura. Esto pudiera verificarse por asiento, etc.

»... La limpieza de la corte se ha hallado hasta
aquí como imposible, porque aunque se han presentado varios proyectos para su logro, no han
tenido efecto alguno; y por esto, no solamente
es Madrid la corte más sucia que se conoce en
Europa, sino la villa más desatendida en este
punto de cuantas tiene nuestro rey en sus dominios y es hasta vergüenza que por descuido
nuestro habite el soberano el pueblo menos limpio de los suyos.» (Aquí se extiende el autor
en consideraciones sobre las malas consecuencias de tal desaseo para la salubridad pública
y otros perjuicios, entre los cuales enumera el
de que el aire inficionado toma y tiñe la plata
de las vajillas, los galones y los bordados de los
trajes, diciendo con mucha candidez: «Un vestido de tisú, que en otro pueblo pasará siempre
nuevo de padre a hijos, en Madrid debe arri-
marse antes del año y hacerse otro, porque con
la mayor brevedad deja de ser tisú y es un
tizón...»

»Hace sucio a Madrid *lo que se vierte por las
ventanas* (continúa nuestro discreto y anónimo
escritor de 1746), y dícese que es muy difícil remediarlo; pero no confundamos lo difícil con lo
imposible, y tengamos presente que si se quiere
de veras, se puede remediar; la prueba evidente
es que en otros pueblos no hay esta suciedad. Sin
embargo haciéndome cargo de lo arduo de esta
empresa, diré que aunque ninguno hay que no

_____

(1) «... Dicen los que han viajado por las cortes, que en algunas nunca hay noche, porque jamás oscurece. tanto es el cuidado de suplir con
luz artificial la falta de la del sol. El pensamiento es muy racional y muy cristiano, porque

abandono, tan miserable existencia en un pueblo principal, en tiempos normales y abundantes, en que estaban apuntaladas las henchidas tesorerías, en que la paz interior ni exterior no fue interrumpida por medio siglo.

La puerta de Recoletos, la plaza de toros y, sobre todo, el suntuosísimo monasterio e iglesia de monjas Salesas, fundado por la piedad de la reina doña Bárbara, fueron las únicas obras notables verificadas en Madrid en el breve reinado de Fernando, y en ellas, especialmente en la última, empezó a manifestarse el renacimiento del buen gusto en materia artística, debido, sin duda, a los estudios mejor dirigidos y a la influencia de la Academia de Nobles Artes de San Fernando, que recibió de este Monarca su verdadera fundación en 1752.

Por fortuna de Madrid, al arribar a sus puertas el día 9 de noviembre de 1759 el gran Carlos III para sentarse en el trono español, por la muerte de su hermano Fernando VI, hubo de llamar, sin duda, su ilustrada y soberana atención, el ignominioso cuadro de una corte tan descuidada y poco conveniente; y a la mágica voz con

---

desee la limpieza de Madrid, y vitupere su piso y empedrado, estos mismos, si se les incomoda con el gasto o con la obra, serán los mayores impugnadores de su remedio. Muchas cosas, sin embargo se pierden, no porque no se puedan alcanzar, sino porque no las osamos emprender, y todo lo que puede vencer el espíritu y perseverancia de un ministro sostenido por la voluntad de su Rey; y a la verdad, el que consiguiese el fin, sería digno de inmortal alabanza, porque sería hacer corte a Madrid... Comprendiendo esta importancia, Sevilla, Toledo, Valencia y otras ciudades, han tomado tales providencias *que sólo por noticias de Madrid conocen la inmundicia*; pues, ¿por qué no imitaremos su buen gusto teniendo tan cerca de nosotros mismos el ejemplar?»

«... también el empedrado de la corte está tenido por una de las grandes dificultades; poca o ninguna habrá que tengan para ello situado tan crecido, y sin que nada le baste, *está una mitad mal empedrada y la otra sin empedrar*. Pónense las piedras con las puntas hacia arriba, porque se supone que se quebrantarían las piedras si las pusieran en otra forma, pero siendo esta forma tan ofensiva a los cascos de las bestias, vienen a causar su estrago. Aun esto se pudiera tolerar, si no padeciese la gente de a pie, pero se lamentan a todas horas de tener los pies mortificados por caminar por suelos puntiagudos, de que se originan molestias que aunque no matan atormentan. Lo peor es que ni aun a este coste se logra el intento, porque siempre tiene el suelo muchos claros; de todo esto tiene la culpa la mala piedra que se gasta y el abuso que he observado algunas veces de componer las calles que se encuentran, sin traer otra alguna y supliendo con tierra la falta de ellas; pero si en esto se imitase la moda de París nos fuera más útil y acomodado que imitarla en la moda del vestido. Usanse allí y en algunas calzadas caminos de Francia, una piedra en figura cuadrada, del tamaño de un pie, y las colocan tan perfectamente unidas, que parecen una sola; pero con una aspereza tan a propósito en su superficie, que siendo muy suave para la gente de a pie, es bastante detención para que los caballos no puedan resbalar. No sucede con aque- llas piedras lo que con las que usamos en España: con éstas se ve que en quitándose una de su lugar, se lleva otras muchas tras sí por falta de trabazón; con aquéllas sucede que en quebrándose una se pone otra, sin que padezcan las compañeras, y tiene otra utilidad más este modo de empedrado, y es que gastada una piedra por un lado, se pone por el otro, y vuelve a servir de nuevo, de forma que en la conveniencia y en la duración lleva muchas ventajas a nuestro este modo de empedrar. Si esto pareciese de excesivo coste para Madrid, hágase a lo menos los empedrados por cajones, con piedras más grandes que las que hoy se usan, las puntas hacia abajo y los anchos arriba, bien unidas y de la aspereza que se ha dicho, puestas así en buena forma las calles, dése el arriendo la contribución de ellas, etc.»

Entrando en fin el autor en más amplias trascendentales reformas, discurre luego sobre la que cree posible, la traída de las aguas del Jarama a los altos de Santa Bárbara; sobre la apertura del canal de navegación desde Madrid a Aranjuez; sobre la erección de algunos edificios públicos de absoluta necesidad en una corte; sobre el levantamiento (por cierto bien excusado) de una cerca o muralla bastante fuerte; sobre el del puente que atravesando la calle de Segovia una los barrios de Palacio y de San Francisco; sobre la rotura de paseos alrededor de la villa y otras obras; y en punto a buena policía propone entre otras cosas la prohibición de la capa y chambergo que entonces parece era de uso casi general; la de no usar más de dos mulas en cada coche o carroza; el planteamiento del servicio de *fincres* o coches de plaza, como existía en París; la reforma del ramo de abastos de comestibles, como le entendían en su tiempo; la ampliación y conclusión del pósito y albóndiga y la formación de otros depósitos de aceite y carbón; y para atender a todo ello acude a las sisas de Madrid. Propone además la reforma completa del ramo de hospitales, hospicios y demás casas de beneficencia; y por cierto con muy preciosas observaciones que han quedado sin aplicación hasta estos últimos tiempos y termina con ellos la luminosa *Memoria* o discurso que nos ocupa.

que en su anterior reino de Nápoles supo imprimir su nombre y su grandeza a aquella hermosa capital, supo elevar a Caserta y desenterrar a Herculano, hizo como a este salir a Madrid, si no de sus ruinas, por lo menos, de su letargo; y no sólo le engrandeció con todos o casi todos los palacios y edificios públicos más importantes que hoy ostenta, tales como el grandioso Museo del Prado y las suntuosas fábricas de la Aduana, las Puertas de Alcalá y San Vicente, la Casa de Correos, la Imprenta Nacional, el Hospital General, el templo y convento de San Francisco, el Observatorio, las Reales Caballerizas, la Platería de Martínez y otros ciento; no sólo abrió sus hermosos paseos, el delicioso Prado con sus bellas fuentes; el de la Florida y el de las Delicias; embelleció el Sitio del Buen Retiro con suntuosas obras, entre ellas la de la Casa fábrica de la China, destruída por los ingleses en 1812; abrió el canal del Manzanares y casi todos los caminos que conducen a la capital, sino que llevando a más elevado punto sus miras generosas, creó nuestros establecimientos principales de instrucción, de beneficencia y de industria y comercio; fundó academias y museos, colegios y cátedras públicas, el Gabinete de Historia Natural, el aJrdín Botánico, el Observatorio Astronómico, la Sociedad de Amigos del País, el Seminario de Nobles, las Escuelas Pías y las gratuitas de instrucción primaria; estableció las diputaciones de caridad; fundó el Banco Nacional de San Carlos y los Cinco Gremios; mejoró considerablemente los pósitos, hospitales y hospicios, y protegió de todos modos las artes, las ciencias y la laboriosidad. En cuanto a la comodidad de los habitantes de Madrid, a su seguridad y recreo, ocurrió con el establecimiento de los vigilantes nocturnos (serenos) y el de un regular alumbrado; la limpieza y empedrado de la villa sufrió también una completa reforma, si no perfecta, por lo menos muy adelantada sobre la que existió; por consecuencia, también de sus sabias disposiciones se reformó el sistema pernicioso de abastos, y consiguió que Madrid estuviese abundantemente surtido; así como por otras acertadas medidas dirigidas a la buena administración de la corte, pudo al fin hacer que ésta se ele-

vase, si no a la altura de tan gran Monarca, por lo menos a la del título de capital; todo esto, en pro comunal, y como dice la bella inscripción que don Juan Iriarte colocó sobre la portada del Botánico: *Civium salute et oblectamento*.

Las honrosas guerras que sostuvo no llegaron a afectar a Madrid, a quien también hizo plaza de armas. Este pueblo, admirador de su Monarca, tuvo el gusto de poseerle durante su reinado, y sólo alteró su tranquilidad un Domingo de Ramos, 23 de marzo de 1766, con la célebre conmoción dirigida contra el ministro Esquilache.

Carlos III, llorado de sus vasallos, murió en Madrid en 1788.

SIGLO XIX HASTA EL DÍA

El reinado de Carlos IV, que enlazó en nuestra historia los dos siglos XVIII y XIX, poco, ciertamente, contribuyó a ennoblecerla ni aún a conservar el alto puesto que bajo los aspectos político, científico y literario había conquistado nuestra nación bajo el ilustrado gobierno del gran Carlos III. La capital del reino, que, según queda dicho, había recibido de aquél tan señalados beneficios y puede decirse que su verdadera importancia material y administrativa, apenas alcanzó de su hijo y sucesor (huésped casi en ella por su marcada preferencia a los sitios reales de El Pardo y Escorial, Aranjuez y La Granja) una muestra siquiera de su paternal solicitud, a no ser que califiquemos de tal el privilegio de 25 de enero de 1791, que original se conserva en el archivo del Ayuntamiento, concediéndole poder entrar al besamanos el segundo día de Pascua de Navidad, después de los Consejos, a que añadió posteriormente Fernando VII el título de *Excelencia* para aquella Corporación y el uso de uniforme y tratamiento de *Señoría* para sus individuos.

Como los adelantamientos del siglo y del buen gusto se reflejaban empero ya y dominaban en las letras y en las artes, y como el fomento y esplendor de éstas era

condición muy propia de una corte dominada por la voluptuosidad y los placeres
y enteramente en manos del afortunado
favorito, que más que los famosos don
Álvaro de Luna, don Beltrán de la Cueva,
don Rodrigo Calderón, don Gaspar de Guzmán y don Fernando Valenzuela, llegó a
fascinar el ánimo de los Reyes y a trasladar a sus propias manos el cetro descuidado por aquéllos; y como, por otro lado,
el nuevo y poderoso valido don Manuel
Godoy, príncipe de la Paz, almirante, generalísimo y primer ministro de Carlos IV
no carecía de talento, de instrucción y benevolencia hacia el progreso intelectual del
país, la corte de aquel Monarca (prescindiendo ahora del estado decadente de su
política y poderío) presentó un cuadro bastante lisonjero y animado en las letras y
en las artes; y a los grandes nombres que
ilustraron el reinado anterior, a los Aran-
das, Floridablanca, Campomanes, Olavide,
Flórez, Sarmiento, Isla, Iriarte, Huerta y
otros de aquel reinado, sucedieron en el siguiente los no menos ilustres de Jovellanos, Llaguno, Saavedra, Cabarrús, Cean,
Forner, Meléndez, Cienfuegos, Moratín y
Quintana, y otros insignes en la política y
en las letras, que ocupaban distinguidos
puestos y el aprecio de la corte y del pueblo. Las bellas artes, que bajo el cetro de
Carlos III cobraron nueva vida en nuestro
país en manos de los Mengs, Bayeu, Goya,
Rodríguez, Sabatini y Villanueva, tuvieron
también no indignos representantes en la
corte de Carlos IV, y los pocos edificios
de aquella época que ostenta Madrid, tales como la iglesia de las Salesas nuevas,
la fábrica de tabacos, el cuartel de San
Gil, el almacén de cristales (hoy colegio
de Sordomudos) y el Depósito Hidrográfico, así como los particulares palacios de
Villahermosa, Buenavista, Altamira y demás, deponen en favor de los adelantos del
arte. Pero en cuanto a la prosperidad general, en cuanto a la mejora de la condición social de nuestro pueblo, poco, muy
poco pudiera señalarse con razón aquella
época, y la capital del reino siguió el rápido descenso que era común a principios
del siglo a todo el país.

Por la abdicación de Carlos, verificada
en Aranjuez en 19 de marzo de 1808, sucede en la corona Fernando VII, en medio
de la aclamación y entusiasmo general.
Madrid, la leal Madrid, que en 1789 le
había jurado en San Jerónimo por príncipe de Asturias, se prepara a recibir al nuevo Rey. Entra, en efecto, el 24 del mismo
marzo, y el júbilo que difunde su presencia sucede a las escenas tumultuarias de
los días anteriores y atropello de las casas
del privado Godoy, el corregidor Marquina y otros. Pero esta alegría se ve mezclada con el fundado recelo que inspiraba la
presencia del ejército francés, que bajo
las órdenes de Murat entró en Madrid la
víspera que el Rey. La patriótica agitación, la incertidumbre de la suerte del Rey
y del Estado conmueven a Madrid en aquellos días, y esta agitación sube de todo
punto cuando ve salir de sus muros en
10 de abril siguiente a su amado Fernando. El funesto resultado del viaje de Su Majestad a Bayona no era ya para nadie un
enigma, y en vano los madrileños procuraban reprimir los ímpetus de su cólera. Llegó, por fin, ésta a su colmo al ver que iba
a ser arrancado de su seno el infante don
Antonio, a quien el Rey había dejado a la
cabeza del Gobierno. El día destinado para ello era el *Dos de Mayo de* 1808. ¡Quién
pintará el heroico ardimiento del pueblo
de Madrid en tan célebre día! ¡Quién las
escenas de sangre y desesperación con que
consignó su fidelidad y patriotismo! Nosotros, limitados a la estrechez de este breve resumen, habremos de contentarnos
con indicar las fechas de los sucesos más
notables que ennoblecen la historia de
Madrid en la época famosa de la guerra
de la Independencia española, que dio
principio por el noble grito lanzado por
los madrileños en el 2 de mayo de 1808.

Los franceses, dueños de Madrid a tan
cara costa, sólo permanecieron entonces
hasta el 1 de agosto, en que, a consecuencia de la célebre batalla de Bailén, hubieron de retirarse. Las tropas españolas, mandadas por el general Castaños, ocuparon
a Madrid. Pero Napoleón en persona, con
un ejército formidable, se presenta delante de la capital el 1 de diciembre del mismo año de 1808. La resistencia de este
indefenso pueblo en los tres primeros días
de aquel mes es otro de los sucesos que
raya en lo heroico y aún temerario; pero
que mereció hasta el aprecio del sitiador,

que le ocupó el 4, bajo una honrosa capitulación.

Gimió Madrid cerca de cuatro años bajo el peso de la esclavitud, y durante ellos no se desmintió un sólo momento en sus patrióticas ideas. Ni los halagos que al principio se usaron, ni el rigor ni el terrorismo, ni la miseria, ni el hambre más espantosa pudieron hacerle retroceder. Firme en sus propósitos, no le venció el temor ni le lisonjearon las ilusiones de una soñada felicidad. Jugando a veces con las cadenas que no podía romper, combatía con la sátira y la ironía todas las acciones del intruso Rey y de su gobierno; le mofaba en las calles, en los paseos y en las ocasiones más solemnes; revestido otras de una fiereza estoica, moría a manos de la horrible hambre de 1812 antes que recibir el más mínimo socorro de sus enemigos. En vano se emplearon para debilitarle y vencerle los medios más eficaces; sus habitantes, muriendo a millares de día en día, le dejaban desierto, pero no humillado. Sus calles se cubrieron de yerba; sus plazas se llenaban con los escombros de los altares que derribaba el conquistador; sus deliciosos paseos y jardines se convirtieron en fortalezas que amenazaban su existencia; pero en medio de tantos desastres, cercado de tantos peligros, elevaba sus votos al Omnipotente por su libertad y la de su Rey.

Llegó, por fin, el 12 de agosto de 1812, célebre en los fastos de Madrid. En este día, habiéndose retirado los franceses de resultas de la batalla de Salamanca, fue ocupada la capital por el ejército aliado anglo-hispano-portugués, al mando de lord Wellington, que hizo su entrada entre demostraciones inexplicables de alegría. Pero aún faltaba a Madrid parte de sus padecimientos, pues vuelto a acercarse el ejército francés, tornó a ocuparle en 3 de noviembre, saliendo a los cuatro días y volviendo a apoderarse de él en 3 de diciembre del mismo año de 1812. Por último, en 28 de mayo de 1813 salieron los franceses la última vez de Madrid y le ocuparon las tropas españolas al mando de don Juan Martín Díez, *el Empecinado*. El 5 de enero de 1814 se trasladó a Madrid desde Cádiz la Regencia del Reino, y a pocos días se abrieron en el antiguo teatro de los Caños del Peral las Cortes generales con arreglo a la Constitución política promulgada en Cádiz a 19 de marzo de 1812. Las novedades introducidas por ella en el gobierno de la Monarquía afectaron por entonces poco al pueblo de Madrid, que sólo ansiaba reponerse de los estragos de la guerra, y esperaba gozoso la vuelta de su deseado Fernando.

Verificóse, por fin, ésta el día 13 de mayo de 1814 en medio de un entusiasmo difícil de pintar, si bien neutralizado en parte con las consecuencias del célebre decreto de Valencia de 4 del mismo mes, por el cual abolía el Rey la Constitución y las Cortes y mandaba volver las cosas al ser y estado que tenían en 1808, cuyo acto altamente impolítico y las terribles persecuciones suscitadas por aquellos días contra los diputados y demás personas comprometidas en el nuevo régimen, fueron la señal de esta larga serie de reacciones funestas, cuyos efectos sentimos aún después de cuarenta años de fecha.

El beneficio de la paz material que obtuvo, sin embargo, el reino durante los seis primeros años del gobierno de Fernando VII, la afición particular que manifestaba éste al pueblo de Madrid y el aparato deslumbrador de una corte montada con arreglo a la antigua etiqueta, templaban en parte la agitación que sordamente iba minando los espíritus y adormecían el ánimo del Monarca, que se complacía en conquistar cierta popularidad, presentándose improvisamente y sin ningún aparato en los establecimientos, paseos y diversiones públicas; dispensando cuantiosos socorros a aquéllos, especialmente a los religiosos, para reedificar sus conventos, destruídos por los franceses y emprendiendo por su cuenta otras obras, entre las cuales la más distinguida y que forma hoy una hermosa página de su reinado, fue la reparación y terminación del Museo del Prado, con destino a la colocación de su rica galería de pintura y escultura, en cuya gloria cabe no poca parte a la reina doña María Isabel de Braganza, con quien había contraído Fernando matrimonio en 1816. Igualmente data de aquella época el embellecimiento y adorno del real sitio del Buen Retiro, que habían dejado los franceses convertido en una especie de ciudadela; la reparación y mejora del canal de

Manzanares y sus contornos; la formación y colocación del Museo Militar y Parque de Artillería en el palacio de Buenavista; el lindo casino de la Reina y sus jardines, regalados a la misma por la villa de Madrid; el derribo del teatro de los Caños del Peral y los principios del de Oriente, con otras varias obras de utilidad y grandeza para la villa de Madrid.

La revolución de 1820, que dió por resultado el juramento de la Constitución de 1812 por Fernando, verificado solemnemente en el seno de las Cortes en 9 de julio de dicho año, vino a apagar en el ánimo del Monarca aquellas ideas de mejora material, y puede decirse que en el ruidoso período de los tres años desde 1820 al 23, la población de Madrid, agitada continuamente con los graves sucesos políticos, las borrascosas sesiones de las Cortes y sociedades patrióticas, las conspiraciones y los temores por la guerra civil encendida en las provincias en defensa del absolutismo, pudo atender muy poco a su particular interés, y únicamente quedaron de aquella época turbulenta dos hechos que han tenido grande influencia en la mejora progresiva que se advierte en nuestra capital. El primero fue la reunión de los propietarios de ella, verificada en 1821 para formar la Sociedad de seguros mutuos contra incendios de las casas, la cual, por sus sencillas bases, orden e importancia, puede citarse como un modelo, y el segundo, la desamortización y venta de gran parte de las fincas de los extinguidos monacales, las cuales recibieron grandes mejoras en manos de los compradores.

Los sucesos políticos más señalados entre los muchísimos parciales de aquel período en nuestra capital, fueron los del 7 de julio de 1822, en que se dio una sangrienta acción en la plaza Mayor entre la Milicia Nacional y la Guardia Real, y los del 20 de mayo de 1823, en que la guarnición de Madrid, al mando del general Zayas, batió y dispersó en las afueras de la Puerta de Alcalá a la vanguardia de las tropas realistas que precedían al ejército francés. El duque de Angulema, general en jefe de éste, verificó su entrada en Madrid en 24 del mismo mes, e instalando en la capital la regencia del reino, marchó a poner sitio a la plaza de Cádiz, adonde

se había retirado el Gobierno constitucional, llevando consigo al Rey. Libre, en fin, éste en 1 de octubre, y siguiendo su sistema favorito, anuló por un Real decreto de la misma fecha la Constitución, las Cortes y todos los actos de los tres años, persiguiendo duramente a sus partidarios, a cuya consecuencia fue preso y conducido a Madrid el caudillo principal, don Rafael del Riego, y en 7 de noviembre del mismo año fue ahorcado en la plazuela de la Cebada. Fernando VII regresó a Madrid en 13 del mismo noviembre, haciendo su entrada pública con grande aparato y festejos.

Otro período histórico más largo, aunque no tan agitado por graves sucesos políticos, sucedió al constitucional, y éste fue la famosa década desde 1823 a 1833. No es esta la ocasión, ni tampoco propio de nuestra pluma el seguirle en sus distintas fases; y prescindiendo del uso que Fernando, restaurado por los franceses en el lleno de la soberanía hizo o pudo hacer de la suprema autoridad, nos limitaremos sólo a consignar los adelantos y mejoras que por aquella época mereció al Monarca y su Gobierno la capital del reino.

A su protección y continua residencia en ella, y al inestimable don de la paz en un período bastante duradero, se debió la creación de muchos establecimientos y otras reformas útiles y de comodidad. La policía urbana recibió considerables mejoras, la instrucción de la juventud se facilitó sobremanera con el establecimiento de escuelas y cátedras gratuitas de las diputaciones de los barrios, de los conservatorios y museos, de los colegios de jesuítas, dominicos y escolapios; llevóse a cabo por el Rey la grande obra del Museo de Pinturas, la del Museo Militar de Artillería e Ingenieros, el Gabinete Topográfico y la nueva colocación de la Biblioteca Real en un edificio especial; creó el Conservatorio de Artes con su gabinete y cátedras, mandando celebrar las primeras exposiciones públicas de la industria española; el Conservatorio de Música, bajo la protección y nombre de su augusta esposa, doña María Cristina; la Dirección de Minas, su gabinete y cátedras, ordenando nuevas leyes y disposiciones beneficiosas a este ramo; el Consulado de Madrid y la Bolsa de Comercio; restauró los palacios y sitios reales, mandó reparar los caminos y abrir nuevos paseos que circundan a la capital, hizo emprender notables trabajos preparatorios para el abastecimiento de aguas suficientes, empezó y siguió hasta el estado en que permaneció hasta hace tres años el teatro de Oriente: terminó las cocheras reales, la Puerta de Toledo, el cuartel de Caballería a la bajada de Palacio y la fuente de la Red de San Luis; dando, en fin, una prueba de magnanimidad y patriotismo poco común hasta entonces, mandó fundir en bronce la estatua de Cervantes para colocarla en una plaza pública, e hizo poner un recuerdo honorífico en la casa en que murió aquel ilustre escritor.

El aumento de la población consiguiente a las mayores comodidades, hizo también que el interés particular se asociara naturalmente a este movimiento de progreso; centenares de casas particulares se alzaron o repararon en pocos años con mayor gusto; multitud de compañías y empresas industriales se formaron, ya para la rápida comunicación de la capital con las provincias, ya para el abastecimiento de los objetos de consumo, ya, en fin, para la elaboración de muchos artefactos desconocidos antes en nuestra industria; y por consecuencia de todos estos adelantos empezó a disfrutar Madrid de una comodidad y abundancia en los bastimentos, de una elegancia en los vestidos, en las habitaciones, en los muebles, en todas las necesidades de la vida, que ciertamente no fueron conocidas de nuestros mayores.

La llegada a Madrid en 11 de diciembre de 1829 de la reina doña María Cristina de Borbón, cuarta y última esposa de Fernando VII, fue uno de los sucesos memorables de aquella época en que más parte activa tomó la población de Madrid. Acompañaban a aquella augusta señora sus padres, los Reyes de las Dos Sicilias, y con tan fausto acontecimiento se hicieron grandes festejos y demostraciones de público regocijo. Repitiéronse éstas en 10 de octubre de 1830 al nacimiento de la princesa doña Isabel, declarada heredera del trono, al tenor de la ley hecha en Cortes en 1789 y publicada por Fernando; y últimamente subieron de todo punto estas gratas demostraciones, cuando en 20 de junio de 1833 fue jurada la misma Isabel como princesa de Asturias por las Cortes del reino, convocadas a este efecto en la iglesia de San Jerónimo. Las fiestas reales celebradas con este motivo, las iluminaciones, fuegos, toros, carreras, torneos, máscaras, comedias y evoluciones militares se sucedieron sin cesar durante quince días, que fueron una de las épocas más brillantes de Madrid en el presente siglo.

La muerte del rey Fernando VII, ocurrida en Madrid en 29 de septiembre del mismo año de 1833, vino de nuevo a complicar la situación política del reino y a paralizar por el pronto todas las mejoras y progresos materiales. Aclamada en 24 de octubre la reina doña Isabel II, en la tierna edad de tres años, y cometida la gobernación del reino a su augusta madre, doña María Cristina, no tardó en levantarse de nuevo el pendón de la guerra civil, sostenido en las provincias por el pretendiente, infante don Carlos, y sus numerosos partidarios, al paso que los de Isabel y de Cristina acometieron simultáneamente la obra de la nueva revolución política, que siguiendo diversos períodos, pareció al pronto satisfecha con la promulgación del Estatuto Real otorgado por la Reina Gobernadora en 10 de abril de 1834, y fue creciendo después hasta la nueva promulgación de la Constitución de 1812, verificada en 16 de agosto de 1836, y luego la nueva de 18 de junio de 1837, formada y sancionada por las Cortes generales, que después fue modificada en 1845, y rige todavía.

Largo y enojoso, a par que delicado, sería el consignar aquí los diversos y gravísimos acontecimientos de que en aquella angustiosa época fue teatro la capital del reino; pero no puede tampoco dejar de recordarse los más importantes y memorables. Entre ellos ocupan el primer lugar los días 16, 17 y 18 de julio de 1834, que quedaron inscriptos en la historia de Madrid con la sangre inocente de los religiosos, asesinados inhumanamente al pie de los altares a impulsos del vértigo agitador de las pasiones políticas y del funesto cólera-morbo que por aquellos días se desarrolló en la capital de un modo asombroso. Al través de este espantoso cuadro se ofreció en aquellos mismos días a la vista de sus habitantes el magnífico episodio de la apertura de las Cortes del reino en sus dos estamentos de Próceres y de Procuradores, verificada en persona por la Reina Gobernadora.

No fueron menos graves los acontecimientos de 15 de agosto de 1836, que dieron por resultado el restablecimiento de la Constitución de 1812; los de 11 de septiembre de 1837, en que llegó don Carlos con su ejército hasta las tapias de Madrid sin poder penetrar en él; los del pronunciamiento de 1 de septiembre de 1840, cuya consecuencia fue la abdicación de la Reina Gobernadora y su salida de España, y la elevación a la Regencia del reino del general don Baldomero Espartero, duque de la Victoria; la tentativa armada contra el gobierno de éste, en la noche del 7 de octubre de 1841, de que fue víctima el general don Diego León y otros compañeros de infortunio; la especie de sitio puesto a Madrid a mediados de julio de 1843 por las tropas pronunciadas contra el Regente, hasta la entrada de ellas y del Gobierno provisional en 22 del mismo julio, y últimamente, la declaración solemne de la mayoría de la reina doña Isabel II, verificada por las Cortes, y el juramento prestado en ellas por la misma Reina en 10 de noviembre de 1843.

En medio de tan graves acontecimientos, al través de una guerra civil de siete años, obstinada y dudosa, agitados los espíritus con la revolución política que el curso de los acontecimientos y de las ideas hizo desarrollar, comprometidas las fortunas, preocupados los ánimos y careciendo de la seguridad y de la calma necesarias para las útiles empresas, parecía natural que, abandonadas éstas, hubieran hecho retrogradar a nuestro Madrid hasta despojarle de aquel grado de animación y de brillo que había llegado a conquistar en los últimos años del reinado anterior.

Pues sucedió precisamente todo lo contrario; y el que regresara en 1843 a la corte después de una ausencia de diez años, no podría menos de convenir en los grandes adelantos que se observaban ya en todos los ramos que constituyen la administración local y las comodidades de la vida.

La parte material de la villa sufrió en aquel período una completa metamórfosis.

La revolución política, al paso que hizo variar absolutamente la organización del supremo Gobierno, tribunales y oficinas de administración pública, dejó también impresas sus huellas en los objetos materiales; borró con atrevida mano muchos de nuestros monumentos religiosos e históricos, levantó otros de nuevo y aspiró a presentar otras formas exteriores de una nueva época, de diversa constitución.

Por consecuencia de la supresión de las comunidades religiosas, verificada en 1836, quedaron vacíos multitud de conventos que fueron luego destinados a diversos usos, tales como oficinas civiles, cuarteles, albergues de beneficencia y sociedades literarias, y otros fueron completamente derribados para formar plazas, mercados y edificios particulares; éstos son los de la Merced, Agustinos Recoletos, la Victoria, San Felipe el Real, Espíritu Santo, San Bernardo, Capuchinos de la Paciencia, San Felipe Neri, Agonizantes de la calle de Atocha, monjas de Constantinopla, la Magdalena, los Angeles, Santa Ana, Pinto, el Caballero de Gracia, las Baronesas y la parroquia del Salvador, que desaparecieron del todo.

La completa desamortización y venta de las cuantiosas fincas del clero regular y secular, fue también causa de que pasando éstas a manos especuladoras, se renovasen en su mayor parte. La reunión de capitales sin ocupación y el mayor gusto y exigencia de la época, llamaron el interés privado hacia este objeto y renovaron en su consecuencia o alzaron de nuevo multitud de casas que forman calles, barrios enteros; tales fueron las de la plaza de Oriente de la izquierda del Real Palacio, las de San Felipe el Real, la Victoria y otros sitios; pero al interés y al buen gusto particular y demás causas iniciadas se unió para fortuna de Madrid una principal, y fue la feliz coincidencia de una autoridad celosa que en los años, 1834, 35 y 36 estuvo al frente de la administración municipal, y en quien se vieron felizmente reunidos los conocimientos, el gusto y el prestigio necesarios para entablar un sistema general de mejoras locales que ha podido después ser continuado fácilmente. No seríamos justos si dejáramos pasar esta ocasión sin consignar el tributo de graitud que todo Madrid rinde a la memoria le su malogrado corregidor *don Joaquín Vizcaíno, marqués viudo de Pontejos*.

La numeración de las casas se reformó en su tiempo completamente por el mismo sistema que vinimos proponiendo en 1831. La rotulación de las calles, igualmente fue reformada; el empedrado y aceras recibió grandes mejoras en todas las calles principales, y ensayó en muchas de ellas los sistemas más modernos y acreditados, colocando también las nuevas aceras anchas y elevadas. La limpieza de día se empezó a verificar con mayor regularidad, y el alumbrado fue también completamente establecido con buenos reverberos colocados a convenientes distancias. Concluyéronse al mismo tiempo varios edificios y monumentos públicos, tales como el Colegio de Medicina, el teatro del Circo, cuatro mercados cubiertos, el mausoleo del Dos de Mayo, y el obelisco de la fuente castellana; se formaron nuevas plazas y paseos en el interior de la villa y en todos sus alrededores; plantáronse árboles en las calles y plazas principales; y en los cafés, tiendas y demás establecimientos públicos se empezó a desplegar un gusto y elegancia hasta entonces desconocidos.

Si adelantamos a buscar reformas de más importancia, no dejaremos de reconocerlas en gran número y de la mayor trascendencia. El albergue de mendicidad de San Bernardino, creado y sostenido por la caridad del pueblo de Madrid; las salas de asilo o escuelas de párvulos, institución benéfica planteada por la sociedad para mejorar y propagar la educación del pueblo; la Caja de Ahorros, servida igualmente por otra junta de personas benéficas; la ampliación y considerable aumento del Monte del Piedad; la formación y trabajos de la sociedad para la reforma del sistema carcelario; la de otras sociedades contra los incendios y granizo; las muchas de socorros mutuos que han sustituido a los Montepíos y otra multitud de establecimientos útiles, demuestran bien que no fueron olvidados aún en aquellos momentos de vértigo los sanos principios de una buena administración; así como también la reinstalación de la Sociedad Económica Matritense, la formación del Ateneo científico, la del Liceo artístico y literario, la del Instituto y otras sociedades de externado e instrucción, apertura del Museo Nacional de la Trinidad, la de nuevos espectáculos, casinos y otros establecimientos de recreo, prueban también que se procuró llegar en nuestra sociedad matritense a aquel grado de cultura y comodidad que exigen ya las necesidades del siglo.

Aquí terminábamos en la anterior edición de este MANUAL, verificada en 1844, la reseña histórica de Madrid hasta aquella fecha, con estas consideraciones referentes a los diez primeros años del reinado de la augusta Isabel II, durante su minoría y la gobernación de su augusta madre. Otra década no menos memorable acaba de transcurrir desde que en 1843, por la declaración de la mayoría de Su Majestad hecha por las Cortes, ocupó el trono español y entró en el ejercicio de la regia autoridad. Los sucesos políticos de este segundo período de su reinado no han sido, por fortuna, tan variados ni trascendentales, y Madrid, como todo el reino, ha podido disfrutar casi constantemente los beneficios de la paz y del orden público conquistados, es verdad, no sin grandes esfuerzos, vaivenes y desengaños. Pero una vez sufridos éstos y alcanzados aquellos preciosos objetos, el pueblo de Madrid, entrando de lleno en la vida animada y fructífera de la laboriosidad y del progreso hacia la mejora de su condición y goces sociales, ha variado completamente de sistema y de aspecto material; ha contraído el hábito del orden y de la economía, como se ve palpablemente en la benéfica Caja de Ahorros; ha acometido y dado impulso a obras gigantescas que han de variar completamente sus condiciones esenciales de existencia; ha procurado, en fin, seguir la marcha civilizadora del siglo, y aprovechado los ejemplos de los países más adelantados y de sus propios errores y desaciertos.

Unicos trágicos episodios en la historia política de este pueblo en los diez años anteriores fueron los sucesos de los días 26 de marzo y 7 de mayo de 1848 a consecuencia de la reciente revolución francesa del mes de febrero; pero su corta duración y la escasa parte que en ellos cupo a la generalidad del vecindario, afectó poco a su progreso sucesivo. La capital del reino, por otro lado, a vueltas de aquellos lamentables disturbios, presenció otros acontecimientos prósperos y los celebró con extraordinaria magnificencia. Entre ellos sobresalen en primera línea el matrimonio de la reina doña Isabel II con su augusto primo, y el de su hermana la infanta doña Luisa Fernanda con el duque de Montpensier en 10 de octubre de 1846, y el nacimiento de la princesa doña Isabel en 20 de diciembre de 1851; especialmente las solemnísimas funciones reales de octubre de 1846 con motivo de las bodas de Su Majestad y Alteza, dejaron memoria en la presente generación, y forman la más brillante época moderna de la capital de España, que ofreció entonces a los ojos de los muchos y notables huéspedes extranjeros y nacionales que la visitaron con aquel motivo, un espectáculo por extremo halagüeño y deslumbrador.

En la tendencia de prosperidad, de fomento de las ciencias, de las artes y de la riqueza del país, general ya y dominante en el nuestro, ha cabido, sin duda, la gloria de dar los primeros pasos por tan beneficiosa senda a la capital del reino, que, por razones políticas, hijas de la forma de gobierno representativo, ejerce hoy más influencia, reúne mayor prestigio y atrae a su centro mayores medios de acción que en los tiempos anteriores; en términos que pudiéramos repetir aquí lo que ya estampamos en otra ocasión, a saber: que sólo a Carlos III le ocurrió pensar que Madrid era su corte, y que sólo en estos últimos tiempos ha caído el propio Madrid en la cuenta de que es la capital de la Monarquía.

Queda sentado en los párrafos anteriores el principio de aquel movimiento, inaugurado casi al mismo tiempo que la revolución política, y desarrollado en medio de sus vaivenes y al través de sus desmanes, hasta un punto que nos parecía difícil o poco probable adelantar cuando estampábamos aquellas líneas en 1843; pero precisamente data desde entonces la verdadera época de renovación casi completa de Madrid, en la que ha alcanzado a revestir una nueva y lisonjera faz. Desde aquel mismo año dio la señal el Gobierno con la inauguración de varias obras públicas de grande

importancia; el Real Patrimonio con otras de asombroso coste y magnificencia; y los particulares con la reconstrucción casi total del caserío. La reina doña Isabel II con más decisión y magnánimos bríos que su padre y abuelo, emprendió la continuación de la obra de Carlos III, la empresa verdaderamente colosal de terminar el Real Palacio, y embellecer sus avenidas y cercanías con suntuosos jardines que renuevan con notables aumentos las gratas memorias del romántico parque, célebre en las comedias de Lope y Calderón; el Gobierno, con la construcción del Palacio del Congreso, de la Universidad, del Teatro Real y otras, siguió aquel grandioso movimiento. La vida de Madrid, aunque siempre rezagada por la escasez de medios y otras causas que ahora no hay necesidad de estampar, procuró en lo posible responder a aquella voz de mejora, terminando y decorando convenientemente la hermosa Plaza Mayor; formando y regularizando otras calles y plazas; adoptando para las principales el excelente aunque costosísimo empedrado de adoquines, el alumbrado de gas y un sistema nuevo de limpieza y policía municipal; y en la parte exterior muchos y cómodos paseos, entre ellos los bellísimos de la Fuente Castellana y de la Cuesta de la Vega. Y el interés privado, en fin, siguiendo inmediatamente las huellas de la administración y el instinto de un buen cálculo, acudió solícito a donde éste le llamaba, y renovó casi instantáneamente calles, barrios, distritos enteros, dándoles con su nueva construcción un aspecto verdaderamente lisonjero. Las nuevas construcciones que forman la magnífica plaza de Oriente y calles contiguas tituladas de Carlos III y Felipe V, Lepanto, San Quintín y de Pavía; las de Jovellanos, Floridablanca y demás a las inmediaciones del Palacio del Congreso; las de Calderón, Juan de Herrera, en el solar de Constantinopla; las de los Angeles; las de la Magdalena; las de Gravina, Santa María del Arco y del Barquillo, en la antigua huerta del duque de Frías; las de las plazuelas de Bilbao, del Progreso y los Ministerios, del Circo y de Pontejos y otras muchas en sitios, solares, huertos y demás donde antes no existían casas ni habitaciones, han aumentado considerablemente el número de edificios particulares de Madrid, al paso que ellos y los reconstruidos en los sitios de las antiguas, han dado un nuevo aspecto a las calles y acrecido en algunos millones el producto de las rentas públicas y la comodidad y desahogo del vecindario.

Por miedo de parecer injustos o parciales no nos detendremos a señalar o encomiar la ostentación y el buen gusto de este nuevo caserío; pero al menos nos permitiremos citar por su importancia los palacios de los señores duque de Riánsares, en la calle de las Rejas; marqués de Gaviria, en la del Arenal, y Salamanca, en el paseo de Recoletos; y las magníficas casas de los señores Santa Marca, Barrio, Casariego, en la calle de Alcalá; las Rivas, Pérez y duque de Sotomayor, en la Carrera de San Jerónimo; Sevillano, en la calle de Jacometrezo; Murga, en la de las Infantas; Mateu, en la de Espoz y Mina; Carvajal, marqués de Ogavan, en la calle del Turco; Bayo, en la de la Greda, duquesa de San Carlos, conde de Vegamar, marqués de Camarasa y otros, en la del Barquillo; duque de Granada, en la Bajada de Santo Domingo, con otras ciento que ahora no recordamos, en las cuales se ha desplegado un gusto y magnificencia verdaderamente nuevos hasta el día en nuestras casas particulares.

Por último, y tratándose, en fin, seriamente de elevar a Madrid al grado de importancia y comodidad propios de la capital de la monarquía, se emprendió en 1851 por todos aquellos intereses reunidos la grandiosa obra, esencialmente vital, de surtirle de aguas abundantes por medio del magnífico *canal del Lozoya* o de *Isabel II*; entretanto que llega a su término aquella obra colosal se ha realizado la del nuevo viaje de la Fuente de la Reina hasta la montaña del Príncipe Pío; se ha atendido a necesidades de otra especie con la fundación del nuevo Hospital de la Princesa; la del de hombres incurables, la de la Casa de maternidad, la de dementes, en Leganés; y otros varios, ya en proyecto, va en principio de ejecución. La colocación de los ministerios y otras oficinas principales en los grandiosos edificios de la Aduana, Correos, Buena Vista, Trinidad y casa de la Sonora; la apertura del Museo Naval en la del Ministerio de Marina; las importantes obras y arreglos del Museo de pintura y escultura; las verificadas en el sitio del Buen Retiro; la restauración de la iglesia de San Jerónimo; la de los teatros de la villa y apertura de otros nuevos; la Bolsa de Comercio; la erección de estatuas y monumentos públicos; la ampliación de arrabales y sobre todo la inauguración de la futura red de ferrocarriles que uniendo ya a Madrid con los vergeles de Aranjuez, ha de poner algún día a sus puertas las playas de ambos mares y las gargantas del Pirineo; todas estas y otras muchas mejoras materiales operadas en estos últimos años en Madrid, han venido a colocarla ya en el rango que le corresponde y la prometen sucesivos y aun mayores adelantos. Ardientes, apasionados y entusiastas promovedores (aunque en modesta esfera) del fomento y prosperidad de nuestra villa natal, abrigamos la esperanza de que si algún día volvemos a reproducir esta reseña histórica en una nueva edición de nuestro MANUAL, podremos ya dar como realizados aquellos adelantos que nos complacieron en nuestros ensueños, y a los cuales procuramos contribuir con nuestras débiles fuerzas como buenos y leales ciudadanos.

ARMAS Y BLASONES DE LA VILLA

Madrid usa por armas un escudo blanco plateado, y en él un madroño verde y el fruto rojo, con un oso trepando a él, una orla azul con siete estrellas de plata y encima de todo una corona real. Varias han sido las opiniones sobre la significación de estas armas; pero aunque se pueda conceder la del oso, por la razón que se ha dicho de los muchos en que abundaba su término, no es así la de las siete estrellas, aunqun se supone referirse a la constelación astronómica *Bootes*, llamada vulgarmente *el Carro*, que consta de otras tantas; y como *Carpetum* (de donde tomó su nombre la Carpetania en que se comprendía Madrid) significa *el Carro*, pudieron hacer esta alusión al carro celeste, aunque parece demasiado violenta. El pintarse al oso abalanzado al madroño, fue de resultas de los reñidos pleitos que hubo entre el ayuntamiento y el cabildo eclesiástico de esta villa sobre derecho a ciertos montes y pastos, los cuales concluyeron con una concordia, en que se estableció que perteneciesen a la villa todos los pies de árboles, y al cabildo los pastos; y para memoria, que pintase éste la osa paciendo la hierba, y el ayuntamiento la pusiese empinada a las ramas. La corona la concedió el emperador don Carlos en las Cortes de Valladolid de 1544 a los procuradores de la villa de Madrid, que pidieron este honor para su patria.

MADRILEÑOS CÉLEBRES

Son tantos los varones ilustres que ha producido Madrid, que su sola enumeración ocuparía algunos volúmenes, aun después de los cuatro que dedicó a su biografía el diligente don José Alvarez Baena, en su apreciable obra titulada *Hijos ilustres de Madrid.* Deseosos de no dejarnos arrastrar por el entusiasmo que guió en los siglos anteriores al dicho Baena y a los Quintanas, Dávilas, Pinelos y Montalvanes, que igualmente trataron con harta prolijidad este asunto, parécenos, sin embargo, que obraríamos con sobrada injusticia para con nuestro pueblo en no recordar aquí los nombres de aquellos de sus hijos que con su virtud, su talento o su valor supieron ilustrar la historia política y literaria del país. Difícil en extremo y ocasionado a parcialidad, es el haber de escoger entre más de dos mil que apuntan los biógrafos, aquellos que nos parezcan más dignos de especial mención; y esta abundancia y este embarazo de nuestra parte, se concibe fácilmente tratándose de una población de tanta importancia histórica, y especialmente en los últimos cuatro siglos.

Sólo las antiquísimas y nobles familias madrileñas conocidas ya desde los tiempos de la conquista en el siglo XI, y algunas señaladas como anteriores; los *Ramírez,* de la casa de los condes de Bornos, a cuyo tronco *Gracían Ramírez* se atribuye la pri-

mera tentativa de restauración de Madrid, en los primeros años de la dominación de los moros; los *Vargas,* de que ya se hace mención en la vida de San Isidro, a fines del mismo siglo XI; los *Gatos* procedentes de un valiente guerrero que en el asalto de Madrid hizo prodigios de valor trepando por la muralla con una agilidad que le mereció el sobrenombre de *El Gato,* apodo glorioso que trasmitió a sus descendientes, y aun parece dio origen al dicho vulgar de *Gatos de Madrid,* aplicado después por antonomasia a los valientes hijos de esta villa; los *Luzones,* los *Lujanes,* los *Lagos,* los *Coallas,* los *Ocañas,* los *Alarcones,* los *Lasos,* los *Castillas,* los *Veras,* los *Coellos,* los *Bozmedianos,* los *Barrionuevos,* los *Ayalas,* los *Carvajales,* los *Cárdenas,* los *Arias Dávila,* los *Madrid,* los *Xibajas,* los *Ludeñas,* los *Herreras,* los *Zapatas,* los *Cisneros* y otras cien familias anteriores en su mayor parte al establecimiento de la corte en Madrid, dieron a la historia, a las ciencias y a las letras multitud de célebres personajes, que brillaron en los puestos más eminentes del Estado. Con mayor razón cuando enlazados aquellos ilustres apellidos con los demás de la primera nobleza del país, que siguiendo naturalmente a la corte se fijaron cerca de ella, con los *Toledos, Girones, Guzmanes, Mendozas, Pimenteles, Silvas, Lunas, La Cerdas, Velascos, Pachecos, Bazanes, Osorios, Córdobas, Aguilares* y demás, vinieron a formar la Grandeza del reino, y a enlazar unos y otros blasones heráldicos en los escudos de los duques del Infantado, de Osuna, de Frías, de Alba, de Lerma, de Pastrana, de Medinaceli, de Hijar, de los condes de Paredes, de Oñate, de Santisteban, de Castroponce; de los marqueses de San Vicente, de Villafranca, del Valle, del Carpio, de Denia, de la Laguna, de Leganés y otros infinitos que ofrecen en su genealogía una dilatada serie de personajes célebres por su alta posición y distinguidos servicios en la corte castellana, y en las extranjeras como sus representantes, en los ejércitos y armadas, al frente de los Consejos y Tribunales, o en las primeras dignidades de la iglesia. Gran parte de estas notabilidades históricas vieron en Madrid la primera luz, y por consecuencia entran en el dominio de esta biografía; pero habiendo de limitarnos a un ligero compendio o indicación de los principales, escogeremos con preferencia aquellos que pueden decirse por su alcurnia más propios y oriundos de nuestra villa, así como también en los grandes escritores y artistas del gran siglo XVII, deteniéndonos algún tanto en señalar aquellas circunstancias de su vida que dicen relación con Madrid, tales como el día y sitio de su nacimiento, casas en que habitaron, establecimientos que fundaron y lugar de su sepultura, etc.

SANTOS

SAN ISIDRO LABRADOR, *patrón de Madrid*, nació según más probablemente se cree, por los años de 1082; su ejercicio principal fue el de labrador, aunque también parece que trabajó en otras obras y menesteres, sirviendo en ellas y en el cultivo de los campos a un caballero de la antiquísima familia de los Vargas llamado *Iván*, que vivía en la casa contigua a la parroquia de San Andrés, en la cual hay convertida en capilla una estancia baja, donde se cree falleció el Santo. También en la inmediata calle del Almendro y señalada con el número 6 moderno, está la casa de los marqueses de Villanueva de la Sagra, que por aquel tiempo pudo ser casa de labor perteneciente al mismo Vargas, y se ve en ella una pequeña capilla, en una cuadra, donde según tradición acostumbraba el Santo encerrar el ganado de la labranza. Su vida fue una larga serie de virtudes y merecimientos, y los milagros obrados por su intercesión le atrajeron durante ella y después de su muerte la veneración de sus convecinos, en términos que desde que ocurrió aquella en 30 de noviembre de 1172, fue respetado como Santo, y sepultado en el cementerio de la parroquia de San Andrés, que estaba en el sitio donde hoy el altar mayor, en cuyo suelo hay una reja que le señala. Allí permaneció el precioso cuerpo durante algunos años, hasta que don Alonso VIII, el de las Navas, le mandó sacar de él y colocar en un arca

de madera que descansa sobre leones de piedra y que aun se conserva en una capilla a los pies de la actual iglesia. Posteriormente tuvo otras varias colocaciones, hasta que fue canonizado en 1622, y la villa de Madrid le escogió por su patrono, con notables y magníficas fiestas con este motivo. Labróse después contigua a la misma parroquia de San Andrés, a costa de los reyes y de la villa, la suntuosa capilla o más bien iglesia dedicada a este santo, en cuyo centro, en un precioso templete de mármol, se colocó el santo cuerpo encerrado en una rica urna de plata costeada por los plateros de Madrid; y allí permaneció hasta que después de la extinción de los jesuítas y dedicada a este Santo la iglesia del colegio Imperial convertida por Carlos III en Colegiata, fue trasladado y colocado en su altar mayor en un sepulcro de mármol, donde permanece asombrosamente conservado. De ello podemos dar testimonio auténtico por haberlo visto en la visita que hizo a esta santa reliquia Su Majestad la reina doña María Cristina en 4 de marzo de 1847. Además de la caja de plata de fines del siglo XVII, hay otra interior de oro o dorada, y dentro de ésta es donde descansa el cuerpo, envuelto en unos finísimos paños o sudarios que renuevan los Reyes en estas solemnes visitas o cuando con ocasión de enfermedades u otros peligros es conducido a palacio. La caja tiene varias llaves, que conservan el director de la capilla real de San Isidro, el corregidor de Madrid, el secretario del Ayuntamiento y el conde de Paredes, hoy el de Oñate, descendiente de los Vargas; y se baja a la sacristía y abre en ella con asistencia de prelados, grandes de la corte, del Ayuntamiento y de las congregaciones de San Eloy de los plateros y Sacramental de San Andrés, todo con arreglo al ceremonial que se conserva en el archivo de Madrid.

También hacen mención las historias de un hijo de San Isidro y de Santa María de la Cabeza, natural igualmente de Madrid y venerado como Santo, llamado *San Illán*, el que cuando niño cayó en un pozo (que es, según la tradición, el que se conserva en la casa ya mencionada de los Vargas), del que fue milagrosamente sacado por su padre.

San Melquiades, Papa; que según la autoridad de Flavio Dextro. fue natural de Madrid, aunque hijo de padres africanos, y elevado al pontificado a principios del siglo IV, y San Dámaso. que le sucedió en el pontificado, y que por la remota tradición consignada por algunos historiadores se supone también natural de esta villa y bautizado en la parroquia de San Salvador, son demasiado dudosos y contradichos por la buena crítica, que niega tal origen a dichos santos, y hasta la existencia de Madrid en aquel tiempo.

La Beata Mariana de Jesús, nació en la casa número 4 antiguo, 2 moderno, de la calle de Santiago; hija de Luis Navarro, *pellejero andante en corte*; fue mercenaria descalza y célebre por sus virtudes y milagros. Retiróse a vivir a una pobre ermita o celda, inmediata al convento de Santa Bárbara (que después fue convertida en capilla y ha permanecido aunque ruinosa hasta estos mismos días), y allí murió en 17 de abril de 1624, con gran sentimiento y demostración de toda la corte. Su cuerpo se conserva íntegro e incorrupto, y se hallaba colocado en el altar mayor del convento de Santa Bárbara; hoy lo está en el monasterio de monjas de don Juan de Alarcón. Fue beatificada en 18 de enero de 1783.

La crónica religiosa hace también mención de un San Ginés y otros. naturales de Madrid. martirizados en tiempo de los romanos; de *Pedro de Torres Miranda*. cautivo por los argelinos y mártir de la fe en 1620; de *Pedro Navarro* (Elche), hijo del contador del Rey. igualmente cautivado y martirizado por los marroquíes en 1580; del *venerable Gregorio López*, célebre anacoreta retirado en los desiertos de América. y otros varones madrileños que por sus virtudes y padecimientos han llegado a merecer un lugar en los altares o la veneración de los fieles.

Reyes y Príncipes

Felipe III, rey de España, fue hijo de Felipe II. Nació en Madrid, en 14 de abril de 1578. En 1598 sucedió a su padre en la monarquía más dilatada del orbe, y fue proclamado en Madrid, a 11 de octubre. En la misma villa murió a 11 de mayo de 1621.

Carlos II (*el Hechizado*), nació en 6 de noviembre de 1661, hijo de Felipe IV y de doña Mariana de Austria. A los cuatro años escasos, en 17 de septiembre de 1665, sucedió a su padre bajo la tutela de la reina viuda, hasta 1676 en que tomó las riendas del gobierno como mayor de edad. Falleció sin sucesión en 1.º de noviembre de 1700.

Luis I, hijo de Felipe V de Borbón. nació en Madrid a 25 de agosto de 1709. En 14 de enero de 1724 renunció en él la corona su padre, pero a los siete meses y medio de reinar Luis, sobrevino su muerte a 31 de agosto de 1724, por lo que volvió a ocupar el trono Felipe V.

Fernando VI, hijo del mismo Felipe V, nació en 23 de septiembre de 1713 y sucedió a su padre en la corona en 9 de julio de 1746, verificando su entrada en Madrid con grande aparato en 10 de octubre de dicho año. Su reinado fue muy feliz y pacífico. Murió en Villaviciosa a 10 de agosto de 1759. Sus restos y los de su esposa doña María Bárbara de Portugal, yacen bajo un elegante mausoleo en la iglesia de las Salesas de Madrid.

Carlos III, hijo también de Felipe V, nació en Madrid a 20 de enero de 1716. En 1731 pasó a Italia a tomar posesión del ducado de Parma. patrimonio de su madre doña Isabel Farnesio, y en 1734 la tomó del reino de Nápoles que había conquistado a fuerza de armas. Allí reinó gloriosamente, hasta que habiendo muerto sin sucesión su hermano Fernando VI, recayó en él la corona de España, y regresó a Madrid en 9 de diciembre de 1759. Su reinado es una de las más bellas páginas de la historia nacional. Madrid más principalmente le debe sus principales edificios, ornato y hermosura. Falleció en el Palacio Real en 13 de diciembre de 1788.

Doña Juana (*la Beltraneja*), fue hija del rey don Enrique IV y de doña Júana de Portugal; nació en Madrid en 1462, y aunque fue jurada princesa de Asturias, nunca llegó a reinar por la ilegitimidad que se la atribuyó, suponiéndola hija de don Beltrán de la Cueva, amante de la Reina. En 1480, a consecuencia de largas guerras y vicisitudes, renunció al reinado v entró religiosa en Santa Clara de Coimbra, donde falleció.

Doña Juana de Austria, hija del emperador Carlos V, nació en el sitio en que hoy está el relicario del Real monasterio de las Descalzas (que entonces era Palacio) a 21 de junio de 1536; casó con el príncipe don Juan de Portugal, y fue madre del desgraciado rey don Sebastián. Viuda ya, regresó a España, donde fue gobernadora de estos reinos en ausencia del Rey su hermano. Fundó en el sitio donde estaba su propio palacio el dicho monasterio de las Descalzas Reales, y en su iglesia yace sepultada en un magnífico monumento.

Doña María de Austria, hija también de Carlos V, nació en Madrid en 21 de junio de 1528. Fue esposa del emperador Maximiliano, rey de Hungría y de Bohemia, y célebre por su talento y virtud. Viuda ya, regresó a Madrid y se retiró con su hija doña Margarita al monasterio de las Descalzas Reales, fundación de su hermana doña Juana, a donde falleció en 26 de febrero de 1603, siendo enterrada en el coro de dicho convento. Fue hija, esposa y madre de cinco emperadores.

Don Juan José de Austria, hijo natural de Felipe IV y de la cómica María Calderón, nació en Madrid a 7 de abril de 1629. En 1642 le declaró el Rey por hijo suyo, y le elevó a la dignidad de infante de Castilla. Fue generalísimo del mar, virrey y capitán general de Cataluña, gobernador de Flandes, y después de la muerte de su padre, virrey de Aragón, y nombra-

do, por último, gobernador del reino por su hermano Carlos II, prestó en toda su vida servicios los más eminentes al Estado, y murió en Madrid a 17 de septiembre de 1679.

Don Alonso Antonio de San Martín, hijo bastardo del mismo rey don Felipe IV y de una dama de palacio llamada doña Tomasa Aldana, fue después de otras muchas dignidades, obispo de Oviedo y Cuenca, en cuya catedral fabricó la urna de plata en que está colocado el cuerpo de San Julián. Falleció en 20 de julio de 1705 y yace enterrado en aquella catedral.

PERSONAJES POLÍTICOS, MILITARES Y ECLESIÁSTICOS

Gracián Ramírez, tronco de la ilustre familia de su apellido de las casas de Bornos y de Rivas, vivía en esta villa en el siglo VII, y fue, según los historiadores, el primero que disputó su conquista a los sarracenos, aunque la relación de esta hazaña está tan recargada de milagros y poesía que no mecere gran crédito de los críticos. A él se atribuye la fundación de la ermita de Nuestra Señora de Atocha, en el sitio en que hoy está su iglesia.

Rui González Clavijo, camarero de don Enrique III, llamado por su facundia *el Orador*, fue de embajador al Gran Tamerlán, partiendo de Madrid en 1503; las casas de su morada estaban en el sitio en que después se labró la capilla del Obispo junto a San Andrés. Escribió una larga y curiosa relación de su viaje a los Estados del Gran Tamerlán y la descripción de éstos, reimpresa por última vez en 1782, en la colección de las *Crónicas de España*. Falleció en Madrid en 1506, y tuvo un magnífico sepulcro en la iglesia del antiguo convento de San Francisco.

Francisco Ramírez, de la casa de Bornos, capitán general de artillería de los Reyes Católicos, fue célebre por su valor y señaladamente en el cerco del castillo de

Alahar y Cambil y en la conquista de Málaga, que puede decirse decidió su arrojo, siendo armado caballero por el rey Fernando en el mismo sitio. Casó en segundas nupcias con doña Isabel Galindo (*la Latina*), maestra de la Reina Católica, y murió en las guerras con los moros en la serranía de Ronda, en 1501. El y su esposa fundaron los dos monasterios de la Concepción Jerónima y la Concepción Francisca, y yacen sepultados en el primero, en cuyo presbiterio se ven sus estatuas de alabastro sobre dos cenotafios. La casa contigua es la de este apellido en la rama que hoy lleva el señor duque de Rivas.

ANTONIO PÉREZ, secretario de Estado de Felipe II, nació en Madrid a 6 de mayo de 1534. En 1570 lo encargó el Rey del despacho de Estado, donde se hizo célebre por su talento y energía. El Rey descargó en él todo el peso del gobierno por cerca de diez años, hasta que en 1579 fue acusado del asesinato del secretario Juan de Escobedo, que acaeció en la callejuela detrás de Santa María, y que según probabilidades fue ejecutado de orden del mismo Rey. Por esta acusación fue preso Pérez en la casa que habitaba (que era la llamada *del Cordón*, propia de la familia Arias Dávila, condes de Puñonrostro); de esta casa se descolgó por una ventana que daba a la iglesia contigua de San Justo, donde tomó asilo, a pesar de lo cual fue extraido de ella de orden del Rey y custodiado luego en la inmediata casa que fue del cardenal Cisneros, en la calle del Sacramento. En ésta fue donde sufrió los rigores del tormento, y de donde después de muchos años de encierro y crueles padecimientos, fue extraido por la heroicidad de su esposa (de quien hablamos después), y habiendo logrado fugarse a Aragón, sublevó a su fevor aquel reino, de que vinieron al mismo generales revueltas y la pérdida de sus fueros y libertades. Fugado Antonio Pérez a París, todavía en aquella corte y en la de Inglaterra representó un importante papel, continuó su vida agitada, sus intrigas y sus escritos políticos, hasta que falleció en el mismo París, en 1611, siendo sepultado en el convento de Celestinos de aquella capital, que hoy no existe.

DOÑA JUANA COELLO Y BOZMEDIANO, fue también natural de Madrid, adonde nació en la casa que hoy es del marqués de Malpica, en 1548, y en 3 de enero de 1567 casó con el secretario Antonio Pérez. Suscitada la atroz persecución contra éste, su esposa doña Juana desplegó los más grandes recursos de talento y de valor, hizo grandes viajes por mar y tierra en defensa de su marido, y facilitó su fuga de la prisión ya dicha, en la noche del Miércoles Santo 18 de marzo de 1590, por lo cual fue tratada con la mayor inhumanidad, presa públicamente, y con gran escándalo de sus compatriotas permaneció en una fortaleza hasta la muerte de Felipe II.

EL LICENCIADO FRANCISCO DE VARGAS, hijo de esta ilustre y antigua casa en Madrid, nació en 6 de mayo de 1484. Fue muy privado de los Reyes Católicos y del emperador don Carlos, consejero de todos los Consejos, tesorero general y canciller de Castilla, y otros muchos cargos, y era tal la confianza que su sabiduría infundía al rey Fernando, que no había asunto dudoso y difícil que no le confiaba, de que resultó el refrán vulgar en Castilla de decir como el Rey en materias dudosas: *Averígüelo Vargas.* Fue gobernador del reino en ausencia del Emperador, y sufrió gran persecución por las tropas de los comuneros, que saquearon sus casas de Madrid inmediatas a la iglesia de San Andrés. Fue suya también la *Casa del Campo*, que luego le compró el mismo Emperador. Dio principio a la capilla de los Vargas, que después concluyó su hijo el obispo de Plasencia, y en ella están sepultados ambos.

DON GUTIERRE DE VARGAS CARVAJAL, hijo del anterior, nació en Madrid en 1506. Desde muy niño obtuvo grandes dignidades eclesiásticas, y a los 18 años fue electo obispo de Plasencia, siendo su juventud algo relajada, hasta que mudó de costumbres con la edad. Asistió al concilio de Trento, hizo libre de pechos a la villa de Madrid, comprándolos para libertarla, concluyó la magnífica capilla ya citada que hoy retiene su nombre *del Obispo,* y en ella yace sepultado en un suntuoso mausoleo, de que hablaremos en su lugar. Falleció en 1559.

GREGORIO LÓPEZ MADERA, médico del emperador Carlos V y de Felipe II, célebre por su ciencia, que le valió esta y otras muchas dignidades, asistió también a don Juan de Austria en las guerras de Granada; y después de la batalla de Lepanto recibió del mismo el regalo de la espada que le había enviado el Sumo Pontífice Pío V, cuya alhaja se conservaba en el convento de Atocha hasta la invasión francesa. Pasó luego al servicio de los duques de Saboya, y murió en Madrid en 1595, siendo sepultado en dicha iglesia de Atocha.

DON RODRIGO ZAPATA DE LEÓN, llamado el *Capitán y bandera de la sangre,* fue el primero que plantó la bandera española en las baterías de San Quintín, y se hizo además célebre en las guerras de Africa, Flandes y Portugal, adonde murió por último, siendo Maestre de Campo y caballero del hábito de Santiago. Fue uno de los más grandes militares que presenta nuestra historia. Su cuerpo se trasladó al convento de monjas de Constantinopla en Madrid, hoy derribado.

EL CARDENAL DON ANTONIO ZAPATA DE CISNEROS, nació en Madrid en 1650; fue hijo del conde de Barajas, y sucesivamente canónigo de Toledo, inquisidor de Cuenca, obispo de Cádiz y Pamplona, arzobispo de Burgos, cardenal de la S. I. R. y virrey de Nápoles. Asistió a dos cónclaves; fue después de su regreso a España inquisidor general y consejero de Estado, y cansado de tantos honores, se retiró en sus últimos años a la villa de Barajas, donde falleció a los 84 años en 1635, siendo sepultado en el convento de Franciscos de la misma. Fue sujeto de suma instrucción y de grande influencia política.

EL LICENCIADO GARCÍA BARRIONUEVO Y PERALTA, de la ilustre y antigua familia de su apellido en Madrid, fue célebre por sus virtudes y sabiduría, y más que todo por su liberalidad, llegando a fundar en su casa un préstamo gratuito hasta la cantidad de doscientos mil ducados, repartiendo además ocho mil anuales en limosnas, mandando decir 400.000 misas, fundando muchas capellanías en la iglesia de San Ginés y otras. Murió en 9 de febrero de 1613 en su propia casa (hoy del marqués de Cusano), plazuela de Santa Catalina de los Donados, y fue sepultado en la parroquia de San Ginés en su capilla propia, donde aun permanece su entierro.

DON GASPAR TÉLLEZ GIRÓN, *duque de Osuna,* después de muchos servicios, fue virrey de Cataluña, donde acabó el suntuoso palacio de Barcelona, gobernador del Estado de Milán, y presidente del Consejo de Ordenes. Sufrió una larga persecución, siendo preso en los castillos de Segovia y Montanchez y secuestrados sus estados; falleció en Madrid en 1694 en las casas del Licenciado Gil Imón de la Mota, fiscal y después Presidente del Consejo, que eran donde ahora el hospital de la Venerable Orden Tercera junto al portillo que abrió y a que dio nombre el mismo Gil Imón.

DON CARLOS DE BORJA Y ARAGÓN, hijo primogénito de San Francisco de Borja, marqués de Lombay y duque de Gandía, nació en Madrid en 1530, en las casas de su familia, llamadas de Esquilache y después de Rebeque, en el Pretil de Palacio, que hoy no existen; y en él renunció su padre todos los estados cuando determinó retirarse del mundo. Fue varón de suma prudencia y discreción; pacificó los estados de Génova y fue capitán general de Portugal.

DON JUAN CHUMACERO Y CARRILLO, nació en 1580. Fue consejero de Ordenes y de Castilla y Cámara, embajador en Roma, donde prestó grandes servicios a España, y regresado a ella, fue elevado a la dignidad de Presidente de Castilla que desempeñó con notable acierto. Falleció en 1660.

DON GASPAR DE HARO, *marqués del Carpio,* fue uno de los varones más señalados del siglo XVII. Sirvió a los Reyes desde su más tierna edad; pero habiéndole suscitado sus émulos cierta persecución suponiéndole tener intentado quemar el palacio del Buen Retiro, fue preso y luego desterrado de Madrid; sentó plaza de soldado raso en el ejército que se preparaba contra Portugal; allí se señaló por su valor, hasta que quedó prisionero de guerra y llevado a Lisboa, donde hizo tan señalados servicios que fue nombrado plenipotenciario para las paces. Regresó luego a Madrid, y fue sucesivamente Gran canciller de Indias, embajador en Roma, consejero de Estado y de la Guerra y virrey de Nápoles, donde falleció en 1687, siendo sepultado con grande pompa en la iglesia del Carmen de aquella ciudad.

FREY DON ALONSO DE CONTRERAS, fue hijo de la casa de Desamparados de Madrid, pero tan arriesgado y heroíco, que sirviendo en las galeras de Malta, llegó a alcanzar grandes victorias, obteniendo a pesar de su humilde origen, el hábito de caballero de la Orden. Lope de Vega habla de este sujeto dedicándole una de sus comedias y elogiándole con esta ingeniosa décima:

Puso el valor natural
pleito al valor heredado
por más noble, más honrado,
más justo y más principal:
siendo la verdad fiscal
probó el natural valor
la fama laurel y honor
de Contreras en España,
y por la menor hazaña
tuvo sentencia en favor.

DON IÑIGO DE CÁRDENAS Y ZAPATA, Señor de Loeches, fue natural y alferez mayor de Madrid, embajador a la República de Venecia y en la corte de París en tiempo de Enrique IV. En la ceremonia de la coronación de la Reina de Francia tuvo una riña con el embajador de Venecia, a quien dio de bofetadas en presencia de toda la corte. La casualidad de haber asesinado al Rey aquella misma tarde Francisco Raveillac, hizo nacer la voz de que el embajador español le había muerto, y cayó un gran tumulto sobre su casa, hasta que se hizo pública su inocencia. Este caballero fue célebre por su agudeza en el consejo y sus oportunas respuestas, tales como las que mediaron con el rey Enrique de Francia, que merecen verse por lo discretas y arrogantes. Murió en 1617. Sus casas y del mayorazgo de Cárdenas eran las llamadas después de los Salvajes, que están situadas en la plazuela del conde de Miranda, a cuyo título pertenecen hoy.

DON JOSÉ DE GRIMALDO GUTIÉRREZ DE SOLÓRZANO, primer marqués de Grimaldo, nació en Madrid en 1664. Fue muchos años secretario de Estado de Felipe V, caballero del Toison de oro; negoció los tratados de paz de Cambray, Utrecht y otros importantes, y murió en Madrid a 3 de julio de 1773, siendo sepultado en el convento de Dominicos de Valverde.

DON PEDRO FERNÁNDEZ DEL CAMPO ANGULO Y VELASCO, marqués de Mejorada, fue embajador de Alemania, y obtuvo luego otras muchas dignidades, hasta que en enero de 1705 le encargó el rey don Felipe V la secretaría del Despacho Universal. En ella prestó a aquel Rey grandes y señalados servicios durante la guerra de Sucesión, debiéndose a su arrojo y talento la recuperación de Madrid en 1706; después se negó a firmar la cesión del reino de Sicilia al duque de Saboya, diciendo que primero se dejaría cortar la mano, y desempeñó con acierto el ministerio durante ocho años. Murió en 1721, y fue sepultado en el convento de Agustinos Recoletos, hoy derribado.

DON FRANCISCO JAVIER CASTAÑOS, celebérrimo personaje de nuestra historia contemporánea con el glorioso título de duque de Bailén, nació en Madrid en la casa de los condes de Chinchón, calle del Barquillo, a 22 de abril de 1757, hijo de don Juan Felipe Castaños, intendente general del ejército, por cuyos relevantes méritos obtuvo a los diez años de edad el empleo de capitán de infantería; ingresó después en el Seminario de Nobles de Madrid, entrando luego que lo permitió su edad en el servicio activo. Señalóse desde el principio de su carrera en el bloqueo y sitio de Gibraltar de 1780, y en el ataque contra la isla de Menorca, donde obtuvo su primer ascenso. Continuó sus distinguidos servicios en la plaza de Orán, y luego en las guerras contra la República francesa, en que adquirió gran parte de sus lauros, honrosas cicatrices y grados militares hasta el de coronel brigadier del Regimiento de Africa, cuyo memorable uniforme blanco conservó toda su vida, y luego obtuvo el grado de mariscal de campo en 1795. Con este carácter asistió ya a la guerra con los ingleés en los primeros años del presente siglo, distinguiéndose notablemente en la heroica defensa del Ferrol, hasta que verificada la paz de Amiens recibió el grado de teniente general en 5 de octubre de 1802, siendo nombrado comandante general del Campo de Gibraltar. Ultimamente en la gloriosa guerra de la Independencia española contra las huestes de Napoleón, cupo al general Castaños la alta gloria de derrotar y vencer por primera vez a aquellas en los gloriosos campos de Bailén, inmortalizados por su hazaña el día 19 de julio de 1808; siendo desde entonces la primera figura histórica de nuestro país en aquella época memorable. Los eminentes cargos militares y políticos que desempeñó luego en su dilatada carrera como capitán general de los ejércitos y provincias, como Regente del reino, y después del regreso de Fernando VII como consejero de Estado, presidente del de Castilla, duque de Bailén, grande de España de primera clase, testamentario de Fernando VII y consultor de gobierno de su augusta viuda, capitán de Reales Guardias y primer apoyo y defensor del trono de su augusta hija la Reina doña Isabel II, no hicieron otra cosa que enaltecer y demostrar las relevantes prendas de este insigne patricio, respetado y hasta venerado del pueblo español por sus virtudes, su heroísmo, su talento y modestia. Su muerte, acaecida el día 24 de septiembre de 1852, a la avanzada edad de noventa y cinco años, fue una verdadera calamidad nacional; y los honores fúnebres y traslación de su cadáver desde la iglesia de San Isidro a la de Atocha, verificados en 29 del mismo, con asistencia del Rey y de toda la corte, fueron de aquellos sucesos que no se borran jamás en la memoria del pueblo. Yace depositado en la bóveda de dicha real iglesia, ínterin se eleva el mausoleo decretado que ha de contener sus venerables restos.

ESCRITORES

GONZALO FERNÁNDEZ DE OVIEDO, nació en 1478, se halló de paje del Príncipe en el cerco de Granada, pasó luego a Nápoles, después fue guardajoyas de la reina Germana, y en 1513 pasó a América de veedor de las fundiciones de oro. Posteriormente, reinando Carlos V, fue teniente de Pedrarias en el Darién, gobernador de Cartagena de Indias y alcaide de la fortaleza de Santo Domingo en la isla Española, prestando en todos estos empleos grandes servicios, y por último como cronista general de las Indias, escribió la *Historia* de las mismas, que es lo que ha asegurado su fama; además *Las Quinquagenas* y otra multitud de obras históricas y de ciencias que se conservan las unas manuscritas, alguna impresa, y otras se han perdido.

EL MAESTRO JUAN LÓPEZ DE HOYOS, natural de Madrid como él mismo repite en sus obras, fue célebre sacerdote y catedrático de buenas letras en el estudio que tenía el Ayuntamiento de Madrid en la calle que hoy se llama de la Villa y antes del Estudio (1), a espaldas de la casa de los Consejos, el cual quedó extinguido cuando la creación de los Estudios generales de los padres jesuítas. Enseñó muchos años y formó grandes alumnos, entre ellos el inmortal *Miguel de Cervantes Saavedra*, a quien apellida *su caro y amado discípulo*. Escribió varias obras poéticas y otras muy curiosas, como son las *Relaciones de la muerte y honras del príncipe don Carlos y de doña Isabel de Valois*; *la del recibimiento de la reina doña Ana, y la Declaración de las armas de Madrid*, todas muy estimables por la multitud de datos históricos y tradicionales de esta villa que contienen. Fue cura de la parroquia de San Andrés y murió en 1583, siendo sepultado en ella.

DON ALONSO DE ERCILLA Y ZÚÑIGA, nació en Madrid en 1533; y fue hijo de Fortunio de Ercilla, consejero del emperador Carlos V. Don Alonso se crió en clase de paje del príncipe don Felipe y con él fue en 1547 a Bruselas e Inglaterra; luego pasó a América a la pacificación de los estados de Arauco, cuya guerra inmortalizó en su célebre poema heroico titulado *La Araucana*. Casó en Madrid con doña

(1) Ya queda dicho que existe esta casa y es la señalada hoy con el número 2 de dicha calle y 24 por la de Segovia, propia del señor conde de la Vega del Pozo.

María Bazán, y yace en el convento de Carmelitas descalzas de Ocaña.

EL CABALLERO HERNANDO DE ACUÑA, nació a principios del siglo XVI; fue soldado del emperador Carlos V, y murió en Granada en 1580. Su ingenio para la poesía fue uno de los más celebrados de España, y en su tiempo era comparado con el del gran Garcilaso de la Vega. Tradujo en verso *El caballero determinado*, y publicó muchas obras poéticas que pueden verse en la colección del *Parnaso español*.

El Fénix de los ingenios, FREY LOPE FÉLIX DE VEGA CARPIO, nació en la Puerta de Guadalajara y casas de Jerónimo de Soto (1), en 25 de noviembre de 1565, siendo sus padres Félix de Vega y Francisca Fernández, personas de conocida nobleza en esta villa. Su vida fue en extremo dramática; fue estudiante, militar, dos veces casado, y luego eclesiástico; caballero de la Orden de San Juan, doctor en teología, capellán mayor de la congregación de presbíteros naturales de Madrid, promotor fiscal de la reverenda cámara apostólica, y notario escrito en el archivo romano. Tuvo varios hijos legítimos y naturales, y murió en Madrid a 27 de agosto de 1635 en su casa propia calle de Francos (hoy de Cervantes), número 15 moderno (2). Su entie-

rro se verificó en público con una pompa nunca vista, y se depositó su cadáver en la bóveda de San Sebastián, de donde según nuestras noticias fue extraído y confundido con los demás a principios de este siglo. Este célebre ingenio, uno de los primeros del mundo, escribió 1.800 comedias, 400 autos sacramentales, y un inmenso número de poesías líricas; la fama que le granjearon en vida no puede compararse con otra alguna; los pontífices y los monarcas se honraban con su amistad, y el pueblo le admiraba con un entusiasmo que rayaba en idolatría.

DON PEDRO CALDERÓN DE LA BARCA, nació en Madrid en 1600, y fue bautizado en la parroquia de San Martín en 14 de febrero; fue hijo de Diego, señor de la casa de Calderón del Sotillo y también natural de Madrid. Hizo una larga carrera literaria, sirvió después en las guerras de Flandes, y fue condecorado con el hábito de Santiago. En 1651 se hizo sacerdote y obtuvo una capellanía de los Reyes nuevos de Toledo, siendo después elevado a capellán de honor, y mereciendo la particular estimación y respeto del rey Felipe IV por sus muchas y admirables comedias que elevaron justamente su fama inmortal. Murió en Madrid en la casa de las Platerías señalada con el número 4 antiguo, 95 moderno (3), a 25 de mayo de 1681, y fue sepul-

---

(1) Todos los biógrafos de Lope de Vega se contentaron con decir que nació en dicho sitio y casas; pero ninguno señala claramente cuáles eran éstas, hasta que recorriendo prolijamente los registros de todo el caserío de las Platerías, hemos hallado en los números 7 y 8 antiguos (82 nuevo) de la manzana 415 la nota de pertenencia de dicha casa, que dice así: «Memorias que fundó don Pedro Orive Salazar. Se compone de tres sitios: 1.º que fue de Gaspar Rodríguez Cortés y Francisco López, 2.º y 3.º de dicho Cortés y *herederos de Jerónimo de Soto*, fachada a la puerta de Guadalajara, sitio 5.340 pies.» Y no habiendo otra que perteneciese a dicho Soto, ésta es, pues, la misma o por lo menos parte del solar en el en que nació Lope de Vega.

(2) La casa en que murió Lope de Vega y estuvo señalada con el número 44 antiguo (15 moderno) de la manzana 227, existe en pie y con poca variación en su interior, aunque ha desaparecido con el reboque de la fachada la inscripción que el mismo Lope había hecho colocar sobre su puerta.

Parva propria magna
Magna alicua parva.

Fue, según los Registros de la visita del siglo XVI, propiedad del mismo Lope, quien la privilegio de aposento con 4.500 maravedís, en 14 de febrero de 1615; después perteneció a su hija doña Feliciana, casada con Luis de Usategui; luego al capitán Villegas y hoy a doña Josefa Poyatos, que habita en ella. Tiene su fachada con 37 pies y cuatro balcones a dicha calle de Francos, frente a la del Niño (hoy llamadas de Cervantes y Quevedo); consta sólo de piso bajo y principal, en una superficie de 5.557 pies, y todavía se ve el patinillo que Lope había convertido en un pequeño jardín que cultivaba por su mano, y a que hace referencia su amigo Montalván en la *Fama póstuma*.

(3) Dicha casa que poseyó en vida el mismo Calderón como perteneciente al patronato real de de legos que en la capilla de San José de la parroquia de San Salvador fundó doña Inés de Riaño y fue de Andrés Henao, sus ascendientes maternos, existe todavía, probablemente con la misma distribución interior que en tiempo en que habitó el gran poeta en su piso principal; ofreciendo no escaso motivo de admiración en su

tado con gran pompa en la bóveda de la parroquia de San Salvador, en cuyo sitio ha permanecido 160 años, hasta que derribada esta iglesia en 1841 fue exhumado y trasladado solemnemente con acompañamiento de las corporaciones literarias de Madrid en abril de dicho año, a la capilla del cementerio de San Nicolás fuera de la puerta de Atocha, donde yace.

DON FRANCISCO DE QUEVEDO VILLEGAS, nació en Madrid en 1580, en la parroquia de San Ginés, siendo su padre don Pedro Gómez Quevedo, secretario de la reina doña Ana. A consecuencia de un desafío que tuvo una noche por cierta ocurrencia en las tinieblas de San Ginés, pasó a Italia empleado por el virrey duque de Osuna, y por sus grandes servicios mereció la gracia del hábito de Santiago. En 1620 de resultas de la causa formada al virrey, fue preso Quevedo y encerrado en la torre de Juan Abad, en la Mancha, de que tenía el señorío, y aunque después de tres años de prisión fue nombrado secretario de Estado y embajador en Génova, no aceptó dichos cargos. Todavía sufrió otra prisión en Madrid en casa del duque de Medinaceli, donde vivía, y fue causada por cierta sáti-

ra que se le atribuyó, siendo trasladado al convento de San Marcos de León, donde estuvo encerrado otros cuatro años. Retirado después a Villanueva de los Infantes falleció en ella a 9 de septiembre de 1645, habiendo dejado mandado en su testamento que su cuerpo se trajese a Santo Domingo de Madrid, lo cual no se ha verificado. Las obras ingeniosísimas y profundas de este original autor, sus grandes trabajos políticos y las desgracias de su vida hacen del nombre de QUEVEDO uno de los recuerdos más interesantes y populares de España (1).

FRAY GABRIEL TÉLLEZ (*maestro Tirso de Molina*), nació en Madrid, como él mismo asegura, hacia 1585. Fue gran filósofo y teólogo, historiador y poeta insigne. Escribió muchas obras en prosa y verso; pero su mayor celebridad la debe a sus ingeniosísimas comedias que él mismo asegura llegar a 300 y fueron publicadas en parte con el nombre ya dicho de *Tirso de Molina*, con el que es tan conocido y popular. Avanzado en la edad, tomó el hábito de la Merced calzada en el convento de Madrid hacia 1620, y en dicha orden obtuvo muchos cargos; fue maestro de Teología, predicador de mucha fama, cronista general de la misma y definidor de Castilla la Vieja. En 1645 fue elegido comendador del convento de Soria, donde se cree que murió hacia 1648.

misma modesta exigüidad, reducida toda ella a una superficie de 849 pies, con 17 1/2 de fachada y un solo balcón en cada piso a la calle Mayor. Y al contemplar al grande ingenio de la corte de Felipe IV, al octogenario capellán de honor, al noble caballero del hábito de Santiago, ídolo de la corte y de la villa, subir los elevados peldaños de aquella estrecha escalera y cobijarse en el reducido espacio de aquella mezquina habitación donde exhaló el último suspiro, no puede prescindirse de un sentimiento profundo de admiración y de respeto hacia tanta modestia en aquel genio inmortal que desde tan humilde morada lanzaba los rayos de su inteligencia sobre el mundo civilizado.

«Mantuæ urbe natus, mundi orbe notus.»

Esta casa, vendida a principios de este siglo cuando otras muchas pertenecientes a memorias y patronatos, es hoy de propiedad particular. Y ya anteriormente hemos hecho notar la coincidencia de hallarse situada a pocos pasos y casi enfrente de la en que nació Lope de Vega. Sobre ambas llamamos la atención del público y del Ayuntamiento de Madrid, atreviéndonos a indicar para ellas un recuerdo por el estilo del que tuvimos la fortuna de proponer y ver adoptado por el difunto monarca don Fernando VII en 1833 para la casa donde murió *Miguel de Cervantes* en la calle que hoy lleva su nombre.

(1) La casa señalada con el número 7 moderno, 4 antiguo de la manzana 299 con entrada por la calle del Niño y accesorias a la de Cantarranas, fue propia de Quevedo, según consta en el Registro general de aposento de 1651, en una de cuyas páginas hay esta nota. «Traviesa de la calle »del Niño a la de Cantarranas una casa de don »Francisco de Quevedo que fue de María de la »Paz, compuesta, tasada en 50 ducados.» Y en la Visita general de dicho aposento un siglo después, se volvió a expresar esto mismo respecto a dicha casa, que hoy está dividida en dos y construída nuevamente la del señor Arango en la parte de su solar hacia la calle de Cantarranas: la de la calle del Niño está ocupada por el establecimiento de grabado del *Atlas de España* del señor Coello. Dicha calle recibió en 1848, a petición nuestra en el Ayuntamiento, el nombre de aquel insigne madrileño. El mismo Quevedo y antes sus hermanas doña María y doña Margarita, fueron también dueños de otra casa número 26 moderno y 25 antiguo, manzana 459 de la calle de la Madera Alta que hoy posee su sucesor y heredero don José de Quevedo y Bustamante,

Don Agustín Moreto y Cabaña, tan célebre en la república literaria, como uno de los primeros escritores del siglo de oro de nuestro teatro, nació en Madrid según muy fundadamente se cree, hacia los años de 1613, hijo de Agustín Moreto y de Violante Cabaña, vecinos de esta villa (1). Nada seguramente podemos decir de las circunstancias de su vida, que según se infiere con algún fundamento fue muy dramática y agitada, sabiéndose únicamente que fue soldado, favorecido del marqués de Denia y otros personajes de la corte, y que entrado en edad se hizo sacerdote como todos sus colegas escritores Lope, Tirso, Calderón, Solís, etc., y con la protección del cardenal Moscoso fue nombrado en 1657 rector del Refugio de Toledo, al lado de cuyo establecimiento está en pie todavía la casa en que moró, y que mandó construir para él el mismo cardenal arzobispo. En este empleo permaneció el resto de sus días hasta 1669 en que falleció, dejando encargado en su testamento enterrasen su cadáver *en el pradillo de los Ahorcados,* cuya extravagante idea ha hecho sospechar a algún insigne crítico que pudo ser sugerida en espiación de algún delito grave, y aun llegan a sospechar si éste sería la muerte alevosa del célebre poeta toledano Baltasar Elisio de Medinilla, inferida en 1630 en una de las calles de aquella ciudad; pero esta sospecha parece refutada con la consideración sola de que en aquella época podía tener Moreto 13 años de edad. Sus albaceas testamentarios, que eran su hermano don Julián y el licenciado don Francisco Carrasco Marín, dispusieron sin embargo no dar cumplimiento a aquella cláusula, que parece más bien dictada por un movimiento de humildad cristiana, y fue sepultado en la bóveda de la iglesia de San Juan Bautista de Toledo, que hoy no

existe ya. En virtud de aquellas indicaciones que dejamos expuestas, nos atrevemos a colocar a Moreto entre los hijos de Madrid, aunque no le señalan como tal Montalbán, su contemporáneo (que ni siquiera le nombra entre los escritores dramáticos de aquella época), don Nicolás Antonio, que sólo dedica unas breves líneas a hablar de sus comedias, ni el mismo Alvarez Baena que siguió en este inconcebible olvido respecto a tan celebrado autor.

El doctor Juan Pérez de Montalbán, fue hijo de Alonso, librero del Rey, y nació en Madrid en 1602. A los 23 años se ordenó de sacerdote y fue doctor en teología; era excelente poeta dramático, discípulo y amigo del gran Lope de Vega, y aunque murió joven de 36 años, dejó escritas por lo menos treinta de aquellas, que aun hoy son colocadas entre las mejores del teatro español; igualmente doce novelas, y el *Para todos,* libro lleno de erudición e ingenio, el *Orfeo castellano,* poema, y la *Fama póstuma de Lope de Vega.* Murió resentido de la cabeza a causa de tanto estudio en 1658, y fue sepultado en la parroquia de San Miguel.

Don Francisco de Borja y Aragón, *príncipe de Esquilache,* nació en Madrid en 1582, nieto de San Francisco de Borja; fue virrey del Perú y lleno de servicios y merecimientos y en medio de la fama y consideraciones que su elevada cuna y sus elegantes escritos le procuraban, falleció en Madrid a 26 de octubre de 1658, en su casa propia que era la antes mencionada sobre el Pretil de Palacio, conocida por la casa de *Rebeque.* Su cuerpo fue depositado en el colegio imperial (San Isidro), en la bóveda de la capilla de los Borjas. Las obras poéticas del príncipe de Esquilache son una de las joyas más preciosas de la literatura del siglo XVII.

Padre Juan Eusebio de Nieremberg, jesuíta, se bautizó en la parroquia de San Martín en 9 de septiembre de 1595; fue hijo de un noble alemán al servicio de la Casa Real. Su virtud ascética, la rigidez de su vida y su prodigioso talento, le brindaron las mayores dignidades de la Compañía de Jesús a que pertenecía, y le granjea-

(1) En la absoluta carencia de noticias biográficas de este distinguido poeta y su familia, creemos hacer un servicio a sus muchos apasionados diciéndoles además de esta expresión de la vecindad de sus padres consignada en su testamento, otra no menos curiosa, y consiste en que los títulos de la casa número 5 antiguo y 6 nuevo de la manzana 296, en la calle de la Reina, consta que en 50 de enero de 1625 la privilegió de aposento su poseedor *Agustín Moreto,* probablemente el padre del autor.

ron la fama general de grande y santo. Su muerte, acaecida a los 63 años de edad el 7 de abril de 1658, fue llorada como una calamidad pública. Fue sepultado con mucha pompa en la bóveda de la iglesia de la Compañía debajo del presbiterio del altar mayor. Las obras castellanas y latinas que compuso fueron tantas que parece imposible que bastase a ellas su vida entera, y ocupan un largo catálogo en las bibliotecas; son ascéticas, históricas, filosóficas y poéticas, y varias de ellas, como la titulada *Diferencia entre lo temporal y lo eterno*, han sido reimpresas muchas veces y traducidas en diversos idiomas.

EL LICENCIADO JERÓNIMO QUINTANA, fue uno de aquellos varones que emplean toda su vida en beneficio de la patria, y Madrid le debe la fundación de la venerable congregación de sacerdotes naturales de esta villa, y la *Historia de la antigüedad, nobleza y grandeza de Madrid*, que es la más completa hasta ahora de este pueblo; fue rector del hospital de la Latina, y falleció en la misma casa en 1644.

DON JUSEPE ANTONIO DE SALAS, nació en esta corte en 1588 de una familia noble y entroncada con las principales de esta villa. Su esmerada educación y su gran talento le hicieron dueño de muchas ciencias, y tranquilo y contento con su regular fortuna, dedicó toda su vida al estudio, sin aspirar a los altos puestos y distinciones. Debió sin embargo al rey don Felipe IV la merced del hábito de Santiago; y murió en Madrid a 14 de marzo de 1651 a los 63 años de edad. Sus muchas obras literarias, históricas y críticas le dieron tal reputación que era tenido por uno de los más grandes varones de su siglo.

DON TOMÁS TAMAYO DE VARGAS, cronista mayor de Castilla, célebre doctor y jurisconsulto, escritor de infinidad de obras históricas y críticas, nació en 1589, y murió en 1641, siendo sepultado en el convento del Carmen Calzado.

DON GASPAR IBÁÑEZ DE SEGOVIA, bisnieto del caballero don Urban de Peralta, de esta ilustre casa en Madrid, y *marqués de Mondejar*, grande de España por su segunda esposa doña María Gregoria de Mendoza, es uno de aquellos asombrosos escritores del siglo XVI, cuya erudición, laboriosidad y docta pluma elevó a tan alto punto la fama literaria de nuestro país. Sus infinitas obras cronológicas, históricas y nobiliarias de que muchas hay publicadas y otras se conservan manuscritas en las bibliotecas, formarían por sí solas una entera, especialmente de la historia de nuestra nación, de nuestros reyes y familias principales, que sería prolijo enumerar, pero que merecían muy bien los honores de ser reimpresas en colección, que recomendamos a los patrióticos y discretos editores de la *Biblioteca de Autores españoles*. Falleció en Mondejar a los 80 años de edad en primero de septiembre de 1808.

ALONSO DE SALAS BARBADILLO, criado del Rey, nació por los años de 1580, y vivió hasta 1630, habiendo escrito muchas y discretas obras que le granjearon gran reputación. Entre ellas se distinguen *La ingeniosa Elena, hija de Celestina*; *Don Diego de Noche*; *La estafeta del dios Momo*; *El coche de las Estafas*; *La patrona de Madrid restituída*, poema, y otras muchas hoy poco conocidas.

MAESTRO HORTENSIO FÉLIX PARAVICINO, nació en 1580, con tan peregrino ingenio, que a los cinco años ya sabía leer, escribir y contar; concluída su carrera en Alcalá y Salamanca, entró de religioso trinitario en esta ciudad, se graduó de doctor en Teología y después fue definidor de la provincia en Madrid, predicador del Rey y vicario general de su religión, habiendo hecho varios viajes a Italia y Flandes, y adquiriendo en todas partes una fama colosal por su elocuencia y sus abundantes escritos publicados muchos de ellos bajo el nombre de *D. Félix de Arteaga*. Murió en el convento de Madrid en 12 de diciembre de 1633.

El magnífico caballero BERNALDO PÉREZ DE VARGAS, fue autor de muchas obras, como la *Fábrica del universo*; los cuatro libros del valeroso caballero *D. Cirongilio de Tracia*; un tratado de *metales* y otras muy estimadas. Fue natural de Madrid como él mismo afirma, y vivió hasta fines del siglo XVII.

Doña María de Zayas y Sotomayor nació en Madrid, hija de don Fernando, caballero del Hábito de Santiago; fue excelente poetisa y muy instruída, como lo prueban sus célebres *Novelas amorosas,* papeles y comedias, y mereció grandes elogios del gran Lope de Vega en su *Laurel de Apolo.* Hoy todavía son leídas las primeras y apreciadas por su ingenio y florido estilo.

Don Juan de Caramuel nació en 23 de mayo de 1606, en la calle de la Puebla (hoy del Fomento); gran matemático y filósofo, monje cisterciense, doctor por la Universidad de Lovaina, abad de Melrosa y de los monasterios de Viena y Praga, defensor de esta última ciudad contra los suecos, obispo de Rosas en Bohemia, de Iprés en Flandes, de Koningretz en Praga, de Campania en el reino de Nápoles, arzobispo de Taranto y obispo de Bejeben en el ducado de Milán, en donde falleció, célebre por sus virtudes y sabiduría, en 7 de noviembre de 1682, a los setenta y seis años de edad, siendo sepultado en la misma iglesia catedral. Su ingenio excelente y universal fue uno de los primeros que ha producido la Europa moderna, pues como dice el padre maestro Sarmiento, y se deduce de sus infinitas obras, "fue excelente gramático especulativo y práctico, delicado lógico y metafísico, universal matemático, agudo teólogo y jurista, y erudito poeta"; diciéndose en su tiempo que *si todas las ciencias se perdiesen, como Caramuel se conservase, él solo bastaba para restablecerlas.*

Don Gabriel Lobo Laso de la Vega fue caballero ilustre y natural de esta villa, sirviendo a los reyes Felipe II y III de contino en su real casa. Escribió el poema *Cortés valeroso,* una obra de romances y tragedias, que intituló *El Manojuelo,* y muchas obras poéticas y de historia.

Don Juan de la Hoz y Mota nació en Madrid, fue procurador a Cortes por Burgos, y como tal dirigió el razonamiento al Rey en las de 1657, según la fórmula *"Hable Burgos, que yo lo haré por Toledo".* Después fue del Tribunal de Contaduría Mayor y del Consejo de Hacienda, y

murió hacia los fines del siglo XVII. La comedia de *El castigo de la miseria,* una de las mejores de nuestro teatro, ha dado reputación a Hoz, aunque su asunto está tomado de la novela de igual título, escrita por doña María de Zayas.

Agustín de Rojas Villandrando nació en el Postigo de San Martín por los años de 1577, y fue hijo de Diego Villadiego, receptor del Rey, y de doña Luisa de Rojas. Su abuelo Diego de Villandrando, natural del valle de Ribadeo, por cierta reyerta que tuvo, de que resultó matar a un vecino suyo, salió huyendo de aquella villa a la de Villadiego, siete leguas de Burgos, trocando entonces su apellido por el de esta villa, de cuya ocurrencia pudo tener origen aquel refrán de *tomar las de Villadiego.* La vida de Agustín fue trabajosísima, según él mismo cuenta en el *Viaje entretenido,* que es la obra a que debe su celebridad. *"Yo fui cuatro años estudiante; fui paje; fui soldado; fui pícaro; estuve cautivo; tiré de jábega; anduve al remo; fui mercader; fui caballero; fui escribiente y vine a ser representante."* Por último, y después de otras vicisitudes, fue escribano y notario público en Zamora, y allí se cree que murió. Escribió, además del *Viaje entretenido* (documento precioso para la historia del teatro español), *El buen república,* obra muy rara que he visto impresa, y una gran cantidad de comedias, loas y entremeses que hizo cuando era representante.

Don Alonso Núñez de Castro, cronista general de nuestros reinos, nació en 1627, y escribió numerosas obras, entre las cuales son notables la *Corona gótica castellana y austríaca,* las *Crónicas de los reyes don Sancho el Deseado, don Alonso VIII y don Enrique I,* y el libro conocido con el arrogante título de *Sólo Madrid es Corte.*

Francisco Santos, natural de Madrid, como lo expresa en el prólogo de la comedia *El sastre del Campillo,* diciendo después del título, *hijo de mi amante patria, parroquia y barrio, que teniendo yo Campillo cerca de mi casa, etc.,* y es alusión al *Campillo de Manuela,* que está a la bajada del Lavapiés. Fue soldado en tiempo de Felipe IV y Carlos II, y escribió 16 tomos de novelas, algunas de las cuales son nombradas, como *El día y noche de Madrid, El no importa de España, El diablo anda suelto* y alguna otra.

EL DOCTOR DON MARTÍN MARTÍNEZ, nació en 1684 en la plazuela de Santo Domingo. Fue uno de los más célebres médicos que ha tenido España; de la cámara de Felipe V, y escritor de muchas y preciadas obras de medicina, cirugía y crítica. Murió en 1734, y fue sepultado en la parroquia de San Luis.

EL PADRE DON NICOLÁS GALLO, de la Congregación del Salvador, en Madrid; nació en esta villa en 1690 en la parroquia de San Luis y fue célebre por sus talentos oratorios y profundos estudios; confesor de Fernando VI, y predicador de mucha fama que justifican los seis tomos de sus *Sermones* que andan impresos. Murió en Madrid en 1757.

DON ANTONIO DE ZAMORA, aunque se sabe por confesión propia que fue natural de Madrid, se ignora el año de su nacimiento. Fue gentilhombre de Su Majestad y oficial de la Secretaría de Indias, y murió en 1740. Escribió muchísimas comedias para el teatro del Buen Retiro, y entre ellas ha asegurado su fama la de *El hechizado por fuerza.*

DON JOSÉ DE CAÑIZARES fue bautizado en la parroquia de San Martín en 14 de julio de 1676. A los catorce años escribió su primera comedia de *Las cuentas del Gran Capitán,* y sucesivamente otras muchísimas que le colocan entre nuestros más afamados autores, pudiendo decirse que con él y *Zamora* concluyó el teatro antiguo español. La más famosa de sus comedias es *El Dómine Lucas.* Fue militar de Caballería y creo que después procurador de los Reales Consejos. Murió en 4 de septiembre de 1750 en la plazuela de Santo Domingo y fue enterrado en el convento del Rosario.

DON JOSÉ JULIÁN LÓPEZ DE CASTRO, nacido en 1723, fue impresor y librero, con puesto en la Puerta del Sol, esquina a la calle del Carmen; escribió muchísimas obras populares, diarios, entremeses, villancicos, relaciones, cuentos, glosas, piscatores y sátiras que le dieron mucha voga en su tiempo, aunque no lograron arrancarle de la suma pobreza, víctima de la cual, como buen coplero, murió en el hospital en 1762.

DON JOSÉ DE BENEGASI Y LUXÁN fue bautizado en la parroquia de San Sebastián en 24 de abril de 1707. Descendía de una familia noble y acomodada en esta corte, y contento con su medianía, vivió alejado de los grandes empleos y dedicado al cultivo de las musas, hasta que viejo y pobre ya, tomó el hábito en el hospital de San Antonio Abad, de Madrid, donde falleció en 1770. Fueron muchas sus obras poéticas y muy celebradas en su tiempo como poeta popular, aunque hoy, juzgadas con menos pasión, merecen, en general, pocos elogios.

DOÑA MARÍA DE GUZMÁN Y LACERDA, hija del marqués de Montealegre, conde de Oñate, nació en 31 de octubre de 1768. Esta señora fue desde sus primeros años el prodigio de su sexo, pues no solamente adquirió el conocimiento de muchas lenguas vivas, sino también en los idiomas griego y latino, la filosofía y matemáticas, llegando a sustentar actos literarios en la Universidad de Alcalá con una brillantez y generalidad de conocimientos que dejó admirados a todos los catedráticos, y a su consecuencia, en 6 de diciembre de 1785 recibió el grado de doctora y maestra en la Facultad de Artes y Letras Humanas, y fue además nombrada catedrática de Filosofía, consiliaria y examinadora, cuyo lucido acto se refiere por menor en el *Memorial literario* de junio de dicho año, en el que se ve un retrato de esta señora, de capirote y bonete con borla, y la medalla de plata que hizo acuñar la Universidad en su honor. La Real Academia Española la recibió en su seno, y en ella recitó una elegante oración; en fin, fue verdaderamente uno de aquellos portentos raros en la historia de su sexo. Estuvo casada con el marqués de Guadalcazar, y falleció ya entrado el siglo actual.

Don Ramón de la Cruz Cano y Olmedilla nació en la parroquia de San Sebastián, a 28 de marzo de 1731. Fue oficial mayor de Penas de Cámara, y entre los poetas Arcades era nombrado *Larisio Dianeo*. Su talento particular de observación aplicado a la vida del pueblo bajo de Madrid, y la gracia y verdad de su estilo, le hicieron sobresalir hasta el punto de no tener antes ni después rival en el género de *sainetes*, de que escribió más de 200, que se han sostenido constantemente en nuestros teatros, y de que últimamente se ha impreso en Madrid la más completa colección. No sabemos más noticias de su vida, sólo sí que fue protegido de la condesa de Benavente y que tuvo un hijo militar, que se halló en la batalla de Bailén.

Don Tomás López, geógrafo de Su Majestad y muy distinguido en esta ciencia por la multitud de atlas y planos que publicó en el siglo anterior: nació en Madrid en 1731, estudió en París y fue académico de las principales del reino. Su hijo don Juan, también natural de Madrid, que le sucedió en el título y la ciencia, continuó sus trabajos, que después han seguido sus sucesores con igual éxito.

Don Nicolás Fernández de Moratín nació en Madrid a 20 de julio de 1737 y fue guardajoyas de la reina doña Isabel Farnesio, a quien sirvió en su retiro de Riofrío después de la muerte del rey don Felipe, su esposo; vuelto a Madrid en 1759 fue incorporado en el Colegio de Abogados, y obtuvo en esta profesión grande crédito; pero aún ha logrado mayor celebridad por sus tareas literarias, que además de colocarle entre los principales escritores de su tiempo y que más contribuyeron a hacer renacer el buen gusto, le han asegurado la estimación de la posteridad. Fue conocido entre los arcades de Roma con el nombre de *Flumisbo Thermodonciaco*; publicó varias poesías, algunas de ellas excelentes, como el canto épico de *Las naves de Cortés*, dos tragedias y una comedia, imitando la manera clásica francesa, y otras varias obras: pero la mejor de todas ellas fue... su hijo don Leandro. Murió en Madrid en 11 de mayo de 1780, y fue sepultado en la parroquia de San Martín.

Don Leandro Fernández de Moratín, hijo del anterior, nació en la calle de San Juan (1) el 10 de marzo de 1760. Aunque dedicado en sus primeros años a trabajar de joyería, fue tal su irresistible inclinación al estudio y a las tareas literarias, que muy luego se dió a conocer por sus producciones, premios académicos y relaciones que ellas le granjearon. Protegido después por el Príncipe de la Paz, viajó por Europa con notable aprovechamiento y fue nombrado secretario de Su Majestad y de la interpretación de lenguas. Durante los años desde 1795 a 1807 dió al teatro, en distintos intervalos sus cinco comedias de *El Viejo y la Niña*, *El Barón*, *El café o la Comedia nueva*, *La Mogigata*, y el *Sí de las niñas*, que fijaron el gusto del teatro moderno español, y produjeron en el público un entusiasmo indecible. Hoy es, y todavía a pesar de las variaciones de tiempos y costumbres, son consideradas justamente como las obras más perfectas de nuestro teatro, y Moratín como un modelo de corrección y buen juicio. La guerra de los franceses alteró su vida tranquila y gloriosa, y se vió envuelto en los peligros y la emigración, con que privó a España de sus últimos días, falleciendo en París en 28 de junio de 1828. Su cadáver fue depositado en el cementerio llamado del P. *La Chaise* de aquella capital, bajo un elegante monumento contiguo a aquel en que reposan las cenizas del gran Molière, escribiéndose sobre el de Moratín estos elegantes dísticos latinos:

Hic jacet Hesperiae decus, inmortale Talia
    Omnibusque carum patriae lugevit cives.

(1) La casa en que nació Moratín fue la señalada con el número 1 y 2 antiguo de la calle y plazuela de San Juan, que hace esquina y vuelve a la de Santa María. Posteriormente vivió en otra casa de dicha calle que compró y cuya corraliza contigua convirtió en un pequeño jardín. De esta casa y de la hacienda que tenía en Pastrana, hizo cesión en 1815 a la Inclusa de Madrid. Por último, habiendo construído otra pequeña casa (que es la señalada hoy con el número 17 y antes con el 8 de la calle de Fuencarral) se trasladó a vivir a ella en los primeros años del siglo hasta su emigración en 1815.

Nec procul hic jacet cujus vestigia secutus
Magnus escenae parens proximus et tumulo.

Allí han reposado sus apreciables restos hasta que por Real orden del año anterior han sido trasladados a su patria, y llegados a Madrid en los primeros días de octubre se verificó con asistencia del Consejo de ministros, autoridades y corporaciones literarias la solemne traslación de ellos a la iglesia de San Isidro, en cuya bóveda yacen depositados hasta que se le erija el monumento fúnebre decretado por Su Majestad.

Don José Mamerto Gómez Hermosilla, literato y filólogo distinguido y el helenista más célebre de nuestra época; nació en Madrid a 11 de mayo de 1771; después de concluída su brillante carrera literaria, fue catedrático de Griego y de Retórica en los Estudios de San Isidro. Comprometido durante la invasión francesa, emigró de España en 1814, y regresando a ella en 1820, tuvo parte muy principal en la redacción del excelente periódico titulado *El Censor*, y al mismo tiempo como catedrático de Humanidades del colegio de la calle de San Mateo, contribuyó eficazmente a formar el gusto de la juventud que tan brillantes resultados ha dado después. En 1825 fue nombrado secretario de la Inspección General de Instrucción Pública, cuyo destino sirvió hasta octubre de 1835, en que fue declarado cesante. Las obras que han quedado de este sabio humanista son el *Arte de hablar en prosa y verso*, el *Jacobinismo y los Jacobinos*; la traducción en verso de la *Ilíada*, de Homero, a la que él llamaba *el trabajo de toda su vida*; unos *Principios de Gramática general* y un *Curso de crítica literaria*. Murió en 31 de marzo de 1837.

Don Nicasio Alvarez de Cienfuegos nació en Madrid en 14 de diciembre de 1764; hizo sus estudios en Salamanca al lado del célebre don Juan Meléndez Valdés, con quien le unió la más estrecha amistad. Fijado después en la corte, empezó a darse a conocer por sus trabajos literarios sobre etimologías y sinónimos, por

sus tragedias de *Zorayda* y la *Condesa de Castilla* y, finalmente, por sus poesías líricas publicadas en 1798, en las cuales, apartándose del camino trillado por sus contemporáneos, subió a tan alto punto la entonación de su lira, que no pudo menos de atraer a sí la atención de un público acostumbrado hasta allí a los tiernos cantares pastoriles y a las risueñas fábulas de amor. Poco después le confió el Gobierno la redacción de la *Gaceta de Madrid* y del *Mercurio*, y no tardó en ser nombrado oficial de la Secretaría de Estado, cuyo destino servía cuando la invasión de los franceses. Después de haber corrido Cienfuegos los mayores peligros a consecuencia de los sucesos del 2 de mayo de 1808, fue conducido preso a Francia como en rehenes; pero no pudiendo hacerse superior a aquella triste situación, falleció a poco de su llegada a Orthez, a principios de julio de 1809, y el cantor de la virtud y del entusiasmo, el poeta noble y grande que a tan alta esfera supo elevar la lira moderna española, yace hoy en tierra extraña, víctima de su acendrado patriotismo.

Don Juan Bautista de Arriaza y Superviela, uno de los más célebres poetas de nuestros tiempos, nació en Madrid en 27 de febrero de 1770. Estudió en el Colegio de Artillería de Segovia y sirvió luego de guardia marina hasta llegar a obtener el grado de alférez de navío, y por último el de teniente de fragata, cuando obtuvo su retiro en 1798. Posteriormente fue agregado a la Embajada en Inglaterra, y en 1811 ascendió a oficial de la Secretaría de Estado, y después mayordomo de semana, individuo de las Academias y caballero de la Orden de Carlos III, hasta que en 22 de enero de 1837 falleció en Madrid, a los sesenta y siete años, siendo sepultado en el cementerio de la puerta de Fuencarral. Las poesías de Arriaza, reimpresas muchas veces y aprendidas de memoria por sus contemporáneos, merecen ciertamente un lugar distinguido en nuestro Parnaso, por su ternura y corrección; sus cantos patrióticos llevaron entusiasmados al combate a nuestros célebres guerreros de 1808, y sus dulcísimas inspiraciones amorosas imprimían al mismo tiempo en la juventud un sentimiento de bondad y de ternura.

Don Mariano José de Larra (*Fígaro*) nació en Madrid en la Casa de la Moneda, calle de Segovia, en 24 de marzo de 1809. Su padre pensó en dedicarle al estudio de la Medicina, que él mismo ejercía y, en efecto, el joven Larra cursó los primeros años, pero arrastrado insensiblemente hacia los estudios más amenos de las letras, se dió a conocer ventajosamente por algunas composiciones poéticas y satíricas que publicó con el título de *El Duende Satírico*. Posteriormente escribió en forma de cartas *El pobrecito hablador*, que, atendida la época de su publicación (1832), llamaron la atención por su gracia y osadía contra la política dominante en aquella época; después dió al teatro su drama titulado *Macías* y la comedia *No más mostrador*, y últimamente, y restablecida la libertad de imprenta, empezó en 1833 a publicar en varios periódicos la serie de artículos satíricos de política, teatros y costumbres que le han granjeado merecido renombre bajo el seudónimo de *Fígaro*, y hubiera, sin duda, llegado a alcanzar más altos lauros, si una pasión violenta y no dominada por el deber ni por la religión, no le hubiese arrastrado al crimen de atentar a sus días, suicidándose el 13 de febrero de 1837 en su propia habitación, calle de Santa Clara, número 3. Su cadáver ha sido trasladado después al cementerio de la Cofradía de San Nicolás, fuera de la puerta de Atocha, donde yace.

Don Vicente González Arnao, célebre jurisconsulto y erudito de nuestros días, nació en Madrid a 26 de octubre de 1766 y cursó en la Universidad de Alcalá con una distinción y brillantez que desde luego llamó la atención de aquel ilustrado claustro, y después la de los hombres más insignes en las ciencias y la literatura en la corte, con sus serios y concienzudos trabajos, entre los cuales podemos citar un *Discurso sobre las antiguas colecciones de cánones griegos y latinos*, y un *Ensayo sobre la historia civil de España*, ambos impresos. Doctor en Jurisprudencia, catedrático de Física experimental por oposición en aquella Universidad, abogado después de primera nota y consultor por su pericia en los idiomas sabios y vulgares de la Secretaría de Interpretación de Lenguas y de

la Cancillería del Toisón de Oro; fiscal de los Reales Sitios, asesor de la Sacra Asamblea de San Juan y apoderado del Rey de Etruria en España, el doctor Arnao era a fines del siglo pasado y principios del presente una de las lumbreras de nuestro foro, uno de los oráculos de la corte, y como tal figuró como defensor o fiscal en todas las grandes causas, pleitos y consultas sobre asuntos árduos y de la más alta importancia. Al mismo tiempo brillaba también en primera línea en las cuatro Academias jurídicas que por entonces había en Madrid; en la de la Historia, adonde dejó consignado su paso en el *Diccionario histórico geográfico de las Provincias Vascongadas*, que compuso en unión con otros tres académicos; en los *Elogios* del cardenal Cisneros y del conde de Campomanes; y en la Española o de la Lengua, en cuyos trabajos tomó señalada parte durante medio siglo.

Ultimamente, para que nada faltase a su alto renombre, resuena también con marcada distinción como administrador y estadista en el desempeño del cargo de personero de Madrid, que obtuvo por elección en 1805. Baste decir que, a virtud de sus enérgicas representaciones y luminosos escritos, llegó a conseguir la libertad del tráfico a los artículos principales de consumo, que antes estaban monopolizados por el sistema de abastos, y otras grandes reformas inauditas y tachadas de quiméricas en aquella época. Nombrado en 1808 para asistir a la Junta de Bayona y comprometido después por el Gobierno francés a aceptar el puesto de secretario del Consejo de Estado, emigró en 1813 a París, y allí permaneció hasta 1831, obteniendo la mayor consideración en aquella ilustrada corte, relacionado estrechamente con los principales personajes literarios y científicos extranjeros, y en intimidad fraternal con los ilustres españoles Moratín (que le legó sus manuscritos), Silvela, Muriel, etc., y publicó varias obras literarias, y un *Diccionario* abreviado de la lengua castellana.

Restituído a su patria en dicho año de 1831, volvió a brillar en nuestro foro y trabajó sin descanso en una multitud de comisiones que le confió el Gobierno, hasta que en 1834 le nombró ministro del Consejo Real de España e Indias. Después fue comisionado regio para la traslación de la Universidad de Alcalá a Madrid, rector de ésta y otros muchos cargos honoríficos en que ostentó su infatigable laboriosidad, su modestia y afabilidad de carácter, hasta su muerte, ocurrida en 4 de marzo de 1845, a los setenta y tres años de edad.

ARTISTAS

JUAN BAUTISTA DE TOLEDO, natural de Madrid, hizo sus estudios en Roma y llegó a ser ya allí conocido como buen arquitecto. Trabajó bajo la dirección de Miguel Angel en la iglesia del Vaticano, y en esta obra era conocido por el *Valiente español*. Pasó después a Nápoles con el título de arquitecto de Su Majestad, y trabajó en muchas fábricas de aquella ciudad, entre otras el castillo de San Erasmo, con que adquirió gran crédito y riquezas, y viniendo luego a España, de orden de Felipe II inventó, delineó y dirigió hasta su muerte, acaecida en 1567, el célebre monasterio de San Lorenzo del Escorial, que después continuó y concluyó Juan de Herrera. Fue enterrado en la parroquia de Santa Cruz.

JUAN PANTOJA DE LA CRUZ, pintor y ayuda de cámara del rey don Felipe II. fue muy afamado en retratos y pinturas históricas, y aún se ve en los que quedan de las personas reales en El Escorial y en el Museo de Madrid; se cuenta que habiendo pintado una famosa águila cazada en El Pardo, la supo trasladar con tal perfección, que engañada la propia águila saltó contra el cuadro a picar y reñir con la que tenía por su semejante, rompiendo e inutilizando el retrato. Murió en Madrid en 1610, a los cincuenta y nueve años de edad.

FRANCISCO RICCI, hijo de Antonio y hermano de fray Juan, que también fueron pintores; fue discípulo de Vicente Carducho y de los más adelantados que tuvo, como lo prueban aún sus muchas obras. entre ellas el Santiago a caballo que está en la parroquia de su nombre, los muchos cuadros que hay de su mano en la iglesia de San Isidro y en otras varias, que aún hoy le dan un aventajado lugar en la escuela propia madrileña. También trabajó como arquitecto en Toledo y en El Escorial, y en este monasterio falleció y fue enterrado en 1684, a los setenta y siete años de edad. Su hermano, fray Juan, que murió en Italia, también fue gran pintor, y dejó obras suyas en San Martín y en el palacio de Madrid.

CLAUDIO COELLO, pintor de cámara del rey don Carlos II, y arquitecto; fue discípulo de Francisco Ricci. Su primera obra fue el cuadro de la Anunciación que está en el convento de monjas de San Plácido; luego pintó con Donoso la capilla de los Borjas o de San Ignacio en la iglesia de San Isidro, y otras obras en la misma iglesia; después, las bóvedas de la Casa Panadería; por último colocó en alto punto su fama con el célebre y admirable cuadro de la Santa Forma que está en la sacristía de El Escorial. Falleció en Madrid en 20 de abril de 1693 y fue enterrado en la parroquia de San Andrés.

EUGENIO CAXÉS, pintor de cámara de Felipe IV, hijo y discípulo de Patricio, arquitecto y pintor insigne; fue también célebre por su esfuerzo en la pintura, de que pueden verse muestras en las que existen en el Museo y en la iglesia de San Antonio de los Portugueses. Murió en Madrid en 1642.

JUAN DE TORIJA, arquitecto, natural de Madrid, escribió el *Tratado de las ordenanzas de esta villa y de cómo se han de construir los edificios en ella*, impreso en 1661, y otro libro sobre *construcción de bóvedas*. Fue arquitecto mayor de la Villa y de Palacio y murió en 1666, siendo enterrado en San Felipe el Real.

DON TEODORO ARDEMANS nació en esta corte, según él mismo dice en su obra titulada *Curso subterráneo de las aguas*; fue grande arquitecto, y como tal ejecutó obras de consideración en la catedral de Granada y en la de Toledo. Hizo la capilla, palacio y jardines de San Ildefonso y otras muchas obras. Fue arquitecto y fontanero mayor de Madrid y de Palacio, y además ejecutó varias obras de pintura, siendo discípulo en ella de Caudio Coello. Murió en Madrid en su casa propia calle del Humilladero, en 15 de febrero de 1726. Publicó las *Ordenanzas de Madrid*, refundidas, y otras obras de arquitectura.

FRAY LORENZO DE SAN NICOLÁS, arquitecto; nació en Madrid por los años de 1596, y fue agustino recoleto y prior del convento de Madrid; reedificó su iglesia; hizo la de San Plácido y la capilla mayor de San Martín, que no existe, y otras muchas obras en todo el reino, y escribió la célebre obra titulada *Arte y uso de arquitectura*.

JUAN BAUTISTA MAZO MARTÍNEZ, fue discípulo y yerno de don Diego Velázquez y se distinguió en los retratos y vistas de ciudades de que se ven varios cuadros en el Museo de Madrid. Fue pintor de cámara de Felipe IV, y murió en 1667, en la casa del Tesoro.

ALONSO DEL ARCO, pintor, sordomudo de nacimiento; fue discípulo de Antonio de Pereda, por lo que es conocido por el *Sordillo de Pereda*, y fue autor de muchos cuadros de mérito que se hallan en varias iglesias de Madrid. Murió en el año de 1700, a los setenta y cinco años de edad. No hay que confundirle con Alonso del Barco, también madrileño, pintor de paisajes, que murió en 1685.

BARTOLOMÉ ROMÁN, discípulo de Carducho y de Velázquez, es también pintor conocido y estimado, y dejó varias obras en el convento de la Encarnación y otras iglesias. Murió en 1669.

DON JUAN DE VILLANUEVA, nació en Madrid a 15 de septiembre de 1739, de una familia de artistas; estuvo pensionado en Roma, y restituído luego a Madrid, se dió a conocer como arquitecto inteligente en obras considerables hechas en el sitio de El Escorial. Después fue arquitecto y fontanero mayor de Madrid, director de la Academia de San Fernando, y obtuvo otros muchos honores hasta que falleció en 1811, siendo enterrado con gran solemnidad en la capilla de Belén, propia de los arqui-

tectos, en la parroquia de San Sebastián. Entre sus muchas obras artísticas inmortaliza su nombre el grandioso Museo del Prado. También son suyos el lindo oratorio del Caballero de Gracia, el balcón grande de las Salas Consistoriales, la casa del Nuevo Rezado y otras que dejó en Madrid.

DON LEONARDO ALENZA, uno de los genios privilegiados por la naturaleza, que han sabido adquirir en nuestros días merecido renombre, nació en Madrid a 6 de noviembre de 1807, y dedicado desde sus más tiernos años al dibujo y pintura a que mostraba una irresistible vocación, llegó a sobresalir entre sus condiscípulos de la Academia de San Fernando y a colocarse entre los primeros artistas por la originalidad de su inspiración, la delicadeza y corrección del dibujo y la frescura y atrevimiento en el colorido, que revelaban su ingenio natural y la conciencia de sus estudios. De ambas cosas quedan pruebas en sus grandes cuadros del *Dos de Mayo*, del *Descubrimiento del mar del Sur*, de las *Majas al balcón* y, sobre todo, el que pintó por encargo de la Reina madre para el palacio de Vista Alegre, y representa la *Entrada en Segovia del rey niño don Fernando, hijo de Sancho el Bravo, y de su madre, tutora y gobernadora del reino, la insigne doña María de Molina*. Pero donde adquirió Alenza la especialidad de su fama y en el género en que puede decirse que reinó exclusivamente en nuestros días, digno heredero del inmortal Goya, fue en la pintura de las costumbres y cuadros populares y campestres al estilo flamenco, y en los *caprichos* fantásticos, epigramáticos y satíricos que inmortalizaron a aquél. En este punto puede asegurarse que el malogrado Alenza no ha tenido en su tiempo rival ni competidor después; las innumerables obras de este género que ha dejado hicieron popular el nombre de Alenza en nuestra España, y le hubieran hecho europeo si su excesiva modestia y timidez y su exclusivo amor a su pueblo natal no le hubieran guiado a permanecer constantemente en él, a encerrarse en su estudio y a no ostentar con aparato y pretensiones las altas facultades de su ingenio. Retirado del bullicio y de la sociedad, desdeñado y aun desdeñoso de todo favor supeior, ajeno a las intrigas y compadrazgos, evero y hasta melancólico de carácter, unque por manera incisivo y chistoso en us obras artísticas, se contentó con el aprecio y estimación general y la especial de us mismos maestros y comprofesores. Murió prematuramente después de una penosa nfermedad de siete meses, en 30 de junio de 1845; su cadáver, sepultado primero en el camposanto de la puerta de Fuencarral, fue trasladado en 1849 al de la sacramental de San Luis, en donde existe en un nicho de la galería derecha sin más inscripción que el apellido *Alenza*, que supo ilustrar con su talento.

II

PARTE TOPOGRAFICA Y ESTADISTICA

POLICIA URBANA

Y

MEJORAS DE MADRID

TOPOGRAFIA

SITUACIÓN

Madrid se halla situado a los 40 grados, 25 minutos, 7 segundos de latitud N., y su longitud es de 2° 29' 33" E. del Observatorio de San Fernando; 14° 30' 54" E. de la isla de Hierro; 12° 47' 59" E. del pico de Teide; 3° 41' 56" O. de Greenwich; 6° 2' 30" O. de París; 5° 27' 43" E. de Lisboa. Está en suelo desigual, sobre algunas colinas de arena, en medio de una gran playa que circundan por la parte N. NE. las montañas de Somosierra, y las de Guadarrama al N. O. El río Manzanares la baña al O., inclinándose al S. a formar el vértice de un ángulo en su unión con el canal, el cual se halla a la parte del S. y SO. Al oriente embellece a Madrid el Sitio del Retiro. La altura sobre el nivel del mar, medida en el centro de la plaza Mayor, es de 2.450 pies. Según las observaciones científicas, el Norte del mundo corresponde entre las puertas de Fuencarral y del Conde Duque; el Este, entre las de Alcalá y Atocha; el Sur, entre la de Embajadores y la de Toledo, y el O., en las inmediaciones de la antigua puerta de la Vega. Las principales cuestas de Madrid son: las de las Salesas, Santa Bárbara, San Ildefonso, San Sebastián, el Rastro, las Vistillas, Palacio y Santo Domingo; y sus diferencias más notables (según el precioso trabajo de *Nivelación de Madrid y plano del relieve de su suelo*, publicado en 1848 por los ingenieros de Caminos don Juan Rafo y don Juan Rivera) da los resultados siguientes, tomando por punto o nivel el de las aguas bajas del Manzanares en el puente de Toledo: a la puerta de Segovia, 90 pies; a la de Toledo, 191; a la plaza de Palacio, 198; a la Puerta del Sol, 270; a la plaza Mayor, 285; a la puerta de Alcalá, 298; a la de Santa Bárbara, 360; con que se demuestra que las mayores alturas de Madrid son ésta y la esquina del Retiro, donde está la montaña rusa, marcadas ambas en el plano a los 360 pies.

EXTENSIÓN

La circunferencia de Madrid era hasta estos últimos años 47.197 pies, o sean cerca de dos leguas y tres octavos; pero con la demolición posterior de una parte de las cercas y de las puertas de la Vega, de Segovia y de Atocha, verificada en 1850, se aumenta notablemente esta extensión por dichos lados, hoy abiertos y sujetos a los proyectos de ampliación. No pudiendo, sin embargo, fijar todavía los límites de esta futura cerca, nos reduciremos a reproducir los que señala el *Plano geométrico levantado* en 1846, y es la que ha existido hasta aquí, en los términos siguientes:

	Pies
Desde la puerta de Atocha a la de Valencia	2.785
De ésta a la de Embajadores.	1.028
De ésta a la de Toledo... ...	2.821
De ésta a la de Gilimón	1.337
De ésta a la de Segovia... ...	2.463
De ésta a la de S. Vicente...	3.767
De ésta a la de S. Bernardino	6.991
De ésta a la del Conde Duque...	1.882
De ésta a la de Fuencarral...	1.279
De ésta a la de Bilbao	1.623
De ésta a la de Sta. Bárbara.	2.123
De ésta a la de Recoletos ...	1.966
De ésta a la de Alcalá	3.195
De ésta a la de Atocha	13.933

Es digno de observarse en el estado anterior que sólo el muro del Retiro comprende más de la cuarta parte del de toda la población, o cerca de tres cuartos de legua.

Los dos diámetros cardinales de la población, medidos también en línea recta son:

De Norte a Sur, o desde la puerta de Santa Bárbara a la de Toledo, 9.730 pies, y de Este a Oeste, o sea desde la puerta de Alcalá a la de la Vega, 8.637. Al primero sólo le faltan 270 pies para llegar a la media legua.

Los radios de Madrid, o sean las distancias desde el centro de la Puerta del Sol a las de la villa, medidas en línea recta, o por el aire, como vulgarmente se dice, son las siguientes, por el orden de su proximidad:

	Pies
A la de la Vega	4.022
A la de Segovia	4.183
A la de Valencia	4.447
A la de Alcalá	4.613
A la de Atocha	4.645
A la de Embajadores	4.646
A la de Fuencarral	4.726
A la de Toledo	4.450
A la de Bilbao	4.778
A la de Gilimón	4.914
A la de Santa Bárbara	4.962
A la de Recoletos	4.985
A la de Conde Duque	5.108
A la de San Vicente	5.265
A la de San Bernardino... ...	6.004

Se ve, pues, que la menor distancia de la Puerta del Sol a las afueras es la de la antigua puerta de la Vega, próximamente un quinto de legua; la mayor es la de la puerta de San Bernardino, que pasa bastante de un cuarto de legua.

La superficie comprendida dentro de la tapia de la Ronda, exactamente medida sobre el Plano y no conocida hasta ahora, asciende a 100.148.373 pies cuadrados, que tomando la fanega de 576 estadales cuadrados por unidad, son más de 1.207 fanegas, o casi exactamente media legua en cuadro.

Según curiosa observación de los ingenieros del gran *Plano geográfico* ya citado, levantado en 1846, el desarrollo de todas las calles o la línea que formarían si se pusiesen unas a continuación de otras, es de 350.818 pies, que equivalen a algo más de 17 leguas y media.

Las 20 calles más largas de Madrid, reunidas aquéllas que aunque se dividen en dos por sus nombres no forman más que una sola, son las siguientes:

	Pies
1. Atocha	4.885
2. Hortaleza	3.695
3. Fuencarral	3.676
4. Toledo	3.612
5. Ancha de San Bernardo ...	3.228
6. Mayor y Almudena reunidas	2.864
7. Alcalá	2.791
8. Embajadores	2.577
9. Mesón de Paredes	2.544
10. San Vicente Alta y Baja...	2.504
11. Palma Alta y Baja	2.445

12. Carrera de San Jerónimo
hasta el Prado 2.439
13. Huertas 2.437
14. Segovia... ... ... 2.217
15. Santa Isabel 2.007
16. Comadre 1.866
17. Infantas 1.738
18. San Antón 1.716
19. Preciados 1.680
20. San Juan, calle y plazuela. 1.402

Por consiguiente, la calle más larga de esta corte es la de Atocha, la cual tiene muy cerca de un cuarto de legua de longitud, no faltándole para llegar a él más que 115 pies. Hay cuatro calles más largas que un sexto de legua, diez mayores que un octavo y quince que un décimo.

La calle más ancha es la de Alcalá, que tiene 47 pies en el extremo de la Puerta del Sol y 233 en el del Prado, frente a la Dirección de Infantería.

Las calles más angostas son las del Perro, que tiene desde 8 a 10, y la travesía del Desengaño (antes calle de la Flor), que tiene de ocho y medio a diez.

La plaza Mayor tiene de largo 434 pies y 304 de ancho, y por consiguiente, 1.476 pies de circuito y 131.936 pies cuadrados de superficie o más de una y media fanega.

La de Mediodía de Palacio, 228.000. La de Oriente sobre 580.000. La de la Cebada, 140.000, y lo mismo próximamente la de San Marcial. La de Isabel II, 60.000. La de Santa Ana, 33.000. La del Progreso, 31.000. La de Bilbao, 49.000.

La longitud de la Puerta del Sol es de 484 pies y su ancho varía entre 90 y 159.

El paseo del Prado, desde la Puerta de Atocha a la de Recoletos, es de 6.512 pies, ec decir, muy cerca de tres cuartos de legua.

El Salón del Prado cuenta de largo, desde la esquina de la Carrera de San Jerónimo a la de la calle de Alcalá, 1.377 pies, y de ancho entre las dos filas de árboles que lo forman, 211 pies, de los cuales 140 pertenecen al Salón propiamente dicho, y los 71 restantes al paseo de los coches. La superficie del Salón es, pues, de 192.780 pies cuadrados, o cerca de vez y media de la de la plaza Mayor.

DISTANCIAS

La posición de Madrid respecto a la administración del reino es muy ventajosa por hallarse casi en el centro y a distancias proporcionadas de sus costas y fronteras, puertos principales y capitales de provincia, como se ve en el estado siguiente:

De las fronteras de Francia

	Leguas [1]
Por Irún	84
Por Navarra	74
Por Aragón	74
Por Cataluña	110

De las fronteras de Portugal

	Leguas
Por Castilla	58
Por Extremadura	64
Por Galicia	96

(1) Hasta el año de 1801 se usaron en España en las carreteras generales las leguas de 24.000 pies, o de 17 1/2 al grado; pero en dicho año se mandó hacer uso de las leguas de 20.000 pies o de 20 al grado por corresponder al camino que se anda regularmente en una hora. Así estas leguas tienen 6.666 1/5 varas en lugar de 8.000 de las antiguas. Por el nuevo sistema decimal cuya unidad longitudinal es *el metro* (una vara, siete pulgadas y 74 céntimos de línea); las distancias han de medirse por *kilómetros*, cada uno de los cuales consta de mil metros, o sean 1.196 varas, 1 pie, 5 pulgadas y 8 líneas, que hace un poco menos de la quinta parte de la legua. Esta entonces constará de 5 kilómetros, esto es, 575 metros.

Distancias de Madrid a los puertos principales

Leguas

De Alicante 72
De Barcelona 111
De Bilbao 71
De Cádiz 121
De Cartagena 66
De La Coruña 101
De Gijón 81
De Gibraltar 101
De Málaga 100
De Santander 72
De Tarragona 97
De Valencia 60
De Vigo 96

Dista igualmente de las demás capitales de provincia

Leguas

De Albacete 43
De Almería 104
De Avila 19
De Badajoz 64
De Burgos 42
De Cáceres 49
De Castellón 67
De Ciudad Real 35
De Córdoba 70
De Cuenca 26
De Gerona 128
De Granada 77
De Guadalajara 10
De Huelva 113
De Huesca 68
De Jaén 60
De León 57
De Lérida 82
De Logroño 53
De Lugo 85
De Murcia 68
De Orense 83
De Oviedo 79

De Palencia 43
De Pamplona 64
De Pontevedra 95
De Salamanca 39
De Segovia 16
De Sevilla 95
De Soria 38
De Teruel 55
De Toledo 12
De Tolosa 77
De Valladolid 34
De Vitoria 62
De Zamora 45
De Zaragoza 57
De las islas Baleares 110
De las Canarias... 393

Dista también de las principales cortes europeas

Leguas

De Lisboa, por Badajoz 106
De París, por Bayona 230
De Roma, por Barcelona y mar...... 280
De Nápoles, por ídem 300
De Turín, por ídem 250
De Londres, por París 300
De Bruselas, por ídem 310
De Berlín, por ídem 450
De Viena, por Barcelona, Marsella, Turín y Munich 430
De Constantinopla, por Valencia y mar 650
De San Petersburgo, por París, Bruselas y Berlín 700

Por último, de nuestras principales posesiones de ultramar, dista

Leguas

De La Habana (isla de Cuba), por Cádiz... ... ... 1.800
De San Juan de Puerto Rico, por Cádiz... ... ... 1.500
De Manila (Filipinas), por el istmo de Suez 3.000
Por el cabo de Buena Esperanza... 4.500

CLIMA

El clima de Madrid, tan celebrado en lo antiguo por su salubridad, ha padecido notable alteración por la falta de arbolado en sus contornos. El cielo, sin embargo, es puro y sereno casi siempre; el aire es seco, vivo y penetrante, sobre todo en invierno. Los vientos que reinan con más frecuencia son del N. en invierno; los de O. y S. en la primavera, y este último también en verano; y como esta villa no está resguardada de la acción de los vientos, en especial del Norte, que viene atravesando la cordillera de montes Carpetanos, casi siempre coronados de nieve, adquiere en ellos una frialdad excesiva y llega a la corte después de haber corrido las siete leguas que aquéllos distan sin encontrar obstáculo o modificación alguna, lo cual le hace sobremanera peligroso, en particular a los forasteros. Esta misma falta de arbolado, que destempla las demás estaciones por la demasiada rigidez de los vientos, hace también más sensibles los calores del estío por la ninguna modificación que presta a los rayos del sol, de suerte que en el día los inviernos y veranos son excesivamente rigurosos; las primaveras, húmedas y destempladas, y el otoño, seco y hermoso hasta el mes de noviembre, que empieza el frío.

La temperatura media de Madrid parece ser, según las últimas observaciones, de 13° 2' y 66" del termómetro centígrado, o 10° y 92" de Reaumur, ocurriendo la temperatura media a las nueve de la noche; el frío medio, 0°, y el calor, 24.°. El primero no suele pasar de 5 bajo cero (aunque en el año de 1829 llegó a 8), y el segundo, de 32 sobre cero. La altura barométrica media según el resultado de las observaciones en los cinco años de 1838 a 1842 inclusive, es de 705 milímetros y 88 centésimas, o sean 30 pulgadas, 4 líneas y 7 centésimas de línea castellana. La altura barométrica media diurna ocurre a las doce del día o a las diez de la noche. El día más largo es en Madrid de 15 horas, 3 minutos, 43 segundos; el más corto, de 8 horas, 56 minutos, 17 segundos, y el mayor crepúsculo, de 2 horas, 40 minutos y 53 segundos por mañana o tarde.

Sobre la descripción geológica del terreno de Madrid, su aspecto y naturaleza, vientos, aguas y producciones naturales, hay muy poco trabajado y apenas adelantado nada a las breves indicaciones contenidas en el último capítulo de la preciosa obra publicada en la última mitad del siglo pasado por don Guillermo Bowles, titulada *Introducción a la Historia natural* y a la *Geografía física de España*, que lleva por epígrafe *De Madrid y sus alrededores*, a la que remitimos al lector.

Las enfermedades que suelen ser más frecuentes en Madrid son los cólicos, las apoplejías, perlesías, pulmonías, fiebres catarrales y otras, nacidas de lo seco del clima y de la acción ya dicha de los vientos; pero estas mismas causas contribuyen a la salubridad general de la corte, pues evitando la putrefacción de las carnes y alejando las exhalaciones impuras, la han puesto casi siempre fuera del alcance de los contagios y epidemias desarrollados en otros puntos del reino (1).

DIVISIONES

La división *municipal de Madrid*, que es la principal y aplicada a todos los ramos de servicios de policía urbana, y a que debían también subordinarse todas las demás, judicial, de seguridad, eclesiástica y militar, ha tenido diversas variaciones

(1) Creemos deber llamar la atención de nuestros lectores hacia una obra sumamente apreciable, aunque escasamente conocida, impresa en Madrid a fines del siglo pasado con el título de *Medicina patria o Elementos de Medicina práctica de Madrid* por A. P. D. E. (D. A. de Escobar), en la cual se encuentra un estudio preciosísimo de las condiciones físicas de este pueblo, de las causas de las enfermedades más comunes en él, su tratamiento y curación; libro sumamente discreto que debía andar en manos, no sólo de nuestros médicos, sino también de los habitantes de Madrid.

Igualmente existe y tenemos a la vista una interesante *Memoria sobre las causas de la insalubridad del clima de Madrid y los medios de mejorarle*, escrita y publicada en 1828 por el profesor de medicina don Blas Llanos, que contiene datos y observaciones muy dignos de aprecio.

desde 1835 en que se alteró la antigua división de Madrid en 10 *cuarteles* y 64 *barrios*; hízose entonces otra en 5 *demarcaciones* o *comisarías* y 50 barrios, y posteriormente en 1840 se adoptó la nueva en 2 *cuarteles*, 6 *juzgados*, 12 *distritos*, 24 *parroquias* y 89 *barrios*, que tenía, por lo menos, la ventaja de reducir a una sola las 16 ó 17 distintas que para los diversos ramos del servicio público se habían ido adoptando y producían una monstruosa confusión en él. Pero esta división única, que no llegó del todo a establecerse (especialmente en la parte eclesiástica o parroquial), fue definitivamente abandonada en 1 de octubre de 1845 con la publicación de la nueva que hoy rige en la parte administrativa y municipal. La división *judicial* en seis juzgados hecha en aquélla, rigió, sin embargo, hasta que en 16 de diciembre de 1819 se aumentó un juzgado más, y por último se ha hecho una nueva aumentando hasta ocho el número de juzgados interiores y dos para las afueras por Real decreto de 23 de octubre de 1853, que ha empezado a regir en 1 de enero de este año. La división *eclesiástica* o *parroquial* continúa siendo la misma antigua monstruosa e independiente de todas estas variaciones sucesivas, si bien se anuncia muy próxima una nueva con arreglo al Concordato. La división *electoral* ha sido hasta aquí tan varia como las anteriores ya dichas, verificándose para la de diputados a Cortes por la judicial de los seis distritos: Río, Maravillas, Barquillo, Vistillas, Lavapiés y Prado, que era el número de juzgados cuando se promulgó la ley electoral; la de diputados provinciales en diez distritos o colegios, con el aumento reciente de los nuevos juzgados interiores y de afueras; y la de concejales en los diez distritos de la división municipal.

Todavía hay otra división análoga a la antigua de seis juzgados, y es la *militar*, en seis *cantones* o *distritos*, y la del servicio de *Protección y seguridad pública* en *siete comisarías*, subdivididas en el correspondiente número de *celadores* de barrio.

Por último, para las operaciones del alistamiento y sorteo de quintas está subdividido Madrid en *cuarenta distritos*, cada uno de los cuales comprende dos o tres barrios. Interin que todas estas extrañas divisiones vienen a reasumirse en una sola, como no podrá menos de suceder para el mejor servicio público, estamparemos aquí las dos más generales vigentes, que son, por un lado, la *municipal* y *administrativa*, y por otro, *la judicial* y *electoral*.

1.º Los dos *cuarteles* se denominan del Norte y del Sur.

La línea que los separa empieza en los confines de Alcorcón y viene por la tapia de la real Casa de Campo hasta cerca del puente de Segovia; desde este ángulo continúa por la tapia de la misma posesión hasta la alcantarilla que sale de ésta. Aquí tuerce a oriente y corta el río y su ribera por el norte de la ermita de la Virgen del Puerto; sigue luego por la linde entre el parque del Rey y la Tela, subiendo hasta la puerta de la Vega y altillo de Losa. Desde el sitio donde estuvo la antigua puerta continúa por la calle de Malpica, la de la Almudena y Platerías, calle Mayor, Puerta del Sol, calles de Alcalá y del Pósito, todas inclusive. Desde la Puerta de Alcalá sigue la tapia del Retiro hasta la esquina de la Montaña Rusa; toma luego el camino viejo de Vicálvaro y dejando para el sur la Huerta del Caño Gordo, concluye en el arroyo Abroñigal y término de Vicálvaro.

2.º Cada uno de los dos cuarteles se divide en cinco *distritos*. Los del Norte son: Palacio, Universidad, Correos, Hospital y Aduana. Los del Sur son: Congreso, Hospital, Audiencia, La Latina e Inclusa.

3.º Los límites del distrito de Palacio, desde la puerta de la Vega hasta la de Fuencarral, son: la plaza de la Armería, pretil de Palacio, plazuela y calle de Rebeque, calle de Noblejas, de la Amnistía y de la Independencia, plaza de Isabel II, calle y plazuela de los Donados, Costanilla de los Angeles, plazuela de Santo Domingo, todas inclusive, y la calle Ancha de San Bernardo, exclusive.

En las afueras, el barrio de la *Florida* se comprende entre la línea divisoria de los dos cuarteles hasta la puerta de la Vega, y entre otra que desde la puerta de San Bernardino corre por las tapias del Príncipe Pío y Real Florida hasta llegar al término de Fuencarral.

DIVISION MUNICIPAL Y ADMINISTRATIVA

Cuartel	Distritos	Barrios	Cuartel	Distritos	Barrios
	PALACIO	Isabel II. Bailén. Leganitos. Alamo. Príncipe Pío. Amaniel. Conde Duque. Quiñones. La Florida.		CONGRESO	Carrera. Cortes. Cruz. Príncipe. Lobo. Cervantes. Huertas. Gobernador. Retiro. Delicias.
NORTE	UNIVERSIDAD	Daoíz. Dos de Mayo. Rubio. Escorial. Pizarro. Estrella. Silva. Campo de Guardias.		HOSPITAL	Cañizares. Atocha. Tinte. Torrecilla del Leal. Primavera. Valencia. Ave María. Olivar. Ministriles. El Canal.
	CORREOS	Platerías. Espejo. Bordadores. Arenal. Puerta del Sol. Abada. Postigo.	SUR	INCLUSA	Rastro. Peñón. Arganzuela. Huerta del Bayo. Encomienda. Cabestreros. Embajadores. Caravaca. Comadre.
	HOSPICIO	Beneficencia. Hernán Cortés. Fuencarral. Colón. Barco. Desengaño. Jacometrezo. Colmillo. Chamberí.		LA LATINA	Toledo. Cava. Puerta de Moros. Don Pedro. Aguas. Humilladero. Calatrava. Solana. Puente de Toledo.
	ADUANA	Regueros. Belén. Libertad. Bilbao. Almirante. Caballero de Gracia. Montera. Alcalá. Plaza de Toros.		AUDIENCIA	Carretas. Constitución. Concepción. Progreso. Juanelo. Estudios. Puerta Cerrada. Segovia. Puente de Segovia.

4.º El distrito de la Universidad tiene por límites desde la puerta de Fuencarral, toda la calle Ancha de San Bernardo inclusive, la calle de Tudescos y Corredera Baja de San Pablo, ambas inclusive; la plazuela de San Ildefonso, la Corredera Alta y el remate de la calle de Fuencarral, exclusive.

En las afueras, el barrio del *Campo de Guardias* se limita al poniente desde la puerta de San Bernardino por la tapia del Príncipe Pío y la Real Florida, comprendiendo en este distrito y barrio la casa de San Bernardino, y al oriente, desde la puerta de Bilbao por el camino real de Francia inclusive hasta tocar ambas líneas al término de Fuencarral.

5.º El distrito de Correos empieza donde estuvo la primitiva puerta de la Vega, y tiene exclusive los límites señalados al cuartel de Palacio hasta la plazuela de Santo Domingo, las calles de Jacometrezo y de la Montera, también exclusive; la Puerta del Sol, calle Mayor, la de las Platerías, Almudena y Malpica, inclusive, comprendiendo también la casa de Benavente, donde cierra su contorno. No tiene afueras.

6.º El distrito del Hospicio tiene por límites desde la puerta de Bilbao, el remate de la calle de Fuencarral, la Corredera Alta de San Pablo y la plazuela de San Ildefonso, inclusive; la Corredera Baja, exclusive; la calle de Tudescos, ídem; las calles de Jacometrezo y de Hortaleza, ambas inclusive.

En las afueras, el barrio de *Chamberí* está comprendido entre el camino de Francia, exclusive, y el de la Fuente Castellana desde la puerta de Santa Bárbara hasta el término de Chamartín.

7.º El distrito de la Aduana tiene por límites la calle de Hortaleza, exclusive, y las calles de la Montera, de Alcalá y del Pósito, inclusive.

En las afueras, tiene el barrio de la *Plaza de Toros*, que se comprende entre el camino de la Fuente Castellana y Chamartín por la puerta de Santa Bárbara, y por la de Alcalá los dos cuarteles de la línea divisoria del Norte y Sur.

8.º El distrito del Congreso tiene por límites desde la Puerta de Alcalá, las calles del Pósito y Alcalá, exclusive; calles de Espoz y Mina y la de la Cruz, inclusi-

ve; toda la plazuela del Angel, ídem; y la calle de Atocha, exclusive, desde la calle de Carretas hasta el Prado y puerta de dicho nombre.

En las afueras, tiene el barrio de las *Delicias*, limitado al Norte por la línea divisoria de los dos cuarteles, desde la esquina alta del Retiro y desde la puerta de Atocha por el paseo de las Delicias, inclusive, hasta la segunda plazuela, desde donde sigue la línea por el camino, exclusive, que va a la primera esclusa del Canal, hasta llegar al arroyo Abroñigal y término de Vallecas.

9.º El distrito del Hospital General tiene por límites la calle de Valencia, la plazuela y calle de Lavapiés, inclusive; la calle de Relatores, exclusive, y la calle de Atocha, inclusive, desde la esquina de aquélla hasta la puerta.

En las afueras tiene el barrio del *Canal*, cuyo contorno empieza en el Portillo de Embajadores y sigue la Ronda hasta la esquina del Hospital, toma la dirección del paseo de las Delicias, exclusive, hasta la última plazuela; continúa por el camino, inclusive, de la primera esclusa hasta el arroyo Abroñigal y linderos con Vallecas, baja por éstos al río Manzanares, vuelve por su orilla izquierda hasta la cabecera del Canal, sube por el pretil del puente de Toledo y viene por el camino del Portillo de Embajadores, en el que concluye.

10. El distrito de la Inclusa tiene por límites la calle de Toledo, exclusive, desde la Puerta hasta San Millán; la calle de las Maldonadas, la travesía del Rastro, las calles de la Encomienda, de la Esgrima y del Calvario, inclusive; tomando la de Jesús y María desde la dicha de la Esgrima para abajo, las calles de Lavapiés y de Valencia, exclusive. No tiene afueras.

11. El distrito de la Latina tiene por límites las calles de Segovia, Puerta Cerrada y Tintoreros, exclusive, y la calle de Toledo, inclusive, desde San Isidro hasta la Puerta.

En las afueras, el barrio del *puente de Toledo* comprende desde la puerta de Segovia hasta el Portillo de Embajadores. Desde éste baja la línea divisoria por el camino que va al puente de Toledo, toma el pretil oriental y sigue la cabecera del Canal; de aquí pasa al río y sigue su curso hasta el término de Vallecas; vuelve desde el Soto de Luzón por la mojonera de Villaverde y Carabanchel, hasta encontrar el camino que de este pueblo va a la ermita de San Isidro; se dirige por él, y dejando fuera dicha ermita corta el río por bajo de los pontones, y sube por el camino, exclusive, que comunica con la puerta de Segovia y en ésta concluye.

12. El distrito de la Audiencia empieza en la puerta de la Vega y comprende todo el ámbito de su cuesta hasta el sitio de la antigua puerta; desde aquí forman sus límites las calles de Malpica, de la Almudena, de las Platerías y Mayor y la Puerta del Sol, todas exclusive; las calles de Espoz y Mina y de la Cruz, también exclusive; la calle de Atocha desde la de Carretas hasta la esquina de la de Relatores, y la misma de Relatores, ambas inclusive, el principio de la calle de Lavapiés, las del Calvario, Esgrima, Encomienda, Rastro y Maldonadas, exclusive; la plazuela de San Millán y la calle de Toledo, también exclusive, hasta San Isidro. Siguiendo la dirección de la calle del Estudio comprende este distrito la calle de Toledo arriba, desde el ángulo obtuso que hace la acera frontera a San Isidro. Completan sus límites las calles de Tintoreros, Puerta Cerrada y Segovia hasta la puerta de este nombre, todas inclusive.

En las afueras tiene el barrio del *puente de Segovia*. Comprende las casas inmediatas al mismo por ambos lados, la ermita de la Virgen del Puerto y la Tela, siendo su límite al norte la división de los dos cuarteles. Sigue desde la puerta de la Vega hasta la de Segovia y toma el camino de los Pontones de San Isidro con las casas de ambos lados, cruza el río por el pontón, continúa por la subida a la ermita, dejando ésta dentro del barrio, se dirige por la senda que va a Carabanchel y concluye en el término del pueblo.

DEMARCACIÓN DE LOS BARRIOS

Barrio de Isabel II.—Comprende el Real Palacio, plaza de la Armería, plaza de Oriente, pretil de Palacio, plazuela y calle de Rebeque, calle de Noblejas, de Requena, de la Amnistía, de Vergara, de la Independencia, la parte de las calles de Ramales, Santa Clara y la Unión, comprendida entre la de la Amnistía y la de Vergara; plaza de Isabel II, calle de los Caños, de la Priora, calle y plaza de los Donados y la Costanilla de los Angeles.

Barrio de Bailén.—Comprende la parte de la calle del Río desde la del Reloj a la de Bailén, calle del Reloj, de Torija, de Bailén, plazuela de los Ministerios, calle y plazuela de la Encarnación, calle de las Rejas, de la Bola, cuesta y plazuela de Santo Domingo y la parte de la calle del Fomento, desde la de Torija a la cuesta de Santo Domingo, y calle de la Biblioteca.

Barrio de Leganitos.—Comprende la plazuela de Leganitos y la parte de la calle del mismo nombre desde la plazuela de Santo Domingo, calle de la Flor Baja, la parte de la del Fomento desde la de Torija a la del Río, travesía del Reloj, calle del Recodo, la parte de la calle del Río desde la de Leganitos a la del Reloj y la parte de la calle de María Cristina, desde la plazuela de Santo Domingo a la calle de la Flor.

Barrio del Alamo.—Comprende la calle de los Reyes, de la Manzana, de las Beatas y su travesía, calle y travesía de la Parada, calle de la Garduña, del Rosal, del Alamo, de San Ignacio, de Santa Margarita, de San Cipriano, de Eguiluz, travesía del Conservatorio, plazuela de los Mostenses y la parte de la calle de María Cristina desde la de la Flor a la del Alamo.

Barrio del Príncipe Pío.—Comprende la parte de la calle de Leganitos desde la plazuela de su nombre a la de Afligidos, callejón de Leganitos, calle de San Leonardo, de los Dos Amigos, de Castro, del Duque de Osuna, del Príncipe Pío y su callejón, plazuela y callejón de San Marcial, paseo o bajada de San Vicente y la posesión y montaña del Príncipe Pío.

Barrio de Amaniel.—Comprende la calle de Amaniel, plazuela de las Comendadoras, plazuela del Limón, calle de Cristo, del Portillo, de Juan de Dios, de Ponciano, de San Bernardino, plazuela de Capuchinas, parte de la travesía del Conde Duque desde la calle de Amaniel a la del Limón, calle de San Vicente Baja, del Noviciado y la parte de las del Acuerdo y del Norte desde la del Noviciado a la de la Palma.

Barrio del Conde Duque.—Comprende la calle del Duque de Liria, plazuela de Afligidos, calle del Conde Duque, la parte de la travesía del Conde Duque desde la calle del Limón a la de las Negras, de los Mártires de Alcalá, de Manuel, plazuela del Seminario y travesía de los Guardias.

Barrio de Quiñones.—Comprende la calle de San Hermenegildo, de Montserrat, de Quiñones, de la Palma Baja, de San Dimas y su callejón, y la parte septentrional de las calles del Acuerdo y del Norte hasta la de la Palma.

Barrio de la Florida.—Comprende la Casa de Campo, Moncloa, Cuesta de Areneros, riberas del río y camino de Castilla, desde la ermita de Nuestra Señora del Puerto, exclusive, hasta la entrada de El Pardo.

Barrio de Daoiz.—Comprende la parte de la calle Ancha de San Bernardo desde la del Pez a la puerta de Fuencarral, calle de las Pozas y su travesía, calle de Daoiz, de Velarde, del Divino Pastor, parte de la calle de San Andrés con su callejón desde la de la Palma a la del Divino Pastor, parte de la calle del Dos de Mayo entre las de la Palma y Daoiz y la parte de la calle de la Palma Alta desde la calle Ancha de San Bernardo hasta la Corredera.

Barrio del Dos de Mayo.—Comprende la parte de la calle del Dos de Mayo entre las de la Palma y San Vicente, parte de la calle de San Andrés entre las dichas, calle de Santa Lucía, Costanilla de San Vicente, calle de San Vicente Alta entre la calle Ancha y la Corredera, calle del Espíritu Santo y parte de la calle de las Minas desde la del Tesoro a la del Espíritu Santo.

Barrio del Rubio.—Comprende la calle del Tesoro, callejón de las Minas, la parte de la calle de las Minas desde la del Pez a la del Tesoro, la parte de la calle del Pez desde la de Pizarro a la Ancha de San Bernardo, calle del Rubio y de Jesús del Valle.

Barrio del Escorial.—Comprende la calle de don Felipe, del Molino de Viento, del Escorial, de la Madera Alta, la parte de la del Pez desde la Corredera a la de Pizarro y parte de la Corredera Baja de San Pablo desde la calle del Pez a la plazuela de San Ildefonso.

Barrio de Pizarro. — Comprende la calle de la Cruz Verde, de Panaderos, de Pizarro, de la Madera Baja, de San Roque y parte de la de la Luna, desde la de San Roque a la calle Ancha.

Barrio de la Estrella.—Comprende la parte de la calle Ancha de San Bernardo, desde la plazuela de Santo Domingo a la calle del Pez, travesía de la Cruz Verde, calle de la Estrella, de la Cueva, de la Flor Alta, de la Justa, de Peralta y travesía de Altamira.

Barrio de Silva.—Comprende la calle de Silva, de Tudescos, callejón de Tudescos, la parte de la Corredera Baja de San Pablo desde la de la Luna hasta la del Pez, la parte de la calle de la Luna entre las de Silva y Tudescos, y calle del Perro.

Barrio del Campo de Guardias.—Comprende desde la puerta de San Bernardino y tapias de la Moncloa hasta la puerta de Bilbao y camino real de Francia, inclusive.

Barrio de Platerías.—Comprende el principio de la Cuesta de la Vega, desde la plazuela de la Armería hasta el sitio primitivo del Portillo, plazuelas de Santa María y de los Consejos, calle Alta de los Procuradores, de Malpica, Real de la Almudena, chica de ídem, de las Platerías, de Milaneses, del Luzón, de la Cruzada, calle y plazuela de San Nicolás, calle de Juan de Herrera y de Calderón de la Barca, plazuela y travesía del Biombo, calle del Viento, de los Autores y del Factor.

Barrio del Espejo.—Comprende la calle y Costanilla de Santiago, calle que fue de San Juan, la parte de las calles de Ramales, de Santa Clara y de la Unión, comprendidas entre la de Santiago y Amnistía, calle de Lemus, del Lazo, del Espejo, de la Escalinata, del Mesón de Paños, del Bonetillo y callejón de las Yerbas.

Barrio de Bordadores. — Comprende la calle Mayor, de la Duda, de Coloreros, plazuela y pasadizo de San Ginés, calle de Bordadores, de las Hileras, de San Felipe Neri, de la Caza y plazuela de Herradores.

Barrio del Arenal.—Comprende la calle y travesía del Arenal, de las Fuentes, plazuela de Celenque, calle de Capellanes, de Peregrinos, de la Tahona de las Descalzas, de la Zarza y de Cofreros.

Barrio de la Puerta del Sol.—Comprende la Puerta del Sol, calle del Carmen, del Candil, de Rompelanzas, callejón de Preciados y la parte de la calle de Preciados desde la Puerta del Sol hasta el Postigo de San Martín.

Barrio de la Abada.—Comprende la calle de Chinchilla, de la Salud, de las Tres Cruces, de San Alberto, plazuela del Carmen, calle de los Negros, de la Abada, de San Jacinto, plazuela de ídem y la parte de la calle del Olivo desde la del Carmen a la de Jacometrezo.

Barrio del Postigo.—Comprende el Postigo de San Martín, la parte de la calle de Preciados desde el Postigo hasta la de los Angeles, calle de la Ternera, de la Sartén, de las Veneras, de las Conchas, plazuela de Navalón, calle, plazuela y travesía de Trujillos, calle de la Flora, de la Bodega, plazuelas de San Martín y las Descalzas, calle de la Misericordia y de San Martín.

Barrio de la Beneficencia.—Comprende la Corredera Alta de San Pablo, la parte de las calles de la Palma y San Vicente desde la Corredera a la de Fuencarral, calle de San Joaquín, de la Beneficencia, la parte de la calle de Fuencarral desde la de San Mateo hasta la puerta de Bilbao, calle de San Opropio, calle y travesía de la Florida, calle de San Mateo, de San Lorenzo y de Santa Agueda.

Barrio de Hernán Cortés. — Comprende la parte de la calle de Hortaleza desde la del Arco de Santa María a la plazuela de Santa Bárbara inclusive, calle de Santa Brígida, la de Hernán Cortés y parte de la travesía de San Mateo entre la calle de este nombre y la de Hortaleza.

Barrio de Fuencarral. — Comprende la parte de la calle de Fuencarral desde la de la Montera hasta la de San Mateo y la calle de la Farmacia.

Barrio de Colón.—Comprende la calle de Santa Bárbara, plazuela de San Ildefonso, calle de Colón, Valverde y San Onofre.

Barrio del Barco.—Comprende la calle del Barco, de la Puebla, de la Ballesta y su travesía y del Nao.

Barrio del Desengaño.—Comprende la calle y travesía del Desengaño, calle del Horno de la Mata, travesía de la Mata, calle del Carbón, de los Leones y parte de la del Olivo desde la de Jacometrezo a la del Desengaño y el principio de la calle de la Luna hasta la Corredera.

Barrio de Jacometrezo.—Comprende la calle de Jacometrezo, de Hita y travesía de Moriana.

Barrio del Colmillo.—Comprende la parte de la calle de Hortaleza desde la de la Montera hasta la del Arco, calle del Colmillo, parte de las calles del Arco de Santa María y de las Infantas entre las de Fuencarral y Hortaleza.

Barrio de Chamberí.—Comprende desde la puerta de Bilbao y camino de Francia, exclusive, hasta la puerta de Santa Bárbara y camino de la Fuente Castellana, dejando ésta fuera y siguiendo por dicho camino hasta el término de Chamartín.

Barrio de Regueros.—Comprende la parte de la calle de San Antón desde la del Arco a la del Barquillo, la parte de esta última desde la de Hortaleza a la de Belén, calle de Regueros, calle y Costanilla de Santa Teresa, y parte de la travesía de San Mateo, entre las calles de Hortaleza y San Antón.

Barrio de Belén.—Comprende la costanilla de la Veterinaria, plazuela de las Salesas, calle de Santo Tomé, de San Lucas, de Belén con su travesía, parte de la calle del Barquillo entre las de Belén y Piamonte, plazuela del Duque de Frías, calle de San Gregorio, de Válgame Dios, de Gravina, y parte de la del Soldado entre la del Arco y Válgame Dios.

Barrio de la Libertad.—Comprende la calle de la Libertad, de San Bartolomé, de San Marcos y su callejón, parte de la calle del Arco de Santa María desde la de Hortaleza hasta el fin, parte de las calles de San Antón y del Soldado entre las del Arco y San Marcos y callejón del Soldado.

Barrio de Bilbao.—Comprende la plaza de Bilbao, Costanilla de Capuchinos, parte de la calle de las Infantas desde la de Hortaleza a la de las Torres, calle del Clavel, de la Reina, de San Miguel y de San Jorge.

Barrio del Almirante.—Comprende la parte de la calle del Barquillo desde la de Alcalá a la del Piamonte, plaza del Rey, calle de las Torres, parte de la de las Infantas desde la de las Torres a la plaza del Rey, calle del Piamonte, del Sauco, de las

Salesas, del Almirante y el prado de Recoletos.

Barrio del Caballero de Gracia.—Comprende la calle del Caballero de Gracia, de Jardines y Angosta de Peligros.

Barrio de la Montera.—Comprende la calle de la Montera y Angosta de San Bernardo.

Barrio de Alcalá.—Comprende la calle de Alcalá y la del Pósito.

Barrio de la Plaza de toros.—Comprende desde la puerta de Hortaleza y camino de la Fuente Castellana y Chamartín hasta la puerta de Alcalá, tapia del Retiro y camino viejo de Vicálvaro.

Barrio de la Carrera.—Comprende la parte de la Carrera de San Jerónimo desde la Puerta del Sol a la calle de Cedaceros, esta calle, la Ancha de Peligros con su travesía, y la de Gitanos.

Barrio de las Cortes.—Comprende la plaza de las Cortes, calle de Santa Catalina, del Turco, del Florín, de Floridablanca, de Jovellanos, del Sordo, de la Greda, y la parte de la Carrera de San Jerónimo desde la calle de Cedaceros hasta la plaza de las Cortes.

Barrio de la Cruz.—Comprende la calle de la Cruz, de Espoz y Mina, de la Victoria, del Pozo, del Gato, de la Gorguera, de San Sebastián y plazuela del Angel.

Barrio del Príncipe.—Comprende la calle del Príncipe, plazuelas de Matute y de Santa Ana, travesía del Príncipe, la parte de las calles de la Visitación y del Prado hasta la del Lobo y la parte de la de las Huertas desde la plazuela del Angel a la calle del León.

Barrio del Lobo.—Comprende la calle del Lobo, del Infante, del Baño, parte de la de la Visitación desde la del Lobo a la del Baño, y la parte de la del Prado desde la del Lobo a la plaza de las Cortes.

Barrio de Cervantes.—Comprende la calle de Cervantes, de Lope de Vega de Quevedo, de San Agustín, costanilla de Trinitarias, plazuela de Jesús, parte de la calle de este nombre hasta la de las Huertas, y la calle del León.

Barrio de las Huertas.—Comprende la parte de la calle de las Huertas desde la del León a la de la Platería de Martínez, calle del Amor de Dios, de Santa María, de San Juan y su plazuela, de Santa Po-

lonia, de San José, de la Berengena, plazuela de la Platería de Martínez, parte de la calle de Jesús desde la de las Huertas hasta la de San Juan, y parte de la costanilla de los Desamparados desde la calle de las Huertas a la de San Juan.

Barrio del Gobernador.—Comprende calle del Gobernador, de Cenicero, de Leche, de la Alameda, de San Blas, de San Pedro, de la Verónica, de Fúcar con su travesía, y la costanilla de los Desamparados desde la calle de San Juan a la de Atocha.

Barrio del Retiro.—Comprende la posesión cercada del Retiro, San Jerónimo, Museo de pinturas, el Jardín Botánico, Cuartel de inválidos de Atocha, el Observatorio astronómico, la ermita del Angel, el Tívoli, el Cuartel de artillería, y todo Prado desde la calle de Alcalá al Cuartel de Atocha.

Barrio de las Delicias.—Comprende desde la esquina alta del Retiro y camino viejo de Vicálvaro, incluyendo la huerta del Caño Gordo, hasta la puerta de Atocha y paseo de las Delicias. Desde la segunda plazuela sigue la línea el camino de la primera esclusa del canal hasta el arroyo Abroñigal y término de Vallecas.

Barrio de Cañizares.—Comprende la parte de la calle de Atocha desde la de Relatores a la plazuela de Antón Martín y esquina de la calle de la Magdalena, calle de Cañizares, de las Urosas y de la Magdalena.

Barrio de Atocha.—Comprende la plazuela de Antón Martín desde la esquina de la calle de Santa Isabel, y la parte de la calle de Atocha desde aquélla hasta el Prado y puerta de Atocha.

Barrio del Tinte.—Comprende la calle de Santa Isabel, del Tinte, de la Rosa, de San Eugenio, de la Esperancilla, de Santa Inés, de San Ildefonso, y los callejones del Hospital y de la Hiedra.

Barrio de la Torrecilla del Leal.—Comprende la calle de la Torrecilla del Leal, parte de la del Olmo desde la del Ave María a la de Santa Isabel, de San Simón, de los Tres Peces y de la Esperanza.

Barrio de la Primavera.—Comprende la calle de la Primavera, de la Escuadra, de Buenavista y parte de la de Zurita desde la de Santa Isabel a la de la Fe.

Barrio de Valencia.—Comprende la calle de Valencia, del Salitre, de la Fe, de San Cosme, y parte de la de Zurita desde la de la Fe a la de Valencia.

Barrio del Ave María.—Comprende la calle del Ave María y la plazuela de Lavapiés.

Barrio del Olivar.—Comprende la calle del Olivar, parte de la de la Cabeza desde la del Ave María a la de Lavapiés, parte de la del Olmo desde la del Ave María a la del Olivar, Campillo de Manuela y calle de San Carlos.

Barrio de Ministriles.—Comprende la calle de Lavapiés, calle y travesía de Ministriles y la parte de la calle del Calvario desde la del Olmo a la de Lavapiés.

Barrio del Canal.—Comprende desde la esquina exterior del Hospital general siguiendo la dirección del paseo de las Delicias hasta la última plazuela, camino inclusive que desde ella va a la primera esclusa hasta el arroyo Abroñigal y linderos con Vallecas; y desde el portillo de Embajadores por el camino del puente de Toledo, por el pretil oriental de éste hasta la cabecera del canal; de aquí pasa el río y sigue su curso hasta encontrar el término de Vallecas.

Barrio del Rastro.—Comprende la plazuela, travesía y cerrillo del Rastro, calle de las Maldonadas, Ribera de Curtidores y calle de la Pasión.

Barrio del Peñón.—Comprende la calle del Peñón, parte de la del Carnero, desde la Ribera de Curtidores a la del Peñón, calle de las Amazonas, de Santa Ana, de las Velas y de la Ruda.

Barrio de la Arganzuela.—Comprende la calle y costanilla de la Arganzuela, calle de los Cojos, de Chopa, del Bastero, de Miralrío alta y baja, callejones del Mellizo y del Tío Esteban, parte de la calle del Carnero, desde la del Peñón a la de la Arganzuela y el campillo del Mundo Nuevo.

Barrio de la Huerta del Bayo.—Comprende la calle de la Huerta del Bayo, la de Rodas, de la Peña de Francia y su callejón, de Miralsol, del Ventorrillo, de Santiago el Verde y del Casino.

Barrio de la Encomienda.—Comprende la calle de la Encomienda, de las Dos Hermanas, de los Abades y parte de la calle del Mesón de Paredes, desde la de la Encomienda a la de Cabestreros.

Barrio de Cabestreros.—Comprende la calle y travesía de Cabestreros, del Oso, y la parte de la de Embajadores con su callejón desde la de San Dámaso a la de Rodas.

Barrio de Embajadores.—Comprende la parte de la calle de Embajadores desde la de Cabestreros al Barranco y portillo de Embajadores, parte de la del Mesón de Paredes desde la dicha de Cabestreros al mismo Barranco, calle del Espino, de Provisiones, parte de la del Tribulete desde la del Mesón de Paredes a la de Embajadores, y el Barranco de Embajadores.

Barrio de Caravaca.—Comprende la calle de Caravaca, del Sombrerete, la parte de la de la Comadre desde la de Caravaca al Barranco de Embajadores, y la parte de la del Tribulete, desde la plazuela de Lavapiés a la calle del Mesón de Paredes.

Barrio de la Comadre.—Comprende la parte de la calle de la Comadre, desde la de la Esgrima a la de Caravaca, travesía de la Comadre, calle de la Esgrima, parte de la del Calvario entre las de Jesús y María y Lavapiés, y parte de la calle de Jesús y María, desde la de la Esgrima hasta el fin.

Barrio de Toledo.—Comprende la parte de la calle de Toledo desde San Isidro a la puerta de Toledo, y la plazuela de San Millán.

Barrio de la Cava.—Comprende la Cava Baja, calle del Grafal, de San Bruno, Cava Alta, plazuelas del Humilladero y de la Cebada y calle de la Cebada.

Barrio de Puerta de Moros.—Comprende la plazuela y costanilla de San Andrés, calle Sin Puertas, calle del Nuncio, del Almendro, pretil de Santisteban, costanilla de San Pedro, plazuela de los Carros, Puerta de Moros, calle de las Tabernillas y del Oriente.

Barrio de Don Pedro.—Comprende la calle de Don Pedro, Campillo de las Vistillas, calle de los Mancebos y la Angosta del propio título, calle de Yeseros, calle y plazuela del Granado, calles y plazuela de la Morería, cuesta de los Ciegos y de los Caños viejos, plazuela y calle del Alamillo, del Toro, del Aguardiente y de la Redondilla.

Barrio de las Aguas.—Comprende la Carrera y plazuela de San Francisco, calle de las Aguas, de San Isidro, de los Santos, del Rosario, de San Buenaventura, travesía de las Vistillas, calle del Angel y de San Bernabé.

Barrio del Humilladero.—Comprende la calle del Humilladero, de la Sierpe, de Luciente, del Mediodía grande y chica y de Irlandeses.

Barrio de Calatrava.—Comprende la calle de Calatrava, del Aguila y Campillo de Gilimón.

Barrio de la Solana.—Comprende la calle de la Solana, de la Paloma y de la Ventosa.

Barrio del puente de Toledo.—Comprende desde el portillo de Embajadores y camino que baja al puente de Toledo, por el pretil oriental de éste hasta la cabecera del canal; de aquí pasa la línea a tomar el río, y sigue su curso hasta el término de Vallecas. Por el otro lado desde la puerta de Segovia a los pontones de San Isidro, corta el río, y dejando fuera la ermita, se dirije la línea por la senda que va a Carabanchel.

Barrio de Carretas.—Comprende la calle de Carretas, de Cádiz, de Barcelona, de San Ricardo, de la Paz, del Correo, de Esparteros, plazuela y calle de Pontejos, plazuelas de la Aduana vieja y de la Leña, y travesía de id.

Barrio de la Constitución.—Comprende la plaza de la Constitución, calle de Ciudad Rodrigo, de la Amargura, de Felipe III, Arco del Triunfo, calle de la Sal, de Postas, de San Cristóbal, de Zaragoza, de la Fresa, del Vicario Viejo, de Gerona, plazuelas de Santa Cruz y de Provincia.

Barrio de la Concepción.—Comprende la calle, callejón y plazuela de la Concepción Jerónima, calle Imperial y de Botoneras, del Salvador, de la Lechuga, de la Audiencia, de Santo Tomás y parte de la de Atocha, desde la de Relatores a la plazuela de Provincia.

Barrio del Progreso.—Comprende la plazuela del Progreso, calle de Barrio Nuevo y de Relatores.

Barrio de Juanelo.—Comprende la calle del Duque de Alba, San Dámaso, de Juanelo, de la Pingarrona, de la Espada de San Pedro Mártir, travesía de la Encomienda, de la parte de las calles del Mesón de Paredes y de Jesús y María entre la plaza del Progreso y la calle de la Esgrima, y parte de la calle de la Cabeza desde la de Lavapiés a la de Jesús y María.

Barrio de los Estudios.—Comprende la calle de la Colegiata, parte de la de Toledo desde el arco de la plaza de la Constitución hasta los estudios de San Isidro, calle de los Estudios, de San Millán y del Cuervo.

Barrio de Puerta Cerrada.—Comprende la calle de Cuchilleros, de Latoneros, de Tintoreros, de Puerta Cerrada, plazuela de este nombre, travesía de Bringas, plazuela de San Miguel, Cava de San Miguel, escalerilla de Piedra, plazuela y calle del Conde de Miranda, calle del Codo, de Puñonrostro, de San Justo, Costanilla de id., callejón del Panecillo, calle de la Pasa, plazuela del Cordón, plazuela y calle del Conde de Barajas.

Barrio de Segovia.—Comprende la calle de Segovia, de San Lázaro, de Procuradores baja, de la Ventanilla, de la Villa, la parte de la Cuesta de la Vega desde el sitio primitivo del portillo hasta la cerca, cuesta de Ramón, pretil de los Consejos, plazuelas de la Cruz Verde, de la Villa y de San Javier, calle del Sacramento, del Duque de Nájera, calle Traviesa, de Madrid, del Rollo, del Cordón, plazuela y calle del Conde.

Barrio del Puente de Segovia.—Comprende desde la puerta de Segovia, camino del pontón de San Isidro, incluyendo éste, la subida y la ermita del Santo, y sigue por la senda que va a Carabanchel hasta encontrar su término. Al otro lado desde la puerta de la Vega, por la cerca nueva del Parque, comprendiendo la Tela y la ermita de la Virgen del Puerto, vía recta a la alcantarilla de la Casa de Campo, y sigue la cerca de ésta hasta el término de Alcorcón (1).

---

(1) Las casas con dos o más puertas sin comunicación interior, se consideran como distintas, aunque sea una sola finca; y corresponden cada cual por la numeración de su fachada al barrio en que esté su peculiar entrada. Si las entradas son comunes, la casa pertenece al barrio en que se halle la puerta principal; en caso de duda se entiende por puerta principal la que da a la calle mayor; y cuando no sea clara la diferencia se tendrá por calle mayor la que cuente más casas, sumando los números pares e impares.

ARRABALES

En el *cuartel del Norte* principia la línea de división por la espalda del cuartel de San Gil hasta la calle de Leganitos; desde ésta sigue por la de San Leonardo a cortar la de San Bernardino por la de Juan de Dios, y atravesando la plazuela del Gato continúa por la de San Vicente hasta la de Fuencarral, desde cuyo punto sigue la línea por la calle de San Mateo a entrar por la travesía del mismo nombre pasando por la de Hortaleza, que se considera también como de centro, hasta la de San Antón, donde vuelve por la calle de Belén a salir por la travesía del mismo nombre a la plazuela del Duque de Frías, continuando hasta la de Santo Tomé, y vuelve a salir a la plazuela de las Salesas, concluyendo en el rincón de la puerta de entrada a la puerta chica del convento de monjas de dicho nombre, y toda la parte de población que queda a la izquierda del trazo que progresivamente se ha descrito hasta concluir la muralla de Madrid.

En el *cuartel del Sur*, considerada la calle de Segovia como centro, principia el arrabal a espaldas de las casas que miran al norte, desde la puerta de Segovia hasta la costanilla de San Andrés, cuyas casas también se consideran como centro, y solamente las posteriores a estas corresponden al arrabal, continuando éste por la calle de la Redondilla, cuya acera de la derecha corresponde al mismo, así como todas las demás que quedan a la espalda de ésta, y atravesando la calle de Don Pedro para continuar por la de San Isidro, volviendo por la carrera de San Francisco a la plazuela del mismo nombre, y entrando en la de los Santos continúa por la de Calatrava hasta la calle de Toledo, que siendo de la calidad arriba dicha, se considera como centro. De aquí sigue por la calle de la Arganzuela a la del Carnero, y atravesando la ribera de Curtidores sube por la calle de Rodas a salir a la de Embajadores, a donde vuelve siguiendo la derecha hasta dar frente en la manzana 68 a la casa número 30 antiguo, y atravesándola por la casa del corralón sale a la calle del Mesón de Paredes, y sigue por la de Caravaca a

la plazuela de Lavapiés, y continúa por la de la Fe hasta la parroquia de San Lorenzo, y luego por la calle de San Cosme hasta la de Santa Isabel, en donde concluye esta línea de división volviendo a la derecha hasta intestar en el Hospital general.

DIVISION JUDICIAL

Los *juzgados* en que estaba dividido Madrid hasta el 11 de setiembre de 1849 eran como queda dicho seis; por Real decreto de dicha fecha se aumentó uno en el interior de la villa y se creó otro para las afueras, denominados aquéllos del Centro, de Palacio, de las Vistillas, de Embajadores, de Lavapiés, del Prado y de Maravillas, y en estos términos ha seguido la división judicial hasta 1.º de enero del año presente de 1854 en que por Real decreto de 28 de octubre anterior, que empezó a regir en aquella fecha, se aumentaron dos juzgados más, haciéndose la repartición del interior en ocho distritos, y en dos las afueras en estos términos:

JUZGADOS

Audiencia.
Barquillo.
Lavapiés.
Maravillas.
Palacio.
Prado.
Universidad.
Vistillas.
Afueras al Mediodía.
Afueras al Norte.

Pero esta nueva división no está amoldada aun a la municipal, como que ésta comprende diez distritos en el interior y la judicial sólo ocho, variando por consiguiente sustancialmente en los límites y hasta en los nombres de algunos distritos, tales como Barquillo, Lavapiés, Maravillas, Prado y Vistillas, que no existen entre los diez municipales ya dichos. No está tampoco hecha la distribución por barrios enteros en cada distrito judicial, y sí por calles, y hasta la descripción de dicha demarcación que abajo estampamos está hecha con poca claridad; todo lo cual ha de producir necesariamente confusión y mala inteligencia. Pero como que esta división además de judicial sirve también para las elecciones de diputados, nos parece muy necesario el reproducirla. Héla, pues, aquí.

JUZGADO DE LA AUDIENCIA.—A este juzgado corresponde todo el perímetro y calles que existen en él entre los límites de los juzgados de Palacio, Vistillas y Lavapiés, lindando con Vistillas, con la plaza de la Constitución y calle de Toledo y la de la Arganzuela, tomando las calles de Gerona, Zaragoza y Sal, y por la calle de Postas, que toda le pertenece, con el de Palacio, la del Vicario Viejo, plazuela de Santa Cruz, Santo Tomás y Concepción Jerónima y demás comprendidas entre los otros límites de Lavapiés y Vistillas.

Barrios que corresponden a este juzgado: Cabestreros, Caravaca, Comadre, Concepción, Constitución, Embajadores, Encomienda, Estudios, Huerta del Bayo, Juanelo, Rastro.

JUZGADO DEL BARQUILLO.—Uno de sus límites es la calle de Alcalá que corresponde al juzgado del Prado, y a éste todas las que están a la izquierda hasta la puerta de este nombre, incluso el paseo de Recoletos, y por intramuros le corresponde el perímetro que hay hasta la de Bilbao; baja por la calle de Fuencarral hasta la antigua Red de San Luis, o sea calle de la Montera, perteneciéndole la derecha de Fuencarral, Hortaleza, Caballero de Gracia, Jardines y Angosta de San Bernardo, o sea Aduana.

Barrios que comprende este juzgado: Almirante, Belén, Beneficencia, Bilbao, Caballero de Gracia, Colmillo, Fuencarral, Hernán Cortés, Libertad, Montera, Regueros.

JUZGADO DE LAVAPIÉS.—Empieza en los números nones altos de la calle de Atocha, o sean los que tienen el Hospital general y casa esquina a la calle de Trajineros; sigue intramuros hasta el portillo de Valencia, sube por la calle de este nombre a la plazuela de Lavapiés, calle de Jesús y María,

plaza del Progreso y calle de Barrio Nuevo inclusive, y sin tomar la de la Concepción Jerónima vuelve hasta los números 1 y 2 de la calle de Atocha, tomando la plazuela de la Aduana Vieja y la calle de Esparteros, así como la de Carretas, teniendo por límite el del juzgado del Prado.

Barrios que pertenecen a este juzgado: Atocha, Ave María, Cañizares, Comadre, Carretas, Concepción Jerónima, Cruz, Juanelo, Ministriles, Olivar, Progreso, Primavera, Torrecilla, Tinte, Valencia.

JUZGADO DE MARAVILLAS.—Uno de sus límites es la calle de Fuencarral, que pertenece al juzgado del Barquillo, y en su perímetro comprende desde los números 1 y 2 de la calle de la Montera todas las que salen a la izquierda de dicha calle y a la de Fuencarral, teniendo por otro límite la calle Ancha de San Bernardo, la de la Luna, Horno de la Mata, San Jacinto y la del Carmen, que corresponden al juzgado de la Universidad.

Barrios que corresponden a este juzgado: Abada, Barco, Beneficencia, Colón, Daoiz, Dos de Mayo, Desengaño, Escorial, Jacometrezo, Montera, Pizarro, Rubio, Silva.

JUZGADO DE PALACIO.—Uno de sus límites es el marcado al Juzgado de la Universidad y el otro empieza en la Puerta del Sol y calle Mayor, que le pertenecen íntegras, tomando las de San Cristóbal hasta las esquinas de la de Postas, Felipe III, Arco del Triunfo, Amargura y Ciudad Rodrigo, y entrando por la travesía de Bringas sigue por la Cava de San Miguel, toma la escalerilla de piedra y sigue por la de Cuchilleros, saliendo a Puerta Cerrada, cuya calle y plazuela toma, así como la de Latoneros y Tintoreros; sigue por la calle de Segovia hasta la puerta de este nombre, correspondiéndole íntegra esta última calle.

Barrios que corresponden a este Juzgado: Almudena, Arenal, Belén, Bordadores, Espejo, Isabel II, Leganitos, Puerta Cerrada, Puerta del Sol, Segovia.

JUZGADO DEL PRADO.—Empieza en los números 1 y 2 de la calle de Alcalá y se extiende hasta la Puerta de este nombre;

ma la real posesión del Retiro, santua-
) y paseo de Atocha hasta esta puerta, y
jando la calle de Atocha, le correspon-
n las que están a la derecha subiendo;
tra por la plazuela de Matute y toman-
» la calle de las Huertas sigue por la pla-
iela del Angel, calle de la Cruz a la Ca-
era de San Jerónimo hasta los núme-
os 1 y 2 de esta calle, con las de la Vic-
ria, Espoz y Mina, Barcelona y Cádiz.
Barrios que comprende este juzgado:
lcalá, Atocha, Carrera, Carretas, Cervan-
s, Cortes, Gobernador, Huertas, Lobo,
ríncipe, Retiro.

JUZGADO DE LA UNIVERSIDAD.—Uno de
s límites es las calles Ancha de San Ber-
ardo, Luna, Horno de la Mata, San Ja-
nto y Carmen, que le corresponden ínte-
ras, y es uno de los del Juzgado de Ma-
avillas, y asimismo comprende todas las
ue están en el perímetro que existe den-
o de dicho límite hasta la puerta de San
icente intramuros, sube por el paseo de
ste nombre, sigue por la plazuela de San
Marcial, calle de Leganitos, y dejando la
lazuela de Santo Domingo para el de Pa-
cio, toma la de Jacometrezo hasta los
úmeros 41 y 54, y bajando por la de las
eneras sigue por las plazuelas de Nava-
ón y Trujillos y calles de la Flora, Bodega
de San Martín, hasta las esquinas de
sta a la del Arenal, y dejando esta calle,
ue pertenece a Palacio, toma las de San
Martín, plazuela de Celenque, Zarza, ca-
lejón del Cofre y calle de Preciados.
Barrios que pertenecen a este Juzgado:
Amaniel, Alamo, Arenal, Abada, Conde
Duque, Desengaño, Daoiz, Estrella, Jacometrezo, Leganitos, Postigo, Príncipe Pío,
Puerta del Sol, Quiñones, Silva.

JUZGADO DE LAS VISTILLAS.—Le corresponden todas las calles que existen en el
perímetro que comprende desde la puerta
de Segovia a la de Toledo, tomando toda
sta calle, la de la Arganzuela y plaza de
a Constitución, que íntegras le pertenecen
y le sirven de límite, siendo el opuesto el
señalado a los juzgados de Palacio y Au-
liencia.
*Barrios que corresponden a este Juzga-
do*: Arganzuela, Aguas, Calatrava, Concepción, Cava, Constitución, Estudios, Hu-

milladero, Puerta de Moros, Toledo, San
Pedro, Solana.

JUZGADO DE LAS AFUERAS AL MEDIODÍA.
Le corresponde todo el perímetro que existe entre las carreteras de Aragón y Extremadura, correspondiéndole ésta siguiendo
dicho límite por las tapias de la Real Casa
de Campo y términos de Húmera y Carabanchel Bajo, y por la de Aragón hasta el
puente de la Venta del Espíritu Santo y
término de Vicálvaro, en los pueblos de
Carabancheles Alto y Bajo, Vallecas, Vicálvaro y Villaverde.

JUZGADO DE LAS AFUERAS AL NORTE.—
Le corresponde todo el perímetro que exis-
te entre las carreteras de Extremadura y
Aragón, correspondiéndole ésta íntegra, y
siguiendo dicho límite por el término de
Vicálvaro, perteneciéndole los pueblos de
Aravaca, El Pardo, Fuencarral, Hortaleza,
Chamartín, Húmera y los de Alameda, Ca-
nillas y Canillejas.

POBLACIÓN

Nada más difícil o aventurado que fijar
absolutamente los guarismos de la población de Madrid por los datos oficiales que
pueden facilitar las oficinas públicas, municipales y parroquiales encargadas de llevar el censo o empadronamiento, aunque
por medios tan viciosos y en términos tan
descuidados, que la sola comparación de
sus respectivos resultados ofrece una notable discordancia, hasta el punto que muy
poco o nada pueden aprovechar al conocimiento y estudio del movimiento de la
población. Unicamente en 1846 pudo formarse un juicio exacto o muy aproximado
a la verdad, por el censo verificado en
aquel año con todo el esmero y diligencia
posibles por la comisión y oficinas de Estadística del Excelentísimo Ayuntamiento,
a cuyo frente estaba como primer teniente
de alcalde el celosísimo e inteligente señor
don Luis Piernas, que después ha desempeñado el destino de alcalde corregidor.
Aquel preciosísimo trabajo que compul-

só y comentó con su notorio acerto el señor don Pascual Madoz en el artículo *Madrid* de su Diccionario, publicado en 1848, no ha sido continuado después con toda aquella prodigalidad; pero como no podemos disponer de otros datos para llenar de algún modo esta parte de nuestro MANUAL, estamparemos a continuación los resúmenes de los tres censos verificado por las administraciones municipal, civ y eclesiástica referentes al año próxim pasado de 1853, aunque sea en los térmi nos diminutos y contradictorios que e ellos necesariamente ha de observar el lec tor inteligente.

RESUMEN del censo de población, según el empadronamiento general de los habitantes de Madrid, practicado en enero de 1853 por disposición del Excelentísimo Ayuntamiento.

DISTRITOS	Número de		Total	Vecinos
	Varones	Hembras		
Palacio	10.362	11.783	22.145	5.240
Universidad	11.583	12.604	24.187	5.687
Correos	10.341	10.738	21.079	4.461
Hospicio	11.787	12.526	24.313	5.216
Aduana	11.332	12.138	23.430	5.060
Congreso	9.696	11.322	21.018	4.788
Hospital	11.941	12.347	24.288	6.926
Inclusa	14.641	13.279	27.920	6.637
Latina	12.849	12.329	25.178	5.901
Audiencia	10.927	11.583	22.510	4.831
	115.459	120.649	236.108	54.747

ESTADO comparativo del movimiento de la población desde el año 1852 al de 1853, ambos inclusive.

POBLACION

ALMAS

AÑOS	Vecinos	Varones	Hembras	TOTAL
1852	52.723	113.943	120.235	234.178
1853	54.261	115.805	120.649	236.454

AUMENTO   TOTAL

AÑOS	ALMAS				AUMENTO	
	Vecinos	Varones	Hembras	TOTAL	Varones	Hembras
1852	746	5.614	6.895	12.509	5.614	6.895
1853	1.528	1.863	614	2.276	1.862	614

Del estado antecedente comparado con el censo de 1846 que ofrecía:

	Vecinos	Varones	Hembras	TOTAL
1846	48.935	102.122	104.592	206.714

Se deduce el aumento de 5.812 vecinos y 20.394 habitantes que ha debido haber en el período de siete años; pero hay que tener presente además que en estos empadronamientos no puede ir incluída con exactitud la parte muy importante de la población forastera o transeúnte, tan variable de suyo, la guarnición, y la no escasa porción de los que por diferentes causas más o menos maliciosas o indolentes se sustraen a todo empadronamiento; cantidades considerables que, reunidas, no sería aventurado calcular en 35.000 almas, y que con las 236.108 que aparecen en el censo, harían subir a más de 270.000 el número probable de los actuales habitantes de Madrid.

Pero en oposición a este dato (que, sin embargo, nos parece el más positivo) puede presentarse el publicado en este mismo año por el Gobierno al tiempo de hacer la nueva división judicial del perímetro de Madrid y que comprende el censo de población por calles en los términos siguientes:

JUZGADOS	Vecinos	Almas
Audiencia	6.754	29.536
Barquillo	6.440	29.332
Lavapiés...	7.190	30.791
Maravillas	7.073	30.657
Palacio	5.553	25.502
Prado...	5.426	23.660
Universidad	6.248	28.319
Vistillas	6.564	27.617
Afueras del Mediodía (1)	555	3.226
Afueras del Norte....	556	3.226
	52.359	231.866

Este censo, sin embargo, que ofrece comparado con el municipal la diferencia de 2.388 vecinos y 4.242 habitantes menos que en aquél, es bastante inexacto, como puede probarse en varias calles notoriamente de más vecindario que el que aquí se las da.

Por lo que pueda interesar, publicamos también a continuación el resumen del censo de electores y electores elegibles en los diez distritos municipales hecho en 1853, sin embargo de que las elecciones han de verificarse por la nueva división de juzgados.

	NÚMERO DE		
DISTRITOS	Elegibles	Electores	TOTAL
Palacio	146	1.114	1.260
Universidad	217	1.180	1.397
Correos	348	1.125	1.473
Hospicio	217	1.152	1.369
Aduana	288	1.188	1.476
Congreso	280	1.030	1.310
Hospital	243	1.047	1.290
Inclusa	162	611	773
Latina	154	938	1.092
Audiencia	293	1.037	1.330
	2.348	10.422	12.770

Por último, y para poder presentar un dato del movimiento de la población en dicho año último de 1853, ofrecemos aquí los estados de las parroquias. En el primero de dichos estados falta, sin embargo, para completar el guarismo de la pobla-

(1) No se incluye en este censo más que el vecindario de Madrid, y no los pueblos comarcanos sujetos a los juzgados de las afueras.

ción, el de las parroquias exentas, y además se resiente de la informalidad con que se hace el empadronamiento; pero los referentes al movimiento de la población son muy dignos de crédito por razón de la indispensable intervención de la Iglesia en todos los nacimientos, matrimonios y defunciones.

PARROQUIAS	Vecinos	Almas
Santa María	711	3.257
San Martín	4.381	19.109
San Ginés	2.137	9.688
San Salvador y S. Nicolás	246	1.171
Santa Cruz	2.126	10.000
San Pedro	714	3.240
San Andrés	4.042	15.738

	Vecinos	Almas
San Justo y San Miguel	882	4.532
San Sebastián	6.094	27.829
Santiago	514	2.137
San Luis...	3.373	15.170
San Lorenzo	6.658	24.998
San José	3.468	15.278
San Millán	5.152	21.084
San Ildefonso	4.076	20.022
San Marcos	3.282	13.075
Palacio	—	—
Buen Suceso	—	—
Chamberí...	—	—
Florida	—	—
Buen Retiro...	—	—
Casa del Campo ...	—	—
Inclusa	—	—
	48.856	206.328

NACIMIENTOS EN 1853

PARROQUIAS	LEGÍTIMOS			NATURALES			TOTAL general
	Varones.	Hembras	TOTAL	Varones.	Hembras	TOTAL	
Santa María..	60	49	109	2	4	6	115
San Martín	282	242	524	2	—	2	526
San Ginés	121	106	227	6	10	16	243
El Salvador...	20	15	35	1	1	2	37
Santa Cruz	143	148	291	10	8	18	309
San Pedro	52	48	100	8	3	11	111
San Andrés	445	361	806	28	27	55	861
San Justo	54	50	104	3	1	4	108
San Sebastián	357	392	749	26	30	56	805
Santiago...	38	36	74	2	1	3	77
San Luis	203	189	392	22	24	46	438
San Lorenzo	566	560	1.126	50	45	95	1.221
San José	267	267	534	30	40	70	604
San Millán	549	496	1.045	19	21	40	1.085
San Ildefonso	475	440	915	48	44	92	1.007
San Marcos	220	202	422	25	22	47	469
Palacio	29	26	55	4	2	6	61
Buen Suceso	5	5	10	—	—	—	19
Retiro	6	3	9	—	—	—	9
Casa de Campo	6	3	9	—	—	—	9
Florida	5	3	8	—	—	—	8
Chamberí...	60	46	106	8	3	11	117
Inclusa	—	—	—	954	877	1.831	1.831
	3.963	3.687	7.650	1.248	1.163	2.411	10.061

MATRIMONIOS EN 1853

| PARROQUIAS | SOLTERO CON | | VIUDO CON | | |
	Soltera	Viuda	Soltera	Viuda	TOTALES
Santa María	29	1	4	—	34
San Martín	185	11	9	2	207
San Ginés	70	7	10	3	90
El Salvador	14	1	3	1	19
Santa Cruz	90	2	8	1	101
San Pedro	29	3	3	—	35
San Andrés	145	15	8	8	176
San Justo	26	6	3	2	37
San Sebastián	200	11	27	4	242
Santiago	25	—	3	—	28
San Luis	114	4	9	5	132
San Lorenzo	227	18	20	10	275
San José	105	7	8	1	121
San Millán	158	8	8	5	179
San Ildefonso	213	12	20	4	249
San Marcos	77	8	5	1	91
Palacio	15	1	3	—	19
Buen Suceso	4	—	—	—	4
Retiro	3	—	1	—	4
Casa de Campo	1	—	—	—	1
Florida	1	—	1	—	2
Chamberí	22	1	3	—	26
Hospitales	—	—	—	—	—
	1.753	116	156	47	2.072

DEFUNCIONES EN 1853

PARROQUIAS	Solteros.	Solteras.	Casados.	Casadas.	Viudos.	Viudas.	TOTAL
Santa María	36	20	13	7	10	9	95
San Martín	199	173	82	44	25	58	581
San Ginés	75	65	26	28	14	22	230
Salvador	7	14	1	5	3	1	31
Santa Cruz	128	86	33	23	16	16	302
San Pedro	48	27	17	12	4	12	120
San Andrés	252	203	52	27	15	42	591
San Justo	39	20	11	10	9	10	105
San Sebastián	208	216	73	48	40	56	641
Santiago	21	15	9	8	7	7	67
San Luis	140	142	50	34	12	42	420
San Lorenzo	418	390	51	62	24	52	997

San José	223	171	46	35	11	25	510
San Millán	240	188	54	48	11	17	558
San Ildefonso	314	269	70	52	32	53	790
San Marcos	168	139	40	15	21	67	450
Palacio	21	14	8	2	1	2	48
Buen Suceso...	3	—	3	2	—	—	8
Retiro	4	1	3	2	—	2	12
Casa de Campo...	1	1	—	—	—	2	4
Florida	1	3	—	2	1	1	8
Chamberí...	79	52	10	7	2	6	156
Hospitales	947	324	550	248	246	350	2.665
Inclusa	179	143	—	—	—	—	322
TOTALES	**3.751**	**2.682**	**1.202**	**720**	**504**	**852**	**9.711**

RIQUEZA, CONTRIBUCIONES Y CONSUMOS

La riqueza *territorial* y *pecuaria* que corresponde a la villa de Madrid y su término para sufrir el reparto de contribuciones en el año actual de 1854, está consignada en un prolijo trabajo hecho por la *Comisión de evaluación y repartimiento,* cuyo resumen es el siguiente:

Interior

Manzanas de casas	563
Calles, callejones, cuestas y travesías	530
Plazas y plazuelas	72
Puertas y portillos	15
Iglesias y conventos	74
Edificios públicos	85
Id. del Real Patrimonio	29
Casas de pago	6.426
Id. en reedificación	91
Id. ruinosas	21
Solares	68
Numero total de edificios públicos y particulares	6.606
Corrales	39
Huertas	2
Cajones	847
Tinglados	179
Derechos incorporados y censos.	136

Afueras

Iglesias y ermitas, 6; cementerios, 10; casas en Chamberí, 202; en reedificación, 30; ídem en el término, 400; establecimientos de beneficencia, 1; plazas de toros, 2; hipódromo, 1; cabecera del canal, capilla y talleres, 1; torres vigías, 2; esclusas, 1; fábricas de pólvora, 1; de gas, 1; de polvos de hueso, 1; de curtidos, 1; de yeso, 11; alfares, 3; tejares, 34; quintas, 2; lavaderos, 80; tahonas, 3; ventorrillos, 5; paradores, 21; huertas, 76; jardines, 13; árboles frutales y de sombra, 1.410; cepas, 800; pozos de nieve, 5; corrales, 15; cobertizos, 13; palomares, 1; pajares, 2; cuadras, 2; solares, 1; estanques, 1; fanegas de tierra, 498 $^1/_2$ de regadío y 6.471 $^1/_2$ de secano; 176 pastos y para construir. Además de lo expresado hay en las afueras del cuartel del Sur, 45 casas, 4 tejares, 1 palomar, 4 pozos de nieve, 483 fanegas de regadío y 5.235 de secano, y pastos pertenecientes al Real Patrimonio que no se han comprendido en el resumen anterior por hallarse exentos de contribución. La riqueza *pecuaria* consiste en 89.646 cabezas de ganado trashumante, 9.263 estante, y 2.319 de granjería, que hacen un total de 101.228 cabezas.

Esta propiedad aparece representada por 5.525 contribuyentes, con una renta imponible de 74.109.675 reales, a la que corresponde la cuota de 8.846.003. El capital de dicha propiedad es de más de 1.500 millones a que hay que añadir

728.311.600 reales, valor calculado de las iglesias, conventos, palacios y edificios públicos exentos de contribución (cuyo Estado se ha formado también en el año último por la misma comisión), de suerte que toda la propiedad en conjunto puede calcularse en un capital de 2.230 millones.

ESTADÍSTICA INDUSTRIAL Y COMERCIAL

La riqueza *industrial* y *comercial* se supone asciende a la suma de unos 32 millones de reales anuales, representada por 12.749 contribuyentes. La cuota de contribuciones por este concepto en el año actual es de 7.435.519 reales, 2 maravedís, y la estadística de dicha riqueza la siguiente:

Abogados 462 (1), administradores de fincas 215, agentes de cambio y bolsa 24, agentes de préstamos 9, agentes de negocios 101, agentes de transportes y ventas 17, agencias públicas o generales 8, agrimensores 2, albarderos, jalmeros o cabestreros 26, albéitares o herradores 71, alpargateros 3, almacenistas de aceite y jabón 100, id. de aguardiente 9, id. o tiendas de curtidos 26, id. de ferretería 16, id. de frutos coloniales 16, id. de leña 30, alquiladores de muebles 23, almacenistas de muebles de lujo 78, id. o tiendas de muebles de madera 24, id. de paño 52, id. de pimiento molido y legumbres 19, id. de plomo, cobre, etc., 2, id. de quincalla por mayor 10, id. y tratantes en maderas 36, id. de papel 56, id. de vinos comunes 77, aparejadores, rebocadores y ensoladores 55, alquiladores de caballerías 9, id. de trajes para máscaras 11, armeros 15, arquitectos 49, asentistas o arrendatarios 14. Batidores o batihojeros 6, bodegones en la capital 66, id. en las afueras 147, bollerías 36, bordadores con obrador 15, boticarios 95, broncistas con tienda 3, buñolerías 19. Cafés 58, cacharreros 22, calderreros 25, cambiantes de moneda y billetes 7, carboneros 327, carpinteros 286, cartoneros 13, carreteros 24, carretas de bueyes

17, casas de baños 18, casas de huéspedes 376, casas en que se presta dinero 79, casulleros 1, cedaceros 6, cervecerías 2, cesteros 11, cirujanos 213, cofreros 11, cocheras de alquiler, calesas y tartanas 139, colchoneros 1, coloreros 15, componedores de abanicos 2, comerciantes o casas de giro 62, confiteros 93, constructores de anteojos comunes 9, id. de chimeneas 13, id. de pianos e instrumentos músicos 24, corraleros 17, cordeleros y estereros 134, corredores de cambios 30, corredores de frutos 11, cotilleros 4, cuchilleros 6. Dentistas 19, destajistas 31, doradores a fuego 4. Editores de periódicos políticos 21, id. científicos 19, encuadernadores 56, esmaltadores 6, escribanos de cámara 12, id. reales 73, id. notarios 37, id. de diligencias 5, establecimientos litografías 29, ebanistas 131. Fabricantes de abanicos y paraguas 27, id. de bragueros 3, id. de cepillos 6, id. de pergaminos 6, id. de armas blancas 7, id. de almidón 7, id. de bujías esteáricas y velas de sebo 17, id. de cerveza 12, id. de curtidos 25, id. de jabón y cola 13, id. de naipes 8, fondas que dan posada y de comer 8, floristas 9. Galoneros 13, guitarreros 6, guarnicioneros 74. Herbolarios 30, herreros y cerrajeros 135, hojalateros 125, horno de bizcochos 9, id. para pan 125, hostereros 1. Chalanes 14, chamarileros o prenderos 237, charolistas 2, chuferías 71. Impresores de estampas 5, imprentas 83. Juegos de billar y trucos 75. Lavaderos 80, lapidarios 21, latoneros 34, libreros 48. Maestros de coches 29, id. de hormas y zuecos 5, id. de esgrima y baile 17, manguiteros 15, mauleros o tratantes en retales 310, médicos 178, mesoneros 40, mercaderes cereros 25, id. de diamantes 32, id. de drogas 19, id. perfumerías 21, id. relojes 22, id. de sedería y lencería 324, molinos de chocolate 36. Neverías 2, notarios por lo eclesiástico 9. Plateros 36, pasamaneros 11, pastelerías 14, peluqueros 11, pintores de brocha 92, polvoristas 2, plateros en portal 39, plumistas 2, procuradores de los tribunales 25, profesores de música 91. Quitamanchas 4. Relojeros 25, revendedores de alhajas usadas 17. Salchicheros 279, sastres y modistas 150, silleros 30. Taberneros 556, tablageros o carniceros 75, tahonas 111, tallistas 9, tapiceros 20, tenderos de porcelana 72, tone-

---

(1) Este número sólo es de los que ejercen y que pagan cuota, aunque la lista de los que tienen título pasa de novecientos.

leros 15, torneros 37, tintoreros 21, tiradores de oro y plata 12, tratantes en carbón 45. Vaciadores de navajas 12. Zapateros 271.

Insertamos el resumen antecedente por
ser el único que se nos ha facilitado y
consta en la Comisión de Estadística del
Excmo. Ayuntamiento; sin embargo de
que nos merece poco o ningún crédito,
por echar de menos en él muchas industrias y fabricaciones, y estar notoriamente
equivocado el número de los comprendidos
en otras. En la Administración de Rentas
de la provincia, por donde se hace el repartimiento y cobranza de la contribución industrial, hemos solicitado detalles más
exactos, que (si llegan a tiempo) inserta-
remos en la parte *industrial* y *mercantil*
de esta obrita.

También el Estado que sigue, compren-
sivo de los carruajes particulares y de alquiler, es el que consta en la misma Comisión de Estadística. y tan inexacto como
puede inferirse de su total de 971 carruajes,
cuando en 1846 aparecían más de mil sin
los carros ordinarios, y posteriormente se
han establecido más de trescientos coches
de alquiler.

NÚMERO DE CARRUAJES QUE HAY EN ESTA
CAPITAL, PERTENECIENTES A PARTICULARES
Y DE ALQUILER, CON EXPRESIÓN DE LA CLA-
SE DEL GANADO QUE UNOS Y OTROS EM-
PLEAN EN SU SERVICIO

DISTRITOS	Número de carruajes			Número de ganado	
	Particulares	De alquiler.	TOTAL	Caballar...	Mular...
Palacio . . .	85	29	114	140	6
Universidad .	32	12	44	62	13
Correos . . .	87	28	115	171	12
Hospicio . . .	115	37	152	211	18
Aduana . . .	96	27	123	198	10
Congreso . .	112	86	198	497	239
Hospital . . .	37	38	75	88	18
Inclusa . . .	6	20	26	30	8
Latina	19	25	44	57	48
Audiencia . .	61	19	80	101	38
	650	321	971	1555	410

DERECHOS DE PUERTAS

Los derechos de puertas o *contribuciones de consumos y arbitrios municipales*
ascendieron en el año último de 1853 a
40.741.646 reales, 22 maravedís, y reunida
ésta a las anteriores resulta que la suma
de las contribuciones generales que paga
Madrid por todos estos conceptos asciende
a la cantidad de 57.023.168 reales y 22
maravedís en los términos siguientes:

Por riqueza urbana, territorial y pecuaria	8.846.003,00
Por subsidio industrial y de comercio	7.435.519,00

Por derechos de puertas.

Para el Tesoro público	23.916.923,25	
Para arbitrios municipales	16.824.722,31	40.741.646,22
Total		57.023.168,22

Al estampar este enorme guarismo no podemos resistir a la tentación de com-
pararle con el que por igual concepto dábamos en la anterior impresión del *Manual*, hecha en 1844, en estos términos.

Por frutos civiles	1.944.306,12

Por paja y utensilios

Ordinaria	899.009,00	
Extraordinaria	1.227.541,00	2.126.550,00

Derechos de puertas.

Hacienda	11.028.959,11	
Municipal ... ...:.	16.378.886,25	27.407.841,07

Culto y clero.

Territorial	4.206.865,20	
Industrial	1.103.439,02	5.310.304,22

Subsidio industrial.

Ordinaria	}	
Extraordinaria		2.148.942,00

Total	39.437.644,07

Cuyo total comparado con el de 57.023.168 reales, 22 maravedís de la contribución actual, ofrece un aumento de 17.589.524 reales 15 maravedís, y aun podríamos llevar más lejos la comparación retrotrayéndola a 10 años antes (1834), en que todo el conjunto de contribuciones ascendía a unos 34.000.000 por no existir todavía la de culto y clero.

Ahora bien, ¿en qué consiste este enorme sobrecargo de las contribuciones públicas en tan corto período de tiempo? ¿Se ha casi duplicado la población? ¿Ha crecido en igual proporción la riqueza pública? ¿Se han creado voluntariamente nuevos impuestos, o se ha hecho más extensa y equitativa en Madrid la obligación de contribuir a sostener las cargas del Estado? De todo hay, y de todas estas causas reunidas aparece el actual resultado. No puede negarse que la población y riqueza pública se han aumentado considerablemente; que esta última, en especial, ha tomado vuelo con la desamortización religiosa y civil, la reconstrucción de gran parte del caserío, la introducción de nuevas industrias y fabricaciones, y el aumento de la laboriosidad y del deseo de los goces propios de una sociedad adelantada. Se han casi duplicado también (acaso excesivamente y sin proporción a aquellos productos) los impuestos según el sistema tributario de 1845, pero se ha conseguido al mismo tiempo por éste que la obligación de contribuir sea más general y no eludida como hasta entonces por individualidades y aun clases enteras privilegiadas, y por todo el que no tenía voluntad de pagar. Resultado de todos estos supuestos es que nunca han pesado tantos gravámenes sobre los contribuyentes; nunca se han recaudado los impuestos con tanta exactitud, y jamás, sin embargo, se han revelado en la vida general de la población mejores condiciones de existencia, mayor satisfacción de goces, de comodidad y hasta de lujo.

CONSUMOS

De los consumos de la población de Madrid (sobre que pesa la principal cantidad de los impuestos hasta la enorme suma de 40 millones) muy poco sabemos con seguridad por no hallar suficientes datos para ello en las oficinas públicas y municipales, faltándonos por consecuencia las bases para formar el cálculo aproximado de cada artículo. Unicamente podemos decir que los principales registrados en las puertas, y que ingresaron por ellas en todo el año de 1853, fueron los siguientes:

Trigo, fanegas	927.911
Cebada, idem.	371.379
Harina de varias clases, arrobas	391.205
Vaca, carnero y demás carnes frescas, libras	20.301.769

Cecina, idem.	18.617
Tocino fresco y salado, manteca, etc., idem.	10.664.502
Huevos, docenas	2.489.778
Bacalao, arrobas	58.996
Pescados frescos, idem.	45.090
Manteca de vacas fresca, bras	266.024
Leche de ovejas, cabras y vacas, azumbres	727.256
Garbanzos, arrobas	300.676
Judías, idem.	99.247
Arroz, idem.	78.732
Café, libras	158.307
Azúcar, arrobas	176.849
Cacao, libras	1.136.320
Chocolate, idem.	292.525
Canela, idem.	23.880
Uvas, arrobas	273.427
Aceite, idem.	274.277
Jabón duro, idem.	90.817
Vino de varias clases, idem.	626.306
Aguardiente de varios grados, idem. ...	68.097
Carbón, idem.	3.015.358
Leña, idem.	768.364
Retama, idem.	583.989
Paja trillada, idem.	1.836.304

Lo cual de ninguna manera puede tomarse por cálculo del consumo anual, pues además de las causas accidentales que hacen variar la afluencia al mercado de tal o cual artículo, existe el fraude cometido en grande escala en la introducción; los depósitos interiores y exteriores, y alguna, aunque escasa, producción y fabricación indígenas. Sobre aquellos datos no podemos, pues, aventurar un cálculo exacto, ni siquiera aproximado del consumo de la población de Madrid.

PRECIOS

Los precios ordinarios de los artículos principales de comer, beber y arder son los siguientes: Pan de dos libras, de 9 a 10 cuartos; carne de vaca y carnero, de 14 a 16 cuartos libra; tocino añejo, de 20 a 22 cuartos id.; jamón, de 28 a 34 id.; garbanzos, de 10 a 16; arroz, de 10 a 14; patatas, de 2 a 4; aceite de 14 a 18; vino de 8 a 12 cuartos cuartillo; jabón, de 18 a 20 libra; carbón de 4 ¹/₂ a 6 reales arroba; leña, según sus clases, de 15 a 30 cuartos idem.; azúcar, de 20 a 24 cuartos libra; sal, a 16 maravedís. A veces sufren alteración notable los precios de algunos de estos artículos, tales como el pan, aceite y carbón, como ha sucedido en el invierno último; pero es ocasionado por causas accidentales y pasajeras, como dificultad de los transportes o escasez de cosechas en alguna provincia inmediata. Lo que hay que admirar es que se sostengan generalmente dichos precios a la altura ordinaria, si atendemos al enorme impuesto que pagan dichos artículos principales en las puertas, en estos términos:

ARTICULOS DE CONSUMO	Hacienda pública		Arbitrios municipales		TOTAL	
	Rs.	mrs.	Rs	mrs	Rs.	mrs.
Trigo, fanega	1	"	"	17	1	17
Carne, libra	"	8	"	8	"	16
Tocino freco, idem	"	10	"	4	"	14
Idem salado, idem	"	13	"	4	"	17
Garbanzos, arroba	4	"	"	17	4	17
Arroz, idem	4	"	"	17	4	17
Aceite, idem	6	"	6	"	12	"
Vino, idem	6	17	6	17	13	"
Jabón, idem	5	"	4	"	9	"
Carbón, idem	"	6	"	1	"	7
Leña, idem	"	4	"	1	"	5
Azúcar, idem	4	"	4	"	8	"
Chocolate, idem	4	"	4	"	8	"
Cacao, libra	"	"	"	14	"	14

Sobre este onerosísimo impuesto asienta la base del presupuesto de ingresos de la administración municipal de que vamos a dar una idea.

PRESUPUESTO MUNICIPAL

El presupuesto municipal formado por el señor Alcalde Corregidor para el año actual de 1854, y presentado al Ayuntamiento para su discusión y elevación al Gobierno que debe aprobarle según la ley, está dividido en dos partes, a saber: presupuesto *ordinario* y presupuesto *extraordinario*, y el resumen de ambos es el siguiente:

PRESUPUESTO ORDINARIO

Ingresos

Por productos de fincas de
propios 342.101.26

Por arbitrios e impuestos.

Derechos de puertas ...	13.329.756.24
Cajones	220.000,00
Ferias	19.000,00
Puestos	20.000,00
Romana	60.000,00
Aguadores	120.000,00

Coches de plaza	200.000,00
Farol y sereno	678.163,07
Plazo de la reducción de farol	222.000,00
Total	15.462.919,31

Por el ramo de beneficencia 674.230,27

Ingresos especiales.

Por pies de sitio	16.000,00
Contraste	139.484,01
Mataderos	458.942.19
Vivero	16.000,00
Teatro de la Cruz	41.500,00
Príncipe	70.250.32
Sillas del Prado	14.170,00
Bancas	36.520,00
Mercados	27.000,00
Barrido de plazuelas ...	201.115.00
Alcantarillas	50.000,00
Aceras	40.000,00
Fuentes particulares ...	44.683.02
Bagajes	7.000,00
Derechos de archivo ...	6.000,00
Cárceles	6.000,00
Fincas del pósito	161.409.17
Guardería de plazuelas.	65.020,00
Cupones y Caja de depósitos	4.300,00

Efectos de deshecho y certificaciones	3.920,00
Total	669.138,00
Total de ingresos.	17.890.617,29

Gastos

Gastos obligatorios del ayuntamiento y sus dependencias	1.388.322,00
Policía de seguridad, guardia municipal y corrección pública	1.412.132,00

Policía urbana.

Servicio de día	348.375,00
Alumbrado y serenos ...	2.382.100,00
Limpiezas e incendios.	1.008.529,00
Paseos y arbolados.. ...	362.495,00
Mataderos	295.610,00
Total	4.407.109,00

Obras públicas.

Atenciones generales	492.435,00
Fontanería	474.410,00
Empedrados, aceras y caminos	1.624.420,00
Total	2.591.265,00

Propios.

Teatros, jubilaciones y material	292.992,00
Pósito, fincas rurales y personal	131.933,00
Total	436.310,00

Instrucción pública, escuelas, personal y material.	863.000,00
Beneficencia, hospitales, hospicios, etc.	1.851.917,00

Cargas de justicia.

Anualidad de los efectistas	1.630.258,00
Idem a los gremios ...	780.000,00
Censos	20.361,00

Archivo de escrituras ...	11.120,00
Pensiones y jubilaciones.	342.671,08
Total	2.784.410,08
Gastos generales e imprevistos	2.146.142,30
Total de gastos ...	17.880.608,04

RESUMEN

Ingresos	17.890.617,29
Gastos	17.880.608,04
Sobrante	10.009,25

Como se ve por este presupuesto queda probablemente cubierto con el ingreso el gasto ordinario anual; pero como al mismo tiempo se hacen igualmente necesarios otros gastos extraordinarios en la vasta administración de esta villa, y se han proyectado por el actual señor Corregidor, Conde de Quinto, obras inmensas, además de las colosales ya emprendidas, y en que está comprometido el Ayuntamiento para la traída de aguas, ha formado y presentado dicho señor Alcalde Corregidor un *Proyecto de presupuesto extraordinario* de gastos e ingresos dividido en obligatorios y voluntarios en estos términos:

PRESUPUESTO EXTRAORDINARIO

Gastos

Obligatorios.

Para las obras de la fuente de la Reina ...	4.327.820,00
Para las del Canal de Isabel II	11.353.715,24
Para nuevas alcantarillas	2.040.000,00
Para plazo de transacción con los efectistas ..	1.000.000,00
Total	18.721.535,24

Voluntarios.

Para 4 de las 10 casas municipales de distrito a 600.000 reales cada una	2.400.000,00
Por compra de la manzana de la plazuela de Santa Ana y arreglo de ésta	2.400.000,00
Por compra de casas en la Puerta del Sol y arreglo de ésta	10.000.000,00
Por obras en el paseo de la Fuente Castellana	2.000.000,00
Por id. en el de Atocha, alcantarilla y cercas.	6.000.000,00
Por id. en el paseo del Prado	2.000.000,00
Por id. en las puertas de Segovia y avance en la de Fuencarral ...	2.000.000,00
Por id. en las murallas con las rectificaciones convenientes	1.000.000,00
Por expropiaciones imprevistas	4.000.000,00
Por máquinas y efectos para servicio de incendios	1.000.000,00
Por levantamiento de planos, estatuas y decoración	1.000.000,00
Por gastos extraordinarios, calamidades, festejos, etc.	1.000.000,00
Total	34.800.000,00
Total de gastos ...	53.521.535,24

Ingresos

Obligatorios.

Por la redención de la carga de alumbrado y sereno	14.000.000,00
Por venta de fincas de propios	5.000.000,00
Total	19.000.000,00

Eventuales.

Por 277.631.954,14 maravedís que debe el Estado a la villa convertidos en inscripciones intrasmisibles hacen.	6.628.948,21
Por venta de terrenos en el Prado, plazuela de la Cebada y otros puntos	25.000.000,00
Por la participación del Gobierno en las obras públicas de Madrid ...	4.000.000,00
Total	35.628.988,21
Total de ingresos.	54.628.948,21

RESUMEN

Gastos	53.521.535,24
Ingresos	54.628.948,21
Sobrante	1.106.464,10

Contrayéndonos a la parte positiva de estos presupuestos *ordinario* y *extraordinario*, y prescindiendo de la puramente voluntaria de gastos que presenta este último, en obras que por su magnitud es probable que no llegarán siquiera a emprenderse, vemos sin embargo, que el compromiso de gasto obligatorio en descubierto para la traída de aguas, es ya de 15.681.535 reales, 24 maravedís, que han de satisfacerse en el año corriente, y vienen a constituir el verdadero *déficit* en el presupuesto ordinario; y si a esto se añaden los 10.000.000 de la obra proyectada para la Puerta del Sol (aun prescindiendo de las ideadas para otros sitios, con más o menos oportunidad), hallaremos a la Municipalidad comprometida ya en un descubierto de más de 25 millones para el presente año, que es muy dudoso pueda cubrir con la redención de la carga de alumbrado, venta de fincas de propios y de terrenos edificables que se presupone en el extraordinario.

Fuera de estas consideraciones especiales y contraídas al año presente, el hecho indudable (porque viene repitiéndose en los anteriores) es que el presupuesto anual de ingresos en las arcas municipales no basta, ni con mucho, a cubrir las atenciones ordinarias e indispensables del servicio de esta numerosa población. En el formado, por ejemplo, para el año último de 1853 con toda la escrupulosidad y parsimonia propias del anterior alcalde-corregidor, el señor don Luis Piernas, e impreso por su disposición, se da al de ingresos la suma de 16.926.925 reales 15 maravedises, y el de gastos ordinarios sube a la de 24.175.166 reales 24 mrs.; de suerte que resultó un *déficit* de 7.248.241 reales, 9 mrs., y esta es la verdad.

Ni puede menos de ser así. La Administración de un pueblo de cerca de trescientas mil almas, corte y residencia del supremo Gobierno, obligado, por lo tanto, a responder con grandeza y esplendor a tan elevada categoría, a ampliar y embellecer cada día sus condiciones materiales, a atender al sostenimiento de grandes establecimientos de instrucción, de beneficencia y de corrección, a desplegar, en fin, en casos de regocijos, de riesgos y calamidades públicas todo el aparato y medios de la primera población del reino, no puede absolutamente dejar de verse comprometida a gastos infinitamente mayores que los medios que le ofrece hoy su exiguo presupuesto. La villa de París, por ejemplo (cuya población es cuatro veces mayor que la de Madrid), cuenta con un presupuesto ordinario de 56 millones de francos, o sea *doscientos veinte y cuatro* de reales; esto es, trece veces más que el que tiene Madrid, acaso con más necesidades respectivas. Y todavía no le bastan a aquella espléndida administración tan crecidos rendimientos, sino que anualmente tiene que acudir a su crédito, empeñándose en 10, 20 y hasta *cuarenta millones de francos*, como ha sucedido en el año último, para hacer frente a las exigencias continuas y extraordinarias de aquella brillante población.

La nuestra, es verdad, no es ni puede ser todavía tan exigente; pero es indudable que ha crecido en necesidades al paso que ha menguado en los medios de satisfacerlas. ¿Cómo, pues, poner éstos en relación con aquéllas? ¿Cómo acrecer el mezquino presupuesto de Madrid sin aumentar más que lo están las cargas que pesan sobre el vecindario? Esta es la cuestión; cuestión que todos los años se reproduce en la sala Consistorial, y que siempre queda sin decidir. No pretendemos hacerlo, sólo sí exponer nuestra humilde opinión en la materia, que se reduce a consignar que en la mano y en el deber del Gobierno supremo está el remedio urgentísimo de aquella necesidad, la satisfacción de aquella deuda sagrada, la justicia y conveniencia de poner a la administración de Madrid en el caso de poder responder dignamente a los altos compromisos en que las necesidades de la población y la misma voluntad del Gobierno la colocan.

En primer lugar, la transacción tantas veces anunciada de los 227.631.954 reales 14 mrs. que debe el Estado a Madrid, pondría a esta villa en el caso de realizar otra con sus acreedores efectistas, con lo cual, y aplicando también a ella la venta de las fincas de propios (que apenas le producen líquidos 200.000 rs.), llegaría a verse desahogada de este inmenso compromiso, borrada de su presupuesto ordinario de gastos la partida de 1.650.000 rs. consignada para pago de una anualidad a dichos efectistas, y restablecido su crédito para atender a los empeños nuevos que la necesidad pudiera crear. El mismo Gobierno debería también por un sentimiento de justicia y lealtad suprimir igualmente de la de gastos la crecida suma de 2.318.315 rs. que descuenta a la villa del producto de la contribución municipal de Puertas, por recaudación y amortización, y la aún más inconcebible de 11.982 rs. que cobra sobre el impuesto que pagan los dueños de las casas para el alumbrado. Si a todos estos actos de pura justicia uniera el mismo Gobierno otros de conveniencia y equidad, aliviando a Madrid de una parte de la subvención que paga indebidamente a los establecimientos no *municipales* y sí *generales* de beneficencia, instrucción y corrección; auxiliándole en la parte proporcional en el ramo de caminos y obras públicas (1).

---

(1) En París y otros capitales las calles principales están consideradas como caminos, y por tanto contribuye este ramo a su sostenimiento.

permitiéndole al mismo tiempo establecer el justísimo impuesto sobre carruajes y caballerías de lujo que existe en otras partes, con aplicación al empedrado, podría subir el resumen de todas aquellas partidas a *seis millones* de reales, que con otros dos en que la municipalidad puede y debe castigar su presupuesto de gastos, principalmente en los ramos de limpieza y empedrado (que al fin va a establecer por arriendo), en los de sus oficinas y dependencias, quintas, elecciones y otros, profusamente montados, es permitido creer que podría llegar a acrecer los diecisiete millones del presupuesto total de ingresos hasta los *veinticinco* que le son indispensables, si ha de emprender las muchas mejoras que reclama la opinión del vecindario, la buena administración de esta villa, el servicio de policía urbana en todos sus ramos, las obras de necesidad y de conveniencia, y aun las de ornato, que en nuestra opinión son, sin embargo, las últimas que debería acometer.

POLICIA URBANA

ORDENANZAS

Desde muy remotos tiempos, y más señaladamente desde la fijación de la corte en esta villa, se echó de ver la necesidad de unas ordenanzas o cuerpo legal de doctrina y precepto para la alineación de sus calles y construcción de sus edificios y para el buen orden del servicio público, pues aunque llevaban aquel nombre varias antiguas disposiciones desde los fueros de Madrid en el siglo XIII (cuyo códice existe en el archivo de esta villa), y posterior a éstos otras muchas cédulas y ordenamientos hasta el de 29 de enero de 1591, que es muy interesante y tenemos a la vista; estos documentos, si bien muy dignos de estudio y curiosos para la historia de Madrid, eran insuficientes e impropios para su buen régimen y materiales mejoras, teniendo más bien el carácter de bandos transitorios de policía urbana, referentes a varios de los servicios necesarios a la población.

En el año de 1661 publicó en Madrid Juan de Torija, maestro mayor y alarife de ella y de las obras reales, su *Tratado breve sobre las ordenanzas de la villa de Madrid y policía de ella*, que, según observa el erudito señor Llaguno, no era más que una refundición de otro códice anterior del siglo XVI, que asegura haber visto y del que no tenemos noticia, a no ser que sea el ordenamiento ya citado de Felipe II en 1591; pero aunque Torija solicitó del Ayuntamiento que pidiese al Consejo la confirmación de su Tratado, sólo obtuvo la autorización para imprimirle, y, por lo tanto, nunca tuvo carácter legal, aunque sí llegó a servir de dato o apoyo para las decisiones en materia de construcción.

Medio siglo después, en 1719, volvió a refundir y publicar esta obra a su nombre el arquitecto don Teodoro Ardemans, maestro mayor de esta villa y de obras reales, bajo el título de *Declaración y extensión sobre las ordenanzas de Madrid que escribió Juan de Torija*; y aunque reducido también a los límites de un trabajo particular y con sujeción a los conocimientos y prácticas de la época, ha suplido hasta hoy la falta de la legislación en este punto, y sido considerado como cuerpo legal de doctrina que ha debido observarse en la materia, si bien los adelantos del siglo último en las artes de construcción y en las ciencias administrativas le hicieron caducar muy luego.

No se ocultó a la ilustración del Consejo de Castilla aquella urgente necesidad, y a consecuencia del desastroso incendio de la plaza Mayor, ocurrido en la noche del 16 de agosto de 1790, tratándose de la reedificación de la misma, y con presencia de las reglas propuestas por el arquitecto mayor de Madrid don Juan de Villanueva, sobre el orden que había de seguirse en las nuevas construcciones, adoptó una *Instrucción* muy extensa, formada por el célebre fiscal Campomanes, y no sólo la adoptó, sino que previno al Ayuntamiento que tomando por base dicha Instrucción, procediese a formar la *Ordenanza municipal*; pero esta orden del Supremo Consejo (aunque reproducida con insistencia en varias ocasiones) no produjo en la Municipalidad más resultado que un voluminoso expediente y el nombramiento de varias comisiones de concejales y arquitectos que emitieron diferentes informes en una larga serie de años hasta 1820, en que la Academia de San Fernando formó un proyecto de Ordenanza de construcción, que tampoco llegó a regir por no estar de acuerdo ni merecer la aprobación del Ayuntamiento ni del Consejo.

En este estado durmió el expediente otros muchos años hasta que a consecuencia de una comunicación del Jefe político de la provincia, fecha 8 de marzo de 1846, haciendo presente al Ayuntamiento los conflictos que resultaban de la falta de unas ordenanzas municipales y encargándole que se ocupase con urgencia de su formación, nombró éste una comisión mixta compuesta de concejales, arquitectos y propietarios mayores contribuyentes, la cual reunida acordó dividir su trabajo en dos partes distintas: la una, administrativo o de *Reglamento de Policía urbana*, y la otra, facultativa o de *Ordenanza de construcción y alineación*. La primera sección concluyó y presentó a pocos meses su trabajo, o sean las *Ordenanzas de Policía urbana y rural*, que discutidas y adoptadas por dicha Corporación, se elevaron a la superioridad, y son las que hoy rigen, publicadas en 1847.

Estas Ordenanzas están divididas en seis títulos, bajo los epígrafes siguientes: *Orden y buen gobierno. Seguridad. Salubridad. Comodidad y ornato. Policía rural. Penalidad y observancia*. Bajo el título primero se consigna la división administrativa de la villa de Madrid; la designación de las autoridades y funcionarios encargados de la policía urbana, y las disposiciones vigentes referentes al buen orden del vecindario en su acción vital, trabajo, reuniones públicas, festividades y servicio personal. El título segundo, o de *Seguridad*, abraza todas aquellas disposiciones que tienden a evitar los peligros materiales, como son el orden y disposición para las obras públicas; las precauciones contra los incendios y los medios para su extinción; la designación y condiciones que hayan de observar los establecimientos *peligrosos*; el orden y método en el servicio

de carruajes y caballerías; la extinción de los animales perjudiciales y demás disposiciones relativas a la seguridad y fácil comunicación de la vía pública. Bajo el epígrafe de *Salubridad* se encierran en el título tercero las prevenciones y medidas relativas al servicio de aguadores y fuentes públicas, elaboración y venta del pan, matanza y venta de carnes, mercados, líquidos y casas de comida y bebida, los establecimientos *insalubres* y el orden de ambas limpiezas de día y de noche, el aseo de las habitaciones, el servicio de los baños públicos, la conducción y enterramiento de los cadáveres. El título cuarto, o sea el de *Comodidad y ornato* (sin perjuicio de aplazar en cuanto a las disposiciones relativas a la construcción de casas para cuando se publique la ordenanza especial de ella) reasume y consigna los acuerdos y disposiciones vigentes en la materia sobre alineación y altura de los edificios, anchura de las calles, facilidad y desembarazo del tránsito público; designa los establecimientos *incómodos* y las reglas adoptadas para esta parte del servicio. El título quinto abraza el conjunto de la *Policía rural*, y después de consignar el término jurisdiccional de Madrid, trata del orden y conservación de paseos y arbolados, tierras y sembrados, caza y pesca, ribera y río Manzanares. Por último, bajo el título de *Penalidad y observancia de esta ordenanza*, se comprenden ambas materias y las reglas para su ejecución.

La circunstancia de haber sido el autor de este *Manual* (entonces individuo del Ayuntamiento y de su Comisión) el encargado de la redacción de aquel, sin duda incompleto, repertorio, le impide entrar en su análisis; pero entiende que tal cual es (y salvas las correcciones y aumentos que vayan haciendo necesarios el transcurso del tiempo y la variación de las circunstancias), puede servir de base para formar un Código municipal tan necesario para el buen orden administrativo de esta populosa villa.

La sección facultativa de dicha Comisión, encargada de formar y presentar el proyecto de *Ordenanzas de construcción y alineación* no llegó a formularlo, ni aún siquiera a hacer trabajo alguno para él; pero, creada por Real decreto de 4 de agosto de 1852 la *Junta Consultiva de Policía urbana* y cometido a ella entre otros el encargo de formar dichas ordenanzas de construcción y alineación, ha presentado ya las *bases* o fundamentos facultativos de ellas y sometídolas al Gobierno para su aprobación; el cual las ha remitido al Ayuntamiento para que (sin perjuicio de exponer sobre ellas lo que juzgase conveniente) rijan, desde luego, para las construcciones sucesivas, ateniéndose también en éstas a la *alineación* de todas las calles de Madrid, en que también se ocupa por dicho Real decreto la misma Junta en su sección facultativa.

Con arreglo a dichas bases, se clasifican las calles, con arreglo a su mayor anchura, en tres órdenes.

1.º Las que tengan por lo menos 14 metros de latitud, o sean 50 pies, tres pulgadas.

2.º Las que sin llegar a los 14 pasen de 9 metros (32 pies, 3 pulgadas).

3.º Las que pasen de 6 y no lleguen a 9 metros (21 pies, 6 pulgadas).

Todas las calles que no lleguen a esta anchura serán cerradas para el tránsito de carruajes.

Las alturas respectivas de las casas que hayan de construirse, se fijan en las calles de primer orden en 20 metros (71 pies, 20,5 pulgadas), computados por equivalencia en 72 pies; y en esta altura se permitirá construir piso bajo, entresuelo, principal, segundo, tercero y sotabanco o ático. En las calles de segundo orden, la altura máxima será 18 metros (64 pies, 7 pulgadas), y podrá hacerse entresuelo o sotabanco, a elección; pero sólo una de las dos cosas. En las de tercer orden, la mayor altura será 15 metros (53 pies, 3 pulgadas), y en ellas no se consentirán áticos ni entresuelos, sino piso bajo, principal, segundo y tercero. En todas estas alturas van incluídos el alero o cornisa, las del ático o sotabanco, prohibiéndose exterior ni interiormente otras construcciones, sino las meramente precisas para cubrir el edificio. Los pisos bajos no podrán tener menos de 13 pies de altura, sin el techo; el entresuelo y demás, 10 por lo menos, y el ático, 9. Estas reglas generales se modifican naturalmente en los casos especiales de declivios, esquinas y fachadas a diferentes calles, aunque siempre con sujeción a la idea dominante de no consentir el abuso que ha presidido hasta aquí en las construcciones, y de conciliar la seguridad y belleza de éstas y del ornato público con el interés privado de los dueños.

PLANO GEOMÉTRICO

A haberse trazado preliminarmente y seguido con constancia este método riguroso en la alineación de las calles de Madrid para su progresivo ensanche y regularidad, es indudable que con la reconstrucción de la mitad, por lo menos, de su caserío que se ha verificado en cuarenta años, hoy ofrecería un grado incomparable de comodidad y de belleza; pero, desgraciadamente, no sucedió así, sino que procediéndose sin plan y sin concierto alguno en las nuevas construcciones desde 1815, o formándose uno distinto para cada calle y para cada ocasión, no sólo no se ha realizado aquella reforma, sino que se ha imposibilitado para otro siglo más, merced al descuido o indolencia con que se ha mirado este punto por la Municipalidad y sus arquitectos.

Verdad es que faltaba hasta hace pocos años la base para proceder a una buena alineación y rectificación de las calles; esto es, un *Plano* rigurosamente geométrico y en grande escala, que permitiese apreciar con exactitud las diversas anchuras, tortuosidades e imperfecciones, y trazar en el mismo su oportuna rectificación. Existían, es verdad, desde mediados del siglo XVII diferentes planos de esta villa, entre los cuales figura el primero el preciosísimo grabado en Amberes, que dejamos descrito en la Parte histórica; pero este documento, tan apreciable para el conocimiento del corte general y caserío de esta villa en aquel siglo, es muy poco digno de crédito bajo el punto de vista científico; y los otros planos sucesivos, uno también grabado en Amberes por Gregorio Fosman en 1683, otro en 1761 en París; el de 1750 por manzanas, hecho para la Visita general de aposento; los posteriores de don Tomás López, don Ventura Rodríguez y don Antonio Espinosa en 1799, que es el más conocido y en escala mayor ($\frac{1}{2100}$), todos fueron hechos en la parte propiamente científica con demasiada arbitrariedad, por lo cual no llenaban las condiciones como planos geométricos, y eran absolutamente impropios para los trabajos de una nueva alineación.

El primero que en nuestros días echó de ver esta falta capital para todos los proyectos ulteriores de reforma, fue el señor don Fermín Caballero, alcalde constitucional y presidente del Ayuntamiento en 1840; el cual, deseoso de acudir a la satisfacción de esta necesidad, solicitó y obtuvo del Gobierno, que una comisión del Cuerpo de Ingenieros Civiles, compuesta de los señores don Juan Merlo, don Fernando Gutiérrez y don Juan Rivera, se ocupase en levantar el plano geométrico de Madrid con todo el rigor científico y en una escala mayor que todos los conocidos anteriormente. Dicha comisión emprendió sus concienzudos y prolijos trabajos con todo el celo y la ilustración propia de sus apreciables individuos, y aunque paralizados aquéllos por causas ajenas a su voluntad en los años 43 y 44, volvieron a emprenderlos de nuevo con el mayor ahínco, teniendo la gloria de dar concluído su precioso plano, a cuya conclusión cree el autor del *Manual* haber contribuído en parte como regidor comisario especial que era para promoverla, de que le resultó la satisfacción de colocarle por su propia mano en la sala principal del Ayuntamiento el último día, 31 de diciembre de 1846.

Consta este magnífico plano de un cuadro de 14 pies de ancho por 9 de altura, o 126 pies cuadrados de superficie; su escala es de $\frac{1}{1250}$, del tamaño natural (que viene a ser próximamente de una pulgada por cada cien pies) y la operación fundamental que presidió en él, y en la que estriba toda su exactitud y verdad, consiste en el trazado de un eje o línea recta imaginaria en cada una de las calles, formando una red de polígonos, cuyos lados y ángulos reducidos al horizonte han presentado la verdadera proyección del terreno. A estas líneas principales se ha subordinado después por un sistema de occisas

y ordenadas el trazado de cada una de las calles y plazas de la población. En este plano se ven representados no sólo los contornos exteriores de las manzanas que forman las calles, plazas y plazuelas, sino todos los jardines, huertas y corrales que se encuentran en lo interior de la villa y en las márgenes del Manzanares. Y hasta se han trazado en él las plantas de todas las iglesias, capillas, oratorios, teatros, palacios y demás edificios públicos, pudiendo decirse por esta razón que es un fiel retrato de Madrid en aquella fecha.

Al mismo tiempo que este plano general, formaron los mismos ingenieros otro dividido en hojas sueltas y por calles, trazado en escala cuádruple de la de aquél; es decir, de $\frac{1}{312}$ y medio de tamaño natural; de modo que reunidas todas estas hojas ocuparían un cuadro de 56 pies de ancho y 36 de altura, o sea una superficie de 2.016 pies cuadrados, que es 16 veces mayor que la del plano general. Estas hojas sueltas (en que pueden apreciarse hasta las diferencias de medio pie) son las que vienen sirviendo desde 1845 para las alineaciones sucesivas en las nuevas construcciones, y por las que ha podido emprenderse un sistema que ahora se ha de metodizar definitivamente por la Junta de Policía Urbana y ha de dar por resultado en una serie de años la regularidad posible de las calles de Madrid.

Ultimamente, habiendo solicitado del Ayuntamiento los señores don Pascual Madoz y don Francisco Coello el permiso para reducir exactamente, grabar y publicar aquel plano, con objeto a incorporarle al *Atlas de España*, unido al *Diccionario geográfico estadístico*, no sólo vino en ello aquella ilustrada Corporación, convencida de la gran utilidad que había de resultar al público, sino que concluído que fue aquel precioso trabajo, le declaró *Plano oficial de la villa*.

CALLES Y ROTULACIÓN

El número de las calles, callejones, travesías y cuestas comprendidas actualmente dentro del recinto de esta villa sube a 930, habiéndose abierto desde 1846 hasta una docena nuevas que llevan los títulos de Gravina, de Jovellanos, de Floridablanca, de Juan de Herrera, de Velázquez, de Calderón de la Barca, de Felipe V, de Carlos III, de Lepanto, de Pavía, de San Quintín y de Pontejos (1). De los callejones cerrados se han abierto también para el tránsito público el de la travesía del Arenal, el del Codo o de los Preciados y el de Embajadores, y los finales de las calles de Válgame Dios y Arco de Santa María, y están próximas a serlo las del Soldado y del Sordo. Con estos rompimientos y otros oportunos, fáciles e indicados por la necesidad y por la opinión, se han facilitado y facilitarán más en adelante las comunicaciones, dándose al mismo tiempo que comodidad, mayor salubridad y belleza a barrios enteros, prestándose ocasión para renovar su caserío y acrecer, por consiguiente, el número y vitalidad del vecindario.

La denominación de las antiguas calles de Madrid sufrió una notabilísima alteración en 1835 por disposición del celoso corregidor marqués viudo de Pontejos. Cambiáronse entonces los nombres, por ridículos, impropios o repetidos, de más de 240 calles, o sean casi una mitad del total de ellas, desapareciendo justamente en el primer concepto algunos, tales como Aunque os Pese, el Ataúd, el Azotado, el Ver-

dugo, los Bodegones, Enhora mala vayas, los Muertos, el Piojo, las Pulgas, el Burro, Salsipuedes, Tente-tieso y otras; por impropias ya, a causa de haber desaparecido los objetos o edificios cuyos nombres tomaban, las plazuelas del Almirante, de Capuchinos, de la Merced, de Doña María de Aragón y las calles de los Remedios, de Cosme de Médicis, de la Inquisición, la Red de San Luis, de las Siete Chimeneas, etcétera. Y, por repetidas tres, cuatro y hasta cinco y seis veces, otras muchas, de San Isidro, San José, San Juan, Santa María, San Miguel, etc., que producían una monstruosa confusión. Sustituyeron a aquéllos los nombres insignes de Colón, de Hernán Cortés, de Pizarro, de Cervantes, de la Independencia, de Bailén, del Dos de Mayo, de Velarde y Daoiz, de Zaragoza, de Gerona, de Ciudad Rodrigo, de la Amnistía y de María Cristina; otras tomaron el nombre de los establecimientos y edificios contiguos: de los Ministerios, de las Cortes, del Conservatorio, etc.; y, por último, se cometió la falta (a nuestro modo de ver) de repetir con el título de travesía, en las callejuelas, los nombres de algunas calles principales, produciendo igual confusión que la que se trató de evitar. También se abusó posteriormente de esta reforma reclamada y satisfecha ya, y una vez dada la señal de aplicar a ella los títulos y las afecciones políticas contemporáneas, no tardó mucho en verse condecoradas las principales de Madrid con los de Vergara, Ramales, Guardamino, Bilbao, Cenicero, el Progreso, Padilla, el Empecinado, Espoz y Mina, Torrijos, Zayas, Argüelles, Manzanares, Duque de la Victoria, Siete de Julio y Milicia Nacional. La mayor parte de estas denominaciones cesaron en 1844, y las calles que las llevaban volvieron a recobrar los antiguos y populares (aunque a la verdad poco propios ya) de la Victoria, de los Preciados, de la Montera, de Alcalá, Carrera de San Jerónimo, de la Amargura, etc.

Desde entonces ha sido más parca la Municipalidad matritense en estas alteraciones, motivadas algunas veces, voluntarias y perjudiciales las más, y ha huído sobre todo de dar a los nombres nuevos el colorido político de las circunstancias y de los partidos. Lo que sí acordó en 1848

---

(1) Todos los nombres para estas calles nuevas (a excepción de las de Gravina y Felipe V) fueron propuestos al Ayuntamiento por el autor, a nombre de la comisión de estadística de su seno, a que pertenecía. También propuso entonces las únicas variaciones que se adoptaron en los nombres repetidos o impropios de las calles de Majaderitos, Angosta de Peligros, Angosta de San Bernardo, del Burro y del Niño, que fueron sustituidos por los de Cádiz, Barcelona, Sevilla, Aduana, Colegiata y Quevedo. Estos son los únicos nombres que propuso en el tiempo que tuvo el honor de pertenecer a la corporación municipal; después ni en este ni en otro punto del servicio público ha tenido influencia o conocimiento alguno.

fue la renovación general, y bajo una forma igual y decorosa, de las lápidas de rotulación de todas las calles a su entrada y salida, que habiéndose verificado en tiempo del corregidor Pontejos con letras de plomo clavadas en ellas, iban desapareciendo o inutilizándose, y estaban las más completamente ilegibles. Adoptadas para la nueva rotulación las losetas llamadas *azulejos*, de la fábrica valenciana del señor Valls, se renovaron desde entonces en su mayor parte aquéllas, y ofrecen hoy mayor comodidad, duración y belleza. La otra mejora referente a la rotulación (que tuvimos el honor de proponer y realizar por comisión especial del Ayuntamiento) fue la de los primeros y últimos faroles de cada calle con el nombre de ésta, reforma que creíamos de gran comodidad, especialmente para los forasteros durante la noche, que dejamos planteada en un mes, y vimos perfectamente acogida por la opinión del vecindario; pero que no tardó mucho tiempo en ser atacada por los mal intencionados y débilmente defendida por los dependientes de la autoridad, en términos que a vuelta de poco tiempo desaparecieron los cristales rotulados.

CASAS Y NUMERACIÓN

Según la Visita general de todo el caserío de Madrid verificada por la regalía de aposento a mediados del siglo anterior, se numeraron las manzanas o grupos de ellas desde el 1 (que es la del Hospital General) al 557 (que es la de la casa vieja de Osuna, en la calle Alta de Leganitos); y esta numeración rige todavía aún después de las sustanciales alteraciones ocurridas durante un siglo en la topografía de esta villa. Por consecuencia de éstas desaparecieron en los derribos o se incorporaron a otras hasta 22 manzanas de las antiguas; pero rompiéronse otras o se levantaron nuevas en solares y huertas, de suerte que el número efectivo actual es de 563, y aunque en la numeración se conserva el de 557, hay 16 duplicadas, dos triplicadas, no existiendo 11 manzanas, dos y tres juntas.

La numeración de las casas verificada en aquella Visita del siglo pasado por el vicioso sistema de dar vuelta a la manzana, y reformada en 1835 en los mismos términos que venimos proponiendo desde la primera edición de este *Manual* en 1831, por pares e impares a derecha e izquierda de las calles, a empezar desde su punto más próximo a la línea divisoria de Madrid, que es la Puerta del Sol, calle de Alcalá y Mayor; se mandó renovar también materialmente por medio de dichos azulejos, blancos, uniformes y colocados sobre las puertas de las casas, limitando de este modo la facultad de los dueños de situarlos a su antojo y en la forma y materia más caprichosa o discordantes, si bien no ha sido llevada a cabo esta disposición con todo el rigor conveniente.

La total numeración de las casas sube a 4.926 números impares, de los cuales quedan sólo útiles 3.294 por corresponder los 1.632 restantes a accesorias a otras calles, y casas con números seguidos de 2, 3 y 4, habiendo 22 duplicados, cuatro triplicados y seis sin número. Los pares son 4.982, quedando útiles 3.308, por corresponder los 1.674 a accesorias a otras calles y casas con números seguidos de 2, 3, 4 y 5, habiendo 33 duplicados y 9 sin número. Por consecuencia, el total de los edificios numerados es 6.602, a que añadidos 68 solares hacen 6.670, que es el verdadero número de todos los edificios públicos casas particulares de Madrid. Tal vemos por resultado en el minucioso trabajo hecho en el año último por la Comisión de evaluación de la riqueza, que es el que nos merece más fe, y que, por otro lado. ofrece muy poca diferencia con el resumen que obra en la Oficina de Estadística del Ayuntamiento, y comparados ambos en estos términos:

	Manzanas	Calles	Plazas	Casas	Solares	Edificios Públicos	TOTAL
Ayuntamiento.	560	520	72	6.442	29	176	6.647
Comisión	563	530	74	6.416	68	186	6.670

De este número de 6.670 edificios efec-
vos, están inscriptos en la sociedad de
eguros contra incendios 6.618, por valor
e 1.339.551.421 rs. 17 mrs.

Lo que choca a primera vista es esta
isminución en el número del caserío, que
ibía por la Visita general del siglo pasa-
o a 7.049, y mayormente al considerar
ue posterior a aquella fecha se han cons-
:uído algunos centenares de casas en los
)lares de antiguos conventos, eriales y
uertas; pero hay que tener en cuenta los
onsiderables derribos de 22 manzanas he-
hos en tiempo de la dominación francesa
posteriores, y también que en las cons-
:ucciones modernas, mucho más grandio-
as en lo general, se han refundido las
aás veces en un solo edificio tres, cuatro
más sitios o casas pequeñas; así que
isminuído el número total de aquellos,
a aumentado, sin embargo, inmensa-
aente el de viviendas o *habitaciones* com-
rendidas en los diferentes pisos, que hoy
e acercan mucho al número de 55.000
n estos términos: Pisos bajos, 16.227;
ntresuelos, 2.250; principales, 12.564;
egundos, 9.363; terceros, 5.065; cuar-
os, 657; buhardillas, 8.139; casas solas,
36. Esto sin contar las muchas habi-
aciones en los 188 edificios públicos
lel Real Patrimonio, y en 325 cuadras,
73 cocheras, 39 corrales, dos huertas v
80 casas en reedificación y solares; todo
omprendido en el recinto interior de la
illa.

EMPEDRADO Y ACERAS

Una de las primeras y más costosas
.tenciones de la policía urbana y que más
ontribuyen también a la salubridad, co-
nodidad y belleza de las ciudades, es el
uen pavimentado de las calles, y bajo
ste punto de vista no puede menos de re-
:onocerse que la villa de Madrid tenía
nuy poco que agradecer a su administra-
:ión municipal hasta hace algunos años,
ofreciendo su piso todo género de inco-
nodidad y mal aspecto, en términos tales
que al extranjero que le veía por primera
vez y aun a los mismos habitantes de otras

ciudades del reino, como Cádiz, Barcelona
y Bilbao, hacía formar bien a su costa
una triste idea del estado de cultura de la
capital de la Monarquía. El sistema de empedrar mal o bien las calles con cuñas de
pedernal, pequeñas, desiguales y sin labrar, de que se venía quejando a mediados del siglo pasado el anónimo escritor
que citamos en la *Parte histórica,* continuaba rigiendo hasta nuestros días aun
después de la reforma de este ramo adoptada en 1765 por Carlos III, a propuesta
del ingeniero Sabatini; con la sola ventaja (harto escasa, por cierto) de las losas
o aceras laterales de tres pies, de que ya
no quedaba apenas una sola entera. El primero que acometió ésta como otras muchas reformas en el servicio municipal fue
el inolvidable corregidor marqués de Pontejos, que en 1835 ensayó en algunas calles principales la colocación de losas anchas y un poco elevadas del suelo, disponiendo sólo por de pronto la de uno de
los lados de cada calle, con la feliz idea
(que varias veces le oímos repetir) de ganar terreno y obligar a sus sucesores a la
necesidad de cubrir el otro lado. Intentó
además alguna mejora del empedrado; pero el corto tiempo que duró su celosa administración no le permitió obtener en esta
parte grandes resultados. Los Ayuntamientos siguientes hasta 1848 empezaron a dar
mayor importancia a este ramo del servicio, y no sólo continuaron el sistema de
las aceras anchas inaugurado por Pontejos, sino que hicieron sucesivamente muchos ensayos más o menos felices de empedrado de madera, de cajones de pedernal, de paralelipípedos de pedernal labrado, de encajonado del mismo en adoquines de berroqueña y, por último, de estos
últimos de un pie en cuadro y colocados
de canto sobre un lecho bastante duro y
apisonado y formando una superficie curva con los vertientes laterales, según están
empedradas las calles de París, Londres y
demás ciudades principales de Europa.

La experiencia de todos estos ensayos
hizo reconocer generalmente la superioridad de este último método establecido en
1845 en las calles del Príncipe y del Caballero de Gracia, a pesar de que su crecido coste y mala ejecución en un principio, retraían a la municipalidad de gene-

ralizarle, o aplicarle por lo menos a las calles principales. Los alcaldes corregidores marqués de Peñaflorida y de Someruelos y duque de Veragua continuaron, sin embargo, aquel sistema, que adoptado después con extraordinaria energía por su sucesor, el conde de Vista Hermosa, produjo en los once meses escasos que duró su administración, la renovación completa por este sistema de las calles principales de Madrid: Mayor, Montera, Carretas, Carmen, Carrera de San Jerónimo, Atocha, plaza mayor y Puerta del Sol, invirtiendo en esta obra colosal de tres a cuatro millones de reales en sólo el año de 1848.

Acostumbrada ya la población a esta importantísima condición de comodidad, se continuó después, aunque con más timidez, en otras calles; se mejoró en lo posible el sistema de las cuñas de pedernal en varias de ellas, y por resultado de todo no puede negarse que la parte principal de Madrid ofrece en este punto digna comparación con las mejores capitales de Europa. Las aceras nuevas, extendidas ya por ambos lados de las calles hasta las más apartadas del centro, y costeadas hasta tres pies de salida por los dueños de las casas, y el resto de su anchura por la villa, ofrecen ya generalmente comodidad al tránsito público, y únicamente queda que desear que se continúen con constancia las reparaciones convenientes en el empedrado de las calles céntricas y principales, y se aplique también alguna posible reforma a las apartadas (que aún se hallan en un estado verdaderamente lamentable), si bien reconocemos que esta transformación total no puede improvisarse en un año.

En el presente de 1854 está presupuestado este ramo en 1.624.420 reales, con lo cual algo puede hacerse, y más, a nuestro juicio, si se lleva a efecto la contrata verificada en virtud de Real orden para este servicio. A la satisfacción de él debiera aplicarse la contribución sobre carruajes, especialmente de lujo, que propuso el Ayuntamiento en 1849, y todavía no se ha establecido contra lo que aconsejan la conveniencia, la justicia y la práctica de todas las ciudades bien administradas.

ALUMBRADO Y SERENOS

También este ramo ha sufrido en nuestros días una completa transformación; también le hemos conocido en los términos mezquinos en que le estableció Carlos III en 1765, *para los seis meses del invierno, de 15 de octubre a 15 de abril.* Hasta entonces había corrido el cuidado de la impropia y mezquina iluminación de las calles a cargo de los vecinos, a quienes se obligaba a poner un farolillo en el balcón principal de cada casa. Por Real instrucción de 25 de setiembre de dicho año de 1765, que cometía al Ayuntamiento este servicio, se impuso a cada casa la contribución de 64 reales, 20 maravedises, y posteriormente, en 1797, con motivo del establecimiento de *Serenos* o vigilantes nocturnos, se subió dicha contribución a 96 reales, y así siguió hasta 1 de enero de 1820, en que, a virtud de Reales órdenes, se ascendió a 120 reales anuales. Este gravamen impropio, y hasta ilegal, es el que viene pesando todavía sobre todas o la mayor parte de las casas de Madrid hasta el número de 7.410 luces y media, regulándose por un capital de 29.642.000 reales, con réditos de 889.260 anuales, y cuya redención voluntaria se ha propuesto bajo ciertas bases en el año último, aunque sólo se ha realizado de 300 luces, y aun haciéndose obligatoria no creemos que ofrecerá gran resultado. La legalidad de este impuesto no puede defenderse, ni tampoco su equidad ni justicia. 1.º Porque en todas las poblaciones el alumbrado de la vía pública corre a cargo de los fondos comunes o del vecindario. 2.º Porque aún en Madrid sucedía así antes de establecerse el impuesto sobre la propiedad, y al establecerla se dijo expresamente que el propietario descontase o cobrase de los inquilinos el prorrateo de las luces, en lo cual se ve que no fue el ánimo del legislador cargar a la propiedad con un tributo, y mucho menos con un capital de censo; y 3.º y último, porque estableciéndose entonces el gravamen de una luz por cada casa, y reunidos posteriormente en el espacio de un siglo varios sitios de aquéllas en un solo edificio, construídas otras muchas en solares de entonces o ampliadas extraordinariamente en sus huertas o posesiones contiguas, resulta hoy la extraña anomalía de que muchas muy pequeñas se hallan gravadas con dos, tres, cuatro y hasta cinco faroles, y otras inmensas y verdaderos palacios, con uno solo o con ninguno.

Viniendo ahora a tratar del estado de este servicio, también tenemos que citar el nombre del corregidor Pontejos, que sustituyó en 1835 a los 4.770 farolillos, que en la distancia de 20 a 32 varas servían en Madrid para hacer más palpables las tinieblas, por 2.410 buenos reverberos que aún figuran en las calles en donde no se ha establecido todavía el alumbrado *de gas*. De este último se hizo el primer ensayo en 1832 en muchas principales, con ocasión del nacimiento de la señora Infanta, pero sólo por entonces quedó fijamente establecido en la plaza de Palacio. Posteriormente, formada la sociedad mercantil titulada *La Madrileña*, y establecida su suntuosa fábrica fuera de la puerta de Toledo, se alumbraron por primera vez por este sistema en julio de 1847 el paseo y calle del Prado y la del Lobo por vía de ensayo. Canalizáronse sucesivamente las calles principales, y en virtud de la contrata celebrada entre el Ayuntamiento y dicha compañía en 1849, se sustituyó en muchas de ellas dicho alumbrado de gas; continuándose, si bien lentamente y según lo permiten las circunstancias de la empresa, y las atenciones del Ayuntamiento, que no han sido las más favorables para realizar mutuamente las condiciones de dicha contrata. Estas eran las de haber de darse terminada la canalización y alumbrado de todo Madrid por sextas partes y plazos; el primero, segundo y tercero, a medios años de distancia; cuarto, quinto y sexto, a un año, o sea el total de la población en cinco años, que debieron cumplirse en el último de 1853. El precio convenido fue el de *siete mrs. por hora y luz* en los dos tipos propuestos y adoptados, con otras condiciones referentes al planteamiento, orden y satisfacción de este servicio.

Unido a este ramo corre el de *Serenos* o vigilantes, que ha sufrido también muchas variaciones, y hoy día consta de un inspector, diez celadores y 114 serenos faroleros del alumbrado de aceite, además de los dependientes del de gas y municipales encargados del servicio nocturno. El ramo de alumbrado y serenos para el año de 1853 fue presupuesto en 1.648.464 reales, de los cuales se descontaban por productos líquidos del impuesto sobre las casas 816.316 rs. 26 mrs., supliendo el resto los fondos públicos. Este año tiene que ser mucho mayor el sacrificio, pues habiéndose mandado que continúen encendidos los faroles toda la noche, aún las de luna, hasta el amanecer, el presupuesto de este ramo asciende a 2.382.100 reales; es decir, 733.636 reales más que el año anterior.

LIMPIEZAS

La limpieza superficial y subterránea de Madrid, o *de día y de noche*, para hablar en los términos municipales que designan de este modo el barrio de las calles y el desagüe de los pozos y cloacas, es la verdadera sima donde viene a hundirse constantemente una buena parte de los recursos de las Cajas de la villa. Y no puede menos de suceder así, tratándose de un servicio tan importante como extenso y ramificado, para el cual, además del numeroso personal de empleados y jornaleros, que asciende a más de 600 individuos, hay que adquirir, reponer y sostener un crecido número de mulas, que pasarán de 250; sobre cincuenta carros de diversas clases, e infinidad de herramientas, fraguas, talleres, un establecimiento, en fin, colosal y en perpetua actividad.

Este servicio, que pesa exclusivamente en Madrid sobre los fondos comunes (aunque no realizado por completo ni con toda la perfección que sería de desear), obliga al Ayuntamiento a destinar anualmente a él más de dos millones de reales, o sea la octava parte íntegra de sus presupuestos de ingresos, y como a él van unidos otros servicios análogos del riego de las calles y arbolados y de los incendios, todavía absorbe por estas razones otras cantidades verdadamente imponentes y poco en relación con la totalidad de aquel presupuesto.

Y, sin embargo, no podrían negarse sin injusticia los notables adelantos y mejoras que ha recibido este ramo del servicio público en los últimos años a impulsos del celo y diligencia de las autoridades municipales. Especialmente la limpieza de día, o sea el barrido y riego de las calles, se acerca ya mucho a lo que se puede desear en una población culta y bien administrada, si bien todavía debe recibir en la práctica material importantes variaciones; pero habremos de convenir en este adelanto remontando nuestra consideración a veinte años atrás, cuando cada calle de Madrid era un público muladar; cuando cada portal era un depósito permanente de basuras e inmundicia; cuando cada distrito o cuartel se veía sólo recorrido *una vez por semana* por los escasos, mezquinos y mal condicionados carros de la villa; y cuando, en fin, los traperos con su cesto y su gancho, los innumerables perros vagabundos con su famélico y sucio aspecto; los albañiles con los escombros y materiales; los yeseros con sus inmensas y desbandadas recuas; los expendedores de pan y carnes con sus serones y caballerías; las carretadas de carbón; los serones de paja y otros cien ambulantes servicios, dominaban perpetuamente en ellas y hacían su tránsito y su aspecto peligroso y desapacible. Fue menester la funesta aparición del cólera morbo en 1834 para llamar seriamente la atención de la autoridad sobre este punto tan capital de la higiene pública, y de entonces datan las primeras disposiciones para el más frecuente barrido de las calles; la supresión de los basureros de los portales; la reclusión de los mendigos ambulantes; la extinción periódica de los perros vagabundos y otras a este tenor que, sin embargo, fueron reconocidas más adelante como insuficientes todavía, y sucedidas por otras más amplias y convenientes.

Aumentóse en consecuencia de éstas extraordinariamente el personal y material del servicio de limpiezas, haciéndose primero la diurna de las calles, alternando las dos mitades de la población; luego toda ella cotidianamente; y obligando a los vecinos a verter las basuras la noche anterior en el centro de las calles. Pero después, y con pleno convencimiento de los graves inconvenientes que este método ofrecía, se adoptó definitivamente por la municipalidad otro más amplio, oportuno y acomodado, que tuvo la gloria de llevar a efecto en 1848 con su notoria energía el alcalde corregidor conde de Vistahermosa en el célebre bando de 28 de octubre de 1847, llamado de *la Campanilla*, por la que se mandaba usar, y usan desde entonces los barrenderos para avisar a los vecinos, a fin que bajen las basuras, sin permitir que éstas queden depositadas en las calles ni en los portales. Esta disposición (que ahora parece tan sencilla y fácil como análoga a lo que se ejecuta en otros pueblos bien regidos) sabemos muy bien los formidables obstáculos que en Madrid ofrecía cuando tuvimos el valor de proponerla, formularla y hacerla enseyar, apoyados con la autoridad del alcalde corregidor Duque de Veragua; obstáculos nacidos unos de la imperiosa necesidad del aumento de brazos, otros de la rutina y mañas de los operarios, y otros, en fin, de la mala fe, de la ignorancia o del extravío de la opinión vulgar. A todos estos obstáculos materiales y morales respondió victoriosamente planteando este servicio el conde de Vistahermosa, y difícilmente se la podrá sustituir por otro que ofrezca menores inconvenientes y mejor resultado. Una vez establecido, ha ido haciéndose más fácil y mejor en la práctica, y el aumento del personal y material dado posteriormente a este ramo, al paso que los oportunos bandos para la prohibición absoluta de depositar los escombros en las calles ni labrar en ellas los materiales para las obras, el establecimiento de un crecido número de cubetas urinarias en las rinconadas, el de los carros cerrados para conducción de las carnes y del pan, los riegos más frecuentes de las calles y otras medidas análogas, han mejorado considerablemente el aspecto de las de Madrid, en el que si notamos todavía algunas faltas, es por la misma exigencia que ha hecho crecer la satisfacción de aquellas otras.

La limpieza de noche deja todavía mucho que desear, y es la que ofrece también dificultades más insuperables, por la escasez de alcantarillas generales, la multitud de los pozos, y por la mala dirección, y a nuestro entender poco acierto de este servicio de su parte material; sin embargo, tampoco pueden negarse algunos adelantos en estos últimos años, tanto en dicha operación como en las horas destinadas al efecto, que antes empezaban a las diez de la noche y ahora a las doce, para disminuir en lo posible la incomodidad del vecindario. Este servicio privado de las casas en que hay pozos, se hace mal por la administración, y es más propio de empresas o maestros particulares. Además, es hasta cierto punto injusto el que se verifique a costa de los fondos públicos; y con la misma franqueza con que antes expresamos nuestra opinión respecto al alumbrado de la vía pública (con el que creemos mal recargada a la propiedad), del mismo modo diremos ahora que la limpieza de pozos inmundos debía ser del cargo de ésta; como los de las aguas limpias, tejados y demás partes de las casas. De este modo se establecerían empresas particulares que rivalizando en celo y perfeccionando los medios de ejecución, disminuirían, como sucede en París, la molestia de la población y el coste de la operación, y relevarían al Ayuntamiento del inmenso sacrificio que a este escaso y voluntario servicio tiene que destinar anualmente. Unicamente puede responderse a estas observaciones con la de que la existencia de dichos pozos no es por voluntad de los dueños de las casas, sino por no estar generalizado en todas las calles el sistema de alcantarillas y desagües subterráneos. Pero a él puede replicarse que en las que las tienen o se abren de nuevo, contribuyeron ya los dueños con la tercera parte de su coste y el completo del acometimiento a ellas.

De todas maneras, es conveniente y de urgencia completar esta obra de alcantarillas, aprovechando ya lo mucho que hay obrado en las calles principales, y asimilándolo a un sistema completo, metódico y bien estudiado; pero como todo esto exige desembolsos inmensos, y la principal circunstancia (sin la cual serían aquéllos inútiles) de contar con un raudal de aguas abundante y bien repartido, somos de opinión de que por ahora podría limitarse la administración a disponer los estudios y trabajos preliminares para emprender a su tiempo tan gigantesca obra, sobre la cual hay mucho escrito y propuesto (1). Por último, creemos que entretanto deberán obtenerse ventajas con el arriendo del servicio de ambas limpiezas de día y de noche, y no escasos ahorros en los sacrificios que ocasiona, llevándose a puro y debido efecto la contrata celebrada en el año último, por la que tanto clamaba la municipalidad, y que al fin creemos adoptada.

INCENDIOS

Hemos dicho anteriormente que este importantísimo ramo del servicio público está unido con los de limpieza y riego por usarse para él los mismos útiles y operarios; pero es evidente que además de esta esencial cooperación hay necesidad de ampliar y organizar considerablemente este servicio con la formación y sostenimiento de un cuerpo de ingenieros y bomberos, que supla la falta de la compañía de Milicia Nacional, que estaba dedicada a este importantísimo servicio, y con la adquisición y conveniente repartimiento en distintos puntos de la capital de suficiente número de aparatos y bombas; sino con la profusión y hasta lujo que se observa en otras capitales extranjeras y aun alguna de las provincias, por lo menos con los medios absolutamente indispensables, y de que puede disponer la villa de Madrid en unión con el interior del Gobierno, del Real Patrimonio y de las sociedades de seguros, sobre lo cual trabajamos en 1848 en una comisión del Ayuntamiento, en unión con otros concejales, y con los ingenieros señores Campo y Mugariegal, un proyecto de Reglamento, que con las variaciones que se juzguen convenientes sería de desear ver adoptado por la municipalidad. La frecuencia de los incendios en Madrid, aumentada considerablemente en estos últimos años y

(1) Llamamos la atención del lector sobre el curioso libro publicado en 1755 por José Alonso de Arce, ingeniero y maestro de obras, que tituló *Dificultades vencidas y curso natural de las aguas y aseo de las calles de esta corte*, etc.

por diversas causas materiales y probables; el lamentable ejemplo de los dos desastrosos de 1851 en la parroquia de San Lorenzo y Hospital de Incurables; y el espectáculo, poco lisonjero a la verdad, que se ofrece en tales casos de los medios para extinguirlos, sin que baste a establecer un orden metódico, oportuno y decisivo, el celo de las autoridades, de los dependientes de la administración y del público, reclaman constantemente aquella saludable reforma. Muchas, sin embargo, son las disposiciones acordadas y publicadas para precaver y remediar en lo posible estos sensibles acontecimientos, y todas ellas están reasumidas en los artículos desde el 116 al 156, inclusive, de las *Ordenanzas municipales* de 1847, que no podemos reproducir aquí por su extensión, limitándonos sólo a estampar el número de campanadas que da cada parroquia en señal de fuego en su distrito respectivo.

Parroquias	Campanadas
Santa María	1
San Martín	2
San Ginés	3
San Salvador y San Nicolás.	4
Santa Cruz	5
San Pedro	6
San Andrés	7
San Miguel y San Justo	8
San Sebastián	9
Santiago y San Juan	10
San Luis	11
San Lorenzo	12
San José	13
San Millán	14
San Ildefonso	15
San Marcos	16
Chamberí	17
Buen Retiro	18

Aguas, fontanería

Sabido es que para atender al surtido de aguas potables en Madrid se acudió desde muy antiguo al medio de adquirir-

las por filtración de unas minas subterráneas que se extienden a cierta distancia de la población y se alimentan de las que manan las sierras inmediatas. Formáronse, pues, cuatro de estas minas o *viajes* principales; uno que llaman de *la Castellana*, en dirección de Fuencarral; otro de *Alcubilla*, hacia Chamartín; otro *Abroñigal alto*, en la parte alta del arroyo del mismo nombre, y otro de *Abroñigal bajo*, a la parte baja del mismo arroyo. Estos son los cuatro viajes pertenecientes a la villa y costeados y conservados a expensas de los fondos municipales, haciéndose todos los años medida de sus aguas por primavera y otoño para saber su aumento o disminución, y con ellos se surten las fuentes públicas de Madrid. Hay además otros viajes propios del Real Patrimonio o de establecimientos particulares, como son el *del Rey*, el de la *Fuente del Berro*, el de *Amaniel* o de Palacio, el de *San Bernardino*, el de la *Montaña de Pío*, el de *San Isidro*, el del *Hospicio*, el de *las Salesas*, y el de *las Descalzas Reales*. Y por último, otros de aguas gordas para beber el ganado y para regadío, como el del *Prado*, el del *Pósito*, el de la *Virgen del Espíritu Santo* y algunos otros.

Dijimos arriba que aquellos cuatro viajes principales, propiedad de la villa, surten de aguas potables a las fuentes públicas de Madrid.

El viaje de la Castellana, cuya agua es la más gorda, surte a las fuentes de los Galápagos (calle de Hortaleza), del Soldado, de las plazuelas de Bilbao, las Descalzas, Santa Ana y Antón Martín y a varios caños de vecindad.

El de la Alcubilla surte a la de San Antonio de los Portugueses, Red de San Luis, plazuelas de Santo Domingo, los Mostenses y Afligidos, Chamberí y los caños contiguos.

El de Abroñigal alto surte a las de Rectores, plazuela de la Cebada y de Pontejos, de la Aduana, de la Escalinata y varios caños de vecindad.

El de Abroñigal bajo, cuya agua es más delgada, surte a las fuentes de la Cibeles, de San Juan, de Santa Isabel, de Lavapiés, de Cabestreros, del Rastro, de la calle de Toledo, de Puerta de Moros, de la calle de Segovia, las del Aguila, Rosario, Embajadores y muchos caños de vecindad.

El viaje de Amaniel o de Palacio, surte a la de Matalobos, en la calle Ancha de San Bernardo, y las privadas del cuartel de Guardias, de Caballerizas Reales y otras.

Los del Pajarito, la fuente de la Puerta de Recoletos, y los del Caño Gordo, San Dámaso, Once caños y Berro, las de las afueras que llevan estos títulos.

En los años últimos se han suprimido o trasladado a otros puntos de aquellas fuentes interiores, la del Ave María, la de Puerta Cerrada, la de la plazuela de la Villa,

la de la Puerta del Sol, la de la plazuela de Celenque, la de la calle de Valverde y la de la calle del Pez.

Las existentes en el día con el aumento de las veinte menores, llamadas *caños de vecindad* (excelente sistema empezado a plantear en estos últimos años), forman un total de *cincuenta y siete,* cuya distribución por distritos, dotación de reales de agua (1), número de aguadores, y demás aparece en el estado siguiente:

RESUMEN DE LAS FUENTES PÚBLICAS QUE HAY EN CADA UNO DE LOS DIEZ DISTRITOS MUNICIPALES DE ESTA CAPITAL, CON EL NÚMERO DE AGUADORES Y SU DOTACIÓN

DISTRITOS	INTRAMUROS			AFUERAS		TOTAL POR FUENTES			TOTAL POR DOTACIONES		
	Número de fuentes	Su dotación	Número de aguadores	Número de fuentes	Su dotación	Intramuros	Afueras	Total	De las de Intramuros	De las afueras	Total
Palacio	4	19 $^1/_2$	73	2	54	4	2	6	19 $^1/_2$	54	73 $^1/_2$
Universidad .	2	2	»	»	»	2	»	2	2	»	2
Correos	4	30 $^1/_2$	97	»	»	4	»	4	30 $^1/_2$	»	30 $^1/_2$
Hospicio	3	30	82	1	2 $^1/_2$	3	1	4	30	2 $^1/_2$	32 $^1/_2$
Aduana	7	54	153	5	37	7	5	12	54	37	91
Congreso	12	30 $^1/_4$	57	»	»	12	»	12	30 $^1/_4$	»	30 $^1/_4$
Hospital	7	38	72	»	»	7	»	7	38	»	38
Inclusa	4	17	47	»	»	4	»	4	17	»	17
Latina	6	32	85	1	1 $^1/_2$	6	1	7	32	1 $^1/_2$	33 $^1/_2$
Audiencia ...	8	63 $^1/_2$	305	1	6	8	1	9	63 $^1/_2$	6	69 $^1/_2$
Totales ...	57	316 $^3/_4$	971	10	101	57	10	67	316 $^3/_4$	101	417 $^3/_4$

En el sitio correspondiente hablaremos de la forma material de las antiguas fuentes que han quedado y de las nuevas construidas.

La comparación de este estado con el equivalente de 1847, que insertó el señor Madoz en su *Diccionario,* demuestra palpablemente la sensible y grave disminución que ha venido trayendo el caudal de estos viajes hasta llegar el punto de no contar actualmente más que con un total de 417 reales, $^3/_4$ desde los 583 $^1/_2$ que figuraban en aquel año, o sea una diferencia en menos de 165 $^3/_4$ reales, que viene a ser la

tercera parte de aquel total. Las causas de esta asombrosa disminución, tanto más alarmante cuanto que coincide precisamente con el aumento de la población y de sus necesidades materiales, ha debido consistir principalmente en la sequedad de las

(1) El real de agua (medida fontanera usada en Madrid) es un tubo del diámetro de un real de vellón, que luego se subdivide en *medios* y *cuartillos*, y éste en cuatro *pajas*; lo que equivale a decir que el real tiene dos medios, cuatro cuartillos y diez y seis pajas. Según los cálculos hechos por los fontaneros dicen equivale a 96 cubas diarias de 2 y media arrobas, o sea de 148 a 150 pies cúbicos.

estaciones; pero acaso también en que destinados a otros proyectos de conducción de aguas los recursos que la Municipalidad invertía anualmente en la conservación y explotación de aquellos preciosísimos y primitivos viajes, no haya podido tal vez atender a ellos con toda la esplendidez que en los años anteriores, cuando no tenía más perspectiva que la única y precaria que le ofrecían estos. Así vemos en los años últimos figurar ya en los presupuestos el ramo de fontanería sólo por la mitad o la tercera parte de las cantidades que se empleaban en él en los anteriores, especialmente de 1824 al 29 inclusive, en que llegó a aproximarse mucho al gasto anual de un millón de reales. Posteriormente aún subió más éste, habiéndose emprendido obras costosas que produjeron el aumento de aguas ya citado de 1840 al 48, y además, los de distribución interior en mayor número de fuentes y caños de vecindad; pero dirigidos después con preferencia los recursos y la atención de la Municipalidad hacia las obras verdaderamente colosales y decisivas del nuevo viaje de la *Fuente de la Reina* y del *Canal de Lozoya* o de *Isabel II* (de que hablaremos más adelante), estamos pasando en este punto hasta la conclusión de estas obras por una de aquellas crisis terribles que deciden la muerte o la vida de los pueblos. Su Majestad la Reina, el Gobierno y la Municipalidad matritense, que comprendieron esta gravísima situación y tan heroicos remedios determinaron aplicar a ella: los propietarios y habitantes de Madrid que acudieron en gran número a su patriótico llamamiento, y la necesidad, en fin, generalmente sentida por el instinto público, acabarán, no lo dudamos, de obrar aquel prodigio en breves meses, transformando en abundancia la penuria secular de esta población en tan importante elemento de vitalidad y de riqueza.

Habiendo hablado de él con aplicación a su uso más precioso, cual es el alimento del hombre, excusamos encarecer y repetir el mismo lamentable cuadro de escasez, y las propias esperanzas de espléndida abundancia en su aplicación al riego y cultivo de la campiña, al fomento del arbolado y paseos, de la industria y de las demás necesidades propias de un pueblo numeroso y civilizado; pero no hay que olvidar que aquella primera fase especialmente no da treguas ni puede entenerse con esperanzas por muy fundadas y próximas que sean; que la población de Madrid carece ya en el día del agua necesaria para su indispensable consumo, que espera, por lo menos, ver dentro de sus muros en el año actual todo el caudal de la fuente de la Reina, y a este fin constante es a donde deben dirigirse los esfuerzos perentorios de la Municipalidad. También es de urgencia el disponer la conveniente canalización subterránea para la distribución del copioso raudal que nos promete el Lozoya para el año próximo, a fin de que llegadas las aguas a las afueras de Madrid, no tarden sus habitantes en recibir y tocar sus inmensos beneficios.

SUBSISTENCIAS, MERCADOS Y MATADEROS

Desde que en los primeros años de este siglo, y a virtud de los trabajos y observaciones de celosos patricios, quedó abolido en Madrid el sistema de *abastos* de *tasas* en los artículos de consumo, y establecida la más amplia libertad comercial, quedaron de hecho inhibidos el Ayuntamiento, el Consejo de Castilla y las suntuosas juntas especiales, de un cuidado de un encargo que con graves dificultades y compromisos les ofrecían tan mezquinos o contrarios resultados. El interés privado, que tan bien discurre cuando marcha sin trabas, supo mucho más que todos aquellos legisladores con sus tarifas, cédulas y mamotretos, y luego que se vió libre de su *protección* y *guía*, ofreció al mercado de Madrid en todos los ramos necesarios y hasta de lujo del consumo uno de los más abundantes y variados surtidos que puedan citarse, y si no el más barato por los crecidos impuestos de las puertas, por lo menos que conserva casi siempre un equilibrio y modicidad verdaderamente admirables, atendido el considerable recargo ya indicado.

Sin embargo, nuestra opinión es de que

del extremo antiguo de influencia o intervención de la autoridad en este punto, hemos caído insensiblemente en el opuesto, de completa indiferencia u olvido. Y artículos hay tan absolutamente indispensables, y cuya abundancia y baratura influye tanto en el bienestar común y en la tranquilidad pública, que es necesario que las municipalidades y los gobiernos no los pierdan de vista, y estén en guardia para acudir en su auxilio en casos dados. Tales son los granos o ramo de panadería; las carnes, el aceite y el carbón o combustible. Sobre estos artículos tan indispensables para la vida, existen legislaciones apropiadas y excepcionales hasta en los pueblos más adelantados, y la villa de Madrid mismo contaba para el principal de ellos con su famoso *Pósito de granos*, en que conservaba el repuesto suficiente para atender a las necesidades imprevistas, y un número crecido de hornos para oponer en su caso una saludable competencia al monopolio de los tahoneros. Pero este establecimiento tan útil y providencial puede decirse que no existe en el día, y las imprevistas escaseces o carestía de 1847 y del año actual, han hecho sentir la necesidad de reorganizarle, bien en los términos antiguos, o bien en otros análogos a los conocidos en París con los nombres de *Halle aux blés y Grenier d'abondance*, fundados, es verdad, en legislaciones especiales, pero que convendría mucho estudiar, escoger y aplicar en aquello que fuera propio y conveniente a nuestra localidad y condiciones. Lo mismo decimos en los ramos de carnicerías y aceites, y sobre éstos el de carbón o combustibles, que es el que ofrece en Madrid más frecuente escasez y da lugar a mayores compromisos y abusos.

La intervención de la Municipalidad en las *subsistencias* está, pues, limitada entre nosotros a la inspección (bastante escasa y poco bien dirigida) de su clase y estado de sanidad; al señalamiento de los sitios o puestos para su distribución; a la legalidad de los pesos y medidas; y en el ramo de carnes, al degüello o matanza de las reses en el establecimiento propio del común. Pero esta intervención o cuidado, más que como servicio de policía urbana, están considerados como *arbitrios municipales* que constituyen una buena parte del presupuesto de ingresos de la villa bajo los nombres de *cajones, puestos, contraste, romanas, mercados, mataderos y baridos de plazuelas*. Sin embargo, aun mirados bajo este solo aspecto de *arbitrios*, no se obtienen de estos ramos tan importantes todos los recursos que debería, estando bien servidos, y que constituyen en otros pueblos la base, puede decirse, de los ingresos municipales.

Sean un ejemplo los *mercados*, en que se ha limitado estrecha y mezquinamente el Ayuntamiento a señalar y arrendar los sitios donde colocan los vendedores sus impropios y sucios cajones, tinglados y puestos (1). No se atrevió nunca a emprender por su cuenta la construcción de uno solo con las condiciones propias de tal, en cualquiera de los puntos convenientes y propios, con reconocida ventaja del vecindario y de los rendimientos del común, dando lugar al repugnante espectáculo, a la incomodidad e insalubridad que produce la venta de comestibles en las plazuelas y encrucijadas, de que aún después de suprimidas últimamente algunas, quedan todavía bastantes para denunciar esta incuria de nuestra daministración urbana. Recordamos que en 1848 presentamos al Ayuntamiento, y con motivo de la subasta anunciada para la construcción de los dos mercados proyectados en la *plazuela de la Cebada* y en la de los *Mostenses*, un plan general de otros que propusimos en sitios convenientes a nuestro entender: tales como la *explanada o bajada de Santo Domingo*, la *plazuela del Duque de Frías*, el solar que ocupa el *convento de San Martín*, cuya demolición se anunció por aquellos días, y el *corralón de los Desamparados*; la reforma y futura ampliación del de la *plazuela del Carmen*; la supresión del de *San Miguel*, y la formación del de *Caballerías* en el *Barranco de Lavapiés*; pero nada de esto se ha realizado, ni aun la subasta anunciada y acordada por el Ayuntamiento y mayores contribuyentes para la construcción de los dos primeros por cuenta de particulares, en la

(1) Los cuatro pequeños mercados cubiertos que existen, llamados de San Ildefonso, de los Tres-Peces, de San Felipe y de San Antón, son de propiedad particular.

que nada arriesgaba la villa, antes bien aseguraba un aumento notable en sus ingresos.

Lo mismo puede decirse respecto a la construcción de uno o más buenos Mataderos, de necesidad tan reconocida por las pésimas condiciones del establecimiento general conocido con este nombre, contiguo a la Puerta de Toledo. Establecimiento, sin embargo, de tan alta importancia (aun mirado sólo bajo el aspecto de *arbitrio* municipal), que le vemos figurar en el presupuesto de ingresos por cerca de medio millón de reales. La salubridad pública y el buen servicio de este ramo tan interesante de la policía urbana, son consideraciones todavía más atendibles para decidir a la Municipalidad a emprender de una vez la obra proyectada, presupuestada y aprobada del nuevo *Matadero*, que llenando estas condiciones, le produciría también un aumento sensible en sus productos.

Tales son, en resumen, los servicios costeados por la villa en los diversos ramos que comprende la *policía urbana*, a los cuales y a las obras públicas y atenciones generales, tiene que dedicar necesariamente la parte principal de su presupuesto. Para llenar en lo posible tan importantes y complicados servicios, no puede menos tampoco de sostener numerosas oficinas, vastos establecimientos y un inmenso número de dependientes y obreros, además del cuerpo militar de la guardia municipal de infantería y caballería (que sólo él absorbe más de medio millón de reales) utilísima, aunque costosa institución, que llena generalmente su objeto; el de serenos vigilantes, que desde su creación han sabido obtener la confianza y simpatía del vecindario, y el de mangueros, que suple en cierto modo, y no sin notable acierto y eficacia, la falta de la compañía militar de ingenieros bomberos, que al cabo habrá que formar. Por último, el crecido coste de los ramos de elecciones, quintas y estadística, que impone sacrificios de que antes estaba exenta la capital.

En medio de todos ellos, y de los otros que atrae sobre Madrid su condición de corte de la Monarquía, centro y residencia del supremo Gobierno, y que sólo por los ramos de beneficencia, corrección e

instrucción pública, le obliga a una subvención anual de cerca de tres millones; y si se considera por otro lado imparcialmente el estado de aumento y mejora a que han llegado y en que prometen continuar todos los ramos del servicio municipal, comparado con el que ofrecían hace veinte años, en circunstancias más prósperas y normales, con exigencias infinitamente menores en la opinión y la necesidad, y con muchos mayores rendimientos e ingresos en las cajas del común (según puede demostrarse por los estados y presupuestos que tenemos a la vista), la más severa o injusta parcialidad no podría dejar de reconocer en la moderna administración municipal grandes títulos de elogio y gratitud por su celoso y aventajado desempeño; tanto más digna de ellos, cuanto que por las instituciones actuales, las cargas concejiles son completamente gratuitas y obligatorias, habiéndose también suprimido en la práctica hasta la más pequeña regalía y los honores de ostentación que antes disfrutaban los individuos de los ayuntamientos por juro de heredad.

MEJORAS DE MADRID. — PROYECTOS DE ELLAS

Hemos procurado reseñar en las páginas anteriores la historia topográfica, estadística y administrativa de la villa de Madrid hasta el día y trazar su material aspecto y organización actuales. La independencia y la imparcialidad más absolutas han guiado, como siempre, nuestra pluma, al señalar y comentar las diversas fases que con la sucesión de los tiempos ha ofrecido el cuadro progresivo de su cultura, de su administración y de su belleza, y contrayéndonos involuntariamente a nuestro punto de partida, esto es, al período de casi un cuarto de siglo, o sea desde el año 1830, en que por primera vez dedicamos nuestra escasa inteligencia y débil pluma a este objeto en nuestro modesto *Manual*, no hemos podido menos de reconocer, como las reconoce y confiesa todo el mundo, las considerables ventajas, el inmenso adelanto que bajo todos los aspectos ofrece hoy la capital del reino comparada con el estado que tenía en la época citada.

Mas por grande y verdaderamente asombroso que haya sido este movimiento de mejora de nuestro Madrid en dicho período, las necesidades y las exigencias creadas en la opinión por las luces del siglo, el refinamiento de la sociedad y hasta el vértigo del progreso y variaciones infiltrado en la sangre de la actual generación a consecuencia de las revoluciones políticas, fueron todavía mucho más allá que los hechos, así en este punto material como en los demás adelantos en el orden social y político.

Contrayéndonos, pues, a nuestro objeto, esto es, al progreso material y contemporáneo de la villa de Madrid, nos hallaremos desde luego con un representante genuino y activo de aquel ferviente movimiento en el ilustre y malogrado corregidor don Joaquín Vizcaíno, marqués viudo de Pontejos. Colocado inopinadamente en 1834 al frente de la administración municipal de Madrid, sin salir como sus antecesores de las aulas universitarias, de las salas de los Consejos ni de las antecámaras del Palacio, antes bien del seno de la parte más culta, ilustrada y vital de nuestra sociedad, conocedor práctico de las necesidades y deseos de ésta, observador diligente de los adelantos de otras naciones y dotado de una mirada certera y de un instinto de buen gusto, de un don de autoridad irresistible, de una franqueza y caballerosidad de trato singulares, supo romper la cadena de la rutina que venían arrastrando los que le precedieron en el mando; sobreponerse a las preocupaciones vulgares, y salvando con increíble constancia y fuerza de voluntad los innumerables obstáculos que la ignorancia y la mala fe le oponían al paso, acertó a iniciar y asentar sobre anchas y sólidas bases el grandioso pensamiento de reforma material y administrativa de Madrid, que después han podido continuar sus sucesores sin tanto esfuerzo.

Por desgracia para esta población, las revueltas políticas y las injustas disidencias de los partidos apartaron demasiado pronto de la autoridad a aquel dignísimo funcionario, el cual, en medio de sus reconocidas y excelentes cualidades de mando, tenía para aquéllos el achaque imperdonable de no pertenecer a bandería determinada, limitándose únicamente a su especialidad administrativa y local (1). Sustituído luego por los alcaldes constitucionales, y dominados éstos y los ayuntamientos por lo azaroso de las circunstancias, por los ahogos que ocasionaban la guerra civil y las revueltas políticas, pudieron ocuparse poco en continuar aquella marcha de verdadero progreso social; sin embargo, no fue infecunda su presencia en las Casas Consistoriales, y después del marqués de Pontejos todavía merecen honorífica mención como patrióticos y celosos administradores locales, aunque en breves períodos, los nombres de los señores *don Fermín Caballero, don Juan Alvarez y Mendizábal* y *don Lino de Campos*; y luego de restablecido por la ley de 1845 el empleo de alcalde corregidor y conferido al señor *marqués de Peñaflorida*, éste y sus sucesores procuraron en lo posible acercarse a aquel modelo, y a semejante deseo debió Madrid (especialmente bajo la administración de los señores *conde de Vistahermosa* y *marqués de*

---

(1) Para probar esta injusta ingratitud de los partidos políticos nos bastará citar dos hechos. Hallándose al frente del Gobierno un celebérrimo personaje (ya difunto), jefe de la comunión moderada, y siendo Corregidor Pontejos, ocurrió una de las infinitas asonadas tan comunes en aquellos tiempos, y diciéndole a aquel que por disposición de éste se había dado un refresco a los retenes de Milicia nacional estacionados en la Plaza, prorrumpió en esta desdeñosa exclamación: «¿Quién le mete a Pontejos en esos dibujos? Que se contente con ser una notabilidad *de cal y canto*.» Posteriormente, cuando a consecuencia del movimiento exaltado de 1836 y restablecida la Constitución de 1812 cesaron los corregidores y fueron reemplazados por los alcaldes electivos, no mereció un solo voto del partido dominante el que cesaba en aquella memorable administración.

A estas injusticias de los partidos podía, sin embargo Pontejos oponer la simpatía y el aprecio del país en general y hasta el de los extraños. Por aquel tiempo decía un célebre periódico inglés que en España sólo tres personas cumplían con su obligación: el caudillo *Cabrera*, el torero *Montes* y el Corregidor de Madrid.

Santa Cruz) los notables adelantos que quedan señalados desde 1846 al 50.

Cúponos en este cuatrienio alguna influencia y cooperación en la administración local como individuos que éramos de la Corporación municipal, y favorecidos además con la amistad de los dignos corregidores, así como lo habíamos sido anteriormente con la del marqués de Pontejos. Ardientes apasionados, por otro lado, del pueblo al que nos une la triple cadena del nacimiento, de la familia y de la propiedad; deseosos de corresponder en lo posible a los deberes que estas condiciones y la de haber sido llamados por nuestros convecinos a la carca concejil, nos imponían; participantes como ciudadanos de sus mismas opiniones y también de las ventajas que pudieran resultarles en el progreso y adelantos de nuestra Patria común, y familiarizados, por decirlo así, como escritores con la habitud de exponer aquellas opiniones y deseos, no pudimos prescindir de continuar desde la casa comunal la tarea voluntaria, desinteresada y patriótica que nos habíamos impuesto hacía muchos años desde el retiro de nuestro estudio privado; y sin pretensiones de acierto, sin interés ni aspiración de ninguna clase (únicamente a la satisfacción de nuestra propia conciencia), procuramos consignar en numerosos, aunque mal acabados trabajos, las ideas que de tiempo remoto veníamos estudiando en la opinión del vecindario sobre proyectos de adelantos materiales y administrativos de Madrid, y dedicar, además, todas nuestras fuerzas y energía a procurar su realización.

Con grande repugnancia tenemos que hablar aquí de nosotros mismos, de nuestras pobres ideas y escritos; pero habiendo merecido éstos una publicidad e importancia a que no aspiraban, aplaudidos y acogidos por unos, criticados o combatidos por otros; pero realizados, en fin, muchos de ellos, y formando bajo este aspecto una página de la historia contemporánea de Madrid que nos ocupa, no podemos prescindir de hacer mención de ellos, siquiera no sea más que para consignarlos como suceso.

Consecuentes siempre en nuestro sistema de conciliar en lo posible el adelantamiento y progresiva mejora de la villa con el debido respeto a los intereses públicos y particulares, y sobre todo con la posibilidad de la realización de aquellas reformas; prácticos conocedores de los obstáculos insuperables que ofrecen en su ejecución los mejores planes y los pensamientos más elevados cuando han de luchar con la falta de medios proporcionados a su importancia, con el interés y hasta con las preocupaciones públicas; convencidos plenamente por una larga experiencia y observación de la inconveniencia de las aplicaciones generales, de las reformas absolutas en busca de un bello ideal exagerado e imposible en un pueblo antiguo, establecido ya con ciertas y determinadas condiciones, nos limitamos en nuestros escritos, proposiciones y proyectos a indicar tales o cuales modificaciones que creímos necesarias o importantes y, sobre todo, practicables, sin dejarnos arrastrar del entusiasmo de las reformas; procuramos, pues, respetar en lo general lo existente en su parte sustancial, no perjudicar a la riqueza pública ni privada, antes bien contribuir a crearla donde no existía, a señalarla nuevas vías donde crecer y desarrollarse.

A pesar de esto, y de que la opinión del vecindario y el interés privado han adherido constantemente a nuestras opiniones, encargándose de materializarlas o llevarlas a cabo; a pesar del apoyo que también las ha prestado la Municipalidad y el Gobierno, adoptando aquellas ideas y proyectos en su mayor parte, y a pesar de que todos ellos giraban sobre las sólidas bases de la conveniencia y de la posibilidad inmediatas, tuvimos, sin embargo, que escuchar dos clases de impugnaciones, y hemos necesitado toda la fuerza de nuestra convicción para mantenernos en aquellas ideas contra ambas opiniones encontradas.

Consistía la primera en motejarnos de proyectistas delirantes, de empíricos, si se quiere, de buena fe; y desde 1835, en que ofrecimos el primer bosquejo rápido de aquellas ideas de mejora al ilustrado y celoso marqués de Pontejos (impresas están en aquella fecha), las miramos combatidas por algunos como hijas de una imaginación juvenil entonces y acalorada por la reciente perspectiva de las capitales extranjeras. Pasaron pocos años, y aquellos pensamientos calificados de ensueños se realizaron todos, y bastó sólo para ello la buena voluntad de parte de una autoridad enérgica e ilustrada. Y posteriormente también aparecimos a ciertos ojos como visionarios reformistas, y también se calificó de quimera el *Proyecto de mejoras generales de Madrid* y la *Memoria y Plano de ellas,* que sometimos a juicio del Ayuntamiento a nuestra entrada y a nuestra salida de aquella distinguida Corporación en 1846 y 1849. Los periódicos más ilustrados, al alabar y recomendar nuestro imperfecto trabajo, le calificaron más bien que de proyecto realizable, de una utopía hija del laudable celo de un buen patricio, y aun hubo alguno que le atacó abiertamente como imprudente o exagerado, y hasta de absurdo, achacándonos ideas y pensamientos que precisamente habíamos combatido con toda energía y valor. No es ya la ocasión de defender aquellos escritos bajo su aspecto de posibilidad y conveniencia, ni tampoco creemos necesario reproducirlos íntegramente aquí, como entonces lo fueron por todas las publicaciones periódicas y hasta por otras fijas y de la más alta importancia, como el *Diccionario del señor Madoz,* que nos hizo el honor de insertarlos y comentarlos con los más inmerecidos elogios. Estampados están allí, y lo que es más aún, realizados en una gran parte de su ejecución material; realizados sin órdenes ni mandatos superiores; sin perjuicio ni lágrimas de nadie, antes bien, voluntariamente y con aumento de la riqueza pública y privada. Baste esto para conocer que todos ellos giraban en la esfera de lo posible, de lo útil y conveniente.

Otros críticos o pensadores, por el contrario, fueron de diversa opinión, y calificando nuestras ideas de diminutas y apocadas sobremanera, las opusieron otras de tan colosales proporciones que, a pesar de nuestro deseo de adelantamiento, no pudimos menos de combatir y rechazar. Al frente de los que pensaban sin duda de esta manera, apareció en el mismo año de 1846, nada menos que el supremo Gobierno, que no convencido, por lo visto, con nuestros argumentos para apoyar la idea principal sobre que giraban nuestros proyectos, a saber *que lo que por ahora conviene a la capital, no es tanto la extensión de sus límites como la regularización y aprovechamiento del espacio que hoy ocupa,* en los términos que detalladamente expresábamos, se decidió por la opinión contraria y publicó en la *Gaceta* la Real orden de 6 de diciembre de 1846, en que se *disponía* una ampliación o más bien duplicación del perímetro de Madrid en el extenso radio comprendido desde la esquina del Retiro hasta la montaña del Príncipe Pío, acompañando el plano levantado al efecto por los ingenieros civiles. Pero comunicada esta Real orden, y consultada (como no podía menos) la opinión del Ayuntamiento, esta Corporación sometió el encargo de extender su reverente informe al mismo individuo de su seno autor de los proyectos anteriores; el cual probó en una extensa Memoria la imposibilidad y la innecesidad (por ahora) de semejante ampliación, con tal copia de datos y razones, que el Gobierno, a quien fue elevada, no pudo menos de anular la disposición referida de 6 de diciembre.

Pero una vez despertada la atención pública y excitado el celo de muchos ilustres ciudadanos hacia este objeto, y coincidiendo además el movimiento febril que por entonces se apoderó de todas las cabezas hacia el espíritu de asociación y de empresas colosales, no tardaron en surgir nuevos y gigantescos proyectos de mejoras materiales, parciales o absolutas, de la villa de Madrid. Todos estos pensamientos más o menos aceptables y dignos, en los cuales no pudimos menos de hacer justicia a la rectitud de ideas, ilustración y patriotismo de sus autores, no fueron bastantes, sin embargo, a hacernos variar en nuestra opinión acerca de su imposibilidad material, que procuramos demostrar palpablemente, aun a riesgo de atraernos antipatías de personas a quien estimamos y respetamos por su talento, y de hacerles afirmar más y más en el concepto que tenían formado de la poquedad de nuestras ideas.

Los que nos achacaban, pues, de exagerados y visionarios, y los que nos han dejado muy atrás por meticulosos, pueden ver en los hechos comprobada la oportunidad y justicia con que nos fijamos en el fiel. Materializados están, repetimos, aquellos pensamientos en su mayor parte, y aceptados por la opinión los restantes para aguardar ocasión oportuna. Jamás hemos violentado ésta por un deseo impaciente, y y cuando más hemos procurado contribuir a prepararla y formar la opinión y los medios de hacerla efectiva. Este es el único mérito (si alguno tiene) de nuestro trabajo, no el de la propia inventiva, sino el de

haber acertado a ser un eco fiel de la opinión sensata del vecindario, que, deseosa de un adelantamiento posible, prudente y progresivo, rechaza toda exageración, todo ensueño de perfección absoluta, que con sus mismas colosales proporciones pudiera llegar a imprimir una sombra de ridículo sobre todas las ideas de mejoras, no menos perjudicial a las verdaderamente útiles y practicables que el espíritu contrario de oposición y de rutina.

III

GOBIERNO SUPREMO

TRIBUNALES

Y

ADMINISTRACION LOCAL

LA REINA Y SU REAL CASA

El Gobierno de la nación española es monárquico hereditario, según el orden regular de primogenitura y representación, prefiriendo siempre la línea anterior a las posteriores; en la misma línea, el grado más próximo al más remoto; en el mismo grado, el varón a la hembra, y en el mismo sexo, la persona de más edad a la de menos. Según la Constitución de la Monarquía española, decretada y sancionada por las Cortes y aceptada por Su Majestad en 18 de junio de 1837, modificada y decretada de nuevo en 23 de mayo de 1845, la persona del Rey es sagrada e inviolable y no está sujeta a responsabilidad, siendo responsables los ministros. La potestad de hacer las leyes reside en las Cortes con el Rey. Corresponde al mismo convocarlas y abrir y cerrarlas en persona o por medio de sus ministros; suspender sus sesiones y disolver el Congreso de los Diputados, convocando otro en el término de tres meses. El Rey sanciona y promulga las leyes y reside en él la potestad de hacerlas ejecutar, expidiendo los decretos, reglamentos e instrucciones que sean convenientes, y cuidando de que se administre a su nombre la justicia; puede indultar los delincuentes, declarar la guerra y hacer y ratificar la paz; disponer la distribución de la fuerza armada; dirigir las relaciones diplomáticas y comerciales con las demás potencias; cuidar de la fabricación de la moneda, en la que se pondrá su busto y nombre; decretar la inversión de los fondos destinados a cada uno de los ramos de la administración; nombrar los senadores del Reino y todos los empleados públicos de la administración; conceder honores y distinciones de todas clases con arreglo a las leyes, y nombrar y separar libremente los ministros. Su Majestad la Reina admite en audiencia particular cuando se solicita este honor por medio de los jefes de Palacio.

Casa Real.—El servicio de la Real Casa y Patrimonio se divide en funciones de *gobierno*, de *etiqueta* y de *administración*. Son jefes de la etiqueta, y superior de Palacio, el Mayordomo mayor de Su Majestad; el Sumiller de Corps y el Caballerizo mayor; la Camarera mayor de Su Majestad la Reina y las personas que ejercen iguales empleos cerca de Su Majestad el Rey y la Reina madre, y el Patriarca de las Indias, Procapellán mayor de Palacio y Vicario general castrense. Bajo la dependencia del Mayordomo mayor, jefe superior de Palacio, ejercen las funciones de etiqueta los mayordomos de semana, gentiles hombres de casa y boca, monteros de Espinosa, ujieres, etc.

La Secretaría de la Real Cámara y Estampilla está además a las órdenes del Mayordomo mayor, como Guardasellos, y otras varias dependencias que sería prolijo enumerar.

La Real Cámara consta del Sumiller de Corps, los gentileshombres con ejercicio, de entrada, y del interior, y otros empleados en la Real servidumbre. A las órdenes de la Camarera mayor están las damas de Su Majestad, guarda mayor, azafatas, etc. Bajo las del Caballerizo mayor están los de campo, ballesteros, reyes de armas, picadores, correos, tronquistas, lacayos, postillones y palafreneros.

El Intendente de la Real Casa tiene a su cargo la administración de la misma y Real Patrimonio, y forman parte de ella la Contaduría, Tesorería y Archivo, así como otros empleados para el servicio de aquella inmensa administración; hay también un Inspector general de reales habitaciones que entiende en el servicio interior de Palacio.

Por último, la Real Capilla y su Secretaría y del Vicariato general castrense, el archivo y tribunal de la misma, tienen por jefe al Patriarca de las Indias, Procapellán y limosnero mayor.

La guardia real, compuesta del Cuerpo de Guardias Alabarderos, creado en 1707, y del escuadrón de Guardias de la Reina, organizado por Real decreto de 2 de febrero de 1853, se compone de dos compañías, una de infantería y otra de caballería, a las órdenes de un director comandante general, grande de España, y sus respectivas planas mayores.

LAS CORTES

Se componen de dos cuerpos iguales en derecho y facultades, el *Senado* y el *Congreso de los Diputados*, y se reúnen todos los años mediante convocatoria del Rey, o extraordinariamente si vacare la corona o el Rey se imposibilitase de cualquier modo para el gobierno. La potestad de hacer las leyes reside en las Cortes con el Rey, y pertenecen a éstas, además de su

potestad legislativa, las facultades de recibir al Rey o al sucesor inmediato de la corona o a la Regencia del Reino, el juramento de guardar la Constitución y las leyes, de elegir Regente o Regencia del Reino y nombrar tutor al Rey menor a falta de personas a quienes corresponda de derecho; aprobar y votar los presupuestos, hacer efectiva la responsabilidad de los ministros. Los senadores y diputados son inviolables en sus opiniones y votos en el ejercicio de su cargo.

Senado.—El alto cuerpo colegislador se compone de un número ilimitado de individuos, cuyo nombramiento corresponde al Rey, excepto los hijos de éste y del sucesor a la corona, que lo son de derecho a los veinticinco años. Este cargo es gratuito y vitalicio, y para obtenerle se necesitan ciertas condiciones personales. El Rey nombra presidente y vicepresidente del Senado, y éste sus secretarios, y forma su reglamento interior. Además de las facultades del otro cuerpo colegislador, tiene la de juzgar a los ministros y a los individuos de su seno y conocer de los delitos contra la seguridad del Estado. El Senado celebra sus sesiones en público en su palacio, situado en la plazuela de los Ministerios.

Congreso de los Diputados.—El Congreso de los Diputados se compone, con arreglo a la ley Electoral vigente, de 349 diputados, uno por cada 35.000 almas, y son nombrados directamente por los electores y por distrito; su cargo es también gratuito y dura cinco años. Le corresponde conocer con preferencia en las leyes sobre contribuciones y crédito público, y además de las facultades del otro cuerpo colegislador, tiene la de acusar a los ministros para hacer efectiva su responsabilidad. El Congreso nombra su presidente, vicepresidente y secretarios, y forma su reglamento interior. Celebra sus sesiones en público en su palacio, plazuela de las Cortes (1).

_____

(1) La descripción de este palacio y de los demás edificios públicos se hará más adelante.

CONSEJO DE MINISTROS

Los ministros, agentes inmediatos y responsables del poder ejecutivo, que ejercen a nombre del Rey, son siete, a saber: de Estado, Gracia y Justicia, Hacienda, Guerra, Marina, Gobernación del Reino y de Fomento, correspondiendo a cada uno el despacho de sus ramos respectivos. Los ministros reunidos forman el cuerpo que se titula *Consejo de ministros*, cuyo objeto es acordar y proponer a Su Majestad las medidas generales de gobierno y otras interesantes al bien del Estado. Este Consejo es presidido ordinariamente todos los viernes por Su Majestad, o en otros casos, extraordinarios e importantes. Uno de los ministros, sin embargo, el que Su Majestad designa, ejerce la *Presidencia del Consejo de Ministros* a que va unida la *Dirección General de Ultramar*, creada recientemente con el objeto que su mismo título expresa. El presidente de este Consejo es actualmente el señor ministro de la Gobernación, y la *Secretaría de la Presidencia y Dirección General de Ultramar* se hallan establecidas en la casa que fue Comisaría de Cruzada, plazuela del Conde de Barajas.

CONSEJO REAL

Consejo Real.—Creado en 6 de julio de 1845 y reorganizado por Real decreto de 22 de setiembre del mismo año. Es el primer cuerpo consultivo del Estado; es su presidente el del Consejo de ministros; se compone de un vicepresidente, 30 consejeros ordinarios, 32 extraordinarios y auxiliares, un secretario general, un fiscal y el correspondiente número de oficiales. Se divide en siete secciones, denominadas de *Estado*, de *Gracia y Justicia*, de *Hacienda*, de *Gobernación*, de *Guerra y Marina*, de *Comercio* y de lo *Contencioso*. Sus atribuciones consisten en responder a las consultas que le dirigen los ministros sobre instrucciones para el régimen de cualquier ramo administrativo; sobre reglamentos generales para la ejecución de las leyes; acerca de los tratados de comercio y navegación, naturalización de extranjeros, autorización a los pueblos y provincias para litigar en asuntos que se deban decidir por el Gobierno, para conceder el permiso de enajenar y permutar sus bienes y contraer empréstitos, sobre autorizaciones para encausar a los funcionarios públicos sobre excesos cometidos en el ejercicio de su autoridad. También le podrá consultar el Gobierno acerca de los proyectos de ley que hayan de presentarse a las Cortes; sobre tratados con las naciones extranjeras y concordatos con la Santa Sede; sobre cualquier punto grave que ocurra en el gobierno y administración del Estado; sobre la decisión final de los asuntos contenciosos-administrativos, validez de presas marítimas, competencias de jurisdicción y atribuciones entre las autoridades judiciales y administrativas, y las que se susciten entre las mismas autoridades y agentes de la administración. También debe contestar el Consejo a las consultas que se le dirijan sobre el pase o retención de bulas, breves y rescriptos pontificios de interés general, y acerca de las preces para obtenerlos; sobre asuntos graves del Real Patronato y recursos de protección del Concilio de Trento, y en todos los demás casos y objetos en que los ministros estimen oír su dictamen. El Consejo Real se reúne diariamente en el palacio llamado de los Consejos.

MINISTERIOS

Ministerio de Estado.—Corren por este Ministerio las relaciones y negocios diplomáticos con las demás potencias; los tratados de paz, alianza y comercio, embajadas, legaciones y consulados, grandezas de España y grandes cruces, subdividiéndose en el día en dos *Secciones*, una para el ramo diplomático y otra para el de comercio. Dependen del mismo la *Interpretación de lenguas*, encargada de traducir a la española las bulas de Roma, los tratados, notas diplomáticas y demás documentos que le pasan los otros ministerios y los tribunales de justicia. Igualmente la *Pagaduría* y *Agencia general de preces a Roma*, a las que corresponde pedir dispensas, indultos y gracias apostólicas para las personas que lo solicitan. El oficio del *Parte*, los *Correos de gabinete*, la *Junta de reclamaciones de créditos procedentes de tratados con las potencias extranjeras*, la *Diputación permanente de la grandeza de España*, el *Cuerpo colegiado de caballeros hijosdalgo* y el *Cuerpo diplomático y consular*.

También dependen del mismo Ministerio las *Asambleas* de las Ordenes civiles del *Toisón de Oro*, de *Carlos III*, de *Isabel la Católica*, de *Damas Nobles de María Luisa* y la *Sacra* de la Orden de *San Juan de Jerusalén*, así como las Reales *Maestranzas* de Caballería de Ronda, de Sevilla, de Granada, de Valencia y de Zaragoza. Por último, el *Tribunal de la Rota Romana y de la Nunciatura apostólica*, de que hablaremos en la sección de tribunales. El Ministerio o *primera Secretaría de Estado* se halla establecido en la planta baja del Real Palacio.

Ministerio de Gracia y Justicia. — Corresponden a este Ministerio las reclamaciones judiciales de los tribunales civiles y eclesiásticos, los puntos de religión y disciplina; los privilegios de nobleza, indultos de ley y demás de gracia. Los nombramientos de magistrados, jueces y subalternos del ramo judicial, y para prebendas eclesiásticas, y el arreglo del clero catedral, parroquial, exclaustrados y del territorio especial de órdenes. Además, recientemente se incorporó a este Ministerio el ramo de *Instrucción pública*, que corría antes unido al que se titulaba de *Comercio, Instrucción y Obras Públicas*, y quedó establecido desde entonces con el título de *Fomento*. En su consecuencia, este de Gracia y Justicia se divide en el día en dos grandes negociados subdivididos después en diversas secciones. Bajo el primer carácter dependen de este Ministerio la *Cancillería y registro del Sello Real*, el Clero catedral y parroquial, la *Cámara eclesiástica*, compuesta de un presidente, ocho ministros y un secretario, y encargada de hacer las consultas y propuestas

sobre los negocios y vacantes eclesiásticas; y en el orden judicial, los tribunales superiores, inferiores y juzgados, de que hablaremos en la sección correspondiente. Igualmente dependen del mismo la *Comisión encargada de redactar los códigos*, la *Dirección General de los Archivos*, el *Montepío de jueces de primera instancia* y la *Comisaría General de Jerusalén*.

Bajo el segundo carácter son dependientes del mismo el *Real Consejo de Instrucción pública*, la *Comisión e inspección de Instrucción primaria*, las *Escuelas Normales*, los *Institutos de segunda enseñanza*, las *Universidades del reino*, las *Bibliotecas, Academias y Museos*, y el *Observatorio astronómico*, de todo lo cual, por lo respectivo a la capital, hablaremos en su lugar correspondiente. Este Ministerio se halla establecido en la casa llamada de la Sonora, calle Ancha de San Bernardo número 43.

Ministerio de Hacienda. — Abraza este Ministerio todo lo correspondiente a la recaudación, administración y contabilidad de la Hacienda pública y sus contribuciones de cuota fija, derechos de puertas, consumos, rentas estancadas y aduanas, arbitrios de amortización, bienes nacionales y secuestros, loterías y Casa de Moneda, liquidación y amortización de la deuda del Estado, y el nombramiento de todos los empleados del ramo de Hacienda pública. Según la forma y planta actual de este Ministerio, se han refundido en él las antiguas Direcciones Generales de Rentas, en las cuales, su organización, atribuciones y nombres, se han hecho frecuentes y sustanciales variaciones, ofreciendo en el día el orden siguiente:

Dirección general del Tesoro.—Idem la *Caja general de depósitos.* — Idem *Contabilidad de Hacienda pública.*—Idem de lo *Contencioso.*—Idem de *Contribuciones.*—Idem de *Aduanas.*—Idem de *Rentas estancadas.*—Idem de *Casas de moneda, Minas y Fincas del Estado.*—Idem de *Loterías.*—Todas las cuales, aunque separadas en distintas oficinas para la instrucción y despacho de los respectivos negociados que expresan sus títulos, vienen a formar el Ministerio de Hacienda, en cuya Secretaría general están distribuidas por el mismo orden las secciones y negociados.

Dependen también de este Ministerio el *Tribunal de Cuentas del Reino* (del que hablaremos en su sección), la *Dirección General de la Deuda Pública*, la *Junta de clasificación de derechos de Clases Pasivas*, la *Contaduría y Tesorería centrales* y la *Inspección General de Carabineros del Reino*: el *Banco Español de San Fernando* y las *Juntas* consultivas de *Moneda* y de *Reconocimiento y liquidación de la deuda atrasada del Tesoro*.—El Ministerio de Hacienda y sus Direcciones generales, están situados en la casa Aduana, calle de Alcalá.

Ministerio de la Gobernación del Reino. Corresponde a este Ministerio la estadística general del reino; la administración civil y económica de los pueblos; la protección y seguridad pública; el alistamiento y sorteo para el reemplazo del ejército, las disposiciones relativas a elecciones de diputados a Cortes y ayuntamientos, la administración y cuidado de los propios y arbitrios, las obras y presupuestos municipales y la policía urbana; y los ramos de correos, beneficencia, corrección, sanidad y los teatros del reino.— Divídese según la planta actual este Ministerio en tres *Direcciones generales*, tituladas de *Administracvión local*, de *Establecimientos penales, beneficencia y sanidad*, y de *Correos*, y aneja también a él está la *Dirección de Telégrafos*.

Son autoridades delegadas de este Ministerio los gobernadores de las provincias, consejos y diputaciones provinciales, ayuntamientos y demás en el orden administrativo; y dependen también de él la *Junta consultiva de policía urbana* y la de *Censura de los teatros del reino*, la *Fiscalía de Imprentas*, la *imprenta nacional y dirección de la Gaceta*, el *Conservatorio de música y declamación*.—El *Consejo de sanidad del reino*, y las *Juntas provinciales y Academias de medicina*; la *Junta General de Beneficencia*, las *provinciales* y *municipales*, las *Cajas de Ahorro y Montes de Piedad*, la *Junta de cárceles*, y la *Administración del correo central*; de todo lo cual, en lo correspondiente a Madrid hablaremos en sus respectivas secciones.

El Ministerio de la Gobernación ocupa la casa llamada de Correos, Puerta del Sol.

Ministerio de Fomento.—Este Ministerio, que llevó antes el título de *Comercio. Instrucción y Obras Públicas*, y del que fue segregado recientemente para unirlo al de Gracia y Justicia, el ramo de Instrucción Pública, quedó constituido bajo el título de *Ministerio de Fomento*, y le corresponden los asuntos de comercio, agricultura, industria, minas, canteras, montes, plantíos, navegación interior, caminos, canales y puertos mercantes; los de ganadería, artes, oficios, manufacturas, gremios, obras de riego y desecación de terrenos y nuevas poblaciones; el Conservatorio de artes, baños minerales, bancos, bolsas, ferias y mercados.—Se divide en dos direcciones generales, una de *Agricultura Industria y Comercio*, y otra de *Obras Públicas*; y dependen del mismo el *Real Consejo de Agricultura, Industria y Comercio*, los *Comisionados regios y Juntas de las provincias*, la del *Fomento de la Cría Caballar*, la *Asociación General de Ganaderos del Reino*, los *Sindicatos de riego*, las *Sociedades Económicas*, los cuerpos facultativos de *Montes*, de *Minas* y de *Caminos y Canales*, los *Tribunales y Juntas de Comercio* y las Escuelas especiales de *Bellas Artes, de Caminos, Minas, Industriales, de Comercio y Náutica, de Sordomudos y Ciegos y de Veterinaria*; la *Comisión de Faros* y la de *Monumentos Históricos y Artísticos* y el *Museo Nacional de Pinturas*. Se halla establecido en el antiguo convento de la Trinidad, calle de Atocha.

Ministerio de la Guerra.—Corre por este Ministerio todo lo relativo a la formación y reemplazo, orden y administración del ejército, su disciplina, distribución y operaciones, mercedes, empleos y retiros; Tribunal Supremo, Sanidad Militar, vicariato y juzgados militares; direcciones de todas armas, capitanías generales y auditorías, estados mayores, cuarteles, presidios militares, transportes, bagajes, remontas de caballería y cría caballar, administración militar, retirados e inválidos, y Montepío militar, y a él está unido el *Depósito de la guerra* y la *Junta de la carta geográfica de España*. Dependen de este

Ministerio el *Tribunal Supremo de Guerra y Marina*, el cuerpo de *Estado Mayor* y el *Administrativo del Ejército* y las Direcciones generales de las armas de *Infantería, Artillería, Ingenieros, Caballería, Estado Mayor, Guardia Civil* y *Carabineros del Reino*, con todas sus dependencias; el *Cuartel de inválidos* y el cuerpo y dirección general de *Sanidad Militar*. Las cuatro órdenes militares de *Santiago, Calatrava, Alcántara* y *Montesa*, y las de *San Hermenegildo* y *San Fernando*. Está situado en el palacio de Buena Vista, calle de Alcalá.

Ministerio de Marina.—Corresponde a él todo lo relativo a la armada nacional y sus dependencias, como arsenales, colegios, montes destinados a la Marina, trabajos hidrográficos, sanidad de Marina, etc., y de él dependen el *Cuerpo General de la Armada y su Estado Mayor*, la *Dirección General* y *Junta Consultiva* de la misma, y la de *Trabajos Hidrográficos*; el *Observatorio astronómico de San Fernando*, el *Museo Naval*, etc. Está situado en la antigua casa de los Ministerios, plaza del mismo nombre.

Al hacer esta breve reseña de la organización actual del Gobierno supremo y enumerar las principales oficinas de la administración general del reino, no hemos creído necesario descender, como en las anteriores ediciones del *Manual*, a detallar los pormenores de cada una en su fundación, historia y atribuciones. Aquellas, como es notorio, son muy breves, como que datan de pocos años, en que todas o casi todas han sido creadas, o refundidas y amalgamadas al nuevo orden político y administrativo; éstas se hallan generalmente expresadas en los mismos títulos que las designan, y además varían o se alteran cada día en sus pormenores por consecuencia de continuos arreglos, trasiego y distribución de negociados; por lo que sería trabajo excusado el que hiciéramos para describirlas y clasificarlas detalladamente. En cuanto a la situación de dichas oficinas, su personal y audiencias (aunque igualmente sujeto a continuas variaciones), nos remitimos a la parte de *Agenda* con que terminaremos el *Manual*.

TRIBUNALES SUPREMOS

Tribunal Supremo de Justicia. — Con arreglo a las nuevas instituciones existe en la corte un Tribunal Supremo de Justicia cuyas atribuciones son dirimir todas las competencias de las audiencias entre sí, y las de estas con los tribunales especiales; conocer de todos los asuntos contenciosos pertenecientes al Real Patronato; de los juicios de tanteo, jurisdicción y señorío y de reversión e incorporación a la corona; conocer del mismo modo en los negocios judiciales en que entendía la cámara de Castilla como tribunal especial; de los recursos de fuerza de todos los tribunales eclesiásticos de la corte; ídem de los recursos de nulidad que se interpongan contra las sentencias dadas en última instancia; de los recursos de injusticia notoria y de segunda suplicación; oir las dudas de los demás tribunales sobre la inteligencia de alguna ley y consultar sobre ellas al Rey con los fundamentos que hubiere para que promueva la conveniente aclaración en las Cortes; y juzgar a los magistrados de los tribunales superiores empleados de alta jerarquía con arreglo a las leyes vigentes. Este Supremo Tribunal se divide en tres salas, primera y segunda de justicia, y de gobierno. Se compone de un presidente y diez ministros, un fiscal, y cinco abogados fiscales, y tiene para el despacho un secretario de cámara y gobierno, dos escribanos de cámara y relatores. El Presidente del Tribunal y los de las dos salas con los fiscales, forman la Sala de gobierno del mismo, con las atribuciones que antes tenía la audiencia plena. El Tribunal tiene el tratamiento de *Alteza* y sus individuos el de *Ilustrísima*. Se reune todos los días no festivos en la casa llamada de los Consejos y local ocupado por el que fue Supremo de Castilla. Las escribanías de cámara están situadas en el mismo.

Tribunal especial de Ordenes.—El antiguo Consejo de las órdenes militares, tuvo principio en el año de 1489 por los Reyes Católicos, que se declararon administradores de las mismas suprimiendo poder de los grandes maestres, ha sido sustituído a virtud de las nuevas instituciones, por el Tribunal especial de Ordenes, que conoce privativamente de los negocios contenciosos del territorio de las cuatro de *Santiago, Alcántara, Calatrava* y *Montesa*; ejerce jurisdicción omnímoda eclesiástica en todas las causas civiles y criminales de las Ordenes, como en las de los caballeros de las mismas, y de sus sentencias en lo eclesiástico se apela al Tribunal de la Rota. Estre Tribunal de Ordenes se compone de un decano, tres ministros, un fiscal y un caballero Procurador general, a quien se consulta los asuntos de interés de ellas. El Tribunal con sus dependencias de secretaría, escribanías de cámara, contaduría general, archivos, etc., está situado en la casa de los Consejos.

Tribunal Supremo de Guerra y Marina. Suprimido por las nuevas instituciones el antiguo Consejo de la Guerra, fue instituído por Real decreto de 24 de marzo de 1834 el Tribunal especial de Guerra y Marina, señalándole el conocimiento en grado de apelación de las causas militares con arreglo a las leyes y ordenanzas, y todos los negocios contenciosos de Guerra y Marina, y del fuero de extranjería. Compónese de un Presidente, un Vicepresidente y 12 vocales generales del ejército y marina, seis ministros togados, dos fiscales de las mismas clases y un secretario. Divídese en dos salas, una de generales y otra de togados. La sala de generales conoce en los procesos de jefes militares y decisión de los consejos de oficiales generales, y la sala de togados en los negocios contenciosos de los fueros de guerra, extranjería y marina. La Secretaría del extinguido Consejo de la Guerra sigue siéndolo de este Tribunal, el cual tiene también su escribanía de cámara, relatores y abogados fiscales. El Tribunal y sus dependencias están situados en el antiguo convento de Santo Tomás, calle de Atocha.

Tribunal mayor de Cuentas.—El origen de esta corporación data de tiempos remotos, así como sus atribuciones judiciales y gubernativas, pues bajo ambos conceptos fue reglamentada ya por el Rey don Juan II, en los años de 1437 y 1442, por sus ordenanzas particulares, que pueden mirarse como un ejemplo de los adelantos de la ciencia administrativa en aquella época. En 1713, 1715 y 1718, recibieron muchas modificaciones dichas ordenanzas, cometiéndose la parte judicial al Supremo Consejo de Hacienda; mas en 1726 volvió a restablecerse el *Tribunal de contaduría mayor* con el mismo nombre y atribuciones que en lo antiguo, si bien considerándole en la parte contenciosa como una sala del Consejo de Hacienda, en cuyo estado permaneció hasta 1816, en el cual y siguientes sufrió nuevas alteraciones, hasta que en 10 de noviembre de 1828 se promulgó la Real cédula, por la que se estableció la planta y atribuciones del Tribunal mayor de Cuentas; por ella se constituyó como autoridad superior gubernativa y judicial en sus casos respectivos. En el primer concepto, o sea como autoridad gubernativa, debe entender en el examen, censura, aprobación y fenecimiento de las cuentas de la administración, recaudación y distribución de los efectos y productos de las rentas y ramos que constituyen la hacienda nacional, y cualesquera otros públicos o del Estado, estando obligada a presentárselas toda autoridad y persona particular que haya manejado o maneje caudales o efectos que en cualquier concepto pertenezcan a la nación, ya sea por su empleo, ya por comisión especial, y pudiendo el Tribunal exigírselas en caso de falta. En el segundo concepto, o sea como autoridad judicial, debe entenderse privativamente y con inhibición de todos los tribunales y juzgados del reino; primero, de todos los casos y causas relativas a la presentación de cuentas, cualesquiera que sea el fuero que tengan las personas obligadas a rendirlas, cuando no hubieren bastado las providencias gubernativas para conseguirlo; segundo, en iguales términos y con la misma extensión de los delitos de infidencia, falsificación y alteración de documentos, abuso de caudales y efectos del Estado, o cualesquier otros que resulten de las cuentas en que aparezca dolo o malversación; tercero, en proceder ejecutivamente y con arreglo a las leyes, contra todos los que como principales, sus herederos o fiadores resulten deudores al Estado en el manejo que hubieren tenido de sus caudales o efectos, hasta conseguir sea enteramente reintegrado.

Para el desempeño de estas atribuciones gubernativas tiene el Tribunal a sus inmediatas órdenes cuatro secciones a cargo cada una de ellas de un Ministro contador mayor, de las cuales la primera entiende de las cuentas de recaudación; la segunda en las de distribución; la tercera en las de comisión, y en las de todos los ramos, establecimientos y conceptos diferentes que no tienen centros especiales de intervención y contabilidad, y la cuarta, que es temporal y no de planta fija, en las cuentas llamadas de atrasos anteriores a 1835, formando cada una de estas secciones el número competente de contadores de primera y segunda clase. Para el desempeño de las atribuciones judiciales se constituyen en Tribunal el señor Presidente y los cuatro Ministros contadores mayores, un Ministro y un fiscal togados, un relator y un escribano de Cámara, con las mismas facultades en los asuntos de su competencia que los demás tribunales supremos. El Tribunal y sus dependencias está situado en la casa del Platero, frente a Santa María.

Tribunal de la Rota.—El Nuncio de la Santa Sede en España decide las consultas sobre puntos de derecho eclesiástico, acordando las dispensas menores, con otras varias facultades.

El Tribunal llamado de *la Rota*, consta de seis jueces eclesiásticos, legistas, y dos supernumerarios, y conoce de los asuntos contenciosos que vienen a él por apelación de los metropolitanos y jueces eclesiásticos. Igualmente de las causas contra los eclesiásticos, y de las que se forman a los legos por delitos de herejía, simonía, sacrilegio, usura, perjuicio y adulterio, de las demandas de divorcio y otras. Se divide en dos turnos compuestos de tres ministros cada uno, y del uno se admiten las apelaciones para el otro, y de los dos para ambos reunidos. El orden de sustanciación es diferente en ciertas formas del de los demás tribunales. Para el despacho de los negocios tiene dos secretarías de justicia donde están divididos aquellos por obispados, y una abreviaduría para las dispensas. Este Tribunal y sus oficinas están situadas en la calle y casa del Nuncio.

Abogados.—El ilustre colegio de Abogados de Madrid forma asociación desde 1596 aunque sus ordenanzas datan sólo de 1732 y por ellas quedó constituído en cuerpo colegiado, regido hoy por sus estatutos de 1838. Al frente de él se halla una junta de gobierno elegida entre sus mismos individuos, y la corporación en el día se compone de más de novecientos individuos aunque la mitad por lo menos no ejercen y son meros titulares. Es indispensable estar incorporados a él para poder firmar los alegatos y asistir a las defensas verbales. Además cierto número de individuos alternan todos los años en la defensa de los pobres de solemnidad.

Escribanos.—Los titulados Notarios de reinos forman también su colegio desde 1653 y se rigen actualmente por las ordenanzas aprobadas en 1843. Su número pasa de 100 y tienen facultad de autorizar y otorgar toda clase de contratos y documentos, aunque con obligación de protocolizar los originales en una de las Escribanías numerarias de la villa. Estas son 33 de propiedad particular, y sus gerentes despachan todos los asuntos civiles con los jueces de primera instancia y tenientes de Alcalde, y sus oficinas o escribanías están situadas en gran parte en el sitio de la calle Mayor conocido por *las Platerías.*

Procuradores.—El número de procuradores, cuyas primeras ordenanzas datan de 1574, y fueron reformadas en 1719, se constituyó en colegio en 1842, con su junta de gobierno y el número fijo de 63, todos los cuales tienen facultad para actuar indistintamente en todos los tribunales inferiores y juzgados superiores, civiles, militares y eclesiásticos, encabezándose todos los pedimentos a su nombre, y firmados por ellos, para lo cual tienen que recibir poder de los interesados.

Agentes.—Desde 1847 se han constituído y formado colegio aquellas personas que con el nombre de Agentes de negocios y sin título especial, más que el de la confianza de sus comitentes, representan sus personas, dirigen sus gestiones, comisiones y encargos, tanto en el ramo judicial como en el gubernativo, económico, etc.

unque no es obligatorio el pertenecer a
te colegio, como compuesto que está de
s personas más distinguidas por su pro-
dad, instrucción y práctica, puede decir-
que sólo sus individuos son considerados
mo tales Agentes.

ADMINISTRACIÓN LOCAL

Gobierno político.—La autoridad supe-
or, política, administrativa y económica
e la provincia, se halla cometida al señor
obernador, en cuya dignidad han venido
refundirse la que a su creación en 30
e enero de 1833 se tituló *Subdelegado de
omento*, luego *Gobernador civil y Jefe po-
tico*; la que con los nombres de *Subde-
gado e Intendente de policía* ha estado
n diferentes ocasiones al frente del ramo
e protección y seguridad pública, y por
ltimo, la del *Intendente de rentas* por su-
resión de estos funcionarios verificada a
onsecuencia del Real decreto de 28 de di-
iembre de 1849. Como delegado superior
el Gobierno y representante de la autori-
ad suprema en la provincia en todos los
amos de la Administración civil (a excep-
ión del judicial), está encargado de eje-
utar y hacer ejecutar las leyes y órdenes
uperiores y dictar las necesarias para man-
ener la tranquilidad y el orden público,
roteger las personas y bienes, dirigir y
omentar todos los servicios de administra-
ión, la industria, el comercio, la instruc-
ión pública, la beneficencia, y corrección;
levar la estadística de población y rique-
a; cuidar del buen orden de los actos pú-
olicos, sorteos para las quintas, de las elec-
iones y demás; aprobar los presupuestos
municipales, las ventas y remates y obras
n que se interesan los bienes del común;
y en la parte de hacienda pública, cuidar
le la recaudación, distribución de contri-
uciones, reasumiendo todas las facultades
que estaban sometidas a los antiguos Inten-
lentes de rentas. Preside por lo tanto en
aquel concepto al Consejo y Diputación
provincial, a los Ayuntamientos y a todas
as Juntas y Corporaciones provinciales, y
oor el ramo de Hacienda es jefe Subdela-

gado de Rentas, y tiene bajo su dependencia la Administración, Contaduría y Tesorería de la provincia, las oficinas de Aposento, Hipotecas y demás del ramo. El Gobernador de la de Madrid tiene el tratamiento de Excelencia, y reside en la casa
propia del *Gobierno político*, calle Mayor,
número 115, donde está también su Secretaría y otras dependencias del mismo.

Consejo provincial.—Creado en virtud
de la ley de 6 de julio de 1845; es el Cuerpo consultivo del Gobernador de la provincia, y decide como Tribunal de primera instancia en los asuntos gubernativos
que llegan a ser contenciosos, con las demás atribuciones que aquella le señala.
Consta de un Vicepresidente, cuatro consejeros de número, y cinco supernumerarios, y tiene sus oficinas en el local del
Gobierno político.

Diputación provincial.—Por la ley de 8
de enero de 1845, y reglamento para su
ejecución de 16 de septiembre del mismo,
consta la de Madrid de igual número de
diputados que el de distritos judiciales en
la provincia, que en el día son 17, los diez
en la villa y afueras, y siete en el resto de
aquélla. Este cargo es gratuíto y de elección popular, renovándose por mitad cada
dos años. Las diputaciones provinciales celebran anualmente dos reuniones ordinarias que duran veinte días en las épocas
que señala el Gobierno, y además las extraordinarias que éste disponga y fueren
menester. Sus atribuciones son referentes
al reparto de contribuciones, quintas y
otros de interés provincial. La Diputación
se reune en el mismo local del Gobierno
político.

Protección y seguridad pública.—La vigilancia, protección y seguridad pública está cometida a la autoridad del Gobernador
de la provincia. Para el desempeño de este
ramo se halla dividido Madrid en siete
Comisarías de vigilancia, denominadas:
de *Embajadores, Lavapiés, Prado, Centro,
Maravillas, Palacio y Vistillas.* Cada comisario tiene a sus órdenes sus celadores de
barrio respectivos, subalternos y guardia
civil.

Los *Comisarios* tienen a su cargo la inspección de todo lo correspondiente a este ramo, el padrón general de vecinos, forasteros y establecimientos públicos, el refrendo de pasaportes para el interior (1) y la expedición de licencias para el uso de armas, puestos, posadas y carruajes; la persecución de los delincuentes hasta someterlos a la autoridad judicial, y demás atribuciones propias de su encargo, protector de las personas y de las propiedades. Los comisarios tienen por insignia una faja con los colores nacionales y un bastón de puño de oro, y sobre la puerta de su casa esta inscripción: *"Comisaría del distrito de..."* Su nombramiento se hace por el Gobierno a propuesta en terna de los Gobernadores.

Los *Celadores* desempeñan, en sus respectivos barrios, las atribuciones que antes corrían a cargo de los alcaldes de barrio, forman los padrones, cuidan de recoger los pasaportes y dan papeletas para la expedición de otros, y se entienden con el Comisario del distrito para estos y los demás encargos de su atribución.

Subdelegación de Rentas.—Dependiente de la misma autoridad del Gobernador, como delegado de Hacienda pública de la provincia, existe su *Juzgado* y *Escribanía* y la *Administración general de la misma*, cuyas oficinas de *Contaduría* y *Tesorería*, y la *Contaduría de Hipotecas* y la de *Amojento*, se hallan situadas en la calle de Capellanes, números 5 y 7, excepto la *Administración de Aduanas y Aranceles*, que está sita en la Aduana, calle de Valencia, junto al portillo de este nombre, y la *Comisión de evaluación de la riqueza* para el reparto de contribuciones, calle de Santa Catalina, número 1.

Alcalde Corregidor.—Con este título volvió a restablecerse en 1845 la autoridad municipal de Madrid que hasta su supresión en 1836 llevó el nombre de *Corregidor*, y posteriormente desempeñaron los Alcaldes Constitucionales de elección popular. A esta autoridad, como delegada del Gobierno, corresponde publicar, ejecutar y

hacer ejecutar las leyes, reglamentos, reórdenes y disposiciones de la autori superior, desempeñar todas las func·c especiales que le señalen las mismas, pr dir las sesiones del Ayuntamiento y ej tar y hacer ejecutar sus acuerdos y del raciones, formar y presentar al mism presupuesto municipal, y aprobado por y por el Gobierno, y con arreglo a él, rigir la recaudación e inversión de los f dos públicos; cuidar de la policía urb y rural en todos sus ramos y publicar órdenes y los bandos oportunos para el dirigir y presidir los establecimientos nicipales, los remates y los espectácu públicos, y ejercer por sí y por medio los tenientes de Alcalde, sus delegados, atribuciones judiciales que la ley le con de. La Alcaldía Corregimiento y su se taría están situadas en el piso principal las Casas consistoriales.

Ayuntamiento.—Por la referida ley d de enero de 1845, y reglamento para ejecución de 16 de setiembre del mism el Ayuntamiento de Madrid se compone Alcalde Corregidor, 10 tenientes de Alc de y 37 Regidores, en todo 48 Conceja de los cuales uno desempeña el cargo Procurador síndico, elegidos y nombrac todos en los términos que la misma ley d pone y renovados por mitad cada dos añ El Ayuntamiento celebra dos sesiones or narias los martes y viernes de cada sema y acuerda y delibera sobre el sistema administración de los propios y arbitri la conservación y disfrute de las propie des comunales, las mejoras materiales pueblo, las ordenanzas municipales, aline ción de las calles y obras públicas, arrenc miento, plantío y aprovechamiento de fi cas de propios, supresión, reforma y cre ción de arbitrios, establecimientos muni pales, enajenación de bienes de propi pleitos y demandas sobre los mismos o derechos del común, y otros asuntos de i terés local, cuyos acuerdos, para obten fuerza ejecutoria han de merecer respec vamente la aprobación del Alcalde Correg dor y del Gobierno. Por el nuevo regl mento interior de esta Corporación, apr bado por S. M. en 9 de enero de este mism año, el Ayuntamiento se divide en 10 se *ciones locales* o de Distrito municipal, y e

---

(1) Estos pasaportes deben quedar suprimidos desde 1 de mayo, según el último Real decreto.

una *general*; cada una de aquéllas presidida por el Teniente de Alcalde correspondiente y compuesta de los concejales nombrados por el mismo distrito; y la *general* presidida por el Alcalde Corregidor y compuesta de un individuo de cada sección y del Regidor síndico. Aquellas secciones tienen a su cargo, y por delegación del Alcalde Corregidor, el cumplimiento de todas las órdenes de éste y acuerdos del Ayuntamiento, cuidando directamente de la Estadística, de la Quinta y de todos los ramos del servicio y Policía urbana en su respectivo distrito. La Sección general está encargada de preparar todos los asuntos de interés común y de administración municipal.

Los *Tenientes de Alcalde* son delegados del Alcalde Corregidor y ejercen sus funciones, especialmente judiciales, en su respectivo distrito. Los Regidores además pueden encargarse de las comisiones especiales y comisarías de determinados ramos para que fueren nombrados. La Secretaría, Contaduría, Depositaría y Archivo del Ayuntamiento están situadas en las Casas Consistoriales.

TRIBUNALES LOCALES

Audiencia Territorial. — Extinguida la antigua Sala de Alcaldes de Casa y Corte, que ejercía la justicia como tribunal de apelación en Madrid y su rastro, se creó en esta capital en virtud del Real decreto de 28 de enero de 1834, esta Audiencia que comprende la capital y su provincia, y las de Avila, Guadalajara, Segovia y Toledo, y está declarada de ascenso para los ministros de las otras del Reino, aunque por lo demás igual a ellas en autoridad y facultades. Este tribunal se compone de un Regente, tres Presidentes de Sala, diez Ministros y un Fiscal, y se divide en tres salas con sus respectivos presidentes, los cuales conocen indistintamente en causas y pleitos, y lo mismo los fiscales. El Regente con los presidentes de las salas y los fiscales forman la Junta gubernativa del tribunal con las atribuciones que antes tenía la Audiencia plena. El tribunal tiene el trata-

miento de *Excelencia*, y cuenta además dos Abogados fiscales, siete Relatores, un Secretario y Archivero, siete Escribanos de cámara, un Canciller y un Repartidor y Tasador. Todas las dependencias del tribunal y archivo están situadas en el edificio conocido por la *Cárcel de Corte*, plazuela de Provincia.

Juzgados de primera instancia. — Divídese Madrid, como dijimos más arriba, en ocho juzgados para el interior y dos para las afueras, con las denominaciones allí expresadas, y en cada juzgado hay un promotor fiscal y el correspondiente número de escribanos, alguaciles y dependientes. Los juzgados se hallan establecidos en el piso bajo de la Audiencia territorial, y los de las afueras en Chamberí y el paseo de las Delicias. Los Jueces de primera instancia, bajo la presidencia de un magistrado de la Audiencia, forman tribunal para entender en los delitos de imprenta.

Tribunal del Comercio. — Creado en 30 de marzo de 1830, según el Código Mercantil, conoce de los asuntos y causas de comercio. Compónese de un prior, dos cónsules propietarios y cuatro sustitutos nombrados anualmente a propuesta de la Junta de Comercio, y de entre los mismos comerciantes matriculados de esta villa. Tiene además un asesor letrado, y celebra sus sesiones en la casa llamada Aduana Vieja, plazuela de la Leña.

La *Gobernación militar* de Madrid y su provincia está organizada en los términos siguientes:

El *Capitán general del primer distrito* (Castilla la Nueva), que comprende las provincias de Madrid, Ciudad Real, Guadalajara, Cuenca, Toledo y Segovia (aunque esta última es Castilla la Vieja) tiene a su cargo todo lo relativo al gobierno, defensa y seguridad de aquél. Para el despacho de los negocios contenciosos del fuero militar, tiene un Auditor letrado que conoce en ellos en primera instancia, y para el de los negocios gubernativos un Secretario y oficiales. *La Capitanía general y Auditoría de guerra* con su escribanía, y la *Secretaría*, están situadas en el ex-convento de Santo Tomás, calle de Atocha.

El *Gobernador de la plaza*, segundo cabo del distrito, y Comandante general de la provincia, es la autoridad inmediata al Capitán general, estando encargado de la quietud y defensa de la plaza de Madrid en lo militar, y otras atribuciones consiguientes. Su residencia oficial es la antigua casa de Correos, donde está la *Guardia principal*, y tiene además su secretaría.

Las autoridades inmediatas son el *Sargento mayor* y los *Ayudantes de plaza*.

Madrid además para el servicio militar, está dividido en siete *cantones*, con sus respectivas *comandancias*, a cargo de un jefe que tiene a su cargo los padrones y seguros militares, y demás del buen orden relativo a estas clases.

La *Intendencia, Intervención* y *Pagaduría* militares de este distrito están situadas en el ex-convento del Carmen, calle del Barquillo.

APENDICE A LA PARTE TERCERA

Las variaciones más sustanciales ocurridas con motivo de los acontecimientos políticos del mes de julio próximo pasado en los diversos ramos de la administración del Reino y especial de la villa de Madrid son hasta el día las siguientes:

1.ª Supresión del Consejo Real. (Página 275).

2.ª Idem del Consejo provincial. (Página 281).

3.ª Restablecimiento del Ayuntamiento constitucional y Diputación provincial de 1843. (Páginas 282 y 281).

4.ª Supresión de la Policía de vigilancia, y especial del cuerpo de *salvaguardias de Madrid*, creado en virtud del real decreto de 4 de abril último.

En consecuencia de estas determinaciones, el gobierno y administración de Madrid y su provincia ha quedado organizado en los términos siguientes:

El *Gobernador de la provincia* queda existente con las atribuciones y autoridad que antes, y como delegado especial del Supremo Gobierno.

La *Diputación provincial* compuesta de 13 diputados elegidos uno por cada partido o distrito, reasume las atribuciones del Consejo provincial, y otras muy vastas relativas a elecciones, quintas, contribuciones y obras públicas.

El *Ayuntamiento Constitucional* con arreglo a la ley de 3 de febrero de 1823 sobre el gobierno económico de las provincias, se compone de 6 alcaldes (uno para cada juzgado) y 24 regidores y tiene para la administración y régimen de la localidad todas las atribuciones y facultades que dicha ley le señala.

El *Alcalde primero constitucional* (que sustituye al antiguo Corregidor) preside el Ayuntamiento, publica los bandos y cuida de la ejecución de los acuerdos de aquél. El mismo y los demás *Alcaldes*, ejercen en su respectivo distrito o juzgado el encargo de *jueces de paz* y están situadas sus audiencias en los puntos siguientes: *Juzgado del Río*, calle de la Biblioteca, núm. 11, cuarto principal; *Juzgado de Maravillas*, calle de Silva, núm. 14, cuarto principal; *Juzgado de las Vistillas*, Plaza de la Constitución, núm. 7, piso segundo; *Juzgado del Prado*, calle del Príncipe, núm. 35, cuarto principal; *Juzgado de Lavapiés*, Plaza de la Constitución, Repeso; *Juzgado del Barquillo*, calle de Jardines, núm. 40, cuarto segundo.

Los *Alcaldes de barrio* cuidan de los padrones del vecindario, y otras atribuciones de estadística y policía urbana antes sometidas a los celadores suprimidos.

La división actual de la villa de Madrid no es ya la que va estampada en las páginas 148 y siguientes, y sí la que regía en 1843 en estos términos:

DIVISIÓN DE MADRID

Madrid se divide en 2 *cuarteles*, 6 *juzgados*, 12 *distritos*, 24 *parroquias* (1) y 89 *barrios*.

Los *dos cuarteles* se denominan, *cuartel*

(1) La división en 24 parroquias no llegó a establecerse.

del Norte y *cuartel del Sur*. La línea que los separa empieza en el puente del arroyo Abroñigal, junto a la venta del Espíritu Santo, sigue por el camino real de Alcalá, puerta y calle de este nombre, Puerta del Sol, calle Mayor, Platerías, calles de la Almudena y Malpica, y por la cuesta de la Vega, sale al puente de Segovia, continuando hasta el camino de Alcorcón, hasta el perímetro del término. Esta división en dos mitades se acomoda a la limpieza de noche, los campos santos generales, la policia urbana, y algún otro ramo que se gobierna por ella.

Cada uno de los dos cuarteles referidos se dividen en 3 *juzgados*. El cuartel del Norte comprende los juzgados *del Río, Maravillas* y *Barquillo*, y el cuartel del Sur los de *Vistillas, Lavapiés* y el *Prado*. Las calles de Preciados y Ancha de San Bernardo dividen el juzgado del Río del de Maravillas; las de la Montera y Fuencarral, separan el de Maravillas del del Barquillo; la de Alcalá es el límite entre los juzgados del Barquillo y del Prado; la de la Concepción y de Atocha dividen al del Prado del de Lavapiés; las calles de Toledo, de los Estudios, de San Dámaso y de Embajadores, terminan los juzgados de Lavapiés y de las Vistillas, y las calles Mayor, de la Almudena y Malpica, separan el de las Vistillas y parte del del Prado del juzgado del Río. Esta división por juzgados sirve para la administración de justicia, en primer grado, y para las elecciones, quintas, etcétera.

Los seis juzgados y alcaldías se subdividen cada uno en dos *distritos*, y estos *doce* distritos en *ochenta y nueve* barrios en esta forma:

Cuarteles	Juzgados	Distritos	Barrios
	RIO	GUARDIAS DE CORPS.	Conde Duque.
			Quiñones.
			Amaniel.
			Príncipe Pío.
			Alamo.
			Leganitos.
			Bailén.
		PALACIO	Postigo.
			Arenal.
			Bordadores.
			Independencia.
			Platerías.
			Isabel II.
			Afueras al Pardo.
NORTE	MARAVILLAS	UNIVERSIDAD	Daoiz.
			Dos de Mayo.
			Corredera.
			Rubio.
			Afueras a Fuencarral.
			Escorial.
			Colón.
			Barco.
		CORREOS	Pizarro.
			Estrella.
			Silva.
			Desengaño.
			Jacometrezo.
			Abada.
			Puerta del Sol.
	BARQUILLO	ADUANA	Montera.
			Reina.
			Caballero de Gracia.
			Bilbao.
			Alcalá.
			Almirante.
			Libertad.
		HOSPICIO	Fuencarral.
			Hernán Cortés.
			Beneficencia.
			Arco de Santa María.
			Regueros.
			Belén.
			Afueras a Chamartín.

uarteles	Juzgados	Distritos.	Barrios
		VILLA	Cordón. Segovia. Cava. Don Pedro. Cebada. Humilladero. Afueras a Alcorcón.
VISTILLAS		MATADERO	Aguas. Calatrava. Solana. Toledo. Rastro. Arganzuela. Peñón. Huerta del Bayo.
LAVAPIES		COLEGIATA	Estudios. Progreso. Relatores. Cabestreros. Juanelo. Comadre. Ministriles.
		INCLUSA	Embajadores. Caravaca. Olivar. Ave María. Afueras a Carabanchel. Tinte. Primavera. Valencia. Torrecilla del Leal.
PRADO		IMPRENTA	Constitución. Concepción. Carretas. Angel. La Cruz. Príncipe. Carrera.
		CONGRESO	Retiro. Cortes. Lobo. Cervantes. Atocha. Gobernador. Huertas. Afueras a Vallecas.

SUR

Cuartel	Juzgados	Distritos	Barrios
	VISTILLAS	VILLA	Cordón.
			Segovia.
			Cava.
			Don Pedro.
			Cebada.
			Humilladero.
			Afueras a Alcorcón.
		MATADERO	Aguas.
			Calatrava.
			Solana.
			Toledo.
			Rastro.
			Arganzuela.
			Peñón.
			Huerta del Bayo.
	LAVAPIÉS	COLEGIATA	Estudios.
			Progreso.
			Relatores.
			Cabestreros.
			Joanelo.
			Comadre.
			Ministriles.
		INCLUSA	Embajadores.
			Caravaca.
			Olivar.
			Ave María.
			Afueras a Carabanchel.
			Tinte.
			Primavera.
			Valencia.
			Torrecilla del Leal.
	PRADO	IMPRENTA	Constitución.
			Concepción.
			Carretas.
			Angel.
			La Cruz.
			Príncipe.
			Carrera.
		CONGRESO	Retiro.
			Cortes.
			Lobo.
			Cervantes.
			Atocha.
			Gobernador.
			Huertas.
			Afueras a Vallecas.

IV

PARTE RELIGIOSA

GOBIERNO ECLESIÁSTICO

Madrid corresponde para la administración eclesiástica a la diócesis de Toledo (aunque conforme a lo dispuesto en el párrafo 5.º del artículo 5.º del Concordato de 1851, se erigirá una nueva diócesis en esta capital), y el *M. R. Arzobispo Primado de las Españas,* que ordinariamente reside en la corte, y es además Pro-Capellán mayor honorario de S. M., Canciller mayor de Castilla, Comisario general de la Santa Cruzada, y la autoridad superior en el orden eclesiástico, tiene en la misma sus dependencias o delegaciones, y su Secretaría especial en el *Palacio Arzobispal,* sito en la calle de San Justo.

El *Vicario eclesiástico de Madrid,* delegado del M. R. Arzobispo, entiende en primera instancia en todos los asuntos eclesiásticos, contenciosos y ordinarios de Madrid y su partido. Compétele también el conocimiento de los negocios gubernativos de todos los pueblos de su demarcación; la facultad de visitar todos los oratorios privados; la concesión de las licencias de confesar y predicar; el recogido de las mismas en los casos convenientes, y todas las diligencias ordinarias de jurisdicción voluntaria en los negocios sometidos a la autoridad eclesiástica con las apelaciones al Consejo de la gobernación, o vicarios generales de la diócesis, que se compone del *Vicario,* juez eclesiástico ordinario, un

Teniente vicario, un Fiscal eclesiástico, cuatro notarios mayores, cinco notarios oficiales mayores, y el competente número de subalternos. Para la concesión de dichas licencias hay establecidos dos sínodos de jueces examinadores, uno para la de confesar y predicar y otro para las de celebrar.

Hay además el *Tribunal de la Visita* diocesana, cuya jurisdicción sólo alcanza al casco de Madrid y sus arrabales. Sus atribuciones, además de las que como tribunal le son encomendadas por el prelado, son las de entender en todos los negocios sobre cumplimiento de cargas piadosas, memorias, capellanías y obras pías; facultar para la venta, permuta y subrogación de sus fincas; inspeccionar las cuentas de fábrica y colecturías de las parroquias; y finalmente, cuanto corresponde a cementerios. Se compone este tribunal de un Juez visitador, un Fiscal eclesiástico, que por lo común es el mismo de la vicaría, dos Notarios mayores o de asiento, dos Notarios oficiales mayores, cuatro Notarios de diligencias y competente número de auxiliares.

Por último, la *Audiencia arzobispal,* cuyo personal es el mismo que compone la Vicaría eclesiástica de Madrid, tiene jurisdicción metropolitana para las apelaciones en segunda instancia, en las causas de fe de las diócesis de Segovia, Sigüenza, Osma y Valladolid, y de las abadías exentas y territorios *Vere-nullius* que se encuentran en ellas. La *Vicaría Eclesiástica*, el *Tribunal de Visita* y la *Audiencia Arzobispal*, están situados en la calle de la Pasa, número 3.

Curas párrocos.—Los señores Curas de las parroquias están encargados del pasto espiritual de los fieles, la formación de matrículas para inspeccionar sobre el cumplimiento de los preceptos religiosos; la expedición de fes de bautismo, de vida, de casamiento y de muerte de sus parroquianos; las amonestaciones y otras diligencias para los casamientos; y finalmente la autorización y celebración de éstos, los entierros, bautismos, y lo demás perteneciente a la religión. Todas las parroquias tienen además de su Cura párroco, uno o más tenientes, beneficiados, capellanes de número o agregados, sacristán, colector y demás personal necesario para el servicio del culto y parroquial.

El patronato de todas las iglesias parroquiales de Madrid pertenece al Estado; la categoría de sus curatos es de término.

Los señores curas propios y beneficiados de las parroquias de esta M. H. Villa, forman un cuerpo titulado: *Venerable Cabildo de curas y beneficiados de Madrid*. Esta corporación es tan antigua como las parroquias, erigida e instituída canónicamente en virtud de breves y rescriptos pontificios, que obran originales en su archivo, teniendo sus constituciones especiales aprobadas por el diocesano y el Consejo de Castilla; habiendo sido considerada siempre como cuerpo consultivo en puntos de religión y moral y de disciplina eclesiástica. Goza de varias preeminencias, y tenía también el cargo de cumplir muchas fundaciones piadosas en diferentes iglesias de la corte; pero en el día su obligación se reduce a asistir a las procesiones generales y a la celebración de los funerales que el cabildo, por un espíritu de piedad fraternal, costea por sus individuos difuntos.

Las parroquias exentas de la jurisdicción del diocesano y que dependen del M. R. *Patriarca de las Indias*, como pro-capellán mayor de S. M. y vicario general de los ejércitos y armada, son en Madrid la Real Capilla, la Ministerial de Palacio (en la iglesia de la Encarnación) y su anejo de las Caballerizas Reales, la del Buen Suce-

so, la del Retiro, la de la Florida, la de Canal, y en el concepto de Castrenses la del Rosario y Atocha.

PARROQUIAS

Dijimos en la parte topográfico-administrativa que la división eclesiástica o parroquial de Madrid es lo más imperfecto absurdo que puede verse; porque enclavadas las feligresías primitivas de la antigua villa en los estrechos límites que tuvieron en su origen, han dejado que las modernas parroquias, fundadas en un principio e los arrabales, fueran creciendo con éstos, llegasen a hacerse tan populosas y extensas, que algunas de ellas ocupan mayor espacio y tienen más población que las siete que quedan primitivas; de suerte que mientras el cura párroco de San Nicolás el Salvador, por ejemplo, puede visitar por sí mismo casi diariamente a los 246 vecinos de su parroquia, el de San Sebastián o el de San Lorenzo, que cuentan con un número de 6.000 a 6.700 vecinos cada uno necesitarían para verificarlo en la misma proporción todo un mes, o treinta tenientes. Además de este inconveniente para el pasto espiritual, ofrece aquella monstruosa división otros muchos en sus relaciones con la administración pública y en los actos civiles de la población, pues cada distrito cada juzgado, y aun cada barrio, tiene veces trozos en tres o cuatro parroquias en muchas dividen éstas y comparten entre sí una misma calle, una misma manzana, aun una misma casa, llegando al extremo de haberlas en donde unos cuartos o habitaciones pertenecen a una parroquia y otro a distinta.

Esta circunscripción de los límites de las parroquias, tal cual ahora se hallan data del plan aprobado por Real orden de 7 de julio de 1806, con la supresión de San Juan y San Miguel en 1808, y la posterior de San Nicolás unida a la de Salvador, además de la creación de los dos anejos San Ildefonso y San Marcos, desmembrados de la inmensa de San Martín En la división general de Madrid verifi cada por el Ayuntamiento en 1840, se comprendió también la eclesiástica, proponiendo la creación de 24 parroquias, pero no llegó a aprobarse ni plantearse, aunque sí se pusieran diez anejos que fueron suprimidos en 1847; de suerte que en el día sólo cuenta Madrid las 16 parroquias antiguas, a saber: Santa María, San Martín, San Ginés, El Salvador y San Nicolás, Santa Cruz, San Pedro, San Andrés, San Miguel y San Justo, San Sebastián, Santiago y San Juan, San Luis, San Lorenzo, San José, San Millán, San Ildefonso y San Marcos. Hay además sujetas o dependientes de la Patriarcal, las del Real Palacio, las castrenses y la del Buen Retiro, intramuros, y las exteriores de la Florida y el Canal. Aunque pudiéramos excusar la inserción de aquella división parroquial vigente, porque se anuncia la publicación de una nueva hecha con arreglo al Concordato de 1851, no queremos dejar de indicarla al final de cada parroquia, aunque no sea más que por hacer más sensible su extravagancia y la necesidad de su completa reforma.

Santa María. — Esta iglesia parroquial está reputada por la más antigua, y guarda la primacía entre las de esta villa; el Ayuntamiento celebra en ella sus funciones, y tiene prerrogativas de iglesia mayor. La época de la fundación de ella es muy dudosa, pues hay quien la hace subir al tiempo de los romanos, asegurando ser ésta donde se predicó por primera vez el Evangelio en Madrid, y añadiendo que en los siglos posteriores fue catedral, y después de canónigos regulares. Pero nada de esto se puede afirmar, y sí sólo parece que durante la dominación de los árabes sirvió de mezquita, que fue purificada y consagrada después de la restauración por el rey don Alonso VI. Posteriormente, cuando se trató por los reyes Felipe III y IV de hacerla colegiata, se sacaron las bulas para el efecto, y aún se sentó la primera piedra de la nueva iglesia en la plazuela que hay detrás de la actual, pero sólo se reparó ésta.

El templo es pequeño y de mezquina arquitectura, aunque renovado en su ornato interior en 1778 por el arquitecto don Ventura Rodríguez, que sacó todo el partido que podía sacarse, afirmando cuanto pudo el edificio, enriqueciéndole con graciosos casetones en las bóvedas y otros ornatos de buen gusto en las arcadas. Lo más notable de esta iglesia es la espaciosa y decorada capilla de Santa Ana, llamada de los Vozmedianos, y construída en 1542 a expensas del secretario del Emperador Juan de Vozmediano, cuyas casas estaban fronteras a dicha iglesia. El retablo mayor de ésta es rico por su materia, aunque pobre considerado artísticamente; pero el cuadro que contiene en su segundo cuerpo y representa un milagro de San Isidro, es de Alonso Cano. Finalmente, la sagrada imagen de Nuestra Señora de la Almudena, Patrona de Madrid, que en él se venera, es uno de los objetos más señalados del entusiasmo del vecindario y de su devoción. Cuenta la tradición que esta sagrada imagen fue escondida por los cristianos en un cubo contiguo a la muralla, en donde estuvo oculta durante la dominación de los sarracenos, hasta que fue hallada milagrosamente en el año mismo de la reconquista. De aquí parece venir el nombre de la Almudena, por haber sido hallada contigua al *Almodín* o alhóndiga de los moros. Esta parroquia está situada al fin de la calle Mayor, antes de la Almudena, y en la actualidad (por estarse ejecutando en ella obras de consideración) se halla cerrada para el culto, y la imagen de Nuestra Señora ha sido trasladada a la iglesia de religiosas del Sacramento.

La demarcación de esta parroquia tiene por su línea divisoria el camino de Alcorcón, y por el puente y puerta de Segovia, sube por la calle de este título a la plazuela de la Cruz Verde, desde donde atraviesa la manzana 186, a salir a la calle del Sacramento, frente a la calle Traviesa, por la cual sigue a la de la Almudena y luego por la de San Nicolás, plaza de Oriente, pretil de Palacio, plazuela de la Armería, Cuesta de la Vega, y desde aquí, por la Tela, va al puente de la Reina, que conduce a la Casa de Campo, donde termina su circunscripción en las tapias o cercas de dicha real casa.

San Martín. (iglesia de *Porta-Coeli*.) — La antigua parroquia de San Martín, una de las primitivas y más extensas de Madrid, estaba situada en la plazuela del mismo nombre y unida al monasterio de monjes, cuya fundación inmemorial en el arrabal de Madrid data cuando menos de los tiempos primeros de la conquista por el rey don Alonso VI, según queda indicado en la *Parte histórica.* Demolida en tiempo de la dominación francesa, tuvo varias traslaciones a diversas iglesias, y aunque a la vuelta de los monjes en 1816 tornó a su monasterio, a una capilla que habilitaron aquéllos al efecto, la primitiva iglesia no ha vuelto a levantarse, permaneciendo aún su solar en lo que hoy se llama plazuela de San Martín. Durante la exclaustración de 1821 pasó la parroquia a la iglesia de San Basilio, y últimamente, después de la de 1836, se ha trasladado y fijado en la de los clérigos menores, conocida bajo el título de *Porta-Coeli,* sita en la calle del Desengaño, frente a la del Horno de la Mata, donde hoy se halla. Dicha iglesia, construída en 1725, es sencilla y de regular forma, y aunque en el año último ha sido bastante reformada y decorada, no es, por su espacio ni por su belleza, correspondiente a una parroquia de tan extendida feligresía.

Comenzando desde la manzana 557, esquina al callejón de San Marcial, sigue por la plaza de este nombre, calle de Bailén, plazuela de los Ministerios, calle y plazuela de la Encarnación, calle de la Biblioteca, plaza de Oriente, calle de los Caños, de la Priora y de la Flora; atraviesa las manzanas 392 y 393 y las calles intermedias de San Martín y de Capellanes, y por la de la Tahona de las Descalzas y su ángulo, cruza la manzana 382 hasta la esquina de la calle de Preciados, frente a la del Candil; sigue por ésta y por el ex convento del Carmen, corta la manzana 352, continúa por la plazuela del Carmen, calle de las Tres Cruces y atravesando la manzana 354 vuelve por la calle del Desengaño, la de la Luna, Ancha de San Bernardo, hasta la esquina de la de la Flor Baja, y atravesando las manzanas 495 y 522 y las calles de María Cristina y Leganitos, sigue por ambas aceras de ésta y las del Duque de Osuna a concluir y cerrar el perímetro en la manzana 557, donde empezó.

San Ginés.—Nada se sabe a punto fijo sobre la fundación de esta iglesia, ni si fue anterior o contemporánea a la dominación sarracénica y muzárabe (como se ha pretendido); sólo sí que existía por los años 1358, y habiéndose arruinado en 1462 su capilla mayor, volvió a reedificarse tres años después. Ultimamente sufrió un terrible incendio el día 16 de agosto de 1824, en que perecieron muchas de sus curiosidades. Su figura es de cruz latina, de orden dórico sencillo, con dos naves pequeñas a los lados, siendo de las iglesias más claras y espaciosas de Madrid. El cuadro del altar mayor, que ha sustituído al de Ricci, que pereció en el fuego, representa el martirio de San Ginés, y ha sido pintado por don José San Martín. Los ángeles del altar mayor son escultura de don Pedro Hermoso, y merecen también observarse el San José de don Juan Adán, la Virgen de Valvanera, obra de Pedro Alonso de los Ríos, y los santos Domingo de Silos y de la Calzada, por don Valeriano Salvatierra.

Entre las varias capillas que tiene esta iglesia, merece citarse la del Santísimo Cristo, que es de crucero con cúpula, y cuya efigie, una de las más veneradas en Madrid, está ejecutada por don Alfonso Vergaz. De las pinturas que adornan esta capilla, la del Santísimo Cristo sentado en el calvario mientras los soldados preparan la cruz, es de Alonso Cano; las otras son medianas. Debajo de esta capilla está la Santa Bóveda, donde todas las noches de Cuaresma, y tres días de cada semana en lo restante del año, hay ejercicios espirituales de oración, meditación, sermón y disciplina. En dicha bóveda hay tres buenas esculturas de Fumo y de Colombo, que fueron donadas por el marqués de Mejorada en el siglo anterior. Esta parroquia está situada en la calle de Arenal, teniendo delante de su fachada lateral una lonja alta que serviría antiguamente de cementerio, y a la esquina la torre, que aunque de ningún modo notable por su altura ni primor artístico, tiene la particularidad (observada hace algunos años por un monje de San Martín y estudiada y descrita posteriormente por el señor marqués del Socorro y otras personas científicas) de que su chapitel es un verdadero pararrayos, cuya aguja es la cruz, y los conductores o cadenas las aristas, que suelen aparecer iluminadas en ocasión de tormentas, causando alarmas a los vecinos, por lo que el señor cura párroco publicó en 1847 un escrito explicativo de este fenómeno.

Comienza en la Puerta del Sol y entra por la calle del Carmen, ambas aceras; cruza a la calle del Candil, y por frente de ella atraviesa la manzana 382 a salir al rincón de la calle Tahona de las Descalzas, por la cual va a cruzar la de Capellanes, la manzana 393, la calle de San Martín, la manzana 392, y por la calle de la Bodega de San Martín, la de la Flora, de la Priora, de los Caños y plaza de Oriente, sigue a tomar la calle de la Independencia, del Espejo, de Santiago, de Milaneses, Platerías y de Ciudad Rodrigo, y entra en la plaza de la Constitución, siguiendo por las calles de Zaragoza, de Postas, Mayor, a la Puerta del Sol, donde cierra el perímetro a la entrada de la calle del Carmen.

El Salvador y San Nicolás.—Las dos antiquísimas parroquias de estas denominaciones quedaron reunidas en la del Salvador en 1805, y desde entonces permaneció cerrada la de San Nicolás y en el mayor abandono hasta 1825, en que se concedió a la Congregación de Servitas de María, que la volvió a abrir al culto. Pero, demolida luego por ruinosa en 1842 la del *Salvador* (que estaba en la calle Mayor, frente a la plazuela de la Villa), y era, como queda expresado en su lugar, de los edificios más venerables por su antigüedad y su importancia histórica (1),

(1) Además de las noticias que consignamos ya en otra parte de esta obrita, relativas a haber sido la iglesia del Salvador, o más bien la reducida pieza que estaba situada sobre su puerta principal, y la lonja delantera, el sitio donde se juntaba ordinariamente el concejo de Madrid —y hasta se afirma que las Cortes del Reino—, no podemos menos de reproducir aquí la curiosa noticia que da el señor Madoz relativa a la torre de esta primitiva parroquia. Dice, pues, «que antiguamente había en Madrid dos torres propias de la villa, la cual tenía en ellas el escudo de sus armas. La una, que era la torre de Santa Cruz, se llamaba *Atalaya de la*

fueron trasladadas y reunidas ambas parroquias en el mezquino templo de San Nicolás, situado a espaldas de aquélla, el que nada tiene de notable más que su misma fecha y humildad. En esta parroquia fue bautizado el célebre poeta y guerrero don Alonso Ercilla, y en su bóveda fueron sepultados los restos mortales del insigne Juan de Herrera, arquitecto de El Escorial, que murió en 15 de enero de 1597, razón por la cual se ha dado su nombre a la calle contigua abierta nuevamente.

Principia en las Platerías, esquina a la calle de Milaneses, atraviesa la manzana 417 y la calle de Luzón, y por la derecha de la del Biombo sale a la de San Nicolás; baja por la izquierda, entra en la de la Almudena, sigue por la Traviesa hasta cerca de la del Sacramento y desde aquí va cortando las manzanas 184, 183, 180, 176 y 173, y las calles del Duque de Nájera, del Rollo, del Cordón y del Codo, y saliendo a las Platerías, esquina a la plazuela de San Miguel, se une a la de enfrente, donde empezó.

Santa Cruz.—Se ignora a punto fijo la época de su fundación; sólo sí se sabe que fue primitivamente ermita en el arrabal de Madrid. Posteriormente, en los dos siglos anteriores sufrió dos incendios, en el último de los cuales acaecido en 1763, puede decirse que desapareció casi del todo. Reconstruida de nuevo sobre una planta sencilla de cruz latina, y de cortas dimensiones para una parroquia tan importante, es poco notable y bastante oscura en su interior, y su fachada, aunque no de mala forma, tampoco se recomienda por la portada, que es del estilo extravagante de la época con que la enriqueció su autor, don José Donoso. En su adorno interior tiene este templo objetos muy recomendables del arte. El retablo mayor es suntuoso y de mármoles, y el cuadro que representa la Santa Cruz y las esculturas que enriquecen la capilla mayor y

Corte, y la otra, que era la de San Salvador, *Atalaya de la Villa*. La primera era muy alta, y derribada por ruinosa en 1652, fue reconstruida de 1634 a 1680. La del Salvador ha permanecido hasta nuestros días, y fue demolida al mismo tiempo que la iglesia en 1842.

las laterales, son generalmente muy buenas. Encima del basamento del altar mayor se ha colocado la urna que contiene
el cuerpo del beato Simón de Rojas, que
estaba en la Trinidad. En esta parroquia
se hallan establecidas las piadosas congregaciones de la Paz y Caridad, que cuidan
de la asistencia y socorro de los infelices
sentenciados a muerte desde el momento
que entran en capilla; los acompañan al
suplicio y hacen sufragios por sus almas
luego que aquél se ha verificado. Por último, hace célebre y distinguido a este
templo su famosa torre contigua, cuya altura de 144 pies es la mayor de las de
Madrid, y situada además en un sitio elevado, domina toda la población y descuella sobre ella a larga distancia. Esta torre,
construída de nuevo (según la noticia referida del señor Madoz) desde 1654 a
1680 por haberse demolido por ruinosa la
antigua, titulada *Atalaya de la Corte*, no
ostenta, como aquélla, las armas de la villa, ni tampoco se llegó a colocar en ella
reloj; su planta es sencilla, cuadrada,
consta de cuatro cuerpos iguales, revoca-
da al presente de blanco, y no responde
por su aspecto a su gran celebridad.

La demarcación de esta parroquia empieza en la plaza de la Constitución, esquina a la calle de Zaragoza; sigue por
la de Postas, los números impares; Mayor, Puerta del Sol, Carrera de San Jerónimo, calle de la Victoria, números pares,
de la Cruz, plazuela del Angel y atraviesa
la manzana 234 frente a la calle de Relatores, por la cual prosigue a la plaza del
Progreso; corta la manzana 243 entre la
iglesia de San Isidro y los Estudios, vuelve por la calle de Toledo, entra un poco
en la de la Concepción Jerónima, y cortando las manzanas 165 y 163 sale a la
plaza de la Constitución y va a buscar la
esquina donde empezó.

San Pedro.—Esta parroquia, de las primitivas interiores de Madrid, estuvo situada algo más arriba del sitio que ahora
ocupa, como a la embocadura de la calle
de Segovia, y fue trasladada y construída
en el reinado de Alfonso XI en el siglo XIII. Después sufrió diversas ruinas y
deterioros, pero tal cual está en su parte
principal, creemos que es el edificio más

antiguo que se conserva en Madrid. Su
proporciones, forma y ornato son pobre.
en extremo, y consta de tres naves y varias capillas; en la llamada de los *Lujanes*, que está al lado del Evangelio, ha
un sepulcro de uno de ellos, obispo d
Mondoñedo, con su estatua de rodillas
que por cierto está tapado con un cua
dro. El exterior de esta iglesia, por su as
pecto de antigüedad y fortaleza, su senci
lla y baja torre cuadrada, y hasta su mis
ma situación en un declive rápido que l
da mucha semejanza con la de varias d
las antiquísimas iglesias de Toledo, no ca
rece de cierto halago que inspira respeto
y simpatía. Está situada, formando man
zana independiente, entre las calles del
Nuncio y de Segovia.

Su feligresía principia en la calle de
Segovia, esquina a la cuesta de los Ciegos, sube por aquélla hasta la plazuela
de Puerta Cerrada, entra por la Cava Baja, acera derecha, calle del Grafal, Cava
Alta hasta el rincón que da vista a la calle de Toledo, y desde éste atraviesa la
manzana 147, sale a la plazuela del Humilladero, y por la Costanilla de San Pedro va hasta la casa de San Vicente, por
la cual cruza la manzana 129, y siguiendo la costanilla de San Andrés, se entra
por las manzanas 136 y 139 a concluir
en la esquina de la cuesta de los Ciegos
que fue su principio.

San Andrés.—Es tan antigua esta parroquia, que ya se hace mención de ella en
el siglo XII, por haber sido enterrado en
su cementerio (que estaba donde ahora su
altar mayor) el cuerpo del glorioso San
Isidro, en el sitio por bajo del presbiterio
señalado al presente con una reja. Esta
iglesia sirvió de capilla a los Reyes Católicos cuando vivían en la casa contigua de
Laso de Castilla, desde la cual dieron el
paso a la tribuna que en ella tenían y que
todavía existe. Arruinada en 1656 la capilla mayor (que estaba donde ahora el
coro) re reconstruyó el templo actual, colocando aquélla donde antes era el cementerio, a los pies de la iglesia. En la que
ocupa por bajo del coro el sitio de la
antigua capilla mayor se halla, sostenida
por dos leones de piedra, la antigua y curiosa arca de madera en que estuvo ence-

rado mucho tiempo el cuerpo de San Isidro, y cuya construcción se remonta a los
tiempos del rey don Alfonso VIII.

Pero lo más notable y realmente importante de esta iglesia, es la suntuosa capilla, construida en ella a expensas de los
reyes Felipe IV y Carlos II, y de la villa
de Madrid, para colocar el sepulcro de su
patrón San Isidro Labrador. Esta, que
puede llamarse una iglesia aparte al lado
del evangelio, está adornada con todo el
lujo y magnificencia de la arquitectura caprichosa que dominaba en España a mediados del siglo XVII, fue dirigida en un
principio por el arquitecto Juan de Villa-
rreal, a quien sucedió por su muerte Sebastián Herrera Barnuevo; y si no como
modelo de clásico gusto, puede citarse al
menos como objeto primoroso del arte y
como testimonio magnífico de piedad de
una corte y de una villa que no titubea-
ron en emplear en ella doce millones de
reales. Consta de dos piezas; la primera
es cuadrada y la segunda octógona, estando ésta coronada con una bella cúpula con
su linterna, ambas adornadas de columnas
y casi revestidas de mármoles escogidos;
en la primera hay cuatro cuadros pintados
a competencia por Ricci y Carreño, que
representan milagros de San Isidro; en
la segunda varios otros de Francisco Caro,
discípulo de Alonso Cano, que representan los misterios de la vida de Nuestra
Señora. El retablo central en la sala ochavada (en donde estuvo colocado el sepulcro del Santo hasta que fue trasladado al
Colegio Imperial), es todo de mármol y de
elegante forma, aislado en medio de la
iglesia y sobrecargado de estatuas y adornos, que unidos a la multitud de ellos que
enriquecen la cúpula, su anillo, pechinas
y linterna, dan a esta capilla un aspecto
imponente y poco común. La estatua del
santo es del acreditado don Isidro Carnicero. La Virgen de una de las portadas es
del célebre escultor Pereira, y del mismo
el San Andrés que está en la portada de
la iglesia. De la otra preciosa iglesia contigua a esta parroquia, aunque independiente de ella, con el título de capilla del
Obispo, hablamos más adelante.

Empezando la demarcación de San Andrés en el camino de Alcorcón, viene por
él a la puerta de Segovia, sube por la calle

de este nombre y cuesta de los Ciegos,
atraviesa las manzanas 139 y 136 y por
la calle Sin Puertas va a cruzar la costanilla de San Andrés, corta la manzana 129
por la casa de Santisteban, sube por la
costanilla de San Pedro y por la plazuela
y calle del Humilladero sale a la calle de
Toledo, hasta la puerta de su nombre, desde aquí va por el camino y puente de Toledo al de Carabanchel hasta salir de la
jurisdicción de Madrid.

San Justo y San Miguel.—Habiéndose
demolido en el siglo pasado la antigua
iglesia de San Justo, se construyó de nuevo a expensas del infante don Luis. Su
fachada es suntuosa y la primera entre las
de las parroquias de Madrid, aunque no
puede disfrutarse bien por hallarse situada en una calle estrecha. Es de figura convexa y de dos cuerpos, y está adornada
con relieves y estatuas bellas que representan las virtudes teologales y terminada
en dos torrecillas adornadas con pilastras
que acompañan muy bien a lo demás. El
interior de la iglesia tiene una nave regular y está adornada con buenos retablos,
esculturas y frescos. El cuadro del altar
mayor, que ofrece la presentación de los
Santos Niños Justo y Pastor ante el pre-
fecto de España Daciano, es obra de don
José del Castillo, y los frescos de la cúpula, pechinas y demás de la capilla mayor fueron ejecutados por los tres hermanos Velázquez.

Los dos ángeles de escultura son de don
Pedro Hermoso; la Nuestra Señora del
colateral, de don Julián San Martín, y la
de Nuestra Señora de la Esperanza, de
don Dionisio Sancho, que murió de director de la Academia de Méjico, en 1829.

A esta parroquia quedó unida la de San
Miguel, destruída en el incendio de la
Plaza Mayor en 1790. El magnífico tabernáculo de mármoles trabajado en Roma y
regalado a dicha parroquia por el cardenal Zapata, se halla colocado ahora sobre
la mesa del altar mayor de esta de San
Justo.

Desde las Platerías va por la calle de
Ciudad Rodrigo, plaza de la Constitución
al arco de la calle de Toledo; toma ambas aceras de la misma calle hasta la esquina de la de Latoneros; desde aquí va

por medio de dicha calle de Toledo, la
Cava Alta, Cava Baja, Puerta Cerrada, calle de Segovia a la plazuela de la Cruz
Verde, desde la cual cruza la manzana
186 y la calle del Sacramento, frente a la
calle Traviesa; vuelve por aquella a la plazuela del Cordón y cortando la manzana
176 hasta la calle del Codo, sigue por ésta
hasta cerca de la plazuela de la Villa, por
donde cruza la manzana 173 a salir a las
Platerías, donde comenzó, esquina a la plazuela de San Miguel.

San Sebastián.—Fundóse el año de 1550
como anejo de la de Santa Cruz y tomó
la advocación de este Santo por una ermita que había allí cerca; su arquitectura
es pobre y sus dimensiones, mezquinas,
aunque pudieran haber sido mayores adi-
cionándola el sitio que sirvió de cementerio; la ridícula fachada de la calle de
Atocha era uno de los partos del gusto
extravagante de Churriguera, y aunque reformada hace pocos años, nada tiene su
aspecto de recomendable, sino la estatua
del Santo, obra de don Luis Salvador. En
el interior de la iglesia lo más notable es
la capilla de Nuestra Señora de Belén, de
los arquitectos, reformada por don Ventura Rodríguez. Las estatuas que representan la Huida a Egipto fueron inventadas
por don Manuel Alvarez, pero ejecutadas
por don Julián San Martín. Otras dos capillas tiene, una con la advocación del
Santísimo Cristo de la Fe, llamado *de los
Guardias*, cuya excelente efigie es obra
de don Angel Monasterio, y otra reformada por el arquitecto don Silvestre Pérez
y dedicada a Nuestra Señora de la Novena, donde celebra sus funciones la Congregación de cómicos españoles. El crucifijo de esta capilla es obra de don José
Piquer. Hay en esta iglesia algunas pinturas notables, y han desaparecido el Martirio de San Sebastián, de Vicente Carducho, y el Prendimiento del Señor, de Dominico Greco, y otras. Esta parroquia, por
el sitio que ocupa en la calle de Atocha
y la extensión de su feligresía, es de las
primeras de Madrid. En su bóveda fue
enterrado el célebre *Fray Lope de Vega
Carpio*, y en ella permaneció hasta que en
los primeros años de este siglo, en una de
las *mondas* o limpias que se hacían de

tiempo en tiempo, fue comprendido impía-
mente el *Fénix de los Ingenios*, cuyos restos yacían en el nicho segundo del orden
tercero, donde hoy reposan los de la señora doña N. Ramiro y Arcayo, herman
del vicario que fue de Madrid.

Desde el puentecillo sobre el arroy
Abroñigal, camino de Vallecas, viene l
demarcación de este parroquia por el arre
cife a la puerta de Atocha, sube la call
de este título, entra por la de San Euge
nio, de Santa Isabel, del Olmo y de Lava
piés, plaza del Progreso, calle de Relato
res, y por su frente corta la manzana 234
sigue por la plazuela del Angel, calles d
la Cruz y de la Victoria, atraviesa fren
a ésta la manzana 265, dejando fuera e
Buen Suceso y saliendo a la calle de Alca
lá, números pares, puerta y camino de
mismo nombre; va a terminar en la Ven
ta del Espíritu Santo.

Santiago y San Juan.—Estas parroquias
reunidas hoy, fueron también de las pri
mitivas de Madrid, y tanto, que a amba
se las hace subir al tiempo de la domina
ción romana; pero habiéndose arruinad
la primera y demolido la segunda (qu
estaba contigua) en tiempo de la domina
ción francesa, fue reedificada de nuev
planta la de Santiago en 1811 bajo los pla
nes de don Juan Antonio Cuervo, y aun
que pequeña, es una de las iglesias má
bellas de la corte. El gran cuadro del al
tar mayor, que representa al Santo pelean
do a caballo, es de lo mejor de Francisc
Ricci; el San Francisco es de Alonso Ca
no, y hay además otras buenas pinturas
La estatua de la beata María Ana es d
don Julián de San Martín.

La feligresía de ambas parroquias re
unidas en una da principio en las Plate
rías, esquina a la calle de Milaneses, si
gue por ésta, la del Espejo, la de la Inde
pendencia, plaza de Isabel II, la de Orien
te, quedando fuera el teatro para San Gi
nés, calle de San Nicolás y atravesando la
manzanas 427 y 417 y la calle intermedi
del Luzón, sale a la esquina de Milaneses
donde concluye; contando en este circui
to nueve manzanas enteras y dos media
con 65 casas. Además tiene en las afuera
un enclavado o parte discontinua, que e
la ribera derecha del Manzanares, desde

el puente de la Reina a la Puerta de Hierro, ribera que se dice la Pradera del Corregidor, en que hay 18 casas de lavaderos y la venta del Cerero.

San Luis.—Esta parroquia, que primero fue aneja de la de San Ginés, tiene su iglesia grande y de bastante buena forma, en la calle de la Montera; concluyóse en 1689, y la portada y sus adornos son análogos al gusto de aquella época y al de su arquitecto, Donoso, pero aún más extravagante es el armatoste dorado de su altar mayor, aunque debe conservarse como uno de los pocos que han quedado ya de su clase. El interior de esta iglesia contiene muy poco recomendable en materia de bellas artes. La estatua de la Concepción en su capilla es de don José Salvador. En el altar mayor se halla colocado el Santísimo Cristo llamado de la Paciencia, que estaba en la iglesia de los Capuchinos de la calle de las Infantas, demolida para formar la plaza de Bilbao.

Empieza esta parroquia en la Puerta del Sol, sigue calle de Alcalá, números impares; la de las Torres, de las Infantas, pares; de San Bartolomé, impares; del Arco de Santa María, pares; de Hortaleza, impares, de Hernán Cortés, de Fuencarral, impares, hasta la esquina de la de San Joaquín, y de aquí, cruzando las manzanas 348, 347, 346 y 345, entra por la travesía del Desengaño, atraviesa la manzana 343 por el Hospital de los Franceses, sale a la plaza del Carmen, corta la manzana 342 hasta la esquina de la calle de la Montera a la Puerta del Sol, y cierra el contorno en la de enfrente.

San Lorenzo.—Esta parroquia, que fue hasta hace poco anejo de la de San Sebastián, fue construída en 1670 en el barrio de Lavapiés y su calle del Salitre, pero tan pobremente en su arquitectura y adorno, que nada hay en ella que encarecer. Además sufrió un horroroso incendio el día 16 de junio de 1851, pero ha sido restaurada posteriormente, aunque con suma sencillez.

Partiendo desde el camino de Vallecas en el arroyo Abroñigal, viene vía recta a la puerta de Atocha, sube por la calle de este nombre, números pares; sigue por

las de San Eugenio, de Santa Isabel, del Olmo, del Calvario, de Jesús y María, de la Esgrima, del Mesón de Paredes, de Cabestreros, travesía de igual nombre, y por la de Embajadores y su portillo continúa al camino de enfrente al embarcadero del Canal, y por éste abajo concluye en el primer molino o la China, donde el arroyo Abroñigal entra en el río Manzanares, frente al Portazgo.

San José (Carmen Descalzo).—Esta parroquia fue fundada en 1745 como aneja de San Ginés por el duque de Frías, don Bernardino de Velasco, y para ello transformó en iglesia la sala de su mismo palacio que servía de teatro. Posteriormente, en tiempo de la dominación francesa, se trasladó a la iglesia contigua de las monjas de Góngora, luego estuvo en la del Hospital de Flamencos (que se hundió en 1848) y últimamente, extinguidas las comunidades religiosas, se ha fijado en la iglesia que fue de los Carmelitas Descalzos, calle de Alcalá. Esta iglesia, construída a principio del siglo último, es fuerte y capaz, con buenas luces y orden de distribución; poseía con el convento una rica colección de cuadros de célebres autores, de que sólo han quedado algunos en la capilla de Santa Teresa, primitivamente fundada por don Rodrigo Calderón, marqués de Siete Iglesias, conde de la Oliva, gran privado y primer ministro de Felipe III, que, condenado a muerte y degollado en la plaza de Madrid en 21 de octubre de 1621, fue enterrado en esta iglesia y trasladado después a la de las monjas de Porta-Coeli, de Valladolid. Ultimamente, en 1832 se construyó de nuevo el altar mayor, que es de buen gusto. La imagen de Nuestra Señora en la portada de la iglesia es una bella obra de don Roberto Michel, y el célebre Santo Cristo del Desamparo, que estaba antes en la iglesia de Recoletos, es de Alonso de Mena.

Desde la Venta del Espíritu Santo viene la demarcación de esta parroquia por el camino real a la Puerta de Alcalá, sigue la calle de este nombre, números impares; la de las Torres, de las Infantas, impares; de San Bartolomé, pares, y del Arco de Santa María, tuerce a la derecha por la de Hortaleza, y cruzándola, entra

en la de Hernán Cortés; sigue la de Fuencarral hasta la puerta de Bilbao, y por el
camino de Fuencarral llega hasta el mo-
jón de piedra, antiguo límite de la gran
parroquia de San Martín.

San Millán.—Fue ermita en sus principios y luego parroquia aneja a la de San
Justo hasta que quedó independiente en
1806. En 14 de marzo de 1720 un violento
incendio, causado por una vela de las que
ardían en el altar, redujo a cenizas todo
el edificio, que prontamente se volvió a levantar bajo la dirección del maestro don
Teodoro Ardemans. En el retablo mayor
de esta iglesia está el Santísimo Cristo
llamado *de las Injurias,* que es un objeto
de gran devoción en Madrid. Las esculturas del altar mayor son de Michel, Mena
y Rom. Se halla situada enfrente de la
plazuela de la Cebada.

Desde el camino de Aranjuez, en el
Portazgo, viene al embarcadero del Canal,
sube a la plazuela baja de Santa María
de la Cabeza, y torciendo sobre la izquierda toma el camino que da en el Portillo
de Embajadores; de aquí sube por la calle de este nombre, travesía y calle de Cabestreros, la del Mesón de Paredes, de la
Esgrima, del Calvario, de Lavapiés, plaza
del Progreso, calle de la Colegiata y atravesando la manzana 143 entre la iglesia y
Estudios de San Isidro, sale a la calle de
Toledo, Cava Alta, por cuyo rincón corta
la manzana 147, a salir a la plazuela del
Humilladero; cruza las manzanas 103,
102 y 101, a salir frente a la calle de la
Arganzuela a la de Toledo, y siguiendo
por ésta hasta su Puerta, continúa camino derecho al puente del mismo nombre,
y por el camino de Carabanchel acaba la
línea de demarcación frente a la ermita derribada de San Dámaso.

San Ildefonso. — Esta parroquia, que
hasta el año de 1836 ha sido aneja de la
de San Martín, tenía su iglesia más capaz
hacia el sitio del mercado del mismo nombre, cuando fue derribada en tiempo de
la invasión francesa. En 1827 fue construída de nuevo, aunque con tan mezquinas proporciones y pobreza en sus adornos que nada ofrece de particular.

Principiando en la puerta de Fuencarral baja por la calle Ancha de San Bernardo hasta el número 34, sigue por la
de la Luna y Desengaño, atraviesa las manzanas 145, 146, 147 y 148, con las calle
intermedias de San Onofre, de Colón y de
Santa Bárbara, y sale a la esquina de la
calle de San Joaquín a la de Fuencarral
por la que continúa hasta la puerta de
Bilbao; de aquí toma el camino que va
al pueblo de Fuencarral, y revolviendo po
la izquierda viene por el camino del mis
mo pueblo que da en la puerta de Fuen
carral, donde comenzó.

San Marcos.—Esta parroquia fue aneja
de la de San Martín hasta 1836. La igle
sia está situada en la calle de San Leonar
do y fue construida en 1753 bajo los pla
nes y dirección del célebre arquitecto don
Ventura Rodríguez, reputado justamente
como el restaurador de la arquitectura es
pañola. Este templo, aunque pequeño, es
de una elegante forma: su planta se com
pone de tres figuras elípticas; en la de
enmedio está la cúpula y en las otras dos
el presbiterio y. los pies de la iglesia;
toda ella está adornada de pilastras del
orden compuesto, y flores en las arcadas,
y la fachada con dos pilastras del mismo
orden y un frontispicio triangular por remate; todo con elegancia, proporción y
buen gusto, como lo son en general los
altares y adornos que decoran esta iglesia. La estatua del Santo Evangelista que
está en el altar mayor, las de los ángeles
y las de Santa Escolástica y San Benito,
son del célebre escultor don Juan Pascual
de Mena. Las pinturas al fresco de la cúpula que representan pasajes de la vida de
San Marcos y la memorable batalla de
Almansa, ganada en el día 25 de abril de
1707 por Felipe V, son obras de don Luis
Velázquez. El arquitecto Rodríguez yace
en la bóveda de esta iglesia.

Comenzando desde el asilo de San Bernardino viene la demarcación de esta parroquia por el Polvorín, Campos Santos,
parador de San Rafael, cruz del Quemadero, a la puerta de Fuencarral, sigue la
calle Ancha de San Bernardo, la de la Flor
Baja con ambas aceras, por la de Leganitos, del Duque de Osuna, del Príncipe Pío
y su callejón ambas aceras, y por el calle-

n de San Marcial va a la plaza de este ombre, vuelve por la bajada y puerta de an Vicente, a tomar el río en el puente e la Reina a la Casa de Campo, y desde te sube el Manzanares arriba hasta la uerta de Hierro, donde termina. Comrende este recinto las posesiones de la Moncloa y del Príncipe Pío, que corresonden a la parroquia exenta de la Flolida, pero pertenece a San Marcos la uesta de Areneros que las separa.

PARROQUIAS EXENTAS

Además de las dieciséis parroquias suetas al ordinario, hay otras exentas, deendientes del M. R. Patriarca de las Inlias, en su doble carácter de procapellán mayor de Palacio y de Vicario general de os ejércitos y armada, y son las siguienes:

Real Capilla de Su Majestad, de la que s capellán mayor titular el arzobispo de Santiago. En Palacio, y de ella hablaremos en su lugar.

Parroquia Ministerial de Palacio (*la Patriarcal*). — Estuvo en la antigua calle del Tesoro, y luego que fue derribada pasó a la parroquia de Santiago. Hoy se halla establecida en la iglesia del monasterio de la Encarnación. Tiene como anejo la capilla de las Reales Caballerizas. Su jurisdicción comprende el Real Palacio y todas sus dependencias, como Caballerizas, cocheras, plaza meridional y oriental, Armería y su plazuela, parque y Campo del Moro, etc. Pero para los actos civiles de la administración está comprendida en la parroquia de Santiago.

Real iglesia del Buen Suceso (Puerta del Sol).—Esta iglesia (que en los momentos actuales se está demoliendo) fue en su origen un humilladero, y a causa de haber fundado en aquel sitio el Emperador Carlos V un hospital que tituló de San Andrés, para los criados que seguían la corte, se levantó contiguo dicho templo, que, aunque pequeño, era bastante regular

en su forma, si bien había perdido mucho de su decoración durante la dominación francesa. En su retablo mayor, construído en 1832, se hallaba colocada la imagen de Nuestra Señora hallada en un monte por los hermanos Obregones, Gabriel de Fontanet y Guillermo Martínez de Rigola, y a quien el Pontífice Paulo V denominó *del Buen Suceso*. Esta sagrada imagen, y los demás objetos del culto, han sido trasladados a la iglesia del colegio real de Loreto, calle de Atocha; y a la del hospital de Montserrat contigua, los restos de los patriotas madrileños inmolados por los franceses el día 2 de mayo de 1808 en el patio del Buen Suceso. Esta iglesia, por su situación, la más preferente de Madrid, y a que ciertamente no correspondía por su amplitud ni decoración, era, sin embargo, muy concurrida, y especialmente a la misa de las dos de la tarde los días festivos, que celebraba por privilegio especial, y que ahora se verifica en la dicha de Loreto. Su jurisdicción parroquial estaba comprendida en el propio edificio, hospital e iglesia.

Buen Retiro.—La parroquia de los empleados y vecindario de dicho Real Sitio, que antes estuvo en la ermita de San Antonio inmediata al parterre, se colocó en 1816 en la sala del patio grande que sirve de entrada a aquel Real Sitio y que estaba antes destinada a juego de pelota. En la actualidad se está reparando suntuosamente la antigua iglesia del monasterio de San Jerónimo para trasladar a ella la parroquia de este Real Sitio que comprende todo su recinto murado, con exclusión del de Atocha.

También son parroquias sujetas a la Patriarcal las externas de San Antonio de la Florida, San Fernando de la Moncloa, la Torrecilla y Rodajos en la Casa de Campo, y San Fernando del Canal.

Son parroquias castrenses, en primer lugar la matriz, o Patriarcal ya dicha, situada en la iglesia de la Encarnación, y tiene como anejos o dependencias la del Real Cuerpo de Alabarderos, establecida en la iglesia del ex convento del Rosario, calle Ancha de San Bernardo, y la de

Nuestra Señora de Atocha, reunida al cuartel de Inválidos, y de que hablaremos más adelante.

Conventos de religiosas

Santo Domingo el Real.—La fundación de esta santa casa, que tan relacionada está con la antigua historia de Madrid, según dijimos en su lugar, data de los primeros años del siglo XIII. Dicen los cronistas que en 1217, en el mismo de la institución de la Orden dominicana, vinieron a Madrid los primeros religiosos y compañeros del Santo fundador Domingo de Guzmán (que entonces se hallaba en Francia ocupado en la cruzada contra los albigenses), y habiendo solicitado del Concejo de la villa un sitio donde establecerse, éste y los vecinos se apresuraron a cederles cierto terreno (que a la sazón caía extramuros de la puerta llamada *de Balnadú*), donde con el auxilio de las limosnas y donativos del vecindario, pudieron levantar su pequeña casa y ermita. Pero al año siguiente vino a Madrid el mismo Santo Patriarca y determinó destinar para religiosas la dicha casa, y aprobado el pensamiento con grande entusiasmo del Concejo y del vecindario, formó dicha comunidad de monjas (rarísima entonces o acaso única en Castilla), las dió sus constituciones bajo la regla de San Agustín y recibió la profesión y puso el hábito a las primeras religiosas. Desde entonces, y auxiliadas éstas con los cuantiosos donativos de los monarcas y de la población, emprendieron la obra del convento, en el mismo sitio en que aún existe, el cual dieron por terminado en breve tiempo y todavía conservan la contestación dada por el Santo fundador a la carta de la priora en que le participaba aquella noticia. Las mercedes, privilegios y donativos con que los monarcas y el pueblo de Madrid favorecieron desde un principio a esta santa casa, ocuparían un volumen, siendo de señalar entre ellos los que mereció al Santo Rey don Fernando III, que les concedió la huerta contigua, llamada entonces *de la Reina*; los de Enrique III, que costeó la

capilla mayor, y otros de los monarcas posteriores, hasta Carlos V. Pero en tiempo de éste, y en ocasión de las sangrientas luchas de sus parciales con los comuneros de Castilla que habían ganado el alcázar, estuvo a punto de desaparecer este insigne monasterio, porque fue incendiado por aquéllos a pretexto de que en él se habían recogido y guardado por las religiosas las mujeres e hijas de los principales vecinos del pueblo; pero, afortunadamente, pudo cortarse el incendio. Felipe II hizo construir el hermoso coro en memoria de haber sido enterrado en aquel sitio el desgraciado príncipe don Carlos; Felipe III costeó el bello retablo mayor y la sillería del coro, y los demás monarcas españoles hasta nuestros días, todos se esmeraron en proteger y distinguir con señaladas muestras de predilección a esta real casa.

A pesar de ellas y de la gran devoción y entusiasmo del pueblo madrileño hacia la misma, el convento y templo son bastante comunes y hasta mezquinos, comparados con otros del mismo Madrid. La iglesia consta de dos espaciosas naves paralelas, en una de las cuales se halla la capilla mayor, y está decorada con buenas pinturas, entre otras el cuadro del altar, muy estimado, y reputado por original de Carlos Maratti, que representa a Nuestra Señora del Rosario con San Pío V y Santo Domingo. Otras varias hay notables en el resto de la iglesia y capillas, como la de la Epifanía, inmediata al coro, la de la Sacra Familia, de Eugenio Caxes, y una Concepción de Vicente Carducho, etc. Pero lo mejor, o más bien lo único excelente de esta iglesia, bajo el aspecto artístico, es el hermoso coro, obra del célebre Juan de Herrera, que merece la mayor alabanza y es digno de una descripción especial (1). En esta casa profesó y fue superiora de ella doña Constanza de Castilla, nieta del rey don Pedro, que murió en 1478 y aún se ve su sepulcro con su estatua echada sobre el mismo. Dicha

_____

(1) Véanse los números 5, 6 y 7 del *Semanario Pintoresco* correspondientes a los días 2, 9 y 16 de febrero de 1851 en que se insertó la interesante Memoria sobre este Santo Monasterio, escrita por D. J. M. de Eguren.

priora hizo trasladar también a esta casa, desde la Puebla de Alcocer, las cenizas de su abuelo, el rey don Pedro, levantándole un suntuoso enterramiento que desapareció en tiempo de los franceses, si bien quedan los restos del Monarca, y la estatua arrodillada del mismo que estaba sobre aquél. Su hijo don Juan, padre de doña Constanza, fue también sepultado en esta casa, así como igualmente el príncipe don Carlos de Austria, que permaneció en ella cinco años, hasta ser trasladado a El Escorial; y hasta hace poco tiempo se celebraban en dicho templo aniversarios en su memoria y las honras fúnebres de los monarcas y otras funciones de corte. Por último, se conserva todavía la pila en que fue bautizado el Santo Patriarca Domingo de Guzmán, la cual sirve para bautizar en ella a las personas reales, a cuyo efecto se traslada a Palacio en estos casos; está metida o encajada en otra pila de plata, y el día de Santo Domingo se expone a la pública veneración. La iglesia y convento, por la parte exterior, nada ofrecen de particular, y menos actualmente, porque su fachada antigua y principal, que formaba rinconada mirando a Palacio, está cubierta con unas casas, y el pórtico de tres arcos que sirve de ingreso al templo, es moderno y muy sencillo.

Concepción Jerónima. — Este convento fue fundado por la célebre doña Beatriz Galindo, camarera mayor y maestra de la Reina Católica, conocida por *la Latina*, por haber enseñado esta lengua a dicha Reina. Fundóle primero en 1504 junto al hospital de su misma fundación, en la plazuela de la Cebada, pero habiéndose presentado ciertas oposiciones, le trasladó luego a una de las casas del mayorazgo de su marido, Francisco Ramírez, en el sitio que hoy ocupa en la plazuela y calle que lleva su nombre. La iglesia es muy regular, parte de ella de la arquitectura de aquel tiempo, y en ella se ven los sepulcros de dicha doña Beatriz y de su esposo, Francisco Ramírez, secretario de los Reyes Católicos y general de Artillería, que ganó a Málaga y murió peleando contra los moros; ambos sepulcros están en el presbiterio.

Concepción Francisca. — La misma doña Beatriz Galindo, fundadora del anterior, cedió este primitivo convento de su fundación a las religiosas franciscas en 1512, sin que en su arquitectura y adornos se note cosa digna de atención. Está situado en la plazuela de la Cebada. A esta comunidad está reunida la de los *Angeles* de franciscas, fundada en 1564, que tenía su convento en la plazuela de Santo Domingo, y la de *Constantinopla,* francisca también, fundada en 1479, que tenía su convento en la calle de la Almudena.

Descalzas Reales. — Fundó este monasterio de religiosas franciscas de Santa Clara la serenísima señora princesa doña Juana de Austria, hija del Emperador Carlos V y madre del rey don Sebastián, gobernadora que fue de estos reinos. Fue construído sobre el área que ocupaba el mismo palacio donde había nacido la señora fundadora, y sitio en que hoy le vemos en la plazuela de las Descalzas, habiéndose concluído en 1559. La fachada es de orden dórico, con la organización de piedra, y los entrepaños de ladrillo, de buena forma y con aquel estilo de seriedad que distingue en general a las obras del reinado de Felipe II, atribuyéndose los diseños a Juan Bautista de Toledo. La iglesia fue renovada en 1756 por don Diego Villanueva, pintándose al fresco por los tres hermanos Velázquez. Son muchas las obras apreciables así de arquitectura como de escultura y pintura que existen en esta casa, debiéndose citar en primera línea el célebre altar mayor, sobre el sitio mismo en que había nacido la princesa fundadora, y es obra primorosa del insigne escultor, pintor y arquitecto Gaspar Becerra (a quien se atribuyen también las pinturas de San Juan y San Sebastián sobre mármol); también son preciosos los dos altares colaterales con columnas de pórfido, bases y capiteles de bronce dorado, el entierro de la fundadora en una capilla del presbiterio a la derecha, con la estatua de rodillas, ejecutada en mármol por Pompeo Leoni, y otros muchos objetos. A este convento se han retirado varias personas reales, como son la Emperatriz doña María, las infantas doña Dorotea y doña María Ana de Austria, doña Margarita, hija del

Emperador Maximiliano, y otras personas ilustres, y su abadesa es considerada como grande de España. La solemnidad con que se celebraban en esta casa los oficios divinos por su numerosa clerecía y capilla real de música era correspondiente a su magnificencia. Sobresalían en aquélla los de Semana Santa, y la octava del Corpus, en la cual se decoraba todo el recinto del convento con las magníficas tapicerías llamadas de los *Triunfos*, que fueron mandadas hacer expresamente para esta santa casa con cartones pintados al efecto por Rubens, por la princesa doña Isabel Clara Eugenia, gobernadora de los Países Bajos.

Santa Isabel.—Es de agustinas descalzas, y se fundó en 1589, primero en la calle del Príncipe, trasladándose en 1610 al convento actual, situado en la calle de su nombre. La iglesia es de buena forma, se concluyó en 1675 y fue renovada en el siglo pasado. Se compone de cuatro arcos torales, y sobre ellos una hermosa cúpula octógona; contiene varias pinturas buenas y aunque fueron extraídas muchas en tiempo de los franceses, han quedado notables la Concepción del altar mayor y el Nacimiento, del Españoleto, y alguna otra de Cerezo, Coello y otros buenos autores. Sirve también este convento para colegio de niñas distinguidas, y de él hablaremos en su lugar.

La Carbonera.—Este monasterio de jerónimas, y bajo la advocación del Corpus Christi, fue fundado por la condesa de Castellar en 1607. El nombre de la *Carbonera* le viene de una imagen de Nuestra Señora de la Concepción que se venera en él y fue hallada en una carbonera. La iglesia es poco notable, pero en ella hay algunas pinturas buenas, principalmente la Cena de Nuestro Señor, de Vicente Carducho, en el altar mayor, y otras. Está situado en la plazuela del Conde de Miranda.

Don Juan de Alarcón.—Llámase así este convento de mercenarias descalzas por haberle fundado a nombre de la señora doña Manuela Miranda, su confesor, don Juan Pacheco de Alarcón, quien dió la posesión a las madres en 1609, y está si-

tuado en la calle de la Puebla. Su iglesia es mediana, con algunas pinturas regulares, mereciendo mención especial la Concepción del altar mayor, de Juan de Toledo, y del mismo las del colateral del Evangelio. Las del otro colateral son de Montero de Rojas. En esta iglesia se halla colocado en el día el cuerpo incorrupto de la beata Mariana de Jesús, que estaba antes en el convento de Santa Bárbara.

Trinitarias descalzas.—Fundado bajo la advocación de San Ildefonso por doña Francisca Romero en 1612. Estuvieron, según parece, algún tiempo en la calle de Humilladero, y regresaron después a la casa de la fundación, que hoy ocupan en la calle de Cantarranas, o de *Lope de Vega*, donde tienen su iglesia, que es poco notable, aunque con algunas pinturas regulares, como un San Felipe Neri, de Alonso del Arco, y un San Agustín, de Donoso. En este convento profesaron una hija natural de *Miguel de Cervantes* llamada *doña Isabel de Saavedra*, y otra, también natural, de *Lope de Vega*, que se llamaba *Marcela*. Se sabe que dicho *Cervantes* (que murió, como es notorio, en 1616 en una casa muy próxima) dispuso ser enterrado en esta iglesia, y es probable que así se verificase; pero por más diligencias practicadas a principios de este siglo por los señores Navarrete, Luzuriaga, Morejón y don Silvestre Pérez, no pudieron ser hallados sus preciosos restos; lo cual, unido a la tradición que conservan las monjas de que cuando pasaron a la calle del Humilladero hicieron trasladar los huesos de los que habían sido sus parientes, dió lugar a la duda del ilustre y laborioso biógrafo de Cervantes sobre el paradero de sus restos.

La Encarnación.—La reina doña Margarita de Austria, esposa de Felipe III, fundó el convento e hizo construir esta iglesia en 1616 con muy buena y severa arquitectura, que se atribuye a un religioso trinitario. Ultimamente, en el siglo pasado fue reedificada y reformada con el mayor gusto por el ya citado arquitecto, don Ventura Rodríguez, de suerte que en el día es acaso la iglesia más elegantemente adornada de Madrid. La fachada es la primtiva que siempre tuvo, seria y de buenas proporciones; el interior está renovado ·de orden jónico. Es ciertamente digno del mayor elogio el retablo mayor de mármoles, en cuyo centro hay un gran cuadro de la Anunciación, obra de Vicente Carducho. También se hicieron por dirección del mismo arquitecto el precioso tabernáculo de mármoles y bronces, los altares colaterales, con pinturas de Carducho, las elegantes tribunas a los dos lados de la nave, la caja del órgano y todo lo demás que hermosea y ennoblece este suntuoso templo. Entre las varias y buenas pinturas que le adornan merece también citarse una en la sacristía, que representa la parábola de las nupcias, pintada por Bartolomé Román; San Felipe y Santa Margarita en sus respectivos altares, por Vicente Carducho; las pinturas a fresco de los tres acreditados hermanos Velázquez y de Bayeu; y los cuatro cuadros de la nave; primero de la derecha, de don Ginés Aguirre; segundo, de don Francisco Ramos; primero de la izquierda, de don Gregorio Ferro, y segundo de la izquierda, de don José Castillo. Las esculturas de San Agustín y de Santa Mónica son obra del famoso Gregorio Hernández. Parte de este convento fue demolido en 1842, saliendo de él las religiosas; pero reedificado después, aunque en más reducidas proporciones, han vuelto a ocuparle de nuevo en 1847. En esta iglesia se halla establecida la parroquia ministerial de Palacio (la Patriarcal) y castrense.

El Sacramento.—Es de bernardas descalzas y le fundó en 1615 el duque de Uceda, cerca de sus casas (hoy la de los Consejos), en la calle del Sacramento. El templo que hoy tienen se acabó en 1774; es muy capaz, con una fachada regular, su lonja y atrio, y fue trazado por Andrés Esteban, siendo renovado posteriormente con notable gusto, pintando al fresco sus bóvedas don Luis Velázquez y colocándose después el hermoso retablo del altar mayor con su gran cuadro de San Benito y San Bernardo adorando al Santísimo, pintado por don Gregorio Ferro. En esta iglesia celebra sus funciones el capítulo de la Orden militar de Alcántara. A esta comunidad está reunida la de bernardas de

Nuestra Señora de la Piedad (*Vallecas*), fundada en 1473 por Alvar Díez de Rivadeneyra, maestresala de Enrique IV, que tenía su convento en la calle de Alcalá; igualmente la de bernardas de *Pinto*, fundado en 1569, y que tenía su convento en la carrera de San Jerónimo.

Capuchinas.—Tuvo principio este convento en 1617 en la calle del Mesón de Paredes, y diez años después fue trasladado al sitio que hoy ocupa en la plazuela a que da nombre el mismo convento. Es pequeño y no contiene, ni su iglesia, cosa notable, pues el Santo Cristo del altar mayor, que era de Vicente Carducho, ya no existe allí.

Calatravas.—En 1623 se trasladaron a esta corte desde la villa de Almonacid de Zurita las religiosas de la Orden militar de Calatrava, y muy luego se las edificó iglesia y convento en el sitio que hoy ocupan en la calle de Alcalá. Dicha iglesia es bastante espaciosa y de buena planta, aunque algo recargada de adornos de mal gusto. La hermosa cúpula que se alza sobre el crucero señorea todo el edificio y da realce a la calle de Alcalá. En este hermoso templo celebran sus funciones los capítulos de las Ordenes militares de Calatrava y Montesa. A esta comunidad está reunida la de *Santa Clara*, de franciscas, fundada en 1460, que tenía últimamente su nuevo convento en la calle Ancha de San Bernardo.

San Plácido.—Fundó este convento de religiosas de San Benito doña Teresa Valle de la Cerda en 1623, arrimado a la iglesia de San Plácido, anejo de la parroquia de San Martín, de la que le ha quedado el nombre, aunque su advocación es la Encarnación. Dicha iglesia, construída bajo la dirección de fray Lorenzo de San Nicolás, agustino recoleto, es una de las más arregladas de Madrid. El cuadro de la Anunciación del altar mayor es de Claudio Coello, y fue pintado por este gran artista a los dieciocho años de su edad, dando a conocer lo que había de ser; hay otras pinturas estimables, como también lo son las cuatro estatuas en los pilares de la cúpula, obras de Manuel Fereira; el Santo Cristo en el Sepulcro, que está en su capilla, es de Gregorio Hernández, y las pinturas al fresco, hechas por Ricci. El reloj de este convento tiene la particularidad de imitar en sus campanadas el toque de difuntos, cuya circunstancia se atribuye a cierta aventura galante y profana del rey don Felipe IV con una monja de esta casa llamada doña Margarita, a cuyo fallecimiento, cierto o fingido, es tradición que dedicó el Rey este recuerdo misterioso.

Maravillas.—Se fundó este monasterio de religiosas carmelitas en la calle de Hortaleza por el año de 1612, y a poco tiempo se trasladaron al sitio que hoy ocupan en la calle de la Palma Alta. El título de *Maravillas* le viene de una imagen milagrosa de Nuestra Señora que fue colocada en esta casa con gran solemnidad. La iglesia fue construída en 1646; es capaz, y fue reformada en el siglo pasado, construyendo nuevo el altar mayor de mármoles y de buen gusto de orden corintio, y del mismo mérito el bello tabernáculo. Las estatuas de San Elías y de Santa Teresa son obras de don Francisco Gutiérrez. A esta comunidad está reunida la de carmelitas (*baronesas*), fundada en 1650, que tenía su convento en la calle de Alcalá.

Comendadoras de Santiago. — Fundóse de orden del señor don Felipe IV en 1650; está situado en la plazuela de su nombre. Su iglesia tiene la figura de cruz griega, con las extremidades en semicírculo, y una hermosa cúpula en el centro. La fachada, pórtico y planta son de lo mejor de Madrid, y su sacristía es, sin duda, la más bella entre las de los templos de la capital.

El cuadro del altar mayor, pintado por Lucas Jordán, representa la batalla de Clavijo, y Santiago apareciendo a caballo en el aire; y son igualmente apreciables varias pinturas y estatuas de autores antiguos y modernos, que adornan la iglesia; pero en lo que sobresale ésta sobre todas o casi todas las de Madrid, es en su ya dicha y bella sacristía, hermosa pieza de planta elíptica y decorada con columnas, pilastras y otros adornos, y con las estatuas de los reyes de España y grandes maestres de la Orden, des-

de la de Carlos V a la de Fernando VI inclusive. Esta obra de la sacristía fue mandada hacer por este último Monarca a don Francisco Moradillo, el mismo arquitecto de las Salesas Reales; y el convento fue reedificado por Sabatini en tiempo de Carlos III. En esta suntuosa iglesia celebran las funciones de sus estatutos los caballeros de la Orden. A esta comunidad está reunida la de carmelitas de *Santa Ana*, fundada por San Juan de la Cruz en 1586, que tenía su convento en la calle del Prado.

Góngora.—Es de mercenarias descalzas y fue fundado por doña María de Mendoza en la calle de San Opropio, por los años de 1626, siendo trasladadas en 1662 al sitio que hoy ocupan en la plazuela del Duque de Frías, de orden del rey don Felipe IV, y bajo la dirección de don Juan Jiménez de Góngora, consejero de Castilla. Su iglesia se reformó en el siglo pasado y no contiene objetos notables, a excepción de algunas esculturas ejecutadas y dirigidas por don Juan Pascual de Mena.

San Fernando.—También de mercenarias y fundada por la marquesa de Avila-Fuente en 1676, enfrente de la Merced, siendo trasladadas después al sitio que ocupan en la calle de la Libertad. Su pequeña iglesia no contiene cosa notable.

Santa Teresa.—Este convento de carmelitas descalzas fue fundado por el príncipe de Astillano, duque de Medina de las Torres en 1684, bajo la dirección de la venerable madre María Ana Francisca de los Angeles. Está situado al fin de la calle de su nombre, y su iglesia, que se construyó en 1719, es capaz y regular y no contiene objeto notable, después de haber sido trasladado a la Academia de San Fernando y luego al Museo de la Trinidad el famoso cuadro de Julio Romano, copia de la *Transfiguración*, de Rafael, que fue donado a esta casa por el fundador y estaba colocado en el altar mayor. Este convento tiene el singular privilegio de dar tres repiques de campanas en la tarde del Jueves Santo antes del sermón de Mandato.

Santa Catalina de Sena. — Fundó en 1510 doña Catalina Téllez, dama de la Reina, un recogimiento donde, establecida la misma fundadora con otras señoras principales, y aumentándose después, adoptaron la Regla de Santo Domingo, y en 1574 se trasladaron al edificio que luego fue convento de los Mostenses y hoy plaza del mismo nombre. El cardenal Gómez Sandoval, duque de Lerma, no contento con las fundaciones del convento de trinitarios (Jesús) y de la casa profesa de jesuítas (Capuchinos del Prado), que había hecho contiguas a su casa-palacio (hoy de los duques de Medinaceli), trasladó a estas monjas al edificio que había sido Hospital entre la calle del Prado y Carrera de San Jerónimo. Pero este edificio desapareció en tiempo de la invasión francesa, y sobre su solar se construyó en 1818 una manzana de casas. El duque de Medinaceli actual, como patrono, ha trasladado después esta comunidad a una casa suya sita en la calle del Mesón de Paredes, núm. 39, donde tiene su pequeña iglesia.

La Magdalena (Jesús).—Fundadas por don Luis Manrique de Lara, limosnero de Felipe II, en 1569, adoptaron la Regla de San Agustín y ocuparon el convento de la calle de Atocha pocos años después. Era muy extenso, con su iglesia, aunque poco notable. Fue demolido en 1836, y las monjas tuvieron después varias traslaciones, hasta que el señor duque de Medinaceli las ha colocado en el que fue de trinitarios descalzos de Jesús, al fin de la calle de Cervantes y las Huertas, donde permanecen. La pequeña capilla contigua, única cosa que queda del antiguo convento, es un objeto de gran concurrencia y devoción del pueblo de Madrid por la efigie de Jesús Nazareno que en ella se venera, y fue cautiva en Fez y rescatada por los religiosos trinitarios, cuya efigie es la que sale en la procesión de Viernes Santo.

San Pascual.—El célebre almirante de Castilla, don Juan Gaspar Enríquez de Cabrera, duque de Medina de Rioseco, una de las personas más marcadas de la brillante y caballeresca corte de Felipe IV y que tenía su magnífico palacio y retiro enfrente al convento de recoletos, avanzado en edad y deseando hacer olvidar su disipada vida con actos de caridad religiosa, cedió la sala teatro y otras partes de su palacio para la fundación de la comunidad de franciscas de San Pascual, dotándole al mismo tiempo de una primorosa colección de pinturas, que desaparecieron en tiempo de los franceses. A la supresión de este convento en 1836, pasaron las monjas al de las Descalzas Reales, pero habiendo revindicado el señor duque de Osuna la posesión de aquel antiguo aunque pobre edificio, volvieron a él hace dos años las religiosas y quedó de nuevo abierto al culto su pequeño y modesto templo, que estaba convertido en un almacén de madera.

Recogidas.—Titúlase esta comunidad de Santa María de la Penitencia (vulgo Recogidas) y tuvo principio en 1587, en el Hospital de Peregrinos, a la calle del Arenal, trasladándose al sitio que ahora ocupan en la calle de Hortaleza en 1623. Tiene su pequeño templo poco notable.

Salesas Reales. — El rey don Fernando VI y la reina doña María Bárbara su esposa fundaron este real monasterio de la Visitación de religiosas de San Francisco de Sales, con el cargo de educar niñas nobles, y para ello hicieron construir el magnífico convento e iglesia que ocupan en la plazuela de su nombre, y que por su suntuosidad y buen gusto es, sin disputa, el primero entre los monumentos religiosos de Madrid. Concluyóse en 1758 y según los autores contemporáneos ascendió su total coste a la suma de reales 19.042.039 reales y 11 maravedíes, sin contar las alhajas de diamantes, oro y plata y exquisitas vestiduras con que le enriqueció la Reina; pero en el testamento de la misma, cuya copia existe en la Biblioteca Nacional, se lee una nota que dice: *"Lo gastado en las Salesas, según informe de don Andrés Gómez, asciende a 83.000.000 reales en sola la fábrica, suplido todo por la Tesorería."*

La extensión de todo el edificio, incluyendo la iglesia, lonja, huerta, jardín y demás oficinas, es de 774.350 pies superficiales de área plana. El convento tiene 135.056 pies de superficie y 19 de alto. La iglesia, sacristía exterior y pórtico tiene 9.380 pies y 128 de longitud desde los pies hasta el altar mayor, 38 de latitud y 80 en el crucero. Su altura es de 48 pies hasta la cornisa, y sobre ésta arranca la bóveda y arcos torales con 19 pies de semidiámetro. El cuerpo de luces, que levanta 22 y media, la media naranja que supera 20 y la linterna con 21 de elevación. Su fachada de un solo cuerpo, con ocho pilastras del orden compuesto, y dos torres en los extremos, un atrio y tres puertas. Encima de la principal hay un bajorrelieve de la Visitación y otros adornos. Cierra la entrada una espaciosa lonja con pilares y verjas de hierro. Pero la fachada mejor de esta casa es la que cae al jardín, y corresponde a lo que llaman el *Palacio*, por ser la habitación que destinó para sí la reina doña María Bárbara. Los planes de esta obra fueron de don Francisco Carlier y la dirigió don Francisco Moradillo.

El adorno interior de este suntuoso templo es correspondiente a su gran fábrica. Pilastras y columnas de una sola pieza, de exquisitos mármoles de serpentina de Granada, preciosa y muy rara, con los capiteles de bronce dorado; hermoso pavimento de mármol de colores; suntuosos y elegantes retablos de lo mismo; excelentes pinturas, entre las cuales no podemos pasar en silencio los cinco cuadros de Muro, Giaquinto, Cignaroli y Filipart, artistas extranjeros acreditados en aquel tiempo, especialmente Cignaroli de Venecia, de quien es el cuadro de la Sacra Familia; bóvedas pintadas al fresco por los tres hermanos Velázquez, bellas estatuas de Olivieri en el altar mayor; todos los objetos, en fin, que encierra esta casa son dignos de la admiración de los inteligentes y merecerían un volumen para su descripción. Pero, en gracia a la brevedad, sólo haremos excepción en favor de uno de aquellos objetos, y es el magnífico sepulcro donde descansan los Reyes fundadores, único de su clase en la corte y construído de orden de Carlos III por el arquitecto Sabatini y el escultor don Francisco Gutiérrez.

Sepulcro de Fernando VI.—En el crucero de la iglesia, al lado de la epístola y dentro de un arco y nicho, se eleva el sepulcro del rey don Fernando VI cubierto de escogidos mármoles de diversos colores. En el sitio de la clave están las armas reales sostenidas por un niño y una Fama de mármol con clarín en la mano. Sobre el primer zócalo se levanta un pedestal, a cuyos lados hay dos estatuas en pie, mayores que el natural, representando la *Justicia* y la *Abundancia*. Luego sienta la urna sobre dos leones de bronce, y en su frente hay un bajorrelieve que representa las tres Bellas Artes acogidas bajo la real protección. Parte de la urna se figura cubierta de un paño, y sobre ella hay dos niños llorando; el uno levanta el paño, y el otro tiene una espada en la mano. En el fondo, detrás de la urna, se levanta una especie de pirámide, y allí está colocada la figura del Tiempo encadenado, que con una mano sostiene el retrato del Rey y con la otra le señala. En una tabla de mármol que sienta sobre el pedestal, está escrita con letras de bronce dorado la inscripción siguiente, que compuso, con la que se dirá de la Reina, don Juan de Iriarte: *Hic jacet hujus canobii conditor, Ferdinandus VI Hispaniarum Rex, optimus princeps, qui sine liberis, at numerosa virtutum sobole patriae obiit IV id. Aug. Am. MDCCLIX. Carolus III fratri dilectisimo, cujus vitam regno proeoptaset hoc moeroris et pietatis monumentum.* En el sepulcro de la reina doña María Bárbara, colocado en el recinto del coro, a espaldas del del Rey, se puso la inscripción siguiente: *Maria Barbara Portugaliae, Ferdinandi VI Hispaniarum Regis uxor, post conditum D. O. M. Templum, Sacris Virginibus Coenobium, optatur fruitur sepulcro, et votiis proprior et aris. Obiit annos nata XLVII. VI Kal. Sept. MDCCLVIII.*

Salesas nuevas.—Fundó esta comunidad de religiosas de San Francisco de Sales en 1798 doña María Teresa Centurión, marquesa de Villena, y las hizo construir su iglesia y convento en la calle Ancha de San Bernardo. Aquélla es muy linda, aunque pequeña, y bien adornada con retablos de mármol y de buen gusto, y la fachada también es notable por su elegante sencillez. Extinguido este convento en 1836, pasaron las religiosas a incorporarse a las Salesas Reales, y ocupó este edificio la Universidad, que se trasladó de Alcalá; pero después de instalada ésta en el Noviciado han regresado a aquél las monjas.

Beaterio de San José.—Fue fundado en la calle del Mesón de Paredes en 1638, y posteriormente se trasladaron a la que ocupan en la calle de Atocha. Pertenecen estas beatas a la Orden Tercera de San Francisco y tiene su iglesia, poco notable, abierta al culto. Parte del convento está ocupado por la escuela normal de párvulos.

Hermanas de la Caridad.—Esta venerable congregación, fundada en Francia por San Vicente Paúl, se estableció en Madrid en el reinado del señor don Carlos IV viniendo algunas hermanas de la casa de Barcelona, a fin de que el considerable número de enfermos de los hospitales y los inocentes expósitos de la Inclusa, recibiesen de ellas el alivio y consuelo que conocidamente ofrecen su religiosa y esmerada asistencia. Están sujetas al visitador de la Congregación de la Misión, y tienen su casa e iglesia en la calle de San Agustín.

IGLESIAS EXISTENTES DE LOS CONVENTOS SUPRIMIDOS

Colegiata de San Isidro el Real.—Fundada la casa de PP. de la Compañía de Jesús en 1567 y habiendo tomado el patronato de este colegio la Emperatriz de Alemania doña María de Austria (de donde le quedó el título de *Imperial*), se construyó en 1651 la actual iglesia, que es un templo grandioso, de bellas proporciones, y rico de adornos en su interior, siendo dirigida su construcción por el maestro Francisco Bautista, de la misma religión. Extrañados del reino en tiempo de Carlos III los padres de la Compañía, quedó destinado este magnífico templo a iglesia real Colegiata, en donde fueron colocados los cuerpos de los santos esposos Isidro Labrador y María de la Cabeza, y trasladados en solemne procesión el día 4 de febrero de 1769, pasando a esta iglesia los capellanes de la real capilla de San Andrés, que tomó el nombre de *Cabildo de San Isidro*. Entonces fue renovada grandiosa y dignamente la capilla mayor por el célebre arquitecto don Ventura Rodríguez, el que dió traza para colocar en el altar mayor las cajas que contienen los expresados cuerpos, disponiendo el presbiterio para servir de coro a los capellanes con la mesa de altar en el medio.

El cuerpo de nuestro glorioso patrono está entero; sólo le faltan tres dedos de los pies, y se guarda en dos cajas, la interior de filigrana de plata, regalada por la reina doña Mariana de Neobourg, y la exterior es una urna de oro, plata y bronce, ofrecida por el Colegio de Plateros de Madrid. La urna que contiene los restos de Santa María de la Cabeza está guardada dentro del pedestal que sostiene el sepulcro de San Isidro. La estatua del Santo, que está sobre el trono de nubes, es obra del célebre don Juan de Mena; las de la Fe y Humildad, al lado de la urna, son de Manuel Alvarez y don Francisco Gutiérrez; las diez de santos labradores, que antes estuvieron en la capilla de San Andrés, son de Pereira. Adornan este templo gran número de pinturas notables. El gran cuadro del segundo cuerpo del altar mayor que representa la Santísima Trinidad, fue pintado por don Antonio Rafael de Mengs. En los dos colaterales y en la capilla del Santísimo Cristo hay buenas pinturas de Ricci. En los primeros, las que representan a San Francisco de Borja y San Luis Gonzaga; en la segunda, dos grandes de la Pasión de Nuestro Señor, y dos óvalos de San Pedro y la Magdalena; y sobre las puertas de la sacristía y capilla de San Ignacio otras que representan la Caída de San Pablo y San Francisco Javier bautizando a los indios, y son de Jordán. En la sacristía también hay una Concepción y un San Ignacio, de Alonso Cano, y un cuadro pequeño del Señor atado a la columna, por el *divino* Morales. En la antesacristía, el San Pedro y San Pablo, son de Palomino, de quien es también el techo de esta pieza. Donoso y Coello pintaron el de la capilla de la Soledad, que apenas se disfruta por la mucha talla dorada de que está recargada, habiendo repartidos en toda la iglesia, capilla y sacristía otras muchas pinturas de gran mérito de Coello, Carducho, Palomino y Herrera el Mozo, cuya numeración sería demasiado prolija.

Es esta hermosa iglesia la más grande de Madrid, y su planta de cruz latina, clara y con una elevada cúpula; se halla profusamente decorada con numerosas pilastras muy caprichosas y recargada además con infinitos entallados de madera dorada; a ambos lados hay varias capillas que comunican entre sí. La fachada de este suntuoso templo consta de tres puertas, entre cuatro medias columnas con pedestales y dos pilastras en cada extremo; sobre las columnas corre la cornisa y encima una balaustrada, rematando el conjunto dos torrecillas laterales aún no concluídas; todo lo cual, aun con los defectos que se le notan, hace a esta portada la más noble y majestuosa entre las de las iglesias de Madrid. El cabildo de San Isidro ha vuelto a ocupar este templo después de la supresión de los jesuitas, y en él se celebra el culto con la mayor pompa y solemnidad. Además suple generalmente la falta de una catedral para las solemnes funciones religiosas de Corte y de Villa, mereciendo entre ellas especial mención el suntuoso aniversario de las víctimas del 2 de mayo de 1808, cuyos restos gloriosos se conservaron en las bóvedas de esta iglesia desde 1814 hasta 1840 en que fueron trasladados al monumento del Prado; y las honras militares anuales. En las mismas bóvedas reposan multitud de célebres varones por su santidad, dignidad o ciencia, tales como el padre Diego Laynez, general que fue de los jesuitas, compañero de San Ignacio de Loyola, y uno de los que asistieron al Santo Concilio de Trento, el cual renunció las mitras de Florencia y de Pisa, el capelo y hasta la misma tiara que tuvo probabilidad de obtener. El otro santo y sapientísimo padre jesuíta Juan Eusebio de Nieremberg, autor de infinitas obras, y otros muchos hijos de esta insigne casa que figuraron dignamente en la república literaria en los siglos XVII y XVIII; y no les acompañan en ellas los de los celebérri-

mos padres Isla, Andrés y otras lumbreras de este último siglo, por haber muerto en tierra extraña a consecuencia de la expulsión general de los padres de la Compañía. Pero brillan al lado de aquellos los monumentos fúnebres que guardan los restos de otras muchas personas de grande importancia política y literaria; los del célebre diplomático y autor don Diego de Saavedra Fajardo, que estuvieron anteriormente en la iglesia de recoletos; los del príncipe de Esquilache don Francisco de Borja y Aragón, insigne poeta del siglo XVII y nieto de San Francisco de Borja; los del príncipe Muley Xeque, hijo del Rey de Marruecos, que se convirtió a la fe cristiana y fue bautizado con el nombre de don Felipe de Africa, aunque es más conocido por *el Príncipe Negro*. Ultimamente, trasladados a España de Real orden los restos mortales de los insignes escritores contemporáneos don Leandro Fernández de Moratín y don Juan Donoso Cortés, marqués de Valdegamas, fueron depositados solemnemente en estas bóvedas el día 12 de octubre de 1853.

San Francisco el Grande.—Refieren los historiadores de Madrid que habiendo venido a esta villa el mismo Santo Patriarca en 1217, le ofrecieron los moradores un sitio fuera de los muros, para labrar una pequeña ermita donde es hoy la huerta del convento. Esta ermita fue extendiéndose, hasta que se convirtió en gran iglesia y convento, uno de los santuarios predilectos del vecindario, y en el que tenían sus capillas y enterramientos suntuosos las principales y antiquísimas familias de los Lujanes, Vargas, Luzones, etc., distinguiéndose entre éstos el del muy notable caballero Ruy González Clavijo, que estuvo en la capilla mayor, y el magnífico de la reina doña Juana, esposa de Enrique IV, que se hallaba al lado del Evangelio; pero demolidos iglesia y convento por su estado ruinoso en 1760, se empezó a edificar de nuevo con gran magnificencia y la esplendidez propia de Carlos III, concluyéndose el todo de la obra en 1784. Hízose por los planes de fray Francisco Cabezas, religioso lego de la Orden, que la dejó en la cornisa, y fue continuada por los arquitectos Pló y Sabatini, el último de los cuales concluyó la iglesia e hizo el convento.

La iglesia es una rotonda de 116 pies de diámetro y 153 de alto hasta el anillo de la linterna. Desde la línea de la fachada hasta el fondo del presbiterio hay .259 pies. Esta rotonda está circundada por la capilla mayor y otras seis más pequeñas, aquélla de 75 pies de fondo por 47 de ancho, y éstas de 35 pies en cuadro. En el altar mayor hay un sencillo tabernáculo y en la pared de su frente un gran cuadro de don Francisco Bayeu que representa la concesión del jubileo de la *Porciúncula*; los cuadros de las seis capillas son de Goya, Calleja y Castillo, los de la derecha; y los de la izquierda, de Velázquez, Ferro y Maella. El pórtico de la iglesia tiene 67 pies de ancho y 37 de fondo. Hay en la fachada dos torres demasiado bajas, y tres ingresos con arcos. Este templo, que aunque carece de ornato y a pesar de los defectos que puede hallar en él la crítica, es el más grandioso de la corte, se halla desgraciadamente situado en un sitio extraviado, más abajo de Puerta de Moros. En él han solido celebrarse también las grandes ceremonias de desposorios y exequias reales, y últimamente fue designado por decreto de las Cortes para *Panteón Nacional*, donde se coloquen las cenizas de los hombres ilustres que ha producido España.

El convento, igualmente grandioso, con diez patios, doscientas celdas, noviciado, enfermería y demás oficinas, ha sido destinado después de la supresión de las comunidades religiosas para cuartel de Infantería. Los cuadros de mérito que estaban en los claustros han pasado al Museo de la Trinidad.

San Jerónimo el Real.—Con motivo de las célebres fiestas y *Paso honroso* sostenido en el camino de El Pardo por el privado don Beltrán de la Cueva para festejar a unos embajadores de Bretaña, fundó Enrique IV el monasterio que tituló de San Jerónimo *del Paso*. Pero reconocido aquel sitio por poco sano, los Reyes Católicos en 1502 trasladaron la comunidad a lo alto del Prado Viejo de Madrid. Para este objeto se construyó el convento e iglesia que existen. Esta es de una sola nave, bien proporcionada y espaciosa, a la manera gótica, de cuyo estilo no queda ya otra en Madrid más que la capilla del Obispo; y en el monasterio tenían los monarcas un cuarto o aposentamiento real a donde solían retirarse en ocasión de duelos, festividades religiosas u otras solemnes y públicas; y aunque profanado y casi convertido en ruinas por los franceses, que hicieron desaparecer las muchas riquezas que poseía en pinturas, esculturas y alhajas, fue restaurado después aunque sencillamente, y abierta la iglesia al culto público, habiéndose colocado en su altar mayor un bello cuadro de San Jerónimo pintado por el distinguido profesor don Rafael Tejeo. En esta iglesia se celebra desde la de Felipe II la jura de los Príncipes de Asturias, y las Cortes del Reino convocadas a este efecto por Fernando VII, verificaron la de la reina actual doña Isabel II el día 20 de junio de 1833. Posteriormente, cerrada esta iglesia, y el convento destinado a Parque de Artillería, ha permanecido descuidada algunos años, hasta que por una acertada disposición de Su Majestad recibe en la actualidad una completa restauración para volverse a abrir como parroquia del Real Sitio del Buen Retiro, en cuyo recinto queda incluída.

Nuestra Señora de Atocha.—En el mismo sitio que ocupaba en los antiguos tiempos el celebérrimo aunque pequeño santuario en que se veneraba la sagrada imagen de Nuestra Señora de Atocha (sobre cuyo origen, antigüedad y milagros se han extendido tanto los historiadores y poetas madrileños), fue fundada esta iglesia y convento en tiempo del Emperador Carlos V con gran suntuosidad, que se aumentó después considerablemente en los sucesivos reinados, hasta que en los primeros años de este siglo fue reducido a cuartel por los franceses. El rey don Fernando VII a su regreso a España cuidó de restaurar esta iglesia y convento, reedificándole casi del todo, haciendo construir por su arquitecto, don Isidro Velázquez, el elegante altar mayor, adornando toda la iglesia de bonitos retablos, alhajas, efigies y cuadros, entre los que merece citarse un San Miguel, de Jordán;

los de la Magdalena, Nuestra Señora del Rosario y Descanso en Egipto, de Corrado, como también los ángeles de la capilla del Cristo, esculturas de don José Ginés y don Esteban de Agreda; y trasladando a su casa con pública solemnidad la antiquísima y venerada imagen de Nuestra Señora, objeto de la religiosa piedad de los madrileños. Dispuso también que en ella se depositasen los estandartes y banderas de los antiguos tercios, armadas y regimientos españoles, y los conquistados a sus enemigos, los cuales se hallan hoy simétricamente ordenados en elegantes pabellones sobre las pilastras de la nave.

Suprimidas las comunidades religiosas en 1836, fue destinado el convento a *Cuartel de Inválidos*, renovado y vuelto al culto el hermoso templo, al que regresó solemnemente la veneranda imagen de Nuestra Señora, que había sido trasladada a la iglesia de Santo Tomás. En esta Real de Atocha se celebran las ceremonias de la jura de bandera de los Cuerpos del Ejército, y generalmente los desposorios de las reales personas. Desde el tiempo de Felipe III se canta también todos los sábados, con asistencia de Sus Majestades, una solemne salve, y son notabilísimas, en fin, en todas ocasiones la pompa y esplendor de estas ceremonias y la inmensa riqueza de las alhajas y ofrendas de Su Majestad la Reina actual a esta santa imagen con motivo del atentado de que salvó milagrosamente el 2 de febrero de 1852. Está situado este célebre templo y convento al extremo oriental del Prado.

Nuestra Señora del Carmen.—En 1575 se fundó este convento por su religión, contribuyendo a ello la villa de Madrid y el celo del caballero de Gracia, en el mismo sitio, *a la cava de la Puerta del Sol*, que ocupaba· la casa mancebía pública, trasladada allí por mandado del Emperador Carlos V. El templo es de los más grandes y de mejor arquitectura que tiene Madrid, con muy buenas capillas y efigies. La del altar mayor, que representa la Virgen del Carmen, es obra de Juan Sánchez Barba. También hay pinturas notables, entre ellas la del remate del altar mayor, bella obra de Antonio Pereda,

buen colorista del siglo XVII, de quien son también las de San Elías y San Eliseo en el crucero. Del mismo tiempo son, asimismo, las dos buenas estatuas de San Elías y San Juan Bautista en los colaterales. En el año de 1832 se verificó la total reforma del adorno interior de este templo, habiéndose construído el retablo mayor y los colaterales con arreglo a las ideas de buen gusto; y despojada de extravagancias toda la iglesia, ha quedado por lo tanto una de las más notables de Madrid. La mejor fachada, aunque vale poco, es la de la calle del Carmen, donde tiene una lonja espaciosa. Desde la extinción de las comunidades religiosas ha sido ocupada y sostenida esta iglesia por la congregación de fieles bajo la advocación de Nuestra Señora del Carmen, y el convento está ocupado por las oficinas de la Dirección de la Deuda Pública; pero en estos mismos días se han hecho cargo de aquélla y una parte de éste los padres del Oratorio, una de las congregaciones religiosas restablecida con arreglo al Concordato de 1851.

Santo Tomás.—La iglesia del que fue convento de Dominicos de Santo Tomás, una de las más grandes de Madrid y notable también por el sitio privilegiado que ocupa a la entrada de la calle de Atocha, fue concluída en 1656, haciéndose después de algunos años la capilla mayor y media naranja, que se vino abajo en 1726 en ocasión de hallarse celebrando el jubileo del año santo, quedando sepultado bajo sus ruinas un centenar de personas. La iglesia es de buena planta; pero sus adornos participan del mal gusto de aquella época, y sobre todo la portada, obra de don José de Churriguera y de sus hijos, es ridícula hasta el extremo. No lo es menos el altar mayor y muchos de los retablos de las capillas, en las cuales, sin embargo, hay muy buenas pinturas y esculturas que apenas pueden verse por la escasez de luces, contentándonos con citar entre las primeras uno de los buenos cuadros que hay en Madrid, y es el que está en la primera capilla de la derecha, y representa a Santo Domingo, obra de Antonio Pereda, y en la capilla de enfrente, o sea la primera de la izquierda, la célebre escultura del Descendimiento de la Cruz, obra de Miguel Rubiales. En la misma capilla está un enterramiento moderno del conde de Gausa, de bastante buen gusto. También hay dos cuadros de la Pasión en una capilla, del brioso Herrera, y una Asunción y Coronación de Nuestra Señora, obra de Ruiz de la Iglesia. En esta iglesia celebra anualmente su célebre octava al Santísimo Sacramento, incomparable en solemnidad, la congregación titulada de la Guarda y Oración.

San Cayetano.—Este suntuoso templo, situado en la calle de Embajadores, se empezó a construir a principios del pasado siglo bajo la dirección del arquitecto don José de Churriguera, aunque los planos parece vinieron de Roma; y se concluyó en 1761 con destino a iglesia de clérigos seglares de San Cayetano; y a pesar de las observaciones críticas de don Antonio Ponz y otros conocedores, demasiado rigoristas, no se puede negar que es uno de los buenos templos religiosos que encierra la capital; la portada sobre todo es suntuosa, aunque por demás exagerada con adornos y follajes; siendo lástima, sin embargo, que por la estrechez de la calle carezca de punto de vista conveniente. El interior del templo consta de tres naves espaciosas, claras y bien dispuestas; cuatro capillas cerradas con sus correspondientes cúpulas se ven colocadas en los extremos y le dan cierta semejanza en su planta al célebre San Lorenzo del Escorial. La efigie de la divina Pastora es de don Luis Salvador Carmona. En la capilla mayor se ha hecho un nuevo retablo de perspectiva.

San Antonio del Prado.—Esta iglesia del ex-convento de padres capuchinos, situada al final de la calle del Prado, fue concluída en 1756, y no es notable más que por su decencia y la sencillez de sus adornos, entre los cuales se cuentan algunas pinturas regulares, tales como la Sacra Familia, cuadro de bello efecto de Castrejón, que está en la primera capilla de la derecha; dos de Jordán, la Magdalena y el Niño Jesús, en el presbiterio. Con motivo de la demolición de la iglesia de San

Felipe Neri en 1838, ha vuelto a ser colocado en ésta el cuerpo de San Francisco de Borja, duque de Gandía, y general de los Jesuítas, para quienes fue construída primero esta casa profesa por el famoso duque de Lerma en 1609, el cual colocó en ella dicho santo cuerpo de su glorioso antepasado que hizo traer de Roma al efecto. En ella le festejan todavía sus ilustres descendientes los duques de Medinaceli y de Osuna.

Nuestra Señora del Rosario.—Esta iglesia del que fue convento de religiosos del orden de Santo Domingo tiene una linda portada. Su interior no contiene objetos notables sino el Santísimo Cristo del Perdón que está en su capilla, obra de las más expresivas del famoso Pereira, y un Santo Cristo abrazando la Cruz, buena escultura, en uno de los colaterales. Está situado en la calle Ancha de San Bernardo, y en ella se halla establecida la parroquia Castrense del Real cuerpo de Guardias Alabarderos.

San Juan de Dios.—Fundóle en 1552 el venerable hermano Antón Martín, con el objeto de servir de hospital, a cuyo servicio se entregan todavía los religiosos, que han vuelto a formar comunidad con arreglo a lo prevenido en el Concordato. La iglesia está reedificada en 1798. Tiene mucho adorno elegante y rico en materia de exquisitos mármoles, y las pinturas al fresco y las esculturas que contiene son dignas de atención. Entre estas últimas merecen citarse los pasos del Ecce-Homo y los Azotes, que salen en procesión el Viernes Santo; Nuestro Señor Jesucristo con la cruz a cuestas, y San Juan de Dios sosteniendo a un enfermo, célebres obras de don Pedro Hermoso, que murió en 1830. El San Lázaro de su altar es obra de don Manuel Contreras, escultor poco conocido del siglo XVII, pero que merecía serlo más porque era artista de mérito. El Crucifijo en su capilla es de Domingo de la Rioja, y los dos cuadros de la Pasión, de Manuel de Castro. El cuadro del retablo principal es de Jordán. También es notable la estatua del santo sobre la puerta del convento, ejecutada por Manuel Delgado, discípulo de Manuel Pereira, quien la dirigió por hallarse ciego. Contiguo a esta iglesia está el Santo Hospital, fundado por el hermano Antón Martín, de que hablaremos en su lugar.

Iglesia de Santa María de Monserrat.— Para recoger a los castellanos que los catalanes cuando su alzamiento echaron del santuario de Nuestra Señora de Monserrat, fundó Felipe IV en 1642 un monasterio real de monjes de San Benito, a los cuales dio Su Majestad la quinta del Condestable de Castilla, sita al arroyo Abroñigal, aunque poco después, por no considerarse sano aquel sitio, se trasladaron a otro inmediato a la puerta de Fuencarral en la calle Ancha de San Bernardo, donde labraron su casa e iglesia. Esta última se halla sin concluir, pues sólo consta del cañón con varias capillas a los lados, faltándole todo el crucero y la capilla mayor. La fachada de este templo y su única torre concluída especialmente, adolecen del gusto peculiar de los principios del siglo pasado, y son uno de los ejemplares más notables del conocido por *churriguerismo*. En esta iglesia yace sepultado el célebre cronista don Luis Salazar y Castro que falleció en 1734; y en la misma casa se guardaron sus preciosos manuscritos y biblioteca, que pasaron después a la de las Cortes. El convento sirvió, después de la exclaustración, de Casa-Galera y cárcel de mujeres, que en estos mismos días se ha mandado desocupar.

La Pasión.—El convento de padres dominicos de la Pasión, que estaba en la plazuela de la Cebada, fue demolido en tiempo de los franceses, habiéndose retirado los frailes a una casa, calle de San Pedro, hoy de la Pasión, número 15; después de la exclaustración quedó cerrado este convento; pero habiéndole adquirido los misioneros de Ocaña para hospedería, han vuelto a abrir para el culto su pequeña iglesia.

San Vicente de Paul.—La congregación de padres de la Misión de San Vicente de Paul, quedó establecida en esta corte por real cédula de 6 de julio de 1828, viniendo para ello de Barcelona los primeros padres, y habiéndoseles labrado su casa e iglesia en la calle del Barquillo, que apenas lle-

gaban a concluir cuando hubieron de desocuparla por la supresión de las órdenes religiosas en 1836, destinándose este edificio, primero a presidio-modelo, luego a detención de vagos, y por último en estos días a cárcel de mujeres. Pero restablecida aquella comunidad de paúles con arreglo a lo dispuesto en el Concordato, les fue concedido el grandioso edificio sito en la calle Alta de Leganitos, conocido por la casa vieja del duque de Osuna, y su capilla pública que ocupaban entonces las monjas del Caballero de Gracia, y hoy dichos Padres de la Misión.

OTRAS IGLESIAS, CAPILLAS Y ORATORIOS PÚBLICOS

Capilla del Obispo.—En los primeros años del siglo XV, en lo más elevado de la colina que ahora se llama plazuela de la Paja, contigua a la parroquia de San Andrés, existía la casa del noble caballero madrileño, Ruy González Clavijo, camarero del rey don Enrique III, y su embajador a Tamorlán. En 1422, se aposentó en esta misma casa el infante don Enrique de Aragón, y la propiedad de ella pasó a fines de aquel siglo a Francisco Vargas, del Consejo de los Reyes Católicos, quien proyectó labrar en parte de ella la hermosa Capilla que hoy existe, dedicándola a San Isidro Labrador. Esta capilla fue concluída por su hijo don Gutierre de Vargas y Carvajal, obispo de Plasencia (del cual le ha quedado el título), aunque su verdadera advocación es de San Juan de Letran, y son patronos de ella los marqueses de San Vicente, descendientes de los Vargas.

El exterior de la capilla es todo de piedra, y en sus ventanas se ve el estilo de la edad en que se construyó. La puerta de ingreso es notable por estar cubiertas sus dos hojas de bajos relieves, festones y ornatos muy bien ejecutados y conservados. El interior de la capilla es espacioso, alto y claro; su ornato de grupos de columnitas esbeltas y fajas cruzadas en las bóvedas, corresponde a la manera llamada gótica, de que sólo en esta iglesia y la de San Jerónimo, quedan ejemplares en Madrid. El retablo mayor, obra de Francisco Giralte, es el más notable que se conserva en esta corte en su línea y de aquella época, y está enriquecido con multitud de estatuas y bajos relieves de curioso trabajo. En el presbiterio están los sepulcros del fundador Francisco de Vargas y su esposa doña Inés de Carvajal. Pero lo que distingue sobre manera a esta Capilla y la hace uno de los objetos más recomendables de Madrid, es el magnífico sepulcro del Obispo de Plasencia don Gutierre de Vargas Carvajal, hijo de los fundadores, que se halla colocado en la pared del cuerpo de la capilla, al lado de la Epístola. Consiste en un gran nicho de medio punto, cuyo arco está artesonado, y en el fondo tiene un bajo relieve que representa la Oración del huerto. La estatua del prelado está arrodillada sobre una gradería en aptitud de orar, teniendo delante un reclinatorio. Detrás, y al pie de las gradas, se ven las figuras en pie del licenciado Barragán, capellán mayor de esta capilla, y otros dos clérigos; el primero tiene en sus manos la mitra; en su rostro y en el de los demás se conoce que son retratos. Por fuera del nicho hay un riquísimo adorno con columnas estriadas que termina en un segundo cuerpo, en cuyo centro hay una imagen de Nuestra Señora. Todos los frisos, cornisas, pedestales, zócalos, huecos, arcos, gradería y tercios de las columnas, están adornados de figuritas, cabezas, festones, colgantes, medallas y otras mil labores caprichosas ejecutadas con prolijidad y atención, de modo que es infinito el trabajo que allí hay, porque dejando aparte esta multitud de labores, se cuentan unas 17 estatuas relevadas del todo, y más de 40 de medio o bajo relieve, por lo que puede inferirse la importancia de este monumento. La materia es mármol blanco algo opaco por su antigüedad, y su gran mérito consiste en cada cosa de por sí, más bien que en el conjunto, en que se echa de menos cierta grandiosidad y falta de estilo. Esto no impide el que tan costosa obra sea del mayor aprecio de los inteligentes y curiosos, que tienen mucho que admirar en ella juzgándola con el criterio necesario para distinguir de épocas y de estilos. La escultura es del mismo Giralte. Las pinturas de la Capilla son de Juan de Villoldo su amigo, y a los pies de ella hay una excelente por Eugenio Cajés que representa a San

Francisco de Asís, sostenido por dos ángeles. Esta capilla es el único monumento que testifica el estado de las artes en Madrid en el reinado de Carlos I.

Caballero de Gracia.—La congregación de esclavos del Santísimo Sacramento, fundada por el ejemplar sacerdote Jacobo de Grattis (1), labró en 1654 una iglesia en la misma calle a que aquél dio su nombre, y en la casa en que cuatro años antes acaeció la muerte violenta del enviado del Parlamento de Inglaterra. Posteriormente y en el siglo pasado, fue reconstruída dicha iglesia bajo la dirección del célebre arquitecto Villanueva, adornando su interior con una doble fila de columnas corintias que le dan gracia y novedad. La portada es sencilla, construída en 1832, con dos columnas y un bajorrelieve encima, representando la Cena de Nuestro Señor, ejecutado por el escultor don José Tomás, y copia del célebre cuadro de Leonardo Vinci.

Nuestra Señora de Gracia. (Plazuela de la Cebada).—Labró esta iglesia a fines del siglo XVII la hermandad de la Vera Cruz; pero después se rehizo la iglesia, que es muy capaz, y en ella se encuentran algunas pinturas y efigies regulares, como una Concepción de estilo italiano, y un San Francisco copia del Españoleto. El Crucifijo es escultura de don Pedro Mena. También están en esta iglesia los pasos de *La Oración del Huerto* y de *La Verónica*, el primero de los cuales sale en la procesión de Viernes Santo.

El Santísimo Sacramento.—Este pobre oratorio está en la calle de Cañizares, y se labró para la congregación de Esclavos del Santísimo Sacramento, por don Manuel de Aguiar en 1647. No contiene nada no-

(1) Fue natural de Módena, caballero del Orden de Cristo, y murió en Madrid de 102 años, en 1619. Vivió en esta calle, a que dio el nombre, y estuvo enterrado en la iglesia del convento de monjas franciscas que fundó en sus propias casas, sitas en la misma calle, y que ha sido derribado en estos últimos años. Los restos mortales de dicho venerable Caballero han sido trasladados a este oratorio, donde se conservan, en una urna colocada al lado de la epístola.

table bajo el aspecto artístico, y actualmente se ha emprendido su reedificación.

Espíritu Santo.—Está en la calle de Valverde, y es propio de su congregación, quien labró esta pequeña iglesia en 1676; en ella hay algunas pinturas razonables.

San Fermín.—Fundó esta iglesia la real congregación de naturales de Navarra, y se construyó en 1746. Está situada en el Prado, y son de notar en ella las buenas esculturas de sus altares. La de Nuestra Señora y San Juan Bautista, de Mena; San José, San Francisco Javier, San Miguel y otras más pequeñas de don Luis Salvador.

San Ignacio.—Fue esta casa del colegio de ingleses, y la compró la congregación de San Ignacio, de naturales de Vizcaya, quien la reformó y abrió su pequeña iglesia en 1773. Está situada en la calle del Príncipe. El santo titular ocupa el centro del retablo mayor, y a sus lados las estatuas de San Prudencio, patrón de Alava, y San Martín de Loinaz, hijo de Vergara, son obra de don Roberto Michel.

Capilla del Príncipe Pío.—En la plazuela de Afligidos. Fue fundada esta capilla en 1657 por doña Leonor de Moura, marquesa de Castel-Rodrigo, y está en las casas del marquesado, llamadas del Príncipe Pío. En esta iglesia se venera una de las copias de la cara de Nuestro Señor Jesucristo, estampada en el lienzo de la Verónica, cuya preciosa alhaja está vinculada al mayorazgo, y se expone al público el Jueves y Viernes Santo.

Capilla de Nuestra Señora de la Soledad.—Esta pequeña y célebre capilla de la calle de la Paloma, fue construída muy sencilla aunque elegantemente a fines del siglo pasado con las limosnas de los fieles recogidas por una piadosa mujer llamada *Andrea Isabel Tintero,* para colocar en ella la devota imagen de Nuestra Señora de la Soledad (*vulgo de la Paloma*), que tenía en el portal de su casa y era un objeto de grande devoción de aquel barrio, y que después se extendió a todo el vecindario de Madrid; viéndose las paredes de aquel pequeño santuario literalmente cubiertas de

ex-votos y piadosas ofrendas hechas a la milagrosa imagen, una de las nueve que visita también Su Majestad la Reina en el último mes de su preñez.

Existen además abiertas en ocasiones al culto público otras muchas capillas, tales como las tres dedicadas a San Isidro Labrador, una en la casa de los Condes de Paredes inmediata a San Andrés, donde es opinión que vivió el Santo cuando servía a Iván de Vargas. Otra en la *cuadra* donde guardaba el ganado, y casa hoy del Marqués de Villanueva de la Sagra, calle del Almendro, número 6. Y otra en la del Aguila, número 1, propia de la Sacramental de San Andrés. Una a Nuestra Señora de la Soledad, calle de Fuencarral, número 48, a la entrada de la del Arco de Santa María, contigua a la casa del Duque de Veragua. Otra a Nuestra Señora llamada de la *Portería,* en la calle de Santa Isabel, número 5. Otra en el Pósito, a Nuestra Señora del Sagrario. Otra en la calle de Calatrava, número 10, dedicada al Santo Cristo de las Maravillas. Otra en la de Cabestreros, número 13, a Nuestra Señora del Rosario, y alguna otra más.

Por último, los establecimientos o institutos principales de instrucción y beneficencia, tienen generalmente sus templos propios abiertos al público, algunos de los cuales son de tanta importancia y tan frecuentados, que no pueden dejar de figurar en este lugar, si bien tratemos más adelante de aquellos institutos en su sección correspondiente.

San Antonio Abad (Escuela Pía).—La iglesia del Colegio Calasancio de Padres Escolapios, sito en la calle de Hortaleza, fue construída cuando aquel vasto edificio en la segunda mitad del siglo pasado bajo los planes y dirección del arquitecto don Pedro de Ribera. Es bastante capaz y de forma extraña, aunque no mal decorada, y está adornada de buenos altares, sobresaliendo entre las pinturas la que se halla colocada en uno de los retablos al lado de la epístola, y representa al célebre fundador de las Escuelas Pías San José de Calasanz, obra de don Francisco de Goya; siendo éste por lo demás uno de los templos más frecuentados y en los que se celebra el culto con más solemnidad.

San Fernando (Escuela Pía).—El templo de este segundo colegio de padres escolapios, fue construído por el hermano Gabriel Escribano en 1791, y es uno de los buenos de Madrid. Su planta consiste en una rotonda precedida de un espacio cuadrangular que hace veces de nave, y sobre aquélla se levanta una ostentosa cúpula que consta de cuerpo de luces con pilastras de orden jónico moderno, cascarón y linterna, y que descuella elegantemente, vista desde afuera, sobre toda aquella parte de Madrid. Es muy notable también este templo por las buenas pinturas y esculturas de los autores modernos que le enriquecen. El cuadro del altar mayor, de Bayeu, representa a Nuestra Señora del Pilar con San Fernando, San Carlos Borromeo y San Luis, Rey de Francia. Las diversas efigies de escultura que adornan los altares, son de los acreditados artistas Bergaz, Adán, Hermoso y Piquer, y muy apreciables bajo el aspecto artístico.

Iglesia de San Antonio de Padua (vulgo *de los Portugueses*).—Esta bella iglesia, unida al hospital que fue de los Alemanes y de los Portugueses, y al colegio de Señoritas, a cargo de la Santa Hermandad del Refugio, es una de las más elegantes, decoradas y célebres de Madrid. Su planta es elíptica, y está cerrada con un cascarón de la misma figura. Lo más notable de esta bonita iglesia es hallarse toda ella pintada al fresco por el fecundo Lucas Jordán, y la bóveda por Ricci y Carreño. Los retablos son generalmente de buen gusto. La efigie de San Antonio, que ocupa el mayor, es obra del famoso escultor Manuel Pereira, y las pinturas de Santa Ana y Santa Isabel de Jordán y de Caxés. La Santa Hermandad del Refugio celebra en esta iglesia el culto con extraordinaria pompa, a que contribuyen también las señoritas colegialas con sus gratas voces y conocimientos artísticos.

Loreto.—La iglesia de este colegio Real, concluída en 1654, es de cruz latina, y en el retablo mayor, de orden corintio, se celebra la devota imagen de Nuestra Señora

de Loreto, traída de Roma en el siglo XVI por un religioso de San Francisco. La fachada a la calle de Atocha tiene dos torres y una portada sencilla y regular. En esta iglesia se ha colocado recientemente la imagen de Nuestra Señora del *Buen Suceso*, trasladada a consecuencia del derribo de este templo, y en la misma se celebra los días festivos, a las dos de la tarde, la misa que por privilegio especial se decía en aquél.

Nuestra Señora de la Presentación (Niñas de Leganés).—También esta pequeña iglesia, contigua al colegio de niñas huérfanas llamado de Leganés, en la calle de la Reina, es una de las más concurridas de Madrid; su forma es pequeña, de cruz griega, y fue construída en 1630, ofreciendo escaso adorno, aunque bastante regularidad en su conjunto. El cuadro del altar mayor, que representa la Presentación de Nuestra Señora en el Templo por sus padres San Joaquín y Santa Ana, es obra muy apreciable, del pintor Alonso del Arco.

El *Colegio de San Ildefonso*, llamado *de los Doctrinos*, y sito en la Carrera de San Francisco, tiene también su iglesia pública; así como igualmente el antiguo de Nuestra Señora *de los Desamparados*, calle de Atocha, en cuya casa está hoy el nuevo hospital de hombres incurables de Nuestra Señora del Carmen; también en la casa de Niños Expósitos hay iglesia pública con entrada por la calle de Embajadores; en el Hospicio de San Fernando (primera casa de socorro); en el albergue de San Bernardino, extramuros; en el Monte de Piedad; y en el Hospital general; así como igualmente en los de la Orden Tercera de San Francisco, al portillo de Gilimón; de los Presbíteros naturales de Madrid, calle de la Torrecilla del Leal; de la Buena dicha, calle de Silva; de los Donados, calle de su nombre, y en el Militar (Seminario de Nobles). Por último, son templos muy dignos y conocidos los de los hospitales de la Corona de Aragón (Monserrat), plazuela de Antón Martín; del Pontificio de San Pedro el Real (Italianos), Carrera de San Jerónimo; de San Luis, de los Franceses, calle de Jacometrezo; de San Patricio, de los Irlandeses, calle del Humilladero, y otros de que hablaremos al tratar de aquellos establecimientos de beneficencia.

DESTINO DADO A LOS CONVENTOS SUPRIMIDOS EN 1836

Además de los conventos que quedan expresados como existentes en el día, había en Madrid en 1836, antes de la supresión de las órdenes monásticas de hombres y reducción de las de mujeres, 38 de los primeros y 36 de las segundas; de los cuales no existen en comunidad de aquellos más que los dos colegios de padres de la *Escuela Pía*, el de la Misión de *San Vicente de Paul*, el de *San Juan de Dios*, y los de *San Felipe Neri*, que acaban de instalarse en el Carmen calzado; el número del de religiosas, por haber sido demolidos sus conventos propios, está reducido a 26 como queda expresado.

Respecto a los edificios de unos y otros que han dejado de existir o recibido diversos destinos y modificaciones, creemos excusado el repetir aquí las noticias de su historia y descripción (que ya estampamos en las primeras ediciones de esta obrita), y sí sólo consignar su desaparición o actual destino en estos términos:

DERRIBADOS

San Felipe el Real, de agustinos calzados, calle Mayor. Ocupa su solar la manzana de *casas nuevas del señor Cordero*, la del señor González Bravo, y la plazuela nueva de *Pontejos*.

Nuestra Señora de la Victoria, de mínimos de San Francisco de Paula, Carrera de San Jerónimo. Ocupan su solar las *casas nuevas de los señores Mariategui y Mateu*, y la calle nueva también *de Espoz y Mina*.

Nuestra Señora de las Mercedes, de mercenarios calzados; calles de su nombre, de los Remedios y de Cosme de Médicis. Su-

primidas éstas con la demolición del co[n]vento, forman con su antigua área la plaz[a] denominada *del Progreso*.

Noviciado, de padres jesuítas, calle A[n]cha de San Bernardo. En su solar se h[a] construído de planta el edificio de la *Uni*versidad Central.

Agustinos Recoletos, en el prado de s[u] nombre. Construído en su solar un gra[n] *taller de coches*.

El Espíritu Santo, de padres clérigo[s] menores, Carrera de San Jerónimo. Leva[n]tado en su solar el *Palacio del Congres[o] de los Diputados*.

San Bernardo, del orden cisterciens[e,] calle Ancha de su nombre. Construídas e[n] su área dos *casas particulares*, números 2[...] de la citada calle.

Premostratenses; este convento y s[u] iglesia habían sido demolidos en tiemp[o] de la dominación francesa, y ocupaban e[l] sitio que ahora la *plazuela y mercado [de] su nombre*, al fin de la calle de María Cris[-]tina. La comunidad existía en 1836 en un[a] casa particular de la calle del Rosal.

Capuchinas de la Paciencia, calle de la[s] Infantas. Su área forma hoy la *plazuel[a] de Bilbao*.

Agonizantes de San Camilo, calle d[e] Fuencarral; sobre su solar se han cons[-]truído dos *casas particulares*.

San Felipe Neri, casa y oratorio de pa[-]dres clérigos menores, calle de Bordadores[.] Sobre el sitio que ocupaba se ha levanta[-]do un *mercado y galería* cubierta.

Agonizantes de Santa Rosalía, calle d[e] Atocha. Construída en su solar una gra[n] *casa particular*, números 153 y 55.

Religiosas Franciscas llamadas de *Cons[-]tantinopla*, calle Mayor, antes de la Almu[-]dena. Levantadas en su solar *varias casas* comprendidas entre los números 112 y 116[.] La comunidad está reunida a la de la Con[-]cepción Francisca.

Agustinas de la Magdalena, calle de Atocha.—Construídas en su solar diversas *casas particulares*.—La comunidad está en el día en el antiguo convento de trinitarios de Jesús.

Franciscas de los Angeles, plazuela de Santo Domingo; *casas particulares*. La comunidad, en la Concepción Francisca.

Carmelitas de Santa Ana.—Su primitivo convento, en las calles de la Gorguera y del Prado, fue demolido por los franceses para formar la plazuela de aquel nombre, y habiendo edificado otro en 1829 en la misma calle del Prado, fue reducido también de la exclaustración a *casa particular*, señalada con el número 26 de dicha calle. La comunidad está en las Comendadoras de Santiago

Bernardas de Pinto, Carrera de San Jerónimo.—En su área se han levantado las dos magníficas *casas* números 42 y 44. La comunidad pasó al convento del Sacramento.

Franciscas del Caballero de Gracia, calle de su nombre y del Clavel. Construído primeramente en su sitio un mercado cubierto y después sustituído por una *casa particular*. La comunidad, después de haber estado en el convento del Sacramento y otros, está hoy en las Descalzas Reales.

Carmelitas (las Baronesas). Su solar forma hoy parte del *jardín de la casa* del marqués de Riera, calle de Alcalá, número 64. La comunidad está en las Maravillas.

Además fue demolida por ruinosa en 1842 la *parroquia de El Salvador*, y en su solar se alza hoy la casa número 108 de la calle Mayor.

MODIFICADOS Y CONVERTIDOS A OTROS DESTINOS

San Martín, de monjes benitos, plazuela y bajada de su nombre. Demolida la iglesia en tiempo de la dominación francesa, permanece su solar sin construirse sobre él; el convento, con muchas y sustanciales modificaciones interiores, ha tenido diversos destinos: para las oficinas del Gobierno civil, Diputación Provincial, Junta, Tribunal y Bolsa de Comercio, Consejo de Sanidad y otras dependencias, y hoy está adjudicado al *Cuerpo de Guardia Civil* para su cuartel y oficinas directivas.

Santísima Trinidad, calle de Atocha. Convertidos iglesia y convento primero en Museo Nacional, teatro y salas de la Sociedad del Instituto, hoy con inmensas modificaciones le ocupan el *Ministerio de Fomento*, el *Museo Nacional* y el *Conservatorio de Artes* e *Instituto Industrial*.

San Bernardino, de franciscos, extramuros. Destinado hoy con su iglesia a servir de *Asilo de mendicidad*.

Agustinos calzados de Doña María de Aragón. Convertido en *Palacio del Senado*, y la iglesia, en *salón de sesiones*.

Mercenarios descalzos de Santa Bárbara, al portillo de su nombre. Medio arruinado en tiempo de los franceses y rehabilitado después, está hoy convertido en *fábrica de fundición* de Bonaplata.

Monasterio de San Basilio, calle del Desengaño. Completamente transformados iglesia y convento en habitaciones particulares, *teatro* llamado de *Lope de Vega*, *molino de chocolate*, *café* y *taller de coches*.

Padres de San Joaquín (vulgo *Afligidos*), plazuela de su nombre, arruinado en gran parte por los franceses, aunque rehabilitado después, ha sido convertido en *casa particular*.

Clérigos menores del Salvador. Tuvieron primero su oratorio contiguo a la cárcel de Corte, calle de la Concepción Jerónima, incorporado después a aquella, y que ha sido demolido en estos últimos años, construyendo en su lugar *casas particulares.*

Posteriormente construyeron su casa e iglesia en la calle del Lobo, número 8, que ocuparon hasta la exclaustración; hoy está convertido en habitación particular.

Misioneros de San Vicente de Paúl.—El edificio que ocupaban al tiempo de la exclaustración, que había sido construído expresamente pocos años hacía en la calle del Barquillo, sirve hoy de *cárcel de mujeres.* La comunidad, nuevamente reunida, ocupa la casa vieja del duque de Osuna.

Religiosas franciscas de Santa Clara.— El convento primitivo que existía contiguo a la parroquia de Santiago fue demolido por los franceses en los primeros años de este siglo; pero en los últimos del reinado anterior se construyó para esta comunidad otro en la calle Ancha de San Bernardo, número 80, que hoy sirve de *Escuela Normal,* habiendo pasado la comunidad a reunirse a la de señoras comendadoras de Calatrava.

Bernardas de la Piedad (Vallecas), calle de Alcalá.—Esta iglesia y convento ha tenido muchas modificaciones y destinos después de que las religiosas pasaron a reunirse con las del Sacramento, sirviendo aquélla de Bolsa, de teatro y de salón de sesiones de la sociedad del Museo, y el convento, en el *colegio del señor Masarnau.* La comunidad pasó al Sacramento.

Las casas de religión, cuyas iglesias permanecen abiertas al culto y los conventos destinados a otros usos, son las siguientes:

El Colegio Imperial de la Compañía de Jesús, destinado al *Instituto Universitario* de segunda ensenñanza de San Isidro, biblioteca de la Facultad de Filosofía y Escuela especial de Arquitectura.

El de San Francisco es cuartel de Infantería.

El de Atocha, cuartel de Inválidos.

El del *Carmen calzado,* Dirección de la Deuda Pública.

El de *Santo Tomás,* Tribunal Supremo de Guerra y Marina y Capitanía General.

El de *San Cayetano,* habitaciones particulares.

El del *Rosario,* colegio de educación.

El del *Carmen descalzo,* Dirección de la administración militar.

El de *Montserrat* sirvió de casa galera de mujeres, y después de la traslación de ésta fue cárcel de las mismas.

ERMITAS

San Isidro.—Fue fundada esta ermita a la orilla derecha del Manzanares por la Emperatriz doña Isabel, esposa de Carlos V, en 1528, y está situada en una altura donde, según tradición, abrió el Santo una fuente milagrosa. La capilla del día fue costeada por el marqués de Valero en 1724 y es muy regular; su piadoso fundador hizo legado de ella a la archicofradía de San Pedro y San Andrés, que tiene contiguo su cementerio. Esta ermita es sumamente concurrida el día del Santo Patrono por el pueblo de Madrid, que celebra en él una inmensa y solemne romería.

Nuestra Señora del Puerto.—Situada a la orilla izquierda del río, cerca del puente de Segovia, y fundada por el marqués de Vadillo, corregidor de Madrid, en 1718. El edificio es bueno, tiene sus capellanes para el culto y en ella yace sepultado su fundador.

El Santo Angel.—Esta pequeña ermita, situada en el paseo de Atocha, estuvo delicada al Santo Cristo de la Oliva, y en el año de 1783 se renovó a expensas de la villa, y se trasladó a ella la efigie del Santo Angel, que estuvo primero sobre la puerta de Guadalajara, y luego en una ermita a la salida del puente de Segovia. Esta de que hablamos fue arruinada en tiempo de los franceses y ha sido reedificada después.

San Antonio de la Florida.—Es parroquia y está situada al fin del paseo de la Florida, sobre la orilla izquierda del río Manzanares. Fue fundada en 1720 por el resguardo de Rentas Reales, pero el año de 1770 se reedificó; y últimamente fue construída de nuevo en 1792 con una forma muy linda, pintando Goya toda la cúpula y adornando el templo con buenas pinturas Maella, Gómez y otros. La efigie de San Antonio es de Ginés, y la arquitectura de la iglesia, de Fontana. La romería del pueblo madrileño a esta ermita el día del Santo titular es muy concurrida.

CEMENTERIOS

Desde que en el reinado del señor Carlos III y por Real cédula de 3 de abril de 1787 se mandó la construcción de cementerios extramuros de las ciudades, con objeto de sepultar los cadáveres que hasta entonces se enterraban en las iglesias, con grave detrimento de la salud pública, pasaron muchos años (todos los que formaron el reinado de Carlos IV) sin que la capital del reino tratase de dar el ejemplo de esta importantísima reforma y de cumplir lo preceptuado por la ley. Siguióse, pues, la perniciosa costumbre inmemorial de los enterramientos en las bóvedas y templos, hacinando en ellos los cadáveres sin precaución alguna, y siguieron también de tiempo en tiempo las repugnantes e indecorosas *mondas* de aquellos restos mortales, de que recordamos haber oído a algunos ancianos tan animadas como nauseabundas descripciones, especialmente de la que se hizo en la parroquia de San Sebastián por la calle inmediata en 1805, y que, según queda expresado

ya, llevó envueltos en ella los preciosos restos de Lope de Vega, y probablemente también los de Alarcón, Montalbán y otros ilustres feligreses. Para destruir aquella inveterada costumbre, y para reducir al silencio la terrible y obstinada oposición que la hipocresía, las preocupaciones o el interés egoísta presentaban a la construcción de cementerios, fue necesario que el gobierno de José Napoleón tomase a su cargo la conclusión del primero de los generales (el de la puerta de Fuencarral); y verificada ésta en 1809, y poco tiempo después el de la Puerta de Toledo, prohibiese enérgicamente todo otro enterramiento que no fuese en aquéllos, y en obsequio de la verdad y de aquel ilustrado aunque intruso Gobierno, debe reconocerse que no fue esta sola la mejora que logró establecer en nuestra policía administrativa.

Por desgracia, la construcción de dichos cementerios, según los planos del arquitecto Villanueva, adoleció a nuestro entender desde el principio de una mezquindez y prosaísmo sumos; siendo tanto más de lamentar cuanto que estos primeros camposantos, imitados después en otros puntos de las afueras de Madrid y en las capitales y pueblos notables de España, han servido, puede decirse, de modelo o pauta de esta clase de construcción entre nosotros, estableciéndose en consecuencia la ridícula costumbre no de enterrar, sino de emparedar los cadáveres en los muros de cerramiento, alrededor de grandes patios desnudos de todo adorno y vegetación. No tuvo tal vez presente Villanueva el reciente ejemplo de la capital francesa, que en los primeros años del siglo dedicó a este objeto el extendido jardín conocido por el del *P. Lachaise*, ni los demás de esta clase que se admiran en otros pueblos extranjeros; o no pudo disponer de terreno suficientemente extenso, bien situado y con agua abundante para la plantación. La idea, exagerada a nuestro entender, de que había de construirse en las alturas al norte de la capital, el gusto demasiado clásico y amanerado de dicho arquitecto y la estrechez de miras o indiferencia del Ayuntamiento de Madrid, fueron, tal vez, las causas de semejante construcción; y sin duda el no querer perjudicar a las fábricas de las iglesias en los derechos que percibían por la custodia de los cadáveres, dió lugar a que la villa de Madrid no tomase, como hubiera debido, a cargo suyo el establecimiento de los cementerios con toda la amplitud y decoro que exigen la religiosidad y cultura del vecindario. El clero, por su parte, que nunca miró con buenos ojos su establecimiento, no cuidó de decorarlos ni engrandecerlos, a pesar del inmenso producto que obtiene del alquiler de aquellos mezquinos corrales, producto que raya en una suma considerable, y que hubiera podido servir no sólo a la formación de grandes y aún magníficos cementerios, sino que en otros pueblos bien administrados se aplica también al sostenimiento de hospitales y establecimientos de caridad.

A tanto llegó el abandono y desidia de la Visita eclesiástica y fábricas parroquiales, y era por los años de 1832 tan mezquino el aspecto de estos cementerios generales, que varias cofradías o congregaciones religiosas pensaron en establecer por su cuenta la formación de otros parciales. Así lo habían hecho ya anteriormente las sacramentales de San Pedro y San Andrés, y la de San Salvador y San Nicolás, y fueron imitadas luego por las de San Sebastián, San Luis y San Ginés, San Justo y San Millán, San Martín, la Patriarcal, etc., y mejorando algún tanto las condiciones de construcción y adorno (aunque siempre siguiendo el mezquino sistema de emparedamientos), han conseguido obtener la preferencia de los filigreses, y disponiendo y tolerando mayor adorno en los frentes de las sepulturas, en los panteones y galerías, y aun en el centro de los patios, con plantaciones de arbustos y flores, han empezado a dar a los suyos aquel aspecto decoroso e imponente que a par que convida a la oración y al ruego por las almas de los que fueron, da una idea más noble de la cultura y de la religiosidad de la generación actual.

En el día, pues, son ya once los cementerios existentes extramuros de Madrid, a saber: a la parte del norte, fuera de la puerta de Fuencarral, hay cuatro: el General del departamento alto y los de las archicofradías de San Ginés y San Luis,

la Patriarcal y San Martín. Al mediodía, fuera de la Puerta de Toledo, otros ci co: el General del departamento bajo, de San Isidro, el de San Justo, el de Santa María y el de San Lorenzo. En las afueras de la puerta de Atocha, los de San Nicolás y San Sebastián. Vamos, pues, a dar una idea de todos ellos.

El *cementerio General* del norte, que comprende las parroquias de Santa María, Santiago, San Martín, San Ginés, San Ildefonso, San José, San Luis y San Marcos, está situado en paraje ventilado propio y fue construído, como queda dicho, por el arquitecto Villanueva en 1809, consiste en varios patios descubiertos sin galerías, en cuyas paredes están los nichos o depósitos para aquellas personas que pueden pagarlos; cuesta cada uno 464 reales, y permanece en él el cuerpo por espacio de cuatro años, pasados los cuales hay que renovar el pago en la visita eclesiástica, pues de lo contrario pasa el cadáver al osario general, situado en uno de los patios. Algunos nichos hay extendidos horizontalmente en la pared y entonces se paga doble: los nichos están numerados, distinguiéndose algunos con lápidas sencillas de mármol con ligeros adornos. Las inscripciones son también sencillas y en castellano, limitándose por lo general a decir el nombre, edad y patria del difunto. Las personas que no pagan nicho se entierran en sepulturas abiertas en el suelo. Los objetos más notables en este sitio son la hermosa capilla aislada frente a la puerta de ingreso, que es de muy buen gusto, y el mausoleo contiguo, en un recinto cerrado, erigido al general marqués de San Simón, defensor de la puerta de los Pozos contra las tropas de Napoleón y su ejército en los tres memorables días primeros de diciembre de 1808; heroica defensa que atrajo sobre su cabeza la sentencia de muerte, que fue sin embargo, conmutada por el Emperador a los fervientes ruegos de su hija, la condesa de Santa Coloma, la misma que costeó este suntuoso monumento, para depositar en él las cenizas de su buen padre, que falleció en 1819.

El *cementerio General* del departamen

to bajo se halla a alguna distancia de la villa, saliendo por la puerta de Toledo y tomando un camino a la izquierda, que desde los paradores del puente conduce a aquel religioso recinto. Consta de un patio principal bastante extenso y otros menores, rodeados de anchas galerías, bajo las cuales están colocados en la pared los nichos y panteones; algunos árboles y arbustos adornan este vasto patio, y en la galería del tercero hay una capilla; en el centro del principal se alza una cruz de piedra de buen gusto, colocada sobre un gallardo pedestal. Fue construída por diseño del célebre don Ventura Rodríguez, y estuvo colocada en la plazuela del Angel, en el sitio que ocupó el antiguo oratorio de San Felipe Neri, demolido en el siglo pasado. Por lo demás, este cementerio, aunque espacioso, bien situado a distancia conveniente de la capital y con mayor decoro en su disposición general que el del departamento alto, ofrece, como aquél, en sus sepulturas, pocos objetos notables por su esplendor o buen gusto, a pesar de comprender el numeroso vecindario de las parroquias de San Andrés, San Pedro, San Justo, Santa Cruz, San Sebastián, San Lorenzo y San Millán, si bien sus feligreses acomodados, como individuos de las archicofradías sacramentales, van regularmente a sus cementerios respectivos, de que vamos ahora a ocuparnos.

Cementerio de la Sacramental de San Pedro y San Andrés, contiguo a la ermita de San Isidro. Empezó esta archicofradía la construcción del primer cementerio particular, edificando en 1811 el patio de la entrada y posteriormente otros varios. Todos ellos están circundados de galerías que defienden de la intemperie los frentes de los nichos, con sus lápidas y memorias sepulcrales y forman jardín en el centro; finalmente, tiene su capilla y dos bellas rotondas construídas hace poco. Entre los mausoleos más notables de este cementerio puede citarse el destinado a la familia del señor Jordá, aislado en el segundo patio, que forma en su centro una capilla; y en los varios panteones de las galerías los de los *duques de Arcos*, cuyos restos fueron trasladados a este sitio

cuando la demolición de la parroquia del Salvador; el de la célebre *duquesa de Alba*, doña María del Pilar Teresa de Silva, que tuvo antes su suntuoso sepulcro en la iglesia del Noviciado. Yacen también en él, bajo elegantes panteones, el príncipe de Anglona, los duques de Abrantes, el conde de Toreno, el general Morillo, conde de Cartagena, el general don Diego León, conde de Belascoain; los marqueses de Zambrano, de las Amarillas, y otros muchos personajes célebres contemporáneos que sería prolijo enumerar. La circunstancia de pertenecer a esta antiquísima archicofradía toda o casi toda la aristocracia de la corte, da en este sentido la primer importancia al modesto cementerio colocado a la inmediación de la célebre ermita del Santo Patrono.

Cementerio de San Nicolás, propio de las Sacramentales de San Nicolás y Hospital de la Pasión, y fundado por ellas en 1825. Está situado a la derecha del ferrocarril de Aranjuez; consta de dos patios circundados de galerías con buenos nichos y suntuosos panteones, y una linda capilla en el centro del primer patio. Reformado y ampliado con bastante gusto en 1839 bajo los planes del malogrado arquitecto don José Alejandro Alvarez y habiendo sido trasladados solemnemente a este cementerio los restos gloriosos del insigne poeta *don Pedro Calderón de la Barca* el domingo 18 de abril de 1841, con motivo de la demolición de la parroquia del Salvador, donde tenían su enterramiento propio, empezó desde entonces a tomar importancia y boga, que después ha continuado, recibiendo en su recinto los de otros literatos y personajes políticos contemporáneos, tales como *don José Espronceda*, nicho núm. 877, y *don Mariano José de Larra (Fígaro)*, núm. 792, en el primer patio, a la derecha; *don Agustín Argüelles*, núm. 191; *don José María de Calatrava*, 248, y últimamente los de *don Juan Alvarez y Mendizábal*, a cuyos tres ilustres patricios se va a levantar en el mismo, por suscripción popular, un suntuoso monumento. El de *Calderón*, situado en uno de los lados de la capilla, inmediato al retablo mayor, consiste en una lápida de mármol blanco, en que está escrito con letras de oro su nombre inmortal, y encima de ella colocado su retrato, pintado por su contemporáneo don Juan de Alfaro, y es el mismo que existía en el entierro de la parroquia de San Salvador, así como las dos lápidas sepulcrales que han sido colocadas en el atrio de esta capilla. A espaldas del retrato hay una pequeña pieza pintada y adornada con esmero, en la que existe una elegante urna de cristales, que encierra los huesos del insigne poeta, y sobre la hornacina que contiene esta urna se lee el siguiente epitafio, compuesto por el señor Martínez de la Rosa:

Sol de la escena hispana sin segundo
aquí don Pedro Calderón reposa;
paz y descanso ofrécele esta losa,
corona el cielo, admiración el mundo.

Cementerio de la Sacramental de San Sebastián.—Contiguo al anterior se halla este cementerio, que consta de varios patios y galerías construídas últimamente con mucho gusto, y en cuyas sepulturas y panteones lucen suntuosas lápidas y adornos, llamando sobre todos la atención el magnífico monumento sepulcral aislado en el centro del segundo patio, y destinado a la familia *Fagoaga*, que consiste en una hermosa capilla formando crucero, con sus arcos y pechinas, coronando el todo un gracioso cascarón; en los costados hay ocho nichos, cada uno de los cuales ha de contener una bella urna de mármol, y por el opuesto al de entrada se halla el ingreso a una pequeña y lindísima bóveda subterránea, que ha de servir de osario. El conjunto de este monumento fúnebre es el más ostentoso y bello de los modernos de Madrid.

Cementerio de las Sacramentales reunidas de San Justo, San Millán y Santa Cruz. En los altos de San Isidro y cerro llamado de las Animas, construído en 1847. Consta de un solo patio con el testero semicircular y en su centro está la capilla, cuyo altar ocupa una bella efigie de San Miguel que perteneció al convento de monjas franciscas de los Angeles. No contiene todavía, como tan moderno, objeto notable en sus sepulturas.

Cementerio de la Sacramental de Santa María.—En el sitio que ocupó la ermita de San Dámaso labrada en 1783 y demolida en tiempo de la guerra de la Independencia, se empezó a levantar hace algunos años este cementerio, habiendo estado parada la obra largo tiempo. Al presente se halla ya habilitado para recibir cadáveres mientras se fabrican las partes principales y de ornato con arreglo al diseño que se ejecutó, y según el cual será muy decoroso y digno, aunque dudamos que pueda la archicofradía de esta parroquia sufragar tan crecidos gastos.

Cementerio de la sacramental de San Lorenzo. — Contiguo al anterior y sin concluir, aunque ya está habilitado para recibir cadáveres.

Cementerio de la Sacramental de San Ginés y San Luis.—Este suntuoso cementerio, aunque fundado desde 1831, apenas puede decirse que existía hasta que en 1846 fue construído de nuevo y ampliado extraordinariamente. Forma un inmenso rectángulo con una ostentosa y elegante entrada principal en uno de sus lados menores y cerrada con una gran verja de hierro interrumpida por pilares; a ambos lados de este inmenso recinto, cuyo centro está convertido en un hermoso jardín con varios compartimentos y destinado a contener monumentos fúnebres como los cementerios extranjeros, se hallan las dos extensas galerías decoradas con columnas de Pesto que recibe el correspondiente cornisamento con triglifos, y en las paredes interiores de estas galerías hay hasta cinco órdenes de nichos. El segundo trozo de ambas galerías está destinado a panteones, decorados muchos de ellos con bellos y elegantes ornatos de escultura. La capilla a la derecha de este cementerio es la primitiva y provisional, mientras se erige al frente de la entrada la suntuosa y propia, para la cual conserva la archicofradía el retablo mayor del Noviciado y su tabernáculo de mármoles. Entre los monumentos fúnebres que engrandecen ya este moderno cementerio, merece figurar el primero el magnífico sepulcro del señor don Joaquín Fonsdesviela, que estaba en el crucero de la iglesia de la Trinidad, a lado del Evangelio, y que la archicofradía tuvo la feliz idea de salvar de su completa ruina, colocando en 1848 cerca de la entrada principal y rodeado de árboles y arbustos tan notable objeto artístico. Al otro lado de la entrada se ha construído recientemente otro suntuoso monumento fúnebre formando un templete aislado, y consagrado al joven *marqués de Espeja,* que falleció hace pocos años; y en los panteones de las galerías merecen especial mención, por lo elegante y costoso de su decoración, los de los señores don Juan de Allonca, don Pedro y don Diego del Río, duques de Veragua y otros muchos que no recordamos.

Cementerio de la Patriarcal.—Inmediatamente a los dos anteriores se ha construído por la archicofradía de la Patriarcal otro igualmente suntuoso y extendido camposanto, bendecido hace sólo dos años, pero que desde su principio ostenta un grande esplendor. Las galerías comenzadas encierran ya multitud de sepulturas y panteones, algunos de ellos con elegantes y hasta magníficos adornos de escultura. Decorados con guirnaldas, flores y coronas por los piadosos parientes, iluminados con profusión de luces y las anchas galerías con lámparas sepulcrales, y resonando en éstas los fúnebres cánticos religiosos, el aspecto que ofrecía este cementerio la noche del primero de noviembre anterior era solemne y patético en extremo.

Cementerio de las Sacramentales de San Martín, San Ildefonso y San Marcos.—Igualmente moderno, el más reducido, aunque precioso y esmerado, que acaban de levantar, aunque a alguna distancia de los anteriores, las archicofradías reunidas de dichas parroquias. La bella columnata en semicírculo que forma su entrada principal produce un golpe de vista halagüeño a par que majestuoso, y la espaciosidad de sus galerías laterales, sustentadas por columnitas de hierro pareadas, con flameros en el intermedio, los decorados panteones, y más que todo, el esmerado aseo, orden y simetría de este lindo cementerio, le hacen notable aun entre sus dos suntuosos vecinos, y si llegase a rea-

lizarse el plan propuesto, según el cual ha de constar de nueve patios o jardines comprendidos en un cuadro y una grandiosa capilla al frente de la entrada, acaso llegue a ser el primero de Madrid.

CONGREGACIONES RELIGIOSAS

Las archicofradías sacramentales de las diversas parroquias, de cuyos cementerios acabamos de hablar, son tan antiguas y datan de tiempos tan remotos, que con razón algunas de ellas merecen titularse inmemoriales y primitivas.

La que con más autenticidad puede, sin embargo, gloriarse con este título es la de la parroquia de San Martín y San Ildefonso, su anejo, de la cual consta ya la existencia en el siglo XIII, en que reinando doña Berenguela, y con motivo de las parcialidades suscitadas por los Laras, se armaron sus individuos en defensa de la villa juntamente con el prior y monjes del monasterio de San Martín, sosteniéndose largo tiempo contra el asalto intentado por aquéllos, aunque pereciendo en la acción muchos de sus individuos, y el mismo prior, en el sitio contiguo, que por esta razón se llamó calle de *los Muertos,* y ahora de *los Trujillos.* Dicha archicofradía desde 1250 formó sus ordenanzas, las más antiguas que se conocen.

Aún todavía podría disputarle la prioridad a la de San Martín la de las parroquias de San Andrés y San Pedro, si fuera cierto lo que escriben algunos panegiristas de San Isidro, que le suponen ya individuo de ella en el siglo XI; pero esto no pasa de ser una conjetura gratuita e improbable, y sí sólo se sabe que se reunieron ambas en 1587. Sus individuos visten hábito cardenalicio en las funciones solemnes de su instituto, entre la que es notable la suntuosa de Minerva, que celebran el día siguiente al Santísimo Corpus. Además de la ermita de San Isidro y del cementerio contiguo, tiene esta archicofradía una casa en la calle del Aguila para albergue de sus individuos pobres, sus viudas y huérfanos, un Montepío y otras fundaciones de beneficencia.

La de San Ginés, fundada por don Juan II y su esposa, doña Isabel de Aragón, en 1434, quedó reunida últimamente con la de San Luis, formando una sola. La de San Nicolás y Hospital de la Pasión, fundada en el siglo XVII, y las posteriores de San Sebastián, San Justo y Pastor y San Millán, Santa María, etc.; todas, además del objeto principal de su instituto, que es atender al decoro y esplendor del culto parroquial, han extendido su cuidado a otros objetos de beneficencia, y conseguido, en fin, modernamente construir sus cementerios en los términos decorosos y aún magníficos que acabamos de reseñar, quedando únicamente sin el suyo propio las de San José y de Santiago, que debieran reunirse a las otras que ya los tienen.

Además de las ya citadas sacramentales, existen en Madrid acaso más de doscientas asociaciones religiosas, con los títulos de Hermandades, Cofradías, Esclavitudes y Congregaciones, unas con el objeto único y exclusivo de tributar culto a algún misterio, santo o imagen, bajo tal o cual advocación; otras con el carácter mixto religioso y filantrópico, se emplean no sólo en los ejercicios piadosos de oración y penitencia, sino en grandes servicios de caridad, entre los cuales merecen citarse en primera línea las santas hermandades del *Refugio*, de la *Paz y Caridad*, de la *Esperanza*, del *Ave María*, de la *Orden Tercera* y otras de cuyas importantes instituciones benéficas hablaremos en su correspondiente lugar. Otras, en fin, como asociaciones de naturales u originarios de cada provincia, o de individuos de cada gremio o profesión, tienen por base también no sólo festejar y dar culto a los santos patronos de su país o de su profesión respectiva, sino también acudir al socorro o educación de cierto número de individuos desvalidos de las mismas; y bajo ambos aspectos son sumamente recomendables, y de la más alta importancia. No pudiendo, pues, hacer la historia especial de todos estos institutos, nos limitaremos a una simple indicación de las más principales.

Primitiva Congregación del Alumbrado y vela continua del Santísimo Sacramento, reservado en los Santos Lugares; fundada en 1789 por los reyes Carlos IV y María Luisa, celebraban sus magníficas funciones u octavas en la iglesia de la Victoria, y ahora en la del Carmen, durante las cuales permanece expuesto el Santísimo Sacramento sin interrupción día y noche y abierta la iglesia a la numerosa concurrencia de los fieles.

Guardia y oración del Santísimo Sacramento en el jubileo de Cuarenta Horas. En 1814 se fundó en esta corte esta piadosa asociación, la más ostentosa, sin duda alguna, en el culto, como que cuenta con más de 60.000 congregantes, entre los cuales se halla todo lo principal del vecindario. Estos no solamente turnan cada día en la asistencia a la vela en la iglesia donde está el jubileo, sino que celebran desde el primer día de Pascua de Resurrección el suntuoso novenario al Santísimo Sacramento, que es, sin disputa, la solemnidad religiosa de más aparato que ostenta la corte, y aún pudiera decirse todo el reino. Dicha función tiene lugar en el templo de Santo Tomás.

La Congregación de esclavos del Santísimo Sacramento, que tiene su oratorio propio, de que ya hemos hablado, en la calle del Olivar, data desde 1610 en que se estableció en la Trinidad, pasó después a las monjas de la Magdalena, hasta que labró su casa y oratorio en 1646. En dicha primera época, y durante el reinado de Felipe IV, era muy solicitado el honor de pertenecer a esta cofradía por las personas más marcadas de la corte, y en sus registros antiguos se ven los nombres de los personajes más ilustres y de los insignes literatos de aquel siglo. La igualmente famosa, fundada con el mismo título y por igual tiempo, por el virtuoso *caballero Jacobo de Gratiis*, también con su oratorio propio y de los más frecuentados de Madrid. La *del Divino Espíritu y María Santísima de la Oración*, que data de igual fecha y tiene su oratorio en la calle de Valverde. La del *Santísimo Cristo de la Fe*, en la parroquia de San Sebastián. La del *de las Injurias*, en la de San Millán. De *la Salud*, en San Juan de Dios De *la Agonía*, en San Francisco. *Del Des-*

amparo, en la parroquia de San José, y antes en Recoletos, etc., etc.; todas muy numerosas y servidas; y las que tienen por Patrona a Nuestra Señora, bajo la advocación de *la Almudena*, en Santa María. *Del Ave María*, en Santa Cruz. *Del Destierro*, en San Martín, y antes en San Bernardo. *Del Carmen*, en diversos templos. *De Belén* y *de la Novena*, en San Sebastián; *del Consuelo*, en San Luis, y otras muchas fundadas en los siglos anteriores y dedicadas al culto de la Virgen, hasta la *de la Corte de María*, célebre asociación que tuvo principio en el mes de abril de 1839 y tiene por objeto visitar y festejar a María Santísima, para lo cual se divide en coros de 31 personas, de los cuales cuenta ya algunos miles, y se halla establecida en la iglesia de Santo Tomás, donde, con la mayor suntuosidad, celebra una serie de funciones en el mes de mayo; todas tributan obsequios muy solemnes y casi diarios, sosteniendo en todos los templos de la capital un culto continuado y esplendente.

Por último, hay diversas congregaciones profesionales o gremiales, v. gr., de los *abogados*, a Nuestra Señora de la Asunción; de los *médicos*, a San Cosme y San Damián; de los *arquitectos*, a Nuestra Señora de Belén, y de los *cómicos*, a la de la Novena, en San Sebastián; de los artífices *plateros*, a San Eloy, a quienes pertenecía la capilla mayor de la parroquia del Salvador demolida, y ahora está en San Ginés; de los *carpinteros y ebanistas*, a San José, en Santo Tomás; de los *libreros*, a San Jerónimo; de los *pintores*, a San Lucas; de los *sastres*, a San Homobono, en Santa Cruz; de los *zapateros*, a San Crispín, etc. Y, por último, otras corporaciones provinciales, en que los diversos naturales u oriundos de aquéllas se reúnen para reproducir en Madrid las solemnes fiestas locales y tributar culto a las imágenes reconocidas por Patronos especiales de cada provincia o localidad, y también para atender al socorro o instrucción de cierto número de sus individuos o congregantes, son muchas y muy importantes, distinguiéndose entre ellas, por la grandeza y solemnidad de sus funciones, la de los naturales y originarios del principado de Asturias, bajo la advocación de *Nuestra Señora de las Batallas y de Covadonga*, que se halla establecida en la parroquia de San José. La de *Nuestra Señora del Pilar*, de los aragoneses, y la *de los Desamparados*, de los valencianos, en la iglesia del hospital de la Corona de Aragón, titulado de Montserrat. La de los naturales de Galicia, bajo el patrocinio del apóstol *Santiago*, hoy en San Ginés y antes en San Felipe el Real. La *de Valvanera*, de los riojanos, en la misma parroquia de San Ginés. La *de San Ignacio de Loyola*, de los vascongados, en su oratorio propio, calle del Príncipe. La de *San Fermín*, de los navarros, en su capilla del Prado. La de *Santo Toribio Alfonso Mogrovejo*, de castellanos y leoneses, en el Sacramento. La de *Santo Tomás de Villanueva*, de los manchegos, etc., en todas las cuales brilla y se fomenta el espíritu de fraternidad y de provincialismo de una manera muy noble y recomendable.

V

PARTE MONUMENTAL CIVIL

PALACIOS Y EDIFICIOS
PUBLICOS

ALCÁZAR

A la parte más occidental de esta villa, sobre una eminencia que domina la campiña regada por el Manzanares, y en el sitio mismo que ocupa hoy el Real Palacio, se elevaba en lo antiguo el famoso *Alcázar de Madrid*. Sobre la fundación de esta insigne fortaleza son tan varias las opiniones, que nada de cierto puede asegurarse, si bien la más probable, a nuestro juicio, es la que atribuye el origen de tan vetusta fábrica (causa principal de la importancia histórica y política de esta villa) a la época de la dominación sarracena, y así parecen indicarlo su situación elevada, su destino primitivo de castillo o defensa y hasta su nombre mismo, genérico entre los árabes de esta clase de fortalezas. Muchos de los autores apreciables de Madrid atribuyen, sin embargo, su fundación a época más cercana, después de la reconquista de esta villa a fines del siglo XI por el rey don Alfonso VI; pero de todos modos, lo que parece indudable es que en el XIV el rey don Pedro de Castilla verificó en dicho Alcázar una completa reedificación y ampliación, dándole con ella aún mayor importancia y fortaleza, de que muy luego pudo hacer alarde en defensa

suya y contra las huestes de su hermano y competidor, don Enrique de Trastamara, que cercaron a Madrid en 1369, y le ocuparon sólo por la traición de un paisano que tenía dos torres a su cargo, a pesar de la heroica defensa del Alcázar hecha por los Vargas y Luzones, caballeros principales de esta villa. Consta que dicho rey don Pedro residió algún tiempo en ella, así como los monarcas anteriores lo habían hecho, según dijimos en la *Parte histórica*; pero lo que no es averiguado es si dichos monarcas habitaron en el Alcázar, ni si se trata de él en su tiempo como Palacio Real, sino tan sólo como defensa formidable en todas ocasiones de guerras o disturbios (1). Es, sin embargo, probable que a consecuencia de las importantes obras hechas en él por los hermanos don Pedro y don Enrique, empezase en su tiempo a servir de mansión a los Reyes de Castilla. Posteriormente, reinando en ella don Juan I, en 1383, concedió a León V de Armenia el señorío de Madrid y otros pueblos en consideración a haberle quitado el reino el Soldán de

_____

(1) En el fuero de Madrid del siglo XIII se hace distinción del *Palacio* y el *Castiello*, y es de creer que aquel se refiere al que estaba situado donde ahora las Descalzas Reales.

Babilonia, y dicho Señor o Rey de Madrid consta también que residió en ella dos años, recibió el pleito homenaje de los vecinos, confirmó sus fueros y privilegios y reedificó las torres del Alcázar, en que probablemente hizo su mansión.

Don Enrique III se hallaba en esta villa en 1390, a la sazón que murió en Alcalá su padre, don Juan, y es el primer monarca proclamado en Madrid antes que en ninguna otra villa del reino. El mismo expidió una Real cédula alzando el pleito homenaje hecho por los madrileños a don León de Armenia, e incorporando de nuevo y para siempre jamás a Madrid a la corona de Castilla; pero durante su minoría tuvieron principio en ella las largas turbulencias que agitaron el reino, desde que reunidos los regentes y tutores del Rey niño en la iglesia de San Martín, fueron cercados por los condes de Trastamara y de Benavente, que aspiraban a apoderarse del gobierno, hasta que en 1394, y contando ya Enrique once años, las Cortes del reino, reunidas en esta villa, le declararon mayor de edad y tomó las riendas del gobierno. De este Monarca, que residió en Madrid la mayor parte de su reinado, celebró en él sus bodas y recibió a los embajadores del Papa y de los Reyes de Francia, de Aragón y de Navarra, se sabe ya expresamente que tuvo su asiento en el Alcázar, en el que hizo grandes obras y nuevas torres para depositar sus tesoros, así como su hijo don Juan II, que empezó su reinado en 1417, celebró en él varias Cortes, recibió solemnes embajadas y las famosas del Rey de Francia, a que dió audiencia en un salón del Alcázar sentado en el trono, con un león domesticado a sus pies. Sin embargo, Quintana afirma que los reyes Juan II y Enrique IV pararon algunas veces en las casas de Luis Núñez, señor de Villafranca (a la calle de Santiago) y en las de Pedro Fernández Lorca (Santa Catalina de los Donados). En tiempo de este Monarca se consagró la capilla del Alcázar en 1 de enero de 1434.

Enrique IV, también proclamado en Madrid en 1450, residió ordinariamente en el Alcázar, y en el mismo debió nacer la desdichada princesa doña Juana, apellidada la Beltraneja. Un terremoto ocurrido en 1466 le arruinó en parte; pero fue restaurado a poco tiempo por la esplendidez del Monarca. Este Alcázar jugó todavía un gran papel como fortaleza durante el turbulento reinado de Enrique, y la disputada sucesión de él. En 1465 fue preso de orden de aquel Rey el alcaide del Alcázar, Pedro Munzares, como partidario del infante don Alfonso, que intentaba usurparle la corona, y en el mismo Alcázar fue custodiada de su orden la reina doña Juana en castigo de su liviandad; habiendo logrado fugarse a Buitrago, fue presa de nuevo y conducida otra vez al Alcázar con su hija, la Beltraneja, bajo la custodia del maestre de Santiago. Muerto en Madrid don Enrique en 1475, se posesionaron del Alcázar los partidarios de la Beltraneja, hasta el número de 400; pero fueron sitiados por el duque del Infantado, que mandaba las tropas fieles a doña Isabel, y logró, al fin de una obstinada resistencia de dos meses, apoderarse de aquella fortaleza. Los Reyes Católicos hicieron su entrada solemne en Madrid en 1477, pero consta que residieron en la casa de don Pedro Laso de Castilla, en la plazuela de San Andrés, y no en el Alcázar, en donde tampoco pararon más adelante su hija doña Juana y el archiduque. En las turbulencias ocasionadas a la muerte de la reina doña Isabel sobre el gobierno del reino, también figura el Alcázar como fortaleza, hasta que quedaron terminadas aquellas en las Cortes reunidas en San Jerónimo en 1509, con el juramento del rey don Fernando de gobernar como administrador de su hija y como tutor de su nieto don Carlos.

Este, el Emperador, proclamado en Madrid por los regentes del reino, no halló, sin embargo, en un principio grande adhesión entre los madrileños, que abrazaron en su mayoría la causa de las comunidades y ofrecieron una formidable resistencia a los huestes imperiales en el Alcázar de esta villa, que habían tomado, aunque tenazmente defendido por la esposa de Francisco de Vargas, su alcaide, a la sazón ausente. Vencidos al fin los comuneros, vino a Madrid el Emperador en 1524, y habiendo tenido la suerte de curarse en él de unas pertinaces cuartanas que padecía, cobró grande afición a esta lla, residió siempre que pudo en ella, la berió de pechos, la concedió privilegios, creció considerablemente su importancia, edificó completa y suntuosamente el Alcázar, convirtiéndolo, de fortaleza que era antes, en verdadero Palacio Real, y añadió a los títulos de *Muy noble y Muy Leal* que había merecido Madrid a su antecesor Enrique IV, los de *Imperial y Coronada Villa*, y casi todo el carácter de Corte Real. No consta, sin embargo, que Carlos V residiese siempre en el Alcázar; antes bien se afirma que moraba en el palacio que ocupó la misma área que hoy el monasterio de Señoras Descalzas Reales, fundado después por su hija doña Juana, madre de don Sebastián de Portugal; y Quintana asegura que antes de partir a la toma de Túnez, se aposentó en las casas del secretario Juan de Vozmediano (hoy del marqués de Malpica), y que luego que marchó el Emperador se pasó la Emperatriz con el príncipe Felipe II a las que fueron de Alonso Gutiérrez (hoy Monte de Piedad).

Lo que sí consta referente al Alcázar, es que fue trasladado a él el prisionero de Pavía, el rey de Francia Francisco I, encerrado primeramente en la Casa de los Lujanes de la plazuela de San Salvador, hoy de la Villa, que recibió en el mismo Alcázar la visita del Emperador, y que conservó tal recuerdo de este edificio, que al recobro de su libertad y regreso a su corte, hizo construir inmediato a la misma, en el bosque de Boulogne, un trasunto del mismo Alcázar, que se conservó hasta los tiempos de la Revolución, conocido siempre con el nombre de *Chateau de Madrid*.

La importancia que había dado Carlos V a esta villa, y especialmente a su Alcázar, ya verdadero palacio regio, bajo la acertada dirección de los arquitectos Covarrubias y Luis de Vega, creció de todo punto en vida de su sucesor Felipe II, fijando la corte en Madrid por los años 61 al 63, atrayendo a ella numerosa población, extendiendo extraordinariamente su recinto, y dotándola de notables y numerosas construcciones, grandes fueros y regalías. El Alcázar regio, obra en su parte principal como queda dicho de Carlos V, recibió de su hijo y sucesor su complemento y mejoría con notabilísimas torres y una magnífica galería que miraba al parque en que hizo plantar suntuosos jardines. En él residió constantemente, durante su permanencia en esta villa, el poderoso y austero monarca, que extendía su dominación y su política a las más apartadas regiones del globo. En él tuvo lugar el misterioso y terrible drama de la prisión y muerte del desdichado príncipe don Carlos, y el fallecimiento inmediato de la reina doña Isabel de Valois; en él recibió las solemnes embajadas de todos los monarcas de Europa, las visitas de muchos príncipes, las armas y banderas ganadas a los enemigos por sus generales vencedores, don Juan de Austria, los duques de Alba y de Osuna; en él contrajo matrimonio con su cuarta y última esposa doña Ana de Austria; y en él nació, en fin, en 1578 su hijo y sucesor Felipe III, primer Monarca madrileño de los que ocuparon el trono castellano.

Durante el reinado de este Monarca, el real Alcázar, que fue su cuna, le sirvió también de residencia, excepto los cinco años de 1601 a 1606, en que por un capricho regio harto inmotivado, trasladó la corte a Valladolid, hasta que habiendo fallecido en el mismo Alcázar Real en 1621, subió al trono su hijo Felipe IV. En el largo reinado de éste, y como emblema de su esplendorosa y poética corte, es cuando el Alcázar de Madrid llegó al apogeo de su brillante existencia; cuando la fábrica material del edificio, obra sucesiva de los arquitectos Covarrubias y Vega, Toledo, Herrera y Mora, recibió nuevo esplendor en manos de Crescenti y otros célebres artistas; cuando sus regios salones, pintados por Lucas Jordán, y decorados con los magníficos lienzos de Velázquez y Murillo, de Rubens y del Ticiano, reflejaban la grandeza de los monarcas españoles, a quien tales artistas servían; cuando en sus altas bóvedas resonaba la voz de los Lopes y Calderones, Tirsos y Moretos, Quevedos y Saavedras; cuando sus regias escaleras y suntuosas estancias sentían la planta del príncipe de Gales, después el desgraciado Carlos I, y otros potentados que venían a visitar al monarca español o a solicitar su alianza.

En aquella época no conservaba ya el

Alcázar más recuerdo de su primitivo destino y condición que algunos torreones y cubos en las fachadas al norte y poniente. La principal, situada a mediodía como la del actual palacio, era obra de los reinados de Carlos V y Felipe II y del gusto de su época; terminaba en dos pabellones con sus torres, y tres puertas abiertas en ella daban paso a dos grandes patios, en el fondo de los cuales se veían las escaleras que conducían a las habitaciones superiores. En estos patios se formaban galerías de arcos que sostenían lindas terrazas adornadas con tiestos y estatuas.

Subíase a los cuartos de las personas reales por una escalera extremadamente ancha, con los pasamanos de piedra azulada y adornos dorados, la cual daba entrada a una galería bantante ancha- llamada sala de guardias, en la cual daban el servicio ls tres compañías de archeros, o *de la cuchilla*, compuesta de flamencos y borgoñeses, los alabarderos españoles, y los tudescos o alemanes.

Las habitaciones reales eran muchas, suntuosas, y ricamente adornadas de primorosos cuadros, estatuas y muebles. Don Juan Alvarez Colmenar, en su interesante obra escrita en francés, y titulada *Annales d'Espagne et de Portugal* (Amsterdam 1741, cuatro tomos en folio), de quien tomamos muchas de estas noticias, cita entre los primeros una pintura de Miguel Angel que dice haber costado a Felipe IV cinco mil doblones, y representaba la Oración de Nuestro Señor en el huerto de las Olivas. Habla también de las ricas y primorosas tapicerías flamencas, y de los frescos que adornaban las paredes de las salas. Sobre todo, el salón de audiencia o de embajadores, era magnífico, cubierto materialmente de ricos adornos dorados.

Los grandes calores del estío obligaron también a los monarcas habitadores de aquel palacio a guarecerse con gruesas paredes y economía en las luces; por lo demás la distribución de las ventanas, su elegante adorno de mármol y balaustres dorados daban a la fachada principal o del mediodía un aspecto exterior muy agradable, de que puede formarse una idea por el modelo topográfico, que se conserva en el gabinete del Retiro.

Por los lados del poniente y norte conservaba perfectamente su antiguo carácter de fortaleza, con sus cubos salientes, sus fosos y derrumbaderos, y por la de oriente se hallaba materialmente ahogado con el caserío de la antigua población. Pero en la bajada de dicha parte del poniente, y en el espacio que mediaba entre el Alcázar y la casa del Campo, se extendían los frondosos y variados jardines, o famoso *Parque de Palacio*, y de que tan románticos recuerdos nos dejaron Lope y Calderón en sus comedias de capa y espada.

Conviene advertir que el Alcázar Real era bastantemente extenso para dar habitación al monarca y su familia, y para contener también en él todos los consejos de Castilla, de Aragón, de Portugal, de Italia, de Flandes y de las Indias; y a propósito de esto no queremos dejar de aprovechar la ocasión de transcribir aquí una noticia que hallamos hace tiempo en el archivo de la villa de Madrid. Dice así: "*En el antiguo Palacio o Alcázar, mandó el rey D. Felipe IV en 1622 abrir unas ventanillas que se llamaban* ESCUCHAS *y daban a las salas donde se reunían los consejos, y desde allí oía sus discusiones.*"

Por supuesto que además de dichos consejos se hallaban dentro del mismo Alcázar todas las secretarías del despacho, en los aposentos bajos llamados las *Covachuelas*, de donde quedó a sus oficiales el título de covachuelistas. En el pabellón izquierdo de la fachada principal paró el príncipe de Gales cuando vino en 1623 a visitar a Felipe IV.

La importancia histórica de este palacio empezó sin embargo a decaer en el mismo reinado, teniendo que luchar con la del nuevo del Retiro, levantado por el conde duque de Olivares para adular al Monarca, y que acabó en fin por imprimir al gabinete su nombre, y al de la *corte de Madrid*, sustituyó el de *corte del Buen Retiro*.

Lo mismo puede decirse durante la larga minoría y reinado del Hechizado Carlos II, último vástago de la austriaca dinastía, que residió alternativamente en ambos palacios, y que al fin vino a extinguir su azarosa vida en el Alcázar en el primer año del siglo XVIII.

Todos estos recuerdos históricos, todos aquellos primores artísticos desaparecieron absolutamente en un horroroso incendio acaecido la Nochebuena 24 de diciembre de 1734, y Felipe de Borbón, a quien se le venía, como suele decirse, a la mano, la ocasión de borrar del todo esta página de la dinastía su antagonista, determinó arrancar hasta los vestigios de su mansión, y levantar sobre ella otra más grande y digna del gusto de la época, y del monarca de tantos pueblos.

Modelo del nuevo Real Palacio.—A este efecto hizo venir a la corte a los más célebres arquitectos de Europa, y entre ellos al célebre abate don Felipe Jubara, que tanto nombre había adquirido en la corte de Turín por varias obras de su mano; el cual, enterado de la propuesta, delineó e hizo construir un modelo en madera del nuevo Palacio Real, que si hubiera llegado a realizarse, sin duda sería el primer monumento de su clase de la Europa moderna; pero como para ello se necesitaba un terreno muchísimo más extenso que el que ocupaba el antiguo Alcázar, propuso Jubara su construcción en el rellano que se forma a la salida del portillo de San Bernardino; excelente idea que una vez adoptada, hubiera llamado hacia aquella llanura la población de Madrid, y dado motivo a barrios nuevos, extensos y ventilados. Pero el Rey formó empeño en que había de ser la construcción en el mismo sitio antiguo, con lo cual abandonó Jubara su idea, no sin dejar memoria de su proyecto colosal en el primoroso *modelo* en madera ya citado, que se construyó bajo su dirección, y se puede hoy ver en el Gabinete topográfico del Retiro.

Según dicho modelo, la fachada principal había de tener mil seiscientos pies, y lo mismo las demás; la extensión del patio principal setecientos pies, y de anchura cuatrocientos; había de haber otros dos patios colaterales a éste, algo menores, y a más de los dichos otros veinte, de ochenta pies en cuadro cada uno: tendría treinta y cuatro entradas en las cuatro fachadas y once de ellas en la principal. La altura en general hasta el antepecho de la balaustrada que corre alrededor hubiera sido de cien pies; el resalte o pabellón de la fachada principal, adornado de columnas aisladas, de lo más magnífico, y su línea hasta ochocientos pies. Todavía era mayor la magnificencia de la galería que debía corresponder a los jardines, adornada de treinta y dos columnas aisladas. Se regula que las que había de haber distribuídas en patios, pórticos, fachadas, escaleras, salones, galerías, capilla, etc., se acercarían a dos mil. El número de las estatuas que habían de ponerse en sitios convenientes, es increíble; la escalera principal, de las más cómodas y magníficas; lo mismo la capilla, biblioteca, teatro, etc. Generalmente usó el arquitecto del orden compuesto en toda la decoración exterior.

NUEVO REAL PALACIO

Pero entre un palacio que existió, y otro que no debía nunca existir, lleguemos por fin al que realmente se llevó a cabo, y vemos hoy elevar su poderosa mole y su elegante arquitectura sobre el mismo sitio que el antiguo Alcázar.

Desechado el grandioso proyecto de Jubara, y habiendo fallecido éste, fue escogido para la obra del Real Palacio don Juan Bautista Saqueti su discípulo, natural de Turín, quien sujetándose a la voluntad del Rey en cuanto al sitio y extensión y a que toda la obra fuese de fábrica, sin más madera que la de las ventanas y puertas para libertarse del temor de otro incendio, formó nuevos dibujos y modelo, aunque imitando al de su maestro en lo general del estilo; pero reduciendo notablemente las proporciones del edificio. Satisfecho el Rey con este arbitrio, se aprobó la traza y comenzó la obra que hoy existe, poniéndose la primera piedra en 7 de abril de 1738. La misma irregularidad del terreno concurrió a facilitar a Saqueti medios para cumplir la orden que se le dio también, de que dentro del recinto prefijado dispusiese aposentamientos, no sólo para las personas reales que entonces eran muchas, y para los señores, secretarías y familia que debían alojarse en palacio, sino también para todos los oficios de la casa Real. Colocó la fachada principal como estaba la antigua a la parte del mediodía donde hay una llanura, y dispuso en ella cuarto bajo con alguna elevación del suelo, cuarto principal, segundo y buhardillas, con todos los pisos a un andar en la circunferencia del edificio. Inferior al cuarto bajo, dispuso otro con ventanas descubiertas por el poniente, norte y algo del oriente y tragaluces en lo demás de las mismas fachadas y la del mediodía, con salida a pie llano hacia el poniente a una secreta sobre bóvedas sostenidas por los murallones que eran necesarios para afirmar por aquella parte el edificio y hacer las bajadas a los jardines. Hizo un andito que abrazase la fachada del norte y parte de las de oriente y poniente, formado sobre fuertes paredes y bóvedas, con una balaustrada por coronación, interrumpida en los tercios con dos escaleras, y dejando dos rampas a las esquinas para descender al terreno más bajo de la parte del norte, a cuyo piso ideó también otro suelo con luces vivas, dejando asimismo muchos subterráneos hasta encontrar terreno firme; obras todas costosísimas, con cuyo importe se hubiera podido dar al edificio doble extensión en otro cualquier sitio. Pero obligado el arquitecto a circunscribirse a éste, dispuso de modo de vencer su estrechez y desigualdad, haciendo que por la parte del mediodía tuviese tres altos principales, cuatro por el poniente y algo del oriente y cinco por el norte, sin contar los entresuelos ni las buhardillas.

Según el proyecto de Saqueti, para formar la plaza principal del mediodía habían de nacer de los arranques que se ven a los extremos de la fachada del palacio, dos pórticos a la altura del piso principal, que prolongándose hasta la Armería, formasen allí ángulos y cerrasen la plaza, dejando varios ingresos y levantando algunos pabellones, en cuyos pórticos habían de estar los cuarteles de Guardias de infantería (1). Pero en tiempo de Carlos III, se empezaron a formar, en vez de los pórticos indicados, dos alas laterales iguales a la fachada principal, con el objeto de dar mayor extensión al edificio. Ambas quedaron sin finalizar a la muerte de aquel monarca, en

cuyo estado pasó después el largo reinado de Carlos IV, sin que se pensase siquiera en continuarlas, así como ni tampoco durante el siguiente y azaroso de Fernando VII; pero en el actual reinado de su hija la augusta Isabel II se ha emprendido la terminación de esta grandiosa obra en los términos propuestos por Saqueti y va ya adelantada la prolongación de dichas galerías.

Todo el palacio es un cuadrado de 470 pies de línea horizontal, y 100 de altura, con salientes en sus ángulos en forma de pabellones, y dos alas en la fachada principal. Desde el plan terreno hasta la imposta del piso principal se levanta un cuerpo sencillo almohadillado que forma el zócalo o basa del cuerpo superior, hecho de buen granito cárdeno o piedra berroqueña, y las jambas y cornisas de las ventanas de piedra blanca de Colmenar. Sobre dicho zócalo se eleva el referido cuerpo superior, que inclina al orden jónico en muchas de sus partes, y está adornado de medias columnas y pilastras que sostienen la cornisa superior. Las columnas son doce en los resaltos de los ángulos, y cuatro en el medio de cada una de las fachadas, a excepción de la del norte, que son ocho; en los intervalos hay pilastras cuyos capiteles se diferencian de los de las columnas, pues los de éstas son jónicos, y los de las pilastras, dóricos. Todo el edificio está coronado de una balaustrada de piedra que encubre el techo de plomo, sobre la cual estaba colocada en otro tiempo una serie de estatuas de los reyes de España, desde Ataulfo hasta Fernando VI, y en los resaltes de los ángulos había otras que representaban varios reyes de Navarra, Portugal, Aragón, Méjico, Perú, y otros soberanos y caciques indios; pero unas y otras se quitaron hace tiempo, y se han colocado últimamente en la plaza de Oriente, en el Retiro y en las entradas de Madrid, Toledo, Burgos y otras ciudades.

Todo el edificio tiene seis puertas principales, cinco en la fachada del sur, que es la principal, y una llamada del *Príncipe*, en la fachada de Oriente. Las otras dos fachadas no tienen puertas. El patio es cuadrado, con 140 pies de lado poco más o menos, y rodeado de un pórtico abierto de nueve arcos en cada lado. El segundo

_____

(1) El proyecto de obras del arquitecto Saquetti, que se conserva en el Archivo del Real Patrimonio (y de que tenemos una copia o calcado), no sólo comprende el Real Palacio, sino todas sus inmediaciones, desde la Puerta de San Vicente a las Vistillas, y es admirable por su grandiosidad.

piso es una galería cerrada de cristales, que da entrada a las habitaciones reales y capilla. Entre los arcos del patio hay cuatro estatuas que representan los emperadores romanos naturales de España, Trajano, Arcadio, Honorio y Teodosio, obras de don Felipe de Castro y don Domingo Olivieri, cuyas estatuas estuvieron antes en donde ahora las columnas debajo del balcón principal. La escalera grande es muy suave, y consiste en un solo tiro hasta la meseta o descanso que hay a la media altura, volviendo después otros dos paralelos hasta la puerta de entrada por el salón de guardias; toda la escalera es de mármol manchado de negro; en frente de ella hay una estatua en mármol de Carlos III, y en el descanso intermedio de las balaustradas dos leones de mármol blanco (1). Por último, toda la fábrica de este edificio es de una solidez extraordinaria, por el espesor de sus paredes, por la profundidad de sus cimientos, por la solidez de sus bóvedas y por el número de sus columnas. Todo es de piedra, y en él no se empleó más madera que la necesaria para puertas y ventanas, cuya mayor parte es de caoba; el aspecto de este hermoso palacio es imponente, especialmente por la banda occidental · norte, por donde presenta sus fachadas más simétricas y aparece en la altura sobre el Campo del Moro, que con las bajadas a él y los elegantes jardines plantados en estos últimos años le sirven de magnífico pedestal. Duró la obra colosal de este Palacio unos 29 años hasta 1.º de diciembre de 1764 en que le ocupó Carlos III. En el siguiente día 3 moría por una fatal coincidencia el distinguido arquitecto Saqueti, su autor.

La descripción interior de esta real Casa llenaría por sí sola un gran volumen, si hubiéramos de hacer no más que la enumeración de las infinitas preciosidades que contiene; pero hay que sacrificar el placer que de ello nos resultaría en obsequio de la concisión; sólo se dirá en general

que en sus magníficas salas se encierran de cuantos objetos de lujo y buen gusto han producido más perfectos los artistas y las manufacturas españolas y extranjeras, teniendo el curioso que detenerse a cada paso a contemplar las primorosas obras del arte. Cuadros de los primeros pintores antiguos y modernos (aunque muchos de los que había han sido colocados en el Museo); muebles magníficos, arañas de cristal de roca admirablemente trabajadas; espejos de la fábrica de La Granja y otros extranjeros de una extensión asombrosa; relojes primorosos; colgaduras costosísimas y del mejor gusto; salas cubiertas de mármol, de estuco, de embutidos de madera; una, toda de porcelana; todos los caprichos, en fin, que puede inventar la imaginación, están puestos por obra para hacer este palacio digna morada de sus augustos dueños. Estos adornos se aumentan constantemente con la esplendidez de nuestra Soberana; y por consecuencia su descripción estaría sujeta a continuas variaciones. Por eso habremos de limitarnos a extractar la bella descripción que el señor don Francisco Fabre hizo y publicó por encargo del rey don Fernando VII de las magníficas pinturas al fresco ejecutadas en las bóvedas de las salas, en lo cual se distingue notablemente este palacio.

La alegoría pintada en la bóveda de la escalera principal, es una de las mejores obras en su género; fue pintada por don Conrado Giaquinto, y representa en su cuerpo principal el Triunfo de la Religión y de la Iglesia, a quienes España, acompañada de sus virtudes características, ofrece sus producciones, trofeos y victorias. Hay además varias medallas de claro oscuro, y otras coloridas con otros adornos, todos alegóricos a la pintura principal. En la sobrepuerta del salón de Guardias se representa el Triunfo de España sobre el poder sarraceno; y en el corredor llamado *Camon* se ve a Hércules arrancando las columnas, a pesar del poder de Neptuno, aludiendo a los descubrimientos y navegaciones de los españoles.

Principiando por la fachada de oriente, en la bóveda de la sala primera, se representa el Tiempo descubriendo la Verdad, obra ejecutada por don Mariano Maella. En el techo de la sala segunda se ve a

(1) Se ha dicho que al subir Napoleón las escaleras de este magnífico palacio, en los primeros días de diciembre de 1808, dijo, poniendo la mano sobre uno de los leones: *Je la tiens en fin cette Espagne si désirée.* Y añadió volviéndose a su hermano, el intruso José: *Mon frere, vous serez mieux logé que moi.*

Apolo premiando los talentos; y en cuatro compartimentos sobre la cornisa, están los Genios de las artes y las ciencias representados con sus atributos. Todo es obra de don Antonio González Velázquez.

La tercera sala consta de una pintura principal en que se ha representado la caída de los Gigantes que atentaron contra el Olimpo, y de cuatro cuadros fingidos de claro-oscuro, representando fábulas mitológicas. Es obra de don Francisco Bayeu.

En un gabinete interior, pintado por don Mariano Maella, se representa a Juno mandando a Eolo que suelte los vientos contra Eneas.

Sala quinta: representa la apoteosis de Hércules; es obra de Bayeu, acaso la mejor que de este profesor hay en palacio. Tiene además cuatro óvalos en sus extremos que representan la Filosofía, la Pintura, la Música y la Poesía.

La sexta sala también es de Bayeu, y representa en el fondo la institución de las Ordenes de la monarquía española, y en los extremos cuatro bajos relieves representando las cuatro partes del mundo con sus respectivos atributos. Es obra muy digna de atención.

En la sala séptima se ve a Hércules entre la Virtud y el Vicio. Es obra de las mejores de Maella.

La sala octava (que es la primera de la fachada de mediodía) representa la apoteosis de Adriano. A los extremos hay cuatro medallas de claro-oscuro en representación de los Elementos. El todo es obra del mismo Maella.

En la sala novena está pintada una alegoría alusiva a la Orden del Toisón de Oro, que trae su origen de la fábula del Vellocino. Esta pintura es de don Domingo Tiépolo.

La alegoría de la sala décima es de don Juan Bautista Tiépolo, y representa la grandeza y poder de la Monarquía española.

La sala undécima (que es la principal y magnífica, llamada *Salón de Embajadores*), fue pintada por don Juan Bautista Tiépolo, y representa en la parte principal la Majestad de la Monarquía española ensalzada por los seres Poéticos, asistida por las Virtudes y rodeada de sus diversos Es-

tados. En la misma bóveda, y en la parte más alta del trono de la monarquía, se ve un elogio del gran Monarca que entonces le ocupaba, compuesto de diferentes pinturas alegóricas de Virtudes, y en una pirámide está escrita la siguiente inscripción: *Ardua quæ attolis monumenta et flectier ævo nestia te celebrant, Carole magnanimum.* En la cornisa representó los diferentes Estados y provincias de la Monarquía española, con los respectivos trajes de sus naturales y las producciones de su suelo, en lo cual lució el pintor su fecunda imaginación. Finalmente, en los ángulos se ven medallas doradas contenidas en grandes conchas, adornadas con festones y cariátides, y sostenidas cada una por dos estatuas de estuco en representación de ríos, obra del escultor don Roberto Michel. Toda la pintura es la más vasta que hay en palacio, y da al salón un aspecto verdaderamente regio. Añádase a esto la riqueza de su colgadura bordada de oro; el magnífico dosel del trono de terciopelo carmesí con fleco de oro, a cuyos pies están cuatro leones de bronce, y a ambos lados las estatuas de la Prudencia y la Justicia; la suntuosidad de los doce magníficos espejos, mesas, estatuas, candelabros, arañas y demás adornos, y la gran extensión del salón; y se podrá formar idea de una de las primeras salas regias de Europa.

En la sala duodécima hay una magnífica composición alegórica pintada por el célebre Mengs, que representa la apoteosis del emperador Trajano, a quien sus virtudes y victorias conducen al templo de la Inmortalidad.

La bóveda de la sala décimotercera (que es el magnífico salón llamado de *Columnas,* donde suelen verificarse los grandes bailes y también la ceremonia de la comida servida por Su Majestad a doce pobres el Jueves Santo), representa la aparición del Sol y alegría de la Naturaleza, y en la sobrepuerta está pintada la Majestad de España acompañada de sus atributos. Es obra de Conrado.

En la sala décimacuarta pintó don Juan Bautista Tiépolo a Eneas conducido al templo de la Inmortalidad por sus virtudes y victorias.

La bóveda de la sala décimaquinta, pintada por Mengs, es la apoteosis de Hércules, y en los extremos hay medallas de bajo relieve que representan las hazañas de aquel héroe, y son obra de Castro.

La sala décimasexta representa las virtudes que deben adornar a los que ejercen empleos públicos. Es obra de don Luis López, la primera que pintó al fresco en 1825, y en que manifestó sus felices disposiciones.

En la sala décimaséptima, la primera de la fachada de poniente, pintó en 1825 su padre don Vicente López, primer pintor de cámara de Su Majestad, la Potestad soberana en el ejercicio de sus facultades, bella composición.

La sala décimaoctava, pintada por don Juan Ribera, representa al santo rey don Fernando en la gloria.

En la sala décimanovena se representa la institución real y distinguida Orden de Carlos III, composición diestramente ideada y ejecutada por don Vicente López; en la cornisa, debajo del testero, hay una inscripción latina hecha por don Félix Reinoso, que en letras doradas dice así: CAROLUM. III. REG. PIENTISS. ORDINEM. HISPANUM. VIRGINE. SOSPITE. CUSTODE. INSTIVENTEM. VIRTUTI. ET. MERITO. DECORANDIS. THOLO. QUO. DECESSIT. IN. CAELUM. VIRTUTIS. ET. MERITI. MERCEDEM. AMPLIOREM. ADITURUS. FERDINANDUS. VII. NEPOS. DEPICTUM. VOLVIT. ANNO. MDCCCXXVIII. Hay además en los extremos de la cornisa los símbolos de la Real Orden, esculpidos y dorados, y en las fachadas tres bajos relieves alusivos a la misma.

La fábula de la sala vigésima representa la diosa Juno en la mansión del Sueño, y está pintada por don Luis López.

En la sala vigésimaprimera hay una magnífica alegoría ejecutada por Mengs, que representa la Aurora acompañada de las Horas y del Lucero de la mañana que aparece anunciando la proximidad del Sol, al mismo tiempo que la Verdad ahuyenta al Vicio, que disfrazado se aprovechaba de las tinieblas de la noche. A los extremos hay medallas representando los Elementos, y en las fachadas las Estaciones del año, y el friso está adornado con diversos adornos de escultura. Sobre las cuatro puertas hay cuadros alegóricos pintados por el mismo Mengs, que representan las Cuatro partes del día.

La bóveda de la sala vigésimasegunda representa a Colón ofreciendo un nuevo mundo a los Reyes Católicos, y está pintada por don Antonio González Velázquez.

En la de la sala vigésimatercera se representa la rendición de Granada a los Reyes Católicos, don Fernando y doña Isabel, y es obra de Bayeu.

La alegoría de la sala vigésimacuarta es la Benignidad acompañada de las Virtudes cardinales. Está pintada por don Luis González Velázquez.

La sala vigésimaquinta representa el poder de la España en las cuatro partes del mundo, y parece obra del mismo Velázquez.

En la sala vigésimasexta, pintada por Bayeu, representa la Providencia presidiendo a las Virtudes y a las Facultades del hombre.

En la sala vigésimaséptima se ve la recompensa del mérito y la fidelidad, y parece de don Antonio Velázquez.

La sala vigésimaoctava, pintada por don Mariano Maella, ofrece la unión de las Virtudes cardinales.

La sala vigésimanovena, la primera de la fachada del norte, tiene por argumento la Felicidad pública.

La sala trigésima representa a la Virtud y al Honor bajo otras figuras alegóricas.

Pasando luego a otras salas en donde estuvo colocada hasta hace pocos años la Biblioteca de Su Majestad (que ahora se halla en el piso bajo del palacio, y contiene sobre cien mil volúmenes, y es uno de los objetos que merece una prolija descripción correspondiente a su importancia), en la primera una bellísima joven muestra la sala principal, y está acompañada de varios genios con esta inscripción: *Ducit ad magna Themis.* Rodean la pintura ocho medallas que representan las cabezas de los más célebres capitanes de la antigüedad. En la segunda sala se representa el Triunfo de la virtud; en la tercera la verdadera Gloria, y ambas son de Maella; en la cuarta Apolo protegiendo las ciencias, obra de Bayeu, como los bajos relieves alegóricos. Está adornado el todo con caprichos de escultura. La quinta sala, pintada por Maella, representa la Historia escribiendo sus memorias sobre el Tiempo, y está adornada de grupos alegóricos de esculturas y medallas que representan algunos hombres eminentes.

Capilla real.—La capilla real en la fachada del norte, con entrada por la galería, y al mismo piso de los aposentos reales, aunque no muy espaciosa, es magnífica por su ornato. Es de figuras elípticas; una grande que forma el cuerpo, otra menor el pie, y otra mediana la cabeza, con nichones a los extremos del mayor diámetro, en uno de los cuales está el altar mayor, y en el otro la tribuna de Su Majestad. Sobre los machones que forman los ángulos entre elipse y elipse, voltean cuatro arcos que, uniéndose con las pechinas y anillo, sostienen un ático con cuatro grandes claraboyas, encima de las cuales se eleva la cúpula sobre el cubierto del palacio. El interior de la capilla está adornado de columnas de mármol, mezclado de negro y blanco, que inclinan al orden corintio. Todas las partes de la arquitectura que se elevan por encima de la cornisa, están cubiertas de adornos de estuco dorado, y de figuras y estatuas de estuco imitando al mármol blanco. La cúpula, pechinas y bóvedas están pintadas al fresco por don Conrado Giaquinto. En la primera se representa a la Santísima Trinidad, Nuestra Señora, y varios coros de santos, particularmente españoles. En las cuatro pechinas San Isidoro, San Hermenegildo, San Isidro y Santa María de la Cabeza: en la bóveda, sobre la puerta, la batalla de Clavijo, y Santiago peleando en ella; en la del coro una gloria, y en la de la tribuna del Rey varias figuras alegóricas. Por último, el adorno en cuadros, efigies y alhajas de esta capilla y su sacristía, es correspondiente a su magnificencia, no pudiendo detenernos a citar más que las cuatro estatuas de los Evangelistas y los Angeles que sostienen las lámparas, obras de mucho mérito de don José Ginés aquéllas, y éstos de don Esteban de Agreda, profesores modernos; la demás escultura es de Michel y Castro. El cuadro principal o del altar mayor representa el Arcángel San Miguel, a quien está dedicada esta capilla, por hallarse construída parte de la fachada del sur del antiguo Alcázar sobre el terreno de la antigua parroquia de San Miguel de la Sagra, demolida al efecto por

Carlos V. El de la Anunciación de Nuestra Señora, que está enfrente a la entrada es una de las más acabadas obras del célebre Mengs, y la última que ejecutó. Posteriormente se pensó en construir otra capilla mayor que la actual, para lo que se levantaron sólidos cimientos fuera de la fachada del norte, pero se quedó en tal estado (1).

La solemnidad con que se celebra en esta Capilla Real el culto divino, con asistencia de los Reyes a la espaciosa tribuna frente al altar mayor, y de los grandes de la corte y funcionarios, excede a toda ponderación, y sólo puede compararse a la de la magnífica capilla Sixtina en el Vaticano.

Reales caballerizas.—Como complemento de la breve descripción del Palacio real, no puede dejar de hacerse mención aquí del magnífico edificio contiguo, mandado construir por el espléndido Carlos III con destino a *Caballerizas reales*, y que se verificó bajo la dirección del distinguido arquitecto e ingeniero don Francisco Sabatini. Su planta es un polígono irregular cuyo lado mayor, que corresponde al paseo o bajada de San Vicente, presenta la asombrosa extensión de cerca de 700 pies de línea. La fachada principal está en la calle de Bailén, antes Nueva, y tiene una sencilla portada de granito formada por un arco rústico rebajado, terminando por un escudo de armas reales. Por esta portada principal se entra a un extenso patio circundado de un pórtico con arcos, y en el centro del lienzo del oeste se halla la pequeña capilla dedicada a San Antonio Abad. Hay otros patios además, y la parte principal de este edificio, que consiste en las extensas galerías sostenidas por pilares que constituyen las caballerizas con todas las piezas y dependencias necesarias para enfermerías, cuadras de forraje y de contagio, baños, cerraderos, pudiendo acomodarse en aquéllas sobre 500 cabezas de

(1) En los días de grandes solemnidades se cubre la galería que conduce a esta Real Capilla con la magnífica tapicería flamenca que representa el Apocalipsis, los actos apostólicos, la expedición de Túnez por Carlos V y otros modernos de la fábrica de Madrid, con las historias de José, David, Salomón y Tito.

ganado. Sobresale también el magnífico guardarnés general, que es una inmensa nave de 160 pies, rodeada por 65 armarios en que se conservan los magníficos atalajes de los trenes y vestuario de lacayos y cocheros. En esta sala está ahora el curioso coche o carroza que se supone perteneció a doña Juana la Loca, y fue el primer carruaje que rodó en Madrid a principios del siglo XVI; y en las espaciosas cocheras se encierra la espléndida colección de carruajes de gala, de media gala y ordinarios de Su Majestad, que no bajan de 100, entre los cuales hay algunos de un lujo y mérito de ejecución imponderable. Para dar una idea aproximada de la extensión y suntuosidad del edificio, bastará decir que además de las cocheras, cuadras y demás que quedan indicadas, tiene habitaciones en que viven hoy más de 500 personas de los empleados y sus familias; y para formar juicio de la importancia de este regio establecimiento, basta con saber que su coste anual asciende a 2.850.000 reales. Merece también llamar la atención el *Picadero*, construído en una de las explanadas que miran al Campo del Moro, de 190 pies de largo y 68 de ancho, y la Cochera de enfrente, antes cuadra de caballos padres.

Cochera de la real casa.—En los últimos años del reinado de Fernando VII se construyó esta obra magnífica para cochera general de la real casa Regalada; dicha obra está situada en el Campo del Moro a espaldas del real palacio; ocupa una superficie de 34.800 pies en un paralelógramo de 116 pies por 300, y sólo consta de una sola pieza de 100 pies de luz con 28 puertas sumamente espaciosas.

Esta obra, singular en su clase, llama la atención de los inteligentes por la calidad de su grande armadura de formas, que siendo de tres pendolones cada una, constituyen con sus largos tirantes una techumbre plana sin ningún punto de apoyo intermedio. El carácter de esta obra es elegante y sencillo, y cual corresponde a su destino y al lugar que ocupa.

El arquitecto director, don Custodio Teodoro Moreno, supo combinar las fuerzas de la armadura, presentando en ella un modelo de lo mejor que puede hacerse en su clase, tanto en los exquisitos y bien estudiados cortes, cuanto en los herrajes que los aseguran.

De las otras obras reales que rodean al Palacio de Su Majestad, como el Cuartel de la Guardia Real de caballería, los jardines y paseos de la montaña del Príncipe Pío, Campo del Moro y plaza de Oriente, y la Real Armería, hablaremos en otro lugar.

PALACIO DEL CONGRESO DE LOS DIPUTADOS

El día 10 de octubre de 1843, la reina doña Isabel II puso por su augusta mano la primera piedra del edificio que las Cortes del Reino, por ley de 7 de marzo de 1842, habían acordado levantar con destino al *Congreso de los Diputados*, sobre el sitio mismo que ocupaba el antiguo convento e iglesia del Espíritu Santo, a la bajada de la Carrera de San Jerónimo, y que había servido para la reunión de los mismos desde el día 24 de julio de 1834, en que la reina Gobernadora abrió por primera vez las Cortes del Reino convocadas por Estamentos, hasta que por haberse declarado ruinoso dicho edificio, pasaron los diputados, en marzo de 1841, a celebrar provisionalmente sus sesiones en el salón del teatro de Oriente, mientras se construía el nuevo Palacio del Congreso.

Publicado al efecto por la Academia de San Fernando el programa correspondiente, se presentaron catorce proyectos, entre los cuales escogió y propuso al Gobierno la ejecución del que era autor don Narciso Pascual y Colomer; el mismo que con algunas modificaciones se llevó por fin a cabo, e inauguró solemnemente en la apertura de las Cortes verificada en persona por la misma reina doña Isabel II, el jueves 31 de octubre de 1850 a los siete años justos de haber colocado la primera piedra del edificio.

Ocupa éste el espacio de 42.692 $\frac{1}{2}$ pies; comprende ocho lados, formando ángulos rectos, y la fachada principal da vista a la plazuela de las Cortes. La línea de esta fachada consta de 197 pies y cuarto; la de los costados laterales, es decir la de la calle del Florín y la nueva *de Floridablanca*, tienen 205 $^1/_2$ pies respectivamente, y la del testero, que da a la calle del Sordo, en total asciende su extensión a 105 $^1/_2$ pies embebidos en cada uno de los dos lados que vuelven, constando de 20 $^1/_2$ el saliente del centro.

La construcción del edificio es de ladrillo sobre bóveda de rosca; la fachada principal toda es de piedra de granito gris llamada beroqueña, con ventanas intermediadas del almohadillado corrido, menos las repisas, jambas, dintel, friso y guardapolvo, que son de piedra calcárea de Ridueña, mejor que la conocida de Colmenar, de color blanco, que degenera un poco en anteado. Las tres fachadas restantes son de ladrillo esbramillado decoradas en armonía con todo el edificio.

La planta en general está sobre una vertiente cuyo desnivel, en sentido longitudinal de la fachada principal, es de 14 $^1/_2$ pies, sin medio posible de remediarlo por los pavimentos de las calles que le circundan. En la primera se hallan los sótanos para cuerpo de guardia, almacén de objetos de uso diario y hornillos para los caloríferos que alimentan las corrientes de aire para templar y renovar la atmósfera de todo el interior del edificio.

La segunda planta está destinada al objeto principal; en el centro de ella se encuentra el *Salón de Sesiones*, la sala de conferencias, los cuatro gabinetes de lectura, que sirven al mismo tiempo de recibo de los diputados, la secretaría, salas de las secciones en que se divide el Cuerpo colegislador, gabinete de señores Ministros y la saleta del Presidente, con dos piezas más adyacentes.

La tercera planta comprende las salas de comisiones, quedando la cuarta o sotabanco para habitaciones de empleados y dependientes subalternos a quienes concede este beneficio el reglamento.

Salón de Sesiones.—Su construcción es parecida al de las cámaras de otras naciones regidas por gobiernos representativos; tiene una forma semicircular de 110 pies de diámetro, prolongados sus extremos paralelamente, 40 al testero cerrado por una bóveda rebajada que la corta a los 50 de elevación y 6.609 pies superficiales. El tro-

no y la mesa de la presidencia dan la espalda al mediodía, a cuyo aire se halla e gran pórtico de la entrada principal y e frente al norte mirando a la tribuna pú blica, cuya entrada para el pueblo está po la calle del Sordo. Recibe la luz principa por una lucerna casi en el centro del saló en forma de abanico, guarnecida de crista les raspados por donde se baja la araña cuando hay necesidad de encenderla, también recibe luz por el lienzo del tester donde se halla la presidencia. Hay cinc puertas de entrada.

En la armadura del techo del Salón d sesiones es de admirar el mérito de su eje cución mecánica, tanto por su ligereza co mo por la solidez que presenta el ensam ble de las maderas y la trabazón de la barretas de hierro. De esta armadura pend colgado el plano y el encamonado de l curva del salón, y sobre ella descansa e gran lucernario, cuyo esqueleto es de ba rras de hierro para contener la red d alambre y los cristales que suministran l luz principal al mismo.

Los asientos de los diputados están dis puestos en forma de anfiteatro para qu puedan mirar al centro en donde se hall la mesa y la tribuna del orador; caben có modamente en los escaños 393 Diputado siendo 349 las plazas que existen; es deci 44 asientos más. Construídos los banco que son de caoba maciza forrados de te ciopelo color de guinda, han resultado ele gantes en su figura, y útiles más que todo porque cada Diputado en su asiento num rado tiene pupitre, escribanía para hace los apuntes que necesite y un cajón par guardar los papeles que no quiera lleva consigo; el banco de los Ministros se di tingue por el color azul del terciopelo. trono que se ostenta en el testero del saló es rico por los objetos que decoran el dose y molduraje de palo santo, por los atribu tos señalados en la heráldica a los mona cas españolas, y por el bordado del escud de armas reales sobre el paño de terci pelo, obra ejecutada con admirable esme ro por las señoras Gilart, mallorquinas, cu ya habilidad en este género es muy conoc da en Madrid. Una galería de tribunas r servadas para las personas reales, cuerp diplomático, taquígrafos y personas de el vada distinción contribuye a dar realce la vista general del salón, en cuyas columnas de blanco y oro están enlazados por orden alfabético los escudos de las 49 provincias representadas en el Congreso, y cuyos escudos están arreglados a los últimos cuárteles que tienen las capitales por sus hechos gloriosos. Debajo de la tribuna del pueblo, enfrente de la presidencia, hay un reloj sencillo pero de gusto, y en las esquinas dos magníficos candelabros; todo el salón se halla cubierto de escayola perfectamente ejecutada, imitando al mármol blanco de Carrara.

La curva de la bóveda de una altura de 32 pies en la extensión de todo el salón, y el plano que forma el techo, está espléndidamente decorado por el hábil pintor don Carlos Luis de Ribera con una composición cuyo minucioso relato ocuparía más espacio del que podemos disponer, y en la cual figuran los legisladores de las cuatro grandes épocas de la civilización europea, a saber: *Griega* y *Romana, Goda, Aragonesa* y de la *Restauración de España*. En el cuadro del centro del techo se ve a la reina doña Isabel II mostrando el código fundamental del Estado y rodeada de los hombres más célebres que ha producido el suelo español; esto es: en armas *El Cid Ruy Díaz de Vivar*; en marina *Cristóbal Colón*; en diplomacia *Saavedra Fajardo*; en jurisprudencia *Campomanes*; en economía política *Jovellanos*; en letras el historiador *Mariana, Cervantes* y *Lope de Vega*; en arquitectura *Juan de Herrera*; en pintura *Diego Velázquez de Silva*; en escultura *Alonso Berruguete*; en filosofía *Luis Vives*. En los dos compartimentos, y en el adorno, están las cuatro virtudes cardinales y las demás anejas al objeto del salón con los emblemas de las artes y ciencias. Completan finalmente el interés del salón los cuatro cuadros del testero que representan asuntos históricos de nuestra patria, y cuya ejecución fue encomendada al distinguido artista don Federico de Madrazo.

Sala de Conferencias.—Es lujosa por las escayolas imitando a mármoles de diferentes colores y por el todo de la decoración que la adorna; recibe la luz por una claraboya grande que ocupa casi el plano del techo, y la curva con el resto de él está pintado al temple por el acreditado artista don Vicente Camarón. Aun cuando la composición es sencilla, sorprende a primera vista por la armonía de los colores. Están representados en sus cuadros *las cuatro partes del mundo* con varios atributos alusivos a la *Religión, Caridad, Abundancia* y *Ley*. En los ángulos de la sala sostienen cuatro heraldos unas tablas doradas que contienen las inscripciones siguientes: *Don Alonso V de León, Cortes celebradas en 1020.—Instalación de las Cortes en 1810.—Independencia nacional, Gobierno representativo en 1812.—Doña María Cristina, reina gobernadora.—Restablecimiento del Gobierno representativo en 1834.—Doña Isabel II reina de las Españas.—Mayoría de la Reina declarada en 1843.—El pavimento* es de mármoles de Macael, Aragón, Alicante y Cuenca.

Gabinetes de lectura y de recibo de los Diputados.—Son cuatro, dos a cada lado de la Sala de conferencias, y reciben la luz por claraboyas en el centro. Están muy bien decorados con molduras, escayolas imitando a mármoles de colores y pintados al temple, las bóvedas esquilfadas de tres de ellos por el mismo don Vicente Camarón en estilo que parece Pompeyano.

Gabinete de Señores Ministros.—Sin el lujo de dorados y escayolas que tienen los cuatro que preceden, pues está forrado de seda, es muy elegante sin embargo. El bello techo pintado al temple por el señor Ribera, comprende en su centro dos ángeles en cuyas manos ondea el pendón morado de Castilla y la bandera nacional, y varios escudos que ostentan en letras de oro la cifra de *Isabel II*. Hay también cuatro cuadros en que están representados los siete Ministerios por medio de figuras alegóricas. Este gabinete tiene las vistas a la fachada principal.

Saletas de la presidencia.—Reciben también la luz por la plazuela, están forradas de seda y los techos pintados con buen gusto y delicadeza por el señor Espalter.

Salas de las siete secciones y de comisión.—Todas ellas están decoradas con papeles pintados de mucho gusto y son espaciosas; pero nada ofrecen que admirar en materia de bellas artes.

Sala de archivo y biblioteca.—Es espaciosa y del mayor interés a los amantes de las letras por los preciosos documentos históricos y copiosa librería que se custodian en ella y por su esmerado arreglo y coordinación.

Vestíbulo.—Es de un género serio como corresponde a la entrada de un edificio monumental. De forma elíptica, tiene el lucernario por el centro de la bóveda; llama la atención su estilo puro de renacimiento, decorado con escayolas de color verde, amarillo y morado, que por su perfección se equivoca con los mármoles. El pavimento es de mosaico a la veneciana con el escudo real de España en medio, el año de 1850 en que se concluyó en un lado, y en el otro la estatua de Su Majestad la Reina Isabel del escultor señor Piquer. La bóveda está sembrada de rosetones tallados, cuyo gusto hace muy elegante el conjunto general de esta pieza.

Pórtico del edificio.—La puerta principal que se abre sólo en las sesiones regias se halla situada en el centro de la fachada del mediodía dando vista a la plazuela de las Cortes. Hay delante un cuerpo saliente con seis grandes columnas corintias e istriadas y sus correspondientes contrapilastras, ejecutados los capiteles y con mucho esmero por los tallistas don José Panuchi y don Francisco Pérez, en los cuales se descubren cabezas de leones en lugar de la flor del ábaco. Sobre la columnata descansa el cornisamento, cuyo friso y arquitrabe se hallan interrumpidos por una lápida de mármol blanco con el lema en letras doradas, CONGRESO DE LOS DIPUTADOS.

Termina el todo de esta fachada con un frontispicio triangular, en cuyo tímpano hay colocado un bajorrelieve ejecutado por don Ponciano Ponzano que simboliza el edificio y representa *la España admitiendo la Ley del Estado, acompañada de la Fortaleza y de la Justicia*, con grupos alegóricos a las ciencias y bellas artes y atributos de comercio, agricultura y demás que constituye la riqueza de la nación. Unos leones de gran tamaño hechos por el mismo señor Ponzano, guardan como centinelas la escalinata, y cierran por último el adorno del pórtico las primorosas puertas cinceladas de bronce, dos grandes candelabros fundidos en esta corte, y el pabellón nacional que ondea en la cúspide durante las sesiones.

Los artistas que en sus respectivas clases tomaron parte en esta obra monumental son: *En arquitectura*, los señores Colomer, director; Mesa, ayudante; Mendieta, Gutiérrez y Orquijo, delineantes; Febrer, aparejador. *En pintura de historia*, los señores Rivera, don Carlos; Madrazo, don Federico; Camarón, don Vicente, y Espalter. *En escultura*, los señores Ponzano, Piquer, Medina, Pérez y Panuchi. *En bronces*, señor de Pescador. *En mármoles y escayolas*, los señores Sabín, Bex, Poncini, Marzal y Pinedo. *En herrajes*, los señores Miguel y Vances. *En pintura y decorado*, los señores Calzada, Mugica, Blanco, Castellanos, Bort y Tomé, García, Jimeno, Pérez, Benito y Kexel.

Palacio del Senado.—En los primeros días del año de 1814, cuando la Regencia del Reino y las Cortes residentes en Cádiz durante la famosa guerra de la Independencia y la ocupación de la capital por los franceses, regresaron a ésta, haciendo su entrada pública y solemne el día 5 de enero de dicho año, celebraron desde entonces las Cortes sus sesiones en el teatro de los Caños del Peral; pero reconociendo lo impropio y falto de fortaleza de aquel edificio, acordaron habilitar otro para dicho objeto; y designado para ello el convento y colegio de los Agustinos Calzados, fundado desde 1590 por doña María de Córdoba y Aragón, dama de la reina doña Ana de Austria, cuya hermosa iglesia, obra de Dominico Teotocópuli (el Greco), por su espacio y forma se prestaba muy bien para ser convertida en salón de sesiones, se emprendió la obra necesaria a este objeto con tal ahinco y entusiasmo, que ya pudieron celebrarse en ella las sesiones de la única Cámara de que entonces constaban las Cortes en los últimos días de abril de aquel año; pero fue por poco tiempo, porque regresado Fernando VII de su cautiverio y habiendo anulado el sistema constitucional por su famoso decreto de Valencia de 4 de mayo, cesaron las sesiones de Cortes, y aquel salón construído hacia pocas semanas por el mismo pueblo de Madrid, fue atropellado, saqueado y destruído en el día 11 de mayo por el populacho que arrancó y arrastró las estatuas, lápidas y adornos que le decoraban. Restablecida la

Constitución en 1820 tornó a servir de nuevo de salón de sesiones de la única Cámara, al tenor de aquélla, que Fernando VII abrió en persona el día 9 de julio de dicho año, y así permaneció hasta la entrada de los franceses al mando del duque de Angulema en 1823 y la nueva abolición del sistema constitucional. Durante la famosa década última del reinado de Fernando, se restituyó al culto divino la iglesia, y el convento ocupado de nuevo por los frailes agustinos tornó a servir de colegio donde tenían sus cátedras de teología; últimamente restablecida por el Estatuto Real la representación nacional en las dos Cámaras o Estamentos de Próceres y de Procuradores, aunque al principio se afectó huir de este edificio, *porque no pareciese anudar el hilo de su turbulenta historia*, y se fijó la primera en el Casón del Retiro, y la segunda en la iglesia del Espíritu Santo, al fin, hubo de reconocerse la superioridad de este bello salón, y establecida por la Constitución de 1837 la alta cámara con el nombre de *Senado*, y previas las obras de reparación y ornato correspondientes, se destinó a este elevado cuerpo.

Al frente de la calle de la Encarnación se levanta su fachada. Consta de un solo cuerpo decorado con cuatro pilastras con capiteles caprichosos, coronando el todo un frontispicio triangular con un bajorrelieve en el tímpano que representa a la actual Reina en un solio con el león a los pies y diferentes figuras alegóricas alrededor. Ocupa el centro del mencionado cuerpo la portada con jambas y guardapolvo, y en los intercolumnios laterales hay dos bajos relieves: el de la derecha contiene tres coronas cívicas y el de la izquierda fasces entrelazados. Adornan el indicado frontispicio tres ornatos de escultura, uno en el vértice y los dos en los extremos: el primero consiste en un pequeño grupo que contiene el busto de Isabel la Católica con varios trofeos a su alrededor, y los restantes simbolizan las armas de España por medio del castillo por un lado y el león en el otro. Es el salón de sesiones de planta elíptica y de regular extensión y forma, decorándole ocho columnas anichadas de orden jónico moderno. Frente a la puerta, y en el

extremo del eje mayor de la elipse, está el trono, con un rico dosel de terciopelo, y distribuídas por las paredes del salón se hallan varias tribunas pequeñas con arco recto en cada una, siendo la mayor la destinada para el público que está al frente del dosel; todo el adorno de este salón y su fachada es de yeso, de modo que así por su materia como por su arquitectura merece este palacio poca atención. El contiguo convento se compone de planta baja y piso principal, con un buen patio en el centro, y carece de todo adorno. En él se hallan las oficinas del Senado.

Los Consejos.—Fue edificado este palacio en el reinado de Felipe III por el arquitecto Juan Gómez de Mora, y para casa de los duques de Uceda, a quienes posteriormente le tomó la Real Hacienda a censo reservativo, y en él habitó y murió en 16 de mayo de 1696 la Reina gobernadora doña María Ana de Austria, destinándole en 1747 para palacio de los Consejos de Castilla, Indias, Hacienda y de las Ordenes. Es de figura casi cuadrada, y de altura igual por todas partes; tiene de piedra el zócalo general; las dos portadas son compuestas cada una de dos columnas dóricas estriadas debajo, y otras dos jónicas las ventanas que están encima, rematando con escudos de armas reales en lugar de los que había hasta hace pocos años de Sandoval y Padilla sostenidos por leones, los cuales se repiten encima de las ventanas de las esquinas. Los frontispicios de todas las ventanas son semicirculares en el piso principal y triangulares en el bajo. Esta fachada principal está al norte, mirando a la iglesia de Santa María. Las fachadas del oriente y mediodía no ceden a la primera en sencillez y elegancia, y en la última llega a tener cinco pisos por el descenso del terreno. Todas ellas darían al edificio el carácter grandioso y severo propio de su destino, a no haber sido horrorosamente desfiguradas con el absurdo revoque de la cal, en que se han comprendido hasta los mismos zócalos, columnas, adornos y remates de piedra berroqueña. El interior de este palacio no corresponde a la idea que desde luego se forma de su excelente arquitectura: pues no habiendo llegado a concluirse, y faltando el ornato en el vestíbulo y escalera, y las galerías de los dos patios, que la tienen en medio, y debían estar adornados de dos órdenes de columnas, y habiéndose atajado las salas por infinitos tabiques para dar lugar a las muchas oficinas que allí hay, carece todo de la regularidad que debió tener, y que, así como en el exterior, haría conocer el buen gusto del arquitecto. En el día se reúne en este palacio el Consejo Real, el Supremo Tribunal de Justicia, el de las Ordenes militares, y en el mismo están las oficinas de Loterías y otras varias.

Audiencia.—Este edificio, conocido por la Cárcel de Corte, por haber sido efectivamente parte de él destinado a este objeto, aunque la principal, ocupada en lo antiguo por la Sala de Alcaldes, sirve hoy de Tribunal de la Audiencia Territorial, es uno de los mejores de Madrid en el siglo XVII, y fue trazado por el marqués de la Torre, Juan Bautista Crescenti, con bastante sencillez, buena distribución y ornato. Es un cuadrilongo con portada de piedra, de dos órdenes; el primero, toscano, con seis columnas y tres puertas cuadradas; el segundo, dórico, también con seis columnas y ventanas sobre las puertas. El frontispicio en que acaba este segundo cuerpo estaba adornado con estatuas que representaban las virtudes cardinales. A las esquinas de la fachada había dos torres iguales, de las cuales se quemó el chapitel de una en el siglo pasado y no ha vuelto a levantarse, aunque bien pudiera haberse incluído ésta entre las reformas generales que se han emprendido actualmente en las fachadas. Entrando en el edificio se halla un vestíbulo con tres puertas al frente, que dan entrada a una magnífica escalera y a dos patios que la tienen en medio. En el cuerpo alto hay salas espaciosas para el tribunal y sus dependencias, y en el bajo están los juzgados y escribanías de villa; a la espalda estaban las prisiones, que debían ser sólo destinadas a detención provisional mientras las diligencias indagatorias, pues por su estrechez y oscuridad no tenían nada de lo que indica la inscripción de la puerta principal. *Reinando la Majestad de Felipe IV, con acuerdo del Consejo, se fabricó esta Cárcel de Corte para seguridad y comodidad de los presos Año de* 1634. Reunido después con este objeto el edificio que estaba a espaldas del mismo y había sido casa y oratorio de padres del Salvador, ha servido de prisión hasta hace tres años, que fue demolido por ruinoso, y alzádose en su lugar una manzana de casas, dejando aislado el de la Audiencia por una nueva calle intermedia que lleva su nombre.

PALACIOS DE LOS MINISTERIOS

Aduana (*Ministerio de Hacienda*).— Este suntuoso edificio, uno de los principales ornamentos de la capital, sirve también, acaso más que ningún otro, a caracterizar el buen gusto artístico en el reinado del inmortal don Carlos III. Fue concluído en el año de 1769 bajo los planos y dirección del brigadier don Francisco Sabatini, con el objeto que ha desempeñado hasta hace pocos años de servir de Aduana y oficinas de rentas; hoy, trasladada aquélla a otro punto, está ocupado este hermoso palacio por el Ministerio de Hacienda y sus Direcciones generales, y muy pocos entre nuestros edificios públicos han correspondido mejor al intento para que fueron erigidos.

Si la Aduana estuviese situada en una ancha plaza, permitiendo abrazar de un golpe de vista su inmensa mole y la belleza de su conjunto, no tendría nada que envidiar a los más elegantes monumentos arquitectónicos que se admiran en otras capitales, mas por desgracia se halla intercalada entre otras casas, y en una calle, aunque espaciosa y principal, careciendo, por consiguiente, de fachada al oriente y poniente, y únicamente descubriendo las de mediodía y norte, que son precisamente las más angostas, por ser la figura de todo el edificio un cuadrilongo.

La principal que mira al mediodía, en la calle de Alcalá, es ciertamente digna de un artista tan acreditado, y sorprende agradablemente por la armonía y belleza de su conjunto. Fúndase sobre un zócalo almohadillado de piedra berroqueña has ta el piso principal, con tres puertas en el medio, sobre las cuales hay un gran balcón y balaustrada de piedra, sostenido de ménsolas o repisas que rematan en cabezas de sátiros y de cariátides, y sobre las dos puertas colaterales dos inscripciones, una en latín y la otra en castellano, diciendo en ambas que dicha casa la mandó construir el señor don Carlos III y el año en que se concluyó. Tiene desde el suelo cuatro órdenes de ventanas y cinco si se cuentan las de los sótanos. Las del piso principal están adornadas con frontispicios triangulares y circulares alternativamente, y sobre la de enmedio hay un escudo real sostenido por dos famas esculpidas en mármol por don Roberto Michel. La cornisa, que es adornada según el gusto de la compuesta de Vignola, da mucha magnificencia a todo lo demás.

El interior es muy correspondiente a la suntuosidad del edificio, y tiene tres grandes patios, el de en medio mayor, circundado por un elegante vestíbulo y una galería encima. La escalera principal, de piedra, y de dos tiros en su arranque y uno hasta las mesetas, es muy ancha y suave, y la distribución de las salas y de los espaciosos sótanos que sirvieron para el almacenaje de los frutos, perfectamente adecuada a su destino. Hoy se halla suntuosamente decorado en su interior para servir a las principales oficinas de la Hacienda.

Correos (*Ministerio de la Gobernación*). Este es uno de los edificios que han obtenido, aunque sin razón, la preferencia de la crítica. Háse alegado en contra la pesadez de su conjunto; la elevación extraordinaria del patio; la poca elegancia de sus galerías; la dudosa situación de su escalera principal; hasta se ha dicho que ésta se le olvidó al arquitecto y que tuvo que colocarla postiza. Esta es una vulgaridad, nacida de ignorarse generalmente la causa. La escalera estaba colocada en los planos del arquitecto inmediata a la entrada principal, en dos ramales a la izquierda y derecha; pero una orden terminante del conde de Aranda le previno que colocase en aquel sitio el Cuerpo de guardia principal, con lo que tuvo que llevar la escalera donde pudo.

Este arquitecto era francés y se llamaba don Jaime Marquet. Trájole de París el duque de Alba cuando vino de su embajada, y le trajo con el objeto de entender en el arreglo del empedrado de Madrid. Florecía por entonces en nuestra capital el más aventajado de los modernos arquitectos españoles, el célebre don Ventura Rodríguez, y parece que entre sus varios y magníficos planos trabajados para toda clase de obras, tenía presentados unos para Casa de Correos; pero desgraciadamente la envidia o la intriga artística, que siempre le persiguió, hizo dar la preferencia a los de Marquet, por lo cual, sin duda, y por la circunstancia de dirigir Rodríguez como arquitecto de la Villa las obras del empedrado, se dijo entonces "al arquitecto las piedras, y la casa al Empedrador".

Sin embargo, no dejó de haber sobrada injusticia con Marquet, pues no sólo en esta casa dejó consignado su gusto más o menos clásico en arquitectura. Mucha parte del sitio de Aranjuez es obra suya, y dirigió en Madrid otras casas principales; mas volviendo a la que ahora nos ocupa, no puede negarse que si bien pueden achacársele defectos de gusto artístico, si acaso en su distribución no reúne todas las comodidades que serían de apetecer, ofrece, sin embargo, en su conjunto, cierta elegancia y orden que, unido a su considerable extensión, a su forma regular, cuadrada, y a la situación céntrica que ocupa en la famosa Puerta del Sol, le hace ser uno de los edificios más marcados de Madrid. Después de haber servido desde su creación para las oficinas de Correos, está hoy ocupado por el Ministerio de la Gobernación, y sobre su cubierta se ha alzado una torrecilla para el telégrafo central que contribuye a hacer agradable su aspecto.

Palacio de Buenavista (*Ministerio de la Guerra*).—Sobre el plano de una eminencia cuya falda se extiende hasta la espaciosa calle de Alcalá, inmediato al paseo del Prado, hizo construir a fines del siglo pasado este suntuoso edificio la señora duquesa de Alba, doña María del Pilar Teresa de Silva, célebre entre los primeros personajes de las cortes de Carlos III y IV por su fausto y esplendidez correspondientes a su elevado rango e inmensa fortuna. Dirigió la construcción de este bello palacio el arquitecto don Pedro Arnal, y según los proyectos de la duquesa y su esposo, el marqués de Villafranca, su extensión había de ser inmensa, pues, como afirma don Antonio Ponz, la fachada del Este que mira a Recoletos había de tener 402 pies de línea horizontal, o sea dos terceras partes más que al presente; la entrada principal estaría por la calle, hoy cerrada, de la Emperatriz, a espaldas de la actual fachada; ésta daba a los jardines de que se rodeaba el edificio hasta la calle de Alcalá, Recoletos y calle del Barquillo. A este efecto adquirieron los duques no sólo el terreno que había de ocupar tan suntuoso palacio, sino todo el comprendido en la manzana 277 entre el Prado de Recoletos y la calle del Barquillo, o sea la huerta y casa que ahora sirve a la Dirección de Infantería, y la inmensa que fue del célebre marqués de la Ensenada, y daba a la plazuela llamada de Chamberí, y la manzana entera 287 a la calle del Barquillo, que suprimieron, y con ella las calles laterales de Buenavista y la Emperatriz, reuniendo una extensión de casi medio millón de pies, donde levantar su mansión propiamente regia. Pero dos horrorosos incendios ocurridos en ella durante la construcción, y la muerte sucesiva de ambos esposos, paralizaron aquellos planes gigantescos, de suerte que ni uno ni otro llegaron a verla terminada. Habiendo fallecido esta señora en los primeros años de este siglo, la villa de Madrid, deseando obsequiar al favorito don Manuel Godoy, *Príncipe de la Paz*, compró este palacio a los herederos para regalárselo a aquél, que tampoco llegó a habitarle por su ruidosa caída en 1808; y secuestrados sus bienes, ha venido desde entonces recibiendo diversos destinos y las consiguientes obras de reparación y de reforma, habiéndose visto servir sucesivamente de *Parque de Artillería*, de *Museo Militar* y, posteriormente, de 1841 al 43, de habitación o palacio del Regente del reino, *Duque de la Victoria*; luego del embajador turco *Fuad Effendi*; después, Direcciones de Artillería y de Caballería y de Ingenieros, y al Museo di-

cho, y en la actualidad, a estas oficinas militares y al Ministerio de la Guerra.

Este palacio, según su estado actual, forma un rectángulo en la fachada del sur y tiene 253 pies de frente por 64 1/2 de elevación. Consta de un gran zócalo y cuerpo almohadillado de mampostería hasta la imposta que separa el entresuelo del piso principal, cuyos balcones se ven decorados con guardapolvos, y los del segundo con jambas. Hay cuatro órdenes de vanos, contando los de los sótanos con 17 balcones en cada uno de los pisos superiores, y tres menos en el entresuelo para dar lugar a la portada, a cuyos lados hay dos grandes hornacinas, y comprende los pisos superiores, rematando el todo un frontispicio triangular que sienta sobre cuatro pilastras istriadas de orden corintio. El efecto que produce el conjunto de esta grandiosa fábrica no puede ser mejor por su bella y majestuosa arquitectura y su situación elevada y dominando el paseo del Prado, el Retiro y la hermosa calle de Alcalá; por la cual y por la deliciosa perspectiva que se disfruta desde sus balcones, a par que justifica su dictado de *Buenavista*, sirve al mismo tiempo para embellecer por aquel lado la general de Madrid, siendo únicamente sensible que ya que recientemente se han construido, asfaltado y plantado de árboles tres espaciosos caminos en el espacio que media desde la calle de Alcalá al Palacio, no se hayan desmontado los terrenos laterales y quitado la fea tapia o murallón que los contiene, la cual debiera ser sustituída por una elegante verja digna de aquel sitio y de tan bello palacio.

Casa del Ministerio de Marina. — Esta casa fue también construída en el reinado de Carlos III, bajo los planes de Sabatini, para habitación de los primeros secretarios del Despacho, y pasando después a ser palacio del Príncipe de la Paz, la adornó éste con una profusión y buen gusto singulares. Después de la guerra de la Independencia estuvo allí el Consejo del Almirantazgo; a la extinción de éste se colocó en esta casa la biblioteca real, y últimamente las Secretarías del Despacho de Hacienda, Gracia y Justicia, Guerra y Marina; pero después de un terrible incendio, ocurrido en este edificio en 29 de noviembre de 1846, pasaron los Ministerios a los que hoy ocupan, quedando sólo en éste el de Marina, a que se ha agregado después el bello Museo Nacional. Su arquitectura es sencilla y su fachada principal de poca apariencia, y defectuosa por el declive del terreno y hallarse encallejonada; pero el interior de la casa, su elegante escalera de un tiro, que se subdivide en dos ramales a derecha e izquierda, perfectamente iluminada y decorada con columnas y un bajo relieve muy grande en la meseta principal que representa un triunfo, la espaciosidad y bella distribución de sus salas, aunque cortadas muchas de ellas para las oficinas que las ocupan, el fresco de sus bóvedas pintadas por los mejores profesores de aquella época, las columnas, mármoles, puertas primorosas y demás objetos de gusto que la embellecen, forman un conjunto por manera suntuoso y halagüeño.

La Trinidad (Ministerio de Fomento).— El convento de trinitarios calzados, sito en la calle de Atocha, fue fundado por el rey don Felipe II en 1547, por diseños del mismo Monarca y bajo la dirección del maestro Gaspar de Ordóñez. La iglesia era una de las más espaciosas y decoradas de Madrid, y el convento, aunque extenso, sólo notable por su buen claustro de piedra con doble galería alta y baja, y su bella escalera en que se observa alguna semejanza con la de San Lorenzo del Escorial. Este claustro y escalera es lo único de que puede formarse hoy juicio por existir intactos. La iglesia y convento han sufrido tales transofrmaciones en su corte y disposición para amoldarlo a sus nuevos destinos o aplicaciones, que no conservan ya ni recuerdo de su forma primitiva. Primeramente aquélla sirvió en parte, después de la exclaustración, para teatro y salas de baile de la sociedad del *Instituto*. Posteriormente se convirtió toda ella en salón de exposiciones de pinturas, y el convento en *Museo Nacional*, hasta que, por último, en 1849 (y previa una obra radical interior y exterior de este edificio) fue ocupado por el Ministerio de Comercio, Instrucción y Obras Públicas, hoy de *Fomento*, quedando en sus galerías y salones los

cuadros que componen el ya dicho Museo, celebrándose en las bajas la exposición de los productos de la industria y aplicándose la parte izquierda del edificio al *Conservatorio de Artes,* o sea *Instituto Real Industrial,* que tiene en ella sus cátedras, talleres y gabinetes. La fachada a la calle de Atocha también ha sufrido grandes variaciones, abriéndose en ella muchas ventanas, reformando y decorando su portada (que era la de la antigua iglesia) y revocándose de color; pero con todas estas reformas no hace más que revelar la indecisión de las aplicaciones del edificio y lo heterogéneo de sus destinos; en él se ve un Ministerio con un campanario, un convento que remata en un telégrafo, una nave de un templo con dobles bandas de balcones, un Conservatorio de Artes en sus capillas y un Museo de pinturas en los tránsitos y salas de una oficina ministerial.

Ministerio de Gracia y Justicia (calle Ancha de San Bernardo).—Habiendo adquirido el Gobierno la grandiosa casa número 43 de dicha calle, perteneciente al señor duque de Castro Terreño, construída a fines del siglo pasado, con gran solidez y buen gusto por el marqués de la Sonora, pero que ha permanecido sin concluir e inhabitada más de dos tercios de siglo, se hicieron en ella las obras convenientes para su habilitación y pasó a ocuparla hace dos años el Ministerio de Gracia y Justicia. El aspecto exterior de este edificio es serio y elegante, y guarda mucha relación con otros de la época, dirigidos por los buenos arquitectos Arnal, Ballina, Martín Rodríguez y Villanueva, de alguno de los cuales podrá acaso ser, como las bellas casas de los Gremios, del Nuevo Rezado, del Consejo de la Inquisición y el Palacio Arzobispal, con las que tiene mucha semejanza. Hubiera sido acertado el continuar en las dos fachadas laterales el revoque de agranulado que se ha hecho en la principal, con lo cual tendría el edificio el aspecto decoroso que exige.

Gobierno político (calle Mayor, 115).— Adquirida también por el Estado la casa citada, que perteneció al marqués de Camarasa, y antes a los de Cañete, fue destinada al Gobierno de la provincia, con sus oficinas y dependencias. Forma manzana aislada entre las calles Mayor y del Sacramento, del duque de Nájera y Traviesa; su fachada principal, aunque pequeña, pues sólo consta de dos pisos con cuatro vanos en cada uno, es, sin embargo, digna de aprecio, por estar construída según el buen estilo clásico del tiempo de Herrera. Tiene adornada la puerta con dos pilastras dóricas y triglifos en el cornisamento. Todos los huecos se hallan decorados con guardapolvos de granito con ménsulas semejantes a las que se ven en El Escorial, las Descalzas Reales y otros edificios de aquella época. En los extremos, sobre la cornisa, se levantan dos torres angulares que contribuyen a dar un aspecto severo y noble a toda la fachada, que, atendida su forma, contará pronto tres siglos, y aún sirve de ornato a la calle en que se encuentra como el año en que se fabricó. Excepto la fachada, todo el resto de la casa ha sido reedificada en este siglo.

EDIFICIOS MUNICIPALES

Casas Consistoriales. — El humilde origen de la villa de Madrid y su escasa importancia hasta los siglos XV y XVI, es la causa de que no se encuentren en ella edificios públicos de consideración anteriores a dicha época, careciendo bajo este punto de vista del atractivo que para el anticuario y para el poeta tienen otras muchas de nuestras ciudades, hoy de segundo orden, como Toledo, Valladolid, Burgos, Segovia, etc.

Aunque quedó establecida la corte en esta villa en 1561, el Ayuntamiento de Madrid, respetuoso observador de su sencilla costumbre, siguió celebrando sus reuniones en la pequeña sala capitular, situada encima del pórtico de la parroquia de San Salvador (que fué demolida el año de 1842), según consta de muchos documentos, y entre otros de unos acuerdos que hizo la villa para trocar ciertos terrenos, cuyo documento empieza así: *En la villa de Madrid, seis días del mes de octubre, año del nacimiento de Nuestro Señor Jesu-*

cristo de mil y quinientos y tres, estando ayuntado el Concejo de la dicha villa, en la sala que es encima del portal de la iglesia de San Salvador de la dicha villa, según que lo han de uso y costumbre, etc.

De otros documentos que hemos visto en el archivo de esta villa, consta que el lunes 19 de agosto de 1619 celebró Madrid el primer Ayuntamiento en las casas que eran de don Juan de Acuña, presidente de Castilla, en la plazuela de San Salvador (hoy de la Villa), y aunque nada sabemos de la obra que en ellas se hizo con este motivo, si fue completa o parcial, ni el arquitecto que la dirigió, debemos suponer que fue en lo principal, según hoy se ve, consistiendo su edificio en un cuadrilongo de bastante extensión, con dos pisos, bajo y principal, torres en los extremos y dos puertas iguales por la parte de la plazuela, construídas, a lo que parece, a fines del siglo XVII, con hojarascas de mal gusto. Mejor le hubo en la construcción del balcón principal o peristilo de columnas que da a la calle de la Almudena, y fue obra del célebre arquitecto Villanueva, a fines del siglo pasado. La distribución interior de este edificio tampoco tiene nada notable, consistiendo en varios salones para las reuniones de la Corporación municipal. El principal que da a la calle Mayor está bien decorado y tiene en su frente dos retratos de Sus Majestades la Reina y el Rey, hechos por los célebres artistas señores Ribera y Tejeo, y a sus costados dos relieves figurados que representan escenas del terrible Dos de Mayo. En un camarín del fondo del salón se guarda la preciosa custodia que sale en la procesión del Corpus, y es una alhaja primorosa, del platero Francisco Alvarez, en el siglo XVII. Los demás salones, incluso el llamado de *Columnas*, están poco decorados; y el oratorio, cuyas paredes y bóvedas pintó al fresco Palomino, muy descuidado.

Casa Real de la Panadería (plaza Mayor).—Fue construída en 1590 por la villa de Madrid con destino a Panadería en su parte baja, habiéndose reservado las salas y balcones del piso principal para que los Reyes viesen desde ellos las fiestas que se hacían en dicha plaza. En el incendio e 10 de agosto de 1672 quedó destruído asi del todo este edificio, y no contando , villa con los fondos necesarios para su redificación, se aplicaron a la obra dos-.entos veinte mil ducados que debían sa-arse de las sisas reales y municipales. En stos términos fue reconstruído todo el dificio, menos el pórtico, que es el pri-iitivo, durante la minoría de Carlos II la privanza del famoso don Fernando alenzuela. Dirigió esta obra don José)onoso, el cual procuró imitar en lo po-ible la antigua fábrica. En 1732 se tras-idó a esta casa el Peso Real, que estaba n la calle de Postas, y en 1745 se puso a planta principal de esta casa a dispo-ición de la Academia de Bellas Artes, la ue habiéndose después trasladado a la ca-e de Alcalá, la sucedió en la ocupación el local la Academia de la Historia, que ontinúa en él, excepto su preciosa biblio-eca, que ha pasado pocos años hace al Juevo Rezado, calle del León.

La Panadería ocupa el centro del lienzo eptentrional de la plaza Mayor, y su pri-ner planta consiste en un cuerpo de gra-ito decorado por columnas entregadas de rden dórico que forman 13 intercolunios on arcos de medio punto. Sobre el cor-isamento del expresado pórtico se levan-a la fachada con tres pisos iguales en la orma y el número de huecos, consistien-lo el ornato de éstos en jambas y guarda-olvos, sobre cada uno de los cuales hay los remates de poco gusto. Encima del alcón principal se ve un medio punto de granito que contiene un escudo de armas reales ejecutado en piedra caliza, con dos eones de igual materia colocados debajo. A los lados de la referida fachada hay los torres terminadas por chapiteles, en ino de los cuales hay un reloj que se ilu-nina de noche como el de las Casas Con-istoriales. En el centro de la balaustra-la de hierro que corre entre las torres sobre el alero se lee la siguiente inscrip-ión: *Reinando Carlos II, gobernando loña María su madre*, 1674.

En los macizos del piso principal y se-gundo pintó don Luis González Velázquez varias medallas de claro oscuro, represen-tando en ellas jarrones y grupos de niños. Dos géneros de arquitectura se hallan en esta fachada, pues el pórtico que ya que-da dicho es el primitivo y fue labrado por Juan Gómez de Mora en 1619, es de buen estilo, y lo restante, como obra del co-rruptor Donoso, no acertó a imitar su co-rrección y buen gusto, aunque no carece de él el conjunto. En los extremos del mencionado pórtico hay dos inscripciones relativas a la fecha y motivo de la reedi-ficación de esta casa y a la construcción de la plaza Mayor. En el callejón del Ar-co del Triunfo está la puerta que da in-greso a la anchurosa escalera, que es de piedra. El salón principal, cuya bóveda está decorada con frescos del mismo Do-noso y de Claudio Coello, sirve a la Aca-demia de la Historia para celebración de sus juntas. Corresponden a este salón los tres balcones del medio de la fachada, y en el principal se fija un rico dosel para los Reyes cuando asisten a las fiestas rea-les. En el mismo suelen hacerse también la promulgación de las leyes, la proclama-ción de los monarcas y otros solemnísimos actos oficiales. Esta hermosa casa, por su bella situación, esplendor y espacio, era verdaderamente la que debía ocupar el Ayuntamiento, y sería *Palacio de Villa*, o ya que esto no fuese posible, debería haberse colocado en ella el Gobierno po-lítico de Madrid, con mucha más oportu-nidad, amplitud y conveniencia que en la comprada recientemente para este objeto; acaso convendría al Ayuntamiento pro-poner algún día este cambio, incorporan-do a las Consistoriales (muy reducidas para sus muchas dependencias) la conti-gua que hoy sirve de Gobierno político.

El Pósito.—A fines del siglo XVI se creó por la villa un pósito o alhóndiga para el repuesto o surtido de granos, y contiguo a él, a mediados del siglo XVII, y reinan-do Felipe IV, se fundó una barriada lla-mada *Villanueva*, compuesta de 42 casas, con sus correspondientes hornos para otros tantos panaderos. Pero establecidos los acopios de trigo a cargo de la Junta de Abastos en 1743, fue precisa la construc-ción de un local capaz de contener el sur-tido necesario, y a este efecto se edificó el actual Pósito en 1745, reinando Feli-pe V. Es un edificio vasto, suntuoso y de figura elíptica, con un patio en el centro. La planta baja forma una anchurosa galería cubierta con una bóveda rebajada, y comprende 22 trojes abovedadas y cerradas con verjas de madera, hallándose todo oportunamente dispuesto y acomodado. La capacidad de todas ellas es de unas 40.000 fanegas, incluyendo el espacio que media hasta una valla que se levanta en la mitad de la referida galería por toda su extensión. Sirve hoy esta parte del edificio de mercado de granos y de depósito gratuito de los mismos para los que quieran entrojarlos mediante sólo el pago del derecho de medida. Sobre el mencionado cuerpo se levanta el segundo en forma de una inmensa rotonda formada con una sencilla armadura de madera bien construída y conservada. Esta gran panera, llamada *de la Santísima Trinidad*, es de cabida de 100.000 fanegas, con buque suficiente para volverlas, pero hoy está ocupada por los enseres, telones y vestuarios de los teatros del Ayuntamiento. A expensas del rey Carlos III se levantaron posteriormente nuevas paneras en el espacio que media entre el referido Pósito y la Puerta de Alcalá, quedando así formado un dilatado cuerpo de edificios capaces de contener un millón de fanegas. Desde esta época han ido aumentándose los edificios en la extensión de este inmenso espacio, contándose entre las nuevas construcciones una casa de bella forma fabricada en 1803, y la espaciosa fábrica que sirvió de almacén general de herramientas de la villa. En estos inmensos edificios destinados unas veces a su productivo y utilísimo destino, otros a almacén general de herramientas y enseres de la villa o cuarteles militares, y hoy en parte ocupados por el de Ingenieros, es en donde parece que debiera haberse establecido la Aduana cuando se trasladó hace pocos años a la posesión del Salitre, inmediata al portillo de Valencia.

De los demás edificios municipales, como teatros de la villa, cárcel, matadero, etcétera, hablaremos en sus respectivas secciones.

CUARTELES Y EDIFICIOS DEL RAMO MILITAR

Cuartel de Inválidos (Atocha).—La desgraciada suerte de los militares inutilizados en campaña ha llamado justamente la atención de todos los Gobiernos, y los pueblos más civilizados de Europa muestran con noble orgullo los filantrópicos asilos destinados por su munificencia a los infelices veteranos. Nuestra España presentaba un sensible vacío en este punto hasta que el Real decreto de 20 de octubre de 1835, disponiendo la creación de un Cuartel de Inválidos, vino a reparar esta injusticia hecha a los defensores del Estado. Instalada una junta para este objeto, y nombrado en 30 de noviembre del mismo año para director y comandante general el excelentísimo señor duque de Zaragoza, el nombre de *Palafox*, título de orgullo y de gloriosos recuerdos para nuestra Patria, quedó naturalmente colocado sobre el honorífico trofeo de sus defensores. Luchando con los terribles obstáculos que ofrecía la penuria de los tiempos y sancionada por Su Majestad la ley de las Cortes de 6 de noviembre de 1837 pudo, en fin, llevarse a cabo la idea, destinándose a este objeto el que fue convento de Atocha, con su huerta y la de San Jerónimo, que por su ventajosa situación y espaciosidad ofrecía muchas ventajas, quedando inaugurado el establecimiento el día 19 de noviembre de 1838. Fácil es conocer el deplorable estado en que se hallaba el edificio, entregado al fatal espíritu de destrucción; las habitaciones, convertidas en cuadras; los suelos, hundidos; las puertas, arrancadas; los tejados, amenazando desplomarse, y la hermosa iglesia de Atocha, despojada de sus altares. Todo fue pronta y brevemente remediado, y gracias al entendido celo y actividad del general director y ayudantes, presentó luego este establecimiento un espectáculo lisonjero, habiéndose construído en él las escaleras, tránsitos y habitaciones necesarias para 400 soldados, divididas en cuatro crujías, de las cuales sólo hay dos amuebladas y habitadas cada una por 100 inválidos. Es de notar también la grande espaciosa cocina y el hermoso comedor, el almacén del vestuario y otras dependencias. El régimen interior del establecimiento es el más a propósito para fortalecer la salud de los inválidos, curar hasta donde es posible sus heridas y hacerles útiles a la sociedad. La comida es sana y abundante, el aseo y limpieza, extremados; el orden y disciplina. excelentes. Todos los diversos cargos, desde el de jefe director hasta el del último ayudante, están servidos por veteranos, sin más sueldo que el que les corresponde por su clase; de suerte que en este punto no sirve el establecimiento de ningún gravamen al Tesoro nacional. El moderado prest de 5 reales señalado a cada inválido, basta, bien manejado, para su decente sostenimiento.

El antiguo y venerable templo de Nuestra Señora de Atocha, dignamente restaurado y enriquecido con preciosos altares y cuadros, se halla de nuevo restituído al culto, y en su principal trono está colocada la celebrada imagen, objeto de la veneración de la corte y pueblo madrileño. Campean, gallardamente dispuestas en los machones de la fábrica, las gloriosas banderas, trofeos de las antiguas glorias nacionales. El pendón inmortal de don Juan de Austria, los de las Ordenes militares, los de los tercios de Flandes y los temidos en otros tiempos más allá de los mares, reposan allí como estímulos de gloria y de virtud, como tributo de reconocimiento al Dios de los ejércitos, como brillantes páginas de nuestra historia nacional, custodiadas por los que con su propia sangre escribieron en ellas algunas líneas más. Ultimamente, descansan bajo sus bóvedas los restos mortales de los dos personajes que simbolizaron la heroica lucha de la Independencia, *Palafox* y *Castaños*, Zaragoza y Bailén. Ocurrida en 1847 la muerte del general Palafox, entró a sucederle en la dirección del establecimiento el decano de los tenientes generales, señor don Pedro Villacampa, y siguiendo éste el digno ejemplo de su antecesor, ha conseguido mejorar extraordinariamente la localidad y habilitar 25 pabellones para oficiales y otros para el director, para facultativos, capellanes, etc.

Cuartel de Guardias de Corps. — Hoy cuartel de Caballería. Es el edificio **más** grande de Madrid y comprende la manzana entera 550, en una superficie de 244.365 pies. Se empezó a construir en 1720, por las trazas y bajo la dirección de don Pedro Ribera, arquitecto que tuvo más de una ocasión de lucir sus conocimientos por las grandiosas fábricas de que estuvo encargado, y que por desgracia afeó con el estragado gusto que profesaba, especialmente en su ornamentación. Es un paralelógramo rectángulo, con tres plazas o patios, el del centro inmenso; una torre por acabar en cada ángulo y un observatorio a poniente. A levante está la fachada principal, con una portada de las más churrigueristas. Podían alojarse en este cuartel cómodamente 600 caballeros guardias con sus criados, y 600 caballos. Está situado en el barrio de Afligidos y sobre el solar que ocupaban las casas del famoso valido conde-duque de Olivares.

Cuartel de Palacio. — En 1832 se construyó otro cuartel de Caballería detrás de Palacio, destinado al escuadrón de guardia real de servicio en aquél. Es bastante espacioso, muy bien distribuído y ventilado, y su ejecución, sólida y de aspecto elegante, habiendo sido dirigido por el arquitecto mayor que fue de Su Majestad, don Isidro Velázquez.

Cuartel de San Gil. — Fue construído este vasto edificio para convento de franciscos descalzos de San Gil a fines del siglo pasado, pero después fue destinado para cuartel de Caballería y hoy está en él también el Parque de Artillería. Su arquitectura es noble y seria, como convenía al objeto, y en su fachada se observa alguna semejanza con la del célebre monasterio de El Escorial. Es obra de don Manuel Martín Rodríguez, sobrino, y acaso el más aventajado discípulo de su tío don Ventura. Está situado a la bajada para la puerta de San Vicente.

Otros cuarteles. — Los demás cuarteles son: el de San Mateo, el del Soldado y el de Santa Isabel. en las calles de sus nombres; y el convento de San Francisco para Infantería; el Pósito, para los Ingenieros; el del Retiro, para Artillería; el de Alabarderos, en la calle de San Nicolás, y el convento de San Martín, para la Guardia Civil.

Santo Tomás, calle de Atocha. (*Tribunal Supremo de la Guerra y Capitanía General*).—El antiguo convento de dominicos, desmembrado de la casa de Atocha y fundado en este sitio en 1583 a instancia de fray Diego de Chaves, confesor de Felipe II, ha sido uno de los edificios que en esta mitad de siglo ha sufrido mayor número de vicisitudes; pero su excelente situación, su amplitud y buena fábrica le han salvado de la ruina en que fueron envueltos gran parte de los de su clase en Madrid. De la iglesia contigua, una de las más amplias y suntuosas de la corte, queda ya dicho en su lugar. El convento y colegio donde tenían establecidas los frailes las cátedras públicas de Teología, después de servir de cuartel en tiempo de la dominación francesa, volvió a poder de aquellos hasta la exclaustración en 1821, y por una de las peripecias tan comunes en nuestra moderna historia, aquellos mismos claustros donde resonaban los cánticos religiosos y de donde partían en otro tiempo las solemnes procesiones de los *autos de fe*, celebrados por la Suprema Inquisición, a la sombra del pendón dominicano, viéronse transformados de repente en 1822 y 23 en turbulento teatro de la célebre sociedad demagógica titulada *la Landaburiana*, donde todas las noches, en medio del estruendo y el desorden, se proclamaban y aplaudían los principios y máximas de la primera revolución francesa, y se remedaba y tomaba por modelo a la otra célebre sociedad parisina de *los Jacobinos*. Vueltos los padres dominicos a su convento en 1823, tornaron a establecer en él las cátedras de Filosofía y Teología, pero en la trágica y sacrílega asonada del 17 de julio de 1834, aquellos pacíficos claustros, aquellas modestas celdas y aquel sagrado templo fueron profanados, atropellados y teñidos en la sangre inocente de sus inofensivos moradores. Abandonado por consecuencia aun antes de la exclaustración, y declarado más tarde como los demás conventos propiedad nacional, fluctuó algunos años entre los varios destinos a que se le aplicó, hasta que, concedido a la Milicia nacional para su cuartel, sufrió considerables reformas en su interior, y más principalmente en su fachada, cuyo ingreso que estaba a un lado de la iglesia, fue trasladado al centro, adornándole con una portada con dos columnas dóricas a cada lado, decorando el todo de la fachada en una forma más halagüeña, con una balaustrada sobre la cornisa y un templete en el centro en que se hallan colocadas las campanas del reloj. Sirvió, pues, de cuartel a la Milicia hasta su desarme en 1843 y de breve prisión en los días 8 al 15 de octubre de 1841 al desventurado general don Diego de León, conde de Belascoain y demás compañeros de infortunio, que salieron de él para el patíbulo. Posteriormente se estableció en este convento el Ministerio de la Guerra, y después de la traslación de éste al palacio de Buenavista, se halla ocupado hoy por el *Tribunal Supremo de Guerra y Marina* y la *Capitanía General de Madrid*.

Casa de la Dirección de Infantería.—Esta casa, que sólo es notable por el sitio privilegiado que ocupa, al término de la calle de Alcalá, dando frente al Salón del Prado, es moderna en su parte principal, pues en lo antiguo hubo allí otro edificio o más bien continuación del que forma la rinconada a espaldas de la Cibeles, que con la huerta contigua ocupaban como en el día el extendido espacio de 340.497 pies. Esta huerta y caserío eran sitios públicos de recreación y célebres en Madrid en el siglo XVII, y pertenecían entonces al regidor de esta villa, Juan Fernández. Los poetas de aquel tiempo hacen mención de esta famosa posesión, y especialmente Tirso de Molina, que colocó en ella el lugar de la acción de una de sus comedias, que lleva también el mismo título: *La huerta de Juan Fernández*. Después, a mediados del siglo pasado, pertenecían a don Nicolás de Francia y, sin duda, a él o sus herederos la compraron los duques de Alba cuando emprendieron la obra colosal del palacio de Buenavista. Adquirido después éste por la villa de Madrid para regalarle al privado Godoy, se restauró y habilitó esta casa contigua para servir de habitación a su hermano don Diego, teniente general comandante de la Guardia Real, razón por la cual fue comprendida en el atropello y saqueo popular de 19 de marzo de 1808 y en el secuestro de los bienes de aquél. En el reinado de Fernando VII fue de nuevo restaurada para colocar en ella la Inspección de Milicias provinciales, y entonces se decoró su fachada e hizo la portada o ingreso, dotándola con dos columnas enormes respecto a la altura total de la casa, que sólo consta de piso bajo y principal, rematando aquella con varios atributos de labranza, que acaban por hacer indeciso el carácter y aspecto del edificio. En nuestros días sirvió también esta casa de habitación al regente del reino, general Espartero, antes de ocupar el palacio de Buenavista, y hoy está destinada a la *Dirección de Infantería*. Pero tanto por su escaso mérito como por la inoportunidad de su colocación, es de esperar que muy pronto desaparezca, dando lugar bien a la prolongación del Salón del Prado hasta San Pascual, según el magnífico proyecto del señor Mendizábal, o al rompimiento de la calle de las Salesas a la de Alcalá, y a la construcción de un nuevo palacio o caserío más digno de aquel sitio privilegiado.

Sólo están comprendidos en la reseña anterior los edificios públicos destinados a la administración civil, municipal y militar. En cuanto a los dedicados a los establecimientos especiales científicos, literarios, artísticos, de beneficencia y corrección, de industria y comercio, de recreación y de espectáculos, creemos no poder separar su descripción de la de los mismos establecimientos, cuya esencia casi forman y, por lo tanto, les colocamos en sus respectivas secciones.

EDIFICIOS PARTICULARES

En la *Parte histórica* de este *Manual*, al hacer la reseña del Madrid del siglo XVII, con arreglo al gran Plano de 1656, quedan indicadas las casas principales de la antigua nobleza madrileña que aun permanecían existentes en aquella época, con otras recientemente construidas, para servir de palacios a la grandeza del reino, entroncada con aquellas ilustres familias y asistente a la esplendorosa corte de Felipe IV. El trascurso de dos centurias más, cambiando la faz de nuestra villa, ha borrado hoy casi del todo aquellos históricos monumentos, y tanto que no sólo son muy raros los edificios que puedan aun contarse en pie anteriores a aquel siglo, sino que aun los construidos en él caen hoy en ruinas o aparecen renovados completamente o reemplazados por otros más esplendorosos y dignos, aunque escasos de recuerdos y de historia.

Entre los primeros, o más antiguos, que han desaparecido completamente, podremos citar las casas solares de la antigua familia *Ramírez* (de los condes de Bornos), que estaban en la plazuela de San Nicolás, donde ahora las nuevas del señor Pulgar, y otras de la misma familia donde hoy los monasterios de la Carbonera y Concepción Jerónima fundados por personas de la misma ilustre casa; las de los *Gatos*, que estaban inmediatas a la torre del Salvador; las de los *Alvarez de Toledo*, señores de Villafranca, donde moró don Alvaro de Luna, contiguas al convento de Santa Clara; las de los *Herreras*, allí también cercanas, y otras en la calle de Alcalá, donde hoy el palacio del marqués de Riera; las de los *Bozmedianos*, a Santa María donde hoy es palacio de los Consejos; las de los *La Cuevas*, fronteras a éste, donde ahora las del señor duque de Abrantes; las de los *Arias Dávila*, condes de Puñorrostro, donde vivió y sufrió su primera prisión el secretario Antonio Pérez, en la plazuela del Cordón, demolidas en estos últimos años; las de la duquesa de Nájera y de don Juan de Córdoba y *Celenque*, en la plazuela de este nombre; las de los *Veras*, en la calle de Barrionuevo (hoy de la Concepción Jerónima), contiguas al colegio de Santo Tomás; las de los *Acuñas*, donde hoy las casas Consistoriales; las de los *Borjas*, en que vivió San Francisco de Borja, marqués de Lombay, donde nació su hijo y su nieto, el célebre poeta, príncipe de Esquilache, en el altillo de Palacio; las de

los duques de Maceda, y las de los condes de Monterrey, al Prado, donde hoy el
palacio de Villahermosa y la iglesia de
San Fermín; las del célebre valido Conde duque de Olivares, donde hoy es cuartel
de Guardias; las del Almirante Enrique
de Cabrera, duque de Medina de Rioseco,
donde hoy el convento de San Pascual;
las del príncipe de Stillano, donde hoy el
monasterio de Santa Teresa, etc., etc.

Pero aun se conservan, aunque envuel-
tas en ruinas venerables o transformadas
completamente, con arreglo al gusto de la
época y para servir a sus actuales dueños, las siguientes: las de *don Pedro Las-
so de Castilla* (hoy del duque del Infantado), en la plazuela de San Andrés, en
que vivieron los Reyes Católicos don Fernando y doña Isabel, y sus hijos doña
Juana y don Felipe el Hermoso; las fronteras a ellas, de las familias de los *Vargas*
y *Lujanes*, convertida una de ellas en la
capilla del obispo de Plasencia; otra (la
del marqués de San Vicente), en que está
el teatro del Genio; y otra a los pies de
la actual parroquia de San Andrés, perteneciente hoy al señor conde de Oñate,
como conde de Paredes, donde es tradición
que vivió y murió San Isidro Labrador
cuando servía a un individuo de esta antiquísima familia madrileña; la de la calle del Almendro, número 6, hoy de los
marqueses de Villanueva de la Sagra, y
entonces también perteneciente a los Vargas, donde está convertida en capilla la
cuadra en que acostumbraba dicho santo
a encerrar el ganado de labor; la de *Santisteban*, hoy de los duques de Medinaceli,
en la calle del Nuncio, que perteneció a
la familia de don Alvaro de Luna; la de
la *Nunciatura*, que fue de doña Inés de
Vargas Carvajal y Trejo, esposa de don
Rodrigo Calderón, marqués de Siete Iglesias; la contigua al monasterio de la Concepción Jerónima, fundado por sus dueños, Isabel Galindo (la Latina) y su marido, el general Francisco Ramírez, que formaba parte de las de su mayorazgo, y
que hoy suntuosamente reformada habita
su ilustre dueño y sucesor el señor duque
de Rivas; otras del mismo mayorazgo *Ramírez*, aunque pertenecientes al tronco
principal de los condes de Bornos, se conservan también en la calle del Viento y

plazuela de la Armería. Las de *Luzón*, de
esta antiquísima familia, en la calle hoy
de su nombre y antes del Salvador, que
sirvieron hace años a la fábrica de loza
del conde de Aranda. Las de los *Lujanes*
(antes de los *Ocañas*), en la plazuela de
la Villa, en cuya torre estuvo custodiado
el rey de Francia Francisco I, preso en
la batalla de Pavia; las de los *Madrid*,
contiguas a ellas con vuelta a las Platerías; las de los *Lodeñas*, reedificadas por
el marqués de La Laguna, y son las que
forman esquina entre dicha calle del Luzón y la de Santiago; las de los *Victorias*, a la otra esquina de esta última calle
a la de Milaneses; la de los *Coellos*, frente a Santa María, hoy de los marqueses
de Povar y de Malpica, y otras de los
Bozmedianos, hoy del marqués de Valmediano, a la bajada de la Carrera de San
Jerónimo; la del secretario Alonso Muriel y Valdivielso, a la esquina al Postigo
de San Martín, atribuída al arquitecto
Juan de Herrera; la de las *Siete Chimeneas*, en la calle de las Infantas, cuya parte principal parece ser también obra del
mismo; la de los *Guevaras*, en la plazuela
de la Armería, hoy conocido por la Casa
de Pajes de Su Majestad; la de los *Mendozas*, en que vivió la célebre doña Ana,
princesa de Eboli, y su marido, Ruy Gómez de Silva, a espaldas de dicha iglesia
de Santa María y hoy pertenece al colegio
de Niñas de Leganés; la del célebre privado don Luis Méndez de Haro, hoy de
los marqueses de Alcañices, a lo último de
la calle de Alcalá, con vuelta al Prado;
el inmenso palacio de los duques de Medinaceli, entre el Prado y calle de su nombre, que perteneció y habitó el famoso valido de Felipe III, *Duque de Lerma*, y cardenal después de la Santa Iglesia Romana;
las de los *Coallas*, después de los marqueses de Belgida, en Puerta Cerrada; la de
los *Peraltas*, calle Ancha de San Bernardo,
donde vivió y sufrió su prolongada detención y de donde salió para el suplicio el
célebre y desgraciado ministro de Felipe III don Rodrigo Calderón, marqués
de Siete Iglesias, y que hoy, reformada
completamente, habita su dueño, el señor
marqués de Palacios, duque de la Conquista; la del cardenal *Cisneros*, en la
calle del Sacramento, después habitada

por el cardenal Rojas Sandoval, y por el célebre presidente de Castilla, conde de Campomanes, ocupada luego por el Consejo de la Guerra y hoy de propiedad particular; la de los duques de Alba, en la calle de su nombre, en que además de sus ilustres dueños en el siglo XVI, es tradición que habitó la Santa Madre Teresa de Jesús, y en nuestros días el famoso ministro don Francisco Tadeo *Calomarde*; la de los duques de Osuna, en la calle alta de Leganitos; la de los *Solvajes*, en la plazuela del conde de Miranda, propiedad en el siglo XVIII de don Iñigo de Cárdenas, y hoy de sus descendientes los condes de Miranda y del Montijo; la de los *Zapatas*, de los condes de Barajas, donde estuvo la Comisaría General de Cruzada, y hoy la Presidencia del Consejo de Ministro y Dirección General de Ultramar; la de los *Barrionuevos*, hoy de los marqueses de Cusano, en la plazuela de Santa Catalina de los Donados; la de los *Cabreras* y *Bobadillas*, en la calle de San Nicolás, que sirven hoy de cuartel de Alabarderos, y por último el casi arruinado palacio de los marqueses del *Valle*, duques de *Monteleón*, a la puerta de Fuencarral, fundado por un descendiente de Hernán Cortés, espléndida mansión de la famosa duquesa de Terranova, camarera mayor de la reina doña María Luisa de Orleans, y que también habitó después de la muerte de Felipe V la reina viuda doña Isabel Farnesio y sus hijos; arruinado en su parte principal, en el siglo pasado, por un violento incendio, e inmortalizado en nuestros días, cuando sirviendo de parque de Artillería el famoso día 2 de mayo de 1808, fue el punto principal de resistencia a las tropas francesas, y el teatro de la gloriosa muerte de los ilustres *Daoíz* y *Velarde*.

Sobre todas estas y otros muchos edificios notables, pudiéramos extendernos en detalladas noticias históricas, como ya lo hicimos en una obrita especial publicada en el *Semanario pintoresco* de 1853, bajo el epígrafe de *Las casas y calles de Madrid, paseo histórico*; pero el espacio de que podemos disponer no lo permite aquí.

Los edificios particulares modernos que han sustituído a los antiguos de la grandeza, son más correspondientes a la ostentación y magnificencia de sus ilustres poseedores, y al buen gusto de la época actual. No pudiendo detenernos a señalarlos todos, nos permitiremos, sin embargo, hacer especial mención de aquellos más principales y justamente reputados como palacios.

Palacio de Liria.—Al terminar la plazuela de Afligidos, entre el cuartel de Guardias y el Seminario de Nobles, aparece este hermoso edificio, que por su grandiosidad y magnificencia puede considerarse como la mejor casa particular de cuantas existen en Madrid. Fue mandado construir en el año de 1770, por el excelentísimo señor don Jacobo Stuard Fitz-James, tercer duque de Berwick y de Liria, bajo la dirección del célebre profesor don Ventura Rodríguez, el que a mediados de 1779 lo presentó concluído con la solidez, regularidad y buen gusto que se nota en todas las obras de tan distinguido artista.

Forma la planta de este palacio un cuadrilongo, cuya decoración consiste en un cuerpo rústico hasta el piso del cuarto principal; sobre él se elevan dos fachadas iguales, una que mira a la plaza y otra al jardín. Por uno y otro lado tiene en el medio cuatro columnas dóricas, y en lo demás de la circunferencia pilastras con arquitrabe, friso y cornisa correspondiente. Sobre ésta hay en lugar de balaustrada un ático, que se eleva en los dos medios, y tiene por la parte de la plaza los escudos de armas de los duques, y por el jardín las cifras de sus apellidos.

Las estancias y habitaciones interiores corresponden por su capacidad y lujo artístico a la bella apariencia de tan majestuoso exterior, notándose particularmente entre otras la destinada para capilla, con rico pavimento de mármol, un magnífico retablo y elegantes tribunas, decoradas sus paredes con excelentes pinturas al fresco del hábil profesor don Antonio Galiano.

Constribuye notablemente a la belleza y adorno de este edificio el gran jardín, que consta de dos planos, uno en medio al piso del cuarto bajo, y otro que le circunda por tres lados a la altura del principal, dando vuelta a unos terrados construidos en los ángulos sobre la plaza, y subiendo del uno al otro por escaleras bien dispuestas. Los plantíos de árboles frutales, las más varias y vistosas flores, seis lindísimas fuentes, diferentes estatuas de mármol y algunas otras de adorno ejecutadas modernamente con el mayor gusto y elegancia, forman el pensil más grato y delicioso.

Por lo respectivo a la plaza, sobre ser grande, la hace magnífica la hermosa perspectiva de los terrados que hemos dicho, destacados graciosamente de los ángulos del edificio, con sus balaustradas y antepechos y las verjas de hierro puestas en semicírculo que la dividen de la calle, con pilares interpuestos coronados de sirenas.

A la derecha del palacio y en el local a propósito existe una buena galería de pinturas, en que el ilustre padre del excelentísimo señor duque actual de Berwick y de Alba, reunió muchos y excelentes cuadros de las mejores escuelas, que adquirió a gran costo en sus diferentes viajes por Italia. También hay varias obras de escultura, entre las que se admiran singularmente algunas ejecutadas por don José Alvarez.

Palacio de Villahermosa.—Este elegante palacio construído en 1806 bajo los planos y dirección del arquitecto que fue de la villa de Madrid, don Antonio López Aguado, por mandado de la señora duquesa viuda de Villahermosa, abuela del actual, doña María Pignateli y Gonzaga, es uno de los más bellos ornamentos de la corte, y del sitio privilegiado que ocupa en la extremidad de la Carrera de San Jerónimo, con vuelta al Paseo del Prado. Su fachada principal, aunque no la mejor ni más extensa, ofrece su ingreso por la Carrera adornado con dos columnas dóricas, en las que sienta la repisa del balcón central con su balaustrada de piedra también, así como lo son las impostas, jambas y guardapolvos de balcones y ventanas y el cornisón. La materia general de que está fabricado el palacio, es solidísimo agramilado de ladrillo, y sin revocar de colorines que le hubieran quitado su aspecto elegante y grandioso. La fachada de más extensión, la lateral que corresponde al Prado, es la que luce más por su regu-

laridad y decorado de los balcones en no interrumpida continuidad por toda ella, y la que da al jardín, opuesta a la principal, es la más decorada y majestuosa, por resultar su centro casi todo de sillería, y estar coronado por un elegante frontón sobre cuyo vértice campean airosamente las armas ducales esculpidas en piedra caliza.

El interior de este hermoso palacio es correspondiente a su grandeza externa. Ocupa en el patio el sitio principal, frente a la entrada del edificio, la suntuosa capilla ducal que comprende en su altura todos los pisos, y está cerrada por una linda cúpula, embellecida con casetones y varios querubines pintados por Maella, de quien es, igualmente, el cuadro del altar mayor, que representa el Nacimiento del Hijo de Dios. La escalera principal a la izquierda del zaguán, es también grandiosa por su ancha y elevada caja, excelentes luces y suave declive: concluye en la meseta del piso principal, en el cual, después de una serie de elegantes salones, se halla, dando al jardín por uno de sus costados, el célebre y sustuoso de baile, que en estos últimos tiempos ha servido para teatro y sesiones de la sociedad del *Liceo* y para bailes de máscaras; la extensión, altura y elegante decoración de esta hermosísima sala con una soberbia bóveda artesonada, la dan el primer lugar entre las de todos los edificios particulares de Madrid. Las demás habitaciones de este palacio, en su piso bajo y principal, son muchas y bellas, y por su espacio dan lugar, no sólo a la espléndida morada de sus dueños, sino que también además han podido servir a la brillante sociedad del Liceo y para alojarse en él embajadores, ministros y hasta príncipes extranjeros, como el Delfín de Francia, duque de Angulema, que ocupó el piso bajo en 1823; el embajador de Francia, general Aupick, en 1848, y actualmente el ministro del Perú, señor Osma. El coste de este hermoso palacio fue, según unos de nueve millones de reales, no faltando quien asegura que subió a treinta y cuatro.

Palacio de Altamira.—Según los diseños que trazó para reedificar este edificio en el último tercio del siglo pasado el célebre arquitecto don Ventura Rodríguez (de que sólo llegó a realizarse una parte por la calle de la Flor Alta), no hay duda que hubiera sido el primero de su clase en Madrid, y tanto que es tradición vulgar que quedó interrumpida la obra por el temor o la sospecha fundada de suscitar rivalidades con la misma regia mansión. La fachada principal del edificio, al tenor de aquellos planes del inmortal Rodríguez y según se figuró con lienzos en la suntuosa decoración que ofreció esta casa para festejar la proclamación de Carlos IV en 1788, había de levantarse en la calle Ancha de San Bernardo y en una extensión de 260 pies con 72 de altura; debía constar de cuatro órdenes de vanos inclusos los sótanos, todo calculado con la mayor elegancia, según se ve en la parte concluida de la calle de la Flor; y en el centro seis columnas istriadas de orden compuesto y pilastras del mismo género por uno y otro lado. La portada con tres arcos de medio punto y dos ventanas intermedias presentaban un cuerpo digno y grandioso. Pero todo esto quedó en planes y principios de ejecución, y la fachada actual del vasto edificio y hasta su interior distribución y ornato, no ofrecen nada desemejante a los demás caserones de la grandeza antigua, si bien en estos últimos años se ha adornado el espacioso portal y escalera de dos ramales al frente.

Palacio de los Duques de Medinaceli.— Frente al moderno de Villahermosa, al terminar la Carrera de San Jerónimo, se levanta este inmenso edificio que comprende con su jardín y demás la enorme extensión de 244.782 pies, pero que sólo tiene de notable esta misma extensión, componiéndose la planta principal por la parte que mira a la calle del Prado, de dos crujias, con piso subterráneo por el que corre una extendida galería de bóveda, bajo, principal y segundo, y ofreciendo por esta parte una prolongada línea de 35 balcones o huecos y el considerable desnivel del terreno permitiéndole la ventaja de que varias salas del piso principal se unen al plano de los jardines llamados de *Venus*, *Espina* y *Hércules*, a la huerta y el picadero descubierto.

Este enorme edificio pudo ser construi-do a los fines del siglo XVI o principios del XVII, y siguiendo el sistema de los grandes señores de aquel tiempo, sólo se trató, al parecer, de coger mucho terreno y hacer un gran caserón sin adorno ni gusto alguno, y en estos mismos términos permanece. Quizá sería mandada su construcción por su ilustre poseedor, el célebre don Francisco Gómez Sandoval, duque de Lerma (entonces marqués de Denia), ministro y privado de Felipe III y después cardenal de la S. I. R. Este poderoso magnate le habitó durante su célebre privanza y reunió también la propiedad de toda aquella inmensa manzana, número 233, que comprende más de millón y medio de pies; en ella, además del ya dicho palacio y jardines, fundó para casa profesa de jesuítas la iglesia y convento que luego fue de capuchinos, y el de los padres trinitarios de Jesús, que comprende hasta la calle de las Huertas, según queda indicado en su respectivo lugar. Déjase conocer por lo dicho la importancia histórica de este palacio en aquella primera época en que residía en él el depositario del poder de la más extensa y rica monarquía del orbe, y las escenas a que servirían de teatro aquellas suntuosas estancias. Posteriormente, habiendo recaído su dominio en los duques de Medinaceli, le habitó como tal don Antonio de La Cerda, gran protector y amigo de los célebres literatos de aquel tiempo; hospedando en él a algunos de los más distinguidos, como Quevedo, que fue preso en el mismo la noche del 7 de diciembre de 1639; Vélez de Guevara, Moreto y otros. Igualmente en una obra francesa, cuyo autor ignoramos, titulada *Histoire publique et secrete de la Cour de Madrid*, impresa en Cologne en 1719, se lee que a la muerte de la reina María Luisa Gabriela de Saboya, en 14 de febrero de 1714, quedó tan afectado su esposo, Felipe V, que no pudiendo sufrir la vista del Real Alcázar pasó a habitar, por consejo de la Princesa de los Ursinos, el palacio del duque de Medinaceli, y que no siendo éste, a pesar de su considerable extensión, bastante capaz para contener a toda la real servidumbre, dispuso la misma duquesa que se ocupase el convento contiguo de los capuchinos, y hasta la misma iglesia, haciendo salir de allí a los

padres, quitar los altares y hasta desenterrar a los muertos, cosas todas que, al decir del historiador, causaron grande escándalo en la población de Madrid.

Las curiosidades que encierra esta gran
casa son infinitas y dignas del mayor aprecio. La Armería, preciosa y rica colección
de armaduras históricas, aunque maltratada en tiempo de los franceses que confis-
caron los bienes del duque; la Biblioteca,
que fue pública hasta 1808, y hoy comprende todavía, a pesar de sus grandes
pérdidas, más de 15.000 volúmenes impresos y manuscritos; la preciosa y rica colección de pinturas de los más célebres artistas nacionales y extranjeros; la de estatuas, bustos y otras esculturas antiguas
y modernas; las riquísimas tapicerías flamencas, y el suntuoso adorno de los salones, espléndidamente decorados recientemente por el señor Duque actual, hacen a
este palacio digna mansión de uno de los
más elevados personajes de la aristocracia
española; así como sus numerosas oficinas
para el despacho de los negocios de tan
vastos estados, el prodigioso número de
dependientes de todas clases con habitaciones cómodas y hasta escuela y maestra
de niñas, y la rica variedad, en fin, de
lujosos trenes y magníficos caballos, marcan bien la opulencia y esplendidez de sus
ilustres dueños.

Palacio del Infantado.—La señora princesa de Salm Salm, duquesa viuda del Infantado, hizo construir en el siglo último
frente a la casa palacio de su difunto
esposo, al fin de la calle de don Pedro,
otro suntuoso edificio, que si bien carece
de majestuoso aspecto exterior, y está como oculto a la vista pública, su fachada
principal, por su forma con un sencillo
pórtico, por su colocación interior, entre
un espacioso patio delantero (*cour d'ho-
neur*) y su extenso y espléndido jardín,
límite de Madrid por aquella parte, recuerda las elegantes mansiones de la aristocracia francesa en el *Faubourg St. Ger-
main*; así como por su interior, decorado
asombrosamente con riquísimos pavimentos de mármoles y maderas finas, preciosos entallados, magníficas puertas y deli-
cadas colgaduras bordadas de seda, de que
están cubiertos sus salones, no tiene nada

que envidiar a la regia mansión de un
soberano. Esta riqueza de decoración, aumentada con las exquisitas pinturas y esculturas, las varias armaduras, muebles y
alhajas primorosas de las opulentas casas
que han venido a reunirse con otras muchas en la persona del actual señor duque
de Osuna y del Infantado, conde-duque de
Benavent, don Mariano Téllez Girón, y la
esplendidez verdaderamente regia del mismo y de su malogrado hermano y antecesor el señor don Pedro Alcántara, pueden sólo explicar el lujo, gusto y magnificencia que se ostentan en aquella suntuosa
mansión. Frente a ella está el otro palacio
que sirvió de habitación a los duques del
Infantado hasta nuestros días, y que hoy
se halla ocupado por la magnífica biblioteca de ambas casas (de que hablaremos
en su lugar) por la suntuosa Armería y
por las oficinas dependientes de aquellos
estados. Todavía las posesiones de estos
se extienden a muchas de aquellas casas,
manzanas y hasta calles enteras por un
lado hasta la costanilla de San Andrés y
plazuela de la Paja, incluso el antiguo palacio tantas veces citado de los *Lassos de
Castilla*, mandado reedificar por el duque
actual en los mismos términos que estaba
antes de su ruina, con el digno objeto de
conservar esta brillante página de la historia madrileña, y otro grande edificio
contiguo, convertido en precioso hospital
o enfermería para los dependientes de la
casa, y por la explanada de las Vistillas
(propiedad de la misma y desmontada recientemente con considerables desembolsos
con el laudable proyecto de convertirla en
una glorieta y paseo público), con varias
huertas, calles y casas contiguas, en una
de las cuales están las suntuosas caballerizas y cocheras, con una copiosa colección
de carrozas y trenes, y caballos magníficos,
digna de un soberano, y un precioso *gua-
darnés* que por sí solo merecía una descripción especial; terminando por aquel
lado las posesiones de esta ilustre casa en
la llamada de *Benavente*, a la cuesta de
la Vega, más allá de la calle de Segovia,
en la cual está hoy la embajada de Francia.

Palacio de los condes de Oñate.—Esta
casa palacio, situada en el sitio más privi-

legiado de Madrid, a la entrada de la calle Mayor, y que comprende la extensa superficie de 34.000 pies, con una línea de 277 en su fachada principal, puede ser obra de los fines del siglo XVI, aunque el adorno de su fachada y balcón principal es más moderno y del gusto apellidado churrigueresco, suntuosa y extraña. A este gran balcón solían acudir antiguamente los reyes a ver pasar las procesiones, y según la marquesa d'Aulnoy, en sus interesantes *Memorias*, desde el mismo presenciaron la entrada de la reina doña María Luisa de Orleans, en 1680, su real esposo Carlos II y la Reina madre. El interior de esta casa ofrece poco ornato artístico, y sólo es muy notable la hermosa capilla u oratorio de planta circular con columnas y coronada por una elevada cúpula; pero sus ilustres dueños conservan la rica colección de esculturas traídas de Italia por uno de sus antecesores y las bellas tapicerías flamencas con que suelen adornar los balcones en ocasión de festejos. En parte del solar que ocupa esta casa estuvo hasta los tiempos de Carlos V la mancebía pública, según aparece de la Real cédula de 28 de julio de 1511, que manda trasladarla a otro punto más distante *cerca de la Cava de la Puerta del Sol* (donde después se fundó el convento del Carmen calzado), en sitio que les fue comprado por la villa al licenciado *de la Cadena*, a María *Peralta* y Francisco *Ximénez*, dueños de ella, para que pudiesen construir otra nueva. Dos de los once sitios de los 34.303 pies que ocupa el actual palacio de Oñate pertenecieron a los dichos Ximénez y Peralta.

OTRAS CASAS DE LA GRANDEZA

Merecerían también descripción especial, que la falta de espacio nos priva de hacer, las casas-palacios de los marqueses de *Villafranca*, calle de don Pedro, en cuyo archivo se custodian las obras manuscritas del P. M. Sarmiento, que forman 14 volúmenes en folio, regalados a la casa por el mismo autor, maestro que fue de uno de los anteriores duques. La de los duques de *Híjar*, en la carrera de San Je-

rónimo, que perteneció en el siglo pasado al marqués de los *Balbases*, y en el anterior al opulento comerciante genovés *Carlos Strata*, marqués de Robledo de Chavela, en cuya casa recibió a Felipe IV, el día 15 de febrero de 1637 y le dio un opulento banquete, partiendo luego de la misma la mascarada real celebrada en el Buen Retiro, para festejar la elevación al Imperio del Rey de Hungría cuñado de Felipe. Hoy esta casa, con el rompimiento de la calle nueva de *Floridablanca*, entre ella y el palacio del Congreso, ha podido levantar una nueva fachada que la da mayor importancia. Su interior es espléndido y grandioso, en especial el salón llamado del *Solio* o de los *Tapices*, en que todos los años recibe el señor Duque, como conde de Rivadeo, el traje que Su Majestad vistió el día de la Epifanía, singular privilegio concedido a sus antecesores en este título por el rey don Juan II, en 1441, en premio de haberle salvado la vida en tal día; hay igualmente en esta casa un lindo teatro en que han solido darse representaciones por la sociedad más escogida de la aristocracia, hasta los primeros años de este siglo. La de los marqueses de *Alcañices*, al extremo de la calle de Alcalá con vuelta al Prado, obra también del siglo XVI, y acaso la única que queda de él en dicha calle, perteneció antes a los duques de Arión, y en el siglo XVII a don Luis Méndez Carrión, marqués del Carpio, y aún ostenta en su esquina la torrecilla con que está señalada en el plano de 1656 y en un cuadro de la época que posee el señor Salamanca. El elegante palacio de los condes del *Montijo* y de *Teba*, en la plazuela del Angel con vuelta a la de Santa Ana, obra del arquitecto don Silvestre Pérez, y cuyos espléndidos salones son bien conocidos de la más brillante sociedad madrileña. La casa frontera, de los condes de *Tepa*, semejante en su forma exterior a la de Villahermosa, y creemos también obra del mismo arquitecto Aguado; las de los marqueses de *Santiago* y de *Miraflores*, contiguas ambas, en la Carrera de San Jerónimo; la reformada completamente en estos últimos años por el señor duque de *Abrantes*, frente a los Consejos; la de los condes de *Cervellón*, calle de Santa Isabel; y otras que no recordamos. Aprovecharemos sólo el momento para citar entre los edificios notables que no hallamos ocasión de describir en su lugar por no estar destinados ya hoy al servicio público, la elegante casa de la calle de Torija, labrada en el siglo pasado por mandado de la suprema *Inquisición*, y para su Consejo, cuyo terrible lema, *Exurge Domine et judica causam tuam*, aun hemos alcanzado a ver esculpido sobre la portada, y que después ha servido de ministerio de la Gobernación y de Gracia y Justicia; y la otra muy semejante, y acaso de la misma mano, titulada del *Nuevo Rezado*, que fue de los monjes jerónimos del Escorial, en la calle del León, donde hoy habita el señor Patriarca de las Indias, y está la Biblioteca de la Academia de la Historia.

Por último, no es posible pasar en silencio las recientes e importantes construcciones siguientes:

Palacio de Su Majestad la Reina Madre. Esta casa, que por su augusta dueña y habitadora, más bien que por su importancia artística lleva el nombre de *Palacio*, perteneció antes a los marqueses de Santa Cruz, y adquirida por Su Majestad la reina doña María Cristina, fue ampliada y mejorada notabilísimamente, siendo nuevo todo lo principal que da a la plazuela de los Ministerios y parte de las calles de las Rejas y de la Encarnación. La fachada nueva e ingreso por dicha plazuela es caprichosa; consiste en dos pabellones, cuyo primer cuerpo es un almohadillado de mampostería con tres vanos de medio punto y pilastras en el segundo cuerpo. Entre estos pabellones corre una verja de hierro con tres puertas, de las cuales la de en medio tiene dos pilares de granito coronados por dos leones, y sirven de entrada a un vestíbulo semicircular, en el que se hallan dos escalinatas cerradas con cristales de colores, que dan subida a las habitaciones del palacio. Este en su distribución interior ha debido subordinarse a lo ya construído anteriormente, y ofrece poco que observar, siendo únicamente en extremo notable por la apropiación de sus muchas y variadas estancias a las necesidades de la vida, por su bello patio y galería central, y los suntuosos salones de baile en la planta baja, y más que todo por el rico adorno, el inmenso número de objetos de bellas artes, y de muebles del mayor gusto con que está decorado.

Palacio del marqués de Casa Riera.— Hállase situado en la calle de Alcalá, con vuelta a la del Turco, este espléndido edificio construído a fines del siglo pasado para servir de habitación y en parte de dote a la señora duquesa de Abrantes, por cuyo título era conocida esta casa, y también por aquella razón por la *Casa de los alfileres*. Dependiente de ésta, y comunicando con la misma por una galería subterránea que atraviesa la calle del Turco están las inmensas cocheras y casa de oficios. Sobre el mismo solar que hoy ocupa la principal, estuvo en lo antiguo la casa que el marqués de Auñon labró en el siglo XVII para su hijo natural don Rodrigo de Herrera, célebre poeta, autor de muchas comedias, entre ellas las tituladas: *Del cielo viene el buen rey* y *La fe no ha menester armas*. Después de la señora duquesa de Abrantes ocuparon este palacio en nuestros tiempos, los marqueses de Ariza y Estepa, el bailío *Tatischef*, embajador de Rusia, el célebre provisionista del ejército francés de Angulema, Mr. *Ouvrard*, que solía dar en él espléndidas funciones en 1824; y adquirido últimamente por el opulento capitalista señor don Felipe Riera, marqués de *Casa Riera*, ha hecho en él obras considerables interiores y exteriores, ha levantado una nueva y suntuosa fachada principal y ha ampliado su ya extenso jardín con otro formado en el solar contiguo del que fue convento de monjas Baronesas, quedando en el día completamente aislado el edificio. Forma éste un paralelógramo rectángulo con cuatro fachadas, dos a las calles de Alcalá y del Turco, una al jardín antiguo y otra al que sirve de ingreso por la principal y moderna, en el terreno de las Baronesas; y está cerrado por la calle de Alcalá con una pared con ventanas y una portada de tres ingresos en el centro. Dicha fachada principal está decorada con pilastras en su centro y extremos, y los huecos de sus balcones con frontones triangulares. El sencillo vestíbulo, la espaciosa escalera y los bellos salones enriquecidos con estatuas y otros adornos son de muy buen gusto; pero el conjunto de todo este edificio luciría más si se llegara a romper por la parte lateral del jardín de las Baronesas la nueva y utilísima calle que se proyectó hasta la de la Greda, frente a la nueva de Jovellanos, con lo cual, y cerrado por aquella parte con una verja dicho jardín, ofrecería en el fondo la vista de la fachada principal del palacio.

Palacio del señor don José de Salamanca.—El señor de Salamanca, hizo construir hace pocos años en el paseo de Recoletos, y en parte del terreno que ocupaba la huerta de los marqueses de Montealegre, condes de Oñate, este bello palacio, que cuando no por su materia, que es de ladrillo, al menos por su buen gusto rivaliza con los más elegantes edificios del Madrid moderno. Está completamente aislado, presentando sus cuatro fachadas, la principal a dicho Recoletos, y consta de planta baja y principal con nueve huecos en cada una. Ocupa el centro la portada, cuyo primer cuerpo tiene ingresos de medio punto, decorados por pilastras con molduras. El segundo cuerpo está más enriquecido de ornatos que el primero, sentando sus huecos sobre impostas sostenidas por columnas y pilastras. Corona todo el edificio una balaustrada interrumpida en los costados por un cuerpo de ventanas. Este palacio, que aun no está concluído del todo, debe recibir muchos adornos de escultura encargados a buenos artistas por su espléndido dueño, y quedará aislado en el centro de un parterre o jardín cerrado ya con una verja de hierro, con un gracioso ingreso de columnas pareadas por el paseo de Recoletos. Su situación pintoresca, su elegancia y buena forma, ofrece un aspecto agradable en extremo; fue su arquitecto director el señor Colomer.

Palacio del marqués de Casa Gaviria.—El último de los edificios particulares a que damos aquel título, porque a nuestro juicio lo merece por su extensión, belleza, y por estar exclusivamente construído para habitación de sus dueños, es el inaugurado espléndidamente con un suntuoso baile en la noche del primero de enero de este mismo año, por el señor marqués de Casa Gaviria, conde de Buena Esperanza. Este hermoso y sólido edificio, sito en la calle del Arenal, presenta una bella fachada de sillería hasta el piso principal, y en sus huecos y sobre una repisa corrida los balcones decorados con frontones semicirculares; el ingreso consiste en un arco de medio punto (que por desgracia no está en el centro de la fachada), y remata el edificio en un segundo piso con ventanas apaisadas, que debiera a nuestro juicio ser más elevado y terminar con una balaustrada o ático que cubriera las mezquinas tejas de la cubierta que quitan la grandeza al conjunto. Pero en lo que realmente ofrece este palacio un modelo de primor, propio de los adelantos y el gusto de la época y del poder de la riqueza, es en su adorno interior, desde la hermosa escalera y patio hasta sus magníficas estancias y galerías, siendo muy de señalar las riquísimas bóvedas, pintadas al fresco por los más señalados artistas, y sobre todo, su regio salón de baile, en cuya descripción habríamos de ocupar algunas páginas.

Del resto del caserío moderno levantado de quince años acá por los primeros capitalistas de España, por la nueva aristocracia mercantil, aunque subdivididos en habitaciones más o menos espléndidas para diferentes familias, queda hablado ya en otro lugar de esta obrita, y por consiguiente excusaremos de repetirlo aquí. Baste decir que las soberbias casas de los señores Santamarca, Barrio, Casariego, Casa Irujo y otras en la calle de Alcalá; Las Rivas, Pérez y Sotomayor en la Carrera de San Jerónimo; Sevillano, Cordero, Mateu, Murga, etc., en las calles Mayor, de Espoz y Mina, de Jacometrezo, de las Infantas, del Barquillo, de la Greda, y otras infinitas, dejan muy atrás en grandiosidad, si no en magnitud, y sobre todo en buen gusto, al prodigio del siglo pasado, a la casa mandada construir en 1756 por don Pedro Astrearena, marqués de Murillo, entre las calles de Hortaleza y Fuencarral.

Monumentos, fuentes y plazas
PÚBLICAS

La villa de Madrid, en su prolongada indolencia, descuidó absolutamente durante casi tres centurias no tan sólo el erigir algunos de aquellos monumentos, duraderos testimonios de su patriotismo y de sus adelantos, sino que ni aun se la pasó por las mientes el disponer sitios a propósito, puntos de vista halagüeños, plazas monumentales, anchas y despejadas avenidas; y a excepción de la Plaza Mayor y la del mediodía del Real Palacio, apenas existía sitio donde colocar decentemente una estatua, una columna, una fuente monumental; así como si no fuera por la Puerta de Alcalá, digno arco triunfal erigido para perpetuar la entrada del gran Carlos III, tampoco quedaría monumento alguno de gloria erigido en los siglos anteriores en la corte española. Los monarcas de la dinastía austriaca, que no dejarían de caer en este descuido de su *muy leal villa de Madrid*, tuvieron la precaución de erigirse estatuas a sí mismos; pero como mandadas y costeadas por ellos, no se les ocurrió el dotar a los madrileños con aquel regalo, sino que las encerraron y levantaron para su propio uso en sus reales sitios de recreo: Felipe III tuvo la suya en la Casa de Campo; Carlos V y Felipe IV, en el Buen Retiro, y Felipe II. en El Escorial Los monarcas de la casa de Borbón dejaron descansar en sus apartados pedestales aquellos antecesores de la rival dinastía, y a la villa de Madrid tampoco se le pasó por la imaginación engrandecer sus plazas con la efigie del fundador de la Corte, Felipe II, o la de su regenerador Carlos III. En cuanto a los hombres ilustres o que han inmortalizado sus nombres con sus hazañas o con sus talentos, Colón, Cortés, Pelayo, El Cid, Gonzalo de Córdoba y Jiménez de Cisneros. tampoco el Concejo de Madrid tenía que ver nada con ellos, y así es que la actual generación recibió esta villa limpia y escueta de todo monumento de adulación monárquica, de entusiasmo histórico, ni de progreso artístico.

Honor y gloria son debidos al rey don Fernando VII, que no sólo dio el ejemplo de aquel movimiento, sino que haciendo abstracción de preocupaciones que por entonces hallaban favor hasta en pueblos muy adelantados, dedicó y levantó en Madrid el primer monumento público y la primer estatua, y no como quiera a alguno de sus augustos progenitores, no a algún magnate histórico o político, sino al príncipe de los ingenios españoles, al pobre manco de Lepanto, al cautivo de Argel, al autor inmortal del *Quijote*. El monumento fúnebre del *Dos de Mayo*, decretado por las Cortes del reino; la puerta de Toledo, dedicada a Fernando VII por el Ayuntamiento de Madrid; el obelisco de la Fuente Castellana, y la fuente de la Red de San Luis, erigidos en memoria del nacimiento y jura de la actual reina doña Isabel II, desplegaron en el reinado anterior aquella idea; y en el actual se le ha dado mayor latitud, con la traslación a la Plaza Mayor y a la de Oriente de las estatuas ecuestres de Felipe III y IV, y la erección de la de Isabel II, delante del Teatro Real, aunque después se ha retirado de aquel sitio para colocarla en otro más conveniente.

Pero en nuestra opinión, y siguiendo el sistema de ver en esta clase de monumentos algo más que una obra artística o un objeto de adorno, y creyendo que en su elección y colocación debe guardarse la posible analogía con la historia local, para servir de páginas vivas y elocuentes de los hechos históricos, pensamos que no todas aquellas estatuas están hoy bien colocadas, y que en los sitios que ocupan hacen falta otras más oportunas.

Creemos, pues, que en la plaza de Oriente del Real Palacio, y en el centro del círculo de los monarcas y caudillos de los diversos reinos españoles, debía alzarse la estatua de la gran *Isabel la Católica*, que, a más de ser la más grande figura histórica de nuestro país, reunió en su mano los diversos cetros que empuñaron aquellos monarcas; y en la del mediodía, tan desamparada y sola, la expresiva efigie de Felipe II. a quien Madrid debe el rango de Corte, o la de Felipe V que levantó aquel palacio y fundó en nuestra España la dinastía de Borbón. En cuanto a la de Felipe IV que se trajo del Retiro para colocarla a falta de otra en la primera de aquellas plazas, nosotros la volveríamos a la entrada de aquel Real sitio, fundación del mismo Monarca, y donde habla algo a la imaginación la imagen del protector del Conde Duque, del caballeresco *ingenio de esta Corte*. La de *Felipe III*, colocada en la Plaza Mayor está en su sitio propio, porque es lo único que legó a Madrid su reinado. La que existe en el Museo, del emperador *Carlos V*, debe ser colocada en la plazuela de la Villa, delante del palacio del cardenal Cisneros, y de la Torre de los Lujanes en que estuvo prisionero Francisco I. La de *Isabel II* diría mejor delante del palacio del Congreso, levantado en su reinado, y abierto por sus augustas manos. Y la de *Cervantes* (que se despega naturalmente de aquel sitio) la trasladaríamos a la plazuela de Santa Ana o a la del Angel delante de la embocadura de la calle de las Huertas, donde habitó también aquel grande ingenio, *frontera de las casas donde solía vivir el príncipe de Marruecos*.

Por último, creemos que la villa de Madrid tiene un gran deber que cumplir, erigiendo una estatua digna al inmortal *Carlos III*, su hijo y verdadero restaurador, la cual pudiera colocarse en el medio punto que se forma entre el *Museo* y el *Botánico* en el paseo del Prado, y al frente de la real Platería, creaciones todas de aquel gran Monarca; o en la *Puerta del Sol*, a la vista de los edificios de la Aduana, Correos. Imprenta, Historia Natural, y otras obras suyas también, y sitio principal de Madrid.

De este modo, la corte de España, ostentando sus sentimientos patrióticos y de gratitud a los monarcas que le han engrandecido, ofrecería también la protección que debe a las artes, y pruebas materiales de su patriotismo y su cultura.

Habiendo de comprender también en la descripción que sigue de las plazas públicas la de los dichos monumentos y fuentes que hoy las decoran, sólo haremos excepción especial del consagrado a la memoria del Dos de Mayo, por su mayor importancia histórica, y por no hallarse colocado en alguna de aquellas plazas.

Monumento del Dos de Mayo.—En 21 de mayo de 1814 decretaron las Cortes que se levantase una sencilla pirámide en el sitio mismo en que fueron inmolados los patriotas madrileños el día 2 de mayo de 1808 en el paseo del Prado a la izquierda de la subida del Retiro, consagrando dicho sitio bajo el título de *Campo de la Lealtad*; a su consecuencia el Ayuntamiento de Madrid en 1822 publicó un programa, invitando a los profesores de bellas artes a presentar modelos de este monumento, y en esta concurrencia obtuvo el premio el arquitecto mayor de Palacio don Isidro Velázquez, cuyo modelo, con muy ligeras alteraciones, es el que al fin se ha terminado en 1840; siendo trasladadas a él con solemne pompa las cenizas de DAOIZ y VELARDE y demás víctimas madrileñas.

La descripción de este elegante monumento es la siguiente: su primer cuerpo consiste en un zócalo de planta octogonal, o de ocho lados y ángulos de piedra berroqueña común azulada, de 10 pies de alto por su frente principal y mayor desnivel del terreno, con 51 pies de diámetro en su plano horizontal; conteniendo en su frente, espalda y costados, cuatro graderías rectas que conducen al sobretecho de este cuerpo, en el cual y lados laterales a las gradas, van colocados cuatro hermosos flameros de las mismas clases de piedra que la del monumento.

El segundo cuerpo representa un grandioso sarcófago de planta cuadrada de 23 pies de línea, en cada una de sus frentes, por 21 pies y medio de alto, hecho su neto de piedra berroqueña tostadiza, que imita en su color al granito oriental y sus molduras de piedra blanca de Colmenar, con su zócalo y tapa de piedra beroqueña azulada. En los cuatro frentes de este cuerpo, se observan en el principal un grande vaciado en el que va colocada la urna que encierra las cenizas de las víctimas; ésta es de piedra blanca de Colmenar o de mármol, cuyas dimensiones son 8 pies y medio de alto y 8 y tres cuartos de largo.

En el frente o fachada opuesta y en otro vaciado semejante, va incrustado un bajo relieve en la misma piedra blanca, que representa a la España en el león sosteniendo con su garra el escudo de las armas de la nación; en las jambas laterales a estos dos vaciados van también incrustados en la principal dos graciosos lacrimatorios y en la opuesta dos antorchas con la mecha hacia abajo, ejecutado de piedra blanca; en ambas fachadas laterales hay lápidas en que se leen las inscripciones siguientes. En la de la derecha mirando al Tívoli, dice: *Las cenizas de las víctimas del Dos de Mayo de 1808 descansan en este Campo de la Lealtad regado con su sangre. Honor eterno al patriotismo.* En la de la izquierda dice: *A los mártires de la independencia española, la nación agradecida. Concluído por la muy heroica villa de Madrid en el año de MDCCCXL.*

En los cuatro frentes de la tapa o frontón van colocados en sus centros, en el principal una medalla en bajorrelieve de los retratos de *Daoiz y Velarde*, que en unión del heroico pueblo sucumbieron en el memorable día 2 de mayo de 1808; a su opuesto, el escudo de las armas de la villa de Madrid, y a sus laterales coronas de laurel acompañadas de ramos de ciprés y de roble; toda esta escultura es trabajada en la referida piedra blanca de Colmenar.

Sobre este cuerpo se eleva el tercero, que consiste en un zócalo octogonal de la piedra berroqueña tostadiza de 3 pies y medio de alto por 16 de diámetro, sobre el cual está colocado un pedestal de orden dórico en planta cuadrada de 9 pies y medio de lado por 15 de alto, hecho de piedra berroqueña azulada, con sus molduras de la blanca, decorando sus frentes con cuatro estatuas de 9 pies de alto de la misma piedra blanca de Colmenar, que representan el Patriotismo, el Valor, la Constancia y la Virtud del pueblo español.

El cuarto y último cuerpo le constituye un majestuoso y proporcionado obelisco de 5 pies y medio de lado en su planta cuadrada por 52 y tres cuartos de altura hasta su cúspide, construído de la misma piedra tostadiza que imita a granito oriental como los obeliscos egipcios. Al pie del mismo, y en el lado de enfrente se lee esta inscripción: DOS DE MAYO.

La ejecución de esta obra artística, conforme al diseño de Velázquez, corrió a cargo del arquitecto de villa don Juan Pedro Ayegui; las estatuas y demás adornos de escultura son de los profesores Elías, Tomás, Medina y Pérez. Posteriormente en 1848, siendo corregidor el Conde de Vistahermosa, se niveló mejor el terreno o campo que circuye al monumento, se construyó la nueva cerca y escalinatas con la elegante verja que le limita.

FUENTES PÚBLICAS

El estado ruinoso de varias de las fuentes públicas de Madrid, su forma mezquina o ridícula, y más que todo, su mala colocación respecto al servicio de aguadores a que están destinadas, obligó hace algunos años a la corporación municipal a pensar en la reforma y traslación de algunas de ellas. Así empezó a verificarse en los últimos años del reinado anterior, sustituyéndose a la antigua y ridícula de la Red de San Luis, la nueva que existe actualmente en el mismo sitio; y posteriormente las de las plazuelas de la Cebada, Progreso y Bilbao, por otras muy sencillas y poco notables en su forma; suprimióse después la llamada del Cura en la calle del Pez, y la de la calle de Valverde, y por último se han trasladado a otros sitios la de la Puerta del Sol, la del Ave María, la de Puerta Cerrada y la de la Villa. El objeto de estas traslaciones y nueva construcción ha sido indudablemente el de retirar de los puntos más frecuentados el obstáculo material que oponían a la circulación, y el repugnante espectáculo de los aguadores, con su innumerable escuadrón de cubetas, sus voces, riñas y cantinelas.

Todavía falta mucho que hacer para llenar el objeto; pero lo hecho en poco tiempo nos pone en el caso de esperar que llegará a realizarse el complemento de esta última mejora. Para ello debe, pues, a nuestro entender, suprimirse el servicio de aguadores de las fuentes siguientes: *Cibeles*, a la entrada del Prado; *Red de San Luis*, o calle de la Montera; *Galápagos*, calle de Hortaleza, y *Antón Martín*, calle de Atocha; quitándose la de la *plazuela de Santa Cruz*, o de Provincia; la del *Soldado*, en la calle de San Marcos; la de *San Antonio de los Portugueses* y la de *San Juan*, o sustituyéndolas por caños de vecindad. Para el servicio general de aguadores, hay que construir de nuevo una abundante, aunque sencilla en la forma,

n la *plazuela del Duque de Frías*, que
eunirá los de la Cibeles y el Soldado;
tra en la *plazuela de Santa Bárbara*, para
os aguadores de la de los Galápagos y la
e Fuencarral; otra en la *plazuela del Con-
e de Miranda*, para los de la Provincia;
tra en la *plazuela del Carmen*, para los
e la Red de San Luis; otra en la *plazuela
e Jesús*, para los de la calle de San Juan;
otra, en fin, en la *plazuela de los Mos-
enses*, para los de la antigua de la misma
lazuela y la de San Antonio de los Por-
ugueses. De este modo quedarán expéditos
os sitios, y conservadas las fuentes princi-
ales, disimulándose al mismo tiempo un
ervicio indispensable, aunque repugnante
n la forma y modo que en Madrid tiene
ue hacerse hasta hoy.

Hecha esta breve introducción y reseña
e las fuentes públicas respecto a su objeto
rincipal del servicio del vecindario, vamos
hora a hacer una ligera descripción de su
orma artística, empezando por las más
nodernas construídas, y que por hallarse
uera de las plazas cuya descripción nos
cupará después, no pueden tener cabida
n éstas.

Fuente de Lavapiés.—La primera, o del
Ave María, que se hallaba en la calle de
este nombre, en sitio poco conveniente, ha
sido trasladada más abajo, a la plazuela
e Lavapiés. El sitio no puede ser más a
ropósito y desahogado en el centro de
na plaza a que confluyen muchas calles
rincipales, y su forma monumental, gra-
iosa y sencilla, juega bien con el arbo-
ado que la rodea y la da un aspecto pin-
oresco. Y no sólo hay que alabar en su
ejecución el buen gusto del arquitecto de
villa don Martín López Aguado, sino también la notable economía y artificio con
que ha sabido formar un elegante monumento con trozos o detalles de otras cons-
rucciones que yacían arrinconados en los
almacenes municipales.

Consiste, pues, la actual composición, en
un zócalo general de piedra berroqueña,
sobre el que se ha colocado un cuerpo de
arquitectura octógono, con cuatro caras re-
saltadas en los centros, y decorado con ba-
samentos y cornisa de buen contorno, y en
los planos de relieve, recortes en la piedra,
según el gusto de la arquitectura refor-

mada; este cuerpo sostiene el pedestal de
piedra blanca, el cual tiene los ángulos en
forma de cubillo, y está decorado con su
cornisa y zócalo; éste lleva una moldura
con hojas talladas y en su arquitrave adornos arabescos; agrupan con este pedestal
las armas de la villa y dos conchas de piedra en los frentes; terminando la composición una bonita estatua de Adonis (que
estaba en la fuente de Puerta de Moros, y
que ha sido restaurada), con cuyo remate
forma un todo agradable y nada discordante. Por último, hay que alabar la buena disposición del recinto, cerrado con pilares y verja de hierro que circunda a la
fuente, para depósito de las cubetas, y las
perchas de bronce para colgar los llena-
dores.

Fuente de la calle de Segovia.—En sus-
titución a la antigua fuente, sita en la plazuela de Puerta Cerrada, que estaba ruinosa, se ha construído una nueva en el
murallón que pertenece al jardín de las
religiosas del Sacramento, dando frente a
la calle de Segovia, o más bien a la pequeña plazuela llamada de la Cruz Verde.
Esta obra arquitectónica es única de su
clase en Madrid, no sólo por su forma, sino
también por tener un inmenso depósito
para el agua, construído dentro del jardín
del convento, con objeto de contener la que
guardaban los aguadores en su repugnante
escuadrón de cubas, con las que obstruían
el paso y ofrecían otros grandes inconvenientes. Dicho depósito está construído con
todas las reglas del arte y puede contener
mil y quinientas cubas de agua, extrayén-
dose éstas cómodamente por medio de cuatro llaves, y quedando además tres para
verter el agua que reciben directamente
de las cañerías.

La forma arquitectónica de la obra, es
sencilla y de carácter greco-romano; si
bien sus adornos y escultura suelen apar-
tarse de él por haber pertenecido anteriormente a otros monumentos y sido adapta-
dos a éste lo mejor posible, sin desdecir
por ello violentamente del todo de la composición. Empieza por un basamento general de piedra berroqueña, del que hacen
parte tres pilones que al frente y costados
se miran, y sobre él sienta un zócalo de la
misma piedra, formando con toda la obra

tres grupos: el principal o del centro, compuesto de pilastras de piedra blanca, dejando entre ellas y con bastante fondo un plano de fábrica de ladrillo agramilado, en que se halla colocada una gran lápida de piedra blanca con su imposta, sobre la cual descansa un bonito escudo de las armas de la villa. Dicha lápida contiene la inscripción que expresa el año 1850 en que se ha concluído la fuente. Este cuerpo principal tiene su cornisamento de piedra berroqueña, y sobre un punto de piedra blanca se eleva la linda estatua que representa a Diana (la misma que se veía en la antigua fuente de Puerta Cerrada), con la cual agrupan dos delfines. Los dos cuerpos laterales dejan también entre sus pilastras sus correspondientes centros o entrepaños de fábrica de ladrillo, y en ellos hay colocadas dos hermosas lápidas con recuadros para bajos relieves; ambos costados juegan bien con el todo, si bien los planos rehundidos dan más fuerza de claro-oscuro, por medio de unos arcos rebajados que en ellos se miran. Corona a estos cuerpos laterales una imposta de piedra blanca, y agrúpanse con el del centro formando un conjunto de buenas dimensiones y de elegante forma. Completan la decoración siete grandes florones de bronce con sus llaves correspondientes, dotadas cada una de un bonito tubo movible para llenador en vez de las mezquinas cañas de que antes hacían uso los aguadores. Por último, se ha revocado el murallón del jardín sobre que descansa la fuente, siguiendo una decoración análoga a ésta; y se ha colocado además a su alrededor el guardarruedas de piedra con su verja de hierro para contener dentro las cubetas.

Fuente vecinal de Puerta Cerrada.—En el sitio donde existía la antigua de este nombre y que se ha demolido, se ha formado un caño de vecindad. aunque con mayores pretensiones y mayor dotación de agua que los otros de esta clase establecidos hace pocos años en diversos puntos de la capital. Consiste en un basamento de piedra berroqueña y de poca altura. con dos piloncillos de buen perfil; encima hay un pedestal de buen dibujo y proporciones, con su zócalo y corona de formas sencillas, que sostiene una elegante columna de hie-

rro fundido, coronada por una hermosa fa rola para alumbrar aquel espacio. Hay qu observar, que a este caño y a los de igua clase construídos anteriormente, se ha aplicado unas llaves cuyo ingenioso meca nismo los hace quedar cerrados por la fuer za de un muelle, y abrirse por medio d una pequeña presión, con lo cual se pro duce una notable economía de agua.

Fuente de la Escalinata.—Habiéndos demolido la fuente antigua existente en l plazuela de la Villa, se ha construído otr de nueva planta por bajo de la escalinat que baja de la Plaza de Isabel II a la an tigua calle de los Tintes. La forma es su mamente sencilla, consistiendo en un zóca lo de piedra berroqueña, del que hace part el pilón, y sobre el que carga un cuerp de arquitectura compuesto de dos pabe llones en forma de pilastras que resaltar dejando en el centro un entrepaño con u plano rebajado, donde van colocados lo dos caños, terminando el todo en un punt que sostiene unas armas de piedra deco radas con buen gusto.

Fuente de la Red de San Luis.—El ayun tamiento de esta capital, en 1830, deseos de dar un testimonio de su alegría por e feliz natalicio de doña Isabel II, dispus sustituir a la mezquina fuente existente e la Red de San Luis otra de mejor gusto correspondiente al sitio principal que ocu pa, y es en la forma siguiente:

Sobre un gran zócalo de sencillas for mas, en el que resulta una especie de cas cada, se eleva una gran taza de piedra be rroqueña tallada de hojas de agua, y acom pañada a su pie de cuatro delfines enros cados por la cola de dos en dos, y sujeto por cuatro geniecillos en diferentes actitu des. En medio de la taza hay un surtido que arroja el agua por medio de una ca racola colocada sobre un terrazo. La desti nada al servicio público la arrojan dos ra nas y dos galápagos, cuyas cuatro pieza están vaciadas en bronce, lo mismo que l caracola. Los delfines arrojan agua por l boca, y ésta, lo mismo que la de la taza baja arrastrando por la cascada a recoger se en el pilón, que es un perímetro de bella formas. El proyecto y ejecución de est fuente, corrió a cargo del arquitecto don rancisco Javier Mariátegui, y toda la parte de escultura fue ejecutada por el profesor don José Tomás.

De las demás fuentes, situadas en las plazas y paseos, hablaremos en su respectivo lugar.

PLAZAS

Dijimos antes que Madrid es sumamente escaso de plazas públicas, y tanto que sólo tres o cuatro merecen este título por su grandiosidad y buena forma, y por haber sido construídas expresamente. Las demás, hasta el número de 72 que figuran en la estadística topográfica, están debidamente calificadas por el buen sentido público, con el diminutivo de *plazuelas*, y no pasan de ser ensanches más o menos sensibles de algunas calles, como las de Provincia, Consejos, Ministerios, Santa Bárbara, La Leña, Trujillos, etc., o encrucijadas (*carrefours*) a donde vienen a convergir diversas otras, como la Puerta del Sol, Antón Martín, Lavapiés y Santo Domingo; o bien han resultado recientemente con la desaparición de uno o más edificios o manzanas, como las de Santa Ana, Progreso, Mostenses, Bilbao y alguna otra. De las más principales por su buena forma o importancia histórica hacemos especial mención.

Plaza Mayor.—Desde los tiempos de Juan II, a principios del siglo XV, viene haciéndose ya mención de la *plaza del Arrabal*, extramuros de la puerta de Guadalajara, en el sitio mismo que ocupa hoy la *Mayor* y más central de la villa, aunque por entonces debió ser de forma irregular y cercada de mezquinas casas propias de un arrabal; pero a medida que éste fue creciendo en importancia y dedicándose al comercio la parte inmediata a la antigua entrada principal de la villa, fueron también renovándose aquéllas, y dando lugar a otras generalmente destinadas a tiendas y almacenes, algunas construídas por cuenta de la villa, como lo fue la *Panadería*, *Carnicería* y otras (1).

El estado de deterioro a que había venido la plaza a principios del siglo XVII, movió al rey don Felipe III a disponer su completa demolición y la construcción de una nueva, digna de la corte. A este fin dictó las órdenes convenientes a su arquitecto Juan Gómez de Mora, uno de los más aventajados discípulos de Juan de Herrera, el cual la dio terminada en el corto espacio de dos años (en el de 1619), ascendiendo su coste total a 900 000 ducados.

Tiene su asiento en medio de la villa formando un espacio cuadrilongo de 434 pies de longitud por 334 de latitud, y 1.536 en la circunferencia; antes de su renovación total ofrecía una gran simetría en su caserío, que constaba de cinco pisos sin los portales y bóvedas con 75 pies de alto y 30 de cimientos, y con salidas a seis calles descubiertas y tres con arcos; en sus cuatro frentes había 136 casas (2)

---

(1) En una real provisión que existe en el archivo de Madrid, del rey don Felipe II, fecha en Barcelona a 17 de septiembre de 1595, cometida al licenciado Cristóbal de Toro, para que informase «qué costaría ha er unas tiendas en la *plaza del Arrabal*, y si seguiría utilidad en hacerlas quedando en fábrica para los propios de la villa», advertimos de paso la circunstancia de que, aun tres siglos después de la ampliación de Madrid con la nueva cerca, y hasta treinta y más años posterior al establecimiento de la corte en ella, se seguía apellidando el *Arrabal* a la parte de población exterior a la antigua muralla.

(2) No acertamos a combinar este número de casas que dan a la antigua plaza todos los escritores de la época, con el que aparece de la *Planimetría* y Registro general para la visita de Aposento verificada en mediados del siglo pasado, por la cual se demuestra que el número de dichas casas de la plaza era sólo el de 68, la mitad exacta de las 136 de que hablan los escritores; a menos que estos no adoptasen del lenguaje común de entonces la calificación vulgar de *un par de casas* que solía darse a los edificios que constaban de más de un piso, en cuyo caso los 68 pares de la plaza representarían el citado número de 136. Por lo demás, el espacio de éstas era tan reducido aún para 68, que las más de ellas andaban entre 200 y 600 pies de superficie, lo suficiente para una tienda en el piso bajo y otra pieza en cada uno de los superiores, a que se subía por una empinadísima escalera, de que puede verse muestra en la única casa que queda de aquella época, y es la señalada con el número 1 antiguo, 6 nuevo de la manzana 195. A propósito de esta casa, debemos decir que no es cierto, como han asegurado los periódicos, que perteneciese en el siglo XVII a la comedianta *María Calderón*, favorita de Felipe IV y madre de don Juan de Austria, ni por consiguiente sea exacta la suposición de haberla

con 477 ventanas, con balcón y habitación para 3.700 vecinos, pudiendo colocarse en ellas con ocasión de fiestas reales hasta 50.000 espectadores. Los frontispicios de las casas eran de ladrillo colorado, y estaba coronada por terrados y azoteas cubiertas de plomo y defendidas por una balaustrada de hierro. Esta y las cuatro hileras de balcones de los distintos pisos estaban tocados de negro y oro, todo lo cual y su rigurosa uniformidad le daban un aspecto verdaderamente magnífico.

La relación de los sucesos, ya trágicos, ya festivos, de que desde su construcción hasta el día ha sido testigo esta plaza, nos dio materia a un largo artículo que publicamos en 1845; pero limitados hoy a más estrechos términos, indicaremos sólo los más principales.

El primer suceso histórico a que sirvió de teatro esta plaza tuvo lugar a 15 de mayo de 1620, pocos meses después de concluída la nueva. Celebrábase aquel día por la villa la beatificación del glorioso *Isidro Labrador* con una solemne función, para festejar la cual, se armó en la plaza un castillo con muchos artificios y fuegos, que se quemó por descuido, terminándose la función con un certamen poético para nueve temas que propuso la villa, y de que fue secretario el célebre *Lope de Vega*, que después le publicó.

Por auto acordado de 30 de junio del mismo año, se puso *tasa* en los balcones de la misma plaza para las fiestas reales, señalando el precio de doce ducados para los primeros, ocho para los segundos, seis para los terceros y cuatro para los cuartos, lo cual se entendía sólo por las tardes, pues el disfrute de las mañanas era de los inquilinos de las mismas casas.

Habiendo fallecido Felipe III en 31 de

---

hecho la Reina retirar de sus balcones en una función de toros. Esta casa pertenecía, según nuestras noticias, en la época a que se alude, al mayorazgo de Sebastián Vicente, que poseyó después el marqués de Huerta. El cuento del balcón se refiere, sin duda, a otra casa más hacia la esquina de la calle de Boteros, que no existe ya, en la cual se veía un balconcillo fuera de alineación, que llamaba el vulgo el *balcón de Marizápalos*, y al cual se refería la tradición de haber sido improvisado una noche de orden del Rey para que pudiera presenciar la fiesta una de sus favoritas, que no tenía balcón.

marzo de 1621, levantó Madrid pendone por su hijo Felipe IV en 2 de mayo si guiente, celebrándose esta ceremonia co grande aparato en la nueva Plaza Mayor

Más trágica escena se representó en ést a 21 de octubre del propio año, alzándos en medio de ella el público cadalso en qu fue decapitado el célebre ministro y valid *don Rodrigo Calderón, marqués de Siet Iglesias*; y viendo Madrid con asombr rodar a los pies del verdugo la cabeza de mismo magnate que pocos meses antes ha bía visto pasear aquella plaza con gallar día al frente de la guardia tudesca, cuyo capitán era; catástrofe memorable que l pronosticó el también desgraciado cond de Villamediana, con motivo de cierta re yerta que en las fiestas anteriores tuv don Rodrigo en la plaza con don Fernando Verdugo, capitán de la guardia española, en aquellos versos que decían:

"¿Pendencia con Verdugo, y en la plaza? Mala señal por cierto te amenaza."

El domingo 19 de junio de 1622 celebró Madrid la canonización del mismo patrón *San Isidro Labrador*, al propio tiempo que la de los Santos *Ignacio de Loyola, Francisco Javier, Teresa de Jesús y Felipe Neri*, con grande solemnidad de altares en la plaza y calles del tránsito, procesiones, máscaras y luminarias; cuya pomposa relación publicó *Lope de Vega*, autor de las dos comedias representadas en aquella ocasión a los Consejos y Ayuntamiento en la misma Plaza Mayor, y cuyo argumento está tomado de la vida de San Isidro.

Con motivo de la venida del príncipe de Gales a la corte de España en 1623, con el objeto de ofrecer su mano a la infanta doña María, hermana de Felipe IV, puede decirse que los seis meses que estuvo en Madrid, hasta 9 de setiembre en que salió para Inglaterra, fueron una serie no interrumpida de festejos asombrosos; pero no siendo nuestro intento por ahora detenernos a describir aquella brillante época, fijaremos sólo la atención un momento en las solemnes *fiestas de toros*, celebradas para obsequiar al príncipe en la Plaza Mayor el día primero de junio. Para ello se puso otro balcón dorado junto al de Sus Majestades, y habiendo venido la Reina en silla, por hallarse preñada, acompañándola a pie el Conde Duque de Olivares y el de Benavente, el marqués de Almazán y dos alcaldes de corte, ocupó su balcón con los infantes e infanta doña María; en el otro balcón nuevo, dividido con un cancel o biombo, se colocó el Rey con el príncipe inglés. En esta fiesta, dicen los historiadores madrileños, que fue la primera en que se introdujo sacar de la plaza los toros muertos por medio de mulas; peregrina invención que atribuyen al corregidor don Juan de Castro y Castilla. Ultimamente, para celebrar el ajuste del próximo casamiento del príncipe con la infanta (que al fin no llegó a verificarse), dispuso el Rey una solemne *fiesta real de cañas* para el lunes 21 de agosto, arreglándose diez cuadrillas, que regían el corregidor de Madrid, el conde de Oropesa, el marqués de Villafranca, el almirante de Castilla, el conde de Monterrey, el marqués de Castel Rodrigo, el duque de Cea, el duque de Sesa, el marqués del Carpio y el Rey en persona. Merece leerse la suntuosa descripción que hacen los historiadores de esta fiesta, como una de las más magníficas que ha presenciado la corte de España, pasando de quinientos el número de caballos que entraron en ella, soberbiamente enjaezados y montados por los más bizarros personajes. La Reina y la Infanta (a quien llamaban *Princesa*) asistieron al balcón de la Panadería, y *se permitió a dicha infanta usar los colores del príncipe, que era el blanco.* Luego entró en el balcón el Rey con el príncipe e infante, y por orden de Su Majestad *se quitó el cancel que estaba puesto entre ambos balcones, quedando el príncipe de Gales al lado de la infanta su prometida, con sólo la reja de hierro en el medio.* Corriéronse primero algunos toros, y luego pasó el Rey a vestirse a casa de la condesa de Miranda, desde donde vino a la plaza con su cuadrilla, empezando Su Majestad la primera carrera con el Conde Duque de Olivares; y así que se avistó la real persona, se levantaron la Reina, el príncipe, la infanta, el infante, los Consejos, tribunales y la demás concurrencia que llenaba la plaza, y estuvieron descubiertos hasta que Su Majestad terminó la carrera, siguiendo luego las demás escaramuzas y juegos todas las demás cuadrillas.

señalándose en todas ellas la del Rey, cuya gallardía y juventud (tenía a la sazón 18 años) dio mucho que admirar al concurso todo.

Espectáculo de muy diverso género presentó la Plaza nueva el día 21 de enero de 1624 en el *auto de fe* (el primero de que se hace mención en ella) celebrado por la inquisición para juzgar al reo Benito Ferrer por fingirse sacerdote.

Entre las varias *fiestas reales* celebradas en aquella época, merece mencionarse la *de toros y cañas* que hubieron lugar en esta Plaza a 12 de octubre de 1629, para celebrar el casamiento de la misma infanta doña María (antes prometida del príncipe de Gales), con el rey de Hungría, a cuya fiesta asistió la misma infanta, y acabada aquella salió de Madrid para reunirse con su esposo en Alemania.

El 7 de julio de 1631 fue bien trágico para la Plaza Mayor; pues habiéndose prendido fuego en unos sótanos cerca de la carnicería, tomó tal incremento, que corrió hasta el arco de Toledo, desapareciendo en breves horas todo aquel lienzo. Duró el fuego tres días; murieron doce o trece personas y se quemaron más de cincuenta casas, cuya pérdida se valuó en un millón y trescientos mil ducados. No obstante los socorros humanos acudieron a los divinos, llevando a la plaza el Santísimo Sacramento de las parroquias de Santa Cruz, San Ginés y San Miguel, y levantando altares en los balcones, donde se celebraban misas. Colocáronse también las imágenes de Nuestra Señora de los Remedios, de la Novena y otras varias, siendo extraordinaria la agitación y pesadumbre que tan extraordinario suceso ocasionó en el vecindario.

Sin embargo, no dejaron de correrse pocos días después *los toros de Santa Ana*, en la misma plaza a 16 de agosto siguiente (1); los reyes mudaron de balcón y asistieron a la fiesta en uno de la acera de *los Pañeros*, porque en la casa de la Panadería había enfermos de garrotillo; y sucedió que a lo mejor de la fiesta corrió

---

(1) Las fiestas ordinarias de toros eran tres al año, y se celebraban en la Plaza Mayor en los días de San Isidro, de San Juan y de Santa Ana.

rápidamente la voz de ¡*fuego en la Plaza*! ocasionada por el humo que veían salir de los terrados, y era la causa de que unos esportilleros se habían colocado a ver la fiesta sobre los cañones de las chimeneas del portal de *Mauleros y Zapatería*. La confusión que esta voz produjo por el recuerdo de la reciente catástrofe fue tal entre los cincuenta mil y más espectadores que ocupaban la plaza, que unos se arrojaron de los balcones, otros de los tablados; en las casas de Zapatería reventaron las escaleras, muriendo en todo y estropeándose multitud de personas; y gracias a que el Rey conservó la serenidad y permaneció en su balcón, mandando continuar la fiesta para asegurar a los alucinados.

Otro *auto de fe* celebró en esta plaza la Inquisición de Toledo en 1632, con asistencia de la Suprema y de los Consejos de Castilla, Aragón, Italia, Portugal, Flandes y las Indias. Juzgóse en este auto a treinta y tres reos por diferentes delitos de herejía, cuya relación imprimió el arquitecto Juan Gómez de Mora. El Rey y su familia asistieron a esta solemnidad en el balcón séptimo del ángulo de la Cava de San Miguel.

A consecuencia de la causa de conspiración contra el Estado, formada al duque de Híjar, don Rodrigo de Silva, al general don Carlos de Padilla y al marqués de la Vega, fueron degollados en público cadalso los dos últimos en la Plaza Mayor el viernes 5 de noviembre de 1648 (1).

El reinado de Carlos II, el *de los hechizos*, ni durante su larga minoría, ni después que tomó las riendas del gobierno, prestó ni pudo prestar a la corte de España aquel colorido brillante, poético y caballeresco que el anterior, distando tanto el carácter e inclinaciones del nuevo Monarca de las que su padre había ostentado toda su vida, y apenas tuvo lugar de presenciar en la Plaza Mayor aquellos magníficos espectáculos de que tan grata memoria conservaba.

_____

(1)) Hasta que en 1790 se trasladó a la plazuela de la Cebada el sitio de las ejecuciones de los reos, tuvo lugar en esta plaza, levantándose el cadalso frente a la Panadería: cuando era de garrote, delante del portal de Paños; y si era de horca o para los degollados, en la parte de las carnicerías.

Hubo sin embargo algunos paréntesis halagüeños en aquella época doliente y monacal; y tal fue sin duda el que ocasionó el regio enlace de Carlos con la princesa *María Luisa de Orleáns*.

Pero debemos hacer mención de otro episodio desgraciado en esta plaza, y fue un segundo incendio ocurrido la noche del 20 de agosto de 1672, que devoró muchas casas y la Real de la *Panadería*, la cual fue levantada de nuevo en el espacio de diecisiete meses, merced al empeño del privado Valenzuela. Pero volvamos a María Luisa de Orleáns.

La solemne entrada de esta desgraciada Reina en 13 de enero de 1680 sirvió de ocasión al pueblo madrileño para desplegar su natural alegría, y a la corte de España para ostentar aún las últimas llamaradas de la antigua grandeza. Entre la multitud de festejos celebrados con este motivo, las *fiestas reales* de toros, que tuvieron lugar en la plaza Mayor, fueron acaso las más señaladas. Una autora francesa contemporánea describe aquella regia fiesta con brillantes pinceladas que transcribimos en el citado artículo y que por la brevedad tenemos que suprimir aquí.

Contraste formidable con esta fiesta presentó en el mismo año aquella plaza con el memorable *auto de fe* de 30 de junio. La relación de esta trágica escena publicada por José del Olmo es demasiado conocida y anda en manos de todos para que nos detengamos en renovarla. Diremos sólo que en ella, como en el último alarde solemne de su poderío, ostentó la suprema Inquisición todo aquel aparato terrible a par que magnífico con que solía revestir las decisiones de su tribunal. Desde las siete de la mañana hasta muy cerrada la noche duró la suntuosa ceremonia del juramento, la misa, el sermón, la lectura de las causas y sentencias. El Rey y la Reina (aunque esta última debe suponerse que a despecho de su voluntad tierna y apasionada) permanecieron en los balcones de la Panadería las doce horas que duró aquel terrible espectáculo, y lo mismo hicieron los Consejos, tribunales, grandes, títulos y embajadores.

La descripción minuciosa de las ceremonias y el aspecto soberbio e imponente que presentaba la plaza, henchida de espectadores; la noticia de los nombres, cualidades, causas y sentencias de los reos, que ascendieron a más de ochenta, de los cuales *veintiuno* fueron condenados *a ser quemados vivos*, todo ello puede verse en la ya citada relación de José del Olmo, testigo de vista y funcionario en la ceremonia. Concluída ésta, los veintiún reos condenados al último suplicio fueron conducidos al *quemadero*, fuera de la puerta de Fuencarral, durante la ejecución de las sentencias hasta pasada la media noche.

El siglo XVIII comenzó para la Monarquía española con un cambio de dinastía, política y hasta de usos y costumbres, pues con la muerte de Carlos II sin sucesión directa, acaecida en 1700, entró a ocupar el solio español la augusta casa de Borbón, representada por el duque de Anjou, solemnemente proclamado bajo el nombre de *Felipe V.*

La famosa guerra que tuvo que sostener catorce años con varias potencias de Europa para hacer valer su derecho, se hizo sentir harto en el pueblo de Madrid, que en medio de sus desgracias le manifestó siempre una fidelidad a toda prueba. La plaza Mayor vió alzarse tablados para la solemne proclamación de Felipe; y luego, por los reveses sufridos por sus armas, tuvo que presenciar también los que alzaron los austríacos para proclamar a su archiduque, y hasta miró atravesar al mismo, más como fugitivo que como triunfador, cuando habiendo entrado en Madrid el día 29 de septiembre de 1710, se volvió al campo desde la plaza, quejándose de que *no había gente que saliese a recibirle.*

Terminada, en fin, la contienda en favor de Felipe, ya asegurado éste en el trono español, dedicó sus cuidados a embellecer la capital, y promovió también los regocijos propios de un pueblo ilustrado, pero como sus costumbres e inclinaciones estaban más en analogía con las francesas que había visto en la niñez en la espléndida corte de su abuelo Luis XIV, no fueron tan comunes en su reinado las fiestas de toros, cañas y autos sacramentales, y hasta llegó a prohibir las primeras y mandar aplicar a las necesidades de la guerra los gastos que se hacían en la representación de dichos autos en la plaza durante la octava del Corpus.

La *plaza de Madrid,* ya destituída de la importancia de aquellos actos de ostentación, se convirtió en mercado público, y cubriéndose de cajones y puestos para la venta de toda clase de comestibles, sólo en algunas ocasiones solemnes de entrada de reyes, coronación o desposorios, solía despejarse y volver a servir de teatro a las fiestas reales. Tal sucedió en el pasado siglo a la coronación de Fernando VI, a la entrada de Carlos III el 13 de julio de 1760; últimamente, a la jura del príncipe de Asturias, después don Carlos IV, su proclamación y en alguna otra ocasión análoga.

Pero a fines del mismo siglo otra tercer catástrofe vino a destruir gran parte de dicha antigua plaza; tal fue el violentísimo incendio que empezó en la noche del 16 de agosto de 1790, y de que aún conservan algunos ancianos dolorosa memoria. Todo el lienzo que mira a oriente y parte del Arco de Toledo desaparecieron completamente, y las desgracias y pérdidas fueron imposibles de calcular.

De estas mismas desgracias nació empero la necesidad de reedificar, bajo una forma más elegante y sólida, los dos lienzos ya dichos, bajo los planes del arquitecto don Juan de Villanueva, que levantó el portal llamado de Bringas, a principios de este siglo, y han seguido después los arquitectos municipales en las construcciones posteriores, variando, sin embargo, muy acertadamente, el plan de Villanueva en cuanto a la forma de arcos rebajados, que ideó para la entrada de las calles, construyendo éstos de medio punto y suficiente elevación, en cuyos términos ha quedado cerrada la nueva plaza en este mismo año de 1853.

El siglo actual no carece tampoco de episodios brillantes para la plaza, y tal puede llamarse el de las funciones reales celebradas en ella el 19 de julio de 1803 con motivo del casamiento del príncipe de Asturias don Fernando (después VII) con la infanta doña Antonia de Nápoles.

Durante la invasión francesa, y algunos años después, continuó sirviendo esta plaza de mercado general, hasta que se trasladó a la plazuela de San Miguel, y también de teatro de los suplicios de los patriotas españoles condenados por el Gobierno de José. En 1812 vió levantarse arcos triunfales para recibir las tropas anglo-hispano-portuguesas, al mando de *lord Wellington*. A los tres días de su entrada, el 15 del mismo agosto, se publicó en ella solemnemente la *Constitución política* de la Monarquía española, promulgada en Cádiz a 19 de marzo del mismo año, y se descubrió sobre el balcón de la Panadería la lápida con la inscripción de letras de oro *Plaza de la Constitución*. Esta lápida fue arrancada y hecha pedazos el día 11 de mayo de 1814 con gran algazara, y en aquel mismo día alzaban los vendedores de la plaza tres arcos de verdura para recibir a Fernando VII de regreso de su cautiverio. En marzo de 1820 de nuevo restablecida la Constitución, y colocada una nueva lápida con toda solemnidad y una alegría frenética, y en 24 de mayo de 1823 fue vuelta a arrancar con estrépito a la entrada del duque de Angulema y del ejército francés, sustituyendo en su lugar otra que decía: *Plaza Real*.

Pero antes de esta última escena había sido teatro la plaza de otra memorable en la mañana del 7 de julio de 1822, en que se trabó una reñida acción entre la Milicia Nacional y la Guardia Real, sosteniendo aquélla la Constitución y ésta el Rey absoluto, de que resultó vencedora la primera en las tres calles de *La Amargura*, de *Boteros* y *callejón del Infierno*, que llevaron después algún tiempo los nombres del *Siete de Julio*, del *Triunfo* y de la *Milicia Nacional*.

Por último, habiendo muerto en 29 de septiembre de 1833 el rey Fernando VII, fue proclamada solemnemente en esta plaza su augusta hija doña Isabel II por Reina de España y de las Indias, y publicada luego la *Constitución* de la Monarquía, volvió a colocarse otra lápida, aplicando por tercera vez a la plaza este nombre, a costa de tanta sangre disputado.

Todavía los hijos de este siglo hemos llegado a tiempo de presenciar en esta plaza, en dos distintas ocasiones, aquellas magníficas *fiestas reales* de toros, en que ostentaba su grandeza la antigua corte de

dos mundos. La primera en 21, 22 y 23 de junio de 1833, con motivo de la jura de la princesa de Asturias, hoy reina doña Isabel II, y las últimas en los días 16, 17 y 18 de octubre de 1846, en celebración de las bodas de esta misma augusta señora y de la infanta doña Luisa Fernanda con los duques de Cádiz y de Montpensier. Presentes están en la memoria de todos los habitantes de Madrid el deslumbrador aparato, la animación y alegría que ostentó esta hermosa plaza en aquellos días. Suntuosamente decorada con ricas colgaduras de grana y oro, henchidos sus balcones, gradas y tablados de una inmensa concurrencia, al frente de la cual brillaban en primera línea los augustos novios, la Reina madre y señores infantes, los duques de *Montpensier* y de *Aumale*, las regias comitivas y todo lo que la corte encierra de más brillante, además del inmenso número de forasteros, entre los que se contaban muchas notabilidades políticas y literarias de los países extranjeros que consignaron luego pomposas descripciones de la fiesta, reflejaba dignamente el antiguo poderío y grandeza de la corte de dos mundos. También la bizarría y denuedo de los lidiadores y caballeros en plaza, y en especial del héroe de la fiesta, el capitán *don Antonio Romero*, que quebrando el rejoncillo dejó varios toros muertos a sus pies, colocaron en muy alto punto la proverbial fama del valor español, dieron a los propios y extraños un espectáculo completamente caballeresco y nacional.

Concluídas aquellas reales funciones, y habiéndose de reponer el empedrado de la plaza, el Ayuntamiento de 1846 determinó arreglar su pavimento en más elegante forma, dejando en el centro una explanada elíptica circundada de bancos y faroles, y de una calle adoquinada para el paso de coches, entre ella y las anchas y cómodas aceras al lado de los portales, y nivelando el piso de éstos a las entradas de los arcos y bocacalles, lo que proporciona de este modo un cómodo paseo cubierto. Colocóse, en fin, en el centro de aquella explanada sobre un elevado pedestal la estatua ecuestre en bronce de *Felipe III*, que se hallaba en la Casa de Campo, y que fue cedida para este objeto por la munificencia de Su Majestad. En dicho pedes-

tal se puso esta inscripción: *La Reina
doña Isabel II, a solicitud del Ayuntamiento de Madrid, mandó colocar en este
sitio la estatua del señor rey don Felipe III, hijo de esta villa, que restituyó a
ella la corte en 1606, y en 1619 hizo construir esta plaza Mayor. Año de 1848* (1).

Plaza y glorieta de Oriente.—Esta hermosa plaza, formada en tiempo de los
franceses con el derribo de cincuenta y
seis casas que formaban varias manzanas,
calles y plazas, jardines, iglesias, conventos, biblioteca, teatro y juego de pelota
permaneció desde entonces con el aspecto
de un desierto árido, donde los pobres viajeros (que tales podrían llamarse los que
emprendían su travesía) no encontraban
un punto de apoyo para librarse de los
ardientes rayos del sol canicular, o de los
penetrantes aires del Guadarrama. Fernando VII, desde su vuelta al trono, pensó
en decorar dignamente esta plaza con una
galería de columnas y un teatro enfrente
del Palacio; para ello se derribó el antiguo de los Caños del Peral, se igualó la
plaza y se empezó la galería, pero con tan
mezquinas proporciones, aunque de arquitectura totalmente griega, que muy luego
hubo de suspenderse la obra. Desde entonces fueron muchos los planes ideados
para regularizar esta plaza, mas ninguno
llegó a tener efecto hasta que la administración del Real Patrimonio adoptó en
1841 y emprendió seriamente el que al fin
vemos realizado.

Consiste, pues, su centro, en una graciosa glorieta elíptica, y elevada algún
tanto sobre el piso de la plaza, que forma
un bonito jardín plantado de flores y árboles frutales y cerrado por una alta y
elegante verja de hierro bronceado y de

(1) El autor del *Manual* se complace en recordar aquí que la reforma de esta hermosa
plaza y la colocación en ella de la estatua de
Felipe III, que de muchos años atrás venía indicando en esta obrita, fue adoptada en los propios términos por la corporación municipal, a
propuesta suya, como individuo que era de ella
por los años 1846 al 50, y también que en representación de la misma corporación tuvo el
honor de solicitar y obtener directamente de
Su Majestad la Reina la cesión de la estatua
propia de su Real Patrimonio, que estaba en
la Casa de Campo.

agradable dibujo. Por la parte exterior la
glorieta está circundada por un hermoso
paseo formado con filas de árboles y coronado en su último término por cuarenta
y cuatro estatuas colosales que representan a los monarcas españoles, y eran parte de la colección que estuvo anteriormente colocada sobre la cubierta de Palacio,
y últimamente yacían arrinconadas en las
bóvedas del mismo. Dichas estatuas, ejecutadas en el reinado de Felipe V por los
artistas de aquella época, no pueden ser
juzgadas hoy con imparcialidad, pues como fueron hechas para ser vistas a grande altura, ni su tamaño, ni sus actitudes,
ni lo poco acabado de su trabajo, están
en correspondencia con el sitio en que
hoy se hallan colocadas. Representan a los
reyes godos Ataulfo, Theodorico, Eurico,
Leovigildo, Suintila y Wamba; los reyes
de Asturias don Pelayo, don Alfonso I el
Católico, don Alonso II el Casto, don Ramiro I, don Ordoño I y don Alonso III
el Magno; los reyes de León don Ordoño II, don Ramiro II, don Alonso V y
don Alonso IX; Fernán González, primer
conde de Castilla; don Alonso VIII y doña Berenguela, reyes de Castilla y de
León; don Fernando I, don Alonso VI,
doña Urraca, don Alonso VII Emperador,
don Alonso X, don Sancho IV, don Alonso XI, don Juan I, doña Isabel la Católica, don Fernando V y don Felipe II; Iñigo Arista, fundador del reino pirenaico;
los reyes de Aragón don Ramiro I, don
Ramiro II, don Sancho Ramírez, don Alonso V el Batallador, doña Petronila, don
Jaime I y don Sancho IV el Bravo; y los
condes de Barcelona Wifredo el Velloso y
don Ramón Berenguer.

En el centro de la glorieta se alza un
elevado pedestal de planta rectangular,
con inscripciones en los frentes, que dicen:
*Reinando Isabel II de Borbón, año de
1844. Para gloria de las artes y ornamento de la capital erigió Isabel II este monumento*, y en los costados bajos relieves
que representan el uno a Felipe IV, con-
decorando al pintor Velázquez con la cruz
de Santiago, y el otro una alegoría alusiva a la protección que dispensó aquel Monarca a las letras y a las artes. En los
frentes del monumento hay dos fuentes
formadas de tazas o conchas, y sobre ca-

da una de ellas, la estatua de un río sim- bolizado por un anciano desnudo, vertien- do agua de una urna. Dichas estatuas son de piedra blanca de Colmenar. En los cua- tro ángulos hay cuatro pedestales con otros tantos leones de bronce de gran magni- tud. Estas obras fueron hechas por los escultores de la real casa don Francisco Elías y don José Tomás.

La estatua del rey Felipe IV, que se ele- va sobre el monumento, fue trasladada desde el Real sitio del Buen Retiro en el corto espacio de tres horas, cosa que hon- ra a los ingenieros encargados de esta ope- ración. La descripción de esta famosa es- tatua que inserta don Antonio Ponz y que nosotros reprodujimos en las anteriores ediciones del *Manual*, es demasiado proli- ja, y por eso la omitimos ahora, diciendo sólo que esta soberbia obra artística fue ejecutada por el célebre escultor florenti- no Pedro Tacca, con dibujo de Velázquez y con grande atrevimiento, por la arrogan- te actitud del caballo, que en un angosto espacio de dos pies sostiene sobre sus cuar- tos traseros la enorme mole de peso de 18.000 libras.

La referida obra se halla estimada en los inventarios del Retiro en el precio de 40.000 doblones, aunque costó menos sin comparación; en la cincha del caballo se lee esta firma: *Petrus Tacca F. Floren- tiae, anno salutis MDCXL.* Hay muy po- cas entre las obras modernas de esta lí- nea que se igualen en el brío como está expresado el caballo, en la dignidad del jinete, en la hermosura y lo acabado de las labores que se ven, particularmente en los estribos, freno, silla y en la banda del Rey.

Terminaremos aquí esta ligera reseña de la plaza de Oriente, diciendo que la disposición de la obra de esta bella glo- rieta o jardín que hermosea hoy uno de los sitios más importantes de Madrid fue dictada por los señores don Agustín Ar- güelles y don Martín de los Heros, tutor el primero de Su Majestad la Reina, e in- tendente el segundo de la Real Casa; y que la ejecución de toda la obra corrió a cargo de los ingenieros de Caminos y Ca- nales don Juan de Ribera, don Juan Mer- lo y don Fernando Gutiérrez, con un celo y eficacia que les honra sobremanera. Pos-

teriormente se han añadido a ambos lados de esta glorieta otros dos graciosos jardi- nes abiertos con varias calles para paseo, y, por último, se ha regularizado y embe- llecido esta hermosa plaza en forma semi- circular, dando frente al Palacio, con la fachada del Teatro Real y construcción de dos manzanas de casas que forman a los costados de aquél las calles nuevas de Fe- lipe V y de Carlos III, de Lepanto y de Pavía.

Plaza del Mediodía de Palacio. — Esta plaza, empezada a formar delante del an- tiguo Alcázar por el Emperador Carlos V, con la demolición de la primitiva parro- quia de San Miguel de la Sagra, que es- taba delante la puerta de aquel y otros edificios, recibió aún mayor ensanche, es- pecialmente por el lado de poniente, cuan- do la construcción del nuevo Real Pala- cio, resultando hoy de grande extensión, casi cuadrada. La forman de un lado la fachada principal de dicho Real Palacio, por el opuesto el edificio de la Real Ar- mería, y los dos costados, en donde hasta ahora ha habido el cuartelillo de la guar- dia y la balaustrada de piedra que mandó construir José Napoleón, quedarán mag- níficamente decorados con la prolonga- ción de las galerías, ya bastante adelanta- das, y que deben llegar hasta la Armería, cuyo edificio será sustituído por una ele- gante verja que cierre la plaza; todo se- gún el plan de obras ideado por el arqui- tecto Saqueti, que es el mismo que se ha emprendido realizar en el actual reinado. Naturalmente, cuando llegue el caso de su conclusión, se reformará el pavimento de esta hermosa plaza y se colocará en medio de ella una fuente, estatua o monumento grandioso que complete su magnificencia.

Plaza de la Villa. — Esta antigua plaza, llamada en lo antiguo del Salvador, es, aunque pequeña y algo costanera, bastan- te regular, de forma casi cuadrada, y la forman de un lado las Casas Consistoria- les; de otro, las de Luján, con su famoso torreón cuadrado, y el tercero, las accesso- rias de la casa del cardenal Cisneros, que- dando abierta por el lado de la calle Ma- yor, frente a donde estuvo la antigua pa- rroquia del Salvador. Su decoración central consistía en una fuente bastante extrambótica de los principios del siglo XVIII que ha sido demolida en estos últimos años, y hay, según parece, el pensamiento de colocar en su lugar la estatua colosal de Su Majestad la Reina doña Isabel II, obra del escultor señor Piquer, que se inauguró y estuvo algún tiempo en la plaza que lleva su nombre, delante del Teatro Real, y que después se retiró de allí por lo mezquino del pedestal sobre que estaba colocada, y porque también no es aquel sitio a propósito para lucir su gallardía.

Puerta del Sol.—Esta famosísima plaza, centro principal de la vida animada de Madrid, no corresponde ciertamente por su espaciosidad, por su forma ni por su belleza, al punto privilegiado que ocupa y al alto renombre que su situación y poético título la han granjeado. Ya dijimos en la *Parte histórica* cómo se formó, cuando avanzando hacia la parte oriental el caserío de Madrid, extramuros de la puerta de Guadalajara, fue sustituída primero ésta por otra entrada, que, según los historiadores de Madrid, se denominó Puerta del Sol, a causa de una imagen de aquel astro que estaba pintada encima de la entrada de un castillo construído en 1520, aunque tal vez sería por mirar a levante como las de otras ciudades que llevan igual título; pero, de todos modos, ampliada aún más en el mismo siglo XVI la población de Madrid, desaparecieron castillo y puerta, pasó ésta mucho más adelante en el camino de Alcalá, y quedó sólo su antiguo título a aquella célebre plaza o encrucijada, que vino a formarse con la confluencia de las calles principales del nuevo Madrid, Mayor, Carretas, San Jerónimo, Alcalá, Montera, del Carmen y del Arenal. En estos términos, aunque con una figura bastante irregular, de la extensión de 482 pies, variando en su anchura de 90 a 159, ha permanecido durante tres siglos justos y adquirido su gran celebridad; consistiendo su única decoración en la parte que mira a poniente, en la sencilla y pobre fachada de la iglesia del hospital del Buen Suceso, por uno de sus lados el edificio moderno de Correos, y por los demás un desigual caserío. En el centro,

delante de la iglesia, se alzaba hasta hace pocos años, la extrambótica y churrigueresca mole de la fuente coronada por la estatua de Diana (vulgo *Mariblanca*), que después se trasladó a la nueva de la plazuela de las Descalzas; y en lo antiguo, a un lado y otro de aquella fuente y de la lonja que estaba delante de dicha iglesia, había cajones para la venta de carnes y verduras. Por último, en 1848, y estando al frente del corregimiento de esta villa el señor conde de Vistahermosa, se pavimentó de adoquines toda esta plaza, se formó con asfalto una placeta elevada delante de la iglesia, se rebocó ésta y se colocó en lo alto de su fachada un nuevo reloj iluminado por la noche; con lo cual y con la colocación de una grande farola en el centro, pareció haber quedado por entonces satisfecha la exigencia del público. Pero en los momentos en que esto escribimos, se opera en este recinto una nueva reforma que ha de producir su completa transformación. Derribada, según el plan de esta obra, la iglesia del Buen Suceso y las casas que miran a los lados de Oriente y Mediodía, se agrandará considerablemente, hasta 741 pies de longitud y de 172 a 215 en su anchura, y formando la nueva plaza con otro elegante y simétrico caserío, en los términos que todo Madrid conoce y que por lo mismo excusamos reproducir.

La plazuela de las Descalzas, centro del antiguo arrabal de San Martín, era aún en los primeros años de este siglo un reflejo fiel, una página intacta de la dinastía austríaca, del Madrid del siglo XVII. Formada por uno de sus costados por la dicha iglesia y convento, y que tenía su pórtico y entrada principal frente al Postigo y de la casa ya citada del secretario Muriel, obra de Juan de Herrera, ocupaba como en el día su frente meridional la severa fachada del monasterio de señoras Descalzas Reales, y la linda portada de su iglesia, construída según el estilo clásico, por el no menos célebre artista Juan Bautista de Toledo y continuada en el mismo estilo por el moderno don Diego de Villanueva. Un arco o pasadizo de comunicación unía esta fachada con la casa que forma el otro frente de la plazuela, y que hoy ocupa el Monte de Piedad y Caja de Ahorros; severo y notable edificio que fue del tesorero Alonso de Gutiérrez y mereció el honor de ser habitado por el emperador Carlos V y en el que dejó a la Emperatriz y a su hijo Felipe II al partir para la jornada de Túnez. Al frente de este arco se alcanzaba a divisar y existe todavía, otro notable edificio, obra del arquitecto Monegro, destinado a habitación de los capellanes y a *Casa de Misericordia*, para doce sacerdotes pobres, y cerraba por último la plazuela al lienzo Norte con las casas del marques de Mejorada, del duque de Lerma y otras, sustituídas más tarde por la extendida y sólida del *marqués de Villena*, que hace esquina y vuelve a la bajada de San Martín. Todos aquellos edificios, no sólo por su gusto especial y el orden de su construcción y ornato, sino también por su severo aspecto y tostado colorido, revelaban su fecha y trasladaban fielmente la imaginación del espectador a la época gloriosa de su fundación. Pero vinieron los franceses y echaron abajo (sin pretexto alguno) la iglesia parroquial de San Martín, y no sabemos si también el arco de comunicación entre el convento de las Descalzas y la casa del Monte; si bien pudo ser suprimido anteriormente, con motivo de haber recibido ésta su nuevo destino. Vino después la revolución y la exclaustración de los monjes de San Martín, y se apoderó el Gobierno civil de este monasterio; colocó en él sus oficinas y dependencias, y a pretexto de *mejorar su aspecto* desmochó sus torrecillas, varió el orden de sus ventanas y envolvió sus lienzos en el obligado colorete *beurre fraiche*, que tan en moda está en las modernas casas de Madrid. Las contiguas a las Descalzas, y que formaban parte del mismo monasterio, vendidas después y destinadas a oficinas de la Hacienda, fueron también recompuestas y rebocadas; hasta el secular *Monte de Piedad* tuvo precisión de seguir el movimiento *regenerador*, impreso por la *opinión pública* de los gacetilleros, y los apremios y multas de las autoridades; así como igualmente la *Casa de Misericordia*, que había dado en manos de particulares y convertídose en compañía mercantil, imprenta, teatro y salones de baile, tuvo que colocarse

a la altura del siglo con dos pisos más, vestirse de moda y encubrir sus arrugas con el consabido colorete; con lo cual y la *graciosa* fuente colocada en el centro de la plazuela, y adonde vino a refugiarse la estatua de la mitológica deidad que con el prosaico nombre de la *Mariblanca* reinaba sobre los aguadores de la Puerta del Sol, y fue lanzada de aquel sitio por el progreso de las luces y del asfalto, quedó completamente *civilizada* y *secularizada* esta levítica plazuela; salvando empero hasta el día su clásico y religioso frente meridional con la fachada de la iglesia y monasterio; si bien es de temer que no dure por mucho tiempo en aquel traje discordante, habiéndose encargado ya las gacetillas de *excitar el celo de la autoridad* para que les pase una buena mano de ocre y almagre, o por lo menos que lave sus vetustos sillares con ceniza o porcelana, y haga pintar en sus lienzos los agraciados juegos, cuadros, círculos y floreos de agramilado con que acaba de *embellecerse* en estos días la antes citada casa de la esquina frontera que labró el célebre arquitecto de El Escorial.

Plazuela de Santa Ana.—Esta plaza se formó al principio de la calle del Prado, con el derribo hecho en tiempo de la dominación francesa, del convento de carmelitas de Santa Ana; y habiéndose plantado árboles y puesto bancos de piedra y una fuente en medio, ha resultado un sitio agradable de recreo y desahogo. Falta, sin embargo, para concluir el proyecto de esta plaza, el que desaparezcan las casas de la manzana 215, que impiden la vista del teatro del Príncipe y la regularidad de dicha plazuela. La fuentecita del medio, trazada por don Silvestre Pérez, tuvo en su principio una estatua en bronce de Carlos V, que ahora está colocada en la galería de escultura del Museo, pero últimamente se le sustituyó una aguja de piedra de forma sencilla.

Plaza de las Cortes.—Delante de la fachada principal de las casas nuevas, sobre el solar en que estuvo el convento de Santa Catalina, derribado por los franceses, resultó una placeta, que por caer enfrente del sitio donde se construyó el palacio del Congreso, se denomina plaza de las Cortes. Es irregular y costanera, pero su principal importancia la debe a la estatua de Cervantes colocada en su centro, de cuyo monumento vamos a dar una ligera idea.

Estatua de Miguel de Cervantes.—Debe decirse en honor de Fernando VII, que por el mismo tiempo en que el gobierno francés de la restauración negaba su permiso para colocar en París, en la plaza del Odeón, la estatua de Molière, diciendo que sólo a los monarcas estaba reservado este honor, daba el Rey de España orden a su escultor de cámara, don Antonio Solá, para vaciar en bronce la estatua del inmortal autor del *Quijote* con destino a ser colocada en una de las plazas de Madrid. Verificó el escultor en Roma su modelo, el que fue fundido en bronce por los célebres artistas prusianos, Luis Jollage y Guillermo N. Hopsgarten.

Hablando el *Diario de Roma* de esta obra artística, hacía un grande elogio que nosotros reprodujimos en las anteriores ediciones del *Manual*; elogio tanto más apreciable, cuanto que siendo extranjero parece no hallarse dirigido por un movimiento de entusiasmo, y mirar la obra con los ojos desapasionados e imparciales del arte. Los profesores españoles, luego que tuvieron ocasión de contemplarla en nuestra capital, no pudieron menos de convenir en el fondo con el referido elogio, si bien como toda obra artística la encontraron sujeta a censura. Hay quien hubiera deseado ver en la postura del sin igual escritor, mayor analogía y relación con su profesión de autor que con la de militar, pues por aquella es por la que se ha hecho mayormente célebre y a la que debe el distinguido honor de ser representado por el cincel. La postura marcial de la estatua, el traje militar y hasta el papel que tiene en la mano, despiertan más bien la idea de un guerrero, y si bien los altos hechos de su valor reconcilian fácilmente el ánimo con esta idea, no puede prescindirse de buscar en aquella figura al autor del *Quijote*, más bien que al *manco de Lepanto* y al *cautivo de Argel*. Esto en cuanto a la filosofía de la obra; por lo

que hace a la ejecución, parece digna del acreditado cincel del señor Solá.

El mismo escultor remitió a esta corte, al tiempo que la estatua, un proyecto de pedestal que debía soportarla, pero no habiéndose hallado conforme por los profesores de la Academia de San Fernando, fue sustituído por el que presentó el señor Velázquez, y después sufrió en la ejecución diversas modificaciones de importancia. Sobre su mérito artístico también se ha hablado en opuestos sentidos, sin que nos hallemos en el caso de decidir sobre él, y sólo diremos que nos parece extremada su altura. Tampoco nos gusta el verle tan encerrado en la verja de hierro que le impide campear con gallardía y aún menos la banal inscripción, *A Miguel de Cervantes Saavedra, Príncipe de los Ingenios españoles. Año de* MDCCCXXXV.

Los dos relieves del pedestal, obra del escultor don José Piquer, nos agradan más; representa el uno a Don Quijote y Sancho Panza guiados por la diosa de la Locura, y el otro la Aventura de los Leones. Menos a propósito nos parece el sitio a donde se ha elevado el monumento, por su configuración particular y carecer del fondo despejado necesario para campear como debiera. Tampoco hay oportunidad en colocar a Cervantes enfrente del cuerpo legislativo, y mejor estaría en la plazuela de Santa Ana, delante del teatro, o en la del Angel, a la entrada de la calle de las Huertas, en que habitó; pero de todos modos, este testimonio de consideración pública, tributado al ilustre escritor, es único en nuestro país, y merece bien el elogio del Monarca que le dictó. Este monumento fue mandado construir de su orden bajo la dirección del comisario general de Cruzada don Manuel Fernández Varela, y con los fondos del indulto cuadragesimal; siendo cosa singular que Miguel de Cervantes que obtuvo su rescate en vida con las limosnas de los padres mercenarios, haya debido tan distinguido honor después de su muerte, a las limosnas de otro instituto religioso.

Casa de Cervantes.—No fue sólo aquel monumento el único tributo rendido a la memoria de Cervantes por el rey Fernando VII, sino que habiendo llegado a su noticia que se estaba demoliendo por hallarse ruinosa la casa número 20 antiguo, en la calle de Francos, en que tuvo su modesta habitación aquel célebre ingenio, dispuso que en la construída nuevamente sobre el mismo solar, se colocara en relieve el busto de Cervantes, ejecutado por el escultor don Esteban de Agreda, en un medallón de mármol de Carrara, adornado con trofeos poéticos, militares y de cautividad, y debajo una lápida de mármol de Granada con esta inscripción en letras de oro: *Aquí vivió y murió Miguel de Cervantes Saavedra, cuyo ingenio admira al mundo. Falleció en* 1616.

Dicha casa tiene en la nueva numeración el número 2, y es la primera entrando a la derecha en la antigua calle de Francos, hoy de Cervantes.

Plaza del Progreso. — En el solar que ocupaba el extenso convento de la Merced, entre las calles de su nombre, Magdalena, Remedios y Cosme de Médicis, se ha formado una plaza larga adornada con árboles, bancos y una fuente de forma extraña a su entrada, que sirve de desahogo a aquellos barrios poblados y da un buen aspecto a las casas que la rodean.

Plaza de Bilbao.—Otra plaza más regular, cuadrada, ha resultado en el solar donde estuvo el convento de capuchinos de la Paciencia, entre las calles de las Infantas, San Bartolomé y Costanilla, y como bastante elevada sobre aquellas, tiene varias escalinatas para subir a ella. Está también plantada de árboles, circundada por bancos y cerrada con una elegante verja que antes estuvo en el Salón del Prado y en el medio de ella se ve colocada una fuente de poco gusto.

Plazuela del Rey.—Fue conocida en los primeros años de este siglo bajo el título del *Almirante,* con alusión al Príncipe de la Paz, que tenía allí sus casas, y se formó con la parte que se tomó del terreno de la huerta del Carmen; está plantada de árboles, aunque desnuda de adorno central; y dos de sus lados le forman las dichas casas de los condes de Chinchón y el teatro del Circo, el otro la antigua de las Siete Chimeneas (1), y el nuevo los edificios recientemente construidos por el señor Murga.

Plazuela de Pontejos. — Por la forma dada a la nueva manzana de casas del señor Cordero, en el solar del antiguo convento de San Felipe el Real, ha resultado una placeta cuadrada al costado de la casa de Postas, y el rompimiento de la nueva calle, entre la de la Paz y la de Esparteros. Ambas, calle y plazuela, por acuerdo del Ayuntamiento de 1848 recibieron el nombre del digno corregidor marqués de *Pontejos,* y además trasladada a su centro la fuente que estaba en la Puerta del Sol, se construyó aunque con bastante poco gusto y dedicó a aquel ilustre y malogrado funcionario en testimonio de gratitud. Consiste en un sencillo templete coronado por un cascarón, y en uno de sus frentes hay un nicho que contiene el busto en bronce del marqués, y en el opuesto las armas de la villa.

Plaza de Isabel II. Otra plaza bastante extensa y regular ha resultado entre la calle del Arenal y el Teatro Real, con bastante buen caserío moderno por dos de sus lados, faltando sólo terminarle por el que mira a mediodía. En su centro (que se ha cubierto de asfalto recientemente) estuvo colocada algún tiempo, desde 1850, la estatua en bronce de la reina doña Isabel II, bella obra del escultor don José Piquer y fundida en Madrid, pero la mezquindez del pedestal en que se la colocó obligó a retirarla después, mientras se construye otro más digno, y en punto más a propósito, para lo cual hay propuesto el de la plaza de la Villa, delante de las Casas Consistoriales. A ésta, a nuestro entender, debería decorársela con una fuente monumental, pues su espacio y buena forma lo requieren.

----

(1) Hay que notar la coincidencia de que en esta casa vivía el célebre ministro Squilache, causa del motín de 1766, en cuyo día 25 de marzo fue atacada y atropellada por el pueblo madrileño; y medio siglo después, en 19 de marzo de 1808, se representó la misma escena en la otra esquina, en que vivía el famoso valido de Carlos IV, don Manuel Godoy.

Plazuela de Antón Martín. — Terminamos esta ligera reseña de las plazuelas de Madrid con la mención especial de ésta, y no porque lo merezca por sí misma, ni aun el título de plazuela, no siendo más en realidad que un ensanche de la calle de Atocha, en el sitio donde terminaba el antiguo arrabal de Madrid y en que había una puerta de salida; sino por la célebre fuente que se alza en su centro, última que queda ya de las varias construídas a principios del siglo pasado por los arquitectos Churriguera, Ribera y otros, y en el extravagante gusto que les dominaba. Esta fuente, que consiste en una composición bastante complicada con delfines, niños, conchas y floreros, no carece sin embargo de halago y a despecho de los críticos rigoristas, merece conservarse siquiera no sea más que como página del arte en su más caprichoso período.

Por último, de las otras fuentes que no hemos mencionado y están situadas una en la cuesta de Santo Domingo, muy maltratada y que remata en una estatua de Venus, y otra delante de la cárcel de la Corte o Audiencia, coronada por la estatua que representa a Orfeo, son las dos únicas que recordamos que pueden hacer remontar su fecha al siglo XVII. Del siguiente queda también otra página más bella que contraponer a las obras churriguerescas, en las magníficas fuentes del Prado (de que hablaremos en su lugar), y fueron trazadas por el célebre arquitecto don Ventura Rodríguez y en la llamada *de los Galápagos,* mal situada en la esquina de las calles de Hortaleza y Santa Brígida, obra también del mismo arquitecto y de una forma por lo menos racional. El siglo actual, ya hemos indicado lo que nos ofrece en Madrid en esta clase de construcciones, a que debemos añadir, en descargo de nuestra conciencia, la situada en la calle de Toledo frente a la de la Arganzuela. Fue construída en los primeros años del reinado anterior y dedicada al rey Fernando VII por el Ayuntamiento de Madrid, y en ella se ostentan las armas de la villa, y el grifo y el oso, emblemas antiguos y modernos de la misma, con su correspondiente león abarcando los dos hemisferios. Es otra página del arte moderno.

PLAZAS QUE SIRVEN DE MERCADOS

Plazuela de la Cebada.—Está situada en la calle de Toledo, es muy grande, de piso desigual y rodeada de casas particulares poco notables y sin simetría. Contribuye a desfigurarla más el servir de mercado de granos y comestibles, por lo cual está llena de cajones y puestos para la venta. Esta plaza era célebre por ejecutarse en ella las sentencias de los condenados al último suplicio, levantándose el cadalso la víspera de la ejecución; pero en tiempo del corregidor Pontejos se dispuso que en adelante las ejecuciones tuvieran lugar en el rellano o meseta que se forma a la salida de la puerta de Toledo, a la derecha, y allí se han verificado hasta el día. Existe el proyecto de regularizar esta plaza formando delante de ella manzanas de casas, continuación de la calle de Toledo, y en el centro un mercado cubierto.

Plazuela de San Miguel.—Esta plazuela es bastante espaciosa y sirve de mercado de comestibles, el más abundante de Madrid, para lo cual hay multitud de cajones alineados en forma de calles. Tuvo hace algunos años una estatua en el medio que representaba a Fernando V. Está situada esta plazuela en la calle Mayor, trozo de las Platerías, y modernamente se ha decorado por esta parte con una sencilla portada, que disminuye su mal efecto.

Plazuela del Carmen.—Esta plazuela fue ideada por el difunto don Antonio Regás, bien conocido por sus constantes trabajos en utilidad pública, y habiendo propuesto su idea y planes al excelentísimo Ayuntamiento, dispuso éste la realización de tan útil proyecto, comprando una casa ruinosa que se derribó para ello. Ultimamente, en 1830, y a indicación del mismo Regás, se dispuso la traslación de los cajones que afeaban la calle de la Montera; pero es de desear que se ensanche aún más este local y se construya en él el proyectado mercado cubierto, para evitar los muchos inconvenientes y la fealdad que causan los cajones y puestos de comestibles.

PASAJES Y MERCADOS CUBIERTOS

Galería y mercado de San Felipe.—En las anteriores ediciones hablamos de esta clase de construcciones, tan generalizadas en la capital de Francia, con el nombre de *Pasajes*, y que vienen a formar, digámoslo así, una segunda comunicación interior entre sus calles más frecuentadas.

Aquella costumbre, tan necesaria en París, por la rigidez del clima y el prodigioso aumento de su comercio, no lo es ciertamente tanto y por razones opuestas, en nuestra capital. Sin embargo, dijimos antes y repetimos ahora, que siempre es ventajoso el ensanchar el círculo de las comodidades públicas y aclimatar los adelantos de buen gusto que se observan en otras capitales. Por eso emitimos la idea de lo conveniente que sería aprovechar las ocasiones que se presentaran para construir estas galerías y bazares cubiertos a la manera de los franceses e ingleses, y aun nos extendimos a indicar los sitios que nos parecían más a propósito en esta capital, cuales eran desde la Carrera de San Jerónimo, por la calle de la Victoria con dos ramales por la del Pozo a la de la Cruz, y la de Cádiz o estrecha de Majaderitos a la de Carretas; otro ramal desde la misma Carrera de San Jerónimo a la calle de Alcalá, por el ya existente del café del Iris; otro desde la misma calle de Alcalá por la casa del marqués de la Torrecilla con vuelta a la calle de la Montera; y otro, en fin, frente de éste, desde la misma calle de la Montera a la de los Negros, por el café de San Luis, continuando por dicha calle de los Negros hasta la del Carmen; con lo cual se establecería una comunicación interior entre dicha calle del Carmen y la de Carretas, en el sitio más céntrico de Madrid y donde el valor de las tiendas es más considerable.

Desgraciadamente no se ha verificado apenas nada de esto, y tan sólo en el local donde estuvo el convento de la Victoria se abrió (aunque con importuna colocación) la galería cubierta que se tituló *Villa de Madrid* y la de San Felipe Neri, al fin de la calle de Bordadores, que consiste en una galería cubierta y un mercado; pero aunque ambas por sus regulares proporciones y buen gusto presentan un gracioso prospecto de esta clase de construcción, no han logrado obtener el favor del público por carecer de la primera circunstancia propia de establecimientos de esta clase, cual es la necesidad; porque el sitio en que se hallan es fuera del tránsito más indispensable y entre calles unidas por frecuentes comunicaciones.

El *mercado* de San Felipe contiguo a esta galería ocupa una buena extensión en el interior del edificio; tiene cuatro entradas, dos por la calle de Bordadores, y dos por la de las Hileras; y consta de tres calles al descuierto y de cinco cubiertas. Los locales para la venta se componen de tiendas con sótanos y habitación al nivel del piso del mercado, pero que hacen cuarto principal a la calle de las Hileras unas, y a un gran patio interior del edificio otras. El resto del mercado se compone de cajones destinados a la verdura, a la caza y a la fruta, colocados en un orden conveniente. En medio hay un pozo de aguas abundantes, el cual con una bomba sirve para regarlo diariamente y para la seguridad contra incendios. Después de examinado este edificio, atendida la irregularidad del solar, su enorme desnivel y otros obstáculos que se han presentado al arquitecto señor Marcoartu, no puede menos de conocerse que ha procurado salvarles y sacar el partido posible.

Mercado de San Ildefonso.—El primero en el orden de antigüedad de los mercados cubiertos que hasta ahora cuenta Madrid, es el pequeño construído hace unos veinte años en la plazuela de San Ildefonso, bajo la dirección del arquitecto don Lucio Olabieta y con destino a la venta de comestibles. Lo estrecho del local no permitió aplicar grandes planes en este mercado, y sí sólo atender a la necesidad con el posible desahogo, ventilación y regularidad.

Otro mercado se construyó algunos años ha en la calle de los Tres Peces, con mucha sencillez, y otro finalmente muy pequeño en la confluencia de las calles de San Bartolomé, Santa María y San Antón. Todos estos mercados dan una idea de esta clase de construcciones. Pero con mengua de la capital del reino no hay todavía uno que pueda ponerse en parangón con los de Sevilla, Cádiz, Valencia, Barcelona, y otros de las capitales de provincia levantados en estos últimos tiempos.

VI

PARTE CIENTIFICA, ARTISTICA Y LITERARIA

MUSEOS

Real Museo de Pintura y Escultura.—
No puede negarse sin injusticia al rey don
Fernando VII el tributo de reconocimiento por haber concebido y llevado a cabo
en medio de la penuria de los tiempos y
de las circunstancias críticas de su reinado, el noble pensamiento de la creación de
este real Museo que constituye hoy la más
bella página de su historia y el título más
preciado de orgullo de la corte actual de
la Monarquía. Muy desde los principios de
su restitución al trono, y a insinuación de
su augusta esposa doña María Isabel de
Braganza, formó la idea de reunir en local
conveniente la inmensidad de riquezas de
este género que poseía su real Patrimonio,
y que estaban diseminadas en los palacios
de Madrid y sitios reales, con los benéficos
objetos de la instrucción de la juventud
estudiosa y del deleite de todos los hombres de buen gusto. Elegido para este fin
el suntuoso edificio mandado construir en
el Prado por el gran Carlos III con destino
a Museo de ciencias naturales, y que no
había llegado a terminarse, fue necesario
que la generosidad del Rey supliese los inmensos gastos que necesitaba la reparación
de esta fábrica, que se hallaba reducida a
una casi total ruina por la ocupación y
espíritu destructor de las tropas extranjeras; y no obstante que el presupuesto

de la reparación ascendiese a siete millones de reales, se empezó ésta desde luego,
destinando Su Majestad al intento 24.000
reales mensuales de su bolsillo secreto,
además de otras cuantiosas sumas extraordinarias que continuó suministrando constantemente, aun en las circunstancias más
difíciles, con lo cual atendió a la reparación del edificio y habilitación de los salones, la restauración de cuadros, marcos,
sueldos de empleados y demás gastos, teniendo la satisfacción de verificar la apertura de los tres primeros salones el 19 de
noviembre de 1819. Continuando sucesivamente la obra con igual empeño, secundado también en la parte artística por los
primeros profesores de su Real Cámara,
quedó habilitado en vida de aquel monarca todo lo que constituye la parte principal de ambas ricas galerías de pintura y
escultura. Ultimamente, después de la muerte de Fernando VII, su augusta hija y sucesora no descuidó un solo día esta importante atención; antes bien con la habilitación de más salones, la restauración de
muchísimas pinturas, y la traslación al Real
Museo de 101 de las más escogidas que poseía el real Monasterio de San Lorenzo del
Escorial, y bajo la celosa y entendida dirección del señor don José de Madrazo,
pintor de la Real Cámara, ha llegado este

establecimiento al estado de brillantez en
que hoy por fortuna le vemos, y de que
vamos a dar una idea.

El edificio fue trazado y dirigido en
1785 por el arquitecto don Juan de Villanueva, de orden del señor don Carlos III,
y con el designio de formar en él una academia de ciencias exactas y un gabinete
de historia natural. Su planta es de figura
rectilínea, compuesta en su centro de un
paralelógramo de 378 pies de largo por 74
de ancho; termina en sus extremos con
otros dos cuerpos de planta cuadrada de
151 pies de lado, y sus centros hacen línea
con el del paralelógramo principal, com-
poniendo un todo de 680 pies su línea
principal y la opuesta; del medio de ésta,
formando ángulo recto, parte un salón paralelógramo que termina semicircularmente, de 66 pies de ancho por 86 de largo.
Consta este edificio de dos cuerpos, bajo y
principal. En su gran fachada, que es la
que está situada al poniente, se eleva un
cuerpo arquitectónico con una galería de
catorce arcos de medio punto y cuatro
adintelados; intesta esta galería en sus extremos en dos cuerpos salientes 36 pies de
ella, con cinco ventanas de fachada cada
uno y dos en los costados. Constituye la
entrada principal de esta fachada un majestuoso cuerpo arquitectónico, saliente 24
pies de ella y 64 de frente, compuesto de
cinco grandiosos intercolumnios de 40 pies
de alto, con sus correspondientes pilastras
de piedra berroqueña de Colmenar. Sobre
la cornisa se eleva un ático con su frontis
y en su centro sobre un cuerpo resaltado
de 41 pies de línea, hay un bajorrelieve
que representa varias figuras alegóricas a
las bellas artes y Minerva protectora de
ellas repartiendo coronas al mérito. Las
demás dimensiones de esta fachada y las
otras dos del edificio, los adornos en bustos de relieve que representan los principales artistas españoles, las estatuas y otros
ornatos que las decoran, pueden verse en
la descripción general y minuciosa del edificio que precede a la *Colección litográfica
de estampas de los cuadros principales del
Museo* ejecutada en los últimos años del
reinado anterior.

La distribución interior del edificio es
la siguiente: su entrada principal por el
pórtico de la fachada que mira al camino

que va a San Jerónimo, da un ingreso o
vestíbulo circular de ocho columnas, cubierto de una cúpula encasetonada y circundado por una galería que sirve de comunicación general. A los lados hay dos
grandes salones de 141 pies de largo por
38 de ancho. Al frente una pieza cuadrada, y siguiendo al frente de ésta, un grandioso arco de entrada a un suntuosísimo
salón abovedado de figura paralelograma
de 378 pies de largo y 36 de ancho por 38
de alto, embellecido de casetones y ornatos del gusto más selecto, con un cuerpo
de 44 pies de altura en medio, cubierto de
una cúpula encasetonada abierta por una
claraboya circular, que ilumina todo el salón. El intercolumnio izquierdo da entrada a otro salón terminado en semicírculo
de 88 pies de largo por 50 de ancho. Por
el frente del grande se pasa a una pieza
circular, cuyas cuatro puertas dan paso a
una galería que rodea un patio, y sirve de
comunicación a dos salones de iguales dimensiones que los del lado opuesto del
edificio, terminándose éste con una pieza
cuadrada.

Galería de pinturas.—La riquísima galería de pinturas de este Real Museo, puede sin temeridad calificarse de la primera
del mundo, atendida la rara conservación
de sus cuadros y el prodigioso número de
obras de los más célebres maestros que
en él se encierran. No parecerá sobrena-
tural aquel resultado, al que considere que
a la inspiración y generosidad de los monarcas españoles, estuvieron especialmente
dedicados, no tan sólo los grandes artistas
que formaron las tres escuelas nacionales
de Sevilla, Madrid y Valencia; no solamente los Murillos, Zurbaranes y Canos,
Velázquez, Juanes y Riberas, sino también
los que produjeran los diversos reinos sujetos a la dominación española en las más
bellas épocas del arte; y que los Rubens,
Vandyks y Teniers, los Ticianos, Vincis y
Jordanes trabajaban a porfía para ofrecer los más bellos frutos de sus talentos a
los Carlos y Felipes de la dinastía austriaca, sentados en el trono español; al paso
que las victorias de las armas españolas en
tan diversos países, las relaciones y tratados con los soberanos, brindaban a los
nuestros con las más primorosas obras del

arte antiguo, con las cuales pudieron decorar sus templos y palacios reales.

El número de cuadros de este Real Museo pasa de 2.000, y para formarse una idea aproximada de su preciosidad, baste decir que entre ellos se cuentan, según el *Catálogo*, 10 de los más clásicos de Rafael de Urbino; 4, del Correggio; 1, de Miguel Angel; 43, del Ticiano; 2, del Dominiquino; 2, de Albano; 7, de Andrés del Sarto; 14, de B. Basano; 16, de Guido Reni; 8, del Bosco; 8, del Parmegiano; 3, de Leonardo Vinci; 2, del Sassoferrato; 27, de Tintoreto; 2, de Salvador Rosa; 12, de Vacaro; 24, de Pablo Veronés; 3, de Sebastián de Piombo; 2, de Caracci, y otras muchísimas de los primeros autores de las diversas escuelas italianas; así como también 62 de Rubens; 52, de Teniers; 1, de Rembrant; 2, de Vandyk; 12, de Mengs; 10, de Claudio Lorenés; 9, de Alberto Durero; 21, del Pusino, y otros muchos de las escuelas flamenca y holandesa, alemana y francesa; y por último, lo más escogido de las escuelas españolas, entre cuyo prodigioso número sobresalen 46 de Murillo; 62, de Velázquez; 8, de Alonso Cano; 53, de Ribera; 18, de Juan de Juanes; 14, de Zurbarán; 7, de Ribalta; 6, del Divino Morales; y otros muchos que sería prolijo enumerar.

En la colocación de tantas y tan preciosas obras de las diferentes escuelas española, italiana, flamenca, holandesa, alemana y francesa, se observó desde la fundación del Museo el orden que expresaba el excelente *Catálogo* redactado y publicado en 1843 por el señor don Pedro de Madrazo, y fue el mismo que nosotros naturalmente hubimos de seguir en la ligera reseña de este magnífico establecimiento, inserta en la anterior edición del *Manual*; y siguiendo este mismo orden y la numeración señalada al pie de cada cuadro, nos atrevimos a llamar la atención del visitador hacia aquellos que nos parecieron más celebrados.

Hoy este orden de descripción no es rigurosamente exacto ni conduce tan cumplidamente a nuestro objeto, porque habiéndose hecho sustanciales variaciones en la colocación de los cuadros, y sobre todo, habiéndose entresacado los más primorosos o señalados de cada escuela para formar el nuevo y magnífico salón llamado *la Tribuna*, abierto a fines del año anterior, al lado izquierdo de la gran galería, o sea frente al ingreso principal del edificio por el Prado, faltan ya de los sitios en que antes se colocaban, muchos de los cuadros citados por nosotros, y que por regla general deben hoy buscarse en la dicha *Tribuna*, aunque todavia conservan en ella su antigua numeración.

Este nuevo salón, privilegiado, selecto, y mixto de todas las escuelas nacionales y extranjeras, y que en su parte baja presenta igual colección o quinta esencia de la rica galería de escultura, es, pues, una innovación sustancial en el orden lógico y artístico del Museo, y para juzgar de la cual necesitaríamos la inteligencia y autoridad de que absolutamente carecemos como profanos en el arte; limitándonos, por lo tanto, a consignar el hecho de que dicho salón, o llámese *Tribuna* (imitación de la célebre del palacio Pitti, de Florencia), viene a ser por sí sola un preciosísimo Museo dentro del general; y que por lo tanto merece un catálogo y numeración especial que creemos no tardará en publicarse. Esta *Tribuna*, que como queda dicho comprende ambos pisos, bajo y principal, para las dos galerías de escultura y pintura, es una hermosa sala de forma elíptica, abierta en el centro y circundada en su parte alta por un balcón o balaustre, desde el cual pueden verse a la vez ambos pisos, iluminados por la cubierta de cristales, y sostenida la planta principal por elegantes columnas, ofreciendo el conjunto una asombrosa perspectiva. En cuanto a las pinturas colocadas en la parte alta, qué podemos decir si no que son en general las más señaladas de este admirable Museo, el más rico y completo del mundo, y casi las mismas, y muchas más de las citas que nos atrevimos a hacer y que preferimos conservar en su lugar, mientras guarden su numeración, aunque en distinto sitio colocadas. Hecha esta indispensable advertencia, volvamos a nuestra descripción.

Las *escuelas españolas antiguas* ocupan los dos grandes salones laterales de la rotonda de la entrada, y aunque parece hacer agravio a las demás que omitimos, no podemos menos de llamar la atención en la

sala de la derecha hacia los siguientes:
número 40, *Aparición de San Pedro apóstol a San Pedro Nolasco*, de Zurbarán;
número 43, la *Sacra Familia*, de Murillo;
número 56, la *Anunciación*, del mismo;
número 133, el cuadro de *los Borrachos*,
de Velázquez; número 151, *Desembarco
de los ingleses cerca de Cádiz*, por Eugenio
Caxés; número 155, cuadro famoso de las
Meninas (1), que representa la infanta doña María de Austria, a quien sus damas
presentan un búcaro con agua, por Ve-
láquez; número 166, el *Cadáver de Nuestro Señor*, por Alonso Cano; número 177,
retrato ecuestre del Conde Duque de Olivares, por Velázquez. Y en la sala de la
izquierda el número 195, la *Fragua de
Vulcano*, por Velázquez; los números 196
y 97 y 99, el *Martirio de San Esteban*, por
Juan de Juanes; número 208, *Rebeca y
Eliecer*, por Murillo; número 225, la *Cena
de Nuestro Señor Jesucristo*, célebre pintura, por Juan de Juanes; número 229, la
Purísima Concepción, por el mismo Murillo; número 227, retrato de Felipe II,
viejo, por Pantoja; número 299, retrato
ecuestre de Felipe IV, por Velázquez; número 317, el *Niño Jesús dormido*, por Zurbarán; número 319, la *Rendición de Breda*, conocido por el *cuadro de las Lanzas*,
una de las más bellas obras de Velázquez;
número 335, cuadro de *las Hilanderas*, del
mismo, célebre por la óptica del claro oscuro y el colorido.

En las salas bajas de *escuelas varias*,
abiertas algunos años ha, hay considerable número de cuadros españoles y extranjeros de que por no hacer demasiado prolijo este artículo, nos abstenemos de citar
alguno.

En el salón de ingreso a la gran galería
central están colocados 46 cuadros de pintores *españoles modernos*: Goya, Maella,
Bayeu, Madrazo, López, Aparicio, Tejeo y
otros, que viviendo aún algunos, no pueden ser juzgados todavía con la debida
imparcialidad.

La gran galería a que se pasa después
encierra lo principal de las varias *escue-*

las *italianas*, y en ella llamaremos la atención hacia los cuadros siguientes: número 634, *San Sebastián*, de Guido Reni; número 643, *San Juan Bautista predicando
en el desierto*, del caballero Máximo; número 666, *Retrato de Mona Lisa*, por Leonardo de Vinci; núm. 721, *Nuestro Señor atado a la columna*, por Miguel Angel; 726, la *Sacra Familia* (*la Perla*), de
Rafael de Urbino; núm. 741, la *Virgen
del Pez*, cuadro admirable, por el mismo
Rafael; núm. 752, la *Gloria*, del Ticiano;
núm. 762, *Jesucristo difunto*, por Crespi;
núms. 765 y 69, retratos en pie de *Carlos V y Felipe II*, por el Ticiano; número 772, un asunto místico, por Andrés de
Sarto; núm. 778, la *Sacra Familia*, de
Leonardo de Vinci; núm. 779, *Jesús con
la Cruz a cuestas*, de Sebastián del Piombo; núm. 784, el célebre cuadro de Rafael que representa la caída de Nuestro
Señor Jesucristo con la Cruz en la calle
de la Amargura, y es conocido con el
nombre del *Pasmo de Sicilia* y reputado
por uno de los dos principales de Rafael (1); núm. 794, la *Sacra Familia*, llamada de *la Rosa*, por el mismo Rafael;
núm. 801, *Venus y Adonis*, del Ticiano;
núm. 809, *Jesús y la Magdalena*, del Correggio; núm. 831, la *Virgen y el Niño*,
del mismo *Correggio*; núm. 834, la *Visitación de Nuestra Señora*, por Rafael; número 836, *Santiago*, de Guido Reni; 837,
el Sacrificio de Abraham, de Andrés del
Sarto; 848, *Lot y sus hijas*, de Furini;
852, *Ofrenda a la Fecundidad*, del Ticiano; 864, *la Bacanal*, y 868, *la Sacra Familia*, del mismo; 886, *la Virgen en contemplación*, de Sassoferrato, y 907, un
interior, de Juan de Migliara, pintor contemporáneo.

Las escuelas *francesa*, *alemana*, *flamenca* y *holandesa*, aunque menos copiosas,
encierran también cuadros capitales de las
mismas, y ocupan varios salones, y la galería de paso y otras salas bajas.

Citaremos sólo el núm. 942, *Paisaje*, de
Claudio de Lorena; el 944, *Nuestro Señor Jesucristo apareciéndose a la Magdalena en traje de jardinero*, de Nicolás
Poussin; 947, otro *Paisaje*, de Claudio;

---

(1) Este cuadro y casi todos los siguientes
que citamos de la escuela Española han pasado,
como queda dicho, a la nueva Tribuna con la
misma numeración.

(1) Este magnífico cuadro ocupa hoy el testero del nuevo salón, llamado *la Tribuna*.

948, una *Bacanal*, de Poussin; el 956, *Eva recibiendo la manzana de la serpiente*, por Alberto Durero; 957, *Paisaje*, del Poussin; 972, *Retrato de Durero*, por el mismo; 975, *País con el sol poniente*, de Claudio; 982, *David, vencedor de Goliat*, de Poussin; 989, *el Parnaso*, del mismo; 992, un *Retrato de hombre*, de Durero; 1.003, *País frondoso con figuras*, de Claudio; 1.006, *Cacería de venados*, de Cranach; 1.007, *Noé con su familia después del Diluvio*, de Poussin; 1.009. *Composición alegórica*, de Durero; 1.011, *la Virgen dando el pecho al Niño Jesús*, del mismo Durero; 1.013, *Combate de gladiadores*, del Poussin; 1.017. *Alegoría moral*, de Durero; 1.018, *Retrato de un hombre*, por Holbein; 1.019, *la Virgen y el Niño*, de Durero; 1.023, *Santa Cecilia*, de Poussin; 1.025, *Rústicos comiendo*, de Van Ostade; 1.033, *Paisaje*, de Claudio.

En el salón de la izquierda, de las escuelas *flamenca* y *holandesa*, llamaremos la atención sobre los números 1.330, *la Reina Artemisa*, cuadro de Rembrandt; 1.336, *Parada de un cazador*, de Wouwermans; 1.339, *Baile campestre*, de Brueghel; 1.345, *Retrato de María de Médicis*, por Rubens; 1.349, *Un vivak*, por David Theniers; 1.350, *Don Fernando de Austria a caballo*, por Rubens; 1.356, *San Pablo y San Antón, ermitaños*, por Theniers; 1.358, *Retrato de una princesa*, por Rubens; 1.376, *Retrato de la infanta doña María de Portugal*, por A. Moro; 1.377, *Caza de liebres*, de Wouwermans; 1.382, *Retrato de una señora anciana*, de A. Moro; 1.383, *Partida a la caza*, de Wouwermans. Y en la sala de la derecha: 1.400, *Felipe II a caballo*, por Rubens; 1.407 *Retratos de Van Dyck y del conde de Bristol*, por el mismo Van Dyck; 1.446, *Retrato de la reina María de Inglaterra*, por A. Moro; 1.449, *Aquiles disfrazado de mujer en la corte de Licomedes*, por Rubens; 1.451, *Las tentaciones de San Antón*, de Theniers; 1.463, *Partida de caza*, por Wouwermans; y 1.467, *Descanso de cazadores*, del mismo; 1.479, *Paisanos tirando al blanco*, de Theniers; 1.551, *Una gallina muerta*, de Metzu; 1.573, *Partida de la posada*, de Wouwermans. Por último, en las nuevas salas flamencas, 1.702, *Festón de frutas y flores con dos genios*, de Schneiders, Brueghel y Rubens; 1.772, *Retrato de doña Polixena Espínola, marquesa de Leganés*, por Van Dyck; 1.794, *Retrato de una de las hijas de Carlos V*, por A. Moro, y otros muchos que no citamos por no parecer molestos.

Galería de escultura.—Ocupa el piso bajo en casi toda la longitud del Real Museo, y una extensión de 452 pies, dividida por una gran sala desde la que forma un magnífico golpe de vista. Las agradables tintas de que están pintadas sus paredes, imitando a los mármoles, están en perfecta correspondencia con el pavimento de mármol blanco y aplomado, y todo en armonía con los preciosos objetos que contiene.

Entrando por el gran pórtico de la fachada principal encuéntrase la rotonda que forma el centro de todo el Museo, y enfrente de él está la entrada a la nueva tribuna o salón, en cuya parte baja se ha colocado lo más selecto de esta galería de escultura. Al fondo de ella descuella el *Grupo de Zaragoza*, ejecutado en Roma por el escultor español don José Alvarez, que representa un hijo defendiendo a su padre herido por los soldados franceses, y es una de las más bellas obras del arte moderno y que inmortaliza el nombre de su autor. A su rededor se ven el celebérrimo grupo de *Castor y Polux*, la *Venus Capitolina*, el *Fauno del Cordero* y otras clásicas del arte antiguo.

Larga y enfadosa sería una simple conmemoración de todos los objetos primorosos del arte que encierra esta rica galería, y su preciosísimo compendio la nueva tribuna; pero no habiéndose publicado catálogo de ellas y habiendo recibido considerables variaciones en su colocación, tenemos que renunciar a ello por el temor de incurrir en inexactitudes, citando sólo en general aquéllas que a juicio de superiores inteligentes merecen esta preferencia. Tales son un *Fauno mayor* del natural, un *Baco* y un *Joven orador*, que a pesar de las restauraciones que han sufrido, aparecen llenas de belleza. Entre los muchos bustos parecen magníficos los de *Lucio Vero*, de *Adriano* y de *Antinoo*, todos semicolosales. Hay hermas de grande interés artístico e histórico; citaremos las de *Bias,* uno de los siete sabios de Grecia; el *Pericles,* y una cabeza de *Augusto,* nombres bien sonoros y venerables en este encantado recinto. Uno de los objetos de más nota por su excelente escultura es una ara colocada en la línea del centro de la galería de la derecha y consagrada a Baco; en su circunferencia están representados sus triunfos y sus fiestas, con un cincel digno del siglo de Augusto. Tan preciosas, aunque de otro carácter, son cuatro bellísimas *Bacantes* de otros tantos bajos relieves empotrados en las paredes laterales, a la entrada de este salón, que también creemos formaban otra ara.

De escultura moderna se admira aquí el celebrado grupo en bronce de *Carlos V, encadenando al furor,* obra del insigne Pompeyo Leoni, y que ha sido por dos siglos la admiración de los inteligentes en los jardines del Retiro y posteriormente en la plazuela de Santa Ana; esta estatua tiene la particularidad de podérsela desnudar de su armadura; también hay otras dos estatuas del mismo que representan a la esposa y hermana del César, y otra, a su hijo Felipe II; todas excelentes y dignas del mayor aprecio. De nuestros artistas contemporáneos, merece citarse particularmente el excelente grupo en mármol de los inmortales *Daoiz y Velarde,* a quienes Solá parece ha querido reanimar con tanta energía y expresión. *Un amorcito,* de don José Alvarez, hijo, nos hace sentir profundamente la temprana muerte de un joven que tanto honor hubiera dado a nuestra Patria.

Varias mesas de extraordinaria riqueza completan el adorno de esta hermosa galería; dos de ellas, incrustadas maravillosamente con infinidad de piedras duras y finas, merecen particular atención, a más de haber sido regalo del Santo Padre Pío V a Felipe II y a don Juan de Austria en memoria de la célebre batalla de Lepanto.

Entremos en la última rotonda o gabinete, que puede llamarse, en resumen, de infinitas e instructivas curiosidades, entre otros objetos de muy trivial interés al parecer. En dos alacenas practicadas ingeniosamente en los ángulos que intercepta el semicírculo, y en toda la circunferencia de este gabinete, se ven colocados mu-

chos vasos ítalo-griegos, llamados etruscos, así como una infinidad de tazas, jarrones de pórfido elegantísimos, tabernáculos, mosaicos, columnitas, obeliscos y arcos triunfales, casi todo de hermosísimas piedras duras y que recuerdan muchos de los principales monumentos de la antigua Roma. Uno de ellos, preciosa reproducción de un obelisco célebre de aquella capital, es regalo especial de Su Santidad el Papa Pío IX a la reina doña Isabel II. La célebre *Apoteosis de Claudio,* admirada por tantos años en el salón de columnas del Real Palacio, está colocada en el centro (1). De escultura moderna hay cuatro bustos y varias estatuas ecuestres pequeñas, todo en bronce, de Bouchardon y de algunos artistas españoles, con otros objetos de escultura en marfil, etc., que, desterrados por la moda de las suntuosas y regias viviendas, sólo por conservarse merecen aquí fijar su residencia.

La galería de la izquierda contiene igual número de buenas esculturas que la otra primera. En la circunferencia del salón están las ocho musas tan conocidas, que adornaron el Real Sitio de San Ildefonso y fueron, así como otras esculturas, de la famosa Cristina, reina de Suecia. Una estatua de Augusto, mayor que el natural; un Meleagro; un lindísimo Mercurio sin brazos, y la majestuosa Ariadna o Cleopatra, de la buena época del arte romano. Muchos bustos y cabezas de divinidades,

---

(1) Esta elegante obra fue mandada construir, según se cree, por su sucesor Nerón, el cual (dice Plinio) quiso, al parecer, disimular con este holocausto la traición de haberlo hecho envenenar para usurpar el cetro. La casa de Colonna en Roma fue un tiempo poseedora de este apreciable monumento, y el cardenal Jerónimo Colonna le hizo trasportar a Madrid para obsequiar con él a Felipe IV. He aquí la razón de hallarnos hoy poseedores de esta excelente escultura.

Consiste, pues, en el busto de dicho emperador Claudio con corona de rayos, y un limbo o diadema alrededor de la cabeza. Asienta este busto sobre un águila en actitud de levantar el vuelo, la cual con una garra reposa sobre un globo, y con la otra sostiene el rayo de Júpiter. Debajo del águila se ve un grupo de trofeos, como son escudos, corazas, morriones, espadas, áncoras, proas y popas de navíos, en alusión a las muchas victorias alcanzadas por Claudio, o más bien por sus generales, pues es harto sabida la imbecilidad de aquel Emperador.

emperadores y filósofos adornan este recinto; pero sólo citaremos como obras de más importancia, entre otros, el de Lucio Vero, de Sabina, de Germánico y el de un Baco indiano, las hermas o cabezas del divino Platón, de Homero, de Demóstenes, de Eurípides, de Sófocles e Hipócrates, y una máscara de Neptuno; las dos hermas bicipites de Tales con Biante y otra compañera de bellísimo y griego cincel. Incrustados en las horsacinas al centro del salón se ven, entre otros, dos pequeños bajos relieves preciosísimos con Sátiros y Bacantes. Del siglo XVI hay otros dos que representan a Carlos I y a su esposa, labrados con indecible primor. Por último, de los autores modernos, los señores Alvarez, Piquer, Pérez y otros hay obras muy bellas que representan a los monarcas Carlos IV y María Luisa, Fernando VII, Isabel II y su augusto esposo y hermana; el famoso San Jerónimo, del señor Piquer, vaciado en bronce, y una estatua que representa al inventor de los barcos de vapor, Blasco de Garay, regalo de Su Majestad el Rey consorte. Repetimos que es un dolor que no se haya publicado catálogo de esta rica galería.

Galería de pinturas de la Academia de San Fernando. — Esta Academia posee una apreciable colección, compuesta de unos 300 cuadros, que ha reunido con la protección de los Reyes y los donativos particulares, la cual se halla colocada en once salas del piso principal del mismo edificio que ocupa la Academia en la calle de Alcalá. Entre ellas las hay originales de nuestros célebres Murillo, Ribera, Velázquez, Zurbarán, Morales, Cano, Ricci, Carducho y otros célebres autores antiguos y de muchos modernos profesores y aficionados, así como también varias de las escuelas extranjeras, aunque habiendo sido trasladadas al Museo muchas de las principales, ha perdido esta galería una parte de su importancia. Ostenta todavía en su sala primera el magnífico cuadro de Murillo que estaba en el Hospital de la Caridad de Sevilla y representa a Santa Isabel, reina de Hungría, curando a los pobres; y en la sala segunda, los dos célebres medios puntos del mismo Murillo que representan la visión que un pa-

tricio romano y su mujer tuvieron sobre la edificación del templo de Santa María la Mayor de Roma, y otros cuadros de la mayor importancia, de que no hacemos mérito por evitar prodigalidad. También tiene una sala de escogidos grabados y multitud de bustos, algunos de bronce y en mármol, colocados en las diversas salas.

En el piso bajo del mismo edificio está la galería de escultura, compuesta de vaciados en yeso de las más célebres estatuas antiguas y modernas, bajos relieves y demás que sería prolijo enumerar, y que sirven para el estudio de las mismas bellas obras de la antigüedad. Esta galería de estatuas tiene la particularidad de haber pertenecido en su mayor parte al célebre pintor de cámara don Antonio Rafael de Mengs, que la regaló a la Academia.

Ambas galerías se abren al público todos los años una temporada de quince días, por el mes de setiembre.

Museo Nacional de la Trinidad.—A consecuencia de la supresión de los regulares, la Real Academia de Nobles Artes de San Fernando solicitó del Gobierno en 1836 la competente autorización para enviar comisionados de su confianza a las provincias, con el fin de recoger los principales objetos artísticos de los conventos extinguidos, y obtenida por Real orden de 20 de enero dicha autorización, tuvo lugar dicha comisión académica a varias provincias. De aquí procede la creación de este Museo, que después se enriqueció también con la preciosa colección de cuadros extranjeros y nacionales que poseía el infante don Sebastián.

Destinado para este Museo el convento de la Trinidad, pudo instalarse y abrirse por primera vez el día de Santa Cristina, 24 de julio de 1838, aunque muy luego volvió a cerrarse para dar lugar a muchas obras y reparaciones del edificio y habilitación de los cuadros. Realizadas, en fin, aquellas obras, habilitados nuevos salones y multitud de cuadros, fruto de los procedentes de los conventos, como la dicha colección del infante don Sebastián, se abrió de nuevo al público en 8 de diciembre de 1841.

El objeto primordial de este establecimiento se revela, sin duda, en su propia calificación de *Museo Nacional*, y en él, sin duda, debían recogerse, por lo tanto, las obras de los pintores españoles que resultaron propiedad de la nación por la extinción de los conventos. Sin embargo, y a pesar de la riqueza y variedad que ostentó este Museo, parécenos que más que el título de Nacional le cuadra el de Central o Provincial, por componerse especialmente de las obras recogidas en Madrid y poblaciones cercanas, habiéndose formado en las principales capitales como Sevilla, Valencia, Granada, Valladolid y demás, otros tantos Museos que por su asombrosa abundancia y exquisito primor de las pinturas en ellos reunidas, no tienen nada que envidiar al de la Trinidad.

Este, sin embargo, se compone de unos 900 cuadros de los pintores españoles Ribera, Murillo, Zurbarán, Alonso Cano, los dos Herreras, Correa, Juan de Juanes, Pantoja de la Cruz, Becerra, Maino, Gelarte, Carreño, los dos Ricci, Camilo, Pareja, Tristán, Ribalta, Antolínez, Escalante, Cieza, Miranda, Orrente, Salmerón, Pedro Atanasio, Sebastián Muñoz, Antonio del Castillo, Pereda, Cerezo, Alonso del Arco, Leonardo, Palomino, Bartolomé Román, Lanchares, Eugenio Caxes, los dos Coellos, Sánchez Cotán, Castillo Saavedra, Arellano, Valdés Mateos, Eugenio Orozco, Menéndez, Díaz, Morán, González, Donoso, Carvajal, Arias, Solís, Juan Bautista Ribera, Romero, Blas Muñoz, Rodríguez, López Polanco, Ignacio Ruiz, Paula, Vargas, García, Dionisio Alfaro, Menas, Bayeu, Goya, Camarón, Ponz, Zacarías Velázquez y diversos otros; y de los artistas extranjeros Julio Romano, Ticiano, Palma, Alberto Durero, Lucas de Holanda, Volterra, el Guercino, Rubens, Van Dyck, Andrés Pauli, Gerardo de la Notte, Tiepolo, el Greco, Martín de Vos, Angelo Nardi, Dippi, Schniders, Bauden, Theniers, Ramper, Pietro Tempestas, Vandepere, Berveck, Crayer, Vayer, L. Jordán y otros no menos distinguidos profesores.

Pero todavía fué más adelante la desgracia de este precioso Museo, porque, ocupado en 1851 el edificio de la Trinidad por el Ministerio de Obras Públicas, hoy de Fomento, ha quedado sin local propio y como simple accesorio u adorno de las galerías y salones de aquél, unas abiertas al público y otras sólo oficialmente a los empleados y pretendientes; espectáculo vergonzoso que no puede tolerarse a los ojos del arte y de la cultura nacional.

No podemos, por lo tanto, llamar especialmente la atención del curioso visitador hacia aquellas pinturas más recomendables por su importancia; esto no obstante, nos permitiremos hacer alguna excepción en favor de la famosa tabla de la *Transfiguración*, de Rafael, tenida generalmente por la copia que Julio Romano y el Fattore hicieron de la obra capital del gran maestro, y no faltan críticos de acreditada inteligencia que han tenido ocasión de contemplar y estudiar el cuadro que se conserva en el Vaticano, y se inclinan a suponer original el que posee este Museo. Este cuadro fue propiedad del príncipe de Astillano, quien lo regaló al convento de monjas carmelitas de Santa Teresa, que fundó al fin de la calle de San Antón, y allí ha estado colocado en el remate del altar mayor de aquella iglesia, y estaba tasado en 10.000 doblones en los inventarios de aquella casa.

También merecen especial mención la colección completa de los medios puntos representando la *Vida de San Bruno*, pintados por Vicente Carducho para la Cartuja del Paular. Igualmente el gran cuadro de Francisco Ricci que representa el Monte Calvario, magnífica composición en el estilo de Rubens; un *San Sebastián*, de Carreño; una *Virgen con el Niño*, de Alonso Cano; un fraile dominico, dos excelentes cuadros que representan la muerte de un religioso trinitario, y *El martirio de San Bartolomé*; un *San Fernando*, de Murillo; *Doña Margarita de Austria*, de Velázquez; *Carlos II*, de Carreño; *San Francisco de Paula*, de Murillo; el cuadro de Rubens que representa a *Sansón venciendo a un león*; el retrato de un *Girón con coleto y gafas*, célebre cuadro de Ribera, y un *Beodo con una botella*, por el mismo; un *San Bernardo*, de Cano; un *Retrato de la duquesa de Orleáns*, por Van Dyck; un *Descendimiento*, de Vicente Juanes; un *Retrato*, de Holbein; *Unas bodas*, por David Theniers, cuadro grande; *Una comida*, de Van Ostade; un

Nacimiento y adoración de pastores, de Lucas de Holanda; el *Prendimiento de Nuestro Señor,* por Gerardo de la Notte; dos *randes cacerías,* de Snyders; un *San Sebastián,* de Mateo Cerezo. También están en esta colección el precioso cuadro de Goya de las *Majas al balcón,* una de las más acabadas obras de este célebre artista, y otro cuadro famoso de Sebastián Muñoz que representa a la reina doña María Luisa de Orleáns de cuerpo presente, cuadro del que se cuenta que, acabado que fue y presentado por el pintor a la comunidad del Carmen que se lo había encargado, ésta no quiso admitirlo por parecerle poco semejante el retrato de la Reina difunta, a lo que contestó Muñoz pintando de memoria otro retrato vivo en un ángulo del cuadro con esta inscripción: *Nec semper lilia florent,* para darles a conocer la diferencia entre una persona viva y un cadáver.

Por último, entre otros cuadros de mérito, sólo citaremos el grande y célebre de Murillo que representa la *Institución del Jubileo de la Porciúncula,* y el otro del Greco representando la *Asunción de Nuestra Señora.*

Repetimos, por último, que para que pueda completarse en número y disfrutarse por su colocación este hermoso Museo, es indispensable que se le devuelva, por lo menos, la parte del convento que ocupa el Ministerio, y a que también podría trasladarse la Academia de San Fernando, incorporando a ésta su bella colección.

Colecciones particulares.—Además de estas copiosas galerías públicas, haremos aquí especial mención recomendando a la curiosidad de los amantes de las artes la visita a las muchas colecciones particulares, cuyos dueños suelen franquearlas con amabilidad y cortesía. No pudiendo recordar aquí todas las que se encierran en nuestra capital, sólo citaremos la copiosa y escogida de cuadros capitales españoles y extranjeros que posee el señor Madrazo, director del Real Museo, en la calle de Alcalá; la del señor marqués de Remisa, calle de Torija; la del señor Chico, plazuela de los Mostenses; la del señor Peleguer, calle Angosta de San Bernardo; la del señor Jiménez de Haro, calle de la

Farmacia, notable también por la copiosísima colección de antigüedades, armas, camafeos y medallas; la del señor Carderera, en la casa de Villahermosa, curiosa colección de retratos antiguos; la del señor Quinto, calle de San Vicente; la del señor Carriquiri, calle de Jacometrezo; así como también las que adornan los suntuosos palacios de los señores duques de Osuna y del Infantado, de Altamira, de Medinaceli, y conde de Oñate; la rica galería de escultura del señor duque de Alba, y otras varias que sería prolijo enumerar.

Armería Real.—Cuando se considera el imperio colosal que reunieron bajo su cetro los monarcas españoles en los siglos pasados; cuando se toma en cuenta que a la sombra de sus banderas y por la fuerza de sus armas conquistaron sus súbditos las Indias Occidentales, las islas del Océano, el inmenso continente del Nuevo Mundo, las costas e islas africanas y los más bellos y ricos países de Europa; cuando se recuerda que aquellos descubrimientos y conquistas produjeron los inmensos trofeos de Otumba y del Cuzco, de Lepanto y de Túnez, de San Quintín y de Pavía; cuando, en fin, se traen a la memoria los hechos esforzados, el patriotismo y grandeza de esa pléyade de monarcas generosos y de personajes heroicos, desde Pelayo hasta Isabel la Católica, desde el Cid hasta el Gran Capitán; cuando todas estas consideraciones, repetimos, asaltan al entendimiento y cautivan la razón, ¿cuál de los españoles, dotado de amor patrio y de entusiasmo nacional, estará indiferente a visitar el rico arsenal, el preciosísimo Museo donde se conservan gran parte de aquellos nobles títulos de nuestra pasada gloria, de aquellas armas y vestiduras, bajo las cuales palpitaron un día pechos generosos o fueron arrancadas de manos del cautivo guerrero para adornar el carro del triunfo del magnífico vencedor?

El edificio en que está colocada esta rica colección se halla situado en la plazuela del mediodía del Real Palacio, dando frente a éste, y fue concluido en tiempo de Felipe II por su arquitecto Gaspar de Vega con destino a Caballerizas reales. Es un edificio sencillo y sin ornato, aunque de una extensión considerable, y todo el piso principal forma una galería de 227 pies castellanos de longitud por 36 de latitud y 21 de altura, bien iluminada con balcones. En el extremo oriental del edificio arranca un espacioso arco de piedra construído a fines del siglo XVII, durante la minoría de Carlos II, que da entrada a la plazuela de Palacio, y los remates laterales de la bóveda empizarrada que cubre todo aquél están escalonados a la manera de los techos flamencos. según la orden del rey don Felipe II, que escribía desde Bruselas a su arquitecto Vega: "Queremos que el techo de las Caballerizas de Madrid sea de pizarra, y dispuesto como los de este país."

Posteriormente, y por orden del mismo Monarca, fueron traídos en 1565, y colocados en este edificio, los muchos objetos que se hallaban en Valladolid y Simancas, para servir de base a la formación de esta Real Armería, que continuada posteriormente por los monarcas sus sucesores, ha llegado a obtener el grado de importancia en que hoy la vemos.

Todavía sería más completo si acontecimientos recientes, si desgracias irreparables no hubieran venido a trastornar y disipar una parte de aquel magnífico monumento de nuestra historia nacional. Formado y acrecido con gran cuidado y diligencia por los monarcas que sucedieron a su fundador, ostentaba a los principios del presente siglo una rica variedad de prendas históricas y de exquisito trabajo artístico, aunque no muy bien estudiadas ni colocadas, según puede inferirse del inventario publicado por Abadía en 1793. Pero vino la funesta guerra, consecuencia de la invasión francesa, y el primer objeto a quien cupo la mala suerte de ser envuelto en el trastorno general fue la Real Armería, en la que el pueblo de Madrid, en momentos de ciego entusiasmo y de resistencia heroica a los ejércitos imperiales acampados a sus puertas, sólo vió un copioso arsenal donde acudir a surtirse de armas ofensivas, y forzando sus puertas, arrancó de aquel sagrado depósito multitud de prendas de inestimable valor histórico, para oponerlas indiscretamente a las águilas vencedoras en Jena y Austerlitz. El resultado fue su pérdida irreparable para este Museo, y posteriormente se completó el trastorno y arrumbamiento de los objetos que aún le quedaban, por el descuido o más bien la mala voluntad que, como todas las glorias nacionales, inspiraron naturalmente al gobierno intruso de una dinastía enemiga, llegando al extremo de arrinconarlos en desvanes y buhardillas y convertir en salón de bailes el piso principal del edificio. Ni paró aquí la ojeriza y los celos del Gobierno de Napoleón, sino que, afectando susceptibilidades impropias y abusando de su poder pasajero, arrancó de aquel sitio la espada del prisionero de Pavía, pretendiendo inútilmente borrar con ello una página de nuestra historia nacional.

Por fortuna, los tiempos cambiaron, la España recobró su independencia a costa de su sangre y sacrificios; los monarcas legítimos volvieron a ocupar el solio, y desde entonces éste, como todos los demás establecimientos de gloria y orgullo nacional, atrajo sus miradas y reclamó su protección.

Ya en los últimos años del reinado de Fernando VII la Real Armería, repuesta algún tanto de los pasados trastornos y enriquecida con nuevas y preciosas adquisiciones, había llegado a ser una colección primorosa en ambos conceptos histórico y artístico, y tanto que cuando los señores Sensi y Juvinal publicaron en París en 1835 su primorosa descripción con magníficos dibujos de los objetos más notables, se citó, desde luego, como uno de los más preciosos museos de Europa.

Pero, desgraciadamente, se hallaba en notable descuido de estudio y de buena colocación para ser apreciado como merece por las personas inteligentes y amantes de la gloria nacional. El llenar. pues, este vacío, el dar una colocación metódica y conveniente a los objetos, previo un estudio concienzudo de su historia auténtica y primor artístico, el hacer pública y al alcance de todas las inteligencias aquella clasificación por medio de un *catálogo* razonado, era empresa de tan alto interés como de extrema dificultad. A la protección decidida de Su Majestad la Reina y de su augusto esposo, al celo del director que fue de la Armería y de las Reales Caballerizas, el general don José María Marchessi, auxiliado con los informes de una junta de personas distinguidas y estudiosos analizadores de la historia y del arte, y secundados por la activa diligencia del señor Sensi, que se encargó de la colocación y arreglo de los objetos, de los distinguidos armeros señores Zuloagas, que dirigieron la reparación y, finalmente, del laborioso y concienzudo escritor señor Martínez del Romero, que se encargó de la formación del *Catálogo*, ha podido darse a luz este preciosísimo trabajo y presentarse al público con su arreglo metódico y brillante disposición aquel magnífico Museo.

A los que para visitarle con fruto lleven en la mano ese interesante libro, nada podemos decirles que no esté ampliamente comprendido en él. Pero como la contemplación en detalle de tanta multitud de objetos (cuyos números llegan a 2.538) es cosa que requiere mucho tiempo y propia de poquísimas personas, nos parece que no está fuera de lugar la idea de llamar la atención de la generalidad hacia aquellas prendas que por su heroica procedencia o el primor de su ejecución tienen la ventaja de atraer todos los instintos, de reunir todas las voluntades, de cautivar todas las miradas. Pero como necesariamente esto debe tener sus límites y más en un libro como el nuestro, habremos de contentarnos con señalar las más principales, designándolas por los números que llevan en el *Catálogo*, y de los cuales se dan en él preciosos pormenores descriptivos.

Números: 141, armadura de malla de Alfonso V de Aragón; 321, panoplia o armadura completa del Elector de Sajonia, prisionero de Carlos V; 402, armadura fébrida de don Juan de Austria, completa; 426, media armadura preciosa del rey don Felipe III, atribuída infundadamente al cardenal Cisneros; 481, preciosa armadura del Emperador Carlos V; 499, armadura alemana del Emperador Carlos V; 927, preciosa media armadura de Garcilaso de la Vega, el poeta; 939, escudo o rodela famosa del Juicio de París; 1.132, media armadura de Juan de Padilla; 1.157, armadura de don Alvaro de Bazán, marqués de Santa Cruz; 1.231, media armadura de Juan de Aldana, el que hizo prisionero a Francisco I; 1.327, media ar-

madura regalada a Felipe III por Isabel Clara Eugenia, con su cifra. que ha dado lugar a que se la atribuyese a Isabel la Católica; 1.525, pendón que llevó a Túnez el Emperador Carlos V; 1.544, bastón, carcaj y calabaza de un cacique americano; 1.588, colgiac o brazalete turco de Alí Bajá, almirante de los turcos en Lepanto; 1.598, espada llamada de Boabdil, último rey moro de Granada; 1.632, yelmo de don Jaime el Conquistador; 1.659, espada de Pelayo, traída de Covadonga; 1.662, espada envainada atribuída a Roldán; 1.666, escudo preciosísimo de la cabeza de Medusa, perteneció a Carlos V; 1.696, espada toledana de Fernando el Católico; 1.697, espada sin guarnición del príncipe de Condé; 1.698, espada de Bernardo del Carpio; 1.702, espada del Gran Capitán, que es la que sirve de estoque real para la jura de los príncipes de Asturias; 1.705, espada valenciana de Isabel la Católica; 1.711, gran partesana del rey don Pedro de Castilla; 1.727, *la Colada*, famosa espada del Cid Campeador; 1.759, espada de Bernal Díaz del Castillo, regalada a Su Majestad por el conde de la Cortina; 1.766, copia exacta de la espada del rey Francisco I, devuelta a los franceses en 1808, y mandada sacar por Su Majestad el Rey consorte; 1.796, espada de Francisco Pizarro; 1.773, espada particular y primorosa de Felipe II; 1.776, espada de Carlos V, traída del monasterio de Yuste; 1.785, efigie del Santo Rey don Fernando vestida nuevamente con propiedad; 1.807, espada de Hernán Cortés; 1.870, espada del *Perrillo*, del poeta Garcilaso de la Vega; 1.913, espada toledana del conde-duque de Olivares; 1.931, platos de hierro de la vajilla de campaña del Emperador Carlos V; 2.038 y 39, estandartes de la batalla de Lepanto; 2.308, armadura ecuestre y armada del Emperador Carlos V con que entró en Milán; 2.321, armadura ecuestre del Emperador Carlos V sobre un caballo bardado o encobertado; 2.342, armadura ecuestre de Hernán Cortés; 2.355, armadura del almirante don Cristóbal Colón; 2.388, armadura completa de Felipe II con que le retrató el Tiziano; 2.396. armadura chinesca regalada a Felipe II por el Emperador de la China; 2.398, armadura completa de Felipe II sobre su caballo bardado; 2.399, armadura del príncipe don Carlos, hijo de Felipe II; 2.408, toldillo o sillón portátil de campaña del Emperador Carlos V; 2.410, armadura completa ecuestre del Emperador con que entró en Túnez; 2.425, litera de cuero del Emperador; 2.490, armadura del Gran Capitán; 2.521, casco del rey de Francia Francisco I.

Museo Militar de Artillería.—Este magnífico depósito tuvo su origen en 1803 bajo el nombre de *Museo Militar* y dirección del general Urrutia, que se hallaba al frente de ambos Cuerpos de Artillería e Ingenieros, y le fundó con la compra de la colección de modelos originales de Montalambert y reunión de los planos, proyectos, sistemas, máquinas, instrumentos y efectos de guerra que existían en los diversos archivos, maestranzas, fábricas y almacenes del reino, padeciendo mucho en el día 2 de mayo de 1808 por la circunstancia de hallarse situado en el edificio de Monteleón que servía de parque, y que tan importante papel hizo en aquel terrible día. Por Real orden de 28 de enero de 1823 quedó dividido en dos Museos, uno de Artillería y otro de Ingenieros, aunque colocados ambos en el palacio de Buenavista, donde permanecieron hasta que, destinado este palacio en 1841 para habitación del Regente del reino, se trasladó el de Artillería al *Salón de los Reinos*, resto del antiguo palacio del Buen Retiro, donde permanece, y donde desde entonces ha ido creciendo en riqueza en una proporción tan asombrosa, que además de Museo especialísimo y facultativo del arma de Artillería, puede gloriarse hoy con el justo título de *Museo Militar, científico e histórico*, y ofrece a los amantes del país una página viva de su civilización y de su gloria.

Antes de entrar en la ligera reseña de este suntuoso Museo, debemos estampar algunas líneas sobre el edificio también histórico y precioso en que está colocado. Forma su objeto principal el magnífico *Salón* en que se juntaban las Cortes del reino desde los últimos tiempos de la dinastía austríaca hasta las de 1789 inclusive, en que se declaró la abolición de la ley Sálica. Este suntuoso local, cuya extensión y anchura, excelentes luces y rico ornato corresponden muy bien a tan alto objeto, ostenta todavía su hermoso artesón recamado de oro en que brillan las armas y blasones de los muchos y extendidos reinos que en anteriores tiempos componían la Monarquía española, colocados por este orden: Castilla, León, Aragón, Toledo, Córdoba, Granada, Vizcaya, Cataluña, Nápoles, Milán, Austria, el Perú, Brabante, Cerdeña, Méjico, Borgoña, Flandes, Sevilla, Sicilia, Valencia, Jaén, Murcia, Galicia, Portugal y Navarra, y se supone también que las paredes estuvieron espléndidamente pintadas al fresco hasta que en tiempo de los franceses fueron destruídas y después borradas del todo, blanqueándolas cuando el edificio estaba convertido en taller de los pintores de la real cámara. A los costados de la portada o ingreso del edificio están hoy colocadas dos estatuas colosales de Felipe IV y de Luis I, fundador aquél del Real Sitio, y nacido éste en el mismo; y también sobre pedestales, y en situación vertical, van a ser colocadas como emblema del Museo dos magníficas piezas de artillería de la Maestranza real inglesa, cogida a los moros de Joló por el marqués de Solana, general Urbistondo, en 1852.

Imposible sería describir el espléndido espectáculo que se presenta a la vista al penetrar en los inmensos salones del edificio. Pero antes conviene advertir que en su planta baja está colocada la inestimable colección de artillería que data desde su primera época en el siglo XII, riqueza especialísima del arma que posee exclusivamente este Museo militar entre los demás de Europa; pues es bien sabido que España fue el primer país del continente en que se usó la pólvora y la artillería por los años 1118 en las máquinas o tiros llamados entonces de trueno, y sitio de Zaragoza por las armas cristianas, siendo rey de Navarra y Aragón y mandando el ejército don Alfonso I, llamado *el Batallador.* En dicha colección, que comprende desde el siglo XII al XVI, puede el inteligente estudiar la historia del arte desde su principio, en sus toscas máquinas de guerra, bombas, culebrinas, balerío de piedra y cureñaje grosero y pesado.

El primer objeto que cautiva la atención en el salón alto de ingreso es la magnífica tienda de campaña de los Reyes Católicos, primorosamente conservada y desplegada, y el pendón de guerra del Emperador Carlos V, con otros preciosos restos del mayor interés histórico. En esta y las demás salas están colocadas perfectamente y clasificadas las ricas colecciones de salitres, azufres, carbones, pólvoras y piedras de chispa, cápsulas, chimeneas, cebos, turquesas, balerío, cartuchería, espoletas, estopines, lanzafuegos, etc., todo, en fin, lo que constituye los modelos de la fabricación, desenvolviéndose sucesiva y completamente en todo el Museo la idea de presentar la historia de la ciencia, pensamiento filosófico que es el que ha presidido en la reorganización del mismo, que data sólo desde 1850, como más adelante diremos.

Campean en el gran salón principal y la siguiente *sala de Armas* todos los modelos de máquinas de fundición de bronce y hierro, fábricas, maestranzas, artículos de plaza y campaña, sistemas y proyectos de artillería, modelos de plazas, parques, fábricas de Sevilla, de La Coruña, Trubia, la de armas blancas de Toledo y otros de las plazas de Fuenterrabía, Rosas, Melilla y Acapulco, con otra infinidad de objetos primorosos para el arte, y alternan además con ellos una inmensa riqueza en otros que pudiéramos llamar históricos y nacionales, como banderas célebres (de las que hay nada menos que 236), desde algunas ganadas en el famoso combate de Lepanto, hasta las del cura Morelos, de los franceses, de Cabrera, de Balanguingui y la del ex general López en la isla de Cuba; y entre las armaduras y prendas diferentes, muchas que pertenecieron a celebérrimos sujetos, como las espadas de Suero de Quiñones, Sancho Dávila, don Diego de Mendoza, Diego García de Paredes y otras antiguas, y de los modernos generales don Mariano Alvarez, Palafox, Castaños, Wellington, Mina, Torrijos, etc., ostentadas algunas con sus bastones de mando sobre ricos cojines de seda en sendos aparadores en el centro de la sala principal; igualmente se ve bajo de otro también cerrado de cristales una rústica mesa y dos sillas que sirvieron para ajustar los preliminares para el convenio de Vergara a los generales Espartero y Maroto, con otro número infinito de objetos a cual más interesantes por su valor histórico o por su mérito artístico.

Por último, en las piezas y galerías nuevamente habilitadas que siguen a *estos tres salones* es mucho lo que hay que admirar en armas de fuego, punta y corte usadas desde su principio en el continente europeo y en ultramar, en que se observan todos los instrumentos de guerra desde el estado salvaje hasta el más refinado adelanto, las flechas, lanzas, ereks, hachas, arcos y solapones de los filipinos, carolinos, malayos; la vis romana, los machetes numantinos, y cruzados, los petos, alabardas y dagas antiguas, los alfanges turcos, los cascos y corazas antiguos y todos los modelos, en fin, de las armas modernas de fuego, desde el mosquete de mecha y pedreñal hasta el fusil a percusión, así como una primorosa colección del moderno armamento español contrapuesto en elegantes pabellones de los ingleses y franceses, canjeados por los diversos Gobiernos, y en una sala especial, otra del armamento chino, recientemente adquirida, y acaso la más completa que exista en Europa.

Añádase a todo esto los magníficos bustos en bronce, procedentes de la fundición de Trubia, de Su Majestad la Reina y el Rey, de Carlos III, de los señores Argüelles, Toreno, Jovellanos y otros célebres patricios, y un sin número de otros objetos preciosos, tales como un parte militar mejicano en jeroglíficos, el pendón muy estropeado que llevó Hernán Cortés a la conquista de aquel reino, la primera rústica mesa que sirvió al despacho del príncipe don Carlos cuando desembarcó en Villaviciosa, de Asturias; los restos del uniforme y mortaja de los heroicos capitanes de Artillería *Velarde y Daoiz*, y una riquísima colección de maderas de España y sus posesiones ultramarinas, que por sí sola constituye un rico tesoro.

Al terminar esta brevísima e imperfecta reseña de este establecimiento nacional, cumple a nuestro deber consignar el testimonio de reconocimiento que debe el país a su dignísimo, activo y celoso director, el brigadier de Artillería señor don

El segundo salón se denomina de *Colón*. El busto del célebre genovés descuella y preside en él, para que su memoria esté siempre presente y su nombre se repita y quede consignado como una de las glorias más colosales de nuestra nación. En este salón se hallan los retratos de algunos generales de Marina, y llama la atención igualmente un modelo del navío de tres puentes *Santa Ana*, con un pedazo del palo mayor, de sus dimensiones naturales; y las banderas y trofeos militares cogidos a los moros del archipiélago filipino, en las recientes gloriosas acciones de Joló y de Balanguingui.

La tercera sala, llamada *Gabinete de Artillería*, contiene una colección completa de cañones y montajes del antiguo sistema y del moderno, los proyectiles, llaves de cañón y todo lo demás concerniente a la defensa de los buques de guerra. Adornan las paredes los retratos de los generales de la Armada, entre los que sobresale el del célebre Barceló, que empezó su carrera por la honrada clase de hombre de mar y llegó al rango de teniente general.

Desde este Gabinete se sube a la planta alta, y lo primero que se presenta a la vista es el denominado de *Descubridores y sabios marinos*; se han reunido en él los retratos de los célebres Colón, Pizarro, Hernán Cortés, Vasco Núñez de Balboa, Magallanes, Juan Sebastián Elcano y Hernando de Soto; los de los sabios marinos don Jorge Juan y don Antonio de Ulloa, que midieron el grado medio del Ecuador con una comisión de sabios franceses, y los de los célebres navegantes Malaspina y Bustamante, que mandando las corbetas *Descubierta* y *Atrevida* dieron la vuelta al globo, haciendo trabajos hidrográficos de sumo mérito. En medio de tan glorioso concurso se encuentra un precioso grupo de armas y objetos de Asia, América y Oceanía, recogidos por distintos jefes y oficiales de la Armada que los han cedido generosamente al Museo.

Es también notable en esta habitación un cuadro que representa las tres carabelas que a las órdenes de Colón descubrieron el Nuevo Mundo, en el momento de atracar la isla que denominaron del Salvador de las Lucayas; y otro en que está la carta de la parte de América correspondiente, que levantó el piloto Juan de la Cosa en el segundo viaje del descubridor genovés, en 1493, y en la expedición de Alonso Ojeda en dicho año. Sustraída de España, la poseía el barón de Walukenear cuyos testamentarios la vendieron en pública almoneda, y la adquirió el Depósito Hidrográfico, cuyo celoso y digno director, don Jorge Pérez Laso, la ha depositado en el Museo.

Después del gabinete descrito se halla el salón de generales y jefes de la Armada muertos en campaña; en él figuran los retratos del general Liniers y de los jefes Concha y Córdoba, fusilados por los disidentes de América, víctimas de su lealtad y patriotismo. El del general Gravina con su bastón, espada, banda e insignias militares al pie, y los de los jefes Galiano, Churruca y Alsedo, muertos en la batalla de Trafalgar; el general Winthuysen y los jefes Geraldino y Herrera, muertos en la de San Vicente; los capitanes de navío don Luis de Velasco y marqués González, en la gloriosa defensa del Morro, de La Habana; el capitán general Borja en el tumulto popular de la ciudad de Cartagena en 1808; el general don Blas de Lezo, ilustre y glorioso defensor de Cartagena de Indias, y que en el servicio de su Patria perdió un ojo, un brazo y una pierna; y, por último, el de don Mateo de Laya, célebre marino del siglo XVII, que por no caer prisionero de los turcos con el buque de su mando, prendió fuego a su propia santabárbara. Alrededor de las sombras de estos bravos se ven algunas banderas y trofeos militares cogidos a las huestes del Emperador Napoleón en la heroica lucha que comenzó en 1808, por nuestros batallones y oficiales de Marina; la que tremolaba en el navío de la insignia del general Gravina el aciago día de Trafalgar, y la que flotaba en el navío francés el *Héroe*, donde se hallaba el vicealmirante Roselli, el día que con su escuadra se entregó prisionero de los españoles en la bahía de Cádiz.

Seguidamente de este salón, y a la derecha, se encuentra el gabinete titulado de Guardias Marinas, habiéndosele dado este nombre porque todos los objetos que en él hay están construídos por los jóvenes guardias marinas, cuyos nombres llevan en el colegio de San Fernando, establecido en 1845.

A continuación de este gabinete está otro denominado *Chinesco*, porque todos los objetos que contiene son precedentes de China. Los cuadros representan a varios mandarines de aquel país; los trajes, castigos, suplicios que allí están puestos en uso, como igualmente la vista de dos de los principales puertos del Celeste Imperio.

Después de esta habitación está el Gabinete Hidrográfico, donde se halla una completa colección de instrumentos de reflexión, desde los más antiguos hasta los excelentes quintantes y sextantes de nuestros días; entre los primeros aparece *el astrolabio*, instrumento que en las antiguos tiempos prestó grandes servicios a la astronomía y a la navegación. También se encuentra otra de agujas náuticas, desde las primeras inventadas por los chinos hasta las azimentales de nuestros días, cartas hidrográficas, planos de puertos, anteojos, cronómetros y demás instrumentos y máquinas para la navegación y la astronomía. Decoran las paredes del gabinete los retratos de los célebres hidrógrafos y astrónomos Tofiño, Espinosa, Tello, Bauza, Navarrete, Mendoza y Ríos, Ferrer y Sánchez Cerquero, que tanto honor han dado a España y a las ciencias.

Después de estos gabinetes se presenta a la vista el salón llamado de la *Reina*. Toma el nombre del gran retrato de cuerpo entero que se ve en uno de sus frentes. Está también un gran cuadro del combate de Lepanto, regalado al Museo por el excelentísimo señor marqués de Molíns, actual ministro de Marina, y los retratos de *Bernardo Bonifaz*, que fue el primero que tuvo en España la dignidad de almirante y se halló con el Santo Rey don Fernando en la toma de Sevilla. El adelantado Pedro Méndez de Avilés, con la espada que lució en los combates. El célebre almirante de Aragón Roger de Lauria, terror de los franceses en el Mediterráneo y muy amigo del rey don Pedro; Jofre Tenorio, almirante de Castilla en el reinado de Alonso XI; Andrés Doria, célebre almirante en tiempo del Emperador Carlos V; los Oquendos, padre, hijo y nieto, los tres almirantes de mar, de buena nota, y con especialidad el segundo, que ganó la batalla naval contra los holandeses en las costas del Brasil en 1631; y el de don Alvaro de Bazán, primer marqués de Santa Cruz, uno de los mejores marinos que España ha producido, ilustre y glorioso en muchas batallas, y con especialidad en las Terceras y en Lepanto. También se encuentran en este salón una colección casi completa de todos los retratos de los capitanes generales que ha habido en la Armada. Encuéntranse también varios modelos de buques de todos portes, y el correspondiente a una antigua galera de tres órdenes de remos, y otras curiosidades, como el sable de honor regalado por Napoleón I al general Uriarte, y el atajón o alfanje que llevaba el Emperador de Marruecos, y de que hizo donación al general Arias.

En el salón denominado de *Ministros de Marina* se hallan los retratos de los célebres ministros Patiño, Ensenada y el bailío Valdés, y de otros que han desempeñado tan elevado cargo; entre éstos se hace notable el del general Escaño, ilustre marino, bravo soldado e individuo del Consejo de Regencia de España e Indias en 1809, y también el de don Pedro de Agar, que fue otro de los Regentes del Reino durante la cautividad de Fernando VII, y tenía sólo en la Armada el empleo de capitán de fragata. Se hallan también en este salón varios preciosos modelos de buques de vela y de vapor; y, por último, se ve en un cuadro el firmán dado por el sultán Abdul-Hamid en 1782 para que la escuadra española del general Aristizabal pasase los Dardanelos y fondease en Constantinopla.

Museo de Ciencias Naturales.—Bajo este nombre se comprenden hoy dos establecimientos conocidos por el *Gabinete de Historia Natural* y el *Jardín Botánico*, habiendo quedado separado recientemente el *Observatorio astronómico*, que también formaba antes parte del Museo. Después de las modificaciones introducidas por el plan de Instrucción pública de 1845, la reorganización de éste se verificó por Real orden de 16 de noviembre de 1847, quedando su gobierno a cargo de una junta facultativa compuesta de los profesores del Museo y presidida por el señor director del mismo, y tiene establecidas las cátedras siguientes: una de mineralogía, otra de anatomía y fisiología comparada, otra de zoografía de los animales vertebrados, otra de los invertebrados, una de fisografía, una de geología, una de taxidarmia, y, por fin, otra de agricultura. Todas estas cátedras, bien que adherentes al Museo, dependen en su régimen escolástico y forman parte de la Facultad de Filosofía de la Universidad Central.

Gabinete de Historia Natural.—En el piso segundo del edificio que ocupa la Academia de San Fernando en la calle de Alcalá fue colocado *provisionalmente* por el inmortal Carlos III el Gabinete de Historia Natural, formado de muchos objetos adquiridos y regalados a aquel Monarca y sus antecesores, y singularmente con la colección que formó en París don Pedro Dávila, a quien el mismo príncipe nombró primer director de este establecimiento. Las elevadas miras de aquel Monarca no podían quedar reducidas a tales límites, tratándose de unas ciencias de tanta importancia, y así es que en 1785 mandó a su arquitecto don Juan de Villanueva trazar y construir el suntuoso Museo del Prado, con objeto de colocar en él el de Ciencias Naturales; pero concluído este edificio en el último reinado de Fernando VII, ha sido destinado a la rica colección de pinturas y esculturas, mientras que el Gabinete de Historia Natural continúa encerrado en su estrecho, mezquino y oscuro local alquilado, sin poder desplegar los tesoros que ha ido reuniendo, ni darles la correspondiente colocación científica, a pesar del exquisito celo desplegado, singularmente en estos últimos años, por la junta de profesores y el director del mismo Gabinete. Este, sin embargo, permanecerá en un estado de atraso, poco correspondiente a su importancia y a la de la corte de España, mientras no pueda contar siquiera con un edificio más a propósito del que ahora ocupa. Hecha esta observación, pasaremos ahora a tratar de lo existente en el Gabinete.

Mineralogía.—Las dos salas primera y segunda del mismo están destinadas a la

rica colección de *minerales,* que se ha aumentado tan considerablemente en estos últimos años, que hoy, por su número, por la magnificencia de sus ejemplares, el valor intrínseco de muchos de ellos y la regularidad y tamaño de sus cristalizaciones, buen estado de conservación y volumen rarísimo, la hacen ser una de las más célebres de Europa. Entre éstos son notables los de azufre nativo de Conil, los de barita sulfatada, cales carbonatadas, cristales de roca, galenas, blendas, cobres muriatados, plomos verdes, plata y oro nativo. Entre las muchas adquisiciones hechas nuevamente por el Gabinete figura en estas salas la magnífica colección mineralógica comprada por el Gobierno y que fue propiedad del señor don Jacobo María Parga. Se ha dado a estas salas la clasificación del método químico de Haüi; a las especies y variedades notables se les ha puesto su nombre científico y el vulgar, colocando los ejemplares según la forma de unos, el volumen de otros y la particular disposición de los armarios; y por consideraciones tecnológicas se han formado grupos de muchos minerales que son objeto de lujo y adorno, como los *jaspes, ágatas y piedras preciosas.*

Es también objeto digno de atención en ellas la variada y rica colección de *mármoles y jaspes de las canteras de España,* colocada en las mesetas de los estantes. Además de la colección de minerales que está a la vista del público, existe otra en un salón de la misma casa, destinado a la enseñanza de la mineralogía y colocada en el mismo local de la cátedra a la vista de los alumnos. Esta colección, si bien no es comparable por el volumen a los ejemplares de la pública, es preferible bajo el aspecto de la enseñanza, por ser más numerosa en especies, los ejemplares más caracterizados y estar colocada según los principios que el profesor sigue en sus lecciones, por lo que puede considerarse como el Atlas de su explicación. Existe además fuera de la vista del público, por falta de espacio para ser colocados, una inmensa colección de ejemplares repetidos, de que puede sacarse gran utilidad para cambios por los que faltan.

Zoología.—Aunque la colección de *ani-*

males es respectivamente escasa y ofrece vacíos en algunas de sus clases, todos los seres del reino animal que hay en las cinco salas destinadas a este fin, se hallan distribuídos sistemáticamente en órdenes, géneros y especies, según los métodos más modernos, y con arreglo a la capacidad de las salas y estrechez de algunos armarios. Sus rótulos indican la clase, orden y género a que pertenecen, y los más de ellos llevan el nombre propio castellano con el genérico y específico que los determina en el sistema. El deterioro progresivo de los objetos que forman esta colección hace más incesante la reposición continua de algunos de ellos. Habiendo sido también considerables las adquisiciones hechas recientemente, ha habido precisión de colocarles agrupados en medio de las salas dentro de una valla. La colección de *aves*, que ocupa la sala tercera, es pobre en comparación de las que hoy día se conocen, y si bien se han adquirido nuevamente muchas, falta mucho para poderla considerar completa. Sin embargo, se nota en ella como en las demás, el celo e inteligencia de los profesores que la dirigen y presiden a su adquisición y colocación por órdenes, familias, tribus y géneros. La colección de *mamíferos* en la sala cuarta posee algunas cosas curiosas, sobre todo las adquiridas últimamente y que nunca habían existido en Madrid, tales son el ornitorrinco de la Nueva Holanda, que es tránsito de esta clase a las aves y reptiles, varios marsupiales y roedores, una colección escogida del género *felis, indri hitobotes* y varios otros objetos difíciles de adquirir. La colección de *reptiles*, que ocupa la sala quinta, se ha aumentado bastante también; la de *conchas y zoofitos* es más notable y variada, y en ella se notan ejemplares raros y magníficos de las conchas, moluscos y zoofitos. La sala sexta está ocupada por la colección de *peces*, curiosa por contener los tipos de la obra ictiológica de Parra, bien que escasa en especies. En el centro de esta sala está el mueble que contiene la colección de *insectos*, que perteneió al malogrado joven español don Eduardo de Carreño, discípulo de este Museo, que durante su permanencia en París formó dicha preciosa colección de ellos, sobre todo por contener la de humípteros del insigne La-

treille, legislador de la ciencia, y que, por consiguiente, es el tipo citado por los demás escritores. Al morir Carreño pidió permiso a sus padres para legar al establecimiento que le había educado esta colección; y aquéllos, a pesar de las considerables sumas invertidas en ella, cedieron a los últimos deseos de un hijo que no les dejaba más que un nombre coronado de gloria científica. La junta del Museo, para corresponder dignamente a la memoria de su alumno predilecto, hizo construir un mueble elegante para la colocación de estas colecciones, consignando en un medallón el nombre de su donador. Igualmente se ha colocado en esta sala la de *crustáceos* últimamente adquirida, que perteneció al célebre *Gueren Meneville*. La sala séptima continúa siendo el local destinado a colecciones *geológicas y paleontológicas*, y en su centro descuella el precioso esqueleto fósil, único en su género, y que hace sobremanera notable al Gabinete de Madrid, de un cuadrúpedo gigantesco que Cuvier designó con el nombre de *Magaterium americanum* y fue hallado en 1789 en un barranco, a diez varas de profundidad, y a orillas del río Luján, trece leguas de Buenos Aires.

Las colecciones de *anatomía comparada* existen hoy en la sala octava, donde antes estaba la de peces, y puede decirse que también son nuevas en el Museo, a excepción de algunas piezas de cera poco exactas y unos cuantos huecos que había anteriormente. El gusto del profesor por esta ciencia interesante es una de las causas que han contribuído a que tome incremento esta colección, que dejaba un gran vacío en el Gabinete; y en el día es una de las más preciosas de él, por la serie de esqueletos, cráneos y otras diferentes piezas, algunas no comunes en los gabinetes de Europa, pudiéndose citar entre ellos el esqueleto del halicora, cetáceo raro, el de la llama, el cachalote, tatú y otros.

No concluiremos este artículo sin volver a llamar la atención del Gobierno hacia la necesidad de colocar dignamente este precioso Gabinete en un edificio amplio y a propósito, donde pueda desplegar sus tesoros, y ninguno mejor para la construcción de dicho edificio especial que el designado en la huerta del Botánico, a la esquina del Prado y paseo de Atocha, en terreno propio del Museo, y entre los dos establecimientos del Botánico y del Observatorio astronómico.

Jardín Botánico.—Fernando VI instituyó el jardín de plantas a fin de propagar el estudio de la botánica y agricultura, situándole en 1755 en el soto de Migas Calientes, que está en el camino de El Pardo, en cuyo sitio permaneció hasta que de orden de Carlos III se trasladó al sitio que hoy ocupa, cerca de la puerta de Atocha, en el paseo del Prado. Su extensión es bastante considerable, de unas treinta fanegas poco más o menos, y de ellas hay una gran parte destinada al cultivo de las especies, clasificadas para la enseñanza con arreglo al sistema de Linneo, siendo inmenso el número de todas clases y climas que se encuentran en este hermoso jardín, y hallándose indicado el nombre de las plantas en sendas tarjetas en latín y castellano. En estos últimos años se ha extendido bastante esta parte propiamente científica, gracias al celo de los profesores, que, sin embargo, tienen que luchar con la escasez de medios con que cuenta el establecimiento y se conserva todo él con mucho esmero, tanto por lo respectivo a la ciencia y arte del cultivo de las plantas como en la adquisición de nuevas, y la colocación de muchas de ellas en estufas construídas a propósito y que han sustituido recientemente a las imperfectas anteriores. En éstas, mejor entendidas, se cultivan y fructifican las plantas de América, como los plátanos, ananas, etc., y en la actualidad va a construirse otra de hierro toda y de un sistema particular para el cultivo de árboles exóticos, como cocoteros, palmeras, cacaos, etc. La frondosidad y hermosura de la parte de adorno con sus flores, árboles frutales, precioso emparrado y bosquete, constituyen a este delicioso jardín uno de los más bellos paseos de la corte. En los cuerpos de edificio que comprende están las cátedras de Botánica panteadas últimamente al nivel de los conocimientos modernos, y el herbario ha sido también reformado y puesto en el mejor orden. También hay otra de Agricultura para la enseñanza práctica, y el director actual ha reunido en uno de los departamentos una interesante colección de utensilios para las labores, según los diversos métodos conocidos, parte muy esencial de la ciencia. Cierra todo el espacioso jardín una elegante verja de hierro con asientos de piedra que sirve también a embellecer aquella parte del paseo del Prado, y tiene dos lindas portadas también de piedra, obra del arquitecto Villanueva. Sobre la principal se lee esta inscripción: *Carolus III. P. P. Botanices instaurator, civium saluti et oblectamento. Anno MDCCLXXXI.*

OTROS ESTABLECIMIENTOS CIENTÍFICOS Y ARTÍSTICOS

Observatorio Astronómico.—Está situado este edificio en el cerro llamado de *San Blas,* sobre el paseo de Atocha, y fue construído a expensas de Carlos III y dirigido por el arquitecto don Juan de Villanueva. Es un paralelógramo rectángulo, con dos alas de igual figura, pero de menores dimensiones. Sobre un zócalo que lo circunda todo, y por la parte del Sur, se eleva un magnífico vestíbulo de orden corintio con diez columnas y cuatro pilastras, de las cuales seis hacen frente y dos a cada lado. En medio queda un atrio, en el cual, a la izquierda, hay una escalera de caracol de ojo, y a la derecha un pasillo que rodea al salón central. Este es de figura circular, y los extremos de sus dos diámetros cruzados en ángulos rectos. Hay cuatro arcos, dos de los cuales dan comunicación a dos salones laterales. Cubre el salón central una bóveda vahída con un luneto circular en su clave para facilitar el uso de los instrumentos de observación. Por la escalera de caracol ya dicha, y por otra que hay al lado opuesto, se sube a un templete circular de orden jónico, compuesto de dieciséis columnas, cubierto con su cúpula esférica, que sirve para hacer las observaciones. Todo el edificio es de ladrillo, piedra berroqueña y columnas para los adornos, y todo está muy combinado. Pero en tiempo de la dominación francesa, transformado en baterías, y destruídas o inutilizadas las máquinas y aparatos que allí se habían reunido en el reinado de Carlos IV para el uso del cuerpo militar científico, que creó en 1796 con el nombre de *Ingenieros cosmógrafos del Estado*, se hubiera arruinado por completo, si en 1845 la Dirección de Estudios no hubiera hecho restaurarlo y concluirlo, lo que al fin tuvo efecto cumplidamente; y en 1851, restablecido por Su Majestad con el carácter de Observatorio astronómico, y dotado de muchos y preciosos instrumentos y aparatos propios para las observaciones, se le dió nueva organización, estando hoy a cargo de un comisario regio, un director facultativo y varios profesores y ayudantes encargados de las observaciones astronómicas y meteorológicas. Estas se hacen ya con arreglo a los adelantos de la ciencia, y aún será mayor el servicio que la presten, luego que ampliado el número de instrumentos y concluído el grandioso edificio contiguo (que se ha levantado en parte del solar de 488.474 pies cedidos al establecimiento por el Real Patrimonio en 1853) puedan los profesores y ayudantes habitar en él y restablecer allí sus cátedras y trabajos prácticos, lo cual se espera pueda quedar verificado en todo el año actual.

Depósito Hidrográfico. — Este establecimiento debe también su origen al reinado de Carlos III, a consecuencia de los descubrimientos y progresos hechos en las ciencias marítimas por los célebres don Jorge Juan, don Vicente Tofiño y don Antonio Ulloa; pero adquirió nuevo ser en el reinado de Carlos IV, que lo restableció bajo el nombre de *Dirección de Trabajos Hidrográficos*, le dotó de los empleados necesarios y le hizo merced de la casa que ocupa en la calle de Alcalá. Esta fue trazada y dirigida por el arquitecto don Manuel Martín Rodríguez, y se distingue por la buena distribución y comodidad de sus respectivas piezas, las luces y sencilla portada con dos columnas dóricas. Desde dicha época no ha cesado el establecimiento hidrográfico de publicar muchos interesantes resultados de sus trabajos, como son multitud de mapas y derroteros, memorias científicas, viajes y descubrimientos en todos tiempos; y en fin, ha sostenido y sostiene esta clase de ciencias al nivel de los conocimientos más modernos. Para ello tie-

ne una copiosa biblioteca, instrumentos, correspondencia extranjera y demás.

Conservatorio de Artes.—Por Real decreto de 18 de agosto de 1824 se estableció en Madrid un Conservatorio de Artes, cuyo objeto es la mejora y adelantamientos en las obras industriales, tanto en las de oficio como en la agricultura. Para ello se mandó en dicha Real orden que este establecimiento se dividiese en dos departamentos, el uno *depósito de objetos artísticos*, y el otro *taller de construcción*, donando al primero las máquinas que formaban el antiguo Gabinete y otras que se hallaban esparcidas, como asimismo dispuso que se depositasen allí los modelos que se presenten en solicitud de privilegios, los que son concedidos mediante un servicio a este Conservatorio. En su consecuencia se formó éste con un director, un secretario y otros empleados. Posteriormente se establecieron en él las cátedras aplicadas a las artes, de que hablaremos tratando *del Real Instituto Industrial*.

Igualmente por real decreto de 30 de mayo de 1826, se mandó que todos los años se celebre una exposición pública de los productos de la industria española, con el objeto de acelerar los progresos de las artes y fábricas por medio de una noble emulación. A su consecuencia se verificaron las dos primeras exposiciones en 1827 y 1828, y habiéndose posteriormente resuelto que en lo sucesivo se verificase cada tres años, tuvo lugar la tercera el 30 de mayo de 1831. Posteriormente, las circunstancias de la guerra alteraron el período regular de estas exposiciones, habiéndose verificado la cuarta en 1841, la quinta en 1845, y la sexta y última en 1850. Su resultado, especialmente el de esta última, ha excedido en gran manera a las esperanzas de los buenos españoles, por la multitud de objetos de todas clases, y su delicada perfección, que han concurrido de todas las provincias, demostrando unos adelantos de que apenas se tenía noticia. El Gobierno, en vista de las memorias de la junta nombrada para la calificación de estos objetos (1), dispensó a

_____

(1) No podemos menos de llamar la atención sobre el excelente libro que con este título:

los artistas que más se distinguieron, diferentes premios, como honores, cruces, escudos de armas reales, cartas de aprecio, medallas de oro, plata y bronce, y menciones honoríficas.

El *Gabinete de máquinas y modelos* que existe en este Conservatorio, es una rica colección en que se encuentran muchas en grande para hilar lana, estambre y algodón, por el sistema antiguo; varias para hacer las cardas, y otras relativas a la fabricación de paños y demás telas; muchos hornos antiguos y modernos para fundir minerales; diferentes modelos de ruedas hidráulicas de varios sistemas, de molinos harineros con todos los aparatos necesarios, y de una máquina para trillar y limpiar el trigo, a la manera que se usa en Holanda, Bélgica y Suiza. Existen también los demás aparatos usados para la agricultura por nacionales y extranjeros; y entre otros el arado de vertedera llamado de *Dombasle*, introducido en España en 1831 por los señores Alamo y Valdés, en su establecimiento agrícola de Aldovea a cuatro leguas de Madrid. Todos estos aparatos son de diversas dimensiones, y sirven también para hacer los ensayos prácticos en las lecciones de agricultura del jardín botánico. Hay además modelos de molinos de viento, de máquinas movidas por animales y por el vapor, y una rica colección de muestras de maderas de España y de América, todo lo cual se ha aumentado considerablemente según lo permite la escasez de recursos aplicados al establecimiento. También se hallan expuestos en este depósito los modelos y planos de los privilegios ya caducados, y las muestras de artefactos procedentes de las exposiciones públicas. Este rico y útil Gabinete ocupa varios departamentos en el claustro bajo y parte del antiguo convento e iglesia de la Trinidad, entre la calle de Atocha y de Relatores; y está al cargo de un conservador facultativo que da las explicaciones necesarias a los artesanos y demás personas curiosas que le visitan. Igualmente se halla en el mismo edificio el

taller de construcción para la renovación y reparación de las máquinas y la construcción de las que encargan los particulares.

Este establecimiento, uno de los que más honran el reinado de Fernando VII, ocupó a su creación parte de la casa que antes fue almacén de cristales en la calle del Turco y otra inmediata; pero trasladado hace pocos años a dicho convento de la Trinidad, han podido colocarse más cómodamente el gran depósito o gabinete de máquinas, el taller de construcción, las cátedras de enseñanza pública, y demás dependencias con que cuenta. En el mismo claustro y salones tuvieron lugar con el decoro correspondiente las exposiciones públicas de la industria española en 1845 y 1850.

Imprenta Nacional y Calcografía.—En la calle de Carretas está la casa de la Imprenta Nacional, que fue construída en fines del siglo pasado, y dio motivo a un ruidoso expediente entre la Academia de San Fernando y el arquitecto Turrillo. El interior de la casa lo dirigió don Pedro Arnal. Entonces y ahora se ha hablado bastante de los defectos de su arquitectura, y entre otros, del de sus puertas bajas y aminoradas con la pesada mole del balcón, que suele modificarse en tiempos de festejos con columnas figuradas. Esta imprenta se encuentra surtida de todas las máquinas, caracteres y demás objetos necesarios, y salen de ella excelentes impresiones, ya por cuenta del Gobierno, ya de particulares. En el piso segundo, que da a la calle de la Paz, se halla la fundición de letra que surte en gran parte a la misma imprenta y a las particulares. Hay en ella una copiosa colección de punzones y mucho más copiosa de matrices. El mayor número de los primeros fueron grabados por don Jerónimo Gil, y en las matrices que el mismo hincó con ellos, se han vaciado la mayor parte de las fundiciones que han servido desde 1780 para las impresiones clásicas hechas en toda la nación, hasta que después de la guerra de la independencia se han adoptado los caracteres franceses e ingleses, ciertamente más delicados y elegantes, aunque no tan duraderos; todavía, sin embargo, se hace mucho uso de aquéllos, y entre ellos es uno el en que se imprime

---

«*Memoria sobre los productos de la industria española en 1850*», se publicó en 1852, escrito por el sabio y modesto señor don José Caveda, director que era de Agricultura en el Ministerio.

la *Gaceta de Madrid*. En el piso bajo se halla unido el establecimiento de *Calcografía*, que ha dado estampas notables de los cuadros de Su Majestad y otros, grabados por excelentes profesores. El despacho de libros y papeles, y el de estampas están en el zaguán, el primero a la derecha y el segundo a la izquierda. En la misma imprenta está la redacción de la *Gaceta oficial de Madrid*.

BIBLIOTECAS

Biblioteca Nacional.—Felipe V estableció esta Biblioteca que se abrió por primera vez al público en 1712. Al principio sólo constaba de los libros que la regaló Su Majestad, quien suplió todos los gastos, y en 1716 la dio reglamentos y mandó que de cada impresión que se hiciere en sus reinos, se había de colocar en ella un ejemplar. Al mismo tiempo la dotó completamente y la dio constituciones para su gobierno, nombrando un bibliotecario mayor y otros bibliotecarios. La Biblioteca continuó aumentándose en el reinado de Carlos III, con la numerosa y apreciable librería del cardenal Arquinto, que mandó comprar en Roma aquel Monarca, y otros muchos dones. Igualmente fue enriquecida por Carlos IV con la librería del señor Múzquiz, embajador en París; posteriormente pasó a ella la de las Cortes, la que fue del infante don Sebastián, y los libros que pertenecieron a los conventos suprimidos, de los cuales la mayor parte aun están sin colocar y encajonados en los sótanos por falta del local; de modo que con todos estos aumentos, y los adquiridos por las publicaciones sucesivas, se calcula prudentemente tener un número de más de *doscientos cuarenta mil* volúmenes. Sólo en los últimos años ha hecho la Biblioteca las adquisiciones siguientes: 1.ª Obras extranjeras modernas, de ciencias, artes, historia y literatura, por valor de veinte mil duros. 2.ª La selecta librería que fue de don Juan Bohl de Faber, especialísimo conocedor de la antigua literatura española, en número de más de dos mil volúmenes, que

costaron seis mil duros. 3.ª Una preciosa colección de novelas españolas reunidas por don Benito Maestre, en catorce mil reales. 4.ª Los manuscritos originales de don Juan Pablo Forner y don Leandro Fernández de Moratín, entre los cuales hay varias obras inéditas, y costaron más de sesenta mil reales. 5.ª Una colección de papeles genealógicos de casi doscientos volúmenes y legajos, en cuatro mil reales. 6.ª Otra preciosa de monedas y medallas, de las más notables y necesarias, procedentes del monetario de don José García de la Torre, en veintiocho mil reales. 7.ª y última. Los retratos al óleo de Cervantes, Góngora, Moreto, Mariana, etc.; un busto de don Alberto Lista, y una porción no corta de buenos grabados.

Este establecimiento estuvo primero en la calle del Tesoro, pero su casa, y aun la calle entera, fueron arruinadas en tiempo de la invasión francesa, con lo cual fue preciso trasladar la biblioteca a los claustros altos del convento de la Trinidad. Restituido Fernando VII al trono, la hizo colocar en la casa que hoy sirve para el Ministerio de Marina; y por último, en 1826 la destinó la que hoy ocupa en la plaza de Oriente, al fin de la calle de la Bola. Pero a pesar de la considerable extensión de dicha casa, no tiene siquiera la mitad de la que necesitaría para la colocación cómoda y metódica de tan crecido número de libros, si bien hay en ella salas grandes bien iluminadas y ventiladas, cubiertas de una bonita estantería, particularmente la que comprende los Santos padres, que es de nogal, muy rica, y perteneció al príncipe de la Paz. Los manuscritos (entre los cuales se conservan algunos muy preciosos, árabes, griegos, latinos y de obras inéditas), se custodian en las salas bajas, en estantes cerrados y cubiertos; otra sala hay de ediciones y encuadernaciones primorosas; y en la del Indice se halla el general (ya concluído) por materias y por autores. La biblioteca está asistida por un director bibliotecario mayor, cuatro bibliotecarios de número, catorce oficiales, tres celadores y tres porteros.

Museo de medallas.—Comprende además esta biblioteca el riquísimo *Museo de medallas*, al cual se entra por una elegante portada dórica con columnas istriadas, y consiste en un magnífico salón, a cuyo frente se halla colocado el trono con retrato de Su Majestad; y en una rica estantería a lo largo del salón, y en bellos escaparates de cristales, y en el centro sobre mesas de caoba, se halla científicamente colocada esta magnífica colección de monedas y medallas de todas clases, que comprende cerca de noventa y siete mil, en oro, plata, electro, potin, billon, bronce, cobre y hierro; griegas, romanas, godas, árabes y de las naciones modernas, rarísimas muchas, preciosas otras por su ejecución o su materia. Los escaparates del centro forman una especie de compendio de las series que se encierran en los estantes, ofreciendo a la vista de los curiosos uno o dos ejemplares de cada una de aquéllas. No podemos menos de recomendar la visita a este precioso Monetario, uno de los primeros de Europa, que pueden verificar los aficionados todos los sábados, día destinado a su exposición.

Dentro del mismo museo se halla, en mesas con cristales dispuestas al efecto, una preciosa colección de camafeos, piedras grabadas y pastas, que forman la *Dacthiloteca*. Tanto los camafeos, que pasan de 280, cuanto las piedras que son más de 990, así como las demás pastas duras transparentes antiguas, presentan grabados admirables, no pudiendo menos de citar un grande y precioso camafeo, con el busto de una griega, hecho de una calcedonia opal, otro primoroso retrato ejecutado en una ágata oriental de muchísimo valor, y que según Iriarte, puede calificarse de la mejor alhaja del Museo. También hay una pequeña colección de sortijas antiguas griegas, romanas, árabes y godas con piedras grabadas algunas, contándose en este precioso Sortijero los bellos anillos griegos y romanos que dejó a su muerte el señor don Agustín Argüelles.

Gabinete de Antigüedades.—Contiguo al salón del museo de medallas se halla un pequeño gabinete de antigüedades con una bonita estantería construída últimamente, en que se ven colocados los objetos por el orden siguiente: 1.º, antigüedades egipcias; 2.º, etruscas; 3.º, griegas; 4.º, romanas; 5.º, godas y árabes españolas; 6.º, de la India; 7.º, de la China; 8.º, americanas; 9.º, de la Edad Media; 10, objetos artísticos modernos. En este gabinete se hallan también los libros pertenecientes al primer siglo de la imprenta, y toda la pieza está adornada con mosaicos, de los cuales algunos proceden de Herculano y Pompeya. En la pieza inmediata, adornada con retratos al óleo de autores eclesiásticos, está colocada la interesante colección de los libros y estampas en que se copian los monumentos antiguos.

Terminaremos esta ligera reseña de la Biblioteca Nacional, permitiéndonos hacer algunas observaciones sobre un establecimiento tan interesante. Es la primera, la necesidad absoluta en que se encuentra de ampliar su local, cosa que no parece ya posible en el edificio que actualmente ocupa; y por lo tanto se hace preciso su traslación a otro, en buena situación y con la dimensión y seguridad competente para la colocación de todos sus libros. Conviene igualmente, y así creemos que está acordado, que los índices ya concluídos se vayan imprimiendo por cuadernos, a fin de que los estudiosos puedan saber lo que existe en la Biblioteca y principalmente por que la parte española supla la falta de una Bibliografía nacional, de que tanto se resiente nuestra literatura. Especialmente es del más alto interés la impresión del índice de manuscritos que se está trabajando; para que algún día lleguemos a saber y apreciar, por consiguiente, la riqueza de esta clase que en este establecimiento se encierra; al mismo tiempo sería de desear que el gobierno fijara su atención en los varios extranjeros que constantemente acuden a copiar muchos de estos manuscritos, facilidad harto prodigada entre nosotros, y que no lo es tanto en las bibliotecas extranjeras. Por último, llamaremos la atención del Gobierno acerca de los extravíos o retardo que padecen los ejemplares de las nuevas publicaciones, por el círculo o rodeo que está marcado, de entregarlos a los gobiernos políticos, siendo mucho más sencillo autorizar al bibliotecario mayor para exigirlos directamente de los editores.

Las demás bibliotecas *públicas* son las pertenecientes a los establecimientos científicos y literarios en los términos siguientes:

Biblioteca de San Isidro.—La copiosa librería de los Padres Jesuítas, reunida en la casa de Madrid por mandado de Carlos III al tiempo de la extinción de la Compañía, y aumentada considerablemente con el privilegio que la concedió de que le fuese entregado un ejemplar de cada obra que se publicase, y consignándola una subvención para la compra de otros libros, quedó convertida en establecimiento público y a rivalizar casi en importancia y copia de libros impresos y manuscritos, con la misma Biblioteca Real. Pero en tiempo de la guerra de la independencia, y después de la vuelta de los Jesuítas en 1815, padeció mucho, por haber sido segregada mucha parte de ella, especialmente de los manuscritos, para formar la que los Padres llamaban Biblioteca doméstica, que después pasó a la de las Cortes, donde permanece. Sin embargo, hoy cuenta todavía el crecido número de unos *setenta mil volúmenes,* y obras muy apreciables. Está agregada desde 1841 a la Universidad central, en su Instituto de segunda enseñanza, sito en el mismo local de los antiguos Estudios de San Isidro.

Biblioteca de la Universidad.—Es la de la antigua Universidad de Alcalá, y está establecida en el mismo edificio de la calle Ancha de San Bernardo, aunque colocada provisionalmente en estrecho local al piso bajo, mientras se le construye propio en la parte que aun falta terminar de dicho edificio. Cuenta con un número de 22 a 24.000 volúmenes, y de obras antiguas, profesionales y de amena literatura, algunas de las cuales pertenecieron al cardenal Cisneros, y muchos manuscritos curiosos. Entre aquéllas se cuenta un ejemplar rarísimo, por ser completo de las veinticinco partes de comedias impresas de Lope de Vega.

Biblioteca de la Facultad de Medicina.—También pertenece a la Universidad. Está situada en el mismo edificio de la Facultad, calle de Atocha.

Biblioteca de la Facultad de Farmacia.—Calle de la Farmacia, en el edificio de la misma Facultad.

Biblioteca de la Academia de la Historia.—Calle del León, casa del Nuevo Rezado. Preciosísima colección de obras y documentos de literatura histórica, impresos y manuscritos interesantes en extremo por su rareza.

Biblioteca de la Academia Española.—Calle de Valverde, casa de la Academia.

Biblioteca de la Academia de Nobles Artes.—En la casa de la Academia, calle de Alcalá.

Biblioteca del Gabinete de Historia Natural.—En la misma casa, piso segundo.

El Conservatorio de Artes, el Jardín Botánico, la Escuela de Veterinaria, la Dirección de minas, la de Hidrografía y otros establecimientos de instrucción, tienen también sus bibliotecas públicas *especiales.*

Por último, merecen especialísima atención las *Bibliotecas* del *Senado* y del *Congreso,* ricas ambas en preciosos libros y documentos, y a las cuales han ido a reunirse la que fue del infante don Carlos, la del célebre cronista Salazar y Castro, una parte de la de San Isidro y de los antiguos conventos, y multitud de obras canjeadas con los gobiernos y los cuerpos parlamentarios de otras naciones; siendo de observar que de la del Senado se ha publicado recientemente un Catálogo, tanto más apreciable, cuanto que es el único impreso de todas las bibliotecas de Madrid.

De las privadas o de propiedad particular, hay que citarse en primera línea la magnífica de Su Majestad la Reina, sita en el piso bajo del Real Palacio, que comprende el asombroso número de más de 100.000 volúmenes; y la suntuosa y verdaderamente regia, propia del Excmo. Sr. duque de Osuna y del Infantado, calle de don Pedro, con 60.000, y una preciosa colección de manuscritos y de obras rarísimas; luego la del Excmo. Sr. duque de Medinaceli, con 15.000; la del Ateneo, con 10.000 y otras de sociedades particulares, y entre las de los bibliógrafos distinguidos la del Excmo. Sr. marqués de Morante, calle de San Mateo; la del Excmo. Sr.

marqués de Pidal, Carrera de San Jerónimo; las de los señores don Agustín Durán, la más preciosa en el ramo de poesía y teatro español; de don Pascual Gayangos; don Serafín Calderón; don Antonio Benavides, en la parte histórica; don José Madrazo y don Valentín Carderera, en el ramo de Bellas Artes, y aunque no tan numerosa la que nosotros mismos hemos llegado a formar, muy apreciable en los ramos de historia, teatro y literatura antigua española, y especialísima, sobre todo, en libros y manuscritos relativos a la historia, descripción y administración de esta villa, que forman la más completa *Biblioteca Matritense*.

Archivos

Entre los muchos y preciosísimos archivos de las diversas dependencias del Estado y municipales, son los más notables y dignos de ser conocidos y estudiados los siguientes: *Archivo de la villa de Madrid*, calle Mayor, Casas Consistoriales. *Archivo de la Real Casa y Patrimonio*, en Palacio. *Archivos de los Ministerios*, en sus respectivos edificios, siendo el más importante por la clase de documentos que encierra, el de Estado, que ocupa diez salas en el Real Palacio. *Archivo del Sello Real de Castilla*, calle de Silva, número 14. *Archivo del Consejo Real*, en el palacio de los Consejos. *Archivo de la Cámara de Castilla y del Patronato*, en el mismo palacio de los Consejos. *Archivo del Supremo Consejo de Castilla*, plaza de las Descalzas, número 3. *Archivo del Tribunal de Guerra*, en Santo Tomás. *Archivo de las Ordenes*, en los Consejos. *Archivos del Tribunal de Cuentas*, de las *Direcciones de Rentas*, de la *Armada*, de la *Nunciatura*, de *Cruzada*, de la *Vicaría*, de la *Universidad*, etc., en sus propios edificios. Y, por último, el *Archivo de escrituras públicas*, Carrera de San Francisco, número 16, donde se reunen los protocolos de los escribanos reales; preciosísimo depósito que hoy está incorporado al municipal de Madrid, y consta de más de 9.000 volúmenes o registros de escrituras matrices.

Academias

Real Academia Española.—El marqués de Villena, duque de Escalona, don Juan Manuel Fernández Pacheco, concibió a principios del siglo pasado la idea de formar una Academia con el fin de restituir a la lengua castellana su antiguo decoro y esplendor. Comunicólo al rey don Felipe V, el cual no sólo tuvo a bien dispensar su aprobación, sino que le manifestó haber tenido la misma idea desde su venida a España; celebróse la primera junta en 6 de julio de 1713, y hechos los acuerdos convenientes para el arreglo interior de la corporación, fueron aprobados por el Rey, que concedió a la Academia la dotación de 60.000 reales anuales (que en el día se han reducido a 26.000), y dándola el título de *Española* por ser la primera en España, concediéndola la facultad para tener impresor propio y usar de un sello particular, que figura un crisol puesto sobre el fuego, y encima el lema de *limpia, fija y da esplendor*; y señalando a los académicos los privilegios y gracias que usaban los empleados de la Casa real en actividad de servicio.

El fin y objeto principal de esta Academia es restablecer, cultivar y fijar la elegancia y pureza de la lengua castellana; desterrar los errores en ella introducidos por la ignorancia, la vana afectación, el descuido y la demasiada libertad de innovar; distinguir los vocablos, frases o construcciones extranjeras de las propias, las anticuadas de las usadas, las bajas y rústicas de las elevadas y cortesanas, las burlescas de las serias, y las propias de las figuradas. Cumpliendo la Academia con el objeto de su fundación, emprendió con tal empeño el trabajo del *Diccionario de la Lengua Castellana*, que desde 1726 a 1739 publicó los seis tomos en folio de que consta el grande de autoridades, que reducido después, para mayor comodidad, a un solo volumen, ha continuado corrigiendo constantemente en las sucesivas ediciones hasta la décima inclusive, que acaba de publicar en 1852. Publicó también la Academia varios tratados de *Ortografía castellana*, que han tenido varias impresiones; la *Gramática de la lengua*, reimpresa también varias veces, en cuyas obras continúa trabajando para ponerlas más en armonía con los adelantos de la ciencia. Conociendo al mismo tiempo cuan útil es la publicación de ediciones correctas de los autores clásicos, ha dado a luz varias del *Quijote*, todas apreciables por su esmero, y enriquecidas con eruditas notas. También se le debe otra del *Fuero Juzgo*; la de *El Bernardo*, poema de Balbuena, la de las *Poesías castellanas anteriores al siglo XV*, y otras varias obras, todas de la mayor importancia. Ha propuesto también y repartido, hasta el año pasado de 1853, varios premios para promover el estudio de la elocuencia y poesía castellanas, y demuestra en fin en todas ocasiones el gran celo que la anima, su inteligencia y buen gusto hacia el sagrado depósito que la está confiado.

Este cuerpo, reorganizado por Real decreto de 25 de febrero de 1847, consta de 36 individuos de número, votados por la misma Academia, y que hacen su entrada en ella en un solemne acto público de recepción, así como lo es también el de la adjudicación de los premios; tiene un director y secretario vitalicios, y otros oficios para su régimen interior. Celebra sus sesiones, a puerta cerrada, los jueves por la tarde en su casa propia calle de Valverde, y en la misma está colocada su copiosa y escogida Biblioteca.

Real Academia de la Historia.—La casual concurrencia de algunos literatos en casa de don Julián de Hermosilla, abogado entonces y después consejero de Hacienda, dió origen a esta Academia, que quedó definitivamente constituída en 17 de junio de 1738, siendo su primer director don Agustín de Montiano y Luyando, y disfrutando los mismos privilegios que la Española. El objeto de esta Academia es ilustrar la historia de nuestra España en todas sus partes, purgándola de errores y fábulas. ventilar las dudas acerca de los hechos, distinguiendo en cada uno la mayor o menor probabilidad, y poniendo en claro los acontecimientos más notables. sus efectos, su influjo en el estado moral y físico de la nación, y sus conexiones con otras potencias y gentes. A este fin dispuso viajes literarios y propuso premios que dieron los más favorables resultados, como puede verse en parte en los siete gruesos tomos de *Memorias* que lleva publicados; en su *Diccionario geográfico* de las *provincias Vascongadas y Rioja*, en otro de *voces españolas geográficas*, en las Partidas, las Crónicas de varios reyes de España y la *General de Indias*, por Gonzalo Fernández de Oviedo, que acaba de dar a la pública luz, en el *Viaje literario a las iglesias de España*, en los *Cuadernos de Cortes* y otras publicaciones interesantísimas en que se ocupa en la actualidad. En ella se han refundido los oficios de los antiguos cronistas de España e Indias. Una ley la hizo inspectora general de todas las antigüedades descubiertas y que se descubran en España, y está también encargada de la continuación de la *España sagrada*, del padre Flórez, y bajo su vigilancia la biblioteca de El Escorial. Consta la Academia, por su nueva organización de 1847, de 36 individuos de número y de otros supernumerarios de residencia fija en Madrid. Tiene además otros muchos honorarios y correspondientes en las provincias y en el extranjero. Nombra un director, un secretario perpetuo y un censor. Celebra sus juntas los viernes, en la casa Panadería, en la plaza Mayor, y últimamente se han trasladado a la casa llamada del Nuevo Rezado, en la calle del León, su numerosa biblioteca, su precioso monetario y rica colección de manuscritos. Los fondos con que se sostiene son una corta asignación en el presupuesto del Estado y el producto de sus obras.

Real Academia de San Fernando de Nobles Artes.—Desde los reinados de los Felipes III y IV se hicieron varias tentativas para el establecimiento de una Academia pública de bellas artes, que no tuvieron resultado hasta que el rey don Felipe V, por influjo de don Domingo Olivieri, primer escultor de cámara, estableció su fundación en 1744; pero puede decirse que no llegó a producir resultados hasta el reinado de Fernando VI. que aprobó sus estatutos en 1751, la dió su nombre y la dotó grande y majestuosamente. Su objeto es la perfección y adelanto de las tres nobles artes de pintura, escultura y arquitectura, para lo cual tiene varios profesores pensionados en Roma, París y esta corte; distribuye premios trienales y tiene enseñanzas públicas de que hablaremos más adelante. También le está cometido el examen de las obras públicas, a fin de que no se aparten de las sencillas reglas del arte. Reorganizada esta Academia por Reales decretos de 10 de abril de 1846 y 16 de mayo de 1850, consta de un presidente, cuatro consiliarios y un secretario general y de muchos académicos y profesores, divididos en tres secciones, de pintura, de escultura y de arquitectura, que según dicho Real decreto han de irse reduciendo hasta quedar en el número de 36, según las demás Academias.

Esta de San Fernando ocupa la planta baja y principal de la casa que sirvió antes de estanco de tabaco, en la calle de Alcalá, contigua a la Aduana, y es conocida por el nombre de "Gabinete de Historia Natural", por ocupar éste el piso segundo de la misma casa. La Academia tiene en ella su galería de pinturas y escultura de que ya hemos hablado.

Igualmente tiene esta Academia a su cargo la *Escuela de Bellas Artes* en los términos que diremos, tratando de las *Escuelas especiales*. Para todos estos establecimientos necesitaba la Academia la traslación a otro edificio conveniente, y ninguno mejor que el de la Trinidad, que ocupan el Ministerio de Fomento y el *Museo Nacional*, con lo cual podría aquel Ministerio trasladarse al de la calle de Alcalá, pasando a otro nuevo el Gabinete de Historia Natural como dejamos apuntado en su sitio, pues la elegante descripción de don Juan de Iriarte que se lee sobre la puerta principal, *Carolus III Rex, Naturam et artem sub uno tecto in publicam utilitatem consotiabit*, pudo ser elegante y oportuna en 1774, tratándose de dos establecimientos nacientes, pero es una monstruosidad en el estado actual de desarrollo de ambos.

Real Academia de Ciencias.—Esta Academia es de nueva creación, y cupo la gloria de fundarla a la reina doña María Cristina de Borbón siendo gobernadora del reino. El decreto de su fundación es de 7 de febrero de 1834. Reorganizada por

otro Real decreto de 25 de febrero de 1849 al mismo tiempo que las otras dos, Española y de la Historia, fue declarada igual en categoría a ellas y la de San Fernando, y se compone de 36 académicos de número, distribuidas en secciones; 1.ª, de ciencias exactas; 2.ª, de ciencias físicas, y 3.ª, de ciencias naturales, con un presidente, un vicepresidente, secretario, etc., y tiene muchos corresponsales académicos nacionales y extranjeros. Celebra una junta al mes, y las secciones el primer día de cada semana. Esta Academia se ha entregado con ardor a los trabajos propios de su instituto, y en la actualidad se ocupa en formar un *Diccionario tecnológico*; pero carece en la actualidad de recursos y necesita recibir mayor protección para producir todas las ventajas que de ella deben esperarse en favor de estas ciencias harto atrasadas en España. La Academia tiene su secretaría y celebra sus sesiones los lunes en el edificio de la Trinidad, calle de Atocha.

Academia Matritense de Jurisprudencia y Legislación.—Desde el reinado de Carlos III fueron establecidas para el estudio de la legislación y jurisprudencia varias Academias bajo la advocación de Santa Bárbara, de la Purísima Concepción y otras, que posteriormente quedaron refundidas en las dos conocidas con el nombre de *Derecho patrio, de Fernando VII*, y de *Jurisprudencia teórica y práctica, de Carlos III*, en cuya división siguieron sus tareas literarias, hasta que por Real orden de febrero de 1836 se mandaron reunir ambas Academias bajo la antigua advocación de la Purísima Concepción; y aprobadas sus constituciones en 6 de enero de 1840, ha tomado desde entonces nueva vida e importancia. Son notables los ejercicios literarios y las memorias y disertaciones publicadas por varios de sus individuos, que dan a conocer la utilidad de esta Corporación para la ciencia de la legislación o jurisprudencia. La Academia consta de tres clases de académicos: profesores, numerarios y corresponsales. Tiene para su gobierno un presidente, dos vicepresidentes, un censor, cinco revisores, un bibliotecario, un tesorero y dos secretarios, elegidos todos anualmente de entre sus mismos socios; celebra en cada semana dos sesiones ordinarias, la primera teórica y la segunda práctica. Aquéllas consisten en la discusión de un punto de legislación y jurisprudencia y en la lectura de memorias. Y en las sesiones prácticas se sustancian toda clase de expedientes por todos sus trámites, incluso los informes en estrados. La Academia celebra sus sesiones en la calle de la Montera, número 32, piso bajo.

Academia Greco-Latina. — Este cuerpo literario que antes llevaba el nombre de *Academia Latina-Matritense* fue instituído en 1754, reinando Fernando VI, que le concedió varios privilegios y uso de sello particular. El rey Fernando VII, que tenía predilección por los idiomas antiguos, dió a este cuerpo una nueva vida con los estatutos aprobados por el Supremo Consejo de Castilla en 1831, ampliando su objeto a la lengua griega, lo mismo que a la latina, con el fin de promover su enseñanza y excitar el buen gusto y la afición hacia estudio tan importante; facultándola además para examinar a todos los que aspiran al magisterio de las dos lenguas, y para presidir y juzgar las oposiciones a las cátedras de aquellas clases que vacan. La Academia se compone de un director, un vicedirector, un revisor, un tesorero, un bibliotecario, un secretario y 20 individuos numerarios, 20 supernumerarios y un número indefinido de honorarios, y celebra sus sesiones los domingos por la mañana en los estudios de San Isidro, donde tiene su secretaría.

Academia de Maestros de Instrucción primaria.—Bajo el nombre de Colegio de San Casiano, se fundó en el siglo pasado y permaneció así hasta el año de 1840, en que recibió la forma que actualmente tiene por un reglamento aprobado por el Gobierno.

Academia de Medicina y Cirugía. — Se creó en el año de 1731 por varios profesores, con objeto de difundir los conocimientos médicos, siendo aprobadas sus constituciones en 1734, erigiéndose en Academia con sello particular. Así continuó hasta el año de 1830, en que por Real decreto de 8 de agosto se generalizó esta institución a las demás provincias. La Academia de Madrid comprende la de Castilla la Nueva y se compone de tres clases de socios: numerarios, agregados y correspondientes. Sus objetos son esmerarse en el cuidado de la salud pública, recogiendo observaciones y datos; favorecer los progresos de la ciencia médica, estimulando el trabajo de los individuos, etc.; asegurar por este y otros medios la estimación de los profesores; desempeñar las enseñanzas que se establecieren y los encargos de la Junta de Sanidad. Las tareas literarias consisten en experimentar los nuevos remedios y específicos, censurar las memorias y obras médicas, publicar programas, mantener correspondencias con otras Academias y formar la historia natural médica de España. Además, ilustrar a las autoridades en todos los ramos de policía médica, como son construcción de hospitales, lazaretos, cárceles, cementerios, canales, nuevas poblaciones, iglesias, teatros y otros. Las juntas ordinarias no tienen período fijo y se celebran en el edificio de la Facultad.

Academia Quirúrgica Matritense. — Se compone de una Junta de gobierno y de varios académicos, cirujanos puros, divididos en cuatro secciones. Celebra sus juntas desde octubre a mayo en la calle de Capellanes, número 10.

Academia de Esculapio. — Fundada en 1845 y compuesta de estudiantes y profesores de Medicina. Calle de Capellanes, número 10.

Academia Médico-Veterinaria. — Instalada en 1850 y compuesta de profesores y estudiantes de esta ciencia. En el edificio de la Facultad.

Academia Española Arqueológica.—Fundada en 1837 bajo el título de Sociedad Arqueológica por don Basilio Sebastián Castellanos y otras personas amantes de la ciencia, y declarada Academia por Real orden de 5 de abril de 1844. Calle del Olivar, número 35.

OTRAS CORPORACIONES CIENTÍFICAS,
LITERARIAS Y ARTÍSTICAS

Sociedad Económica Matritense. — El
ilustrado Gobierno de Carlos III, deseoso
de utilizar los conocimientos y el patriotismo de las personas que pudieran ser útiles al país, estableció las Sociedades Económicas, que desde su creación dieron tan
buenos resultados. Entre ellas se distinguió siempre la *Matritense*, fundada en
1775; y notorios son los grandes y patrióticos trabajos que desde su principio la
ocuparon, auxiliada con las luces de los
célebres Jovellanos, Campomanes, Floridablanca y otros grandes publicistas. El objeto de su creación fue el fomento de la
industria popular y los oficios, promover
la agricultura y cría de ganado, tratando
por menor todos sus ramos subalternos, y
exponer públicamente el resultado de sus
tareas y cálculos políticos en sus Memorias anuales. Impresas están, y en ellas
puede verse el resultado de sus fecundas
tareas en la primera época, que comprende desde su creación hasta la invasión
francesa, brillando sobre todo en ellas el
inmortal *Informe sobre ley agraria* extendido por su socio Jovellanos y adoptado
por la Sociedad. Suspensa ésta por las ocurrencias de la guerra, volvió a instalarse
después en 1823. Por último, reinstalada
de nuevo en 1835, ha continuado sus tareas con no menos constancia y resultado,
promoviendo la creación de establecimientos útiles, dirigiendo otros a su cuidado,
y auxiliando al Gobierno con luminosos
informes en asuntos de pública utilidad.
A su influjo y diligencia se debe la creación del *Ateneo* de Madrid, la de la *Caja
de Ahorros*, la de la *Sociedad para mejorar la educación del pueblo*, la de *Hacienda y crédito público*, y bajo su dirección
fueron establecidas la Junta de Damas que
cuidaba de la Casa de Expósitos, el colegio de sordomudos y la escuela de ciegos.
Ha continuado publicando luminosas Memorias sobre puntos importantes de agricultura, artes y comercio; ha repartido y
continuado ofreciendo premios a los trabajos importantes en estos ramos; ha influí-
do directamente en la creación de cátedras

de economía política e industrial, agricultura, taquigrafía y paleografía, y ha seguido la publicación de un periódico titulado *El Amigo del País*.

La Sociedad se compone de un número
indeterminado de socios, propuestos y elegidos por la misma, los cuales pagan una
cuota de 120 reales anuales. Tiene para
su dirección una Junta compuesta de un
director, un subdirector, un censor y un
vicecensor, un secretario y un vicesecretario, un contador y un vicecontador, y
un tesorero; todos renovados anualmente,
menos el de secretario, vicesecretario y tesorero, que duran tres años. Para la distribución de los trabajos se divide en cuatro secciones: una de agricultura, otra de
artes, otra de comercio y otra formada exclusivamente por las señoras que componen la Junta de Damas de honor y mérito en lo tocante a los objetos del instituto
de la Sociedad. Esta tiene sus oficinas y
biblioteca en la casa que fue almacén de
cristales, calle del Turco, y en la misma
está el colegio de *sordomudos* y *ciegos*, pero la Sociedad celebra sus sesiones por
privilegio excepcional en las salas consistoriales todos los sábados por la noche.

Ateneo.—La Sociedad Económica Matritense, cuyo nombre va unido a los más patrióticos trabajos, fue, como queda dicho,
la que promovió en 1835 la instalación de
un *Ateneo científico y literario* semejante
al que en 1821, 22 y 23 existió en esta capital, y de que tan grata memoria conservaban los amantes de la ilustración. Y como el crédito de aquella respetable corporación era ya una sólida garantía del acierto, viéronse reunidas por simpatía a una
ligera insinuación suya, más de 200 personas de todas clases, conocidas las más
de ellas por su fama científica, literaria
o artística.

Constituído el Ateneo con toda independencia, verificó su instalación solemne en
la noche del 6 de diciembre de 1835, estableciéndose provisionalmente en los salones de la casa llamada de Abrantes, en la
calle del Prado, habiéndose trasladado después a otra casa en la misma calle, número 27, luego a la de Carretas, núm. 27;
a la plazuela del Angel, número 1, y últimamente a la calle de la Montera, núme-

ro 32, donde permanece. Y aunque fueron grandes las dificultades que tuvo que arrostrar y limitados sus medios a los esfuerzos de sus individuos, sin ningún género de protección superior, todo quedó al cabo superado, y reducido a la práctica el pensamiento que presidió a su formación.

Esta Sociedad exclusivamente científica y literaria puede considerarse, según su organización particular, bajo los distintos caracteres de Academia, Instituto de enseñanza y círculo literario, para servirnos de las denominaciones con que son conocidas en el extranjero esta clase de establecimientos. Para corresponder a la primera idea, el Ateneo se subdividió en cuatro secciones: 1.ª, de ciencias morales y políticas; 2.ª, de ciencias naturales; 3.ª, de ciencias matemáticas, y 4.ª, de literatura y bellas artes; cuyas secciones respectivas tienen sus reuniones semanales para tratar privadamente de su objeto especial, habiéndose dilucidado en ellas los puntos más interesantes de la administración y del derecho, de las ciencias y la literatura, en animadas discusiones dignamente sostenidas por la mayor parte de las notabilidades del país. Bajo el segundo carácter o de Instituto de instrucción, estableció el Ateneo varias cátedras, regentadas por sus mismos socios, y a las cuales tiene entrada el público. Los objetos de estas cátedras han sido el Derecho político y el patrio, la legislación, la economía política, la hacienda y crédito público, la administración, la filosofía, la historia general y la particular de la civilización española, la física, la geología, mineralogía, geografía, historia de la medicina, literatura española, francesa, latina, extranjera; la elocuencia parlamentaria, la arqueología, idioma griego, árabe, hebreo, alemán, inglés y francés y otras disertaciones y estudios parciales, y para juzgar del desempeño de estas cátedras y de la razón con que han merecido la constante asistencia y favor del público, baste decir que fueron o son regentadas por los señores Alcalá Galiano, Donoso Cortés, Pérez Hernández, Pacheco, Pidal, Valle, Fabre, Mieg, Ponzoa, Puche, Benavides, Morón, Lista, Revilla, Corradi, Lozano, Calderón, Goñi, Usoz, Mora, Cañete, López (don Joaquín), etc.

Ultimamente, para el objeto de círculo o reunión literaria, formó el Ateneo una escogida biblioteca moderna, un gabinete de física, otro precioso de mineralogía que le fue donado por uno de sus socios, un monetario y un elegante salón de lectura y otros de conversación, recibiendo todas las publicaciones españolas y las primeras políticas, científicas y literarias de Europa.

El Ateneo se compone de un número indeterminado de socios, que en el día se acerca a 600, los cuales son propuestos y admitidos en Junta general. La cuota que pagan a su entrada es de 320 reales y 20 reales al mes, teniendo derecho de presentar a un forastero. Para la administración y gobierno del establecimiento hay una Junta directiva, nombrada por la general de los mismos socios y renovada anualmente; se compone de un presidente, dos consiliarios, dos secretarios, un contador, un tesorero y un bibliotecario.

La fundación del Ateneo, que tuvo lugar en 1835, dió entre nosotros la señal de la reacción literaria que se operaba al mismo tiempo y como consecuencia de la revolución política; la emancipación del pensamiento, la libertad de prensa y el aumento de vitalidad y de energía propios de las épocas de revueltas políticas, de discusión y de lucha; el vigor y entusiasmo de una juventud ardiente y apasionada por las nuevas ideas; el brillo y esplendor con que éstas se engalanaban anunciando un risueño porvenir; todas estas causas reunidas produjeron por entonces una excitación febril hacia la gloria política, literaria, artística; hacia toda gloria, en fin, o más bien hacia el deseo de adquirir fama y popularidad.

Dignas rivales y aún más brillantes y magníficas en deslumbrante aparato, otras varias asociaciones numerosas y espléndidas compartieron en el Ateneo el favor y el entusiasmo de la sociedad. Unas, como las tituladas *Academia filarmónica* y el *Museo lírico*, se limitaron, por lo general, a ostentar las dotes artísticas de sus socios en brillantes conciertos y en representaciones teatrales; otras, como el *Instituto Español*, unieron a todo esto el establecimiento de cátedras y sesiones de competencia en que lucieron sus conocimientos literatos y artistas muy apreciables; y otras, en fin, o por mejor decir, una sobre todas, la del *Liceo artístico y literario*, fundada en 1836 con las más modestas pretensiones por el joven don José Fernández de la Vega, llegó a tomar tan colosoles dimensiones, que imprimió, digámoslo así, su finonomía característica a aquella época de regeneración literaria y política.

Las sesiones de competencia, juegos florales, conciertos y representaciones escénicas de esta brillante sociedad, ofrecían por entonces un seductor espectáculo y el más extraño constraste con la simultánea existencia de una guerra civil asoladora y enconada; y sus cátedras, discusiones y lecturas, en que brillaban alternativamente los antiguos campeones de la literatura y los nuevos ingenios que surgieron como por encanto en aquella época fecunda: Zorrilla, Vega, Larra, Bretón de los Herreros, Gil Zárate, Espronceda, Rubí, Abenamar, González Bravo, Escosura, Hartzenbusch, Roca de Togores, El Estudiante, Villalta, Príncipe, Enrique Gil, Campoamor, Bermúdez de Castro, el duque de Rivas, Pastor Díaz, fray Gerundio, la Avellaneda, Cañete, Navarrete y el Curioso Parlante, con otros ciento que no recordamos, no sólo dieron por resultados producciones literarias muy estimables, sino que presentadas con un aparato y magnificencia sin igual ante una concurrencia la más distinguida y culta de nuestra sociedad, y a veces honrada con la presencia de la Reina y su corte, y alternando en magníficos conciertos y exposiciones con las preciosas voces, con los cuadros y esculturas de los primeros artistas españoles y extranjeros, excitaron hasta un punto indecible la afición general hacia las letras y bellas artes, realzaron la condición del hombre estudioso, del literato, del artista, y promovieron su entusiasmo presentándole a la vista del pueblo con su aureola de gloria, sus frescos laureles, su doctrina o su ciencia en la boca, y en la mano su libro o su pincel.

Pero aquel espectáculo halagüeño duró muy poco; hoy, pasados aquellos días de ardiente fe y de sed entusiasta de gloria, la tendencia del siglo inclina a materializar los goces, a utilizar interesadamente las inteligencias. Por eso los liceos, las academias en que éstas se ostentaban espontánea y generosamente, y por solo el deseo de fama, desaparecieron ya; por eso los desampararon los autores y corrieron a las redacciones de los periódicos, a la tribuna, a la plaza pública, a conquistar, no aquellos modestos laureles que en otro tiempo bastaban a su ambición, sino los atributos del poder a los dones de la fortuna. De los nombres que arriba hemos citado, casi todos figuran o han figurado como ministros, embajadores, consejeros, diputados o publicistas en opuestos bandos y períodos; algunos como Espronceda y Larra, Villalta y Enrique Gil descendieron prematuramente al sepulcro, y pocos, muy pocos, acaso sólo Zorrilla y el que esto escribe, prefirieron conservar su independencia y nombre literario más o menos poético o prosaico sin la adición de una triste excelencia, ni aún siquiera de una raquítica señoría.

ENSEÑANZA PÚBLICA

Universidad Central.—La antigua Universidad de Alcalá de Henares, fundada en 1508 por el cardenal Cisneros, fue mandada trasladar a Madrid por Real orden de 29 de octubre de 1836, y a su consecuencia se instalaron en el mismo año en el Seminario de Nobles las dos Facultades de Leyes y de Cánones, siéndolo igualmente al siguiente año las de Filosofía y Teología, y quedando todas reunidas en el convento de las Salesas Nuevas, calle Ancha de San Bernardo; allí permanecieron hasta que habiendo obtenido la Universidad el otro edificio en la misma calle, que había servido de casa Noviciado e iglesia de los padres jesuítas, principiaron a trasladarse a él algunas cátedras, mientras se continuaba la obra, al principio parcial, y después radical y completa de la construcción de la nueva Universidad, sobre el solar que ocupó el antiguo Noviciado, que al fin se demolió casi por entero.

El edificio actual, trazado y dirigido en un principio por el arquitecto mayor que fue de la villa don Francisco Javier Mariátegui, y continuado después con sustanciales variaciones bajo la dirección de don Narciso Pascual y Colomer, aunque no terminado aún por su ala izquierda y por el ángulo del fondo hacia la calle de los Reyes, a causa de no haber podido todavía hacerse la adquisición de las casas de los señores marqués de Bendaña y Murga, en cuyos solares ha de continuarse lo que aún falta, ofrece ya la conveniente espaciosidad, buena distribución y ornato, necesarios a un establecimiento tan importante; y la fachada principal, luego que esté terminada, presentará un aspecto severo, majestuoso y análogo al objeto del edificio. La hermosa escalera frente a la entrada principal, el claustro del centro, paso general para entrar a las cátedras y salas de las Facultades, y sobre todo el magnífico salón principal de *actos públicos*, construído sobre el mismo solar y casi en la propia forma que la antigua y bella iglesia del Noviciado, aunque con más lujo de decoración, y que se inauguró solemnemente el día 1 de octubre del año de 1852 con la apertura del curso universitario, son los objetos más marcados del nuevo edificio, faltando aún formar en la parte no construída los locales convenientes para la biblioteca, nuevas cátedras y otras dependencias que todavía carecen de la conveniente amplitud.

En la traslación de la Universidad, en el establecimiento de sus Facultades e Institutos, en el orden de los estudios y en el reglamento interior del primer establecimiento literario de España, así como en la larga y dispendiosa obra del edificio, y habilitación de sus diversos departamentos para los usos respectivos, han desplegado un celo y una inteligencia superiores los dignos señores que han desempeñado desde el principio y sucesivamente el cargo de rector, desde el presbítero don Aniceto Moreno, y los doctores don Francisco de Paula Novar y don Vicente González Arnao (que lo fueron hasta 1840), hasta los señores don Pedro Gómez de la Serna, don Eusebio María del Valle, don Pedro Sabau y Larroya, don Fermín Arteta, don Florencio Rodríguez Bahamonde, don Nicomedes Pastor Díaz y don Claudio Moyano. Pero sobre todos, el que más ocasión ha tenido de distinguirse en este importantísimo servicio es el señor marqués de Morante, don Joaquín Gómez de la Cortina, que ha desempeñado dos veces el rec

torado, la primera desde 25 de enero de 1841 hasta 3 de setiembre de 1842, y la segunda desde 25 de mayo de 1851 hasta 21 de febrero del corriente año, en que fue relevado de él a renuncia suya, y nombrado para sucederle el señor don Tomás Corral y Oña.

Los importantísimos servicios prestados a la Universidad y a la instrucción pública en general, en ambos períodos, por el señor marqués de Morante, son demasiado notorios, y sería harto prolijo el enumerarlos aquí. Revélanse además bien a las claras, a los ojos de todo el que entra en aquel suntuoso edificio, y sólo podremos decir que desde la propiedad del local (adquirida en su tiempo para la Universidad, y a petición suya) hasta la más mínima parte o dependencia de ella, y en su administración económica, en todo están reflejados el celo y la laboriosidad incomparables del dignísimo último rector, así como su ilustración y clásicos estudios en el sistema y método de la enseñanza, y en la fisionomía, digámoslo así, moral y literaria de la *Universidad Central*; servicios todos tanto más dignos de reconocimiento, cuanto que, como es notorio, han sido completamente gratuítos, con cesión absoluta del sueldo de 40.000 reales y 10.000 para coche, señalado a los rectores, y otros sacrificios generosos en pro de la pública instrucción.

La Universidad Central comprende las cinco Facultades de Teología, de Filosofía, de Jurisprudencia, de Medicina y Cirugía y de Farmacia (aunque la primera ha quedado cometida recientemente a los Seminarios conciliares), los institutos de segunda enseñanza y la carrera del Notariado. En el edificio de la calle Ancha de San Bernardo están establecidas las Facultades de Filosofía y Jurisprudencia, y uno de los dos institutos de segunda enseñanza, o sea el del departamento alto. El otro Instituto universitario (el del cuartel bajo) está en el local del antiguo colegio imperial de los padres jesuítas y estudios de San Isidro, y las Facultades de Medicina y de Farmacia, en los respectivos locales de que hablaremos después. Además comprende la Universidad los Institutos provinciales de segunda enseñanza de Avila, Guadalajara, Toledo, Cuenca, Ciudad Real y Segovia, y los diversos colegios particulares incorporados a la misma en Madrid. El número de alumnos matriculados para el curso universitario de 1853 a 1854 ha sido, en las diversas Facultades, 5.080, y en el año próximo pasado fue 5.605, de que sólo ganaron curso 4.278.

Las cátedras de la Facultad de Filosofía son, según el actual plan de estudios, las siguientes. En su sección de Literatura: 1.ª, Literatura latina; 2.ª Literatura general y española; 3.ª, Literatura extranjera; 4.ª, Lengua griega; 5.ª, hebrea, y 6.ª, árabe; 7.ª, Filosofía y su historia; 8.ª, Historia general, y 9.ª, Historia crítica y filosófica de España. En la sección de Administración: 1.ª, Economía política; 2.ª, Derecho público y administración; 3.ª, Ciencia de la Hacienda pública; 4.ª, Derecho civil, mercantil y penal en administración; 5.ª, Derecho internacional y particular de España; 6.ª, Derecho público de Europa; 7.ª, Derecho mercantil comparado, y en la sección de Ciencias físico-matemáticas: 1.ª, Algebra superior y geometría analítica; 2.ª, Cálculo infinitesimal; 3.ª, Mecánica; 4.ª, Ampliación de la física; 5.ª, Física matemática; 6.ª, Química general; 7.ª, Ampliación de la química; 8.ª, Geografía astronómica, física y política; 9.ª, Astronomía física y de observación; y en la sección de Ciencias Naturales, las de que hacemos mención tratando del Gabinete y Botánico, en que están situadas.

En la Facultad de Jurisprudencia las cátedras son: 1.ª, Historia elemental e instituciones de Derecho romano; 2.ª, Historia e instituciones del Derecho civil en España; 3.ª, Prolegómenos y elementos del Derecho canónico universal y de España; 4.ª, Disciplina general de la Iglesia y de España; 5.ª, Ampliación del Derecho español; 6.ª, Teoría de los procedimientos y práctica forense; 7.ª, Filosofía del Derecho, Derecho internacional; 8.ª, Legislación comparada; 9.ª, Ampliación de la disciplina eclesiástica.

Todas estas cátedras de la Facultad de Jurisprudencia, y parte de las de Filosofía están establecidas en el edificio principal de la Universidad, y convenientemente situadas. En el piso bajo, con entrada por la calle de los Reyes, están las correspondientes al Instituto de Filosofía, cuya otra mitad (por la grande extensión de Madrid) se halla establecida en San Isidro. Además del local conveniente y bien dispuesto para tantas cátedras, hay muy buenos salones arreglados recientemente para las conferencias y actos de las respectivas Facultades, y el hermoso que hasta aquí sirvió para los grados y actos públicos, donde está colocada la sillería de la antigua Universidad de Alcalá. La magnífica que fue de San Martín de Valdeiglesias, donada a esta Universidad, y que se hallaba custodiada en la misma, una de las obras más estimables de su género, ha sido trasladada a la iglesia de San Jerónimo, pues por su forma y gusto artístico no parece propia para el gran salón moderno de esta Universidad. La sala rectoral es suntuosa y bien decorada, viéndose en su frente el retrato del gran cardenal Cisneros; la secretaría general, archivo y demás dependencias, igualmente; el gabinete de física, abundante de máquinas preciosas, y la biblioteca pública, colocada interinamente en ciertos tránsitos y salas de la planta alta, muy copiosa, hasta el número de 22 a 24.000 volúmenes, entre ellos muchas obras preciosas que pertenecieron al gran cardenal Cisneros, y otras apreciables por su rareza, como la colección completa de las 25 partes de comedias de Lope de Vega. En el despacho del señor bibliotecario se guardan, además, varios objetos preciosos, como las banderas y llaves de la plaza de Orán conquistada por el mismo cardenal; la armadura del mismo, una campana morisca exquisitamente cincelada, y una flauta de colosales dimensiones, que también se cree haberle pertenecido.

Instituto Universitario de San Isidro.—En el antiguo local en que estuvieron los Estudios públicos, fundados por Felipe IV en 1625, y regentados por los padres jesuítas hasta 1836, en que se verificó su última extinción, se halla hoy establecido el Instituto universitario de segunda enseñanza de los dos en que a causa de la mucha población de Madrid se divide el general de la Universidad Central, y en él están varias de las cátedras correspondientes que dejamos designadas según el plan de estudios a dicha Facultad de Filosofía, y además la *Escuela especial de arquitectura* y la *Preparatoria para las carreras de ingenieros y arquitectos*, de que hablaremos en su lugar. Además existe en la misma casa (antiguo convento de los padres de la Compañía) la excelente biblioteca pública que fue de los mismos, y de que ya hemos hablado. Las demás cátedras correspondientes a dicha Facultad de Filosofía están establecidas con separación, aunque agregadas a la Universidad, en el Museo de Ciencias Naturales y Jardín Botánico, según se expresa al tratar de estos establecimientos.

Facultad de Medicina.—Suprimidos por Real decreto de 10 de octubre de 1843 el Colegio de Medicina y Cirugía de San Carlos y el de San Fernando, de Farmacia, se creó en su lugar el cuerpo científico conocido por la Facultad de Medicina, Cirugía y Farmacia, compuesto de la reunión de los profesores o catedráticos correspondientes al estudio de estas ciencias, con arreglo al plan de estudios vigente, y formando parte de la Universidad Central. Posteriormente se ha separado y quedado independiente la Facultad de Farmacia, y hoy, con el nombre de *Facultad de Medicina*, se comprenden los estudios de las ciencias médicas, en los términos que expresa el plan de 28 de agosto de 1850 y el reglamento para su ejecución de 10 de setiembre de 1851. Al tenor del mismo, las cátedras establecidas en la Facultad son las siguientes: 1.ª, Física y química con aplicación a las ciencias médicas; 2.ª, Historia natural, ídem; 3.ª Anatomía descriptiva general; 4.ª, Fisiología; 5.ª Patología general; 6.ª, Terapéutica, materia médica y arte de recetar; 7.ª, Patología quirúrgica; 8.ª, Patología médica; 9.ª, Obstetricia y enfermedades de niños y mujeres; 10.ª, Clínica quirúrgica; 11.ª, Clínica médica; 12.ª, Higiene privada y pública; 13.ª, Medicina legal y toxicología; 14.ª, Toxicología práctica; 15.ª, Bibliografía e historia de las ciencias médicas. Y las cuatro especiales de Enfermedades sifilíticas, Oftalmología, Enfermedades del pecho y cutáneas.

La Facultad tiene sus cátedras y dependencias en el nuevo edificio concluído hace pocos años para el Colegio de San Carlos en la calle de Atocha, contiguo al Hospital General. En este vasto local, en cuya construcción de nueva planta se han empleado muchos años y muchísimos fondos, hay los departamentos necesarios para las juntas y actos solemnes, cátedras, enfermerías, *anfiteatro anatómico*, biblioteca y otras dependencias. Es digno, sobre todo, de visitarse el *gabinete anatómico*, colocado en varias salas, en donde se conservan con la correspondiente colocación científica multitud de modelos ejecutados en cera con una rara perfección, y que representan los diversos órganos y enfermedades del cuerpo humano, los períodos de la generación, partos y esqueletos; y otros naturales, momias, fetos monstruosos y demás objetos necesarios para el estudio de la ciencia. El *anfiteatro anatómico*, situado en medio del edificio, presenta también un gran golpe de vista, aunque pueden achacársele defectos de construcción en la parte artística y en la distribución de las luces, así como también adolece de otros análogos todo el edificio, efecto de los diversos planes a que durante su construcción hubo de modificarse.

Facultad de Farmacia.—Según el dicho plan de estudios vigente, y habiendo quedado independiente de la medicina esta Facultad, comprende las cátedras siguientes: 1.ª, Mineralogía y zoología, con aplicación a la Farmacia; 2.ª, Botánica, ídem; 3.ª Farmacia químico-inodora; 4.ª, Práctica de operaciones; 5.ª, Anatomía de aplicación a las ciencias médicas; y todas están establecidas en el edificio propio de la Facultad, construído expresamente en 1830 y situado en la calle que hoy lleva su nombre y antes se tituló de San Juan la Nueva. En el mismo se hallan establecidas las oficinas y dependencias de la propia Facultad y su precioso *Gabinete mineral y zoológico*.

ESCUELAS ESPECIALES

Real Instituto Industrial.—A virtud de los Reales decretos de 4 de setiembre de 1850, estableciendo las escuelas industriales, agrícolas y comerciales y el plan ge-

neral de esta clase de enseñanza dividién-
dola en tres clases, *elemental, de aplicación
real y superior,* fue creado en Madrid el
Real Instituto Industrial, quedando virtual-
mente refundido en él el otro establecimiento conocido anteriormente por *Conservatorio de Artes,* con sus cátedras, depósitos y
talleres, y al frente de todo ello un director
nombrado por Su Majestad. Aún no se hallan establecidas todas las enseñanzas prevenidas en el Real decreto, pero cuenta ya
en el día las siguientes: De complemento
de la aritmética, álgebra y partida doble;
de geometría elemental y descriptiva, secciones cónicas, trigonometría, etc.; de geometría analítica y cálculos; de mecánica
pura y aplicada; de física general e industrial; de geometría descriptiva y sus
aplicaciones; de mecánica industrial; de
química industrial, de complemento y análisis de la misma; de complemento de la
mecánica y construcción de máquinas, y
de delineación. El Instituto Real Conservatorio Industrial, con sus cátedras, depósitos, talleres y biblioteca, se halla establecido en la parte izquierda del edificio de
la Trinidad; en los términos que expresamos tratando de él como Conservatorio de
artes.

Escuela Superior de Veterinaria. — El
Colegio de Veterinarios, fundado por el
rey don Carlos IV en 1791, recibió posteriormente en 1835 el nombre de *Facultad
Veterinaria* por reunión a él del Proto-
albeiterato, y por Real decreto de 19 de
agosto de 1847 se mandó formar esta *Escuela Superior.* La Facultad se compone de
cinco catedráticos que forman la Junta, y
tiene a su cargo el examen de los albéitares, la evacuación de los informes pedidos
por el Ministerio y la enseñanza de los
alumnos. Los cursos de esta enseñanza son
cinco años: 1.º, de Anatomía general y
descriptiva; 2.º, Fisiología exterior del caballo, anatomía patológica y jurisprudencia veterinaria; 3.º, Patología general y
especial; 4.º, Cirugía, vendajes, obstetricia
y arte de herrar, y 5.º, Materia médica,
terapéutica e higiene. Hay dos clases de
alumnos, unos internos y otros externos.
Los primeros se dividen en pensionados,
mantenidos por el colegio, y pensionistas;
y los segundos pagan cuatro reales diarios

por manutención y enseñanza. El establecimiento tiene también dos hospitales, uno
de medicina y otro de cirugía, para la curación de los animales enfermos, y en él
se admiten a todos los que lleva el público, con la retribución de seis reales diarios, cuatro por los menores y tres por los
perros. Hay también, para el estudio de
los alumnos del Colegio y enseñanza de
las cátedras, una copiosa biblioteca con
las mejores obras de la Facultad y ciencias auxiliares, un gabinete anatómico enriquecido de piezas de cera y naturales, y
un buen arsenal de instrumentos operato-
rios, habiéndose hecho últimamente en toda la casa obras de consideración. Está situado este establecimiento en el paseo de
Recoletos.

Escuela de Comercio.—Esta Escuela fue
establecida en parte en 1828 por el Consulado de Madrid y en la misma casa en
que tenía sus sesiones. Según el plan actual está dividida en cuatro clases: 1.ª,
comprensiva de la aritmética mercantil y
teneduría de libros, o sea cuenta y razón
comercial y administrativa, cambios, arbitrajes, seguros, conocimiento y conversión
de pesos y medidas así nacionales como
extranjeras; la 2.ª clase dividida en dos,
comprende los idiomas francés e inglés,
y la 3.ª y 4.ª clase comprenden la geografía mercantil y derecho comercial, la economía política, bancos, seguros y aranceles comparados. Se halla esta escuela en
la casa de la Junta Tribunal y Bolsa de
Comercio, plazuela de la Leña, número 14.

*Escuela preparatoria para las especiales
de Caminos, de Minas y de Arquitectura.*
Esta escuela, establecida hace pocos años
y que forma el principio de estas carreras
especiales, está a cargo de un director y
comprende en los dos años de cursos preparatorios las cátedras y enseñanzas siguientes. Mecánica racional. Cálculos. Geometría descriptiva. Topografía y geode-
sia. Física y química. Dibujo de paisaje,
de arquitectura y topográfico; ganados
los cuales y previo examen son admitidos los alumnos en la escuela especial de
una de esas carreras a que se dedican. La
escuela preparatoria está situada en el edi-

ficio del Colegio Imperial (San Isidro), calle de Toledo.

Escuela especial de ingenieros de Caminos, Canales, Puertos y Faros.—Esta enseñanza, establecida por la dirección general del ramo, se divide en los cursos y clases siguientes: Estereotomía y arquitectura, construcción, caminos de hierro. Canales y puertos. Máquinas y abastecimiento de aguas. Dibujo y trabajo práctico. Mecánica aplicada. Derecho administrativo. Mineralogía y geología y lenguas inglesa y alemana. Esta escuela especial se halla establecida en la calle del Turco, casa que fue Conservatorio de Artes.

Escuela especial de ingenieros de Minas. Fue creada por Real Orden de 23 de abril de 1835 y comprende tres cursos de enseñanza. En el primero se explica el laboreo de minas, la mineralogía y la preparación mecánica de los minerales y metalurgia general. En el segundo, la mecánica aplicada a las minas, la geognosia y metalurgia especial y docimasia, y el tercero comprende la construcción, los ensayos docimásticos y el dibujo de hornos, máquinas y las excursiones geognósticas. Para ser admitido alumno en esta escuela se requiere tener 15 años cumplidos y no llegar a 25, tener complexión robusta y haber ganado los dos cursos de la escuela preparatoria. La escuela posee una rica colección de mineralogía, otra de geología, dos gabinetes de modelos de máquinas, de hornos, útiles y de herramientas, un laboratorio químico y docimástico, una biblioteca y una colección de dibujos de la facultad. Los profesores de esta escuela franquean la entrada a las personas que desean visitar el establecimiento. Está situado en la calle del Florín y plaza de las Cortes.

Escuela especial de Bellas Artes.—Establecida por Real decreto de 25 de setiembre de 1844 y puesta bajo la dirección de la Academia de San Fernando comprende todas las enseñanzas antiguas de esta y otras análogas, los estudios elementales, de dibujo, de adorno, aritmética y geometría, divididos en esta forma. Estudios comunes a varias artes, anatomía artística, perspectiva y teoría e historia de

ellas, y los especiales de la pintura, colorido y composición, dibujo del natural y del antiguo y paisajes; del grabado en dulce y en hueco; de la escultura, composición y modelado del natural y del antiguo y la *Escuela especial de Arquitectura* con las cátedras siguientes: Teoría general de la construcción. Idem del arte y decoración. Estereotomía. Mineralogía y química. Mecánica industrial. Arquitectura legal, y cuatro más de enseñanza de maestros de obras, directores y agrimensores. Para ingresar en esta escuela se necesita haber aprobado los dos cursos en la preparatoria. Estas cátedras de la Escuela especial de Arquitectura se hallan establecidas en el local del antiguo convento de jesuítas y estudios de San Isidro. Las demás enseñanzas de Bellas Artes en la casa de la Academia de San Fernando.

Conservatorio de música y declamación. Para la mejor enseñanza, fomento y progresos de la ciencia y arte de la música, así vocal como instrumental, se estableció en 1830 bajo la protección y con el nombre de la reina doña *María Cristina*, un Conservatorio de música, en el edificio que antes fue conocido por la Patriarcal, situado en la calle que ahora lleva el nombre de la misma Reina, y antes llamada de la Inquisición. Este establecimiento, dotado con largueza en sus primeros años, y dirigido con inteligencia por el profesor *Piermarini* y los demás maestros de música y declamación, produjo resultados inmediatos en el adelantamiento de estas artes y mereció los encomios de nacionales y extranjeros que le visitaron, entre otros del célebre *Rossini,* que lo hizo en 1831, y convino en el excelente método de enseñanza y en la natural disposición de los españoles para estas artes encantadoras.

Las ocurrencias políticas y las escaseces de la Hacienda Pública, han reducido hoy bastante las dimensiones de este Conservatorio, habiéndose reorganizado en octubre de 1838, suprimiéndose las plazas de alumnos internos y quedando reducido a una escuela de enseñanza pública, en donde reciben toda clase de instrucción gratuita en la música, así vocal como instrumental y en la declamación, sobre trescientos jóvenes de ambos sexos. Las clases de que constan son: composición, piano, acompañamiento, canto dos clases, solfeo para instrumental dos clases, violín y viola, violonchelo, contrabajo, flauta, clarinete, oboe, fagot, trompa, arpa, declamación dos clases, e idioma italiano; todas regentadas por los profesores y artistas más célebres de Madrid. Para el gobierno económico y facultativo hay un director, nombrado por Su Majestad, que sirve este destino honorífico, sin sueldo ni emolumento alguno, y una junta facultativa compuesta de los primeros profesores de la sección de música y de los de declamación, con quienes el director consulta las cuestiones artísticas y demás asuntos concernientes al establecimiento. Actualmente se ha trasladado éste al Teatro Real de Oriente, en la parte que da a la plaza de Isabel II y calle de Felipe V, y en el suntuoso salón de bailes y que también sirvió un tiempo para las sesiones del Congreso de los Diputados, se ha formado un bello teatro, donde suelen celebrarse con gran aparato las distribuciones de premios, exámenes y funciones dramáticas y líricas, desempeñadas por los alumnos, y que suelen ser honradas con la presencia de Su Majestad.

Colegio de Sordomudos y Ciegos.—Tuvo principio en 1805, bajo el gobierno y dirección de la Sociedad Económica Matritense, señalando en él seis plazas de número para pobres de solemnidad, y otras para pensionistas; así siguió el colegio hasta el año de 1835, en que encargada de nuevo del establecimiento la misma sociedad, extendió las plazas de número a tantos individuos como diputaciones provinciales hay en el reino, y las de pensionistas a un número indeterminado, abonando la cuota de 300 ducados anuales. En el día, reunido con el de Ciegos, está declarado establecimiento nacional y depende del Ministerio de Fomento como Escuela Especial. La enseñanza que se da en seis años de permanencia, consiste en palabra y lectura, dibujo y escritura, aritmética, geometría y geografía, música y canto, órgano, violín y labores de aguja para las ciegas y, además, los conocimientos morales y religiosos, necesaria base de toda educación. Igualmente estableció la Socie-

dad una imprenta y un obrador de encuadernación, dependientes del mismo colegio, a los que se dedican los alumnos pobres, con lo que al mismo tiempo que aprenden un oficio útil, contribuyen con los productos al sostenimiento del colegio, siendo de notar la corrección y buen gusto de dichas obras de imprenta y encuadernación. Celebra anualmente exámenes públicos y franquea la entrada a las personas que deseen visitarlo.

La escuela normal de ciegos, fundada a consecuencia también de los trabajos y excitaciones de la Sociedad Económica Matritense, se abrió bajo sus auspicios, el día 20 de enero de 1842, poniéndola a cargo del benemérito director del colegio de Sordomudos don Juan Manuel Ballesteros, autor de este filantrópico pensamiento, y que ya anteriormente había ensayado con excelentes resultados una escuela privada de estos seres desgraciados, y demostrado hasta la evidencia su aptitud para todo género de instrucción intelectual e industrial. Hoy dicha escuela forma parte del mismo colegio nacional, siendo mucho de admirar el ingenioso mecanismo para la enseñanza de la escritura, lectura y aritmética, por medio de libros impresos en relieve en la misma imprenta de la casa; así como las labores de punto, de aguja y de telar, encuadernación y otras, según puede verse todos los viernes de cada semana, en que se permite la entrada. Está situado este colegio en la calle del Turco.

COLEGIOS PARTICULARES

San Fernando, de Padres Escolapios.— Fue fundado este colegio por los padres de la Escuela Pía en 1733, y en el día es Instituto de segunda enseñanza, incorporado a la Universidad; en él enseñan principios de religión, primeras letras, gramática castellana y latina, retórica, poética, historia sagrada y profana, matemáticas, filosofía, lenguas francesa e inglesa, dibujo y música. Los discípulos son internos y externos y los primeros usan de uniforme. El edificio es grande y de su iglesia ya hablamos en otra parte. Está situado en la calle del Mesón de Paredes.

San Antonio Abad, de Escolapios.—La otra casa, colegio de padres de la Escuela Pía, conocida por seminario de San Antonio Abad, tiene enseñanza de las mismas materias que en su colegio de San Fernando. Los seminaristas internos no han de tener menos de seis años ni más de doce, y por su alimento y enseñanza contribuyen con la cuota de diez reales. Fue fundado en 1755. El edificio es espacioso, y está situado en la calle de Hortaleza.

Colegios y escuelas particulares.—Hay además de estas cátedras y colegios otros particulares, también incorporados a la Universidad como institutos de segunda enseñanza, a cargo de los señores Frutos, Serra, Masarnau, Ramírez, Meana, Macmaol, Massi, García Sanz, Tobia, Navarro y Galdo, situados en las calles del Duque de Alba, Alcalá, Fomento, Barrionuevo, Clavel, Ancha de San Bernardo, etc. y el del señor Carrasco, en Carabanchel, y un gran número de profesores y aulas particulares, que mediante una retribución correspondiente, están dedicados a la enseñanza de las primeras letras, gramática castellana y latina, retórica y poética, matemáticas, geografía, comercio, idiomas, música, dibujo, baile, equitación, esgrima, etcétera, que dan lecciones en sus casas y en las de los alumnos. El hacer indicación de todo esto exigiría un libro especial.

COLEGIOS DE SEÑORITAS

Nuestra Señora de Loreto.—Fue fundado por el rey don Felipe II en 1581, para niñas huérfanas, habiendo también plazas para pensionistas, y a unas y a otras se da una educación esmerada. Está situado este colegio con su iglesia pública de que ya hemos hablado, en la calle de Atocha.

Santa Isabel.—Fundado en 1592; en él hay tres clases de colegialas: unas huérfanas, otras pensionistas que pagan y otras

hijas de criados del Rey. Está situado con su iglesia y convento de que ya hemos hablado, en la calle de su nombre.

Nuestra Señora de la Presentación (vulgo *Niñas de Leganés*).—Fue fundado por los años 1603, para educación de niñas huérfanas y también hay pensionistas. Está situado en la calle de la Reina, donde tiene también su iglesia pública.

Colegio de la Inmaculada Concepción (el Refugio).—Fue fundado en 1651 por la misma Santa Hermandad del Refugio, quien ha conservado su gobierno y patronato. Hay dos clases de colegialas; huérfanas pobres y pensionistas, a las que se da una educación esmerada. Está situado en la Corredera de San Pablo y unido a él está el hospital del Refugio, de que hablamos en su lugar, y la linda iglesia de San Antonio de los Portugueses.

Existen también otros muchos colegios particulares para señoritas, tales como el de la señora Griñón, calle de San Sebastián; la señora Bonnat, calle de San Agustín, etc.

INSTRUCCION PRIMARIA

Escuela Normal Seminario de Maestros de Instrucción Primaria. — El objeto de esta Escuela Normal es formar maestros instruídos y capaces de dirigir las de provincias y superiores y elementales de instrucción primaria de todo el reino. La Escuela Normal se compone de un seminario para los que aspiren a ser maestros, y una escuela de niños para la enseñanza práctica de aquéllos. Los primeros son nombrados y sostenidos por las provincias y han de tener la edad de 18 a 20 años cumplidos, contribuyendo con la cantidad de 3.000 reales anuales, y hay otros pensionados por el Gobierno. Las materias de enseñanza son: religión y moral, lengua castellana, aritmética y elementos de geometría, dibujo lineal, elementos de física y de historia natural, geografía e historia, principios generales de educación moral, intelectual y física de los niños, método de enseñanza y pedagogía, lectura y escritura. En la escuela práctica de niños, se enseñan las materias ordenadas en el reglamento de estudios. Para la dirección, gobierno y enseñanza de la escuela, hay un director principal, un vicedirector y un maestro regente de la escuela práctica, nombrados por Su Majestad, y los demás profesores necesarios para completar la enseñanza. Se halla situado este establecimiento en la calle Ancha de San Bernardo, número 80.

Con título de *Sociedad para propagar y mejorar la educación del pueblo* tuvo principio esta benéfica asociación en 15 de julio de 1838, componiéndose de un número indeterminado de socios de ambos sexos que llegó a contar 700 personas, todas de conocido nombre y amor a la filantropía, los cuales se suscribieron caritativamente por una o más acciones de 20 reales anuales para este servicio.

El objeto que ésta se propuso en su fundación y para el cual se agruparon en ella todos los nombres más distinguidos de la corte, por su jerarquía, riqueza, talento y probidad, fue el de establecer en nuestro país las *escuelas de párvulos*, que con este nombre y el de *salas de asilo*, ofrecen tan admirables resultados, en Inglatera, Francia, Bélgica y Alemania. Ideó también establecer *escuelas dominicales para los adultos*, y publicar libros de educación; pero por la falta de los medios necesarios (pues no contaba con otros más que la suscripción voluntaria de los socios) se limitó a ocuparse casi exclusivamente en la educación de los párvulos, para lo cual, además de la fundación y sostenimiento de las escuelas de que hablaremos después, publicó un excelente *Manual* para maestros, digno de la mayor recomendación. La sociedad dirigió o promovió la fundación de otras muchas escuelas de párvulos en las ciudades de Alcoy, Cáceres, Córdoba, Soria, Pamplona, Segovia, Valencia de Alcántara y otras; formando los maestros para todas ellas. Hoy, disuelta esta benemérita sociedad, se ha encargado el Gobierno de los establecimientos fundados por ella.

Escuelas de párvulos.—El objeto de estas escuelas es tomar al hombre en la misma cuna y dirigir sus primeros años por medio de una educación moral y religiosa, comprensible a tan tierna edad; desarrollar su constitución física por medio de ejercicios gimnásticos, y encaminar su inteligencia hacia los estudios de las ciencias y de las artes con los más ingeniosos y materiales mecanismos, pudiendo decirse que el emblema de esta filosófica enseñanza pueda reducirse a estos tres principios: *educar el corazón, fortalecer el cuerpo y despertar el entendimiento.*

La primera escuela normal establecida por la sociedad, quedó abierta en 14 de octubre de 1838, y está situada en la calle de Atocha, número 115, en la casa beaterio de San José. Esta escuela, denominada de *Virio*, en memoria de don Juan Bautista Virio, cónsul que fue de España en Hamburgo en 1833, que hizo al Gobierno un donativo de 40.000 reales para establecer estas escuelas en Madrid, es la más espaciosa y arreglada, estando declarada *escuela normal para maestros* de esta enseñanza. Poco tiempo después fueron establecidas otras varias escuelas, y hoy existen: la primera ya dicha a que están matriculados 160 niños de ambos sexos; otra en la calle del Espino, número 6, denominada de *Montesino*, con 85 alumnos; otra en la calle de Leganitos, número 24, llamada de *Santa Cruz*; otra en la calle de Velarde, número 22, nombrada de *Arias*, con 99 niños; otra en la calle de San Antón, número 55, llamada de *Pontejos*, y otra llamada de *Gil Zárate*, en la carrera de San Francisco, número 11, con 138; todas en los barrios más apartados del centro, con objeto de dar educación a las clases menesterosas. Finalmente se ha establecido la última escuela en la Fábrica Nacional de Tabacos, con 110 niños, y otra en el barrio de Chamberí.

Cada una de estas escuelas tiene a su frente un maestro y una maestra y tiene cabida para más de cien niños y alguna para ciento sesenta, y en el día concurren a dichas escuelas de setecientos a ochocientos párvulos; la tercera parte de ellos contribuyen con la cuota de seis cuartos cada semana, los demás son absolutamente gratuitos. La edad de los niños recogidos es desde dos años hasta el día en que cumplen siete; en dicho día salen de estas escuelas para pasar a las instrucción primaria, y yapreparados para ella. Las horas de asistencia son desde por la mañana muy temprano hasta el anochecer, con el objeto de descargar a los padres de este cuidado y evitar a los niños los peligros y malos ejemplos de las calles y de sus propias casas. Estas horas están armoniosamente distribuidas en ejercicios de oración, enseñanza, juegos de destreza y comida que lleva cada niño de su casa, siendo un espectáculo por manera tierno e interesante el observar el aseo y decoro, orden y alegría que reinan en estos santos asilos de la inocencia, cuya visita recomendamos a toda persona benéfica. El genio y los modales indómitos y groseros de las clases más ínfimas de la sociedad, se truecan insensiblemente allí por la compostura y modestia más interesantes; los sentimientos puros de amor a Dios y al prójimo, respeto a los padres y mayores, se desarrollan visiblemente en los tiernos corazones, y no una vez sola, hemos presenciado que observando los niños que algunos de sus compañeros carecían de su ración a la hora acostumbrada, se apresuraban a cederles cada uno parte de la suya, con otros ejemplos que demuestran bien la importancia de esta primera dirección de los sentimientos humanos. Las escuelas están abiertas todos los días, desde las ocho de la mañana hasta el anochecer, y pueden ser visitadas por cualquier persona que lo desee.

Colegio de San Ildefonso (Doctrinos). — Es fundación de la villa de Madrid en el siglo XV, y tiene por objeto amparar y enseñar la doctrina cristiana y primeras letras y rudimentos de un oficio a su voluntad a cierto número de niños (que suelen ser de 20 a 24), naturales de Madrid, desde la edad de 7 a 14 años. Este colegio está bajo el patronato del Ayuntamiento; se halla establecido en su casa propia, carrera de San Francisco, donde tiene también su iglesia pública.

Enseñanza mutua de niñas.—Bajo la dirección y cuidado de la Junta de Damas, unida a la Sociedad Económica, hay una enseñanza mutua de niñas situada en la calle de Preciados.

Enseñanzas de las Hijas de la Caridad. Calle de San Agustín, en su casa principal, y otra en el hospital de incurables, además de la del colegio de la Paz, que también está a su cargo.

Escuelas gratuitas de instrucción primaria.—Estas escuelas, que corrían antes a cargo del Ayuntamiento, fueron confiadas al Gobernador de la provincia, comisario regio, por Real Decreto de 4 de julio de 1849; son sesenta, treinta para cada sexo, y a ellas asisten más de cuatro mil niños de ambos sexos. Están distribuidas en los diversos barrios y costeadas por los fondos provinciales y municipales.

El número total de escuelas primarias en Madrid pasa de 250, a que asisten más de 13.000 niños.

PARTE FILANTROPICA Y CORRECCIONAL

BENEFICENCIA

Juntas de Beneficencia.—Por la ley orgánica de Beneficencia, de 20 de junio de 1849 y el reglamento general para su ejecución, aprobado por Real Decreto de 14 de mayo de 1852, se dispuso fuesen clasificados los establecimientos públicos de este ramo en *Generales, Provinciales y Municipales,* creando al mismo tiempo en Madrid las tres juntas directivas con aquel respectivo carácter; la primera o *general,* presidida por el Excmo. señor duque de Riansares y el M. R. cardenal arzobispo de Toledo; la *provincial,* por el Gobernador de la provincia, y la *municipal,* por el Alcalde corregidor y compuestas todas de personas distinguidas y de funcionarios o representantes de la provincia y localidad. A cargo de la primera de aquellas juntas (la general), según la clasificación hecha por el dicho reglamento quedaron los dos hospitales de incurables de Jesús Nazareno y de Nuestra Señora del Carmen (mujeres y hombres), el de la Princesa, el de dementes de Leganés y el particular de niñas desamparadas. La Junta Provincial tiene a su cuidado los hospitales generales y el de San Juan de Dios, la Inclusa y colegio de la Paz, el Hospicio y los Niños desamparados; y la Municipal el albergue de San Bernardino y la hospitalidad domiciliaria; entretanto que, fundadas las casas de Maternidad y otras que se expresan en dicho reglamento y forman parte del sistema general de beneficencia, puedan quedar exclusivamente designados con el carácter de generales todos los establecimientos que se hallan destinados a satisfacer necesidades permanentes o que reclaman una atención especial, como los locos, sordomudos, ciegos, impedidos o decrépitos. De provinciales los que tienen por objeto el alivio de la humanidad doliente en enfermedades comunes, el amparo y educación de los huérfanos y menesterosos; a esta clase pertenecen los hospitales de enfermos, las casas de misericordia, maternidad y expósitos y las de huérfanos y desamparados; y con el de municipales los destinados a socorrer enfermedades accidentales, a albergar a los mendigos y a procurar socorros a la indigencia; tales son los albergues y casas de refugio y la beneficencia domiciliaria. La Junta general tiene sus oficinas en la calle del Fomento, número 7; la provincial en el piso segundo de la casa del Gobierno Político, calle Mayor, y la municipal en las Casas Consistoriales.

HOSPICIOS

Hospicio de San Fernando. — Fundado por la reina gobernadora doña Mariana de Austria, en 1668, en la calle de Santa Isabel, fue trasladado en el reinado de Felipe V a la calle de Fuencarral, al sitio y casa que hoy ocupa, inmediato a la puerta de Bilbao. El beato padre Simón de Rojas, de la Trinidad, fue el primero que con el favor de la reina doña Isabel de Borbón, dio principio a recoger todos los mendigos, en cuyo piadoso cuidado continuó después la congregación de Esclavos del Dulce Nombre de María, que aquél había fundado. Esta fue la que estableció el hospicio en una casa que le donó el conde del Puerto en la calle de Santa Isabel, hasta que trasladado en 1674 a la calle de Fuencarral, y formada una nueva hermandad titulada del Ave María y San Fernando, quedó bajo su gobierno y dirección, y la protección del Rey. En 1726 le concedió varias franquicias y arbitrios, llegando a mantener ya en 1765, 390 pobres. Ultimamente, habiendo crecido sus rentas y arbitrios en el reinado de Felipe V, se construyó su casa en la calle de Fuencarral, quedando concluida en 1725

Esta casa es espaciosa y bastante bien distribuida; fue construida por el célebre corruptor don Pedro Ribera, el cual dejó en su estrambótica fachada principal (que costó 968.429 reales) el testimonio más auténtico del extraño gusto arquitectónico que dominaba en su época, y a que dio su nombre el célebre *Churriguera*, siendo, por lo tanto, un documento curioso del arte, y que conviene conservar; todavía parece más estravagante con los ridículos colorines con que en época posterior se ha enjabelgado este frontispicio, emblema de toda caprichosidad artística. Por lo demás, el edificio es grande y espacioso, con abundantes luces y ventilación, y es capaz de albergar en él hasta 1.800 personas.

En este establecimiento se admiten pobres de ambos sexos, destinándolos a diferentes ocupaciones, para lo cual hay en el mismo hospicio fábricas de linos, paños, puntos y tejidos de lana, bordados, hilados, alpargatas y vidriería, cuyos géneros se venden en la misma casa a precios equitativos, y sirven también para el surtido de ella y las demás de beneficencia. A los muchachos se les da ocupación y se les enseña oficio, y a los ancianos imposibilitados de poder trabajar se les cuida con esmero. En 1819 ascendían las rentas de esta casa a 1.830.804 reales, y sus gastos a 1.192.054. En aquella época mantenía a 800 pobres, y los sueldos de empleados y viudas importaban 253.532 reales. En el reinado de Carlos III, llegó a mantener el hospicio con menos rentas 2.104 pobres, los 1.386 en Madrid, y 718 en San Fernando. El número de los que contaba en fin del año último de 1853, era de 1.032, los 639 varones y 393 hembras. Los gastos del establecimiento subieron en dicho año a 1.041.309 reales, 3 maravedís, cubiertos con los ingresos fijos y eventuales del mismo y de los fondos provinciales de Beneficencia. Para cuidar de tan importante establecimiento bajo la dirección de la Junta Provincial hay un director, un capellán, una rectora y varios otros empleados, que entienden en su policía y buen orden. Tiene también su capilla y en ella hay un buen cuadro de Jordán, que representa la toma de Sevilla por San Fernando.

(*Desamparados*). — Fue fundado este hospicio-colegio por la villa de Madrid, hacia los años de 1600, para la educación de los niños expósitos y en el día está cometida su dirección a la Junta Provincial de Beneficencia. En ella son admitidos los niños que se crían en la Inclusa de esta corte, luego que las que se encargan de su lactancia los vuelven al establecimiento de donde los habían sacado, que es a 'a edad de 7 años. También hay en dicho colegio la fundación que en 1766 hizo don Agustín de Torres, secretario de Su Majestad, con objeto de que se sostuvieran 20 niños huérfanos sin necesidad de la cualidad de expósitos; pero ésta se halla en suspenso, por no estar corrientes sus rentas desde la enagenación de fincas pertecientes a obras pías. A dichos huérfanos y expósitos se les instruye en la doctrina cristiana, principios de civilidad y subordinación, leer, escribir, contar, gramática castellana y luego se les procura su colocación para algún arte u oficio en que puedan ganar su subsistencia con honradez. En este colegio quedaron existentes en 1 de enero del corriente año, 181 niños de 7 a 8 años, habiendo producido un gasto en el anterior de 198.451 reales, 3 maravedís. En el mismo año salieron con licencia absoluta y fueron entregados a sus familias 160 niños. En esta casa se admiten también algunos niños pobres naturales de Madrid, aunque no procedan de la Inclusa. Estaba desde su fundación este colegio en su edificio propio sito en la calle de Atocha y Costanilla, pero habiéndose establecido el año 1852 en dicho edificio el Hospital de hombres incurables, pasó el colegio de los Desamparados a reunirse al Hospicio, como dependientes ambos, así como la Inclusa, de la Junta Provincial de Beneficencia.

Casa de niños expósitos (Inclusa).—En 1567 se fundó en el convento de la Victoria una cofradía de Nuestra Señora de la Soledad, la que con el auxilio de los fieles tomó una casa cerca de la parroquia de San Luis, con el objeto de recoger los niños expósitos. Luego compró otra en la calle de Preciados, a la Puerta del Sol (que hoy se está derribando para el ensanche), y a principios de este siglo pasó a ocupar la en que hoy se halla, sita en la calle del Mesón de Paredes. Este establecimiento, en que tanto se interesa la humanidad, corre hoy a cargo de la Junta Provincial de Beneficencia y servido por el celo religioso y esmero especial de las hermanas de la Caridad. En él se recogen todas las criaturas expuestas en los tornos o depósitos públicos, abandonadas por sus padres legítimos o ilegítimos. Dichos tornos son varios; uno en el hospital general, otro en el del Refugio, otro en la calle de Amaniel y otro en la de Paredes. Las criaturas trasladadas a esa casa, son luego confiadas a amas o nodrizas, que habitan unas dentro de la misma casa y otras fuera de ella y en los lugares comarcanos, contándose anualmente de 4.500 a 6.000 criaturas asistidas de este modo. Pero las rentas de esta casa son hoy tan cortas, que apenas con las limosnas públicas y los ingeniosos arbitrios de rifas, conciertos y otros escogidos por la Junta y las cuestaciones realizadas por las señoras distinguidas a cuyo cargo corrió antes el establecimiento, puede atender a lo más indispensable, si bien en el día los fondos de beneficencia suplen lo demás del presupuesto, ascendiendo sólo el pago de nodrizas, a unos 5.000 duros mensuales. Las criaturas existentes dentro y fuera de la casa en fin del año 1852 eran 4.715; las entradas en todo el año último fueron 1.849, que en todo hacen 6.564 criaturas, de las cuales fallecieron 2.245, fueron prohijadas 10, y quedaron existentes para 10 de enero del año actual 4.309. El gasto en dicho año en esta casa y su anejo el colegio de la Paz fue de 1.682.056 reales cubierto con los ingresos fijos y eventuales del establecimiento y el déficit por los fondos provinciales de beneficencia.

En la capilla de esta casa se venera una sagrada imagen de Nuestra Señora, que trajo un soldado español de Enkuissen, ciudad de Holanda, de la cual por corrupción se ha derivado el nombre de *Inclusa* aplicado al establecimiento.

Colegio de Nuestra Señora de la Paz.— Fue fundado en el año de 1663 para educación de las niñas expósitas, en donde son admitidas a los ocho años hasta que se establecen. En el día está reunido este colegio con la Inclusa y situado en su casa, calle de Embajadores. En él quedaron en fin del año último 438 colegialas desde 8 años en adelante; tiene un director, un vicedirector, un capellán, un comisario de entradas, dos facultativos y veintidós hermanas de la Caridad. Las niñas fabrican en la casa guantes de piel, sombreros de paja de Italia, suiza y arroz, petacas, bolsas y hacen toda clase de labores, cosidos, bordados y puntos, todo lo cual produce a la casa un producto líquido de 50.000 reales anuales.

Asilo de mendicidad de San Bernardino. Por Real Orden fecha 2 de agosto de 1834, en aquellos críticos momentos en que atribulada la capital del reino con el funesto azote del *cólera-morbo*, se hallaba más que nunca dispuesta a ejercer la beneficencia y a parar la atención sobre la mejora de las costumbres públicas, se expidió la Real Orden mandando establecer en el antiguo convento de San Bernardino, extra-muros de Madrid, un asilo capaz para recoger en él a todos los mendigos que vagaban por sus calles y paseos; y cosa singular en España, a los pocos días de expedida la orden, empezó a recibir su cumplimiento. El 18 de setiembre de aquel mismo año, fue el día en que entraron los mendigos en el nuevo establecimiento. Debióse tan rápido resultado a la filantropía y sensatez del vecindario, al celo de la junta de caridad y finalmente a la enérgica voluntad, inteligencia y patriotismo del corregidor de Madrid, marqués viudo de Pontejos, ante cuya firme decisión desaparecieron como por encanto los obstáculos que antes se creían insuperables.

Uno de los medios ingeniosos, el principal para su sostenimiento, que inventó y puso en práctica el corregidor, fue el de una suscripción voluntaria, reducida a la cantidad de *una peseta al mes*, con cuyo módico recurso y otros ingresos eventuales, se planteó y siguió el establecimiento, bajo la dirección del corregidor y el ayuntamiento, y hoy al cuidado de la junta municipal de beneficencia.

El número de pobres de ambos sexos acogidos en él voluntaria y forzosamente era en 1.º de junio de 675, los 310 hombres, 236 mujeres, 81 niños y 48 niñas, no permitiendo hoy más los escasos productos con que cuenta el establecimiento, que han ido disminuyendo, al paso que ha crecido la miseria general.

Los pobres están divididos en brigadas y escuadras, destinados unos a la barbería y cultivo de la huerta y lavado de ropas, porterías, cocina y demás servicio interior de la casa, otros a los talleres de zapatería, sastrería, espartería, vidriería, imprenta, etc., y otros al servicio exterior de conducir los enfermos al hospital, dar lumbre para fumar en calles y paseos, cuidar las sillas en las iglesias, y asistir a los funerales a que son invitados. Los niños y niñas asisten a la escuela del establecimiento y de aprendices en los talleres. La ración que se les da es la siguiente: almuerzo, un cuarterón de pan en sopa; comida, un potaje de menestras bien condimentado y media libra de pan, y cena, otro potaje de patatas, y otro cuarterón de pan. Todos los acogidos usan del traje de la casa que es uniforme y aseado, distinguiéndose los hombres por la blusa parda y el cinturón, y el sombrero encerado con el número respectivo.

A consecuencia de las obras hechas en el antiguo convento, ha quedado bastante bien dispuesto para su objeto actual, con espaciosidad y aseo en los dormitorios, tránsitos, almacenes, talleres y oficinas; siendo muy notables los dos espaciosos comedores con una cocina circular en el medio, y la abundancia de aguas repartidas por toda la casa; todo con un orden e inteligencia poco común en nuestros establecimientos públicos. Para su gobierno interior hay un administrador tesorero, un inspector guarda-almacén, un contador, un director de niños, un cirujano, y una directora de mujeres. El resto de los dependientes es de los mismos acogidos.

Este establecimiento y la hospitalidad domiciliaria son los únicos que han quedado a cuidado de la junta municipal de beneficencia.

Colegio de niñas desamparadas.—En la misma calle de Atocha, casa número 74, existe desde hace muy pocos años un colegio para recoger niñas abandonadas o de educación descuidada, que ha fundado la señora doña Micaela Desmaisieres, vizcondesa de Jorbalán, dedicando a sostenerle todas sus rentas, y dirigiéndole por sí misma, desde el año de 1849. Cuenta unas sesenta niñas desde siete a quince años, que guardan estrecha clausura y se ocupan de varias labores de su sexo, además de los ejercicios religiosos. Hay maestras y pasantas de la clase de seglares que ayudan a la directora en estos servicios. Es un establecimiento de índole particular, que recibe algunas limosnas y un auxilio que le da el Gobierno de los fondos generales de beneficencia, en equivalencia de una pensión que tenía sobre el indulto cuadragesimal. Está bajo la inmediata vigilancia de la misma junta general en virtud de real orden.

HOSPITALES

Hospital general.—El Hospital general de Nuestra Señora de la Encarnación y San Roque es para hombres; y fue fundado por el rey don Felipe II en 1587, cuando se hizo la reducción de los hospitales menores, uniéndose a él el de la Pasión para mujeres, el del Campo del Rey, que estaba en las cercanías de la puerta de Segovia, el de San Ginés, que se hallaba frente a su iglesia parroquial, y el de los Convalecientes, que fundó en la calle Ancha de San Bernardo el venerable Bernardino de Obregón. A cargo de éste, quedaron reunidos todos estos hospitales en la calle del Prado, y sitio donde después se fundó el convento de Santa Catalina y ahora son las casas nuevas. Varios aumentos y alteraciones ocurridas después, pusieron al hospital en disposición de trasladarse a otra casa e iglesia nuevamente labrada en el camino de Atocha, hasta que creciendo aquéllos con la piedad de los reyes y de los vecinos de Madrid, dispuso don Fernando VI en 1748 la construcción del suntuoso edificio que hoy ocupa.

Hizo la traza de este edificio el capitán de ingenieros don José Hermosilla y Sandoval, que le sacó de cimientos, y continuándole después en el reinado de Carlos III el señor Sabatini, se construyó la mayor parte de él aunque no se ha concluído, y si llegara a verificarse, sería uno de los más vastos edificios de su clase. Consiste en un cuadrado de 600 pies de largo por 600 de ancho, en medio del cual se había de construir la iglesia, y había de tener seis patios muy espaciosos con otros dos más pequeños. El principal sólo, concluído en 1781, tiene 134 pies de largo y 80 de ancho; los salones para las enfermerías, son de una inmensa extensión, anchos y bien ventilados, y todas las demás oficinas están con la suficiente comodidad y decoro. En este vasto hospital es admitida toda persona que se presenta con calentura o herida, siendo tratados los enfermos con toda la humanidad que su situación exige, dándoseles la ración diaria de una libra de pan, doce onzas de carne, un cuartillo de vino, una onza de garbanzos y un cuarto de onza de tocino, distribuído por mitad en comida y cena, excepto cuando por lo grave de su enfermedad están a media ración. Su asistencia está a cargo de los hermanos de la congregación de la Cruz, que bajo la orden de la regla de San Francisco fundó en 1566 el mismo venerable Obregón, de donde les viene el nombre de *hermanos obregones*, y hay también otras corporaciones piadosas que

visitan a los enfermos y aplican sufragios por los difuntos. Los facultativos que les asisten son de los más famosos de Madrid, y finalmente, nada se ha omitido para aliviar la suerte de los infelices a quienes la miseria conduce a este piadoso asilo. Su situación también es excelente para los enfermos, pues se halla al fin de la población y de la calle de Atocha, bien ventilado y bañado de sol.

El general *de la Pasión*, para mujeres, reunido definitivamente al anterior en 1836, y formando parte de él, existe con las mismas condiciones, siendo servido por las hijas de la Caridad con un celo admirable, y habiendo además otras corporaciones de señoras que visitan y consuelan a las enfermas.

La inspección y gobierno de estos vastos hospitales y otros de la corte, se halla hoy a cargo de la Junta Provincial de Beneficencia, la que cuida de todo lo relativo a la dirección y empleo de sus rentas, que son cuantiosas, y consisten en fincas, imposiciones sobre los teatros, arriendo de la Plaza de Toros de su propiedad, limosnas y legados. Para la administración interior hay un director, un oficial y un escribiente, once capellanes, diez médicos para las visitas de las salas, cuatro id. para el servicio de las guardias, ocho cirujanos, dos comadrones, un vendista, un dentista, tres sangradores, un boticario mayor y un segundo, un comisario de entradas, con el competente número de practicantes enfermeros, guardas y mozos de oficio. Recientemente se ha establecido una sala con destino a la curación de niños y niñas hasta la edad de 8 años, con el objeto de que no estén confundidos con las personas adultas, cuya sala está también a cargo de las hijas de la Caridad. Puede formarse una idea de la importancia de estos vastos hospitales con decir que habiendo quedado en camas en fin de 1842. 1.230 enfermos de ambos sexos y entrado 18.878 en 1853, que en todo hacen 20.108, fallecieron en dicho año último 2.666, se curaron 15.884, y han quedado en camas para el actual 1.558. Las estancias causadas en dicho año fueron 525.606, y los gastos que produjeron 2.431.792 reales, 24 maravedises, que fueron cubiertos con los ingresos fijos y eventuales, y el déficit por los fondos provinciales de beneficencia. Los domingos de 9 a 11 por la mañana, pueden visitarse las salas de enfermos de estos hospitales. Tienen su pequeña iglesia pública en la calle de Atocha, que nada tiene de notable, y por bajo de la escalerilla que sirve para subir a ella, hay una pequeña celda con reja a la calle, que sirve para exponer los cadáveres que se encuentran sin saberse su nombre.

Hospital de San Juan de Dios.—Fundó este hospital el venerable Antón Martín, religioso y compañero de San Juan de Dios, confiándole a los hermanos de dicha orden, que le sirven con todo el celo de que es susceptible la caridad cristiana. Está destinado para recibir enfermos de toda clase de enfermedades venéreas y cutáneas, y sostiene unas trescientas camas para ambos sexos. La asistencia y curación es la misma que en los hospitales generales, dándoseles de ración ocho onzas de carne, onza y media de garbanzos y veinte de pan, con los demás artículos que determinan los facultativos. Hay para su dirección interior un director, dos capellanes, tres facultativos y el competente número de practicantes, enfermeros, guardas y mozos de oficio, y corre también su gobierno a cargo de la Junta provincial de Beneficencia. En fin del año de 1852 quedaron en camas para el siguiente 211 enfermos, entraron en 1853, 2.653, que en todo hacen 2.867, de los cuales han muerto 29, han curado 2.545, y quedan en camas 293 para el año de 1854. El gasto de este hospital en dicho año último, ha ascendido a 350.628 reales. De la iglesia de este hospital hemos hablado ya, por su importancia, tratando de las demás de la capital. Está situado en la plazuela de Antón Martín.

Hospital de incurables (mujeres).—El hospital de Jesús Nazareno de mujeres pobres impedidas e incurables, fue fundado en 1803 por la condesa viuda de Lerena, marquesa de San Andrés, bajo la protección del rey don Carlos IV, en la calle del Conde Duque; y suprimido en tiempo de los franceses, fue restablecido en 1815 por Fernando VII, en un edificio arrendado en la calle del Burro, de donde fue trasladado a la de la Madera, y últimamente a

la casa que fue colegio de Monte Rey en la calle de Amaniel, que les concedió Su Majestad, donde existe. En 8 de julio de 1852, sufrió con otras muchas casas contiguas un violento y memorable incendio, pero repuesto a poco tiempo de sus deterioros con las limosnas de Su Majestad y de los fieles, este hospital en su actual estado es un modelo de establecimientos de esta clase, por su buen orden, aseo, inteligencia y celo con que está servido. Cuenta con 111 camas, ocupadas casi todas constantemente por enfermas declaradas incurables o impedidas, con dolores nerviosos y reumáticos, parálisis o ancianidad; las cuales son asistidas por veinte hermanas de la Caridad, tres facultativos, y el competente número de mozos dependientes; disfrutan una buena ración en desayuno, comida y cena, y toda clase de auxilios y consuelo que exige su delicada situación. Hay también un director al frente del establecimiento, el cual se halla al cuidado de la Junta general de Beneficencia. Se manifiesta al público en la pascua de Resurrección.

Hospital de Nuestra Señora del Carmen (incurables, hombres).—Este hospital fue creado en 1852 por el gobernador de Madrid, don Melchor Ordóñez, con destino a hombres ancianos, decrépitos, impedidos e incurables, llenando el vacío que había en la corte de un asilo de esta clase, pues sólo existía el de mujeres; destinó para ello el edificio que en la calle de Atocha ocupaba el colegio de niños desamparados, que fueron trasladados al Hospicio y el inmediato de San Nicolás que antes fue recogimiento de mujeres. Tiene capacidad para más de doscientas camas; pero hasta ahora no han pasado de 112 los acogidos, porque se advierte que no son tantos los hombres impedidos que solicitan admisión en los establecimientos de beneficencia como las mujeres. Está a cargo de un director, un secretario-contador, un capellán y dieciseis hermanas de la Caridad, y depende de la junta general de beneficencia, manteniéndose por el presupuesto del Estado.

Hospital militar.—En los últimos días del año 1841 quedó inaugurado este magnífico establecimiento (uno de los que más honran la época actual) reuniéndose en él los enfermos militares que estaban diseminados en los cuarteles de Santa Isabel, San Juan de Dios y en el Saladero, y antes ocupaban un departamento mezquino e impropio en el hospital civil. El actual destinado exclusivamente para el servicio de los militares está establecido en el antiguo edificio contiguo a la puerta de San Bernardino, que como es sabido fue fundado por Felipe V en 1725 para Seminario de niños nobles, y después en 1836 sirvió de cuartel, el cual fue cedido para este servicio por real orden de 12 de enero de 1841. La capacidad, bella situación y disposición especial de este extenso edificio se prestan muy bien a este destino, y unidas a dichas circunstancias las muchas y apropiadas obras en él ejecutadas para ensanche de las enfermerías, formación de otras nuevas, asfaltado o entarimado de los pavimentos de las galerías, salas y demás oficinas y dependencias, ha resultado un conjunto que puede presentarse entre nosotros como modelo de establecimientos de esta clase. Consta de 23 hermosas salas enfermerías, y otras de armas para disecciones anatómicas, guardarropa, botica, etc., y una magnífica capilla, que era el teatro del antiguo seminario. El aseo y limpieza, y hasta lujo de este vasto hospital, son notables sobre manera; cuenta 619 camas de hierro, y 400 tablados, 1.259 colchones, 828 jergones, 3.423 mantas, etc., y en cuanto al orden económico y administrativo, y el método sanitario, no deja nada que desear, y sentimos que la estrechez de los límites que tenemos que dar a este párrafo, no nos permitan incluir muchos datos y cálculos numéricos que demuestran este precioso resultado. En el año pasado de 1853 fueron admitidos a curarse en este establecimiento 5.840 enfermos, que unidos a los 413 que quedaban existentes en fin del año anterior hace 6.253; de estos fallecieron 151, salieron curados 5.621, y quedaron en cama para el presente 481, que viene a dar un resultado de 2 $^1/_2$ por ciento de mortalidad. El número de estancias causadas en dicho año último fue de 199.530, y el gasto está calculado, por término medio, en 4 reales, 20 maravedises por estancia.

Casa de dementes de Santa Isabel en Leganés.—Fue creada en 1849 por el gobernador de Madrid, don José de Zaragoza, con fondos de la Junta provincial de Beneficencia adquiriéndose para ello dos casas de particulares que están inmediatas una a otra; tienen jardines, patio y bastante terreno accesorio, en especial la de hombres que es la de mejores condiciones; tiene capacidad para unos cien acogidos de ambos sexos. La falta de un hospital de dementes en Madrid era de una necesidad reconocida, no existiendo otro asilo que un departamento inmundo y asqueroso en el hospital general para estos seres desgraciados, donde estaban peor que fieras, y lejos de curarse, se recrudecían sus padecimientos. La Casa de Leganés está bien situada aunque escasea de aguas; se halla a cargo de un director, un capellán, el médico, que por ahora es el titular del pueblo, y diez hermanas de la Caridad. Depende de la Junta general de Beneficencia que ha hecho algunas mejoras en el departamento de mujeres, y se propone reformar todo el edificio para que sea una Casa-modelo en su clase; también se sostiene por el presupuesto del Estado.

Hospital de la Princesa.—Con motivo del feliz natalicio de la Princesa de Asturias doña Isabel Luisa y del atentado cometido en la persona de su augusta madre la Reina nuestra señora doña Isabel II en 2 de febrero de 1852, se dignó resolver esta augusta señora por su decreto autógrafo de 11 del mismo mes, dirigido al presidente del Consejo de Ministros, don Juan Bravo Murillo, que se construyese en esta corte un hospital para enfermos, que llevase el nombre de Hospital de la Princesa, y sirviese de base a otros tres que deberán construirse después para atender a las necesidades del vecindario de Madrid. Para el efecto se abrió una suscripción entre todas las clases del Estado, que ha producido unos cuatro millones de reales, con la que se dio principio a las obras colocando solemnemente Su Majestad la primera piedra el domingo 17 de diciembre de 1852. Por otro real decreto de 29 de junio del mismo año se creó una junta encargada de éstas, presidida por el señor duque de Riansares. Esta junta corre con toda la parte administrativa, y la facultativa la dirige el arquitecto académico de San Fernando, don Aníbal Alvarez, de quien son los planos, en que se ha seguido una planta parecida al hospital de Burdeos. Tendrá capacidad para 500 camas, y la junta se propone abrirlo al público para el verano inmediato de 1855, según el estado de adelanto en que se encuentran los trabajos. Se construye extramuros inmediato a la izquierda del portillo de Fuencarral, aunque según el proyecto de avance de la cerca de Madrid por aquel lado, quedará dentro de la población.

HOSPITALES PARTICULARES

Hospital de la Latina.—El hospital de Nuestra Señora de la Concepción, fundado por doña Beatriz Galindo (*la Latina*), y el general Francisco Ramírez, su esposo (según dijimos tratando del convento de religiosas unido a él), quedó abierto al público en 1499. En el día mantiene 8 a 10 camas en beneficio de los infelices, y está a cargo de un rector eclesiástico. El edificio no ofrecería nada notable en otra población en que abundasen más los monumentos antiguos; pero en Madrid, en donde apenas se ve ninguno, merecen atención su portada y escalera. Dirigió la obra un arquitecto moro llamado Maese Hazán, que sería uno de los muchos musulmanes de todas profesiones que quedaron avecindados en nuestros pueblos. El interior de la casa nada ofrece de particular, pero la portada a la calle de Toledo es curiosa y sencilla; es de piedra sin embadurnar; la entrada en un arco apuntado, y los ornatos correspondientes al gusto gótico, con festones, estatuas, doselillos, y los escudos de armas de los fundadores, guarnecido todo con el cordón de San Francisco. El pasamanos de la escalera es de piedra blanca y bien trabajada, con calados y hojarasca bastante bien conservado. Este hospital está situado en la esquina de la calle de Toledo y plazuela de la Cebada. De su iglesia ya dijimos tratando del convento de religiosas.

Hospital de la venerable orden tercera de San Francisco.—Este hospital está situado en la calle de San Bernabé, inmediato al portillo de Gilimón, y fue fundado en 1678 por la misma orden, con limosna de varios devotos. Su fábrica es muy capaz y hermosa, y se concluyó en 1693. Tiene tres salas, una para los hombres, otra para las mujeres, y otra especial para los éticos; los enfermos han de ser hermanos profesos, y son cuidados con el mayor esmero y delicadeza por señoras viudas, que viven en el mismo hospital, y a cuyo cargo están su aseo y limpieza.

Hospital de la Buena Dicha.—El hospital de Nuestra Señora de la Buena Dicha fue fundado en 1594 por el abad del Monasterio de San Martín, con destino a doce enfermos vergonzantes de la parroquia de San Martín, para cuyo cuidado se instituyó una hermandad de misericordia. Tiene su pequeña iglesia pública, poco notable, dedicada a Nuestra Señora, y está situado en la calle de Silva.

Hospital de San Pedro para sacerdotes. Este hospital pertenece a la venerable congregación de sacerdotes naturales de Madrid, que le fundó con sus propios bienes en 1732. Está situado en la calle de la Torrecilla del Leal, y corre a cargo de un rector individuo de la congregación. Tiene su capilla pública para el culto.

Hospital de San Fermín, de Navarros.— La congregación de los naturales de Navarra tiene su hospital e iglesia situados en el paseo del Prado; fue fundado aquél en 1684. La iglesia se construyó en 1746, y no tiene de notable más que las esculturas de Nuestro Señor y San Juan Bautista, de Mena; San José, San Francisco Javier, San Miguel y otras más pequeñas, de don Luis Salvador.

Hospital de Nuestra Señora de Monserrat.—Fundóse a solicitud de don Gabriel de Pons en 1616, para los naturales de la corona de Aragón; estuvo primero en el Lavapiés, y se trasladó en 1668 al sitio que ocupa en la plazuela de Antón Martín. El edificio es capaz, y la iglesia pública bastante notable por su buena planta y adornos. En ella hay dos capillas, de Nuestra Señora del Pilar y los Desamparados, cuyas imágenes son servidas por las congregaciones de aragoneses y valencianos.

Hospital pontificio y real de San Pedro (los Italianos).—Este hospital fue fundado por la misma nación italiana, para los naturales pobres de aquellos reinos, por los años de 1598. Su iglesia pública es notable por su sencillez y buena forma. Está bajo la advocación de San Pedro y San Pablo, y protección inmediata de Su Santidad, que ejerce el muy reverendo Nuncio Apostólico. El cuadro del altar mayor es bastante bueno y obra de Filipart. Está situado en la Carrera de San Jerónimo.

Hospital de San Andrés (de Flamencos). Fue fundado este hospital en 1606 con el legado de Carlos Amberino, natural de Amberes, y con destino a los pobres peregrinos de los estados de Flandes, Países Bajos y Borgoña. Está situado en la calle de San Marcos, y tenía contigua su iglesia pública, que se hundió en 1848, en cuyo altar mayor se veía un cuadro del célebre Pedro Pablo Rubens, que representa el martirio de San Andrés Apóstol, y que por fortuna se pudo salvar en el hundimiento.

Hospital de San Antonio (de los alemanes, vulgo de los portugueses).—Fue fundado este hospital en 1606, por mandado del Consejo de Portugal para los pobres naturales de aquel reino; pero después de su separación de España, se dedicó para los pobres alemanes, confiriéndose a la hermandad del Refugio su administración y patronato en 1702.

De la iglesia y colegio de niños establecidos en el mismo edificio que forma manzana entre las calles de la Puebla, del Pez y corredera de San Pablo. y corre todo bajo la dirección de la misma santa hermandad, ya hemos hablado en los respectivos capítulos.

Hospital de San Patricio de los Irlandeses (calle del Humilladero).—Fundado como colegio por los años 1635 por los clérigos emigrados de Irlanda. Tiene su iglesia pública muy concurrida aunque poco notable.

Hospital de San Luis (de los franceses). Fue fundado este hospital en 1615 por don Enrique Sauren, capellán de honor de Felipe III, con destino a los pobres naturales de Francia. Tiene su pequeña iglesia pública en la calle de Jacometrezo.

Hospital de Nuestra Señora de la Novena (de los cómicos).—La congregación de Nuestra Señora de la Novena de los cómicos españoles, erigió esta enfermería para la cura de sus individuos en la calle de la Redondilla, hoy travesía de Fúcar, esquina a la de la Leche. Tiene su capilla pública.

Hospital de Santa Catalina de los Donados.—Está situado en la plazuela del mismo nombre y fue fundado en 1460 por Pedro Fernández Lorca, para doce pobres honrados a quienes la demasiada edad priva de ganar el sustento. El nombre de Donados les viene del traje que usaban parecido al de aquéllos. Esta casa tiene también su capilla y estaba bajo el patronato del prior de San Jerónimo del Escorial. Hay tradición de que en la misma casa se alojó el emperador Carlos V, en una de las ocasiones que vino a Madrid.

La mayor parte de estos hoteles privados no tienen uso en el día. El Hospital Real de corte (Buen Suceso), para criados de la casa real, va a ser derribado para el ensanche de la Puerta del Sol.

Otros establecimientos

Monte de Piedad.—El 3 de diciembre de 1702 el capellán de Su Majestad en el convento de las Descalzas Reales, don Francisco Piquer, tuvo la feliz inspiración de crear este benéfico establecimiento, colocando un real de plata en la caja que abrió dicho día para este objeto y que aun se conserva en las oficinas a la vista del público. La institución de los montes de piedad, que bajo el nombre de *Casas lombardas* era conocida en Italia desde el siglo XII. debiendo su origen a la orden de San Francisco, se limitaba en un principio a ser un instituto de caridad religiosa, facilitando gratuitamente algunos anticipos a las clases necesitadas, hasta que sintiéndose la importancia de un establecimiento de esta clase, y la necesidad de dar mayor ensanche a sus operaciones, hizo adoptar en todas partes el sistema de gravar con un módico interés las sumas prestadas.

El Monte de Piedad de Madrid, basado estrictamente sobre el principio religioso y ardiente celo de su fundador, fue aprobado y planteado definitivamente en 1713, en que el rey don Felipe V le tomó bajo su protección, nombrando para representarle a un ministro del supremo Consejo, y para su dirección al mismo capellán Piquer y aprobando los estatutos que este formó. Al propio tiempo, para cubrir las necesidades del Monte, le hizo merced de la casa que hoy posee, y donde se hallan sus oficinas, concediéndole igualmente otros auxilios, con los cuales pudo desde 1724 plantear definitivamente sus operaciones filantrópicas, sin exigir al empeñante el más mínimo interés por razón de premio o depósito. En estos términos ha continuado el Monte, sin interrupción por siglo y medio, hasta que disminuyendo los recursos, creciendo las necesidades, y mejor entendidos los principios económicos que dan a conocer que este exceso de desinterés limitaba la importancia del establecimiento, el cual no bastaba ya a cubrir una mínima parte de las necesidades particulares, se dispuso por real orden de 8 de octubre de 1838, solicitada a instancias de la misma junta administrativa del establecimiento, que desde 18 del mismo mes se exigiese en él por las cantidades prestadas el interés anual de 5 por 100, que posteriormente por otra real orden se fijó en 6 por 100 anual, autorizando al mismo tiempo al Monte a tomar a préstamo con el interés de 4 por 100 las cantidades que necesitase para sus operaciones, aunque con la obligación de recibir preferentemente para este objeto y con el rédito de 5 por 100 anual todas las cantidades que ingresen en la *Caja de ahorros*, sin poder acudir a otros préstamos mientras ésta le suministre lo necesario.

Para el gobierno de este establecimiento, y según las nuevas ordenanzas aprobadas por Su Majestad en 23 de noviembre de 1844, hay dos juntas, una superior encargada de la inspección y otra particular o administrativa que tiene a su cargo el régimen interior. Hay además un director, que es la autoridad conservadora del orden del establecimiento y el ejecutor de los acuerdos de ambas juntas. La superior se compone del gobernador de la provincia, presidente; del decano de la junta directiva de la Caja de ahorros; del vicario eclesiástico; del capellán mayor de las Descalzas u otro eclesiástico constituído en dignidad; de dos vocales de la junta de la Caja de Ahorros, veedores del Monte, y del contador y secretario de este establecimiento. La administrativa consta del director presidente; de los dos veedores; del capellán curador de almonedas; del contador, depositario de alhajas, tesorero, secretario y comisario de almonedas. El cargo de director es honorífico y gratuito, y está sometido a un eclesiástico constituído en dignidad. Las oficinas del Monte de Piedad se componen de tesorería, depositaría de alhajas y sala de almonedas.

Se admiten en empeño toda clase de alhajas de oro, plata, piedras preciosas, aljofar, ropa blanca que no se haya mojado, piezas de seda, algodón e hilo, en buen uso, paños finos en pieza y otras telas que se consideren de fácil salida. Presentada la alhaja o prenda de empeño, es reconocida y apreciada por los tasadores, los cuales, bajo su responsabilidad, designan la cantidad que puede prestarse sobre ella, pasando después de una multitud de formalidades a la depositaría, hasta que el interesado la reclama y paga la cantidad empeñada con el interés del 6 por 100 anual. También se admiten al empeño efectos públicos cotizables. El término del empeño puede ser hasta un año, pasado el cual, y no acudiendo su dueño al desempeño, pasan las alhajas a la sala de almonedas para su venta pública, que se anuncia en el Diario, y de su valor se hace pago al Monte de capital y de réditos, quedando el resto a disposición del interesado.

La importancia suma adquirida por el Monte con estas determinaciones, se demuestra con los resultados o balances de los años últimos, comparados a los anteriores a 1839 en que comenzó a exigir interés, bastando decir que habiendo ascendido en 1837 las cantidades facilitadas en préstamo a 1.510.220 reales y 10.837 personas el número de las socorridas con ellas, ha llegado en el año último de 1853 a la considerable suma de 12.091.110 reales prestados sobre alhajas y ropas a 38.938 personas; y 32.551.410 reales a 554 personas con empeño de papel del Estado; produciendo ambas un movimiento de más de cuarenta y cuatro millones, o sea treinta veces mayor del que llegaba a alcanzar por el sistema antiguo de empeños gratuitos. De este modo ha podido el Monte admitir y colocar conforme le está prevenido y escriturado todas las cantidades que ingresan en la Caja de Ahorros, abonar sus intereses a los imponentes en ésta, y disminuir también en parte los desastrosos efectos de la usura inmoral de los especuladores en la miseria pública; siendo de esperar que llegue a conseguirlo del todo, facilitando materialmente sus operaciones con la creación de nuevas oficinas, mayor número de horas, etc., todo lo cual ofrece sin embargo gravísimos inconvenientes que han debido oponerse a su adopción.

El Monte tiene además su capilla contigua abierta al culto público, y está situado en la plazuela de las Descalzas.

Todos los días menos los festivos se admiten empeños de 9 a 11, y de 11 a 1 los desempeños, y de 1 a 2 al renuevo de papeletas.

Caja de Ahorros.—La Caja de Ahorros, creada en Madrid por real decreto de 23 de octubre de 1838, es un establecimiento de beneficencia destinado exclusivamente a recibir y hacer productivas las economías de las personas laboriosas.

Las operaciones de la Caja de Ahorros de esta corte están limitadas a recibir las cantidades que en ella se depositan semanalmente y pasarlas en el acto al Monte de Piedad, a fin de que éste pueda hacerlas productivas en los objetos de su instituto; abonando a la Caja el interés anual de 5 por 100, y devolviéndola los capitales siempre que ésta se los exija.

La dirección y administración de la Caja de Ahorros está a cargo de una junta presidida por el gobernador de la provincia, y nombrada por el Gobierno entre las personas de conocido arraigo, filantropía, probidad e inteligencia. Esta junta se compone de tres directores, un contador, un tesorero, un secretario y doce vocales, cuyos cargos son enteramente honoríficos y gratuitos.

La Caja de Ahorros recibe todos los domingos del año las cantidades que cualquiera persona se presenta a imponer en ella, desde la de *cuatro reales* hasta la de *sesenta* inclusive en cada semana. La primera imposición de cada interesado puede ser hasta la suma de *cien reales* vellón. No se admiten fracciones de real para evitar complicación en las operaciones. El maximum que cada imponente puede llegar a reunir devengando interés, está fijado en la cantidad de *diez mil reales.*

Estas sumas impuestas ganan el interés del 4 por 100 al año, a contar desde una semana después de la imposición. Los intereses son al fin del año acumulados al capital y devengan sucesivamente el rédito correspondiente. La diferencia del 1 por 100 entre el 5 que abona el Monte a la Caja y el 4 que ésta abona a los interesados en ella, queda retenido y destinado por ahora a atender a los gastos indispensables de la contabilidad y a formar un fondo de reserva para los imprevistos.

Las sumas depositadas en la Caja, pueden retirarse por los interesados a su voluntad, avisando a la misma con dos semanas de anticipación, y cesando desde aquel punto de devengar interés.

Cada semana la junta directiva publica una razón del movimiento de entrada y salida en la Caja, y al fin de cada año un estado circunstanciado de ella. Las operaciones de la Caja desde el día 17 de febrero de 1839 en que quedó abierta al público, han sido las siguientes:

ESTADO DEMOSTRATIVO DE LA CAJA DE AHORROS DE MADRID,
desde febrero de 1839 a 31 de diciembre de 1853.

	Cantidades impuestas	Número de puestas	Nuevos imponentes	Cantidades devueltas	Número de pagos por saldo	Número de pagos a cuenta	Total número de pagos
Primer quinquenio. Desde 1839 a 1843.	8.248.265,03	63.410	4.765	4.440.403,24	2.390	1.102	3.492
Segundo id. 1844 a 1848.	10.549.738	173.051	6.019	8.834.810,15	5.057	1.919	6.976
	18.798.003,03	236.461	10.782	15.275.214,05	7.447	5.021	10.468
1849.	5.147.423	12.991	1.132	1.807.834,21	860	480	1.340
1850.	3.315.975	51.468	1.913	1.925.213,25	841	509	1.350
1851.	3.249.567	54.691	2.021	2.039.831,21	1.127	398	1.725
1852.	3.882.650	65.297	2.378	2.665.374,22	1.385	746	2.131
	32.893.620,03	400.908	18.226	21.713.468,24	11.660	5.354	17.014
1853.	3.554.023	60.036	2.329	6.350.076,27	3.451	718	4.169
	35.947.643,03	460.944	20.555	28.063.545,17	15.111	6.072	21.183

NÚMERO Y CLASES DE LOS IMPONENTES DE LA CAJA DE AHORROS DE MADRID.

	Menores de ambos sexos	Mujeres	Domésticos	Jornaleros y artes	Empleados	Militares	Otras varias clases	Totales
Imponentes en 31 de diciembre de 1852	1.831	1.994	1.088	390	439	198	426	6.566
Id. nuevos en 1853	502	642	461	372	141	67	144	2.529
TOTAL	2.333	2.636	1.549	962	580	265	570	8.895
Imponentes que han sido reintegrados por saldo durante el año de 1853	742	1.084	612	511	194	81	227	3.451
Id. existentes en 31 de diciembre de 1853	1.591	1.552	937	451	386	184	343	5.444

La Caja está abierta al público todos los domingos, desde las 10 de la mañana a las 2 de la tarde en los meses de octubre a mayo inclusive, y de 9 a 1 en los restantes del año. Las tres primeras horas son destinadas a recibir los depósitos y la última a realizar los reintegros que se hayan solicitado.

Cada interesado recibe al hacer la primera entrega una libreta de resguardo, en la cual van expresados el número de orden, su nombre, cantidad de la imposición y demás circunstancias necesarias; y en esta libreta, visada y firmada por uno de los directores y el tesorero, se van anotando en seguida las cantidades que sucesivamente imponga el mismo interesado, sirviéndole siempre de resguardo y crédito con que poder reclamarlas cuando guste, y cuidando de llevar consigo dicha libreta siempre que haya de hacer un nuevo depósito en la Caja, a fin de que en ella misma puedan hacerse las anotaciones expresadas.

Para las solicitudes de reintegro, ha de presentarse el mismo interesado personalmente con la libreta correspondiente, en la que se anota el día en que ha realizado el cobro dentro del término de las dos semanas que quedan prevenidas. Los ausentes pueden reclamar sus fondos por medio de persona autorizada con poder especial. La mujer casada necesita para ello de la autorización de su marido, y los menores la de sus padres o tutores legales.

La Caja de Ahorros está situada en la plazuela de las Descalzas, casa del Monte de Piedad.

ASOCIACIONES DE CARIDAD

Nuestra Señora del Refugio.—Fundóse esta santa hermandad en 1615, y después de varias vicisitudes se estableció en 1702 en el Real hospital iglesia de los Alemanes (vulgo de *los Portugueses*), cuyo patronato y administración y el del colegio de niñas huérfanas, le confirió el rey don Felipe V. Esta hermandad se compone de personas de distinción y conocidas por su amor a la beneficencia; y sus caritativas ocupaciones consisten en hacer conducir los enfermos a los hositales con el mayor esmero y diligencia, socorrer en sus casas a los que en ellas permanecen y son visitados por los mismos individuos de la hermandad; auxiliar a otros con los oportunos socorros para salir a tomar baños, y a los dementes para ser conducidos a los hospitales de Leganés, de Toledo y Zaragoza; pagar la lactancia de las criaturas desvalidas; recoger las que se exponen en el torno de su establecimiento y conducirlas inmediatamente a la Inclusa; y hospedar y dar albergue a los forasteros y peregrinos que carecen de él; empleando para todas estas piadosas ocupaciones a los mismos hermanos de la asociación, valiéndose para ello de informes reservados y otros delicados procedimientos que acrediten la necesidad y eviten la vergüenza a los interesados; todo lo cual constituye a este establecimiento en uno de los primeros de beneficencia que encierra nuestra capital. Son varios los estatutos que ha tenido esta santa hermandad, y los que en la actualidad la rigen fueron aprobados por el Gobierno en 20 de octubre de 1842, reservándose aquél el nombramiento de funcionarios de la junta directiva a propuesta en terna de la misma. En el año pasado de 1853, ha subido el gasto en tan piadosos usos, a la cantidad de 139.160 reales 18 maravedises, habiendo socorrido con ellos a unas 3.000 personas de todas clases; suministrado baños a 317, hecho criar 58 niños, recogido 4.571 pobres, con otros muchos servicios piadosos, y facilitado medicinas a 388 que concurrieron a la consulta de la institución oftálmica que sirve gratuitamente el doctor don José Calvo y Martín.

Hermandad de Nuestra Señora de la Esperanza (vulgo *Pecado mortal*).—Fue fundada esta real hermandad en 1733 en la parroquia de San Juan, y al año siguiente le confió el Rey la administración y gobierno de la casa de Arrepentidas. Está situada en casa propia calle del Rosal frente a la plazuela de los Mostenses, y se compone de personas de distinción. Las ocupaciones de esta hermandad son acoger y asistir sigilosamente a mujeres embarazadas de ilegítimo concepto, facilitar los matrimonios regulares y la dispensa de los pobres, repartir bulas a éstos, y disponer misiones.

Asociación de caridad del Buen Pastor. Fue fundada en 1799 con el objeto de atender al alivio espiritual y temporal de los pobres presos de las cárceles de Corte, y bajo su dirección se halla establecida la elaboración de espartos que se despachan en el almacén de la misma cárcel. Cuida también de los auxilios espirituales y de algunos agasajos facilitados a los presos en ciertos días del año, y está compuesta de personas de distinción y caridad.

Asociación de señoras para el socorro de las religiosas de Madrid.—Un noble sentimiento de caridad y de celo religioso ha dado lugar a esta asociación, dirigida por una junta de señoras de las más respetables clases de Madrid, con el objeto de reparar en lo posible la injusticia y abandono en que yacían las desgraciadas monjas, privadas de sus bienes y no satisfechas sus pensiones. Debióse el bello pensamiento de esta filantrópica asociación a la señora marquesa de Malpica, y reunidas las señoras en crecido número, desplegaron desde luego un celo y una generosidad singulares. Los resultados correspondieron a aquel ardiente fervor; y verificada la primera reunión en 14 de marzo de 1841, pudieron presentar en fin de aquel año y a los diez meses de su instalación, un resumen de ingreso de 161.972 reales y 33 maravedises, producto de las suscripciones voluntarias, limosnas y mandas, cuestaciones hechas por las señoras en las iglesias.

Real Asociación de Beneficencia domiciliaria.—Fundada por la reina madre doña María Cristina de Borbón, en 1845, puede decirse que ha sustituido en el encargo de la hospitalidad o socorros domiciliarios a las antiguas juntas parroquiales, que aunque existen, están reducidas casi a la nulidad. Está compuesta de señoras las más distinguidas y conocidas por su piedad y filantropía; tiene a su frente una junta general y una sección en cada parroquia. Sus fondos consisten en el producto de limosnas de SS. MM. y AA., suscripción voluntaria, rifas, representaciones y otros ingeniosos recursos que sabe buscar el celo y la caridad de las distinguidas personas que la componen, y con tan feliz éxito, que sólo la rifa verificada de muchos objetos en el mes de diciembre último, en los salones de la Trinidad, produjo 302.764 reales, 32 maravedises, de que deducidos los gastos resultó un líquido de 272.525 reales, 32 maravedises. Tiene establecido su taller de labores para niñas y mujeres pobres en la calle de la Flora, número 3, y la sección de Santa Cruz tiene además en su distrito una casa de beneficencia para niñas. Distribuye comestibles, ropas, medicinas, etc., a los pobres de los distritos respectivos, cuida de la lactancia y la vacunación gratuita de los niños y otros ejercicios de piadosa filantropía, en los cuales ha socorrido durante el año último de 1853 a 9.082 desválidos, empleando en ello la cantidad de 215.590 reales y 23 maravedises, y dando además ocupación en sus talleres a unas 60 mujeres de toda edad. SS. MM. la Reina, el Rey y Reina madre, y el señor infante don Francisco, han contribuido en dicho año con la cantidad de 132.600 reales.

CORRECCIÓN

Cárcel de Villa.—Muy lacónicos habremos de ser en la breve exposición del cuadro que presentaban hasta hace pocos años las dos cárceles de Madrid, apellidadas de *Corte* y de *Villa.* La primera, en el centro de la población y entre mezquinas callejuelas, lóbrega, estrecha, insalubre y ruinosa además, era un verdadero foco de muerte y de corrupción. La segunda, o de *Villa*, que antes estuvo en un lóbrego departamento de la casa consistorial, trasladada después al edificio propio de la villa, cerca de la puerta de Santa Bárbara, construido a fines del siglo anterior, con destino a *Saladero* de cerdos, era absolutamente lo que indica su título, ni más ni menos; y la multitud de infelices aglomerados en aquellas sucias mazmorras, podían considerarse relegados a la clase del más inmundo animal.

En vano la humanidad alzaba un grito constante contra ambos establecimientos; en vano los gobiernos habían dado repetidas órdenes y disposiciones para mejorarlos; en vano los magistrados, que veían por sus ojos tal deformidad, y que en las ocasiones de visitas generales se hacían preceder de perfumes antipútridos para resistir aquella atmósfera mortífera, habían adoptado algunos expedientes para mejorar la condición de los pobres presos; en vano, en fin, una sociedad de personas influyentes y animadas de los más nobles sentimientos de humanidad y de patriotismo, había emprendido en 1840 con ánimo decidido la cura radical de aquel arraigado vicio. Todo había sido inútil; todo había resistido con pertinacia ante la enormidad del sacrificio necesario y la escasez de medios para realizarla.

Algo, sin embargo, consiguió la ya citada *Sociedad de mejora para el sistema carcelario*; muchos abusos y socaliñas logró estirpar; muchas reformas reglamentarias estableció; muchos inconvenientes materiales pudo neutralizar; pero desgraciadamente la causa principal de estos eran los mismos edificios, y aquella patriótica asociación no contaba con medios para reconstruirlos de nuevo. Dos importantísimas mejoras ideó, sin embargo, y llevó a cabo, que fueron las bases sobre que después se han podido desarrollar otras muchas. Fue la primera, la redención que solicitó y obtuvo del Gobierno, de las alcaidías de ambas cárceles, que enajenadas en otro tiempo por la corona, eran propiedad de particulares que las arrendaban a manos subalternas, dando lugar a exacciones horrorosas que llegaban hasta el caso de hacer pagar a los infelices presos derechos o estafas tan exorbitantes por algunas localidades (harto miserables por cierto) hasta de cincuenta doblones y más.

También emprendió con éxito aquella sociedad otra importante mejora, y fue la separación de los presos jóvenes y por delitos leves, de los adultos, estableciendo en la cárcel de Villa un departamento correccional, por separado, donde aquellos fuesen instruídos, moralizados, y tuviesen ocupación en un oficio útil, cuyo departamento quedó solemnemente instalado con 46 jóvenes el día 16 de febrero de 1840. Algunas otras mejoras materiales pudo, con la cooperación del ayuntamiento, dejar establecidas aquella benemérita sociedad;

pero habiendo quedado disuelta de hecho por las turbulencias políticas en 1843, las cárceles seguían administradas por el jefe político y corregidor, y dos regidores comisarios del ayuntamiento, y seguía su deplorable estado material, sin que bastasen siquiera a contenerle los continuos sacrificios de la corporación municipal, por carecer de medios para emprender la reforma radical que reclamaban ambos edificios. Añadíase a su mal estado normal, la circunstancia de amenazar inminente ruina el de Corte, y supuesta la urgencia de demolición, pareció lo natural aprovechar las ventajosas circunstancias de situación, capacidad y demás que contaba la de Villa, para ampliarla y reformarla en los términos convenientes, a fin de reunir ambas en una sola, cómoda y bien dispuesta, hasta que levantada la central o del Gobierno, pueda establecerse la separación que marca la ley.

Solicitada y obtenida después de numerosos trámites la aprobación del Gobierno para proceder a aquella demolición y venta; verificada ésta; levantados los planos de la obra del *Saladero*, se emprendió al fin en 1848 la reparación o más bien reconstrucción interior de este vasto edificio, en cuya larga, dispendiosa y difícil tarea desplegaron un celo y actividad extraordinarios los jefes políticos señores Vistahermosa y Zaragoza, y el corregidor Marqués de Santa Cruz, el regidor comisario don Ramón Aldecoa y el arquitecto de villa don Isidoro Llanos, consiguiendo a poco tiempo variar completamente el aspecto interior de aquel inmenso edificio hasta que habilitado ya en su parte principal pudieron ser trasladados a él en los últimos días del mes de diciembre de 1850 los presos que existían en la cárcel de Corte, cuya venta y demolición coincidió por entonces.

Aquí convendría hacer una relación detallada de las dichas obras de renovación en que se invirtieron por la corporación municipal 1.001.696 reales, 15 maravedises; pero para la mayoría del público que no conocía el estado anterior del edificio, imponderable escándalo de nuestra cultura y humanidad, sería inútil y hasta enojoso el que le condujéramos aquí a una detallada descripción. Baste decir para nuestro propósito, que de la planta general de aquella casa (construída por cierto con una gran solidez por el célebre arquitecto don Ventura Rodríguez), sólo se aprovecharon y dejaron existentes las bóvedas y muros principales, que por su fortaleza eran muy a propósito para su nuevo destino; haciéndose en el interior los cortes, rompimientos y construcciones necesarias para el desahogo y comodidad, ventilación, luces y separaciones convenientes, y resultando un todo que si no puede citarse como una cárcel modelo, como lo sería a haber sido construída de planta para este objeto, por lo menos puede colocarse entre las mejores de las que existen en España. Pero a pesar de estos resultados, y de las nuevas obras de ampliación recientemente emprendidas, es urgentísimo que se realice al cabo la construcción de la de Corte, u otra en distinto punto de la población, por lo inconveniente y peligroso de la reunión en un solo edificio de un millar de personas, y la consecuencia de hallarse también mezclados en él los criminales, los presos políticos, los vagos, los distintos sexos y edades, etc., con mengua de la humanidad y civilización de la capital del reino.

Cárcel militar.—Las prisiones militares están en el día en el ex-convento de San Francisco.

CASAS DE RECLUSIÓN DE MUJERES

Casa-galera.—Estuvo en Monserrat, calle Ancha de San Bernardo, y fue trasladada hace dos años a Alcalá. Convirtióse entonces aquel edificio en cárcel de mujeres, y últimamente en este mismo año han sido trasladadas al que sirvió de presidio modelo en la calle del Barquillo.

Santa María Magdalena (vulgo *Recogidas*).—Tuvo principio en 1587 en el hospital de peregrinos, y de allí se trasladaron en 1623 a su casa en la calle de Hortaleza. Sirve de reclusión decente para mujeres, y está al cuidado de las religiosas de Santa María Magdalena de la Penitencia; no se admite en esta casa mujer ninguna que no haya sido pública pecadora, y una vez entrado allí, no pueden salir más que para religiosas o casadas. Hay también una sala donde se guardan las mujeres a quienes sus parientes envían por castigo. Tiene su iglesia pública.

Arrepentidas.—Fue fundada esta casa, también reclusión de mujeres, en el año de 1771 con la diferencia de poder salir de ella a su voluntad. Está situada en la calle de San Leonardo.

VIII

PARTE MERCANTIL E INDUSTRIAL

ESTABLECIMIENTOS DE COMERCIO

Junta y tribunal de Comercio.—Por real cédula de 26 de agosto de 1827 se estableció en Madrid el *Consulado de Comercio*, que estaba dividido en dos distintas secciones o cuerpos, denominados *Tribunal consular* y *Junta de comercio*. Posteriormente, con la publicación del Código mercantil en 1830, cesaron los consulados, estableciéndose independientemente las juntas de comercio y los tribunales del mismo, circunscribiéndose el conocimiento de aquéllas a todo lo relativo a la administración y fomento del comercio y a ejercer una especie de protectorado del tráfico. Depende del Ministerio del ramo, y se compone del gobernador de la provincia, presidente, y de doce vocales comerciantes que se renuevan anualmente. El Tribunal de Comercio según el Código mercantil, conoce de los asuntos y causas del mismo, y se compone de un prior, dos cónsules propietarios y cuatro sustitutos; con un letrado consultor, un promotor-fiscal y un escribano. Junta y Tribunal están situados en la plazuela de la Leña, número 14.

Bolsa de Comercio (1).—Por ley de 10 de septiembre de 1831 se creó en Madrid una Bolsa de Comercio, en que se reunan las personas dedicadas al tráfico y giro comercial y de fondos públicos y los agentes que intervienen en sus contratos y operaciones. Los objetos principales de esta Bolsa son al tenor de la ley, la negociación de los efectos públicos, la de las letras de cambio, libranzas, pagarés y cualquiera especie de valores de comercio, la venta de los metales preciosos y de todo género de mercaderías, la aseguración de los efectos comerciales, contra todos riesgos terrestres y marítimos, el fletamento de buques, y los transportes del interior por tierra y por agua, sin que sea permitida otra reunión en lugar público ni secreto para ocuparse en negociaciones del tráfico, que la de la Bolsa. Esta se halla bajo la dependencia del Ministerio de Fomento, y para el buen orden y policía interior hay un inspector

---

(1) Cuando el mayor comercio de los Países Bajos era en la ciudad de Bruges, los comerciantes se reunían en una gran plaza donde estaba la magnífica casa propia de la familia *della Borsa*, ésta comunicó su nombre a la plaza, que se llamó *Plaza de la Bolsa*; y cuando más adelante se trasladó el comercio a Amberes, los comerciantes, acostumbrados a reunirse en la *Bolsa*, llevaron este nombre, a par que sus negocios a dicha ciudad, y desde allí se comunicó al lugar donde se reunen en Amsterdam, Londres, París, Hamburgo, etc. En España estos edificios tenían en lo antiguo el título de Lonja de contratación, en Sevilla, Barcelona, Valencia y Palma.

con nombramiento real. La reunión en la Bolsa se verifica todos los días no feriados desde la una a las tres en punto, destinándose exclusivamente a la negociación de los efectos públicos la hora de dos a tres, y la anterior a las otras negociaciones comerciales. La junta sindical de agentes de cambio fija con presencia de las operaciones hechas en la Bolsa y que se proclaman en alta voz por el anunciador, el curso o precio corriente de los efectos y cambios, redactando el *Boletín de cotización* que se fija a la puerta y luego se publica e inserta en los periódicos. La Bolsa después de haber tenido diversas traslaciones se halla hoy establecida en la casa misma de la Junta de Comercio, conocida por la *Aduana vieja*, plazuela de la Leña, número 14, y el local que sirve para las reuniones es una sala bastante extensa, decorada con columnas y con cubierta de cristales.

Banco español de San Fernando.—Creado por real cédula de 9 de julio de 1829, refundiendo en él bajo este título el antiguo *Banco* conocido con el nombre de *San Carlos*, creado en 1782. Por consecuencia de la liquidación verificada a este, se reconoció por Gobierno a favor del nuevo de San Fernando una acción de 40 millones de reales en efectivo, transigiendo aquél por esta cantidad cuantas acciones o créditos pudiera tener contra el Estado. Al mismo tiempo se dispuso la creación del nuevo Banco sobre una sociedad anónima de accionistas por 30 años, y bajo un fondo de 60 millones de reales constituido en 30.000 acciones de 2.000 reales cada una. Las operaciones se fijaron: 1.ª, en descontar letras y pagarés de comercio; 2.ª, ejecutar las cobranzas que se pongan a su cuidado; 3.ª, recibir en cuenta corriente las cantidades que se entreguen en su caja, y pagar letras por cuenta de sus dueños hasta su total importe; 4.ª, hacerse cargo de los depósitos voluntarios o judiciales que se hagan en el Banco en dinero, barras o alhajas de oro y plata; 5.ª, hacer préstamos a particulares sobre garantías de alhajas de oro y plata justipreciadas, que no excedan de las tres cuartas partes de su valor, ni tengan mayor plazo que el de seis meses; 6.ª, hacer con el tesoro, giro y Caja de Amortiza-

ción las negociaciones en que se convenga. Igualmente se concedió al Banco la facultad privativa de emitir billetes pagaderos a la vista al portador. Estos billetes circulan sólo en la corte y los hay de cuatro clases: de 500 reales, de 1.000, de 2.000 y de 4.000. El crédito adquirido por el Banco de San Fernando desde su creación hizo subir sus acciones, hasta el punto de cotizarse a 130 por 100; y llegó a repartir a sus accionistas hasta 9, 10 y 11 por 100 anual de dividendo. Los billetes al portador corrieron en la plaza al precio del oro, y alguna vez más apreciados, y el capital del Banco se aumentó ya en 1847 hasta 100 millones de reales. Creado por Real decreto de 25 de enero de 1844 el otro establecimiento de su clase, que se tituló *Banco de Isabel II*, duró cuatro años, hasta que por otro Real decreto de 25 de julio de 1847 se dispuso la reunión de ambos en uno solo, bajo la denominación de *Banco Español de San Fernando*, el cual quedó reorganizado por la ley de 4 de mayo de 1849, constituyéndose con un capital de 200 millones en 100.000 acciones de a 2.000 reales y con la facultad de emitir billetes al portador de 500, 1.000, 2.000 y 4.000 reales hasta la cantidad de *cien millones*. La duración del Banco está fijada en veinticinco años, que podrá prorrogarse, y se ocupa en los giros, descuentos, préstamos y demás, estándole prohibido negociar en efectos públicos. Tiene a su frente un gobernador nombrado por Su Majestad y una Junta de gobierno. Ocupa la casa de la antigua compañía de los *Cinco Gremios*, en la calle de Atocha, bello, elegante y sólido edificio construído en 1791 para dicha compañía por el arquitecto don José Ballina, y que, vendido en pública subasta en 1845, fue adquirido por el Banco de Isabel II en la suma de 3.350.000 reales, y hoy pertenece en propiedad al de San Fernando.

Caja General de Depósitos.—Por Real decreto de 29 de septiembre de 1852 se creó en Madrid una Caja General de Depósitos, separada de la del Tesoro público y regida por una administración especial. En ella han de ingresar forzosamente los fondos que por decisiones de los tribunales o para afianzar servicios, cargos y funciones públicas, hayan de constituirse en depósito y hasta aquí lo fueron en los bancos y tesorerías especiales; y además se admiten los depósitos voluntarios y particulares a toda clase de corporaciones e individuos, sea en metálico, sea en efectos públicos; todo con las seguridades, requisitos y trámites que expresa por menor el reglamento de 14 de octubre del mismo año para la ejecución del Real decreto de creación de la Caja. Los fondos en metálico que se depositen en ésta por cualquier concepto, devengan interés de *cinco por ciento anual*, con la obligación de reclamarlos a plazo fijo por lo menos de un mes, y los que hubieren de ser devueltos al contado y a voluntad de los imponentes, el *tres por ciento*. Por los efectos públicos no se hace abono alguno, cuidando la Caja de cobrar sus réditos de la de Amortización para tenerlos a disposición de los imponentes. Semanalmente publica la administración de la Caja en la *Gaceta* de Madrid un extracto abreviado de sus operaciones, y todos los trimestres una cuenta general detallada de las mismas; ésta está sujeta al juicio del Tribunal de Cuentas del reino, inspeccionada por una comisión compuesta de un consejero real, un ministro del Tribunal de Cuentas, el gobernador del Banco y el prior del Tribunal de Comercio. El Estado garantiza con todas sus rentas y haberes la devolución de los fondos que en ambos conceptos, *necesario y voluntario, se depositen* en la Caja general, asegurándolos aún de casos fortuitos, de robos, incendios y demás accidentes de fuerza mayor. Los depósitos *voluntarios* en metálico no se admiten por menos de *dos mil reales vellón*, y no se abona interés por las fracciones que no lleguen a 100 reales.

Por otro Real decreto de 23 de julio de 1833 se mandan crear en quince capitales de provincias *sucursales* de la Caja general, separadas de las tesorerías de Hacienda pública, y se dispone que la Caja general y sucursales, además de los depósitos necesarios y voluntarios antes prevenidos, puedan admitir las cantidades en metálico que *en cuenta corriente* la entreguen las corporaciones o particulares, conservando a disposición de los mismos los fondos que reciban en este concepto y con

el interés anual de tres por ciento como depósitos hechos a devolver *al contado*; con las demás formalidades que refiere la instrucción de 19 de agosto para la ejecución de dicho Real decreto.

La administración de la Caja General de Depósitos se compone de un director jefe superior de Hacienda, un subdirector, un contador, un tesorero y oficiales, todos de real nombramiento. Está situada en la casa del Ministerio de Hacienda (Aduana), planta baja de la izquierda, y abierta al público de diez a dos todos los días no feriados. El último estado de sus operaciones, publicado en la *Gaceta* con fecha 31 de mayo de 1854, da el resultado siguiente: Existencia en metálico por depósitos necesarios y voluntarios, 91.985.180 reales y 14 maravedises. Idem en efectos, 158.311.715 reales y 31 maravedises.

COMPAÑÍAS ASEGURADORAS Y MERCANTILES

Sociedad de Seguros Mutuos de incendios de casas de Madrid.—Esta sociedad fue creada en 1822 por don Manuel María de Goyri y otros propietarios, bajo la protección del Ayuntamiento, y aprobada después por el Supremo Consejo de Castilla en 31 de marzo de 1824. Su objeto es que todo socio sea asegurador y asegurado, para proporcionarse una garantía mutua infalible, obligando e hipotecando sus fincas a los daños que causen los incendios, e indemnizarse recíprocamente repartiendo su importe a prorrata del capital asegurado. Para su gobierno económico y administrativo, que es sumamente sencillo, hay dos directores, un contador, un tesorero, un secretario y un archivero, cuyos destinos son cargos anuales electivos entre los mismos socios, que los desempeñan gratuitamente; el nombramiento de estos funcionarios se hace en Junta general de socios, que se celebra en los primeros quince días del mes de enero de cada año, en la cual la dirección da noticia de todo lo ocurrido desde la anterior. El signo distintivo del seguro es una lápida fija en cada casa con esta inscripción: *Asegurada de incendios.* Tiene, además, la sociedad sus arquitectos, bombas y obreros que asisten a los fuegos. El número de edificios inscritos en esta sociedad hasta fin del año 1853 asciende a 6.618, que es, puede decirse, la totalidad de los que comprende la villa, inclusos establecimientos públicos, iglesias, conventos, casas de grandes y corporaciones de todas clases, por el capital de 1.339.551.421 reales 17 maravedises, y el número de socios es de 4.699, cuya respetable garantía con dificultad pueden ofrecer las compañías o empresas particulares conocidas en otras partes para este fin. Los fondos de la sociedad consisten únicamente en un cuartillo de real por millar del valor de las fincas que se presentan al seguro, y sirven para atender a los gastos ordinarios y tener un remanente en caja, con el fin de no demorar la indemnización de los daños entretanto que se verifica la cobranza de los repartimientos; los cuales, en los treinta y un años transcurridos desde la instalación, no han ascendido más que a cinco reales por cada mil de su capital inscrito, a pesar de haber habido fuegos de gran consideración, con cuyo pequeño sacrificio se han cubierto todos los perjuicios causados por aquéllos. Las ventajas que proporciona esta utilísima institución, la exactitud con que ha cumplido sus empeños, la gran suma inscrita y el método simplificado de sus operaciones, han dado tan conocida estimación a las casas, que es la causa principal de las mejoras que se advierten tanto en su progresivo aumento como en la reedificación de la mayor parte, pudiendo al mismo tiempo gloriarse la villa de Madrid de tener en esta sociedad un modelo de buen orden, de sencillez y filantropía. La oficina está en los portales de la plaza, frente a la Panadería.

Sociedad de Seguros Mutuos contra incendios de casas extramuros de la corte.— Tuvo principio esta sociedad en 19 de noviembre de 1834, con arreglo al reglamento aprobado para ella. Su objeto es el mismo que el de la anterior, y las reglas que la gobiernan son también las mismas, pues sólo estriban en el mutuo compromiso de auxiliarse en los casos de un fuego, procurando la inmediata indemnización de los daños. Los límites señalados por el reglamento fueron hasta la media legua, contada desde murallas; pero por nuevos acuerdos, hasta el de 1848 inclusive, fueron éstos ampliándose hasta siete leguas de distancia en que se fijó decididamente. Para el mejor servicio se ha dividido la circunferencia de las siete leguas en cuatro demarcaciones, ocupando la primera todo el terreno comprendido a la derecha del camino de Castilla e izquierda del de Aragón, saliendo de Madrid; la segunda, el que media entre la derecha del camino de Aragón y la izquierda del de Andalucía; la tercera, entre la derecha de ésta e izquierda del de Extremadura, y la cuarta, entre la derecha de éste e izquierda del de Castilla.

Los fondos de la sociedad consisten en el medio por mil que pagan a su ingreso los capitales asegurados, y después las respectivas cuotas que les corresponden en los repartimientos; los cuales, en los años que lleva de existencia la sociedad, han sido $11 \frac{1}{2}$ por 1.000, habiéndose con ellos cubierto los daños causados en fuegos importantes y los ocasionados en la instalación de la sociedad, honorarios de los dependientes, viajes de los directores, etc. La sociedad, hasta el día, cuenta con 2.434 socios y 3.629 casas aseguradas por un capital de 103.863.828 reales. Tiene para su gobierno cuatro directores nombrados de entre los mismos socios, a cada uno de los cuales está señalado una demarcación. Su oficina está en la Galería de San Felipe.

Después de estas dos grandes sociedades de seguros mutuos generales, espontáneas, gratuitas y sin objeto alguno de especulación, hay otras muchas establecidas por compañías anónimas con destino también a seguros de fuegos, piedra y desastres terrestres y marítimos y sobre la vida; pero no pudiendo entrar en la designación de todas ellas, escogemos sólo las más importantes y acreditadas, que son las siguientes:

Compañía General Española de Seguros. Fue fundada en 1841 y empezó sus operaciones en 1842. Los objetos de esta sociedad anónima son: 1.°, asegurar toda clase de propiedad contra el riesgo de incendio; 2.º, pagar capitales vencidos a la muerte de los asegurados o a otro plazo fijado con anterioridad; 3.º, pagar rentas vitalicias; 4.º, asegurar buques y cargamentos contra los riesgos de mar. El capital de la compañía es de 75 millones de reales, divididos en 7.500 acciones de 10.000 reales cada una; v ha repartido varios dividendos de utilidades hasta el año de 1853, después de destinar una buena parte de ellas al fondo de reserva, a razón de 40 reales por cada acción, además del 6 por 100 sobre la parte del capital aprontado por los accionistas, los cuales hasta ahora no han tenido necesidad de consignar más que el [...] por 100 del valor nominal de las acciones para hacer frente a todos los ramos que abraza la compañía. Esta se administra por cuatro directores nombrados por la Junta de gobierno, compuesta de doce individuos. Los directores han de poseer en la compañía *veinte* acciones al menos cada uno, y los individuos de la Junta de gobierno, *diez*. Las Juntas generales ordinarias de accionistas se celebran en el mes de marzo. Sus oficinas se hallan establecidas en la calle de la Magdalena, número 17.

La Mutualidad.—Formada esta compañía anónima y autorizada por Real orden de 24 de diciembre de 1848. tiene por objeto asegurar contra incendios, fuego del cielo y explosiones del gas toda clase de edificios, así de viviendas como de fábricas, y todos los objetos mobiliarios, como ajuares y enseres de casas, tiendas y almacenes, granos y cosechas recogidas, primeras materias fabriles y toda clase de efectos manufacturados; los comestibles, animales, combustibles y mercaderías. Para obtener el seguro, los que se inscriban en esta sociedad tienen que pagar anualmente medio por millar del valor del objeto asegurado. y además, la póliza y placa por una sola vez al tiempo de inscribirse, y quedan también sujetos a abonar a prorrata, en caso de siniestros, la cuota que sobre su valor inscrito les corresponda. Para hacer más fácil y menos frecuente la repetición de estos dividendos (que en ningún caso deben exceder de 2 por millar anual) acordó la Junta general de 1850 la cobranza anticipada de un octavo por millar con

destino a fondo de reserva, cuyo octavo se paga también al tiempo de la inscripción.

Gobiérnase esta compañía por un director y una Junta llamada de gobierno compuesta de doce socios por 200.000 reales cuando menos, renovados por sextas partes todos los años y nombrados en Junta general. Esta se forma por 100 socios, dos por cada una de las provincias, y se reúne en Madrid una vez al año. En 1 de enero del corriente de 1854 contaba ya esta sociedad con 22.000 individuos, suscritores por un valor de responsabilidad que excede de 1.600.000.000 de reales. En el *Boletín* que publica y remite mensualmente a todos los socios, se da cuenta detallada de las operaciones y de los siniestros ocurridos y pagados en dicho período. Las oficinas de la sociedad están situadas en la calle de Alcalá, número 36, cuarto principal, y en la misma se franquean los prospectos y reglamentos.

La Tutelar.—Esta sociedad de seguros mutuos *sobre la vida* fue autorizada por Real orden de 23 de agosto de 1850, bajo la inspección y protección del Gobierno, con un delegado especial y Junta de vigilancia y la fianza de 20 millones en títulos del 3 por 100. Tiene por objeto recibir las cantidades en ella impuestas, convirtiéndolas en títulos del 3 por 100, y luego en proporción a las edades de los imponentes y con arreglo a las tablas de mortalidad, declarar a los supervivientes el derecho a una suma proporcional, que llega a ser hasta veinte veces las cantidades impuestas, según varios cálculos y combinaciones que se demuestran en los impresos que se reparten gratis en las oficinas de esta sociedad, calle de Alcalá, núm. 36, cuarto principal. El capital suscrito en ella hasta 1.º de mayo del año actual era 34.000.000 de reales, representado por 15.000 suscriptores.

Por último, existen otras varias empresas y compañías de seguros y vitalicios como el *Porvenir de las familias* (carrera de San Jerónimo, núm. 34), *La Aurora* (calle de Atocha, núm. 45); además de las muchas sociedades de *Socorros mutuos*, profesionales o gremiales, de los jurisconsultos, de los médicos, de los empleados, de los milicianos nacionales y otras clases que, mediante una corta suscripción aseguran pensión o viudedad a sus asociados, como los antiguos montepíos, bien que esta clase de sociedades pertenecen más bien al ramo de beneficencia mutua.

Sociedad fabril y comercial de los Gremios.—La más antigua de las sociedades mercantiles de Madrid y famosa compañía de los *cinco gremios mayores*, que tuvo su origen en 1679 y fue formada por los mercaderes de tejidos de seda, de plata y oro, de mercería, especiería y droguería, de paños, de joyería y de lienzos, cuya interesante historia, apogeo y decadencia reseñamos en las anteriores ediciones del *Manual*, vino a declararse definitivamente en liquidación en 1846 y a constituirse de nuevo bajo el título de *Sociedad fabril y comercial de los Gremios*, con un capital de treinta millones, representado por 15.000 acciones de a 2.000 reales. El objeto de esta sociedad (que dió principio a sus operaciones en junio de 1847) está limitado a la fabricación de tejidos de seda y lana en sus manufacturas de Talavera y Ezcaray, y la compra y venta de otros géneros de las mismas clases, nacionales y extranjeros, para lo cual tiene establecido su suntuoso despacho en la calle Mayor, casa de Cordero, y sus oficinas en la plazuela de San Miguel, número 2.

De las antiguas y opulentas compañías contemporáneas a la de Gremios en el siglo anterior, la famosa de *Filipinas*, la de *La Habana*, la de la *Buena Fe*, etc., no existe ya ninguna, y sólo la modesta de *impresores y libreros del reino* (calle de Preciados, núm. 27), fundada en 1763, ha conseguido no sólo llegar hasta nosotros, sino duplicar su capital social, que consiste en 1.322 acciones de 1.500 reales, que hacen un efectivo de 1.983.000 reales. Tiene a su cargo la impresión de los libros del rezo divino.

El siglo actual, más atrevido en materia de especulación, ha producido así más gigantescas empresas y asociaciones comerciales y fabriles, y prescindiendo de las principales aseguradoras y de socorro mutuos que dejamos mencionadas, suben a algunos centenares las formadas desde 1815 con objetos diferentes mercantiles e industriales. La principal, o por lo menos la más antigua de éstas, es la *Real Compañía de Diligencias*, hoy de *Postas Peninsulares*, fundada en Cataluña en 1815 y en Madrid en 1819, que fue la primera que tuvo la gloria de generalizar a todas las carreras principales la comodidad de los transportes, y ha reunido a sí otras empresas análogas que pretendieron rivalizar con ella. La titulada de *Empresas varias*, que por aquella época se anunció con grandes pretensiones, está limitada hoy a la fabricación de alfombras; otras muchas empresas de transportes, de fabricación o de comercio, nacieron y sucumbieron en los últimos años del reinado anterior; pero cuando creció esta manía hasta un punto febril fue desde 1845 al 48, en términos que no bajaron de ciento las sociedades improvisadas con un capital fabuloso y con objetos diferentes aplicados a todo género de industria, de minería, de agricultura, de riego, de caminos, de construcción, de fábricas, de consumos, de abastecimiento de aguas, de granos, de pescados, de gas y hasta de hojaldres y caramelos en *dulce alianza* de la leche y la miel... Los programas más fantásticos, los emblemas más poéticos, los títulos mitológicos y alegóricos quedaron, puede decirse, agotados en aquellas sublimes asociaciones, y los proyectos más gigantescos ofrecidos bajo su consigna al país atónito hicieron que éste se creyera en vísperas de verse transformado magistralmente en un paraíso terrenal. Pero, desgraciadamente, llegó el caso de hacer efectivas aquellas risueñas perspectivas, y se disiparon como cuadros disolventes o resolvieron en humo los Iris y Auroras, los Fénix, las Ceres, Previsora, Fertilizadora, Publicidad, Fomento, Perseverante, Ilustración, Armiño, Fuego, Mercurio, Probabilidad, Comercio, Villa de Madrid, Hispano-Filipino, Grande Antilla, Confianza, Regeneradora, Fortuna, Proveedora, Esperanza, Felicidad y demás virtudes telogales, dones del Espíritu Santo y deidades olímpicas. Algunas, sin embargo, convertidas a objetos más positivos y realizables, y aún bajo la advocación de títulos más prosaicos han conseguido sobrevivir al siniestro cólera societario de 1848, entre las cuales merecen especial mención; la *Compañía Madrileña para el alumbrado del gas*, la *Azucarera Peninsular*, la *Metalúrgica de San Juan de Alcaraz* y alguna otra que no recordamos; y entre las innumerables sociedades mineras, las de Hiendelaencina, que sobresale entre las demás de su clase por su formalidad y positiva riqueza.

INDUSTRIA

En la imposibilidad de dar una descripción de las muchas fábricas de varias clases que existen en Madrid, hay que limitarnos a algunas de las principales, que por su carácter oficial o su importancia merecen esta preferencia.

Casas de moneda y departamento de grabado y máquinas.—En el reinado de Felipe III se reconstruyeron las dos casas principales en que está dividido este establecimiento, sitas en la calle de Segovia y una enfrente de otra. Antiguamente no se labraba moneda en Madrid por cuenta del Rey, y sí del tesorero, cuyo oficio estaba enajenado de la corona; pero en el reinado de Felipe V se incorporó a ella, y desde entonces este establecimiento ha corrido siempre por las ordenanzas que aquél le dió. En él se pueden acuñar diariamente 50 a 60.000 monedas, para lo cual está provisto de las máquinas y operarios correspondientes. El local de ambos edificios es sumamente impropio y además están casi ruinosos, y la material ejecución de la moneda, aunque ha ganado mucho en estos últimos años, todavía no llega a igualar en perfección a la francesa, inglesa y belga.

El *departamento de grabado y construcción de máquinas para la moneda* está sito en la carrera de San Francisco. Fue creado en el reinado de Carlos IV y año de 1803, con el objeto de reunir en un solo punto todos los elementos del arte de hacer moneda y dar la enseñanza por principios fundamentales, para lo cual hay en él una escuela de grabado de monedas y medallas, en que se formaron profesores de mérito y que fue restablecida en 1828. En este establecimiento se hallan reunidos los punzones y matrices originales de la moneda, los diferentes tipos en que se ha acuñado desde la reforma en 1772, los troqueles para la acuñación en la casa de Madrid, los de las medallas grabadas desde Felipe V acá con motivo de proclamaciones, victorias y otros sucesos notables; un buen monetario, modelos del antiguo, dibujos, estampas, planos y libros pertenecientes al Instituto, un volante, un laminador, un corte y un mutón, construídos en París por el célebre Droz, y una porción de máquinas, aparatos y modelos, obra de esta casa, que no ceden en perfección a los extranjeros. Los talleres son muy espaciosos.

Fábrica de Tabacos.—La elaboración de cigarros y rapé se estableció en Madrid en 1809 por el Gobierno intruso en el edificio dedicado a la fábrica de aguardientes, junto al Portillo de Embajadores; llegando su mayor aumento en aquella época a tener 800 operarias. Continuó la fábrica después de la guerra hasta mediados de 1816, teniendo 400 a 500 operarias que elaboraban cigarros mixtos, comunes, de Virginia y cigarrillos de papel. En diciembre de 1817 se estableció a cargo de un director interino, y en 1818 se nombró un superintendente con iguales prerrogativas que el de la fábrica de Sevilla, subsistiendo así hasta 1822 con unas 600 operarias, elaborando cigarros de todas clases. Por último, en julio de 1826 se ha restablecido otra vez y continúa. En el día cuenta 3.000 operarias, y las labores en el año último han sido 1.472.364 libras de tabaco habano, virginia y mixto, y cigarrillos de papel. El jefe tiene el dictado de superintendente. El edificio en que se halla esta fábrica (que ya hemos dicho ser en la calle de Embajadores) fue mandado construir en el año 1790 para fábrica de aguardientes, barajas, papel sellado y depósito de efectos plomizos. Su figura es regular y sencilla, teniendo de línea su fachada 428 pies y 237 el costado, que multiplicados componen un total de 101.436 pies superficiales. Tiene además un corralón por el costado que mira al mediodía, y prolonga su fachada en 63 pies con 14.931 de superficie.

Fábrica de pólvora en la primera exclusa del Canal de Manzanares. Dió principio a sus labores en 1839 y fue construída por la empresa de salitres en un antiguo edificio destinado antes a otros usos. Tiene dos molinos con 20 morteros cada uno y diversas máquinas muy ingeniosas para la fabricación, así como las oficinas y almacenes necesarios para la conservación de la pólvora con las precauciones convenientes. A pesar de ellas, el día 10 de diciembre de 1849 a las doce del día, se voló el *polvorín*, mas por fortuna no se comunicó el fuego al almacén principal. El producto anual de esta fábrica es 6.600 arrobas, 4.000 de caza y 2.600 de minas, y son de la mejor calidad.

Fábrica de papel sellado. — Establecida en el reinado de Felipe IV, en 1636, en la carrera de San Francisco, de donde tuvo varias traslaciones, hasta que en 1828 se trajo al edificio que hoy ocupa en la calle de San Mateo, núm. 5. Los talleres de esta fábrica se dividen en tres secciones: 1.ª, de papel y documentos en blanco; 2.ª, departamento del sello, y 3.ª, almacén. En la primera hay 12 prensas tipográficas, en la segunda muchas máquinas de timbrar, y en el tercero todos los útiles para envasar, enfardar y conservar el papel sellado. Pasa de 100 el número de operarios y se calcula en 51 millones el producto de los papeles y documentos que elabora esta fábrica, única en el reino.

Real fábrica de platería.—Don Antonio Martínez, natural de Huesca, sobresaliendo en el arte de platería, vino a Madrid en el reinado de Carlos III, y llamando por sus felices disposiciones la atención de aquel gran Monarca, obtuvo su protección, bajo la cual le envió pensionado a París y Londres para adquirir todos los conocimientos en su arte. Consiguiólo Martínez, y a su regreso trajo una porción de máquinas, y con los auspicios reales se fundó la fábrica y escuela de platería, que bajo la dirección del mismo Martínez, consiguió a poco tiempo un gran renombre. Esta escuela de todos los ramos del arte, empezando por el dibujo y modelo, ha dado desde su creación alumnos distinguidos. En cuanto a las obras de la fábrica son de tal modo bellas que parecen haber llegado a la perfección; en ella se trabaja no sólo la plata y el oro, sino el bronce, el alabastro y hasta los estuches y cuchillos con un pulimento superior. La casa real ha ocupado siempre a esta fábrica en obras de la mayor consideración, que por su belleza han cautivado la admiración general; también se trabaja para el despacho público. La disposición de los talleres es magnífica, pues sólo el grande obrador tiene de largo 115 pies, 34 de ancho y 22 de alto, y en él pueden trabajar cómodamente 200 oficiales, y hasta 300 repartidos en los demás talleres. Su dueño último, el coronel don Pablo Cabrero, yerno de Martínez, no solamente llegó a perfeccionar en su fábrica la elaboración principal, sino que estableció en ella misma la fabricación del plaqué y metal blanco que era desconocido entre nosotros, y despúés ha seguido con tan felices resultados como puede verse en el despacho de dicha fábrica y en la plazuela de Santa Ana, número 18, en toda clase de alhajas hasta enriquecidas con sobrepuestos de oro, haciendo inútil la considerable introducción que antes se verificaba del extranjero. Las máquinas son inmensas y de gran coste, y el despacho es una graciosa rotonda a la entrada por la fachada principal. Por último, todo el edificio es elegante y uno de los más grandiosos de su clase en Europa. Está situado al fin de la calle de San Juan, haciendo esquina y vuelta al Prado, frente al Museo. Fue dirigido por el arquitecto don Carlos Vargas, y comprende 67.400 pies de sitio. Su fachada principal la forma un pórtico con 10 columnas dóricas, y encima un gracioso adorno de escultura.

Real Fábrica de Tapices.—En el reinado de Felipe V vinieron de su orden desde Flandes don Juan Vandergotten y sus tres hijos, maestros de tapicería, para enseñar este arte en España. Para ello se estableció la fábrica fuera de la puerta de Santa Bárbara, en el edificio que antes fuera almacén de pólvora, el mismo en que hoy subsiste; y desde entonces han salido de ella obras primorosas de tapicería, que decoran los palacios y los primeros edificios de la corte y reales sitios, y son uno de sus principales ornamentos. Los dibujos son de Goya, Bayeu, Maella y otros profesores distinguidos. Esta fábrica cesó en tiempo de la invasión francesa, y sus oficiales perecieron, hasta quedar reducidos al número de ocho; pero desde 1814 empezó a trabajar, aunque lentamente, hasta 1824, en que Su Majestad acordó las bases o contrata que hoy la rige, y con este impulso ha seguido trabajando. Se pueden contar siempre cuatro telares de tapices y otros tantos de alfombras; éstas son de las clases que llaman *turcas,* y en su dibujo, colorido y gusto nada tienen que envidiar a las extranjeras. Las lanas que se emplean en ellas se tiñen en esta real fábrica con toda perfección. Por último, para el adelanto de los jóvenes ha establecido el actual director una escuela de dibujo. Esta fábrica no sólo trabaja para la Casa Real, sino también para los particulares.

Real fábrica de loza fina.—Fue establecida en 1816 en el bello sitio de la Moncloa, propiedad del Real Patrimonio, y en ella se elaboran loza blanca y de colores y porcelana blanca y dorada con mucha perfección, no sólo para el servicio de Su Majestad, sino también para el surtido público, bastante generalizado en Madrid, pudiendo calcularse en 270.000 piezas las que se elaboran anualmente en ella.

Fábrica de gas para el alumbrado.—Situada extramuros y a corta distancia de la puerta de Toledo, ocupa una extensión considerable y comprende varios edificios para habitaciones de los empleados y oficinas, una gran sala de hornos con techumbre de hierro, almacenes de carbón, talleres de carpintería, fraguas, almacenes de cal, cuarto de análisis de pruebas, cuadras y salas para el regulador, etc. Tiene dos gasómetros, uno con algibe de hierro colado y capaz, de 45.000 pies cúbicos; el otro de mampostería, con 65.000 pies; ambas campanas son de palastro o chapa de hierro y se mueven entre siete columnas de fundición. Recientemente se ha construido y montado otro tercer gasómetro. Después de medido el gas en el contador general pasa por el regulador para darle la presión conveniente por toda la villa, y corre por las cañerías subterráneas de las calles, surtiendo ya en el día a más de 15.000 luces particulares, y una gran parte del alumbrado público (que la compañía tiene contratado con el Ayuntamiento) y que hasta hoy comprende las calles centrales, comprendidas dentro del radio siguiente: Paseo del Prado y calle del mismo nombre, del León, de Atocha, de la Magdalena, plaza del Progreso, calle del Duque de Alba, de Toledo, plaza y calle Mayor, de las Fuentes, del Arenal, Puerta del Sol, calle de Preciados, de Jacometrezo, Montera, Caballero de Gracia a la de Alcalá, hasta volver al paseo del Prado, donde comenzó.

A pesar de que la industria madrileña está limitada por las causas conocidas de la escasez de agua y combustible y la carestía de la mano de obra, no puede negarse que de algunos años a esta parte ha tomado un grande incremento abrazando objetos o fabricaciones antes completamente desconocidas en nuestra villa, y perfeccionando las anteriores hasta un punto tal que hacen absolutamente innecesaria la introducción de sus similares extranjeros. La afluencia de capitales, de conocimientos, y buen gusto que naturalmente concurre en la capital de la monarquía, da a los productos de su industria cierto grado de perfección que ha de hacerles obtener la preferencia en los mercados de las provincias, luego que puedan competir en baratura con ellos; entre tanto que esto no puede suceder por las causas ya expresadas, el movimiento fabril de la corte tiene que limitarse a surtir las necesidades locales, que no son sin embargo tan cortas que no le permita colocarse a par de las más aventajadas poblaciones industriales del reino.

Además de las fábricas principales que quedan mencionadas, se han planteado recientemente, y con el mejor éxito, varias muy importantes de *fundición de hierro y maquinaria,* entre las que merecen especial mención la del señor Bonaplata en el ex-convento de Santa Bárbara; la del señor Safont, en el antiguo palacio de Monteleón; la del señor Sanford en Recoletos; la de don Tomás Miguel (*el Vizcaino*), en la calle de San Gregorio; y otras en que se surte generalmente a todas las necesidades del pueblo en los ramos de construcción, mueblaje, máquinas y utensilios de artes y oficios, etc., con tal perfección, que han merecido premios en las exposiciones generales, y obtenido el favor general del vecindario. Igual elogio merecen las *fundiciones de tubos de plomo* del señor Rinchand; las *chimeneas* del señor Claussalet, los objetos de herrería del señor Callejo y otros varios que pudiéramos citar si el espacio lo permitiese. La fabricación en *metales y piedras preciosas* han llegado a un punto de rara perfección en Madrid, no sólo en la platería de Martínez, ya citada, sino en otras muchas, bastando citar los nombres de los señores Moratilla, Ansorena y Pizala, Soria, Iraburo, Samper, etc., para traer a la memoria las bellísimas obras premiadas en la exposición, y que decoran sus suntuosos almacenes o despachos tan conocidos de las más elevadas clases.

El ramo de *curtidos* ha hecho también notables adelantos en las fábricas de los señores Murga, Méndez y otros; los charoles y hules de los señores Delrieu, Mocorta y González, llamaron la atención en la exposición última, y los oficios que emplean estas materias pueden competir seguramente en perfección, gusto y precio con lo más aventajado de los mercados extranjeros. No citamos a ninguno especialmente por su abundancia y por no hacer agravio a los demás; pero puede juzgarse de la verdad de aquel aserto por los preciosos artefactos expuestos al público en los muchos talleres de *guarnicioneros, encuadernadores, guanteros y zapatería*.

La fabricación de *tejidos* cuenta en Madrid pocos y mezquinos ensayos; los paños y sederías franceses, los lienzos belgas y holandeses, los algodones ingleses, continúan alternando con la industria nacional en el surtido de las clases acomodadas de Madrid; el resto de la población se surte con los productos de las fábricas más o menos indígenas de Cataluña y Valencia; pero si muchas de nuestras ciudades vencen a la capital en este género de producción, no pueden ciertamente competir con ella en la elegancia y buen gusto de los artefactos realizados con dichas telas. Los innumerables *sastres, modistas, camiseros, sombrereros* y demás que de todos los puntos de Europa afluyen a la Puerta del Sol y ostentan sus elegantes muestras y talleres en las calles de la Montera, Mayor y de Carretas, Carrera de San Jerónimo, etc., han emancipado absolutamente a nuestros elegantes de la tutela vergonzosa de las calles *de la Paix, Vivienne* y *Palais royal* de París.

Otra fabricación casi nueva en Madrid es la de *carruajes de lujo*, y de tal importancia, que no está lejos el día en que pueda competir con los extranjeros. Los grandes talleres de Recoletos, de los señores Montoya, Martín, Lefebre, Abad, etc., alternan ya ventajosamente con aquéllos, y surten en gran parte a las necesidades locales.

Pero en lo que absolutamente puede decirse que están bien atendidas éstas por la industria indígena, es en el ramo de *mueblaje* de casa; el buen gusto, solidez y perfección de las obras de *ebanistería* que ostentan los almacenes de los señores Fournier, Keigel, Ruiz, Selmessi y otros muchos; los magníficos *pianos* de los señores Boisselot, Ferrer, Weis, Larroux, La Cabra y otros que admiraron los inteligentes en las exposiciones públicas; los *instrumentos de música* del señor Ramis, los *espejos* del señor Guerin, los bellos *marcos dorados* del señor Ferrant, las *alfombras* de las Empresas varias, las *esteras de paja*, los *mármoles* e imitación de piedra en *barro y cartón*, las *camas, catres, utensilios* y *muebles de hierro*, de zinc, de plomo, estaño y otras materias, el *asfalto* de la Empresa del *Volcán*, todo ello ha adelantado notablemente entre nosotros, y dado a nuestras casas un grado de suntuosidad y de elegancia absolutamente nuevos.

La fabricación de *bujías de estearina* del señor Bert y otros, la *perfumería* del señor Fortis, los *botones de pasta y charol* del señor Escudero, los *cepillos* de la señora Lerroux, las *dentaduras artificiales* de los señores Rotondo, Koth, y otros; los *aparatos ortopédicos* de los señores Cort y Claussoles, y los objetos en *goma elástica* del señor García, los *productos químicos y farmacéuticos* de los señores Simón, Calderón y Miquel, las fábricas de *ácidos* de

Chamberí y otras, y los *papeles pintados* para habitaciones de las Maravillas, la Palma, plazuela de San Juan la Nueva, etc., todas éstas y otras varias fabricaciones nuevas en Madrid, se han planteado desde un principio en términos tan aventajados, que han cerrado casi la puerta a la competencia extranjera.

Las fábricas de *cerveza* de Santa Bárbara, de Lavapiés y otras surten generalmente a la población; las de *licores* de los señores Falla, Fonfrede y otros, son muy favorecidas por ella; las de *pastas finas* de los señores Charlone, Herman y otras, pueden compararse a las mejores de su clase; los *jabones* del señor Castié, los *lacres* de los señores Martos e Hinojosa, Sada, y otros muchos objetos de uso común, merecieron justos premios en la exposición última; únicamente en los objetos de *quincalla, relojería, bisutería* continúa nuestra galo-hispana calle de la Montera, sumisa tributaria de las orillas del Sena.

Las *impresiones*, en fin, verificadas en Madrid en estos últimos años y que salen de la Imprenta Nacional y de las prensas de los señores Ribadeneyra, Aguado, Gaspar y Roig y otros, no desmerecen ciertamente de las buenas extranjeras, y si el papel de nuestras fábricas de Villarluengo, Rascafría, Tolosa, Burgos, Valladolid y Manzanares empleados generalmente en ella, pudiera compararse siquiera a lo mediano de Francia y Bélgica, todavía lucirían más las producciones actuales del arte, que dieron un justo renombre a las prensas madrileñas en tiempo de los Ibarras, Sanchas y otros tipógrafos distinguidos.

Ferias

Por privilegio expedido por el señor rey don Juan II en la villa de Valladolid a 18 de abril de 1447, hizo merced a esta de Madrid de dos ferias francas por San Miguel (8 de mayo) y San Mateo, (21 de septiembre) en remuneración y recompensa de haberle quitado las villas de Cubas y Griñón, que eran suyas, para dárselas a un criado.

Por testimonio que dio Gaspar Dávila, escribano del ayuntamiento de esta villa, de un privilegio expedido por el señor rey don Enrique IV en la casa del Pardo, en 25 de octubre de 1463, consta que éste concedió a Madrid la facultad de que pudiese tener un día en cada semana de mercado franco, señalando el martes para ello.

Por real cédula expedida por el señor emperador Carlos V en Valladolid a 30 de septiembre de 1545, consta haber mandado Su Majestad se despachase nueva cédula de la merced que en unión de la señora reina doña Juana había hecho a esta villa de un mercado franco en el miércoles de cada semana.

Las ferias de Madrid reunidas hoy en una sola, dan principio el día 21 de septiembre y concluyen el 4 de octubre, aunque por lo regular se dan algunos días de prórroga; consisten en muebles nuevos y viejos, loza, alfarería, esteras, mantas, vidrios, cuadros, libros, juguetes de niños y frutas. Celebrábanse en la plazuela de la Cebada en el siglo pasado, y en este han tenido diversas colocaciones, como la plaza Mayor, prado de Recoletos, calle de Atocha y calle de Alcalá, que es donde actualmente se celebran por lo regular, construyéndose al intento cajones de madera por cuenta del albergue de mendicidad de San Bernardino. También se ocupan con estos muebles todas las plazuelas y calles anchas, y el espectáculo de estos objetos es singular y muy divertido para el forastero y desocupado. La feria de Madrid ha sido el objeto de la crítica de los poetas y gentes de buen humor, que no han calculado bien su inmensa utilidad e importancia.

El mercado de caballerías se celebra hoy los jueves de cada semana en el descampado conocido por el barranco de Lavapiés, entre los portillos de Embajadores y de Valencia.

IX

PARTE RECREATIVA Y EXTERIOR

ESPECTACULOS Y DIVERSIONES
PUBLICAS

TEATROS

No consta a punto fijo cuándo tuvo principio la representación de comedias en Madrid; pero sí que las había ya en los primeros años después del establecimiento de la corte en esta villa, y en ellos fue sin duda cuando brilló el famoso comediante y poeta Lope de Rueda, que según Antonio Pérez, era *el embeleso de la corte de Felipe II*, y de quien Cervantes dice que le había visto representar siendo muchacho. Por los años de 1568 consta ya que había en esta corte compañías de comediantes, que entendiéndose con la cofradía de la Pasión (que tenía este privilegio), le arrendaban un sitio en la calle del Sol y otros dos en la del Príncipe, en los cuales representaban pagando un tanto a aquella cofradía. También consta que en 1574 se introdujo la cofradía de la Soledad a solicitar el mismo privilegio de señalar sitio para los comediantes, sobre lo cual se siguió un reñido pleito entre ambas cofradías, que terminó conviniéndose en repartir el usufructo. En su consecuencia se reformó y alquiló en dicho año el corral de la Pacheca (uno de los de la calle del Príncipe) a un comediante italiano llamado *Ga-nasa*, contratando con él que se había de cubrir dicho corral, que estaba descubierto, como así se verificó, aunque el patio siempre quedó sin techo, y sólo tendían sobre él un toldo para librarse del sol, pues entonces las representaciones eran de día. Otro corral alquilaron también las cofradías en la calle del Lobo, habilitándole para la representación de comedias, hasta que por último fabricaron sus dos teatros propios, el uno en la calle de la Cruz, que fue el primero, y el otro en la calle del Príncipe, aquel en el año 1579, y este en 1582, cesando entonces el de la calle del Lobo.

Tal es el origen de los teatros de Madrid; y creciendo sucesivamente sus productos hasta un punto tal, que ya se arrendaban en 115.400 ducados por cuatro años desde 1629 a 1633, fueron cargados con pensiones en beneficio de varios hospitales y establecimientos de beneficencia, hasta que en 1638 se encargó de ellos la villa de Madrid, quien pagaba una indemnización correspondiente a los hospitales. Desde entonces se suscitaron en diversos tiempos muchas prohibiciones contra las comedias, y aunque con mayor o menor trabajo, siempre triunfaron éstas, valiendo para ello mucho el piadoso fin en que se invertía su producto. Pero en el reinado de Felipe IV llegaron a su mayor boga por la inclinación particular del Rey, y no solamente se representaban en los ya citados *corrales*, sino en las salas mismas de Palacio, y en el nuevo suntuoso teatro del palacio del Buen Retiro, resonando en todos ellos las producciones innumerables de Lope de Vega, Calderón, Tirso de Molina, Moreto, Solís, Rojas y otros infinitos que suministraban a la decidida afición del público un alimento inagotable. Pasó esta época; vino otra de privación, y apenas los últimos acentos de Cañizares, Candamo y Zamora lograron sostener el renombre de nuestro teatro en medio de aquel universal silencio. *La Talía española* (dice Jovellanos), *había pasado los Pirineos para inspirar al gran Moliere*; y en tanto, ni el triste reinado de Carlos II, ni las agitaciones de la guerra de sucesión que siguieron después, eran a propósito para hacerla tornar a nuestra nación.

Contribuyó después a prolongar su olvido la construcción del teatro de los Caños del Peral en principios del siglo pasado, y su ocupación por una compañía de representantes italianos, y más que todo la afición que inspiró Fernando VI a las óperas de aquella nación, que empezaron a ejecutar en este teatro y en del Retiro. No eran ya las gracias sencillas del ingenio las que llamaban la gente a los teatros, sino el aparato de la escena, la magnificencia en los trajes y decoraciones, el brillante ruido de las escogidas orquestas, las vistosas danzas, y todos los recursos, en fin, que emplea el arte para la seducción de los sentidos. Los más célebres artistas venidos de Italia y otras naciones sorprendían con su habilidad. El teatro de los Caños, mucho más espacioso y bello que los antiguos, era un sitio digno de tan gratos espectáculos; pero donde sobresalían éstos hasta un punto de magnificencia sorprendente, era en el del Retiro, colocado en medio de los extensos jardines, que a las veces, según lo pedía el drama, servían de decoración, pudiéndose ver maniobrar en ellos tropas de caballería, y haciendo la ilusión tan verdadera, que desaparecía toda idea de ficción escénica. En tanto, los dos corrales de la Cruz y del Príncipe, ocupados por los mosqueteros y gente de broma, ofrecían un campo indecoroso de batallas continuas entre los partidarios aficionados. La medianía de los actores, lo mezquino de la escena, la ninguna propiedad en trajes y decoraciones, la poca comodidad de los locales, y más que todo, lo necio y extravagante de las piezas que por entonces sostenían la escena, bajo la influencia de los Comellas y Zabalas; todas estas causas reunidas produjeron en nuestro teatro el estado en que le pinta el célebre Moratín en *La comedia nueva*. Pero las medidas del Gobierno, que empezaron a alejar las causas físicas de este desorden, arreglando la mejor disposición de los teatros; el buen gusto que se extendió con las bellas producciones de Moratín, Iriarte, Quintana y otros varios; y finalmente, la aparición en la escena de dos genios verdaderamente sublimes, la Rita Luna e Isidoro Máiquez, fueron bastantes a hacer ganar al teatro el puesto que debía ocupar, y a llevarle entre nosotros a un cierto grado de decoro.

La guerra de los franceses, la destrucción de los dos hermosos teatros del Retiro y los Caños, y las circunstancias turbulentas y poco a propósito que desde principios de este siglo ocuparon a España, hicieron sentir su influencia en nuestra escena; y habiendo desaparecido los principales teatros, los primeros autores, y los actores más distinguidos, volvió a caer en una medianía triste, si bien no se resentía ya de aquella falta de decoro y propiedad que tuvo en el siglo pasado, pues aunque lentamente, se hacían sentir en ella los progresos del entendimiento, los adelantos de las artes, y el imperio en fin de la razón. La afición del público, la aparición en la república literaria de muchos jóvenes y distinguidos poetas, y la de nuevos actores excelentes, entre los cuales no podemos menos de citar a los señores Latorre, Romea, García Luna y Guzmán, las señoras Concepción Rodríguez, Antera Baus, Matilde Diez, Llorente y Lamadrid, tornaron a nuestra escena el perdido prestigio, y nunca, desde la época de Felipe IV, se había observado en ella tal abundancia de producciones originales, tal brillo y propiedad en la ejecución, tal entusiasmo de parte del público. Su incansable curiosidad no se satisfacía ya con las muchas obras de nuestros ingenios contemporáneos, y 'a moda, que primero dio la preferencia a las antiguas comedias de capa y espada, a los ingeniosos enredos de Tirso, Lope y Calderón, hizo alternar harto frecuentemente en nuestra escena propia a los autores franceses, el infatigable Scribe, los terribles Hugo y Dumas, el clásico De la Vigne, y otros menos célebres, teniendo que sostener formidable competencia con ellos nuestros modernos Bretón de los Herreros, Gil Zárate, García Gutiérrez, Zorrilla, Rubí, Hartzembusch y demás. Pero especialmente, desde 1834 al 36, con la representación de los dramas de *La Conjuración de Venecia*, del señor Martínez de la Rosa, *Don Alvaro o la fuerza del Sino* del señor Duque de Rivas, *El Trovador* de don Antonio García Gutiérrez, y *Los Amantes de Teruel* del señor Hartzembusch, data una nueva época de lucidez para el teatro español, y también en el gusto del público y en la propiedad y adelanto del arte.

Dignos intérpretes de aquellas bellas creaciones los actores citados y los señores Mate, Lombía, Valero, Arjona y otros que aparecieron después en la escena, no tan sólo alcanzaron a compartir con los ingenios los merecidos laureles, sino que supieron conquistar de nuevo el favor del público, fuertemente seducido con el aparato y seductor encanto del espectáculo lírico, y arrancarle frecuentemente a la armonía de los Verdis y Donizzettis, expresada por los primeros artistas de Europa, para embriagar su espíritu con los delicados versos y pensamientos de Zorrilla y la Avellaneda, con el chiste cómico de Bretón y de Rubí, o con las inmortales y filosóficas escenas de Moratín. El Gobierno, al fin, reconociendo el mérito de estos esfuerzos de ingenios y de actores, y penetrado de la importancia suma de la escena nacional en la cultura del país, tendió una mirada protectora hacia ella, y expidió en 7 de febrero de 1849 el *Decreto orgánico de los teatros del reino*, creando una junta consultiva de los mismos y disponiendo la formación en Madrid de un *Teatro Español*, subvencionado, con otras disposiciones relativas a realzar la condición de los escritores y artistas. La experiencia, sin embargo, dio luego a conocer

que estos frutos espontáneos de la inteligencia y del entusiasmo, no son de los que se prestan a constituciones ni reglamentos, y que antes bien parece que todo lo que tiende a metodizar su cultivo, suele cortar las alas caprichosas e indómitas del ingenio, movidas más bien por aguijón de la rivalidad y el estímulo de la gloria; así que muy en breve hubo de cesar el Teatro Español, la clasificación de los demás para los diversos géneros dramáticos, la junta consultiva, casi todas las disposiciones en fin de dicho reglamento. Pero como el gusto del público había echado ya hondas raíces, como los poetas y actores redoblaron sus esfuerzos para conquistarle, no sólo se sostienen los antiguos teatros de la villa, sino que se han aumentado en una mitad más y embellecidos todos materialmente; en términos que hoy ofrece nuestra capital en este punto digna comparación con las demás de Europa. Vamos, pues, a hacer la reseña de ellos por el orden de su antigüedad.

Teatro de la Cruz.—Este edificio costeado por la villa de Madrid en 1737 sobre el solar que ocupaba el antiguo *corral de comedias*, fue dirigido por el famoso y extravagante Ribera, que dejó en él una prueba más de su extraño gusto arquitectónico; especialmente su fachada es lo más peregrino que puede imaginarse; el escenario es corto y mal dispuesto, y las proporciones de la sala se han desfigurado aun más con los reparos y ensanches operados en ella recientemente. Todas las injurias y todo el sarcasmo de la crítica se han ensañado de algunos años a esta parte contra este desdichado teatro, y hasta por Real orden de 15 de mayo de 1849 fue declarado oficialmente *oprobio del arte*, y se mandó proceder a su demolición; posteriormente se intentó vender por la villa; pero afortunadamente no se ha verificado ni uno ni otro. La buena situación que ocupa, en el punto más céntrico de Madrid, y hoy dando vista a la Puerta del Sol por la nueva calle de Espoz y Mina, y sus respetables tradiciones de antigüedad, recomiendan a este coliseo suficientemente para que la villa de Madrid no sólo no consienta en desprenderse de un edificio que puede serle de grande utilidad, sino que trate de sacar de él el partido que permite adicionándole con la casa accesoria de la plazuela del Angel (hoy propia también del Ayuntamiento), dándole por ella el ingreso a la sala, y colocando el escenario donde ahora la fachada principal (según el plan que se presentó hace algunos años por un empresario al mismo Ayuntamiento) y con un gasto muy tolerable convertiría aquel local en un lindísimo teatro, sin necesidad de destruir su fábrica general. Mientras esto no se haga, arrastra una efímera y triste existencia, en manos de compañías ambulantes y de segundo orden, produciendo mezquino interés a los fondos de la villa y soportando el disfavor y hasta la aversión del público, que no se desmintió ni aun en las dos temporadas de 1849 y 1850 en que fue decorado con el pomposo carácter de *Teatro del Drama*, ni posteriormente en la de 1851 en que sirvió de *Teatro francés*. Su entrada llena es un total de 1.500 personas próximamente. Los precios de las localidades son variables cada año, aunque por lo general son lo mismo que el del Príncipe.

Teatro del Príncipe.—Más afortunado que su contemporáneo el *corral de la Cruz* en el siglo XVI, el *de la Pacheca* que ocupaba parte del solar del teatro del Príncipe edificado en 1745, y que desapareció en un incendio de 1804, fue reconstruído dos años después bajo los planes y dirección del arquitecto Villanueva, que trató de sacar el partido posible del escaso terreno, y acertó a presentar un teatro decente, aunque pequeño, con una sencilla fachada y un local bastante proporcionado para la escena. La novedad del edificio, y el indisputable mérito del grande actor *Isidoro Máiquez*, que empezó a brillar por aquellos años primeros de este siglo, hicieron a este teatro el favorito del público de Madrid, favor que ha sabido sostener sin interrupción hasta el día, en manos de las diversas empresas, y especialmente de los inteligentes directores los señores Grimaldi, Romea y Arjona. En 1849, declarado *Teatro Español* por el Real decreto orgánico de este ramo, se reformó y restauró completamente el edificio, que ha quedado en el día muy elegante y cómodo, y continúa siendo propiedad de la villa de

Madrid, que suele arrendarlo en unos 60 a 70.000 reales por la temporada. La sala permite una entrada de 1.200 personas, y los precios suelen variar cada año según las empresas, desde 4 reales la entrada general hasta 12 las butacas y anfiteatros.

Teatro del Instituto.—La sociedad denominada del *Instituto Español*, o más bien su fundador y presidente el señor marqués de Sauli, hizo construir en 1845 este pequeño teatro en la calle de las Urosas, número 8; y aunque el reducido local y su mala situación en una calle estrecha e intercalado en otras casas no permitían desplegar grandes recursos, no dejó de sacarse partido por el arquitecto don José Alejandro Alvarez para trazar un teatro decente, capaz de contener 800 espectadores. Este teatrito fue declarado *teatro de la Comedia* por el decreto orgánico de febrero de 1849, pero su principal celebridad la ha debido al drama y *bailes andaluces*, cultivados admirablemente por los Dardallas y las Vargas. En el año último también ha servido para teatro francés a la compañía de M. Monteland.

Teatro de Variedades.—En una antigua sala de juego de pelota de la calle de la Magdalena, número 40, con accesorias a la de la Rosa, tuvo lugar en 1843 la formación de un teatrillo de segundo orden, que ampliado, y reconstituído después en 1850 hasta el punto de convertirse en una linda sala capaz de 800 espectadores, llegó a obtener gran boga y favor del público y tuvo también la gloria de servir de cuna a la ópera española con la celebérrima zarzuela del *Duende*, que mereció el honor de ciento y más representaciones consecutivas. Hoy, abandonado de sus compañías favoritas, se dedica a la magia y espectáculos de brocha gorda, con lo cual, si no inmortales laureles, alcanza por lo menos muy regulares entradas.

Teatro de Lope de Vega.—Mientras la obra de reconstrucción del anterior, la compañía que en él trabajaba se refugió en el antiguo edificio convento de los Basilios, calle del Desengaño y de Valverde, donde aprovechando la parte alta de la capilla mayor del espacioso templo, se improvisó

un nuevo teatro; y como el público caprichoso diera en frecuentarle, pensó su
dueño que podría convenir a sus intereses
convertir en teatro formal a aquel dramático *remedion*. Así lo hizo hace dos años,
y dándole su ingreso por la nave principal
del templo (con acompañamiento lateral
de un café y de un molino de chocolate)
y de una elegante escalera, le ofreció ya
con semejantes pretensiones a la curiosidad
y favor de los empresarios. El célebre primer actor señor Romea, que tuvo a su cargo muchos años el del Príncipe, no habiéndose quedado con él en la última temporada, se instaló en esta linda sala y la
decoró con el dictado de *teatro Lope de
Vega*, y hoy es uno de los más favorecidos
por el público de Madrid.

Teatro Real.—En la noche del 19 de noviembre de 1850, con motivo de la celebración del nombre de la augusta reina
doña Isabel II, tuvo lugar la solemnísima
instalación de este magnífico teatro con la
representación de la bella ópera del maestro Donnizzetti titulada *La Favorita*, des-
empeñada por la célebre Alboni y los señores Gardoni, Barroillet, Formes, etc. Este grandioso e histórico edificio empezado
a construir en 1818 sobre el solar del antiguo teatro de los Caños del Peral, y en
que iban invertidos unos 21 millones de
reales, se hallaba paralizado hacía trece
años, hasta que el Gobierno, por Real orden
de 7 de mayo de 1850 suscrita por el
señor ministro de la Gobernación, conde
de San Luis, dispuso su terminación, y la
emprendió con tal ahinco, que en el corto
término de cinco meses quedó terminado
y en plena actividad a los ojos asombrados
del público de Madrid. Prescindiendo de
los defectos de su planta general primitiva
que pueden con justicia achacársele, no
puede negarse que es un edificio suntuoso
y digno de la capital y de su brillante destino. Comprende el crecido espacio de
72.892 pies cuadrados y su planta es un
exágono irregular con dos fachadas en los
lados menores, una que mira al palacio
real, y es la principal, y otra a la calle del
Arenal. Las dimensiones, disposición y ornato de estas fachadas, y la distribución
interior del edificio no las comprendemos
aquí por la falta de espacio, y pueden verse

en la preciosa descripción y *Memoria histórica del teatro Real*, escrita por don Manuel Juan Diana y publicada por la Junta
directiva del mismo. Baste decir, para nuestro objeto, que la gran sala escénica, una
de las más amplias, bellas y decoradas de
Europa, es capaz de dos mil espectadores,
distribuídos en cuatro órdenes de palcos,
que suben hasta unos 100, y la platea en
16 filas de butacas, todo con la comodidad
y elegancia correspondiente; que el escenario de 100 pies de fondo y de 65 de
embocadura, es uno de los más grandiosos
que se conocen; que las decoraciones escénicas y el espléndido ornato de la sala,
su brillante alumbrado, y el decoro de su
servicio y dependencias son cosas absolutamente nuevas entre nosotros; que el aparato y perfecta ejecución en ella, de las
más celebradas óperas italianas y baile por
los primeros artistas de Europa, han colocado al teatro de Madrid entre los de *pri-
missimo cartello*. Las dudosas utilidades
mercantiles que ofrece sin embargo una
empresa tan costosa, hacen temer por la
futura suerte de este soberbio teatro, aunque en la temporada última ha ofrecido
una risueña perspectiva en manos del espléndido e inteligente empresario señor don
Fernando Urries. Los precios varían según
la localidad, desde 4 reales la entrada general y *paraíso*, hasta 20 las butacas.

Teatro del Circo.—Hace unos veinte
años que con el objeto de servir a las compañías que bajo la dirección de Avrillon,
Paul, Auriol y otros gimnastas transpirenaicos venían a ofrecer su habilidad a los
madrileños, fue construído este teatro en
la plaza del Rey, a fin de la calle de las
Infantas, y en su construcción, apropiada
para el objeto, se estuvo sin duda lejos de
pensar que algún día había de convertirse
en teatro de ópera, de baile serio y hasta
de comedia y drama. Pero la escasez de
teatros en Madrid y la progresiva afición
del público, hizo habilitar éste para dichos
objetos, construyendo un escenario en uno
de sus frentes y procurando aproximar en
lo posible lo demás a este nuevo servicio;
mas como deja de conocerse, no ha podido ser esta variación tan radical, que no
se resienta aún en todas sus partes del
primitivo origen de su institución, pues ni

su figura ni sus dimensiones son confor-
mes con las reglas ópticas y acústicas que
exige un teatro, y en el ornato carece también de la suntuosidad y elegancia que requiere la escena de una capital. A pesar
de todo, la elección del espectáculo, que
consistió hasta hace tres años en ópera
italiana y gran baile serio, la habilidad
desplegada en él por los primeros artistas
de Europa, la espaciosidad del local y comodidad de los precios, dieron a este teatro una gran importancia, en términos que
por los años 1846 al 50, en manos del espléndido señor Salamanca, llegó a ser el
primero de los de Madrid y de todo el reino. Posteriormente, con la construcción
del teatro Real en 1850 y emigración de
la ópera italiana y baile a aquel dignísimo templo, pareció inminente la ruina del
modesto de la plazuela del Rey, o por lo
menos la necesidad de volver a su antigua
condición hípica y escuderil; pero habiéndole acertado a escoger la Sociedad de Autores y Actores Españoles para ensayar en
él la creación de un género nuevo de espectáculos, o sea *la zarzuela*, ópera española, ha vuelto a reconquistar el favor público, en términos que es el único que hoy
brinda a sus empresarios, con seguras y
saneadas utilidades. Caben en este teatro
unas 1.600 personas, y los precios suelen
ser desde tres reales la entrada hasta 10 la
butaca principal.

Otros teatros.—Todavía no se da por satisfecha la afición del público con la existencia de aquellos siete teatros principales,
y todavía llena (especialmente en los meses mayores de invierno) otros más modestos y subalternos como el titulado de *El
Genio*, improvisado hace pocos años en la
casa histórica de San Vicente, a la plazuela de la Paja y Costanilla de San Pedro;
el de *Buenavista*, en la calle de la Luna,
número 11, y casa del señor conde de Sás-
tago, o cualquiera otro sitio, en fin, más
o menos a propósito, donde llegado el mes
de Navidad sientan sus reales las compañías ambulantes de *pipirijaña* o *gangarilla*,
cuyo cuartel general es la plazuela de Santa Ana. Alternan con ellos los *belenes* o
nacimientos dramáticos, desempeñados por
actores y actrices más o menos de palo,
y la exhibición de animales más o menos

sabios, los juegos de destreza y prestidi-
gitación, los ejercicios atléticos y los prodigios artísticos trashumantes que nunca
faltan a comer el besugo de Nochebuena
en la villa del Oso y el Madroño.

OTROS ESPECTÁCULOS

Toros.—Las corridas de toros son tan
antiguas en España, que ya se habla de
ellas en las leyes de Partida, y la afición
del público ha sido siempre tal, que ha
triunfado de las prohibiciones que en ocasiones les ha opuesto el Gobierno y el gri-
tó aún más fuerte de la humanidad y de
la razón. Verdad es que en el estado actual, reducida esta lucha a un oficio de
gente arriesgada y fuerte, sujetos a un arte en que están diestramente combinados
los movimientos del valor y disminuído en
lo posible el peligro por todas las precauciones imaginables, ha perdido en parte el
carácter de ferocidad que pudo tener, si
bien conserva aún lo bastante para ser detestada. Pero lejos de ello se ve sostenerse
la afición pública y reproducirse cuando
se la cree más amortiguada: tal ha sucedido de veinte años a esta parte, con la
aparición en la arena de los célebres lidiadores Montes, el Chiclanero (muertos
recientemente), Cúchares, etc., cuya bien
merecida fama deja atrás la de los Rome-
ros y Pepe-Hillos.

Desde muy antiguo se celebraban estas
corridas en Madrid, pero era sólo dos o
tres veces al año con ocasión de alguna
fiesta, y entonces se verificaban en la plaza Mayor, concurriendo a veces los Reyes.
Luego hubo una plaza destinada a ellas
junto a la casa del duque de Medinaceli;
después otra hacia la plazuela de Antón
Martín, otra al soto de Luzón, otra saliendo por la Puerta de Alcalá, más distante
de la que hay hoy; y últimamente ésta,
que se labró de orden del Rey, para propio del Hospital General, y se estrenó en
1749, habiendo sido después reformada hace pocos años.

Es esta plaza de forma circular y tiene
unos 1.100 pies de circunferencia, cabiendo en ella cómodamente unas 12.000 per-

sonas, repetidas en 110 balcones, otras tantas gradas cubiertas y bancos al descubierto, llamados *tendidos*. Hay en ella todos los departamentos necesarios con desahogo y la suficiente seguridad. Se dan en esta plaza generalmente doce corridas de toros al año, desde los meses de marzo ɔ abril a octubre, y por la tarde solo, siempre por lo regular en lunes; y es un espectáculo original el que presenta tanta multitud de gentes de distintos trajes y costumbres, sus alegres dichos, los chillidos, los aplausos, silbidos y la animación exagerada de tantos aficionados que pretenden dirigir desde seguro los movimientos de los lidiadores. Los extranjeros, así como las personas sensatas de nuestra nación, han declamado y declaman contra las funciones de toros; pero unos y otros van a verlas y se entretienen con aquel bullicio, aquella variedad, aquel movimiento que se nota el día de toros desde la Puerta del Sol y calle de Alcalá, que conduce a la plaza. Los precios suelen ser: palco, a la sombra, 200 reales; al sol, 140; ídem por asientos, 20; grada cubierta, a la sombra, 18; al sol, 10; tendido, a la sombra, 11; al sol, 6. Las horas varían según las estaciones. En esta plaza suelen darse también funciones de novillos, y de habilidades de volatines y caballos, y entonces los precios son una cuarta parte.

Otra plaza de toros.—No contenta la infatigable curiosidad de los intrépidos aficionados madrileños con el espectáculo semanal de su diversión favorita en el ancho circo de la Puerta de Alcalá, establecieron hace pocos años una sociedad con el nombre de *Lid taurómaca*, y haciendo construir otra plaza más pequeña y contigua a la antigua, suelen celebrar en ella corridas de toros, con la especialísima circunstancia de ser desempeñadas todas las suertes por aficionados individuos de la misma sociedad, y privadas las funciones para sus socios y convidados.

Circo ecuestre.—Mr. Paul Larribeau, el afortunado *ecuyer* transpirenaico, que vino a Madrid por primera vez en 1834 a suceder a la compañía gimnástica y de equitación de Mr. Aubrillon, en el antiguo Circo (hoy teatro de ópera española), construí-

do al efecto en un corral contiguo a la casa de las Siete Chimeneas, supo captarse la afición y benevolencia del público madrileño con su indisputable inteligencia en la dirección de aquel espectáculo y la formación de compañías, en que han figurado los celebérrimos Auriol, Ratel, Bastien, John Lees y sus hijos, Price, Martineti, etcétera, hasta tal punto que hubo temporada en que llegó a ser la diversión favorita de Madrid y el *rendez-vous* de la más brillante sociedad. Correspondiendo Mr. Paul a este insólito favor, levantó de madera su circo-teatro en la antigua huerta del Duque de Frías, calle del Barquillo, y vendida ésta para la construcción de varias manzanas de casas, le ha reconstruído de fábrica con una hermosa sala-teatro en que suele también dar bailes públicos y presentar otros espectáculos interesantes.

Galería topográfica. — Este curioso espectáculo consiste en una copiosa galería de vistas en relieve y con las luces convenientes, las cuales representan varios sitios pintorescos y ciudades célebres con la más escrupulosa exactitud; también hay otras dispuestas en cosmorama y diorama y hasta recientemente se ha presentado dicha vista en series o viajes a la exposición de Londres y a la Tierra Santa, y la procesión del Santo Entierro en Sevilla con mucha propiedad y gusto. Está situado en el paseo de Recoletos, inmediato a la Veterinaria.

Diorama.—Uno de los espectáculos más interesantes en Madrid es el Diorama, contiguo a la fábrica de platería de Martínez; espectáculo que por su parte principal y los muchos accesorios con que está engalanado, exige una especial visita de toda persona de gusto. Consiste, pues, en un espacioso edificio construído al intento, en cuya parte principal se halla reproducido con admirable perfección en tamaño, decoración y combinación de luces, el interior del grandioso templo de *San Lorenzo del Escorial*, a que da vista el espectador desde una tribuna colocada encima del coro. Esta bella producción artística no cede en nada a lo más atrevido y grandioso que ostentan los dos Dioramas de París y de Londres; queriendo, además, amenizar aquel espectáculo con otros interesantes accesorios, hay dispuestos en los salones altos y bajos del edificio varias excelentes vistas, también en diorama, como la del coro de capuchinos de Roma y la del panteón del mismo Escorial; otros transparentes, como el interior de la iglesia de Atocha, y el conjunto del monasterio de San Lorenzo; además, un rico y elegante salón de física recreativa y, por último, corona todo el edificio un magnífico quiosco o belveder oriental, cerrado con infinidad de cristales de colores, que presentan en sus raros cambiantes los más halagüeños puntos de vista del Prado, Botánico, Museo, Observatorio, torres, caserío y cercanías de Madrid.

No hablaremos, en fin, de los diversos espectáculos transitorios que suelen aparecer de vez en cuando, consistentes por lo regular, en vistas ópticas, fenómenos naturales, experimentos científicos, equilibristas célebres, porque éstos no tienen período ni local fijo, y de ellos indicamos algo tratando de los teatros. Tampoco del Hipódromo de la puerta de Santa Bárbara, que hace algunos años brilló un momento, para desaparecer después; ni del de la Casa de Campo, donde, por los meses de mayo y octubre, suelen celebrarse por la Junta de la Mejora de la Cría Caballar las *carreras de competencia*, diversión que pugna por introducirse entre nosotros.

La sociedad elegante o aristocrática, varonil, tiene para su recreación el brillante *Casino* de la Carrera de San Jerónimo, número 29; el *Círculo del Comercio*, calle de Alcalá, número 36; el *Minero*, calle del Arenal, y otros, y las tertulias públicas en muchos cafés y establecimientos de esta clase; y la alegre juventud de las clases más modestas goza a su sabor las tardes de los días de fiesta en los modestos bailes al aire libre de la Juventud Española, la Vascongada, el Ariel, en los paseos de Recoletos y Santa Bárbara, etc.

JARDINES

Todo el mundo sabe que la fundación del hermoso sitio del Buen Retiro, que tiene sobre los demás la ventaja de hallarse dentro del recinto de la capital, constituyendo uno de sus principales ornamentos, fue debida a la época galante y caballeresca de Felipe IV, el cual, bajo la inspiración del poderoso valido Conde-Duque de Olivares, quiso ostentar en este recinto todo el gusto y la magnificencia propios del Monarca de dos mundos.

La corte de Buen Retiro presentó, pues, durante todo aquel reinado, el espectáculo de animación más halagüeño; hermosos y dilatados bosques y jardines, regios palacios, magníficos salones, una población numerosa, templos, teatro, cuarteles y otras dependencias; nada faltaba para dar al Retiro la importancia de una ciudad: la inclinación particular del Monarca hacia el sitio que había creado, la destreza con que por medio de brillantes funciones sabía cautivar su ánimo el afortunado favorito, las costumbres caballerescas y poéticas de aquella corte, que encerraba en su recinto escritores como Lope de Vega, Calderón, Tirso y Quevedo, y pintores como Velázquez y Murillo; todas estas circunstancias reunidas se reflejaban en aquel recinto más que en ningún otro; y nuestros libros de la época están llenos de los certámenes y representaciones, las máscaras y otros festejos, con que los ingenios cortesanos alternaban honrosamente con el mismo Monarca, que no se desdeñaba en mezclar sus propias producciones a las de aquéllos.

Siguió la boga de este real sitio por todo el reinado de la Casa de Austria, hasta que la nueva dinastía que empezó en Felipe V quiso tener su Versalles al pie de la sierras de San Ildefonso, y dió, en la estación de primavera, la preferencia a los deliciosos jardines de Aranjuez. Sin embargo, parte de los que aún viven en Madrid han podido conocer el Retiro antes de la dominación francesa; han asistido en él a las etiqueteras cortes de los Carlos III y IV, y visto campear en sus salones las anchas casacas y empolvados pelucones,

que sustituyeron a las plumas, capas y fe-
rreruelos; aún pueden recordar las famosas óperas que Fernando VI importó de
Italia, ejecutadas en aquel teatro, cuya decoración muchas veces consistía en los mismos bosques en que estaba edificado; han
visitado la magnífica casa-fábrica de la
China, que llegó a competir con las primeras de su clase en el extranjero, y ésta fue,
sin duda, la causa de su ruina por los ingleses en 1812; pudieron, en fin, reconocer en su primitivo estado el Salón de los
Reinos, en que se juntaron las Cortes hasta las de 1789 inclusive; sus soberbias pinturas y la magnífica de Lucas Jordán, que
decoraba el Casón o sala de bailes.

Ruinas tan sólo y destrucción dejó el
ejército francés cuando abandonó este recinto por capitulación en el día 14 de
agosto de 1812. El pueblo de Madrid, que
durante cuatro años había temido como imponente ciudadela a aquel sitio
mismo que en otro tiempo formaba sus
delicias, corrió a reconocerle a la salida
de sus dominadores, y lloró de amargura al contemplar su actual estado. Sus
regias habitaciones o demolidas o tro-
cadas en baterías, cuarteles y establos;
sus jardines en terraplenes y campos de
maniobra, y los escasos árboles que aun
daban testimonio de sus antiguos bosques
estaban solamente regados con la sangre
de las víctimas madrileñas.

Honor era y deber del trono español
borrar cuanto antes aquel testimonio de
afrenta, restituyendo al paso a la capital
del reino su primer adorno y solaz. No
quedaron, pues, defraudadas las esperanzas de los habitantes de Madrid, y el Monarca difunto y su augusta hija, consagrando grandes sumas a la reparación de
este Real sitio, han conseguido ponerlo en
el estado en que hoy le vemos, que si no
excede en brillantez al que tuvo durante
la dinastía austríaca, le iguala por lo menos en variedad y lozanía.

Su figura es irregular en una extensión
como de 4.000 pies de largo, desde el Prado hasta la esquina de la montaña artificial, por unos 5.000 de ancho, desde dicha montaña hasta la tapia del olivar de
Atocha. Sus entradas principales son dos;
una por la subida de San Jerónimo, otra,
llamada de *la Glorieta*, inmediata a la

puerta de Alcalá. Entrando por la primera se pasa a la espaciosa plaza llamada de
la Pelota, que es lo único que ha quedado
de la antigua población. El costado derecho de esta plaza le forma el gran salón
llamado de los Reinos, de que ya hemos
hablado tratando del Museo de artillería,
que está establecido en él. Al frente de
dicha plaza y entrada a los jardines se
colocó en la sala que antes sirvió de juego
de pelota la parroquia del Real sitio y ya
hemos indicado tratando de la iglesia de
San Jerónimo, que va a trasladarse a ella
dicha parroquialidad. A la derecha del
Salón de los Reinos se ha conservado también aislado el magnífico *Casón* o sala de
bailes, que comunicaba con el Palacio y
de que ya hemos hablado tratando del
Gabinete topográfico. Frente de éste se
halla el espacioso y bellísimo jardín llamado *El parterre*, y en toda la extensión
del Real sitio por el frente y derecha de
sus entradas, se ostentan los inmensos paseos, bosques y jardines, que son uno de
los desahogos favoritos de la población
de Madrid. El estanque grande, que se
halla en medio del Real sitio, es un cuadrilongo de 960 pies de largo por 440
de ancho y de bastante profundidad para
poderse embarcar en él, como lo hacían
a veces las personas reales en las primorosas falúas que se conservan en el lindo
embarcadero chinesco que está frente al
estanque; alrededor de éste es el paseo
general, y apartándose a la derecha se extienden otros paseos que conducen al sitio
donde estaba la fábrica de porcelana de
la China, en cuyo lugar hay ahora otro
estanque; torciendo luego a la izquierda
se encuentra la *Casa de Fieras*, construida
en 1830, y es un cuadrilongo muy extenso con jaulas o aposentos fuertes para
fieras y animales salvajes, aves y pájaros
de singular rareza, cuya colección, aunque
disminuída notablemente por no haberse
repuesto las faltas en estos últimos años,
es un objeto de mucha curiosidad y de
estudio. Una graciosa torre o castillete
para el telégrafo, a la izquierda de la plaza de la China, y el bello observatorio astronómico a la derecha, terminan por aquella parte los dilatados y hermosos paseos;
incorporados a ellos la huerta, convento e
iglesia de San Jerónimo y restaurada y de-

corada ésta con dos torres góticas del más lindo aspecto completan aquel delicioso panorama que viene a terminar en la puerta (la antigua llamada *del Angel*) que ha sido trasladada al centro de una elegante verja semicircular dando salida frente a la Carrera de San Jerónimo.

A la parte izquierda y a espaldas del estanque grande se extienden los jardines reservados para recreo de Su Majestad, los cuales son sumamente extensos y graciosos, llenos de multitud de objetos interesantes, tales como fuentes, estanques, canal, un magnífico *salón oriental* que bajo apariencia rústica encierra todo el primor y magnificencia de aquel gusto, una *montaña artificial* que sustenta un templete o belveder, desde el cual se presenta la vista más completa y pintoresca de Madrid; la *casa del pobre*, la del *pescador*, la *faisanera*, el interior del *embarcadero* y otros varios departamentos curiosos y dignos de ser visitados, concluyendo estos graciosos jardines cerca de la puerta de la Glorieta. Para ver todo lo reservado de este Real sitio hay que sacar una esquela del señor administrador y es cosa que no debe dispensarse ningún forastero.

Casino de la Reina.—Al fin de la calle de Embajadores, se halla la casa y jardín de recreo conocido por el *Casino de la Reina*, a causa de haber sido comprado y regalado por la villa de Madrid a la reina doña Isabel de Braganza, por cuya orden fue adornado y enriquecido hasta el punto de llegar a ser digno del Monarca. El jardín es bastante extenso, en terreno desigual, lo que contribuye a hacer más variadas sus vistas, y en él hay frondosos paseos, cuadros de primorosas flores, un gracioso canal con su puentecito, una espaciosa estufa, varias estatuas en mármol y en bronce y muchos otros adornos. La entrada principal que da al campo es muy graciosa y elegante, con cuatro columnas agrupadas de dos en dos y en medio una verja de hierro. La casa es un cuadrado pequeño con una sencilla portada: sus habitaciones son todas reducidas, pero adornadas con mucho gusto en muebles y colgaduras; la sala principal es bastante capaz y su techo está pintado por don Vi-

cente López. Esta casa y jardín se enseña con esquela del administrador.

Jardines de Palacio.—En el extenso recinto comprendido entre la fachada occidental del Real Palacio y el paseo de la Virgen del Puerto, sitio conocido vulgarmente por el *Campo del Moro*, y también por el *Campo del Rey*, se veía hasta los últimos años de la dinastía austríaca el romántico *Parque de Palacio* más célebre que por su frondosidad y primor (que eran muy escasas, a juzgar por el retraso exacto que vemos en el gran plano de 1656) por ser uno de los sitios favoritos de recreación de la corte y como tal, inmortalizado en las comedias famosas de capa y espada de Lope y Calderón. Descuidado posteriormente hasta el punto de convertirse en una hondonada agreste y sucia, únicamente interrumpida en su parte alta por dos filas de árboles pomposamente decoradas con el nombre de *Paseo de Las Lilas*, ha permanecido durante un siglo entero, acusando la indiferencia de los monarcas que toleraban tan repugnante vecindad y aspecto. Nuestra augusta soberana doña Isabel II, que desde los balcones de su regia morada hubo de lamentar sin duda aquel espectáculo impropio de su grandeza, acometió hace pocos años, al mismo tiempo que la terminación de las obras del Real Palacio, la restauración, o por mejor decir, la creación del nuevo parque, y por resultado de aquella determinación soberana, y de enormes sacrificios del Real Patrimonio, vemos hoy convertido en delicioso pensil aquel inculto y escabroso terreno.

Forma, pues, un inmenso trapecio comprendido, como queda dicho, entre el Palacio y la Casa de Campo, o más bien el paseo alto de la Virgen del Puerto (por bajo de la cual hay una ancha bóveda construída en tiempo de José I, para pasar a aquella real posesión) la bajada de San Vicente al N. y las nuevas y preciosas bajadas y jardines de la Cuesta de la Vega al Sur. Todo este recinto ha de quedar cercado en su parte alta con una verja de hierro, y en general se halla ya circundado por paseos espaciosos y amenos. En el centro de los que corresponden a la fachada del Real Palacio, se forma una elegante plaza en que se halla colocada la bellísima fuente llamada de *los Tritones*, de mármol blanco, y rica en adorno y ejecución artística, que en tiempo de Felipe IV estuvo colocada en el jardín de la Isla del Real sitio de Aranjuez; los jardines propiamente tales del parque se hallan en la parte baja, compartidos en diversos y variados cuadros de flores y calles de árboles y en el centro campea otra magnífica fuente moderna ejecutada en mármol blanco por don Francisco Gutiérrez y don Manuel Alvarez, bajo el diseño del célebre don Ventura Rodríguez, que adornó en tiempo del infante don Luis el palacio de Boadilla. En el lado que mira al Sur se han concluido las elegantes estufas y se continuan, en fin, los demás accesorios de adorno y los desmontes y terraplenes necesarios en aquel escabroso terreno para hacer más grato el descenso a los jardines.

Real Casa de Campo.—Más al oeste de estos nuevos jardines, fuera ya de la villa y a la margen derecha del río Manzanares, existe la inmensa posesión que en el siglo XVI perteneció al célebre consejero del Emperador, Francisco de Vargas, a cuyos herederos la compró Felipe II en 1562 para convertirla en sitio real. Comprende 4.097 fanegas de tierra en un polígono irregular de 52 lados, de una legua de latitud, tres cuartas de longitud, y unas dos y media de circunferencia. Está cercada toda ella de una gruesa pared de ladrillo y mampostería, y dividida en cinco cuarteles, con los nombres de *la Torrecilla*, de *Cobatillas*, del *Portillo* y *Casa Quemada*; de *los Pinos* y de *Rodajos*, que comprenden tierras labrantías de diversas clases, frondosos bosques, huertas, jardín, caminos, arroyos, lagos, estanques, fuentes, un hermoso vivero y diversos edificios, entre los que se distinguen el Real Palacio a la entrada de la posesión por la puerta del río; la casa de oficios contigua, la llamada *sala de burlas* y otras para dependientes; la *Faisanera vieja*; la iglesia de la Torrecilla, la casa de labor y otras contiguas; la magnífica casa de vacas y laboratorio de quesos, y el *emil* para la conservación de hierbas secas; la iglesia y caserío de Rodajos, el batán y otros muchos edificios desparramados en aquella inmensa extensión. Las puertas principales de ella son seis: la del Río, frente a Palacio; la de Castilla, la de Medianil, la de Aravaca, la de Badajoz y la del Angel, y otros varios portillos subalternos.

La posesión abunda en caza de conejos, liebres, perdices, pesca deliciosa en sus lagos y estanques, granos y hortaliza de todas clases y tiene además de su hermosa casa de vacas y quesera, varios pozos de nieve y otros establecimientos de utilidad.

La Moncloa y Montaña del Príncipe Pío.—Estos dos sitios están divididos únicamente por el camino abierto en tiempo de Carlos III, llamado Cuesta de Areneros y conocido también el primero por el real sitio de la Florida, lindante por el N., con terreno y tapias del bosque del Pardo; por el E., con el camino de San Bernardino, y por el O., con el camino real de Castilla, en una extensión de tres cuartos de legua de longitud por una de latitud, distribuidas en tierras labrantías, bosquetes y huertas y bellos jardines, y con diversas casas, entre las que sobresale el palacio de la Florida, la casa de oficios sin concluir, el palacio viejo de la Moncloa, la casa de labor y la fábrica de loza propia de Su Majestad, de que ya hicimos mención; el palomar, la tortolera, la casa rústica, las estufas, el campo santo, todo lo cual merece visitarse y puede hacerse con permiso del señor administrador.

Montaña del Príncipe Pío.—La parte de esta real posesión que queda entre la cuesta de Areneros, hasta la bajada de San Vicente y paseo de la Florida, y conocida con el nombre de Montaña del Príncipe Pío, está cercada de una gruesa tapia que viene a formar parte de la general de Madrid, en cuyo recinto queda incluída dicha posesión; comprende 132 fanegas y media de tierra, de las cuales 17 son de regadío, y éstas están cultivadas de huertas. La parte montañosa, que es la más considerable, ha sido transformada en estos últimos años en amenos paseos, que constituyen hoy, por su bella situación, su extensión y deliciosas vistas, uno de los principales y más halagüeños sitios de recreo que cuenta Madrid, lo cual tiene que agradecer el vecindario de nuestra villa a su augusto poseedor, el serenísimo señor infante don Francisco, que a costa de enormes sacrificios y con un desprendimiento digno de su grandeza, ha sabido convertir en otro Buen Retiro aquel extremo septentrional de la villa.

Otros jardines.—De los que se han formado modernamente a la banda oriental del Real Palacio ya hemos hablado tratando de la plaza de Oriente. También del Botánico, como establecimiento científico, sin que por eso deje de ser uno de los sitios más bellos de recreación y paseo, así como el precioso Vivero, plantel propio de la villa, frente a la Moncloa, en el soto de Migas Calientes y el otro llamado del Pañuelo cerca del puente de Santa Isabel. Los privados *de las Delicias*, en el paseo de Recoletos, y *de Apolo*, en la puerta de Bilbao, que hace pocos años fueron públicos, hay están destinados al recreo de sus dueños: lo mismo puede decirse de otros varios y frondosos jardines de las casas de Osuna, Medinaceli, Alcañices, Villahermosa, Riera, etc., y los de la inspección de infantería, platería de Martínez, Tívoli y demás. El aumento del caserío y el valor consiguiente del terreno intramuros hace cada día desaparecer estos desahogos tan útiles y provechosos en el interior de la población; manzanas enteras de casas se han formado en el jardín de Apolo, en el de los condes de Oñate en Recoletos y el de la duquesa de Abrantes, calles de la Greda y Turco; en las huertas del Carmen, de la Victoria, de los Angeles, de Santo Domingo, de Recoletos, de la Magdalena, de Pinto, de la Encarnación, de Santa Bárbara y demás, y no tardará el día en que en punto a jardines interiores tendrán las bellas madrileñas que contentarse con los dudosos aromas de las macetas de su balcón.

PASEOS

El Prado.—A la cabeza de todos los paseos de Madrid se coloca naturalmente el del Prado, célebre en los tiempos antiguos por las intrigas amorosas, los lances caballerescos y las tramas políticas a que daba lugar su inmediación a la corte, casi permanente en el Retiro y lo desigual, inculto e inmenso de su término. Pero todo mudó de aspecto bajo el reinado del gran Carlos III, quien, por la influencia del ilustrado conde de Aranda, supo arrostrar graves dificultades y transformar este sitio áspero y desagradable en uno de los primeros paseos de Europa. Hubo para ello que allanar el terreno, plantar una inmensa multitud de árboles, proveer a su riego y adornarle con primorosas fuentes, llegando a conseguirlo todo a despecho de los espíritus mal intencionados o incrédulos, que intentaron desacreditar tan bella idea. Entre las muchas trazas que se dieron para este paseo, fueron preferidas las del capitán de ingenieros don José Hermosilla, en las que sacó todo el partido posible de la irregularidad del terreno y de los límites que se le señalaron. El paseo comienza en el convento de Atocha, y pasando delante de la puerta de este nombre, vuelve a la derecha corriendo hasta la calle de Alcalá, que atraviesa y se extiende después hasta la puerta de Recoletos; su extensión es de unos 9.650 pies. Un gran paseo muy ancho, y otros a cada lado plantados de árboles altos y frondosos corren toda la extensión, el primero destinado a los coches y los otros a la gente de a pie. En el medio del paseo y en la extensión desde la carrera de San Jerónimo a la calle de Alcalá, se ensancha el sitio, formando un hermoso salón, que tiene 1.450 pies de largo por 200 de ancho. Todo el paseo, además de las vistas de sus lados, formadas por notables edificios, jardines y calles principales, que desembocan en él, está adornado con bancos de piedra y ocho bellas fuentes.

La primera, llamada *de la Alcachofa*, frente a la puerta de Atocha, es obra de don Alonso Vergaz. Su pensamiento consiste en un tritón y una nereida, agarrados de la columna sobre que está la taza y la alcachofa sostenida por unos niños, y todo ello es de buen gusto y bien trabajado. En la plazoleta llamada *de las Cuatro fuentes*, que se forma a la salida de la calle de las Huertas, hay otras tantas iguales compuestas de niños en diferentes actitudes que tienen estrechados unos delfines.

haciéndoles arrojar el agua por la boca en forma de surtidor, cuyo pensamiento, bastante impropio, está perfectamente ejecutado y hace muy buen efecto. A la entrada del gran salón, delante de la Carrera de San Jerónimo, está la fuente de *Neptuno*, con un gran pilón circular, en cuyos centros se mira la estatua de aquel dios en pie, sobre su carro de concha tirado de dos caballos marinos, con focas o delfines jugueteando delante, todo muy bien ejecutado, aunque por no haber dado más altura al pilón o rebajado más la base de toda la máquina, ha resultado que el carro, los caballos y delfines ruedan y nadan, no en el agua como debieran, sino sobre peñas. Esta obra es de don Juan Pascual de Mena. Hacia el medio del salón está la grandiosa fuente de *Apolo*, sabiamente ideada y combinado el derrame de las aguas, de suerte de hacer armonía y consonancia, por irse derramando de una en otra taza; la fuente tiene dos caras en que se repite exactamente y encima de ella se ven sentadas a los cuatro vientos otras tantas estatuas representando las Estaciones, ejecutadas perfectamente por don Manuel Alvarez. Corona toda la fuente una estatua de Apolo, obra de don Alfonso Vergaz. He aquí la inscripción que debió ponerse en esta fuente, cuyo original existe en el Ayuntamiento, y para la cual se hicieron las letras de bronce. *D .O. M. Regnante Carolo III Hispaniarum Indiarumque Rege Catholico Ex Senatus consulto Aquas duci fontibusque Immitit ad salubritatem Cursus publici Arboresque irrigandas... S. P. Q. Madridensis.. Pecunia conlata Curavit D. D. 1780... Bonaventura Rodríguez Architectus Urbis opus moderabatur.* Finalmente, a la entrada del salón, por la calle de Alcalá, se halla la magnífica fuente de *Cibeles*. Esta está sentada en un elevado carro tirado de dos leones, perfectamente ejecutado y con saltos de agua muy graciosos que vienen a caer en un extenso pilón circular con un soberbio golpe de vista. La diosa es de lo último que ejecutó don Francisco Gutiérrez, y los leones son de don Roberto Michel. Todas estas fuentes, aunque ejecutadas por los ya dichos profesores, fueron trazadas y diseñadas por don Ventura Rodríguez, quien presentó al mismo tiempo

un diseño muy estudiado de un peristilo o pórtico para construir delante de las caballerizas del Retiro, que dan frente a la fuente de Apolo; lo cual hubiera ocultado el mal aspecto de aquel terreno, proporcionando la ventaja de poderse guarecer tres mil personas en ocasión de lluvia repentina, y pudiendo además contener cafés y botillerías, con un gran terrado encima; cuyo feliz pensamiento hubiera acabado de hacer de este paseo uno de los primeros de Europa.

La concurrencia al Prado es general y casi permanente y en sus diversos trozos se reunen gentes de todas especies y gustos. Los verdaderos paseantes por comodidad, que gustan de andar despacio y sin tropel, pararse a hablar con sus amigos, tomar un polvo y recordar sus juventudes, prefieren el paseo de la iglesia a la puerta de Atocha. Los provincianos y extranjeros gustan del lado del Botánico, donde la vista y fragancia de este jardín de un lado y del otro el continuo paso de coches y caballos los entretiene agradablemente. Hay quien se dirige con preferencia al paseo de San Fermín, desde la Carrera de San Jerónimo a la calle de Alcala, y muchos que hallan su recreo en el trozo llamado paseo de Recoletos; pero la juventud elegante, y a cierta hora toda la concurrencia en general, viene a refluir al hermoso Salón, situado en el centro del paseo. Allí es donde reinan las intrigas amorosas, donde la confusión, el continuo roce, las no interrumpidas cortesías, la variedad de trajes y figuras, el ruido de los coches y caballos, el polvo, los muchachos que venden agua y flores, y una vida, en fin, desconocida en los demás paseos de la corte, producen una confusión extraordinaria, que al principio molesta a los forasteros, y concluyen por aficionarse a ella. Es singular en especial el espectáculo de este paseo en uno de los hermosos días de invierno, en que luce todo su brillo el despejado cielo de Madrid. Vese en él de dos a cinco del día la concurrencia más brillante, las gracias más seductoras, los adornos de más lujo, una multitud de coches y caballos, y, en fin, todo lo que puede ofrecer de elegante una capital. Igualmente es notable en las noches de verano, en que sentadas las gentes en el lado del Salón conocido por *París*, forman tertulias alegres, respirando un ambiente agradable, después de días extremadamente calurosos. Finalmente, el Prado, en todas ocasiones, es el desahogo principal de Madrid.

Paseo de las Delicias.—Este paseo se extiende desde la salida de la puerta de Atocha, bajando en dirección al Canal, en dos divisiones de a tres calles cada una, destinándose las de en medio a los coches, y apartándose progresivamente los paseos hasta concluir cada uno a la entrada de uno de los puentes del Canal. Este paseo, aunque sin más ornato que los árboles, es muy concurrido por aquellas personas que van a pasear por conveniencia y recreo corporal, animando a continuar en él su declive suave, las grandes plazas que de trecho en trecho le interumpen, y más que todo el deseo de encontrarse a su conclusión en las frescas orillas del Canal.

La Florida.—Este hermoso paseo plantado a la orilla del Manzanares, y que corre desde la puerta de San Vicente hasta la ermita de San Antonio, y aun se prolonga hasta la puerta de Hierro del Real Sitio del Pardo, fue muy concurrido en los reinados de Carlos III su fundador y de Carlos IV; pero ha dejado de serlo a causa de la distancia de la parte más poblada de la villa, quedando sólo frecuentado en el día de lavanderas y bañistas que se dirigen al río.

Paseo de la Virgen del Puerto.—Otro paseo hay a la orilla del río por la parte baja, que comenzando en el puente de Segovia, va hasta frente de la puerta de San Vicente. Este agradable paseo es notable por su frondosidad y ser el punto de reunión de los asturianos y gallegos que concurren a él, particularmente en los días festivos, a celebrar su danzas y meriendas.

Delicias de Isabel II.—Este hermosísimo paseo, continuación exterior del magnífico del Prado, conduce desde la puerta de Recoletos a la Fuente Castellana en una extensión de 4.250 pies, y fue emprendido en tiempo del corregidor Barrafón en los últimos años del reinado de Fernando VII.

Continuado después de su muerte, su terminación ha sido el objeto preferente de los sucesivos ayuntamientos y corregidores desde el marqués de Pontejos, en cuyo tiempo se inauguró con el título de Delicias de Isabel II, hasta los últimos años, habiéndose distinguido en la dirección de las muchas y costosas obras que ha habido que hacer para ello, los concejales comisarios, con especialidad el coronel don Lino Campos, que colocó en la primera plaza la preciosa fuente llamada del *Cisne* que estaba en el claustro del convento demolido de San Felipe el Real, el conde de Vistahermosa y el marqués de Santa Cruz, en cuyo tiempo se habilitó y abrió el paseo central de carruajes, y los arquitectos de la villa don Francisco Javier Mariátegui (que trazó el paseo y construyó el obelisco) y sus sucesores en el departamento alto; así como el director que fue de arbolados don Francisco Sangüesa, y el actual don Lucas de Tornos, que ha conseguido realizar el pensamiento de este hermoso paseo, transformando en amenos y frondosos pensiles todos aquellos contornos en otro tiempo los más áridos y desapacibles de la capital. Especialmente el trozo que hay desde la plaza del Obelisco en una extensión de 220 pies y los bellos jardines y laberinto que se despliegan por ambos lados son sin disputa lo más ameno y halagüeño de los paseos de Madrid.

Obelisco.—El Obelisco fue erigido en memoria del nacimiento de nuestra actual Reina, doña Isabel II. Hállase colocado en el centro de una gran plaza circular, y principia desde el pavimento con un pilón de piedra berroqueña de 70 pies de diámetro exterior. En el centro y desde el fondo de dicho pilón se eleva un zócalo de la misma piedra en planta rectangular, con cuatro cuerpos salientes que presentan otras tantas caras, de las cuales la principal es la que mira a Madrid. Sobre este zócalo, que supera dos pies sobre el nivel del pilón, insiste toda la obra, que consiste en un gran pedestal de 13 pies y medio de alto, y sigue en su planta el mismo contorno del zócalo, constituyendo la cara principal en su neto una hermosa lápida de piedra de Colmenar para una inscripción, y el resto del dicho neto es un cuerpo almohadillado que corona como el prime-ro un impostón. Terminado el pedestal carga sobre él un pequeño zócalo que re-cibe la escultura, con la cual están deco-radas las dos caras principales del Obelis-co, consistiendo la que mira a la puerta de Recoletos en un escudo de armas reales acompañado de dos genios con guirnaldas de flores y trofeos militares, y en la cara opuesta el escudo de armas de Madrid apoyado en dos genios.

El segundo cuerpo de la composición principia por un cubo de siete pies y medio de lado, que sirve de base a la aguja con que concluye el Obelisco, elevándola para que campee y no la oculte la escultura. Esta aguja que es de granito rojo, colo-cada sobre una basa toscana, es una pirá-mide cónica truncada que tiene sin contar dicha base 29 pies de altura, 5 de diámetro inferior y 3 en el superior, incluyendo en dicha altura la de un cuerpo cuadrado que interrumpe la monotonía de las líneas con-vergentes de la pirámide y estrías de que está adornada, y en cuyas caras hay bajos relieves de bronce dorado que representan en la principal el Sol, a la opuesta la Luna y en los costados, coronas cívicas. Por último, termina este monumento con una hermosa estrella polar de bronce dorado de dos pies y medio de diámetro, sobre un estilete del mismo metal, de cuatro pies de altura.

El agua de la fuente es arrojada por la boca de dos esfinges de bronce colocadas a la inmediación del borde del pilón sobre zócalos de seis pies de largo por cuatro de ancho y dos y medio sobre el referido pi-lón, estando colocadas de manera, que mi-rada toda la obra por su frente se ven de perfil.

Los artistas encargados de esta obra fue-ron en la parte arquitectónica, don Fran-cisco Javier de Mariátegui, y por lo relativo a escultura, don José Tomás.

Otros paseos.—Hay además de los di-chos, otros nuevos paseos que embellecen algún tanto los alrededores de Madrid, y casi todos ellos han sido abiertos y plan-tados de veinte años a esta parte. Los más importantes son los tres hermosos ramales que parten de la puerta de Toledo y con-ducen al puente del mismo nombre, ter-

minando en una hermosa plaza circular adornada con estatuas y obeliscos, lo cual da un bello ingreso a la capital por aquella parte; siguen luego a ambos lados otros ramales que conducen a las puertas de Ato-cha y de Segovia, y se enlazan con el que circunda las tapias y es conocido por *la Ronda.* Desde el puente de Segovia y pa-sado el ya dicho de la Virgen del Puerto se sale al paseo de la Florida que arranca en la puerta de San Vicente; y desde la esquina de la ermita costea la montaña del Príncipe Pío la cuesta llamada *de Are-neros* hasta el portillo de San Bernardino; siguen otros paseos alto y bajo hasta la puerta de Fuencarral y luego la ronda de árboles hasta las de Bilbao y Santa Bár-bara, y desde éstas parten nuevos paseos al arrabal de *Chamberí* y al Obelisco de la Fuente Castellana, así como también desde la puerta de Alcalá a la venta del Espíritu Santo.

PUERTAS

Tiene Madrid cinco puertas reales o de registro, a saber: las de Alcalá, Atocha, Toledo, Segovia y Bilbao (los Pozos); y nueve puertas de segundo orden o porti-llos, a saber: Recoletos, Santa Bárbara, Santo Domingo (Fuencarral), Conde Du-que, San Bernardino, San Vicente, Gil Imón, Embajadores y Valencia. En las cinco primeras hay registro de rentas, y permanecen abiertas hasta las diez de la noche en invierno y las once en verano, pudiendo abrirse en lo restante de ella; los portillos se cierran más temprano y no se vuelven a abrir hasta por la mañana.

Puerta de Alcalá.—Está situada al fin de la calle de este nombre, mirando a oriente, y da entrada al camino real de Aragón y Cataluña. Es un magnífico arco de triunfo construído en el reinado de Car-los III para perpetuar la memoria de su venida a la corte de España; fue inventa-do y dirigido por don Francisco Sabatini, y consiste en cinco entradas, tres iguales en forma de arco en el medio, y una rec-tangular a cada extremo. Está adornada por fuera de columnas jónicas, dos a cada lado del arco del medio, una a cada uno de los otros dos, y otra en cada extremo de la puerta. Los capiteles son los que inventó Miguel Ángel para la fábrica del capitolio en Roma, de donde se trajeron los modelos. Un ático se eleva sobre su cornisa, rematando en frontispicio con las armas reales sobre trofeos y sostenidas por la Fama. La decoración por la parte de Madrid es la misma, con la diferencia de que en lugar de columnas hay pilastras, a excepción de dos para el arco de en medio; los ornamentos son también más escasos; las cornucopias cruzadas sobre las puertas y las cabezas de leones de las claves son obra de don Roberto Michel. Tiene toda la puerta sin contar las armas reales 70 pies de altura; y cada arco 17 pies de ancho y 34 de alto. Toda ella está fabricada de excelente piedra berroqueña, y los adornos y escultura de la de Colmenar. Las rejas son de hierro, y por uno y otro lado tiene esta inscripción: *Rege Carolo III. Anno MDCCLXXVIII.* Esta puerta por su magnificencia y el sitio privilegiado que ocupa es la primera de Madrid.

Puerta de Toledo.—Está al fin de la calle de su nombre mirando al mediodía, y da entrada al camino real de Andalucía. Esta puerta se ideó y comenzó a construir en 1813 más abajo de donde estaba la antigua, bajo los planes del arquitecto mayor don Antonio López Aguado, y se concluyó en 1827. Consta de un arco de 36 pies de alto y 16 de ancho, adornado con dos columnas estriadas de orden jónico. A los dos lados hay dos puertas cuadradas de 10 pies de ancho y 21 de alto con pilastras estriadas del mismo orden; siendo la altura total de la puerta, sin incluir los grupos y su pedestal, de 65 pies, y su línea 54. Los grupos se elevan 20 pies más. En la fachada que mira al campo se representa a la España (colocada en el centro y sobre dos hemisferios) recibiendo un genio de las provincias (personificadas por una matrona colocada a la derecha de España), para pasarle a las artes que están a la izquierda, por otra matrona con los atributos de ellas. En la fachada que mira al interior de la población está el escudo de armas de la villa sostenido por dos genios, y a los extremos de la puerta varios trofeos militares. Esta obra de escultura fue mo-

delada por don José Ginés, y ejecutada en piedra por don Ramón Barba y don Valeriano Salvatierra, siguiendo dicho modelo, excepto la España que está variada. Sobre la entrada principal se lee una inscripción latina que, traducida al castellano en la fachada que mira a la población; dice así: *A Fernando VII el Deseado, Padre de la Patria, restituido á sus pueblos, exterminada la usurpacion francesa, el Ayuntamiento de Madrid consagró este monumento de fidelidad, de triunfo, de alegría. Año de 1827.*

Puerta de Bilbao (*o de los Pozos*).— Está situada en el extremo de la calle de Fuencarral, junto a los pozos de la nieve, de donde tomó el nombre, hasta que, trasladado a ella el registro de la puerta de Fuencarral, se mudó por el de San Fernando, y en 1837 se la dio el nombre de Bilbao; mira al norte, y da entrada a la carretera real de Francia. Fue fabricada en 1767, y consiste en un arco de medio punto en el centro, y dos menores adintelados laterales, terminando con un frontispicio triangular por bajo del cual se lee esta inscripción en la parte que mira a Madrid: *A los heroicos defensores y libertadores de la invicta villa de Bilbao, los habitantes del pueblo de Madrid.*

Las puertas de Atocha y de Segovia han sido demolidas hace tres años, y todavía no se ha procedido a su reconstrucción, para lo cual hay proyectos de magníficas *barreras*.

Puerta de Recoletos.—Está al concluir el paseo del Prado, y mira al norte. Fue construída en el reinado de Fernando VI en 1756. Consiste en un grande arco muy adornado de ambos lados, y cuatro columnas dóricas puestas de dos en dos, rematando en un frontispicio triangular con las armas reales adornadas de trofeos, y a los lados unas figuras medio recostadas. Tiene además del arco dos puertas cuadradas más bajas con balaustres encima, y sobre ellas cuatro inscripciones latinas a cual más ridícula. Toda la arquitectura de la puerta es bastante pesada.

Puerta de Santa Bárbara.—Está al fin

de la calle de Hortaleza, mirando al mismo lado del norte, y dando salida al paseo de Chamberí. Es de un solo arco y de mezquina arquitectura.

Puerta de Santo Domingo o de Fuencarral.—Al norte también y final de la calle Ancha de San Bernardo, dando entrada al camino de Fuencarral. Es poca cosa en forma y en materia, y no merece detenerse en su descripción.

Puerta de San Bernardino.—Contiguo al Seminario de Nobles y a muy poca distancia de la anterior se halla ésta mirando al mismo lado. Es de un solo arco.

Para estas tres puertas cuya demolición está acordada, hay presentados al ayuntamiento proyectos de otras tantas *barreras o entradas sencillas y elegantes.*

Puerta del Conde Duque.—Situada junto al cuartel de Guardias de Corps en la misma dirección que las anteriores. Tomó el nombre del Conde Duque de Olivares, privado de Felipe IV, que vivía allí cerca. Se ha reformado hace algunos años, y consiste en un solo arco de ladrillo y de buena apariencia.

Puerta de San Vicente.—Está a la bajada de las Reales Caballerizas, mirando al poniente, y fue construída en 1775 cuando se reformó toda aquella parte. Consiste en un hermoso arco adornado por la parte de afuera con dos columnas dóricas y dos pilastras del mismo orden a lo interior, cornisamentos y frontispicio triangular, que remata en un trofeo militar. A los lados hay dos puertas cuadradas, más bajas, coronadas también de trofeos. Sobre el arco principal, hay esta inscripción: *Carolus III, aperta via, porta structa, commoditati ac ornamento publico consultum vovit anno MDCCLXXV.* Toda la puerta es de una excelente arquitectura, y con la mejor distribución en los adornos. Fue dirigida por el señor Sabatini. Da salida al paseo de la Florida y caminos reales del Pardo, Escorial y la Granja.

Portillo de Gil Imón.—Inmediato al convento de San Francisco, mirando casi al mediodía está este portillo, que tomó su nombre del célebre licenciado Baltasar Gil Imón de la Mota, fiscal de los Consejos y gobernador del de Hacienda en 1622, que tenía allí sus casas. Es de una puerta sola y se ha reconstruído últimamente con sencillez.

Portillo de Embajadores.—Al fin de la calle del mismo nombre, mirando al mediodía, está este portillo, que es un hermoso arco de piedra y de buena forma hecho en 1782.

Portillo de Valencia.—En la misma dirección y al fin de la calle ancha de Lavapiés. Es de un solo arco labrado en 1778.

Los portillos de la Vega y de las Vistillas desaparecieron hace cuatro años con la ampliación de Madrid por la Cuesta de la Vega.

PUENTES

Puente de Segovia.—Fue fabricado en el reinado de Felipe II, bajo los planes del famoso Juan de Herrera. Está sobre el río Manzanares, a la salida de la puerta de Segovia. Es de sillería, y hecho con gran suntuosidad, aunque en el día no podemos ya conocer toda su belleza por haber perdido su proporción y hermosura a causa de las arenas del río, que aglomerándose junto a él, le han cubierto hasta más arriba de la imposta. Esto ha justificado el pensamiento de hacer tan gran puente para tan pequeño río, pues a ser menor ya tal vez se hubiera inutilizado. Consta de nueve arcos, con las manguardias correspondientes, y un dique alto para igualar el piso en la distancia que hay desde la puerta al puente. Tiene de largo 695 pies y 31 de ancho.

Puente de Toledo. — Aunque antiguamente existía en este mismo sitio otro puente de cuya forma arquitectónica no tenemos noticia, el cual debió ser reconstruído por los años de 1682 según un largo informe de la villa de Madrid, que se inserta en la Noticia sobre la arquitectura española, de los señores Llaguno y Cean, debió desaparecer del todo para dar lugar al nuevo, que es el que hoy existe, construído a lo que parece por los años de 1735, siendo corregidor el marqués de Vadillo, época célebre en esta villa por las muchas obras que en ella se realizaron, si bien con la desgracia de haber sido dirigidas por el mal gusto de los arquitectos Ribera, Churriguera y sus imitadores.

Sin embargo, la importancia y solidez de esta obra no merece pasarla en silencio. Compónese este puente de nueve ojos, y sus pilares y arcos tienen grandeza y regularidad, y están exentos de los extravíos del ingenio que le condujo; no así los remates de los pasamanos o antepechos, las torrecillas que hay a la entrada y a la salida, los pabellones de en medio, en que están colocadas las efigies de San Isidro y Santa María de la Cabeza, en todo lo cual campea a su sabor aquella pueril decoración gótico-plateresca, que ha quedado sancionada con el nombre de su apóstol Churriguera. No obstante, el gusto varía a cada momento en las bellas artes, y camino las vemos llevar en el día, de alabar con entusiasmo muy en breve, lo que hace medio siglo mereció la indignación de los críticos. Por eso somos de parecer de que deben respetarse los monumentos artísticos, que sirven como el presente a la exposición de la historia del arte en sus diferentes períodos. Hablamos de aquellos en que en medio del extravío de la imaginación se descubre alguna centella de genio, alguna originalidad en el artista, a las cuales sin duda daríamos la preferencia sobre la multitud de remedos prosaicos de que en el día nos vemos inundados, por la turba de raquíticos copistas.

Otros cuatro puentes hay sobre el Manzanares, uno a distancia de una legua, llamado de *San Fernando*, otro de piedra construído en el último reinado frente a la puerta de San Vicente para dar paso a la Casa de Campo, otro de madera ruinoso a la pradera y ermita de San Isidro, y otro, también de madera, junto a San Antonio de la Florida, llamado *puente Verde*.

Río Manzanares.—Este río, aunque célebre por bañar la capital de España, no lo sería por el caudal de sus aguas, que es tan escaso que ha dado lugar a las burlas de los poetas y gentes de buen humor. Nace en el término del lugar de Manzanares el Real (de donde toma el nombre), siete leguas de Madrid, y corriendo de N. O. a S. E., atraviesa El Pardo, deja a la derecha la Casa de Campo y a la izquierda la población de Madrid, y va a reunirse al Jarama junto al pueblo llamado *Vaciamadrid*, tres leguas de la capital, y a las diez, poco más o menos, de su nacimiento. Parece que en lo antiguo iba más caudaloso, pues tenemos la relación del viaje de Antonelli en tiempo de Felipe II, que desde el Tajo y el Jarama continuó por el Manzanares hasta El Pardo; pero nunca pudo ser gran cosa, pues además de los proyectos que desde luego hubo de reunirle al Jarama, todos los escritos de aquella época acreditan ya su pobreza. Pero lo que sí es cierto, que con el derrame de las arenas viene el agua más oculta. Este río, como todos los que proceden de las nieves de la sierra, queda en verano casi en seco, lo cual recuerda una graciosa comparación de Tirso de Molina, que dice hablando con el río:

> «Como Alcalá y Salamanca
> tenéis, y no sois colegio,
> vacaciones en verano,
> y curso sólo en invierno.»

A pesar de su escasez, este río es de grande utilidad a Madrid para fertilizar gran parte de su término, para el lavado de ropas, para los baños generales en verano y para surtir el canal, de que hablaremos después. Sus aguas son delgadas y buenas, pero no se beben por estar destinadas al lavado.

Canal de Manzanares.—Este canal fue proyectado, aunque en distintos términos que hoy existe, por los coroneles don Carlos y don Fernando Grunemberg en 1668. Pensaron éstos principiarle en El Pardo, dirigiéndole hacia Vaciamadrid, y desde aquí, con auxilio del Jarama, hacerle llegar hasta Toledo, atravesando el Tajo cerca del pueblo de Aceca; pero este proyecto, presentado a la reina gobernadora doña Mariana de Austria, no fue admitido. Un siglo después, en 1770, y en el reinado de Carlos III, se obligó don Pedro Martinengo y compañía a hacer un canal navegable desde el puente de Toledo hasta Jarama, y conducir la navegación por las riberas del mismo, Henares o Tajo, a donde conviniere. De estas resultas se construyó por entonces el canal que existe por espacio de dos leguas, en las cuales se hicieron siete exclusas, cuatro molinos y varios barcos de transporte, plantándose sus orillas con una infinidad de árboles, como almendros, moreras, álamos blancos y otros, que se regaron con el agua del mismo canal. Pero este proyecto no llegó a concluirse por entonces, ni en el siguiente reinado. Fernando VII, desde su regreso en 1814, miró con preferencia este canal, y a ella se debe el aumento de un trozo considerable para llegar a Vaciamadrid, así como la recomposición de la cabeza o principio junto al puente de Toledo, exclusas, puentes, molinos y la graciosa plazuela del embarcadero con una elegante puerta de entrada, así como también las oficinas necesarias para los dependientes, construcción de barcos y, por último, una bonita capilla parroquia. Por lo demás, este canal es de escasísima o más bien nula utilidad.

Canal de Isabel II o del Lozoya. — Al fin, después de tres siglos de proyectos e inútiles ensayos para abastecer de aguas abundantes a la población y término de Madrid, cabe al actual reinado la inmarcesible gloria de haber adoptado, emprendido y, sin duda, podrá decirse en muy breves meses, terminado el más posible, racional y espléndido que la necesidad y la ciencia determinaron. El Real decreto de 18 de junio de 1851, suscrito por el señor don Juan Bravo Murillo, presidente a la sazón del Consejo de ministros, formará, puede decirse, época en la población de Madrid, y muy señalada en la historia del reinado de Isabel II: por él se determinó la construcción del Canal que lleva su augusto nombre, y que ha de abastecer a Madrid de la asombrosa cantidad de 60.000 reales fontaneros de agua (1). La toma de este inmenso raudal

(más que centuplicado el que actualmente cuenta Madrid) se hace del río Lozoya, por bajo del pontón llamado *de la Oliva*, a media legua de Torrelaguna y unas doce y media de Madrid, y por medio de una colosal y maciza presa de la enorme solidez de 130 pies de grueso en su parte inferior, y 133 de altura. Esta cuenta ya hasta 47 y puede considerarse casi concluída en el terreno del arte por ser ya lo que queda la parte más fácil. De esta enorme presa parte el *canal acueducto* que atravesando los 70,04 kilómetros, o sean $12 \frac{1}{2}$ leguas españolas que la separa de la corte, viene al depósito principal de distribución, situado en el Campo de Guardias, fuera de la puerta de Santa Bárbara, con un desnivel (justificado científicamente) de 110 pies, lo que da por término medio en toda la línea una pendiente de $\frac{1}{2285}$. Este magnífico acueducto está abierto según lo ha requerido el terreno, unas veces en *zanja*, otras en *mina o túnel*, éstas en *terraplén sobre muros*, aquéllas sobre *puentes*, y algunas en *sifón o tubería de hierro*. La parte de construcción en zanja y con bóveda, que forma casi los dos tercios de todo el canal, es una fábrica verdaderamente asombrosa y única en España, y comparable a lo más suntuoso y magnífico de su género en la Europa moderna. Sus dimensiones son 8 pies de ancho con 10 de altura, pudiéndose caminar holgadamente por él a caballo, y aun en carruaje. Las paredes de la caja y de la bóveda varían de grueso según la naturaleza del terreno, y el agua (que correrá por estos trozos de canal con una velocidad de $\frac{1}{5000}$) llegará hasta la altura de 6,46 pies de la bóveda. De esta parte del canal están construídas más de $7 \frac{1}{2}$ leguas, con lo cual, y los magníficos puentes acueductos de los arroyos de las Cuevas, Aldehuelas, Espartal, Sotillo y otros, entre los cuales el primero se eleva a 90 pies de altura con dos arcos de 52 de luz, y el último a legua y media de Madrid, junto al convento de Valverde, tiene

(1) El real fontanero da próximamente un resultado de 100 cubas comunes cada veinticuatro horas. Aunque el real decreto prevenía sólo la adquisición de 10.000 reales de agua, la dirección del canal ha considerado que con corto sacrificio relativo podría ampliarse hasta 60.000, y en este sentido se han ejecutado las obras.

301 pies de longitud, con 13 hermosos arcos, y otras importantísimas obras de este canal ya terminadas o en vía de ejecución, hacen concebir la esperanza de que si no es precisamente para el verano de 1855 en que se cumplen los cuatro años fijados por el Real decreto de 1851, por lo menos con la diferencia de muy pocos meses más, verá Madrid terminada esta obra colosal, romana, y que ha de transformar completamente su faz; obra que tanto honor hace a la época moderna y a los ingenieros españoles don José García Otero, don Lucio del Valle, don Juan de Ribera, don Eugenio Barrón, don José Morer y don Mariano Cervignón, que con tan asombroso acierto la dirigen.

El coste de esta inmensa obra, presupuestado en 80 millones de reales, se ha cubierto hasta aquí con la suscripción general, en la que figura Su Majestad la Reina por cuatro millones, el Ayuntamiento de Madrid por 16 millones, y los propietarios hasta completar los 40; supliendo el resto el Gobierno ínterin se adopta el sistema indicado por el decreto de una derrama proporcional entre los propietarios no suscriptores y que han de reportar el beneficio. Hasta el día van gastados unos 40 millones de reales o sea la mitad de lo presupuestado, según los minuciosos estados que publica mensualmente la *Gaceta*.

Los depósitos que por ahora se construyen son tres, situados el primero en el Campo de Guardias, otro en las afueras de la Puerta de Alcalá y otro, en fin, entre los portillos de Fuencarral y el Conde-Duque, y tendrán cabida para 10.000 reales de agua, que es veinte veces más que la que ahora disfruta Madrid; la distribución de éstas se hará por cañería en todas las calles y las casas hasta la altura de los pisos terceros. cuyos estudios están ya hechos y formulados por los ingenieros.

AMPLIACIÓN DE MADRID

La extensión considerable que hemos tenido que dar al *Manual*, y que excede en una mitad al volumen adoptado generalmente para un tomo en 8.°, nos obliga a pasar rápidamente en esta reseña de las cercanías de Madrid y a suprimir lo mucho que pudiéramos decir, tanto en lo relativo a su descripción e historia, cuanto respecto a los planes ideados y obras de importancia emprendidas ya en su mejora.

Ante todas cosas debiéramos consignar las diversas ideas, proyectos, planos y hasta decretos publicados en estos últimos años para la ampliación parcial o general del casco de la villa; pero sólo lo haremos del más importante que fue el inserto en la *Gaceta* del 9 de diciembre de 1846 acompañado de la Real orden fecha 6 del mismo en que se mandaba proceder a la ampliación de Madrid con arreglo al plan levantado de orden del Gobierno por el ingeniero de Caminos don Juan Merlo. Comprendía dicha ampliación desde la esquina norte del Retiro, donde está la Montaña Rusa, hasta el obelisco de la Fuente Castellana y posesión del señor don Diego del Río, y luego hasta el encuentro de la montaña del Príncipe Pío y cuesta de Areneros, en una extensión de 18.000 pies, o sea una legua próximamente. cuya asombrosa medida, sometida a juicio de la Corporación municipal, dió motivo al extenso informe o Memoria que el Ayuntamiento elevó al Gobierno exponiéndole la innecesidad, la inconveniencia y hasta la imposibilidad material de acometer por ahora, ni en mucho tiempo, tan considerable ampliación. Esta Memoria, que el autor del *Manual* tuvo el encargo de redactar como individuo y en representación del Ayuntamiento), convenció al Gobierno de Su Majestad de dichas razones, y se renunció por de pronto a aquella gigantesca ampliación. Fuimos. sin embargo, entonces de parecer, y así lo expresaba el Ayuntamiento, de que se podría dar a Madrid algunas parciales ampliaciones para regularizar su perímetro y aprovechar terrenos muy utilizables en la construcción de edificios, paseos o jardines interiores. Era la primera, la ya verificada en la Cuesta de la Vega, hasta la calzada del puente de Segovia; la segunda, en la puerta de Atocha. desde la esquina del Hospital hasta el convento, o por lo menos hasta el ángulo donde está la ermita del Angel, y la tercera, a la parte alta, desde la esquina saliente de la posesión de Monteleón, cerca de la puerta de Fuencarral, hasta el dicho ángulo de la montaña del Príncipe Pío en su confluencia con la Cuesta de Areneros; con cuyas ampliaciones parciales, aprobadas e intentadas ya, quedará indicada para más adelante la general trazada por los ingenieros, desde dicha esquina del Príncipe Pío hasta la del Retiro.

Arrabales.—El buen instinto del interés privado, que adivinó aquellas futuras ampliaciones, dio la preferencia a los sitios presuntos donde habían de verificarse para la formación de caseríos que, creciendo de día en día, han llegado a formar *arrabales* considerables. El principal (y que ya es considerado como un distrito de la villa) es el apellidado *Chamberí* (1), situado al norte de ella, el cual, desde los modestos límites de unos pobres tejares y de una casa de campo construída a fines del siglo pasado por el marqués de Santiago, y poseída y mejorada considerablemente en los primeros de este siglo por el hacendado don Saturio Angel de Velasco (que es la que está en la plaza de aquel barrio, y conocida por la *de las Columnas*), ha llegado a transformarse rápidamente en una población de ochocientos vecinos, con cuatrocientas o más casas, algunas de ellas muy lindas e importantes, muchas calles rotuladas y alumbradas de noche; quince o veinte fábricas de diferentes objetos, establecimiento de baños hidroterápicos, fondas y casas de recreo, escuelas, boticas, tiendas, almacenes, talleres, jardines y paseos, y con una iglesia, casi terminada, aunque, desgraciadamente, ruinosa. Según el plano aprobado, esta población, avanzando en dirección de las puertas de Bilbao y Santa Bárbara, llegará muy pronto a incorporarse con el resto de la villa.

El otro *arrabal*, llamado también muy pronto a formar parte de la población de Madrid, es el formado a la derecha del embarcadero del ferrocarril de Aranjuez, conocido hace algunos años por el *Perchel* o las *Yeserías*, y que naturalmente se ampliará en dirección a dicho camino con fábricas importantes propias de un sitio tan inmediato a la estación central. El otro arrabal que va formándose en el ángulo entre el Retiro y la puerta de Recoletos también es de un segurísimo porvenir, por su ventajosa situación, y tanto que es de suponer que luego que alcance abundancia de aguas lo veamos de repente transformado en una brillante población, en un nuevo y elegante distrito como el apellidado *Batignoles*, en París. Otra humilde barriada se ha emprendido estos últimos años en la parte baja entre la cabeza y embarcadero del canal; pero lo enfermizo de aquel terreno por la proximidad de dicho canal, no justifica el acierto en la elección del mismo para construcción; mejor hubiera sido, a nuestro entender, que dicho arrabal se hubiese formado en grande, de una vez, y con fábricas espaciosas y suficientes para talleres, almacenes, cobertizos para carreterías, etc., entre la Cuesta de la Vega y el puente de Segovia, y en la hondonada de la Tela, sitio naturalmente llamado a futura población, que prepare la remota, aunque dudosa, ampliación por aquel lado desde el paseo de la Virgen del Puerto a la Puerta de Toledo.

TÉRMINO Y CAMPIÑA

Término.—El término propiamente tal de la villa de Madrid es sumamente corto comparado con su importancia, abrazando sólo una circunferencia de 56.502 pies, si bien se explica naturalmente esta limitación por la considerable extensión que ocupan las posesiones del Real Patrimonio que le rodean. Sus confines son: al Norte, los términos de Fuencarral, Chamartín y Canillas; al E., los de Canillejas, Vicálvaro y Vallecas; al S., los de los Carabancheles, y al O., los de Húmera y Alcorcón. Para la división de estos límites hay 36 mojones o hitos de piedra, siete maestros y 29 pequeños, puestos a distan-

---

(1) En un folleto publicado en 1852 con el título de *Reseña histórica de Chamberí*, por su *Ermitaño*, se dice que este nombre le fue dado por la reina doña Isabel Farnesio, esposa de Felipe V y natural de aquella ciudad de Saboya, con cuyas cercanías parece hallaba alguna semejanza. Pero generalmente era conocido por el vulgar de *Los tejares*, a causa de los infelices alfares que en él había.

cias proporcionadas, llevando en abreviatura la marca de *Término de Madrid*.

Los terrenos que rodean a esta villa, ondeados de pequeñas cuestas y lomas, y que por esta razón dificultan la vista de los lugares circunvecinos, son de varias calidades y se siembran por lo regular de trigo y cebada; hay muy pocas viñas, olivares y arbolado en general, a pesar de que el terreno es a propósito, y aquella monotonía, unida al aspecto de las peñas de yeso de que abundan los alrededores y a la escasez de agua, hacen triste y desapacible la campiña de Madrid, lo cual desaparecerá seguramente luego que, regada por el soberbio canal del Lozoya, vuelva a recuperar su antigua y espontánea lozanía. Interrumpen entre tanto de trecho en trecho aquella desapacible monotonía algunas casas de campo, huertos y jardines de los señores de la corte, aunque en muy pequeño número, comparado con el que ostentan otras capitales y careciendo también del lujo y adorno que se ve en las *torres, quintas y cármenes,* inmediatas a Barcelona, Zaragoza, Granada, etc. Algunas, sin embargo, son apreciables por su extensión, frondosidad u otras circunstancias, mereciendo especial mención entre las más cercanas de Madrid, y dentro de su término, la conocida por la *Quinta del Espíritu Santo,* fuera de la puerta de Alcalá; la de la *Fuente del Berro,* la posesión conocida por *Casapuerta,* inmediata al canal de Manzanares, notable por las pinturas históricas que cubren sus salas (1); la del *señor Goya,* nieto del célebre pintor don Francisco, y enriquecida con bellas y caprichosas obras de su mano, en el camino de San Isidro del Campo; la del señor Mendizábal, la del conde de los Cor-

bos, la de los Castañedas, todas contiguas al río Manzanares; y a la parte alta, la del señor don Diego del Río, junto al polvorín; la del señor Arango, llamada *la Chilleña,* inmediata al paseo de la Fuente Castellana; las de los señores Bruguera y Maroto, al otro lado del paseo, etc.

Pero todas estas y otras varias haciendas de labor, cortijos y casas de recreo en el radio de un cuarto de legua alrededor de Madrid no son bastantes a dar a sus avenidas el carácter de alegría y vistosidad propias de una ciudad populosa; y la inseguridad que ofrecen por otro lado aquellas mansiones aisladas en las cercanías de Madrid, hizo que los grandes señores y personas acomodadas de la corte diesen la preferencia para formar otras más suntuosas y propias de su opulencia a los términos y poblaciones mismas de los pueblos comarcanos, a fin de disfrutar en ellas, aunque sin la independencia y holgura de la vida de *Chateau* francés o de *Villegiatura* italiana, los goces y esparcimientos propios de la campiña; y he aquí la razón por la cual ostentan los Carabancheles las bellas y aún magníficas posesiones de *Vista Alegre,* propia de Su Majestad, fundada en 1829 por el coronel don Pablo Cabrero, y hoy verdadero sitio real que acabará, como San Lorenzo del Escorial, por absorber el nombre mismo del pueblo contiguo; la preciosa de la señora condesa de Montijo, entre ambos Carabancheles; la del señor Gargollo, antes de la condesa de Chinchón; la del señor conde de Yumuri; la del señor marqués de Remisa; la del señor Matheu; la del señor Nieva, y otras en el término de Carabanchel Alto, y las de los señores Ceriola, Nájera, Brugada y otras, en el Bajo. Chamartín se ennoblece y reasume en las dos casas-palacios y jardines de los duques del Infantado, célebres por su belleza y más aún por haber sido ocupadas por el Emperador Napoleón en los primeros veinte días de diciembre de 1808, cuando vino en persona a sitiar a Madrid, datando de ellas la capitulación de la villa y todos los decretos que expidió relativos al Gobierno de España. Boadilla, con el palacio de la señora condesa de Chinchón, que fue propiedad y sirvió de residencia al infante don Luis, hijo de Carlos III. Y Villaviciosa

___

(1) Dichas pinturas, ejecutadas al fresco en el último período del siglo XVII representan la apoteosis de la monarquía española en el reinado de Carlos II; y comprenden los planos de sus territorios y dominios europeos y ultramarinos; los retratos de sus varones ilustres, de los príncipes y personajes alegóricos muy bien ejecutadas y conservadas. Esta casa y posesión pertenecían en aquella época al Marqués de los Balbases, de la casa de Espínola, personaje muy célebre de la corte de Carlos II, Gobernador que fue de Milán y después Embajador de España en Viena y en París. Sin duda este opulento cortesano fue el que mandó hacer aquellas curiosas pinturas.

con el célebre castillo-palacio en que murió Fernando VI y en que sufrieron su detención a tres siglos de distancia los dos célebres privados Antonio Pérez y don Manuel Godoy, príncipe de la Paz; es además notable este pueblo de las cercanías de Madrid por la feracidad de su término, y en él hay muchas casas y huertas de recreo de las personas acomodadas de la corte. En Pozuelo de Aravaca, igualmente son notables la hermosa posesión contigua de *Somosaguas*, de la señora baronesa de Eroles, y la que fue de don Pedro Cano, en que hay baños públicos; en Hortaleza, la que hoy posee el señor conde de Quinto, y en Leganés, Getafe, Villaverde, Vallecas, etc., existen también hermosas haciendas y mansiones de recreo de los grandes propietarios de la corte.

Descuella entre todas ellas la suntuosa y verdaderamente regia denominada *El Capricho*, contigua al pueblecito de la Alameda, y propia del señor duque de Osuna y del infantado, conde de Benavente, cuyo palacio, parque, bosques y dilatados y frondosos términos sólo tienen en España comparación con los dos sitios reales de Aranjuez y San Ildefonso, y fuera de nuestro país, con algunas pocas célebres mansiones de los príncipes y potentados italianos, ingleses y franceses.

La descripción de esta magnífica posesión y la de los sitios y palacios reales del Pardo, Aranjuez, Escorial y La Granja, nos llevaría muy lejos, y no podemos, como quisiéramos, emprenderla aquí por la falta absoluta del espacio que dedicamos a ella en las anteriores ediciones de esta obrita. Creémosla además innecesaria por haberse publicado en estos últimos años obras especialmente consagradas a ella, y porque nuestro propósito es sólo tratar de Madrid.

X

VIDA LOCAL

VIDA SOCIAL

CARÁCTER DE LOS HABITANTES

Los hijos de Madrid son, en general, vivos, penetrantes, satíricos, dotados de una fina amabilidad y entusiastas por las modas. Afectan las costumbres extranjeras, desdeñan las patrias, hablan de todas materias con cierta superficialidad engañodora que aprendieron en la sociedad, y si bien el ingenio precoz que les distingue hace concebir de ellos las más lisonjeras esperanzas en su edad primera, la educación demasiado regalada, las seducciones de la corte y otras causas a este tenor, cortan el vuelo de aquellas facultades naturales y les hacen quedar en tal estado. Así que, brillando por su elegancia, sus finos modales y su divertida locuacidad, se les ve permanecer alejados de los grandes puestos y relaciones, dejando el primer lugar en su mismo pueblo a los forasteros, que con más paciencia y menos arrogancia, vienen a vencerlos sin encontrar apenas resistencia de su parte. Su físico es agradable, aunque se resiente de las mismas causas que el moral, y no pudiendo desenvolverse completamente, les hace permanecer pequeños, en general, delgados y enfermizos. Sólo saliendo de su pueblo varían de aspecto y aun de ideas, y entonces se ve de lo que serían capaces con otro método en sus primeros años.

Los provincianos, que forman la mayoría de los habitantes de Madrid, dejando su país, tal vez por las mismas causas, vienen a la corte, y lejos de sus familias, entregados a sí mismos, y sin las consideraciones orgullosas que inspira la presencia de sus compatriotas, adquieren más solidez en sus ideas, van derechos al fin, y no repugnan las privaciones y la paciencia necesarias para ello. Colocados en el puesto que anhelaron, se identifican con el pueblo que los ha visto elevarse, se confunden con sus naturales, adquieren los modales de la corte, y todos juntos forman la sociedad culta de Madrid, sociedad en que reina el buen tono, la amabilidad y una franqueza delicada.

Esta mezcla de costumbres, estas distintas condiciones de magnates distinguidos, empleados en favor, opulentos capitalistas, pretendientes, caballeros de industria y pasantes en corte dan a este pueblo un carácter de originalidad no muy fácil de describir. El trato es superficial, como debe serlo en un pueblo grande donde no se conoce con quién se habla, ni quién es el vecino. La confusión de las clases es general por esta causa; las conversaciones también generales por los diversos objetos públicos que cada día las ocasionan; las diversiones, frías y sin aquel aire de alegría y franqueza que da a las de nuestras provincias la circunstancia de conocerse todos los que las componen; pero de esta misma causa nace también la conveniencia de poder vivir cada uno a su modo, sin el temor de la censura y de los obstáculos que presenta un pueblo pequeño.

¿Y las mujeres?, se dirá. ¡Qué! ¿No merecen ser nombradas en estas observaciones? ¡Y tanto como lo merecen! Ellas regulan nuestra sociedad; ellas incitan al hombre a todas sus empresas; ellas nos hacen pretendientes, comerciantes, empleados, literatos, héroes; sus caprichos dirigen nuestros cálculos; sus necesidades fingidas nos crean las verdaderas. Si esta regla es general en todas partes, ¡con cuánta mayor extensión no deberá aplicarse a un pueblo donde el deseo de lucir, el lujo extravagante, las continuas ocasiones de arruinarse y, en fin, la adoración tributada únicamente al fausto exterior disculpan en cierta manera y autorizan los caprichos mujeriles! Con efecto, es general el deseo de cada uno de sobrepujar a sus facultades. La mujer del artesano se esfuerza a parecer señora; el empleado consume su corto sueldo porque su esposa brille al lado de la marquesa; ésta gasta las enormes rentas de su esposo por igualar su tren al de los príncipes, y todos se arruinan ante el ídolo funesto de la moda... Pero ¿adónde vamos a parar con estas tétricas ideas? ¿Y qué? ¿Habrá de olvidarse la finura, la elegancia que esta misma moda de las madrileñas presta a su trato? Si su educación se ve descuidada en los puntos económicos, ¿quién las iguala en las artes de recreo y en los talentos de sociedad? ¿Quién sabe trasladar mejor los armoniosos cantos de Verdi o Meyerbeer? ¿Quién baila con más perfección? ¿Quién habla, ríe, juega, burla, reprende y seduce con más gracia a sus numerosos adoradores? ¿Quién sabe unir el sentimentalismo de las novelas con la más amable coquetería? ¿Quién, en modales, en vestido, y aun en lenguaje, sabe hermanar la gracia nacional a la extranjera, formando una peculiar que podremos llamar *gracia matritense*? ¿Quién...? Pero basta lo dicho para formarse una idea de su carácter. El físico es interesante: pequeñas, bien formadas, facciones lindas, talle airoso, color quebrado y aire distinguido; tal es el verdadero retrato de las madrileñas.

Las costumbres del pueblo bajo han mejorado algún tanto, y aún llegarían a ser más templadas sin las continuas ocasiones de disipación y bullicio que ofrece a cada paso nuestra capital con la multitud de fiestas, toros, romerías y el prodigioso número de tabernas.

No nos meteremos en eruditas y empalagosas investigaciones para buscar en tales o cuales razas el origen de esta parte del pueblo de Madrid apellidada la *Manolería*, que tiene su asiento principal en el famoso cuartel de Lavapiés, aunque rebosando también a los inmediatos de Embajadores, el Rastro y las Vistillas (1). Para nosotros es evidente que el tipo del *manolo* se fue formando espontáneamente con la población propia de nuestra villa, y la agregación de los infinitos advenedizos que de todos los puntos del reino acudieron desde el principio a la corte a buscar fortuna. Entre los que vinieron guiados de próspera estrella y cambiaron sus humildes trajes y groseros modales por los brillantes uniformes y el estudiado idioma de la corte, vinieron también, aunque con más modestas o menguadas pretensiones, los alegres habitadores de *Triana*, *Macarena* y el *Compás*, de Sevilla; los de las *Huertas* de Murcia y de Valencia; de la *Mantería*, de Valladolid; de los *Percheles* y las *islas de Riarán*, de Málaga; del *Azoguejo*, de Segovia; de la *Olivera*, de Valencia; de la *Rondilla*, de Granada; del *Potro*, de Córdoba, y las *Ventillas*, de Toledo, y demás sitios célebres del *mapa picaresco de España*, trazado por la pluma del inmortal autor del *Quijote*; todos los cuales, mezclándose naturalmente con las clases más humildes de nuestra población matritense, adoctrinándola con su ingenio y travesura, despertando su natural sagacidad, su desenfado y arrogancia, fueron parte a formar en los manolos madrileños un ca-

---

(1) Estos son los *barrios bajos* propiamente tales, aunque los de la parte alta denominados *Maravillas* y el *Barquillo*, se hallan también comprendidos en gran parte en la misma categoría.

rácter marcado, un tipo original y especialísimo, aunque compuesto de la gracia y de la jactancia andaluza, de la travesura y viveza valencianas y de la seriedad y entonamiento castellanos.

Este tipo del *manolo de Madrid*, según hoy le conocemos y según nos lo dejó pintado *Goya* en sus caprichos, y en sus deliciosos sainetes el picaresco *don Ramón de la Cruz*, debemos suponer que ha venido sufriendo constantes y sucesivas modificaciones en sus costumbres, modales y traje; sus oficios más favoritos continúan siendo, como en el siglo pasado, los de zapatero, tabernero, carnicero, calesero y tratantes en hierro, trapo, papel, sebo y pieles, que constituían hasta hace pocos años los gremios de *chisperos, traperos* y otros; abandonada la coleta y redecilla, el calzón y chupetín, el capote de mangas y el sombrero apuntado con que nos le pintan a principios de este siglo, su traje actual, modificado con la imitación de los de Andalucía y de clases más elevadas, consiste generalmente en chaquetita estrecha y corta con multitud de botoncitos; chaleco abierto y con igual botonadura, pero sin echar más que el primero; camisa bordada, doblado el cuello y recogido con un pañolito de color saliente asido con una sortija al pecho; faja encarnada o amarilla, pantalón ancho por abajo, media blanca y zapato corto y ajustado. El sombrero, redondo y alto, terso y reluciente, ha sido generalmente trocado por el sombrerito calañés; pero la varita en la mano y la terrible navaja a la cintura, son prendas de que no se ha desprendido todavía ningún *manolo*.

Este nombre (a nuestro entender) no tiene otra antigüedad ni origen que el propio con que quiso ataviar al famoso personaje de su burlesca *tragedia para reír y sainete para llorar* el ya dicho don Ramón de la Cruz, pues en ninguna obra anterior de los escritores de costumbres y novelas, tales como Quevedo, Castillo, Zabaleta y otros, hallamos designados con este nombre a los habitantes de aquellos barrios de Madrid.

En cuanto a la *manola*, precioso y clásico tipo que va desapareciendo a nuestra vista, y cuyo donaire, gracia y desenfado son proverbiales en toda España, ¿quién no conoce el campanudo y guarnecido guardapiés, la nacarada media, el breve zapato, la desprendida mantilla de tira y la artificiosa trenza del peinado de Paca *la Salada*, Jeroma *la Castañera*, Marica *la Ribeteadora*, Pepa *la Naranjera* y Colasa, Damiana o Ruperta, las floreras, fruteras, rabaneras u oficialas de la fábrica de cigarros? ¿Quién no sabe de memoria sus dichos gráficos, sus epigramas naturales, su proverbial fiereza y arrogancia? ¿Quién no ve con sentimiento confundirse este gracioso tipo en el otro repugnante de la mujer mundana, que en su deseo de parecer bien ha querido parodiar, sin conseguirlo, la gracia, traje y modales peculiares de la manola?

El carácter altivo e independiente de estas clases en ambos sexos, su animosidad contra todo lo extranjero o sus remedos, su indómita arrogancia y su escasa instrucción, unido todo a los vicios y disipación propios de las grandes poblaciones, ha hecho que hasta hace pocos años esta parte del vecindario de nuestra villa fuese como una población aparte, aislada, hostil y temible para el resto de ella; pero las vicisitudes políticas porque hemos pasado en lo que va de siglo, y en que tanta y tan apasionada parte ha tomado en todas ocasiones el pueblo bajo de Madrid, le fueron adversas en general, y castigando duramente sus pasiones, sus excesos, su demasías y exageraciones de 1814, 1820, 1823 y 1834, le dieron a conocer que no podía abusar en todas ocasiones de la fuerza material, y que no toda había sido tan bien dirigida ni encaminada a tan santos fines como en el inmortal Dos de Mayo de 1808. Desde entonces, mejorándose simultáneamente la instrucción, aumentada la comodidad de la existencia a medida que el amor al trabajo y a los goces más halagüeños de una sociedad culta, y extendiéndose también en aquellos barrios extremos con el aumento y mejora del caserío, una parte de la población más acomodada, la entrada en ellos ha dejado de ofrecer un valladar impenetrable a las personas decentes. Ya no choca el ruido de los coches, ni son perseguidas las señoras con *gorro* ni los hombres con *futraque* o *levosa*; los chicos de tierna edad no aparecen ya en cueros o en camisa jugando al toro o apedreándose a cada esquina; antes bien, se recogen en las benéficas *escuelas pías* y *salas de asilo* de las calles del Mesón de Paredes, Espino, de Atocha o de Belén. Las manolas no serpentean ya todo el día con sus trajes ondulantes y campanudos (excepto aquella parte proporcional dedicada al vicio y a la prostitución); asisten a trabajar modesta y *silenciosamente* en la fábrica de cigarros o en los particulares obradores de zapatería, sastrería y otros; los manolos son también artesanos o mercaderes ambulantes, y han tomado el gusto a una ganancia legítima y segura, si bien no curados enteramente de la excesiva afición a los toros y a la taberna; y preciso es confesarlo (a despecho de los encomiadores de todo lo antiguo), el pueblo bajo de Madrid, entrando actualmente sin replicar en el sorteo para la quinta (de que antes estaba exceptuado), pagando su contribución industrial y su habitación al casero, trocando para ir a los toros el antiguo y estrepitoso *calesín* por el *ómnibus* comunista, las *seguidillas* por la *polka*, la *bandurria* y el *pandero* por la orquesta militar o el organillo alemán, y asistiendo frecuentemente a la ópera del Circo o al ferrocarril de Aranjuez, si ha perdido la fisonomía local, excepcional y tal vez poética que daguerreotipó don Ramón de la Cruz en sus admirables farsas de *La casa de Tócame-roque, El Manolo, Las castañeras picadas, La venganza del Zurdillo*, etc., ha ganado y mucho, en moralidad, en instrucción y en bienestar, y bajo todos estos aspectos, el distrito de Lavapiés puede sostener actualmente el parangón con los demás de Madrid.

El forastero en la Corte

Al terminar una obra en que hemos procurado dar a conocer detalladamente la organización de un pueblo numeroso, que por su extensión, por su vecindario y por la residencia en él del supremo Gobierno, es hace tres siglos el primero de la Monarquía, parécenos del caso acompañar a aquellas noticias materiales (muy propias para ser consultadas separadamente en los casos respectivos) un ligero bosquejo que dé a conocer al forastero la índole y movimiento de este mismo pueblo en su vida animada; materia muy importante de estudio para el espíritu observador y a que ya consagramos algunos años de nuestra juventud en una obra especial destinada a este objeto (1).

No es ni puede ser nuestro intento entrar como en aquélla en todos los pormenores íntimos de la vida privada, trazar dramáticamente los cuadros o escenas a que dan lugar la educación, las costumbres y las leyes que gobiernan nuestra sociedad, ni repetir tampoco festivamente los tipos ideales que entonces nos sirvieron para desenvolver y materializar aquella idea. Nuestra tarea es por hoy más reducida, tratando sólo de indicar al forastero que por interés o por capricho venga a visitarnos, aquellos usos más generalmente recibidos que en las diversas épocas del año prestan vario colorido a nuestra sociedad matritense y la hacen, a juicio de los mismos extranjeros, una de las más gratas, animadas y cultas de Europa.

Debemos suponer que el forastero, al presentarse en ella, cuenta afortunadamente con aquellas dotes naturales y adquiridas que constituyen un cumplido caballero, y que por sus relaciones y posición social puede prometerse hallar acceso fácil y halagüeño en lo íntimo de nuestra sociedad. Ante todas cosas, preciso es que se persuada de que en un pueblo tan numeroso y compuesto de tan distintos elementos, ha de ofrecerse aquélla a su vista bajo todas las fases; pero como le suponemos dotado de buena educación, regular criterio y filosofía, desde luego nos inclinaríamos a aconsejarle que estudie y observe bien antes de juzgar en todas las ocasiones que la necesidad o el capricho les brinden. A ayudarle, pues, en esta concienzuda tarea, es a lo que tienden hoy nuestras ligeras observaciones.

En las páginas anteriores indicamos algunos rasgos característicos de los naturales de Madrid, y dijimos allí (sin que creamos que por ella se nos acuse de apa-

_____

(1) Escenas Matritenses, por *El Curioso Parlante*: Cinco ediciones se han hecho sólo en Madrid de esta obra, desde 1833 hasta 1850.

sionados) el ingenio natural, los elegantes modales y la benévola franqueza que distinguen a la juventud madrileña, y que la hacen acoger al forastero con cordialidad, dispensarle sus favores y hasta cederle el puesto en el teatro cortesano. Esta justicia, por lo menos, debe hacerse a los hijos de Madrid, que repugnan la intriga y la ambición, desconocen la envidia y tal vez por estar acostumbrados a mirar lo efímero del poder, le tienen en poco, sonríen desdeñosamente a los esfuerzos que miran hacer por alcanzarle, o combaten con satírica ironía la ofuscación y deslumbramiento de los que le alcanzaron. Esto, ciertamente, no es ni puede ser lo más provechoso para ellos; pero sí para el forastero, que acogido desde el primer momento en su intimidad, abiertas para él las puertas de sus sociedades públicas y privadas, facilitadas las relaciones y aseguradas en boca de los naturales otras tantas trompetas de su fama, puede aprovechar los momentos, ir derecho al fin que anheló, elevarse sobre tan próvido pedestal, e incorporarse naturalmente en una sociedad que así le tiende los brazos y le humilla todas las barreras.

Ni son sólo los naturales de la corte los que así conspiran para atraer a su centro a las notabilidades provinciales. En el extenso recinto de ella y formada como las capas de la tierra por superposición sucesiva, existe siempre una grande hijuela, acaso compuesta de la parte más importante y vital de la población de cada provincia, de cada ciudad, de cada aldea, a donde el forastero encuentra naturalmente desde sus primeros pasos el más decidido apoyo en su carrera. Los destinos públicos de la administración, la magistratura, la milicia y la Iglesia, las sociedades científicas y literarias, la industria y el comercio, cuentan, respectivamente, una parte proporcional de andaluces y catalanes, montañeses y vascongados, asturianos y gallegos, aragoneses y castellanos, extremeños, valencianos y manchegos. Allí, naturalmente, en su respectiva sección de compatriotas, encuentra el recién venido el núcleo de su sociedad futura, el germen de su fama ulterior. Ellos le tenderán cordialmente la mano, ellos le pondrán en evidencia, ellos le ayudarán en su tarea, y ya

sea pretendiente u orador, ya comerciante, literato u hombre de mundo, puede contar con que los primeros aplausos que escuche en la capital del reino ha de oírlos seguramente en el dialecto provincial que le arrulló en la cuna.

Pero también no se persuada de que tan lisonjero triunfo, que tan próvida ovación, hijos sin duda de su talento o de su fortuna, han de llegar tan pronto, y sin mezcla de sinsabores. Reconozca filosóficamente la diferencia que la distinta posición, el diverso teatro, suele causar en los hombres, y más si son actores cortesanos y saben la importancia de su papel. No pocas veces hallará desdenes donde esperaba favores, extrañeza donde recordaba intimidad, celos donde buscaba ternura, y hasta en los lazos de la sangre, desconocimiento o aversión. En este punto, su estrella, su ingenio y su tacto exquisito para no herir susceptibilidades, son las únicas salvaguardias que han de preceder al recién venido; sobre todo le recomendamos el sufrimiento, la constancia y el trabajo, seguro de que, como él valga realmente alguna cosa, como él insista y consiga al fin hacerse útil o necesario, tiempo tendrá de recoger amplia cosecha en el campo del favor.

La introducción privada del forastero en la sociedad madrileña es fácil y sencilla hasta el extremo. Una simple carta de recomendación, una relación de vecindad, tal cual modesta tertulia, un encuentro casual en una visita, en un sarao, en un viaje, son causas suficientes para ofrecerle con franqueza una casa, son pretextos plausibles para volver a ella a visitar a sus dueños. Suponemos a nuestro forastero de bastante discreción y escogidos modales para pretender aconsejarle en este caso; la escala del ceremonial entre nosotros es muy corta, y tal vez se resienta de demasiada franqueza y buena fe. Sin embargo, el hombre para quien la galantería no es una serie de fórmulas fingidas y sí una obligación de la etiqueta, cuáles son palabe conocer sin necesidad de pedagogo hasta dónde su presencia es grata o importuna, a qué punto concluye la satisfacción de la persona visitada para dar lugar a la obligación de la etiqueta cuáles son palabras de cortesía y cuáles expresiones del corazón; y procediendo con arreglo a ello, no prodigar sus gracias, ni disimularlas hasta oscurecerlas; no confiarse del todo, ni recelar tampoco demasiado; no aparentar tibieza por los objetos nuevos que la corte le ofrece, ni tampoco exagerar su admiración hasta un ridículo extremo de candidez.

En un pueblo como la corte, grande y agitado, el tiempo adquiere naturalmente más valor que en las provincias; las relaciones y visitas no pueden ser, por lo tanto, tan íntimas y frecuentes, ni llevar el rigor al extremo de exigir que todas le sean devueltas inmediatamente; conviene, pues, al forastero calcular las horas convenientes a cada casa, a cada persona, a cada edad, y para ello le será muy oportuno informarse anticipadamente de sus usos, pues en la época de transición en nuestras costumbres que atravesamos, aquellos varían hasta lo infinito, de suerte que la hora de comer, por ejemplo, comprende en Madrid desde las doce del día en que empiezan los jornaleros, hasta las ocho de la noche en que concluyen los magnates y embajadores. El uso general en la sociedad decente es comer entre cuatro y cinco de la tarde, y, por lo tanto, las visitas familiares o de ceremonia pueden convenientemente hacerse entre dos y cuatro. Para ser recibido por la noche en *tertulia* de confianza, es preciso ser invitado expresamente a ello, pues de lo contrario puede exponerse el forastero a causar molestia con su presencia, y de ningún modo parece regular, aun en otro caso, presentarse antes de las nueve ni retirarse después de las once o las doce.

El traje, los modales y ceremonias apenas se diferencian en la corte de los generalmente adoptados en la culta sociedad de las principales capitales de provincia; sin embargo, el recién venido es una carta cerrada y hará muy bien en cuidar esmeradamente de aquel sobrescrito de su persona, y estudiar en los modales cortesanos ciertos matices delicados, ciertas indescriptibles pequeñeces, que forman el colorido del trato de Madrid, y marcan con un sello especial su amable sociedad. En este punto, si el forastero es joven, bien pronto le inocularán en estos misterios dos bellos ojos o una grata sonrisa, y si fuese viejo

y observador, ¿a quién le remitiremos?... A los libros de Séneca o a los *Caracteres,* de La Bruyere.

Nuestra sociedad, afortunadamente, no alcanza aquel grado de magnífica perversidad o refinada *civilización* al decir de nuestros vecinos transpirenaicos, de que ofrecen espejo fiel sus memorias contemporáneas. Sabemos por ventura poco, y no sentimos la necesidad de envolver nuestros extravíos en esa elegante gasa recamada de oro, en ese perfume oriental que revelan en la más alta escala de la sociedad parisiense las ingeniosas novelas de Balzac, Dumas, Sand y Soulié. Tampoco la desigualdad de las fortunas es tan extrema, la grosería y el libertinaje tan atroces, como los pinta Eugenio Sué en su célebre obra de *Los misterios de París.* Nuestros deslices, hijos del corazón más que de la cabeza, no están tan bien calculados para producir efecto dramático. Tenemos unidad de creencia, y creemos todos; el disimulo y la hipocresía entran por poco en nuestras costumbres; los deseos no son tan violentos ni ilimitados; la instrucción no es mucha en las clases elevadas, ni tampoco demasiada en las ínfimas; hay en unas y otras, sin duda alguna, delitos, pero en todas domina el instinto religioso y cierto buen juicio y rectitud natural.

Dejando, en fin, estas observaciones generales de que no hemos podido prescindir, entremos ya en aquella rápida reseña que hemos prometido al forastero de los usos establecidos en la vida animada de este pueblo, que al paso que le den nuevos datos para juzgar por ellos de su índole distintiva, sírvanle también de pauta para arreglar el empleo de su tiempo y la oportunidad de alargar más o menos su permanencia; para ello nada nos parece más conveniente que recorrer rápidamente las varias estaciones y meses del año, dando una ligera ojeada sobre las ocupaciones y placeres que le brinda Madrid en este período.

Un año en Madrid

Enero.—La introducción del año nuevo, que en los pueblos extranjeros es una fiesta de familia, dando lugar a los mutuos regalos por vía de *estrenos*, festines y parabienes, pasa absolutamente desapercibida entre nosotros, sin que apenas se diferencie de cualquier otro día de festividad religiosa, si bien ésta es de gran importancia incidental en nuestra sociedad, por las infinitas personas que llevan el nombre de *Manuel*, que se celebra aquel día. Es costumbre entre nosotros (y decimos eso para inteligencia de los extranjeros, que sólo festejan el día de su natalicio) celebrar el día del santo de nuestro nombre de bautismo, y recibir en él las visitas de nuestros amigos, sobre cuyo olvido no siempre están dispuestas, especialmente las damas, a hacer la más mínima concesión. Recomendamos por lo tanto al forastero el estudio del calendario de Castilla la Nueva. La apertura de las cátedras y tribunales después del descanso de pascua de Navidad, se verifica generalmente el 2 de enero con alguna solemnidad. El día 5, víspera de Reyes, por la noche, tiene lugar una farsa popular, que consiste en el engaño que los *chisperos* de Madrid se complacen en hacer a los criados asturianos y gallegos, recién venidos, cargándoles con una escalera de mano y disfrazándoles horrorosamente, llevarlos entre hachones, cencerros y gritería de una en otra puerta de la villa, con el objeto de *esperar a los reyes magos*, espectáculo grosero que sorprenderá al forastero que le vea por primera vez. En esta noche suele repetirse también en las tertulias de familia (aunque es uso ya demasiado anticuado) el juego o suerte de los *compadres* o *estrechos*, que también se celebra el último día del año. Otra farsa popular tiene lugar el 17 de este mes, y es la llamada *las vueltas de San Antón*, paseo de mulas y caballos enjaezados, que son conducidos a comer la cebada bendita, por las calles de Hortaleza y Fuencarral, con inmenso acompañamiento de coches y calesas, desocupados y curiosos.

La sociedad elegante disfruta ampliamente en este mes sus placeres favoritos. Los regios salones de Palacio y los aristocráticos de las embajadas, grandeza y personajes públicos, ofrecen sus elegantes *soirées* (*saraos*), traducidas literalmente del francés; al paso que las clases más populares, reunidas en animadas sociedades, brindan regularmente un día por semana con sus alegres bailes y festejos. En las salas del Ateneo, puede oirse la voz de los primeros hombres políticos y literatos de la corte, que en ellos tienen sus cátedras públicas y gratuitas; los Casinos son el punto de reunión de las gentes de buen tono, y las tertulias *de brasero* ofrecen largas horas para disfrutar de su sencilla franqueza. Los teatros guardan para este mes sus más escogidas novedades, y no hay que decir si será enorme el consumo de coronas y laureles. El invierno, fuerte y peligroso en algunos días, da lugar en otros a que brille con una admirable pureza el halagüeño cielo de Madrid y el paseo del *Prado* con su gran concurrencia, animación y lujo, presenta entonces de tres a cinco de la tarde un espectáculo singular.

Febrero.—Este mes, a que preside en todos los pueblos la diosa de la locura, ha decaído mucho en Madrid de su antiguo esplendor. Las farsas políticas han hecho perder mucho terreno a las privadas; mas, sin embargo, hay tres días en él en que no es posible prescindir de hacer un paréntesis a la razón. Los suntuosos salones del Teatro Real, del Instituto y otros infinitos, abren sus puertas al bullicioso disfraz, al son de los coros y las danzas; la sociedad de buen tono suele ser recibida en los espléndidos bailes de Su Majestad la Reina madre, de la señora condesa del Montijo, de las embajadas y otras de la más elevada jerarquía, y el *popular* disfrazado de moro o de arlequín, corre las calles dando gritos y bromas, trisca y salta en la plaza de toros, o invade el Prado en uso de su soberanía. Especialmente el día que sigue a los tres de locura, el día que debía ser de expiación, es cabalmente el escogido por el bajo pueblo de Madrid para la grotesca e irreligiosa ceremonia del *entierro de la sardina*, que se celebra en las orillas del canal; farsa sin embargo, que en medio de su demasía, no presenta nada de la repugnancia, obscenidad y abyección de la famosa escena de la *bajada ae la Courtille*, que hemos presenciado en París en igual día.

Marzo. — El santo tiempo de cuaresma ofrece en Madrid a los espíritus devotos, amplia cosecha de sensaciones religiosas. Sus numerosos templos (aun después de la supresión de más de cincuenta de ellos) rara vez se ven vacíos de una crecida concurrencia, que asiste a los ejercicios y sermones, muchos de estos predicados por excelentes y modestos oradores, y aquellos acompañadas con lujo de decoración y armoniosas orquestas. La sociedad profana aprovecha también esta temporada, para sustituir a las danzas de Tepsicore los halagos de Euterpe, disponiendo en los salones de las sociedades públicas y privadas excelentes conciertos, en que lucen sus admirables voces y talento musical muchas aficionadas y aficionados que (no tememos asegurarlo) producirían efectos en los primeros salones y teatros de Londres y París. Esta es una especialidad matritense, que han reconocido Rossini, Mercadante, Rubini, Ronconi y otros distinguidos profesores extranjeros.

Abril.—Los primeros días de este mes están regularmente consagrados a la celebración del sagrado misterio de nuestra redención y ciertamente la *Semana Santa* en Madrid, ofrece suficiente interés para el forastero. Celébranse en todos los templos los divinos oficios con gran solemnidad e inmensa concurrencia, en especial en la Capilla Real, iglesia de la Encarnación, la de San Isidro, las Descalzas Reales y otras, donde suelen escucharse las más célebres composiciones de los autores nacionales y extranjeros. Especialmente son notables los oficios de Palacio, a que asisten las personas reales y los que celebran en sus respectivas iglesias los caballeros de las órdenes militares. Es por manera interesante la ceremonia del lavatorio en Palacio, el Jueves Santo, despuésde los oficios, en que la Reina sirve la comida y lava los pies a cierto número de pobres y la solemnidad y aparato con que rodeada de todas las personas del Gobierno, embajadores, dignidades eclesiásticas y autoridades de la corte, todos de gran gala, sale en público a

visitar las estaciones el mismo Jueves por la tarde; igualmente la procesión del Viernes Santo por la tarde, y las de las parroquias en las semanas de Pascua. Después de la fiesta de Semana Santa, suele hacer la corte la jornada de Aranjuez y es muy de buen tono el trasladarse a disfrutar los placeres que aquel Real sitio ofrece en esta estación.

Mayo.—El mes de mayo encierra las dos fiestas especiales y características de Madrid: la fiesta patriótica y la religiosa, el 2 de mayo, y el Patrón de Madrid. El primero está dedicado al solemne aniversario de las víctimas inmoladas por los franceses en el Prado, en igual día de 1808, y el espectáculo que presenta esta numerosa población postrada delante del monumento fúnebre, asistiendo al santo sacrificio de la misa, que en él se celebra al descubierto; la hermosura del sitio en la estación en que los árboles brillan con su primer verdor, el aparato de las revistas militares, los sonidos de las músicas y más que todo, el recuerdo simpático que excita la memoria de aquellas víctimas del patriotismo, todas estas circunstancias producen un conjunto admirable. El día de San Isidro (15 de mayo), por otro estilo, despierta los instintos de localidad, saca, pudiéramos decir, de sus casas a la población entera, la traslada a las orillas del Manzanares, y alrededor de la ermita del Santo patrono de la villa, la obliga a perpetuar una romería animada, pintoresca y grata, en donde el pueblo, entregado a sus propias impresiones, revela sus instintos naturales, muestra francamente su fisonomía y ostenta su carácter tal cual es.

Junio.—Otra fiesta religiosa y popular domina en el mes de junio, pero ésta es de lucido aparato, magnífica, grande por su objeto y por su forma. Es la solemnidad del *Corpus Christi*; y la procesión que Madrid celebra en día semejante es digna de la antigua corte de dos mundos. La extensión y hermosura de las calles de la carrera, su adorno con toldos y colgaduras, la inmensa concurrencia de todas las clases, y el lujo y atavíos que a porfía despliegan en tal ocasión, son accesorios que prestan mucho interés a aquel solemne acto y le hacen grandioso y bello a los ojos del observador. Las veladas de San Antonio, de San Juan y de San Pedro también ofrecen un cuadro animado, aunque, por lo general, reducido a las últimas clases de la sociedad, que las pasan entregadas a sus bailes y zambras en la Florida, en el salón del Prado o cantando a la guitarra por todas las calles de la población.

Julio.—Desde pasada la pascua hasta la canícula, empiezan en Madrid las fiestas de toros, que se celebran los lunes por la tarde; pero como el verano tarda en asegurarse, regularmente no despliegan aquellas todo su lucimiento, ni los animales toda su bravura, hasta la entrada de julio y entonces es de rigor para la sociedad madrileña la asistencia semanal a este terrible espectáculo. Los más célebres luchadores del reino, el ganado más bravo y escogido, la plaza más bien servida, la concurrencia numerosa, su inteligencia, animación y bullicio, dan a esta fiesta una reunión de circunstancias deslumbradoras, y todo Madrid, en semejantes días, se resiente de la misma agitación.

Agosto.—La sociedad madrileña, que no puede procurarse en estos contornos los placeres del campo, y que por otro lado reconoce las ventajas de ellos, se contentaba hasta hace pocos años con las agrestes mansiones de Pozuelo o de Carabanchel; pero más facilitados hoy los medios de comunicación y extendido más aquel gusto, es muy general el trasladarse a mediados de julio y todo agosto a las provincias Vascongadas, Santander o Valencia, y hasta hay quien aprovecha la salida a Valladolid o Burgos, para ver *de paso* a París o Londres, y venir luego muy satisfecho a revelarnos el último corte del pantalón y el novísimo nudo del corbatín. La población general de Madrid es inamovible sin embargo, y sufre heroicamente los 34 o más grados Reaumur, que suele aplicarla el rubio dios de Delo en los días que median entre el 1 y 31 de este mes, contentándose simplementecon con tomar tal cual baño de agua y de vapores en las casas públicas, u otro de arena húmeda en las profundas corrientes del Manzanares; y

luego solazarse por las noches bajo los frondosos árboles del Prado.

Septiembre. — Pasados los ardores caniculares y entrado el sol en el signo de Libra, ostenta Madrid su cielo despejado, su pura atmósfera y su templado ambiente. El 21 de este mes comienza en él la animada *feria* de las calles, que dura una quincena; interesante episodio en que toma gran parte la población de Madrid y pueblos comarcanos. A su vez estos ostentan también sus animadas, aunque rústicas fiestas patronales, que regularmente suelen verificarse en los días de la Natividad o del Dulce Nombre de María, en la primer mitad de septiembre, con gran aparato de procesiones y novenas; y el obligado de novillos y bailes en la plaza de la Constitución, bajo la presidencia de *su merced el ayuntamiento, regidores y hombres buenos* y malos, que de todo hay.

Octubre.—Mes de transición; los estudiantes regresan a sus aulas de la Universidad; la sociedad elegante se reinstala en la capital; los amores interrumpidos vuelven a anudarse; prepáranse otros nuevos para hacer más llevaderas las noches de invierno; empiézase a hablar con interés de empresas teatrales, de la compañía italiana, de la bailarina nueva, del drama en ensayo, de la comedia de Bretón o de Rubí. Los salones del Príncipe y de Lope de Vega no resuenan ya en hueco; la nueva cosecha de poetas se presenta regularmente fecunda; las notibilidades de todas clases abundan en las calles de la capital. No hablamos del teatro político o cortesano, porque éste no tiene día ni mes fijo, para la representación de sus dramas a *grande espectáculo*; pero, sin embargo, los meses desde julio a octubre, inclusive, solían ser los escogidos para los beneficios de los partidos en años anteriores y pudiera temerse que la costumbre establezca ley.

Noviembre. — Visita profana a los cementerios el día primero y reunida con esta ceremonia otra bien diversa; la de las meriendas y francachelas en su noche. Sin embargo, nada más lógico y natural; orar por los muertos, hacer por los vivos;

mezclar el ruido de los dientes al de las campanas; ahogar el humo de la cera amarilla, entre el de los amarillos buñuelos; los sollozos en dulces tragos y en brindis atronadores los responsos y letanías. En este mes hay también una solemne festividad de corte el día 19, en que se celebra el nombre de nuestra reina; la magnificencia de las galas y el aparato de la ceremonia del besamanos en la corte de España, son proverbiales, y merecen ser vistos por el extranjero y observador.

Diciembre. — Este mes está dominado, ofuscado, por sus últimos días, desde el 24 hasta el 31; casi sobran los demás. La *Nochebuena* y la semana de *Navidad* es Madrid el pueblo más feliz de la tierra, el siglo de oro improvisado. Nadie trabaja y todo el mundo baila y come besugo y sopa de almendra, y pavo, y mazapán. Una simple visita por la plaza Mayor en tal día, es suculenta y alimenticia, y a no ser por el ruido infernal de los rabeles y zambombas, chicharras y panderos, la aconsejaríamos a los dulcemente dormidos, para alimentarse sin el disgusto de despertar. La semana última del año es un abreviado de todo él en este pueblo: trabajo, poca cosa; agitación, continua; comida dominante... el *turrón*; este emblema moderno del favor cortesano, palanca poderosa que así inclina la benevolencia del magnate, como templa la arrogancia del tribuno; que así conquista los laureles de la ciencia, como vence los rigores de la beldad.

AGENDA (1)

DÍAS DE ENTRADA EN LOS ESTABLECIMIENTOS PÚBLICOS

Real Museo de pinturas y escultura, en el Prado. Entrada a la Galería de pinturas,

----

(1) Siendo de continuo variables las noticias contenidas en esta *Agenda,* no respondemos de que hayan dejado de escaparse varias inexactitudes.

los domingos de 10 a 3; idem a la galería de escultura, los lunes a las mismas horas. Los extranjeros pueden entrar todos los días presentando sus pasaportes.

Museo nacional de la Trinidad, calle de Atocha. Entrada diaria al claustro donde está parte de los cuadros.

Galería de pintura y escultura de la Academia de San Fernando, calle de Alcalá. Entrada pública desde el 21 de septiembre al 10 de octubre. Los extranjeros presentando sus pasaportes.

Gabinete de historia natural, en la misma casa. Entrada todos los días no feriados con papeleta del señor director que vive en la calle de Fuencarral, número 80.

Museo de artillería, en el Retiro. Los martes y sábados de 10 a 5, con papeleta del director del Arma o del del Museo.

Gabinete topográfico, en el Retiro. Martes y sábados, con papeleta del director de Artillería.

Museo naval, plazuela de los Ministerios. Martes y sábados de 10 a 3, con papeleta del director.

Armería real, frente a Palacio. Todos los sábados, con papeleta del caballerizo mayor de Su Majestad, de 10 a 4.

Gabinete de anatomía, facultad de medicina, calle de Atocha. Los domingos, con papeleta de los catedráticos.

Gabinete de máquinas, Conservatorio de artes, en la Trinidad. Todos los domingos, entrada pública.

Gabinete de minas, dirección de minas, calle del Florín. Entrada diaria.

Biblioteca Nacional, Plaza de Oriente. Todos los días no feriados, entrada pública de 10 a 3. *El museo de medallas* de la misma, los sábados a las mismas horas.

Biblioteca de San Isidro. Todos los días no festivos de 9 a 3.

Palacio Real. Se permite ver con papeleta del jefe de la Real Casa.

Jardines reservados del Retiro. Idem con papeleta del administrador.

Casino de Su Majestad. Idem con papeleta del administrador.

Jardín Botánico. Abierto al público la temporada de verano y en el resto del año con papeleta del director.

Hospital general, calle de Atocha. Entrada los jueves y domingos de nueve a once.

Hospital de inválidos, Atocha. Con permiso del jefe.

Hospital militar (en el Seminario). Idem con permiso de los inspectores de sanidad militar.

Hospital de incurables (*mujeres*), calle de Amaniel. Con permiso del director.

Hospital de incurables (*hombres*), calle de Atocha; idem.

Hospicio, calle de Fuencarral. Idem con permiso del director.

Casa de expósitos (*Inclusa*), calle de Embajadores. Idem.

Asilo de San Bernardino, extramuros. Todos los días sin papeleta.

Colegio de Sordomudos y Escuela de ciegos, calle del Turco. Con permiso del director, los viernes por la tarde a ver los ejercicios.

Escuelas de párvulos. Franca la entrada a visitarlas. La normal es la situada en la calle de Atocha.

Casas de moneda, calle de Segovia y Carrera de San Francisco. Con permiso del director.

Fábrica de cigarros, calle de Embajadores. Idem.

Universidad literaria, calle Ancha de San Bernardo. Con permiso del rector.

Ateneo, plazuela del Angel. Presentado por un socio.

Los espectáculos públicos pagados se anuncian diariamente.

Los demás objetos de curiosidad, como iglesias y edificios, monumentos, paseos y jardines, quedan ya indicados en sus respectivos descripciones, y están generalmente francos al público.

Días de audiencia en las oficinas

Ministerios. De Estado. Señor Ministro, a su entrada. Los jefes, todos los días de 2 a 3. Subsecretario y oficiales, de doce a tres todos los días.

Gracia y Justicia. Señor Ministro, no tiene día señalado. Parte a las once. Audiencia general a la una.

Hacienda. Señor Ministro. no tiene día señalado. El subsecretario el 10 y 15 de cada mes; oficiales todos los días a las tres.

Gobernación. Señor Ministro, no tiene día señalado. Subsecretario y oficiales todos los días de cuatro a cinco.

Guerra. Señor Ministro, los domingos de una a dos. El subsecretario, los sábados a las dos, y los oficiales por turno.

Marina. Señor Ministro y oficiales todos los días a las tres.

De Fomento. El señor Ministro no tiene fijado día. Los directores y oficiales de dos a cuatro, alternando.

Consejo Real. Audiencia de oficiales todos los días.

Dirección general de Ultramar. Señor director, a las cuatro. Audiencia de oficiales, todos los días.

De aduanas. Señor director y oficiales, audiencia diaria de nueve a tres de la tarde.

De fincas del Estado. Todos los días a las tres.

De lo contencioso. Todos los días de dos a tres.

De aranceles. Todos los días.

De rentas estancadas. Todos los días el señor director, a la entrada. Parte jueves y sábados a las dos.

Dirección de loterías. Todos los días por la mañana.

Del Tesoro. Todos los días a las dos. Parte a la una.

De la deuda del Estado. Todos los días de una a dos.

Contaduría general del reino. Todos los días de diez a dos.

Caja de amortización. Presentación y saca de documentos, todos los días de diez a dos.

Tesorería de corte. Todos los días.

Dirección de caballería. Señor director de doce a una, el secretario y oficiales a todas horas.

De infantería. Señor director, de doce a una todos los días; secretario, miércoles y sábados de once a una; oficiales, todos los días de tres a cuatro.

De artillería. Todos los días. El director a la una, el secretario a las dos, los oficiales a las tres.

De ingenieros. Martes y viernes de once a dos; parte todos los días de diez a tres.

De la armada. Todos los días.

De carabineros. El inspector, de una a dos, y los oficiales, de dos a tres, martes, viernes y sábados.

Intendencia general militar. Señor intendente general, a las tres de la tarde. Secretario y oficiales a las dos y media; registro, de una a tres.

Intendencia general de marina. Todos los días.

Tribunal Supremo de Justicia. Todos los días de diez a una. Despacho y audiencia.

Tribunal de Ordenes. Idem.

Tribunal de Guerra y Marina. Idem.

Tribunal mayor de cuentas. Entrada diaria, a las dos.

Audiencia territorial. Todos los días de diez a dos.

Tribunal de comercio, de once a dos.

Gobierno político de la provincia. El jefe, miércoles y sábados de tres a cinco, secretario, los lunes, miércoles y viernes, de dos a tres de la tarde.

Capitanía general. El jefe; todos los días de dos a tres.

Gobierno militar. Jefe, miércoles y sábados de tres a cinco, secretario y oficiales, a las tres, tres días en semana.

Auditoría de guerra. De las once a las tres y media.

Consejo provincial. Oficiales de dos a tres todos los días; parte, de doce a dos.

Ayuntamiento. Secretario y oficiales, de diez a cuatro.

Alcalde Corregidor. A su entrada, a las doce, secretario a las dos.

Tenientes de alcalde. Juicios verbales de once a dos.

Comisarios de distrito, despacho de diez a tres de la tarde y de siete a diez de la noche.

Administración de rentas De diez a cuatro. Entrada.

Vicario y visita eclesiástica, de once a dos y de cuatro a cinco por la tarde.

Juzgados de primera instancia, de doce a tres.

Escribanías de número, de once a dos.

Bolsa de comercio, de dos a tres cotización de fondos públicos.

Banco de San Fernando. de nueve a dos cambio de billetes.

Giro mutuo de correos, calle de Alcalá, número 17, de nueve a una. Días de imposición los lunes, miércoles y viernes, y de cobranza los martes, jueves y sábados.

Caja general de depósitos. Abierta de diez a dos.

Monte de Piedad, empeño todos los días de nueve a once, y desempeño de once a una.

Caja de Ahorros, imposiciones los domingos de diez a una y reintegros de una a dos.

VIDA MATERIAL

Elección de calle y casa. Lo primero que debe procurar un forastero es la elección de una calle y casa que estén situadas a la inmediación de los sitios a que le hayan de conducir sus particulares circunstancias, pues el desatender este punto, es una de las causas de la gran fatiga que experimentan los recién venidos a Madrid. Si por ejemplo, fuese pretendiente, deberá situarse en las calles Mayor, Arenal y sus cercanías, para no estar lejos de los ministerios, tribunales y otras oficinas generales. Pero si la mera curiosidad o el deseo de divertirse le traen a Madrid, puede escoger habitación por las calles principales de Atocha, San Jerónimo, Carretas, Montera, Fuencarral. Caballero de Gracia. y sus travesías, con lo cual se proporcionará la vecindad del Prado, museos, teatros y demás objetos curiosos.

Fondas y hoteles.—Para la elección de casa, se presentan al forastero varios medios; pero debe consultar antes su bolsillo escogiendo en consecuencia. Preciso es reconocer, sin embargo, que la escasez de viajeros propiamente tales, que visitan a Madrid, y la falta de edificios correspondientes, hace que nuestra capital carezca de aquel refinamiento de comodidad y buen gusto que ofrecen al extranjero los *hoteles* de París, Londres, Bruselas y otras capitales extranjeras, llegando en este punto la desidia hasta el extremo de no haber uno solo construido expresamente para este objeto. Las pocas *fondas* y casas de comida suplen escasamente aquella falta, hospedando en ellas a algunos forasteros, y dándoles servicio regular por un tanto diario, que suele variar según las diversas circunstancias de habitación, mesa y cama, entre 20 y 30 reales diarios. Las principales de estas fondas son: la de las *Diligencias Postas peninsulares*, calle de Alcalá, núm. 15; la de *San Luis*, calle de la Montera, número 27; la de *Europa*, calle de Peregrinos, número 4; la de los *Leones de Oro*, Postigo de San Martín, número 20; la de *Perona*, calle de Cádiz, número 8; la del *Caballo Blanco*, calle del Caballero de Gracia, número 21, y alguna otra en que se admiten huéspedes y se les da el servicio de comida. Hay otros establecimientos de esta clase, aunque no son fondas, y los principales son el de Mr. *Monier*, Carrera de San Jerónimo, número 8; el de la *Vizcaína*, calle Mayor, casa de Cordero; el de la casa de *Filipinas*, calle de Carretas; el de la casa del *Iris*, calle de Alcalá; etc. Y para servicio de comidas o *restaurants*, más famosos son *Lhardy*, Carrera de San Jerónimo, número 10; *Prosper*, idem, número 23; *Herman*, Jacometrezo, núm. 8; *Pasquet*, calle de la Montera, número 17; *Cuatro naciones*, plazuela de Celenque, número 3; el *Español*, calle del Desengaño, número 5; el *Paraíso*, calle del Clavel, número 13; el *Colmado*, calle de Sevilla, número 5, en donde se sirven comidas desde seis reales en adelante, excepto en las primeras que no las hay menos de veinte reales.

Casas de huéspedes.—El segundo medio y más adoptado para vivir en Madrid los forasteros, son las posadas secretas o *casas* llamadas *de huéspedes*, en las cuales, cediendo sus amos una parte de su habitación ya amueblada, contratan con el huésped el precio de la comida por un tanto diario, que nunca es tan excesivo como en las fondas, teniendo además la ventaja de verse asistido con mayor interés y por personas de otra clase que en aquéllas; las hay hasta en número de 500 o más en todas las calles de la población, y sus precios varían según la situación, dimensiones, mueblaje y demás comodidades, por lo que no se puede fijar regla general; pero por 4 a 8 reales diarios se encuentra un cuarto y cama decente, y por 16 o 20 todo el gasto de comida y servicio. Para darse a conocer estas casas, se usa la señal

de un papel atado a la extremidad de los balcones, y no es el medio como se pone cuando se alquila un cuarto por entero.

Casas de alquiler.—Pero si el forastero hubiese de permanecer largo tiempo en Madrid, puede alquilar una habitación tratando para ello con el casero sobre precio y condiciones; las cuales suelen ser: dar un fiador abonado, o adelantando uno o más meses de alquiler por vía de fianza. Pero entonces tiene que amueblar la habitación, y si no quiere comprar los muebles en los muchos almacenes que hay de ellos, podrá alquilarlos nuevos o usados en los mismos, aunque este medio es siempre caro y sólo puede tener ventaja en algunas ocasiones.

Posadas o paradores.—Ultimamente, las posadas o mesones, son en Madrid bastante malos en general y los precios más bajos en correspondencia, por lo cual no paran en ellos las personas que gustan gozar de algunas comodidades. Los principales y mejores son: el parador llamado de *San Bruno*, calle de Alcalá; el de *Cádiz*, calle de Toledo; del *Rincón*, calle de Alcalá, número 21; de *Barcelona*, calle de San Miguel, número 27; de *Zaragoza*, calle de Sevilla, número 11; del *León de Oro*, Cava Baja, número 12; el de *Castilla*, calle Angosta de San Bernardo. Otros muchos hay en dichas calles de Toledo, Segovia, Cava Baja, Alcalá, Carmen, Montera, Concepción Jerónima y otras; pero en general están limitados a aposentar a los trajineros por sus escasas comodidades.

Cafés.—Los más frecuentados son: el *Suizo*, el del *Iris* y el de la *Iberia*, en la Carrera de San Jerónimo; el de los *Dos amigos*, el del *Recreo*, el de *Levante*, el de la *Aurora* y otros, en la calle de Alcalá; el del *Príncipe*, el de *Venecia*, en la calle del Príncipe, y los de *San Luis*, el del *Pasaje* y el de la *Esmeralda*, calle de la Montera; el de *Moratín*, en la calle del Prado; el de *Correos*, en la Puerta del Sol; el de *Pombo*, en la casa de Cordero; el del *Comercio*, calle del Carmen, etc. Otros muchos hay diseminados en todo Madrid, que se reparten entre sí la concurrencia y tie nen respectivamente para sus abonados su mérito particular.

Además de los cafés, hay un crecido número de *juegos de billar* nunca desocupados de jugadores y mirones, que ofrecen un recurso a la distracción v a la holganza.

Casas de baños.—Hay unas veinte casas de baños bastante regulares. Las principales son: la de la *Estrella*, calle de Santa Clara, número 1; de *Oriente*, plaza de Isabel II, número 3; de *Cordero*, calle Mayor, número 1; de *Monier*, Carrera de San Jerónimo, número 10; calle de Capellanes, número 1; de Hortaleza, números 85 y 142; del Caballero de Gracia, núm. 23; de *San Isidro*, calle Mayor, número 35; calle de Jesús y María, número 24; de la Flora, número 4; de las *Delicias*, paseo de Recoletos, número 11; de *la Cruz*, calle de los Jardines, números 14 v 20; de *Guardias*, calle de Amaniel, número 33; de *Berete*, calle de Valencia; de Alcalá, número 20. Los precios varían entre 6 y 8 reales con ropa, tomados en la casa y 14 a 16 llevados a domicilio.

Criados. — Los asturianos en general abastecen a Madrid de criados de servicio; los más finos y aseados sirven de lacayos; otros hacen de compradores y mozos de cordel. Son trabajadores, sufridos y sólo torpes en los principios de su llegada a Madrid, aunque muy luego se enteran de sus calles, usos y costumbres. Sus salarios varían según el convenio y trabajo que se les dé, pero puede fijarse por término medio el de 2 reales diarios y comida, que pagan la mayor parte de las casas de Madrid.

Aguadores y mozos de cordel. — Los aguadores asturianos y gallegos suelen servir igualmente de mozos de compra, y el precio de su trabajo suele ser el de 20 reales al mes, con lo cual surten de agua que toman en las fuentes principales. Los robustos mozos de cordel, que se hallan en las esquinas de las calles, aunque toscos sobremanera, sirven para conducir los efectos y hacer toda especie de mandados, lo cual ejecutan con bastante exactitud y notable probidad, pagándoles de 2 a 4 reales por cada mandado.

Agencias públicas.—Para el trasiego y acomodo de criados y criadas y otros menesteres de la vida interior, existían desde tiempo inmemorial varias notabilidades de portal, como el valenciano de la Puerta del Sol, el catalán de la calle de Carretas y otros que sin más registros que su gran práctica, llenaban el objeto de estas comisiones. Pero en el día se ha desarrollado este género de industria, hasta el punto de establecerse uno o más en cada calle, y además hay oficinas especiales con el título de *Agencias públicas*, en donde no solamente se proporcionan criados y criadas de servicio, sino también préstamos, habitaciones, colocación de fondos, cambio de créditos, seguimiento de negocios forenses y pretensiones, y venta de libros, muebles, trajes, etc. De estos establecimientos existen varios en las calles de Carretas, Mayor, Carrera de San Jerónimo, Jacometrezo, las Fuentes, plazuela del Angel y calle de Atocha, etc.

Carruajes de plaza.—Los dedicados a este servicio son unos quinientos, entre berlinas, carretelas, etc., muy decentes y hasta de lujo, con uno o dos caballos, y están situados en las plazas y calles principales como son las siguientes: Puerta del Sol, calle de Carretas, Mayor y Carrera de San Jerónimo, de Alcalá, de la Montera, de Fuencarral, del Caballero de Gracia y plaza de Bilbao, de Isabel II, de San Ginés, las Platerías, de los Consejos, calle de Atocha, y otras; tienen pintado a la espalda y en los faroles su número correspondiente; rige para ellos la tarifa siguiente. Los de un caballo sólo, por una carrera o *pase*, de día, dentro de la población, *cuatro* reales, *seis* desde el anochecer hasta las diez. y *diez* desde las doce en adelante. Y por horas, 8 reales la primera y 6 las siguientes, de día; 10 la primera v 8 las siguientes, de noche hasta las doce, y 14 la primera y 12 las demás, desde media noche en adelante. Todas estas carreras, u horas, son dos reales más cada una en los carruajes que tienen dos caballos. Se considera interior de la población el recinto comprendido dentro de las tapias, y el paseo de la Fuente Castellana desde la puerta de Recoletos hasta el Obelisco; lo demás todo es exterior, y en él se paga dos reales más por hora. Esto verdaderamente es ridículo, y debería abolirse, declarando igual el pago por toda la ronda y paseos circunvecinos sirviendo de términos inclusive, los del Canal y Río, la cuesta de Areneros, el camino alto de San Bernardino hasta el de Francia, y el Obelisco, y luego a la puerta de Alcalá y vuelta del Retiro, con lo cual se proporcionaría la comodidad del vecindario, y se evitarían muchas cuestiones.

Hay además de estos carruajes estacionados en las plazas otros de alquiler por días o por temporadas, en varios establecimientos, algunos de lujo en trenes y lacayos, según los cuales varía también el precio. El término medio suele ser abono por un día entero, 100 reales; por medio, 50; por un mes, 2.400 a 3.000 reales. Calles de la Magdalena, número 20; de Valverde, número 8; de Cedaceros, número 3; del Caballero de Gracia, número 31; de la Greda, número 4; de las Urosas, número 9; de la Ballesta, número 7; del Sordo, número 3; de los Negros, número 4; etc.

Periódicos.—Se publican hoy diarios políticos los siguientes: la *Gaceta de Madrid*, el *Heraldo*, la *España*, el *Clamor público*, las *Novedades*, la *Nación*, el *Diario Español* y la *Iberia*, por la mañana. La *Esperanza*, el *Católico* y la *Epoca*, por la tarde. El *Diario oficial de avisos de Madrid*, el *Boletín de la provincia*, los de los ministerios, y hasta otros setenta entre semanarios, revistas, crónicas, etc., militares, de administración, judiciales, de obras públicas, de hacienda, de comercio, de industria, ciencias, literatura y artes.

Gabinetes de lectura.—Los principales son los del Ateneo, Casino, y Círculos de comercio; pero éstos son privados para los socios. Hay otros, públicos, donde se suelen pagar desde 2 cuartos a 1 real por entrar a leer. El de Mr. Monier, calle de la Victoria, número 3; el de la calle del Desengaño, número 4; Galería de San Felipe, número 8; calle de Cádiz, número 10, etc.

Cambio de monedas. En Madrid no hay propiamente casas de cambio de monedas; pero se dedican a este objeto, poquísimo lucrativo entre nosotros, varias tiendas en la Puerta del Sol, calles de Alcalá, la Montera y Toledo, y también en ellos se reducen los billetes de banco a las horas en que está cerrado aquel establecimiento. La diferencia de cambio entre estos y la plata, y entre este metal y el oro suele ser cortísima o nula en circunstancias normales.

Las monedas francesas y sus equivalentes decimales belgas, italianas, y hasta griegas, circulan por la última tarifa por el siguiente valor:

Oro:

Pieza de 40 francos	152 rs. vn.
” de 20 idem	76 rs.

Plata:

Pieza de 5 francos	19 rs.
” de 2 idem	7 rs. 18 mrs.
” de 1 idem	3 rs. 26 mrs.
” de ¹/₂ ó 50 cms. ...	1 rs. 30 mrs.

Las monedas inglesas, portuguesas, alemanas, etc., no circulan apenas, y sólo como pasta.

COMUNICACIONES Y TRANSPORTES

CORREOS

Los correos generales entran antes de las seis de la mañana, y salen a la misma hora de la tarde. Las cartas deben echarse en los buzones antes de las cinco.

Distribución de la correspondencia

Se reparte de tres modos: 1.º, por apartado, que cuesta 60 reales o mayor cantidad; el que tiene apartado recibe el correo con mucha anticipación; 2.º, por medio de los carteros que la llevan a las casas; 3.º, por listas que se fijan en la administración, puestas por orden alfabético con distinción para *paisanos*, *militares*, *cartas del extranjero*, *de Indias y atrasadas*. El despacho principal de los sellos para el previo franqueo de correspondencia está en la calle del Correo, número 4; también se expenden en todos o la mayor parte de los estancos.

TARIFAS DE CORREOS

CORRESPONDENCIA DEL REINO

Cartas no francas

De peso hasta 6 adarmes inclve.   1 real.
De más de 6 adarmes a 8 ... ...   10 ctos.
De más de 8 a 12   15   ”
De más de 12 a 16   20   ”

Y así progresivamente, aumentándose cinco cuartos por cada vez que el peso exceda de una cuarta parte de onza.

Francas

Hasta media onza inclusive ...   6 ctos.
De más de media onza a una ...   12   ”

Y así progresivamente, aumentándose seis cuartos cada vez que el peso exceda de media onza.

Francas y certificadas

Hasta 6 adarmes inclusive ... ...   5 rs.
De más de 6 adarmes a una onza.   10   ”
De más de 1 onza a onza y media.   15   ”

Y así progresivamente, aumentándose cinco reales cada vez que el peso exceda de una onza.

Para las cartas que excedan de 6 adarmes, es forzoso el franqueo. También es forzoso en la correspondencia de oficio; pero para ésta se usan sellos diferentes de los destinados al público. Pueden certificarse las sencillas con un sello de 2 reales.

CORREO INTERIOR DE MADRID

Las cartas para el interior de Madrid se franquean con un sello de un cuarto, aumentándose tantos sellos de esta clase, según el peso, como queda establecido arriba en las cartas francas. Se expenden estos sellos en los estancos.

Se recoge la correspondencia

A las nueve de la mañana. A la una del día. A las cuatro de la tarde. A las siete de la tarde.

Queda repartida

A las diez y media. A las dos y media. A las cinco y media. A las ocho y media. Las quejas de mal servicio a la administración central.

Puntos en que se encuentran los buzones

1   Red de San Luis.
2   Plazuela de Bilbao.
3   Calle de Alcalá.
4   Plazuela del Duque de Frías.
5   Plazuela de Santa Bárbara. (Cárcel del Saladero.)
6   Fuencarral. (Hospicio.)
7   Madera Alta.
8   Ancha de San Bernardo. (Casa Galera.)
9   Alcantarilla de Leganitos.
10   Plazuela de Santo Domingo.
11   Plazuela de Isabel II.
12   Plaza de la Constitución.
13   Calle de Segovia.
14   Carrera de San Francisco.
15   Calle de Toledo. (Fuentecilla.)
16   Plazuela de Lavapiés.
17   Plaza del Progreso.
18   Plazuela de Antón Martín.
19   Plazuela de Santa Ana.
20   Atocha. (Colegio de San Carlos.)
21   Carrera de San Jerónimo.
22   Plazuela de Jesús.

FERROCARRIL

SALIDAS DE MADRID

A las 7 de la mañana para Aranjuez, Tembleque, Alcázar de San Juan y estaciones intermedias.

A las 11 de la mañana para Aranjuez y estaciones intermedias.

A las 12 y 45 y minutos del día, tren de mercancías para las secciones de Aranjuez y Tembleque.

A las 6 y 30 minutos de la tarde, tren de viajeros para las secciones de Aranjuez, Tembleque y Alcázar.

NOTA: La sección de Aranjuez comprende las estaciones de Madrid, Getafe, Valdemoro, Pinto, Ciempozuelos y Aranjuez.

La sección de Tembleque, comprende la estación de este nombre y las de Villasequilla y Huerta.

La de Alcázar tiene además de la de este nombre las de Villacañas y Quero.

PRECIOS

	Aranjuez	Tembleque	Alcázar
En coche de 1.ª clase.	20	30	40
En idem 2.ª	14	21	28
En idem 3.ª	8	12	16

Sillas de postas

Para correr la posta hay que acudir a la administración de correos a solicitar licencia, que se expide en vista del pasaporte del solicitante, que tiene que satisfacer 40 reales. (Véase la Real orden de 26 de julio de 1844).

Sillas-correos diaria con dos asientos

	Salen	Entran	Precios
Badajoz	a las 6 de la tarde	a las 6 de la mañana	375
Barcelona	idem	idem	460
Bayona	idem	idem	448
Coruña	idem	idem	400
Oviedo	idem	idem	360
Sevilla	idem	idem	440
Valencia	idem	idem	300

DILIGENCIAS

Diligencias postas generales.—En la calle de Alcalá, número 15, hace el servicio de Madrid a los puntos, y en los días y horas de salida que a continuación se expresan:

A Bayona, en los días pares, a las cinco de la mañana. Precios de los asientos: berlina, 420 reales; interior, 380; rotonda, 340; imperial, 300. A Barcelona, en los días impares, a las once de la noche. Precios: 460, 420, 360 y 360. A Zaragoza, en los días pares, a las once de la noche. Precios: 220, 200, 170 y 170. A Valencia, en los días pares, a las once de la mañana.

Precios: 300, 240 y 200. Este coche no tiene rotonda. A Murcia, en los días impares, a las seis de la mañana. Precios: 320, 300, 280 y 240. A Sevilla, en los días pares, a las ocho de la mañana. Precios: 360, 320, 280 y 280. A Granada, en los días impares, a las cinco y media de la tarde. Precios: 300, 240, 200 y 160. A La Coruña, en los días impares a las seis de la mañana. Precios: 400, 360, 320 y 320. A Oviedo, en los días impares, a las seis de la mañana. Precios: 300, 260, 240 y 240. A Santander, en los días pares, a las ocho de la mañana. Precios: 320, 260, 220 y 220. A Valladolid, todos los días, a las seis de la mañana. Precios: 120, 90.

70 y 70. A Segovia, en los días impares, a las seis de la mañana. Precios: 70, 60, 50 y 40.

Diligencia de la Victoria.—Calle de la Victoria, núm. 4; hace el servicio de Madrid a Vitoria y San Sebastián, saliendo en los días pares, a las seis de la tarde. Los precios de los asientos son: para Vitoria, berlina, 283 reales; interior, 256; rotonda, 229 y cupé, 202; para San Sebastián, berlina, 391; interior, 353, y rotonda, 315.

Diligencias del Poniente de España.—Calle del Correo, número 2. A Valladolid, días impares, a las siete de la mañana. Precios: berlina, 120 reales; interior, 90; rotonda, 70. A Oviedo, días pares, a las seis de la mañana. Precios: 300, 260 y 240. A León, días pares, a las seis de la mañana. Precios: 200, 180 y 172. A Lugo, días pares, a las seis de la mañana. Precios: 340, 305 y 272. A La Coruña, días pares, a las seis de la mañana. Precios: 400, 360 y 320. Al Escorial, todos los días, a las seis de la mañana y tres de la tarde. Precios: 34, 28, 24 y 20.

Diligencias del Norte y Mediodía.—Calle del Correo, número 2. A Bayona, todos los días, a las doce de la noche. Precios: berlina, 420 reales; segunda berlina, 380; rotonda, 340; imperial, 300. A Santander, días pares, a las siete de la mañana. Precios: 340, 300, 260 y 230. A Bilbao, días impares, a las siete de la mañana. Precios: 340, 300, 260 y 230. A Deva, días impares, a las siete de la mañana. Precios: 340, 306, 280 y 240. A Cestona, días impares, a las siete de la mañana. Precios: 350, 316, 290 y 250. A Pamplona, días impares, a las siete de la mañana. Precios: 360, 316 y 290. A Salamanca, días impares, a las once y media de la noche. Precios: 140, 120, 100 y 80. A Toledo, todos los días, a las siete de la mañana. Precios: 44, 34, 24 y 24. A Guadalajara, días impares, a las siete y media de la mañana. Precios: 30, 24, 16 y 12. A Jadraque, por Guadalajara, en los días pares, a las seis de la mañana. Precios: 70, 54, 42 y 34. A Sevilla. Precios: 360,

320, 280 y 280. Días pares, a las cinco tres cuartos de la tarde.

Diligencias primitivas.—Calle de Alcalá, núm. 32. A Bayona, días impares, a las ocho de la mañana. Precios: berlina, 420 reales; interior, 380; rotonda, 340; cupé, 300. A San Sebastián, días impares, a las ocho de la mañana. Precios: 420, 380 y 300. A los baños de Fitero, días impares, a las ocho de la mañana. Precios: 274, 242 y 190. A Jadraque, días pares, a las siete de la tarde. Precios: 60, 48 y 30. A Trillo, días pares, a las cinco de la tarde. Precios: 100, 80, 70 y 60. A la Isabela, días pares, a las doce de la noche. Precios: 100, 80 y 70. A La Granja, días pares, a las seis de la mañana. Precios: 70, 60, 50 y 40. A Segovia, días pares, a las seis de la mañana. Los precios, los mismos que a La Granja. A Torrelaguna, días pares, a las siete de la mañana. Precios: 28 y 24. A Guadalajara, días pares, a las ocho de la mañana. Precios: 30, 24 y 16.

Nueva Peninsular.—Calle de Alcalá, número 10. A Sevilla, días impares, a las cinco y media de la tarde. Precios: 360 reales, 320 y 280. A Granada, días pares, a las ocho de la mañana. Precios: 300, 240, 200 y 160. A Valladolid, días impares, a las ocho de la mañana. Precios: 120, 90 y 70.

Diligencia Castellana y Burgalesa unidas.—Calle de Alcalá, número 11. A Bilbao, por Burgos y Balmaseda, en los días pares, admitiendo también asientos para Logroño y Tudela, y de Madrid a Santander por Burgos y Peñaspardas, en los días impares sin cambiar de coche. Los precios de los asientos de Madrid a Bilbao y Santander son: berlina, 340 reales; interior, 300; rotonda, 270; cupé, 230. Los de Madrid a Logroño: 284, 243 y 195; de Madrid a Tudela: 348, 291 y 236. Estas diligencias llegan a Bilbao y Santander a las 44 horas de su salida de la corte.

Del mismo despacho sale en los días impares, a las once de la mañana, una diligencia para Valencia por la carretera de Las Cabrillas, haciendo su viaje en cuarenta y dos horas. Los precios son: berlina, 300 reales; interior, 240; imperial, 200 reales.

Diligencias de la Nueva Unión. — Calle de Alcalá, número 28. A Bayona, pasando por Soria y Pamplona. Salen de Madrid en los días pares, a las seis de la tarde, haciéndose el viaje en cincuenta y tres horas. Los precios de los asientos son: berlina, 420 reales; segunda berlina, 380; rotonda, 340; imperial, 300.

Diligencias de Oriente.—Calle de Alcalá, número 9. Hace el servicio, alternando, de Madrid a Barcelona, por Zaragoza. Sale de Madrid en los días pares, a las once de la noche, llega a Zaragoza a las treinta y cuatro horas de su salida, descansa allí diez y continúa su viaje a Barcelona, invirtiendo otras treinta y cuatro horas. Los precios de los asientos son: a Barcelona: berlina, 460 reales; interior, 420; rotonda y cupé, 360; a Zaragoza, 220, 200 y 170.

Diligencias de Madrid a Alcalá.—Calle de Alcalá, número 12. Todos los días, a las seis de la mañana y cuatro de la tarde. Precios: berlina, 18 reales; interior, 14; rotonda, 12; cupé, 10, y banqueta, 8.
Idem.—Calle de Alcalá, número 40. Precios: 12, 10, 8 y 6 reales.
Para Toledo por el ferrocarril.—Calle de Espoz y Mina, número 1. Diaria, a las once de la mañana. Precio: 38, 34 y 28 reales. En la misma casa, para Arganda. Diaria, a las cuatro y media de la tarde. Precios: 10, 8, 7 y 6 reales.
Para El Escorial.—Calle de las Fuentes, número 11. Diaria, a las cinco de la mañana y tres de la tarde. Precios: 34, 28, 24 y 20 reales.
Para Getafe.—Plazuela de la Berenjena. A las siete de la tarde. Precio: 4 reales.
Para los Carabancheles.—Calle de Toledo, núm. 23, y plaza Mayor, número 21. Seis veces al día. Precio: 3 reales.

Transportes terrestres y marítimos.—Calle de Alcalá, número 12, mensajerías aceleradas para Andalucía, en combinación con el ferrocarril. Para Sevilla y Cádiz, los días pares; para Jaén, Granada, Almería y Málaga, los impares.
La Económica.—Calle de Espoz y Mina, número 1. Transporte acelerado para Andalucía. Los días alternados.
Para los baños de Loeches.—Calle de Alcalá, número 12, despacho de las diligencias de Alcalá; diaria, a las seis de la mañana.
Para los de El Molar.—Viuda de Martín y Compañía. Nueva Peninsular, calle de Alcalá, núm. 10.
Para Trillo y Valencia, galeras.—Calle de Alcalá, parador de San Bruno. Tres veces en semana.
Para Arganda, Peralta y Loeches.—Calle de la Colegiata, núm. 13. Un día sí y otro no. Precios: 16 y 14 reales.
La Bilbaína, calle de Alcalá, núm. 16.— Para Bayona y Bilbao, un día sí y otro no. Para Oviedo, los miércoles. Para Navarra, tres o cuatro al mes. Para Valencia, los miércoles, viernes y domingos. Para Alicante, dos días a la semana. Para Extremadura, tres o cuatro al mes.
De la Unión.—Transportes acelerados de Echeandía y Compañía, calle de la Montera, núm. 24. Salen carruajes de esta empresa un día sí y otro no, constantemente, por la carretera de Francia hasta Bayona, pasando por Aranda, Burgos, Vitoria, Vergara, Tolosa, San Sebastián e Irún, y hasta Bilbao por Vitoria en seis días y medio, nueve a Irún y diez a Bayona. Corresponde esta empresa directamente con las diligencias, mensajerías y demás carruajes de Francia.
De Tomás Verdaguer, calle de Alcalá, número 16.—Para Valencia, los miércoles, viernes y domingos. Cataluña, los miércoles, a las diez de la mañana
Mensajerías para Cuenca, parador de San Bruno, calle de Alcalá, núm. 40. Salen todas las semanas.
De Fores y García, calle de Alcalá, número 24.—Para Zaragoza y su carrera, los

martes, jueves y sábados, a las diez de la mañana.

De Gil y Compañía, calle de Alcalá, número 40. — Para Valencia, los miércoles, viernes y domingos, a las once de la mañana. Para Rioja, los domingos, a las cuatro de la mañana. También salen coches para Alcalá todos los días a las siete de la mañana y tres de la tarde.

De Salamanca, calle de la Aduana, número 13.—No tienen día fijo de entrada ni de salida.

De Chori y Compañía, calle de Alcalá, número 16. Para Pamplona y Soria, expediciones semanales.

Para Navarra, calle de Alcalá, núm. 16. Salen todas las semanas galeras para Soria, Agreda, Cintruénigo, Tudela, Tafalla, Pamplona y Baños de Fitero.

De Saura y Compañía.—Parador de la Torrecilla, calle de Toledo, número 108.—Hacen parada las galeras para Cartagena, Albacete, Toledo, Andalucía y su carrera.

Parador del Rincón, calle de Alcalá, número 21.—Soria, tres veces al mes. Pamplona, tres veces al mes. Valladolid, dos veces a la semana. La Coruña, una vez. Idem., tres veces al mes. Santander, dos veces a la semana. Albacete, una vez al mes. Zaragoza, tres veces a la semana. Talavera de la Reina, dos veces al mes. Jadraque, todas las semanas. Valle de Mena y Bilbao, una vez al mes.

Del Angel, plazuela de la Cebada.—Hay carruajes para Badajoz.

Antiguo de Ocaña, calle de Toledo, número 112.—Murcia, Lorca, Cartagena, Aguilas, Orihuela, Archena, Albacete, Almagro, la Mancha y sus carreras.

De Monroy, calle de Toledo núm. 119. Para las carreras de toda la Andalucía y de la Mancha, todas las semanas.

Del Soldado, calle de Toledo, núm. 136. Transportes diarios para Granada, Jaén, Córdoba, Andújar, Madridejos, Bailén, Valdepeñas, Manzanares, Ocaña y Aranjuez. Hace parada el ordinario de Orihuela y Murcia.

Posada de Luna, calle de Toledo, número 140.—Transportes diarios para Aranjuez, Manzanares, Valdepeñas, Bailén, Córdoba, Ecija, Sevilla, Málaga, Jaén, Granada, Cartagena y Orihuela.

De Medina, calle de Toledo, núm. 142.

Manzanares, Valdepeñas, Aranjuez, Bailén, Córdoba, Quintanar, Murcia, Ecija, Sevilla, Málaga, Jaén y Granada.

De la Cruz, calle de Toledo, núm. 123.—Alicante, Valencia, Santander y Burgos.

De Cádiz, calle de Toledo, núm. 125.—Carros para Valencia.

De los Huevos, calle de la Concepción Jerónima.—Hay galeras para Medina, Zamora, Toro y su carrera, Segovia, Cáceres, Trujillo, Mérida y Badajoz.

De Muñoz, fuera de la Puerta de Alcalá. Hace parada un coche, y en su retorno admite asientos a precios convencionales.

De la Aduana, calle de este nombre, número 17.—Sale todos los meses una galera para Aranda, Burgos, Villarcayo, Espinosa de los Monteros, La Nestosa, Valle de Carranza, Laredo, Santoña, La Cavada y su carrera.

De San Bruno, calle de Alcalá, núm. 40. Ordinario fijo de Burgos, sale los sábados. El ordinario de la Rioja Alta y Baja sale con su galera dos veces al mes, para Aranda, Burgos, Briviesca, Casa la Reina, Santo Domingo de la Calzada, Ezcaray y Haro.

De la Torrecilla, calle de Toledo, número 108.—Mensajerías de Saura y Compañía. Hace parada una de ellas para Cartagena, Lorca, Orihuela, Murcia, Albacete y su carrera. En dicha posada hay también galeras para Málaga, Almería, Granada, Jaén y su carrera.

Antigua de Maragatos, calle de Segovia, número 47.—Hay ordinarios casi todos los días para la carrera de Galicia.

De Maragatos, calle de Segovia, número 27.—Hay ordinarios para Galicia y Asturias.

De Gallegos, calle de Segovia, núm. 40. Hay ordinarios para Asturias.

VIGILANCIA PÚBLICA Y MUNICIPAL

Con arreglo al Real decreto de 4 de abril del presente año, en que se da nueva forma y se reasumen en uno ambos ramos de policía de seguridad y urbana, se crearon en Madrid cinco inspectores, treinta comisarios y treinta secretarios de

Comisaría. Los inspectores funcionan, uno a las inmediatas órdenes del gobernador sobre todos los distritos municipales, y los otros cuatro sobre los distritos comprendidos en su respectiva demarcación que designarán las dos grandes líneas de Norte a Sur y de Este a Oeste en que se divide Madrid. Los treinta comisarios están distribuídos en los 10 distritos municipales, y hay para auxiliarles un cuerpo militar que consta de cuatro compañías, con 384 plazas de infantería y 40 de caballería, cuyos individuos se denominan *salvaguardias de Madrid.*

Los comisarios están encargados del empadronamiento general del vecindario, de la expedición de cédulas de residencia y vecindad, papeletas para pasaportes al extranjero, etc., y a ellos deberá acudirse a solicitar unas y otras, como también para participar las mudanzas de domicilio, la admisión de criados, los nacimientos, matrimonios y defunciones y demás referente al estado civil. Cuidan también de todo lo relativo a la policía urbana, como denuncias de faltas, obras públicas, incendios, etc. Los comisarios viven en su respectivo distrito, y sobre la puerta de sus casas hay un escudo de armas reales, con el letrero *Comisaría de Vigilancia pública y municipal del distrito de...* Las horas de despacho de su oficina, deben ser desde las nueve de la mañana a las tres de la tarde, y desde las siete a las diez de la noche en los meses desde abril a septiembre, ambos inclusive, y de diez a cuatro de la tarde, y de ocho a once de la noche, en los restantes.

Pasaportes.—Desde 1.º de mayo último no se necesitan para el interior.

Para el extranjero hay que solicitarle por medio del comisario del distrito, acompañando la carta de residencia o el pasaporte anterior, y dos testigos responsables; luego, con papeleta del comisario pasa al señor gobernador, quien lo manda expedir, mediante 40 reales de derechos. Presentado después en el Ministerio de Estado, se recoge el *visto bueno*, que se expide *gratis*, y después se refrenda en la Legación del país a donde se dirija el viajero, cuyo refrendo suele devengar derechos.

Los viajeros extranjeros a su llegada tienen que dar parte al comisario de la demarcación en el término de veinticuatro horas, siendo responsables de la falta de incumplimiento los dueños de las casas donde se hospeden. En seguida presentarán el pasaporte a su embajador para solicitar permanencia, y luego al Gobierno de provincia, retirándole luego de obtenida la autorización.

LEGACIONES EXTRANJERAS

Embajador de Austria.—Su enviado extraordinario y ministro plenipotenciario, calle de las Infantas, núm. 31.

Bélgica.—Su ministro residente. calle de la Greda, núm. 8.

Brasil.—Su ministro residente, plazuela de Oriente, núm. 4.

Cerdeña.—Su enviado extraordinario y ministro plenipotenciario, calle de Alcalá, número 68.

Chile.—Su encargado de Negocios, plazuela de la Villa, núm. 107.

Dinamarca.—Su ministro residente, calle del Barquillo, núm. 5.

Dos Sicilias.—Su enviado extraordinario y ministro plenipotenciario, calle de Segovia, palacio de Anglona.

Estados Unidos.—Su enviado extraordinario y ministro plenipotenciario, calle de las Rejas, núm. 2.

Francia.—Su embajador, Cuesta de la Vega, núm. 5.

Inglaterra.—Su ministro plenipotenciario, calle de Torija, núm. 9.

Méjico.—Su encargado de Negocios, calle del Factor, núm. 14.

Países Bajos.—Su enviado extraordinario y ministro plenipotenciario, calle de San Mateo, núm. 9.

Perú.—Su enviado y ministro plenipotenciario, palacio de Villahermosa, esquina al Prado.

Portugal.—Su encargado de negocios, calle de Fuencarral, núm. 93.

Prusia.—Su enviado extraordinario y ministro plenipotenciario, calle de Alcalá, número 61.

Suecia.—Su encargado de Negocios, plazuela de Oriente. núm. 12.

Toscana.—Su encargado de Negocios, calle de Alcalá. núm. 70.

LISTA ALFABETICA DE LAS CALLES Y PLAZAS DE MADRID

Nombres de las calles	Entrada	Salida
Abada (1)	Plazuela del Carmen	Jacometrezo.
Abades	Mesón de Paredes	Embajadores.
Acuerdo	Noviciado	San Hermenegildo.
Aduana (*Angosta de San Bernardo*)	Montera	Peligros.
Aguardiente	Costanilla de San Andrés ...	Plazuela del Alamillo.
Aguas	Tabernillas	Don Pedro.
Agueda (Santa)...	Santa Brígida	San Mateo.
Aguila	Mediodía Grande	Campillo de Gil Imón.
Agustín (San)	Prado (del)	Cantarranas.
Alameda...	Plazuela de la Platería de Martínez	Gobernador.
Alamillo	Costanilla de San Andrés ..	Plazuela del Alamillo.
Alamo	Plazuela de los Mostenses.	Plazuela de Capuchinas.
Alberto (San)	Montera	Plazuela del Carmen.
Alcalá	Puerta del Sol	Paseo del Prado.
Almendro	Nuncio	Plazuela del Humilladero.
Almirante	Barquillo	Al Prado de Recoletos.
Almudena (Real de la) (véase *Mayor*.)		
Almudena	Plazuela de los Consejos ...	Plazuela de Santa María.
Altamira (trav. de)	Justa	Flor Alta.
Amaniel	Plazuela de Capuchinas ..	San Hermenegildo.
Amargura	Mayor	Plaza Mayor.
Amazonas	Plazuela del Rastro	Peñón.
Amnistía...	Espejo	Santiago.
Amor de Dios	Huertas	Plazuela de Antón Martín.
Ana (Santa)...	Ruda	Bastero.
Andrés (San)	Espíritu Santo	Divino Pastor.
Andrés (callejón)	Divino Pastor	Sin salida.
Andrés (Cn. y arco de S.). véase Costanilla		
Angel	Aguas	Santos.
Angeles (Costanilla)	Plazuela de Isabel II	Plazuela de Santo Domingo.
Animas (callejón)...	Plazuela de las Salesas ...	Sin salida.
Antón (San)	San Marcos	Barquillo.
Arco de San Ginés	Arenal	Plazuela de San Ginés.
Arco del Triunfo (2)	Mayor	Plaza Mayor.
Arco de Santa María	Fuencarral	Barquillo.
Arenal	Puerta del Sol	Plaza de Isabel II.
Arenal (Travesía)	Mayor	Arenal.
Arganzuela	Toledo	A las tapias.
Arganzuela (Costanilla) ...	Arganzuela	Sin salida.

(1) Llamóse así esta calle por una abada o rinoceronte hembra que enseñaban en ella en el siglo XVI unos portugueses que la trajeron el Brasil.

(2) Llamóse del Triunfo por la acción del 7 de julio de 1822. Antes se llamaba del *Infierno*.

Nombres de las calles	Entrada	Salida
Atocha	Plazuela de Santa Cruz ...	Al Prado.
Audiencia	Salvador	Santo Tomás.
Aunque os Pese (véase travesía de la *Parada*) (1).		
Autores	Plazuela de Santa María ...	Viento.
Ave María	Magdalena	Plazuela de Lavapiés.
Bailén	Plazuela de Oriente	P. de San Marcial.
Ballesta	Desengaño	Corredera Baja de San Pablo.
Ballesta (T.ª de la)	Ballesta	Corredera Baja de San Pablo.
Baño	Carrera de San Jerónimo.	A la del Prado.
Bárbara (Santa)	Fuencarral	Plazuela de San Ildefonso.
Barcelona (antes *Ancha de Majaderitos*)	Cádiz	Cruz.
Barco	Desengaño	Plazuela de San Ildefonso.
Barquillo (Real del) (2) ...	Alcalá	Hortaleza.
Barranco de Embajadores. Al final de la calle ídem.		
Barrio Nuevo	Concepción Jerónima	Plaza del Progreso.
Bartolomé (San)	Plazuela de Bilbao	Arco de Santa María.
Bastero	Toledo	Carnero.
Beatas	Ancha de San Bernardo ...	Alamo.
Beatas (T.ª de las) antes *Sal si puedes*		
Belén	San Antón	Barquillo.
Belén (trav..)	Plazuela del Duque de Frías.	Belén.
Beneficencia	Fuencarral.	San Opropio.
Berenjena	Huertas.	San Juan.
Bernabé (San)	Calatrava	Portillo de Gil Imón.
Bernardino (San)	Plazuela de Capuchinas ...	Plazuela de los Afligidos.
Bernardo (ancha de S.) (3).	Plazuela de Santo Domingo.	Puerta de Fuencarral.
Bernardo (Angosta de San), véase *Aduana*		
Biblioteca	Cuesta de Santo Domingo.	Plazuela de la Encarnación.
Biombo	San Nicolás	Factor.
Blas (San)	San Pedro	Leche.
Bodega de San Martín ..	Arenal	Flora.
Bola	Plazuela de la Encarnación.	Plazuela de Santo Domingo.
Bonetillo	Mayor	Escalinata.
Bordadores	Mayor	Arenal.
Boteros (véase *Felipe III*).		
Botoneras	Plaza Mayor	Imperial.
Brígida (Santa)	Fuencarral.	Hortaleza.
Bringas (trav. de)	Ciudad Rodrigo	Plazuela de San Miguel.
Bruno (San)	Toledo	Cava Baja.
Buenaventura (San)	Carrera de San Francisco.	Vistillas.
Buenavista	Santa Isabel	Fe.

(1) Esta calle, la de *Enhoramala vayas*, y la de *Sal si puedes*, contiguas, se llamaron así por las disputas que hubo sobre vender el terreno.
(2) Esta calle y barrio fueron en lo antigu jurisdicción de Vicálvaro.
(3) Esta calle se llamó antes de los Convalecientes, por el hospital que estaba en ella.

Nombres de las calles	Entrada	Salida
Burro (véase *Colegiata*) ..		
Caballero de Gracia	Montera	Alcalá.
Cabestreros	Mesón de Paredes	Embajadores.
Cabestreros (trav. de)	Cabestreros	Embajadores.
Cabeza	Jesús y María	Ave María.
Cádiz	Carretas	Espoz y Mina.
Calatrava	Humilladero	Santos.
Calderón de la Barca	Mayor	Travesía de Luzón.
Calvario	Jesús y María	Olivar.
Campillo d e l a s Vistillas (véase *Vistillas*).		
Campillo de Manuela (véase *Manuela*).		
Campillo y Carrera de San Francisco (véase Carrera).		
Candil	Carmen	Preciados.
Cantarranas (véase *Lope de Vega*).		
Cañizares	Atocha	Magdalena.
Caños del Peral	Plazuela de Isabel II	Costanilla de los Angeles.
Caños Viejos (*Cuesta de los*)	Segovia	Morería.
Capellanes	Plazuela de Celenque	Preciados.
Capuchinos (costanilla) ..	Plazuela de Bilbao	San Marcos.
Caravaca (Cruz de)	Lavapiés	Mesón de Paredes.
Carbón	Jacometrezo	Desengaño.
Carlos (San)	Olivar	Ave María.
Carlos III	Plazuela de Isabel II	Plaza de Oriente.
Carmen	Puerta del Sol	Plazuela de San Jacinto.
Carnero	Ribera de Curtidores	Arganzuela.
Carrera de San Francisco.	Puerta de Moros	A San Francisco.
Carrera de San Jerónimo ..	Puerta del Sol	Plazuela de las Cortes.
Carretas	Puerta del Sol	Atocha.
Casino	Embajadores	Ventorrillo.
Castro (antes *Abadía*)	Reyes	Dos Amigos.
Catalina (Santa)	Carrera de San Jerónimo ..	Prado.
Cava Alta	Grafal	Puerta de Moros.
Cava Baja	Puerta Cerrada	Puerta de Moros.
Cava de San Miguel	Plazuela de San Miguel ..	Cuchilleros.
Cayetano (San) (véase *Callejón de Embajadores*)..		
Caza	Mayor	Plazuela de Herradores.
Cebada (antes *Viento*) ..	Plazuela de la Cebada ..	Humilladero.
Cedaceros	Alcalá	Carrera de San Jerónimo.
Cenicero (antes *Redondilla Vieja*)	Gobernador	Atocha.
Cervantes (antes *Francos*).	León	Plazuela de Jesús.
Ciegos (Cuesta de los) ...	Segovia	Morería.
Cipriano (San)	María Cristina	Leganitos.
C i u d a d Rodrigo (antes *Nueva*)	Plaza Mayor	Calle Mayor.

Nombres de las calles	Entrada	Salida
Clara (Santa)	Plazuela de Santiago	Plaza de Oriente.
Clavel	Caballero de Gracia	Infantas.
Codo	Plazuela de la Villa	Plazuela del Conde de Miranda.
Cofreros	Puerta del Sol	Zarza.
Cojos	Toledo	Arganzuela.
Colegiata	Plaza del Progreso	Toledo.
Colmillo	Fuencarral	Hortaleza.
Colón	Fuencarral	Plazuela de San Ildefonso.
Coloreros	Mayor	Arco de San Ginés.
Comadre	Esgrima	A las tapias.
Comadre (trav. de la) ...	Jesús y María	Comadre.
Concepción Jerónima... ...	Atocha	Toledo.
Concepción (C.ª de la) ...	Concepción Jerónima	Sin salida.
Conchas (1)	Plazuela de Navalón	Costanilla le los Angeles.
Conde	Cordón	Rollo.
Conde (trav. del)...	Segovia	Conde.
Conde de Barajas...	Puerta Cerrada	Pasa.
Conde Duque	Plazuela de Afligidos	Portillo del Conde Duque.
Conde de Miranda...	Plazuela de San Miguel ...	Plazuela del Conde de Miranda.
Consejos (pretil de los) ...	Plazuela de los Consejos ...	Villa.
Conservatorio (trav. del)...	María Cristina	Reyes.
Cordón (antes *Azotado*) ...	Plazuela de la Villa	Segovia.
Corralón	Flor Alta	Sin salida.
Corredera A l t a de San Pablo	Plazuela de San Ildefonso.	Velarde.
Corredera B a j a de San Pablo	Luna	Plazuela de San Ildefonso.
Correo	Mayor	Paz.
Cosme y Damián (Santos)	Santa Isabel	Salitre.
Costanilla de San Andrés (arco y C.ª de)	Puerta de Moros	Segovia.
Costanilla de los Desamparados	Huertas	Atocha.
Costanilla de San Justo (antes *Tente Tieso*)... ...	Plazuela del Cordón	Segovia.
Costanilla de Santiago ...	Milaneses	Plazuela de Herradores.
Costanilla de San Pedro (antes *Palma*)	Segovia	Plazuela de San Andrés.
Costanilla de San Vicente.	San Vicente	Palma Alta.
Cristo	Amaniel	Limón Alta.
Cristóbal (San)	Mayor	Plazuela de Santa Cruz.
Cruz (2)	Carrera de San Jerónimo.	Plazuela del Angel.
Cruz Verde	Luna	Pez.
Cruz Verde (trav. de la) ...	Cruz Verde	Ancha de San Bernardo.
Cruces (Tres)	Plazuela del Carmen	Jacometrezo.

(1) Se llamó de las Conchas o Veneras por el hospital de peregrinos que estuvo en la casa llamada aun de las Conchas.

(2) Se llamó en lo antiguo del Cerrillo de la Cruz, por haber una pequeña eminencia con una Cruz en el sitio que hoy ocupa el teatro de este nombre y antes la Cárcel de la Corona.

Nombres de las calles	Entrada	Salida
Cruzada	Plazuela de Santiago	San Nicolás.
Cuchilleros	Puerta Cerrada	Escalerilla de Piedra.
Cuesta de la Vega	Plazuela de la Armería ...	
Cueva	Justa	Ancha de San Bernardo.
Cuervo	Estudios	Rastro.
Chinchilla	Abada	Jacometrezo.
Chopa	Santa Ana	Mira el Río Alta.
Dámaso (San)	Estudios	Embajadores.
Daoíz (véase Velarde y Daoíz).		
Desengaño	Fuencarral	Luna.
Desengaño (trav. del)...	Jacometrezo	Desengaño.
Dimas (San)	Palma Baja	A las tapias.
Dimas (callejón de San)... Junto al anterior.		
Divino Pastor	Fuencarral	San Andrés.
Domingo (Santo, cuesta) ...	Plazuela de Santo Domingo.	Plaza de Oriente.
Donados (Santa Catalina)..	Plazuela de idem.	Arenal.
Don Felipe	Plazuela de San Ildefonso.	Madera Alta
Don Pedro	Puerta de Moros	Vistillas.
Dos Amigos	San Bernardino	Plazuela de Leganitos.
Dos de Mayo	San Vicente alta	Velarde y Daoiz.
Dos Hermanas...	Mesón de Paredes	Embajadores
Duda	Mayor	Arenal.
Duque de Alba	Plaza del Progreso	Estudios.
Duque de Liria	Plazuela de Afligidos	Portillo de San Bernardino.
Duque de Nájera	Almudena	Sacramento.
Duque de Osuna	Plazuela de Leganitos	**Príncipe Pío.**
Eguiluz	San Cipriano	Plazuela de Leganitos.
Embajadores	San Dámaso	Portillo de Embajadores.
Embajadores (C.ª de)..	Embajadores	Ribera de Curtidores.
Encarnación...	Plazuela de la Encarnación.	Plazuela de Ministerios.
Encomienda	Mesón de Paredes	Embajadores.
Encomienda (trav. de la)..	Juanelo	Enncomienda
Enhoramala vayas (véase Travesía de la Parada)..		
Escalerilla de Piedra	Plazuela de la Constitución.	Cuchilleros.
Escalinata	Mesón de Paños	Plaza de Isabel II.
Escorial	Corredera Baja de San Pablo	Jesús del Valle.
Escuadra	Torrecilla del Leal	Primavera.
Esgrima	Jesús y María	Mesón de Paredes.
Espada	Plaza del Progreso	Esgrima.
Esparteros	Mayor	Plazuela de Santa Cruz.
Espejo	Santiago	Independencia.
Esperanza	Ave María	Escuadra.
Espino	Provisiones	Barranco de Lavapiés.
Espíritu Santo	Corredera Alta de San Pablo	Ancha de San Bernardo.
Espoz y Mina	Carrera de San Jerónimo.	Cruz.
Estrella	Silva	Ancha de San Bernardo.

Nombres de las calles	Entrada	Salida
Estudios de San Isidro ..	Toledo	San Dámaso.
Estudios de la Villa (véase *Villa*)		
Eugenio (San)	Atocha	Santa Isabel
Factor	Plazuela de los Consejos ...	Rebeque.
Farmacia	Fuencarral	Hortaleza.
Fe	Plazuela de Lavapiés	Salitre.
Felipe Neri (San)	Mayor	Plazuela de Herradores.
Felipe V	Plazuela de Isabel II	Plaza de Oriente.
Felipe III	Mayor	Plaza Mayor.
Flora	Bodega de San Martín ..	Plazuela de los Donados.
Flor Alta	Justa	Ancha de San Bernardo.
Flor Baja	Ancha de San Bernardo ..	Leganitos.
Florida	Hortaleza	San Opropio
Florida (trav. de la)	Florida	San Opropio.
Floridablanca	Plazuela de las Cortes	Sordo.
Florín	Plazuela de las Cortes	Sordo.
Fomento (antes *Puebla*) ..	Cuesta de Santo Domingo.	Río.
Francisco (San) (véase *Carrera*)		
Fresa	Zaragoza	Plazuela de la Provincia.
Francos (véase *Cervantes*).		
Fúcar	Plaza de San Juan	Atocha.
Fúcar (trav. del) antes *Jesús y María*	Fúcar	Leche.
Fuencarral	Montera	Puerta de Bilbao.
Fuentes	Plazuela de Herradores ..	Arenal.
Garduña	Ancha de San Bernardo ..	Parada.
Gato	Cruz	Gorguera.
Gerona	Plazuela de la Provincia ..	Plaza Mayor.
Gerónimo (véase *Carrera de San*)		
Gil Imón (Campillo de) ...	Aguila	Rosario.
Gitanos	Sevilla	Cedaceros.
Gobernador	Costanilla de los Desamparados	Al Prado.
Góngora	Arco de Santa María	Plazuela del Duque de Frías.
Gorguera	Cruz	Plazuela de Santa Ana.
Grafal	Tintoreros	Cava Alta.
Granado	Redondilla	Plazuela de la Morería.
Gravina	Hortaleza	Barquillo.
Greda	Cedaceros	Turco.
Gregorio (San)	Soldado	Belén.
Guardias (trav. de)	Limón Alta	Conde Duque.
Hernán Cortés...	Fuencarral	Hortaleza.
Hermenegildo (San)	Ancha de San Bernardo ...	Amaniel.
Hileras	Plazuela de Herradores ..	Arenal.
Hita	Jacometrezo	Tudescos.
Horno de la Mata	Jacometrezo	Luna.
Hortaleza	Montera	Plazuela de Santa Bárbara.
Hospital (Costanilla)	Atocha	Sin salida.
Huerta del Bayo	Ribera de Curtidores	Peña de Francia.

Nombres de las calles	Entrada	Salida
Huertas	Plazuela del Angel	Al Prado.
Humilladero	Puerta de Moros	Toledo.
Ignacio (San)	Alamo	Travesía del Conservatorio.
Ildefonso (San)	San Eugenio	Santa Inés.
Imperial	Plazuela de Provincia	Toledo.
Independencia	Plazuela de Isabel II	Espejo.
Inés (Santa)	Atocha	Santa Isabel.
Infantas (1)	Fuencarral	Plazuela del Rey.
Infante	Lobo	León.
Inquisición (véase *María Cristina*)		
Irlandeses	Humilladero	Mediodía Chica.
Isabel (Santa)	Plazuela de Antón Martín.	Hospital general, callejón.
Isidro (San)	Angel	Don Pedro.
Jacinto (San)	Abada	Postigo de San Martín.
Jacometrezo	Montera	Plazuela de Santo Domingo.
Jardines	Montera	Angosta de Peligros.
Jesús	Plazuela de Jesús	Plazuela de San Juan.
Jesús del Valle	Pez	Espíritu Santo.
Jesús y María	Plaza del Progreso	Plazuela de Lavapiés.
Joaquín (San)	Fuencarral	Plazuela de San Ildefonso.
Jorge (San)	Caballero de Gracia	Infantas.
José (San)	Huertas	San Juan.
Jovellanos	Sordo	Greda.
Juan (San) (2)	Plazuela de Antón Martín.	Al Prado.
Juan de Dios	San Bernardino	Travesía del Conde Duque.
Juan de Herrera	San Nicolás	Calderón de la Barca.
Juanelo (3)	Mesón de Paredes	San Dámaso.
Justa	Ancha de San Bernardo ...	Estrella.
Justo (San)	Puerta Cerrada	Plazuela del Cordón.
Justo, Costanilla de San (véase *Costanilla*)		
Latoneros	Toledo	Puerta Cerrada.
Lavapies (Real de)	Magdalena	Plazuela de Lavapiés.
Lázaro (San)	Segovia	Cuesta de la Vega.
Lazo	Espejo	Unión.
Leche	Gobernador	Atocha.
Lechuga	Salvador	Imperial.
Leganitos (4)	Plazuela de Santo Domingo.	Plazuela de Leganitos.
Leganitos, callejón...	Plazuela de Leganitos	Sin salida.
Lemus	Espejo	Plazuela de Santiago.
Leña (Trav.)	Plazuela de la Leña	Santa Cruz.
León (del)	Prado	Plazuela de Antón Martín.
Leonardo (San)	San Bernardino	Leganitos.

(1) Esta calle entre las de Fuencarral y Hortaleza se llamó en lo antiguo del Piojo, y su último tercio, de las Siete Chimeneas, por la casa que hoy es del conde de Polentinos, en la cual vivió el ministro Esquilache, y fue célebre por el motín de 1766.

(2) En esta calle nació don Leandro Moratín, en la casa que hace esquina y vuelve a a de Santa María.

(3) Tomó el nombre del ingeniero Juanelo Tursiano, que vivió en ella.

(4) *Leganitos, Leganés,* viene de la palabra árabe *Algannet, Alganit,* significa *huertas, a las huertas.* La alcantarilla fue ejecutada de orden del señor Figueroa, gobernador del Consejo.

Nombres de las calles	Entrada	Salida
Leones	Jacometrezo	Desengaño.
Lepanto	Requena	Plaza de Oriente.
Libertad	Infantas	Santa María del Arco.
Limón alta	San Bernardino	Plazuela del Limón.
Lobo	Carrera de San Jerónimo ..	Huertas.
Lope de Vega ... ..., ...	León	Plazuela de Jesús.
Lorenzo (San)	San Mateo	Hortaleza.
Lucas (San)	San Gregorio	Santo Tomé.
Lucía (Santa)	Tesoro	Palma Alta.
Luciente o Reloj	Humilladero	Tabernillas.
Luna	Horno de la Mata	Ancha de San Bernardo.
Luzón	Plazuela de la Villa	Cruzada.
Luzón (trav.)	Luzón	San Nicolás.
Madera alta	Pez	Espíritu Santo.
Madera baja	Luna	Pez.
Madrid	Plazuela de la Villa	Duque de Nájera.
Magdalena	Plaza del Progreso	Plazuela de Antón Martín.
Majaderitos ancha (véase Barcelona)		
Majaderitos angosta (véase Cádiz).		
Maldonadas	Plazuela del Rastro	Plazuela de San Millán.
Malpica	Plazuela de los Consejos ...	Puerta de la Vega.
Mancebos (Dos)	Redondilla	Plazuela de San Andrés.
Manuel	Plazuela de los Afligidos ..	Travesía del Conde Duque.
Manuela (Cllo. de) (1) ...	Olivar	Lavapiés.
Manzana	Ancha de San Bernardo ..	Alamo.
Marcial (C.ª de San)	Plazuela de San Marcial ...	Costanilla del Príncipe Pío.
Marcos (San)	Hortaleza	Sin salida.
Margarita (Santa) ... ,... .	Cuadra	Plazuela de Leganitos.
María (Santa)	León	Plazuela de San Juan.
María Cristina (2)	Plazuela de Santo Domingo.	Plazuela de los Mostenses.
Martín (Postigo de San). .	Plazuela de San Martín ..	Jacometrezo.
Martín (San)	Arenal	Plazuela de las Descalzas.
Mártires de Alcalá	Plazuela del Seminario ...	Duque de Liria.
Mata (trav. de la)	Horno de la Mata	Olivo.
Mateo (San)	Fuencarral	Plazuela de Santa Bárbara.
Mateo (travesía de San) ...	San Mateo	San Antonio.
Mayor	Puerta del Sol	Plazuela de los Consejos.
Mediodía Grande	Mumilladero	Aguila.
Mediodía Chica...	Mediodía Grande	Calatrava.
Mesón de Paños	Costanilla de Santiago ...	Escalinata.
Mesón de Paredes...	Plaza del Progreso	Barranco de Embajadores.
Miguel (San)	Hortaleza	Caballero de Gracia.
Milaneses	Platerías	Santiago.
Millán (San)	Estudios de San Isidro ..	Toledo.
Minas	Pez	Espíritu Santo.

(1) En él estaba el famoso ventorrillo de Manuela, adonde acudían a beber y solazarse a fines del siglo XVII.
(2) Antes *de la Inquisición*. En la casa número 4 nuevo estaban las prisiones del Santo Oficio.

Nombres de las calles	Entrada	Salida
Minas (Callejón)	Minas	Sin salida.
Ministriles	Calvario	Campillo de Manuela.
Ministriles (Chica de)	Lavapiés	Ministriles.
Mira el Río Alta	Chopa	Arganzuela.
Mira el Río Baja	Mira el Río Alta	Campillo del Mundo Nuevo.
Mira el Sol	Embajadores	Ribera de Curtidores.
Misericordia	Capellanes	Plazuela de las Descalzas.
Molino de Viento	Pez	Don Felipe.
Montera	Puerta del Sol	Fuencarral y Hortaleza.
Monserrat	Ancha de San Bernardo ..	Amaniel.
Morería	Plazuela de la Morería ..	Plazuela del Alamillo.
Morería Vieja	Plazuela de la Morería ...	Cuesta de los Ciegos.
Moriana (trav. de)	Jacometrezo	Tudescos.
Muertos (véase Trujillos)..		
Mundo Nuevo (Campillo del)	Peñón	Arganzuela.
Nao	Travesía de la Ballesta ...	Puebla Vieja.
Negras (véase Sierpe)... .		
Negras	Plazuela de Afligidos	Conde Duque.
Negros	Carmen	Plazuela del Carmen.
Nicolás (San)	Plazuela de los Consejos ...	Cruzada.
Niño (véase Quevedo)		
Niño Perdido	Santa Isabel	Tapias del Hospital.
Noblejas	Reveque	San Nicolás.
Norte	Noviciado	Quiñones.
Noviciado	Ancha de San Bernardo ...	Amaniel.
Nuncio	Puerta Cerrada	San Pedro.
Nuncio (Costanilla del) ..	Nuncio	Costanilla de San Pedro.
Olivar	Magdalena	Plazuela de Lavapiés.
Olivo	Carmen	Desengaño.
Olmo	Olivar	Santa Isabel.
Onofre (San)	Fuencarral	Valverde.
Opropio (San)	Plazuela de Santa Bárbara.	Florida.
Oriente	Humilladero	Tabernillas.
Oso	Mesón de Paredes	Embajadores
Pablo (Corredera de San), véase Corredera.		
Palma Alta	Fuencarral	Ancha de San Bernardo.
Palma Baja	Ancha de San Bernardo ..	Amaniel.
Paloma	Calatrava	Ventosa.
Panaderos	Luna	Pez.
Parada	Flor Baja	Beatas.
Parada (travesía de)	Parada	Ancha de San Bernardo.
Pasa	Conde de Barajas	Plazuela del Conde de Miranda.
Pasión	Embajadores	Ribera de Curtidores.
Pavía	Encarnación	Plaza de Oriente.
Paz (1)	San Ricardo	Plazuela de la Leña.

---

(1) En esta calle estuvo el hospital de la Paz, fundado por la Reina doña Isabel de Valois, o de la Paz.

Nombres de las calles	Entrada	Salida
Peces (de los tres)	Ave María	Santa Isabel.
Pedro (San)	San Juan	Atocha.
Pedro Mártir (San)	Plaza del Progreso	Calvario.
Pedro (Costanilla de San).	Segovia	Plazuela de San Andrés.
Peligros ancha (véase Sevilla).		
Peligros	Alcalá	Caballero de Gracia.
Peligros (travesía de) antes Hita	Alcalá	Sevilla.
Peña de Francia	Rodas	Mira el Sol.
Peña de Francia (Callejón).	Mira el Sol	Sin salida.
Peñón	Santa Ana	Campillo del Mundo Nuevo.
Peralta	Justa	Flor Alta.
Peregrinos	Zarza	Plazuela de Celenque.
Perro (1)	Tudescos	Justa.
Pez	Corredera Baja de San Pablo	Ancha de San Bernardo.
Piamonte	Plazuela del Duque de Frías.	Salesas.
Pingarrona	Jesús y María	Espada.
Príncipe Pío	Plazuela de Afligidos	Duque de Osuna.
Pizarro	Luna	Pez.
Platerías (véase Mayor) ...	A la Plaza	Plazuela de la Villa.
Polonia (Santa)	Santa María	San Juan.
Ponciano	San Bernardino	Travesía del Conde Duque.
Pontejos	Plazuela de Pontejos	Esparteros.
Portillo	Travesía del Conde Duque.	Amaniel.
Pósito	Alcalá	Puerta de Alcalá.
Postas	Esparteros	Plaza Mayor.
Postigo de San Martín (véase San Martín).		
Pozas	Pez	Espíritu Santo.
Pozas (travesía de las) ...	Pozas	Ancha de San Bernardo.
Pozo	Victoria	Cruz.
Prado (calle del)	Plazuela de Santa Ana ...	Plazuela de las Cortes.
Prado (paseo del)	Paseo de Recoletos	Atocha.
Prado (Salón del)	Alcalá	Plazuela de las Cortes.
Preciados (2)	Puerta del Sol	Plazuela de Santo Domingo.
Preciados (callejón de) ..	Preciados	Capellanes.
Pretil de Palacio	Plaza de la Armería	Rebeque y Viento.
Primavera	Esperanza	Ave María.
Príncipe	Carrera de San Jerónimo.	Huertas.
Príncipe (travesía)	Príncipe	Plazuela de Santa Ana.
Priora	Plazuela de Santa Catalina.	Caños.
Procuradores	Plazuela de los Consejos ...	Pretil de los Consejos.
Provisiones	Comadre	Embajadores.
Puebla Vieja	Valverde	Corredera Baja de San Pablo.

(1) Esta calle es la más estrecha de Madrid, y no hay en toda ella ningún portal.

(2) En esta calle y su número 74 nació el desgraciado general don José María Torrijos, fusilado en Málaga en 1831 por intentar restablecer la Constitución. En la fachada de la misma casa hay un medallón con su retrato en relieve y una inscripción que lo recuerda.

Nombres de las calles	Entrada	Salida
Puñonrostro	San Justo	Plazuela del Conde de Miranda.
Quevedo (antes *Niño*) ..	Cervantes	Lope de Vega.
Quiñones	Ancha de San Bernardo ...	Plazuela de las Comendadoras.
Quintín (San)	Plazuela de la Encarnación.	Bailén.
Ramales	Vergara	Santiago.
Ramón (cuesta de)	Segovia	Ventanilla.
Rastro (cerrillo)	Ribera de Curtidores	Peñón.
Rastro (travesía)	Plazuela del Rastro	Embajadores.
Rebeque	Factor	Pretil de Palacio.
Recodo	María Cristina	Flor Baja.
Recoletos (paseo de)	Alcalá	Paseo de Recoletos.
Redondilla	Don Pedro	Mancebos.
Regueros	Belén	Barquillo.
Rejas	Bola	Plazuela de Ministerios.
Relatores	Atocha	Plaza del Progreso.
Reloj	Plazuela de los Ministerios.	Río.
Reloj (travesía)	Fomento	Reloj.
Requena	Ramales	Plaza de Palacio.
Reyes	Ancha de San Bernardo ...	Plazuela de Leganitos.
Reina	Hortaleza	Torres.
Ricardo (San)	Carretas	Correo.
Río	Leganitos	Bailén.
Ribera de Curtidores	Plazuela del Rastro	A las tapias.
Rodas	Embajadores	Ribera de Curtidores.
Rollo	Madrid	Plazuela de la Cruz Verde.
Rompelanzas	Carmen	Preciados.
Roque (San)	Luna	Pez.
Rosa	Ave María	Leal.
Rosal	Parada	Plazuela de los Mostenses.
Rosario	Santos	Portillo de Gil Imón.
Rubio	Pez	Espíritu Santo.
Ruda	Plazuela del Rastro	Plazuela de la Cebada.
Sacramento	Plazuela del Cordón	Plazuela de los Consejos.
Sal	Postas	Plaza Mayor.
Sal si puedes, hoy travesía de las *Beatas*.	Travesía de la Parada	Beatas.
Salesas	Plazuela de las Salesas ..	Sauco.
Salitre	Santa Isabel	Valencia.
Salud	Carmen	Jacometrezo.
Salvador (San)	Plazuela de la Provincia .	Concepción Jerónima.
San Sebastián	Atocha	Plazuela del Angel.
Santiago	Milaneses	Plazuela de Santiago.
Santiago (costanilla)	Plazuela de Herradores ...	Milaneses.
Santiago el Verde	Huerta del Bayo	Casino.
Santisteban (Pretil)	Nuncio	Almendro.
Santos	Angel	A San Francisco.
Sartén	Postigo de San Martín ...	Plazuela de Navalón.
Sauco	Barquillo	Salesas.
Segovia	Puerta Cerrada	Puerta de Segovia.
Sierpe	Toledo	Humilladero.

Nombres de las calles	Entrada	Salida
Sevilla	Alcalá	Carrera de San Jerónimo.
Silva	Plazuela de Santo Domingo.	Luna.
Simón (San)	Ave María	Leal.
Sin puertas	Costanilla de San Pedro ...	Costanilla de San Andrés.
Solana	Paloma	Aguila.
Soldado	San Marcos	Gravina.
Soldado (callejón del) . .	San Marcos	Sin salida.
Sombrerete	Plazuela de Lavapiés	Mesón de Paredes.
Sordo	Cedaceros	Al Prado.
Subida de Santa Cruz (véase Esparteros).		
Tabernillas	Puerta de Moros	Aguila.
Tahona de las Descalzas ...	Peregrinos	Capellanes.
Tente Tieso (véase costanilla de San Justo).		
Teresa (Santa)	Plazuela de Santa Bárbara.	San Antón.
Teresa (costanilla)	Plazuela de Santa Teresa . .	Barquillo.
Ternera (1)	Sartén	Preciados.
Tesoro	Rubio	Pozas.
Tinte	Atocha	Santa Isabel.
Tintes (véase Escalinata) ...		
Tintoreros	Toledo	Puerta Cerrada.
Tío Esteban (callejón) . .	Arganzuela	Sin salida.
Toledo	Plaza Mayor	Puerta de Toledo.
Tomás (Santo)	Plazuela de la Provincia . .	Concepción Jerónima.
Tomé (Santo)	Piamonte	Plazuela de las Salesas.
Torija	Plazuela de Santo Domingo.	Plazuela de los Ministerios.
Toro	Costanilla de San Andrés.	Alamillo.
Torrecilla del Leal	Santa Isabel	Buenavista.
Torres	Alcalá	Infantas.
Torrijos	Amaniel	Conde Duque.
Traviesa	Mayor	Sacramento.
Tribulete	Plazuela de Lavapiés	Embajadores.
Trinitarias (costanilla)	Cantarranas	Huertas.
Trujillos	Flora	Plazuela de Navalón.
Trujillos (travesía)	Plazuela de San Martín ...	Plazuela de Trujillos.
Tudescos	Plazuela de Santo Domingo.	Luna.
Tudescos (callejón de) ...	Tudescos	Sin salida.
Turco	Alcalá	Plazuela de las Cortes.
Unión	Amnistía	Lemus.
Urosas	Atocha	Magdalena.
Valencia	Plazuela de Lavapiés	Portillo de Valencia.
Válgame Dios (véase Gravina).		
Valverde	Desengaño	Colón.
Vega (cuesta de la)	Plaza de la Armería	Puerta de la Vega.
Velarde y Daoiz	Dos de Mayo	Ancha de San Bernardo.
Velas	Toledo	Santa Ana.
Veneras	Preciados	Plazuela de Navalón.

---

(1) En una casa de esta calle murió don Luis Daoiz, herido en el Parque el 2 de Mayo de 1808.

Nombres de las calles	Entrada	Salida
Ventanilla	Segovia	Pretil de los Consejos.
Ventorrillo	Huerta del Bayo	Casino.
Ventosa	Toledo	Campillo de Gil Imón.
Vergara	Plaza de Isabel II	Ramales.
Verónica (véase travesía de *Moriana*).		
Verónica	Fúcar	Alameda.
Veterinaria (costanilla) ..	Plazuela de las Salesas ...	Prado de Recoletos.
Vicario Viejo	Esparteros	Postas.
Vicente (Alta de San) ...	Fuencarral	Ancha de San Bernardo.
Vicente (Baja de San) .	Ancha de San Bernardo ..	Amaniel.
Vicente (costanilla de San).	San Vicente	Palma Alta.
Vicente (paseo de San) ..	Bailén	Puerta de San Vicente.
Vitoria	Carrera de San Jerónimo.	Cruz.
Viento	Factor	Pretil de Palacio.
Villa	Pretil de Consejos	Plazuela de la Cruz Verde.
Visitación	Príncipe	Baño.
Vistillas	Campillo	Portillo de las Vistillas.
Vistillas (travesía)	Campillo de San Francisco.	Vistillas.
Yedra (callejón)	Santa Isabel	A las tapias.
Yerbas	Costanilla de Santiago ...	Sin salida.
Yeseros	Redondilla	Morería.
Zaragoza	Plazuela de Santa Cruz ..	Plaza Mayor
Zarza	Arenal	Preciados.
Zurita	Santa Isabel	Valencia.

PLAZAS Y PLAZUELAS

Nombres de las plazas	Entrada	Salida
Aduana Vieja	Atocha	Plazuela de la Leña.
Afligidos	Leganitos	Duque de Liria.
Alamillo	Alamillo	Morería.
Ana (Santa)	Gorguera	Prado.
Andrés (San)	Carros	Humilladero.
Angel	Carretas	Plazuela de Santa Ana.
Antón Martin	Atocha	Atocha.
Armería	Santa María	Arco de Palacio.
Bárbara (Santa)	Hortaleza	Plazuela de Santa Bárbara.
Bilbao	Infantas	Costanilla de Capuchinos.
Capuchinas	Reyes	San Bernardino.
Carmen	San Alberto	Abada.
Carros	Puerta de Moros	Costanilla de San Andrés.
Catalina de los Donados (Santa)	Costanilla de los Angeles.	Flora.
Cebada	Toledo	Puerta de Moros.
Comendadoras	Quiñones	Amaniel.
Concepción Jerónima	Concepción Jerónima	Sin salida.
Conde de Barajas	Conde de Barajas	Pasa.
Conde de Miranda	Conde de Miranda	Pasa.
Consejos	Mayor	Santa María.
Constitución (plaza de la, véase *Mayor*).		
Cordón	San Justo	Sacramento.
Cortes	Carrera de San Jerónimo .	Prado.
Cruz Verde	Segovia	Villa.
Descalzas Reales	Misericordia	San Martín.
Domingo (Santo)	Preciados	Cuesta de Santo Domingo.
Duque de Alba	Duque de Alba	Sin salida.
Duque de Frias	Góngora	San Lucas.
Duque de Liria	San Bernardino	Portillo.
Encarnación	Biblioteca	Encarnación.
Gato	Noviciado	Plazuela del Conde Duque
Ginés	Coloreros	Bordadores.
Granado	Granado	Mancebos.
Herradores	San Felipe Neri	Fuentes.
Humilladero	Humilladero	Plazuela de San Andrés.
Ildefonso (San)	Barco	Corredera Alta de San Pablo.
Isabel II	Arenal	Teatro de Oriente.
Javier (San)	Conde	Sin salida.
Jesús	Cervantes	Cantarranas.
Juan (San)	Santa María	Fúcar.
Lavapiés	Lavapiés	Valencia.
Leganitos	Leganitos	Reyes.
Leña	Aduana Vieja...	Santa Cruz.
Limón	Amaniel	Conde Duque.

Nombres de las plazas	Entrada	Salida
Marcial (San)	Leganitos	Bailén.
María (Santa)	Almudena	Armería.
Martín (San)	Postigo	Bajada.
Matute	Huertas	Atocha.
Mayor (entre las calles Mayor, Atocha y Toledo).		
Miguel (San)	Platerías	Cava de San Miguel.
Millán (San)	Estudios	Plazuela de la Cebada.
Ministerios	Torija	Bailén.
Morería	Granado	Caños viejos.
Mostenses	María Cristina	Alamo.
Nicolás (San)	San Nicolás	Plazuela del Biombo.
Paja	Costanilla de San Andrés.	Callejón de San Andrés.
Palacio	Arco	Palacio Real.
Pontejos	Pontejos	Paz.
Progreso	Magdalena	Duque de Alba.
Provincia	Santa Cruz	Imperial.
Puerta Cerrada	Cava de San Miguel	Segovia.
Puerta de Guadalajara ...	Ciudad Rodrigo	Milaneses.
Puerta de Moros	Humilladero	Don Pedro.
Puerta del Sol	Alcalá	Mayor.
Rastro	Cuervo	Ribera de Curtidores.
Rey	Infantas	Barquillo.
Salesas	Santo Tomé	Costanilla de Veterinaria.
Santa Cruz	Esparteros	Plazuela de la Provincia.
Santiago	Santiago	Cruzada.
Seminario	Duque de Liria	Mártires.
Trujillos	Travesía	Trujillos.
Villa	Mayor	Cordón.
Zelenque	Arenal	Capellanes.

INDICE